MART

De afspraak

D0100415

Van dezelfde auteur:

Onweerlegbaar bewijs
De hoofdgetuige
Valse getuigenis
De rechter
De advocaat
De gezworenen
De afspraak

www.uitgeverij-m.nl

De website van Uitgeverij M bevat informatie over auteurs, boeken en voordeelcoupons, nieuws, leesproeven, voorpublicaties en ledenpagina's voor de lezers van *de Thrillerkrant* en *Science Fiction & Fantasy WARP*. De pagina wordt wekelijks ververst en aangevuld.

STEVE MARTINI

De afspraak

Oorspronkelijke titel: The Arraignment (Penguin Putnam)
Vertaling: Hugo Kuipers
Omslagontwerp: Studio Eric Wondergem BNO
Omslagillustratie Getty Images / Colin Hawkins

Tweede druk

ISBN 90-225-3489-8

© 2003 by Steve Paul Martini, Inc.
© 2003 voor de Nederlandse taal: De Boekerij bv, Amsterdam
Uitgeverij M is een imprint van De Boekerij bv, Amsterdam

Niets uit deze uitgave mag worden verveelvoudigd en/of openbaar gemaakt door middel van druk, fotokopie, microfilm of op welke wijze ook zonder voorafgaande schriftelijke toestemming van de uitgever.

I

Nicks kantoor bevindt zich op de zesde verdieping, de onderste van Rocker, Dusha en DeWine, in advocatenkringen beter bekend als RD&D. Het is het grootste advocatenkantoor van de stad, met meer dan driehonderd advocaten en met kantoren in nog drie andere steden.

Nick werkt hier nog maar twee jaar en hij heeft al een hoekkantoor en twee jonge collega's die onder zijn leiding werken. Het is net een minifirma binnen de firma.

Zijn kantoor is stijlvol ingericht door Dana, Nicks kersverse echtgenote. Haar invloed is overal te zien, van de Perzische tapijtjes tot de artistieke aardewerken vazen in de nissen achter zijn gecapitonneerde leren stoel en aan het ringetje door zijn neus.

Nick Rush mag dan sinds kort een sexy echtgenote hebben, hij is toch nog dezelfde man die ik al meer dan tien jaar ken. Als hij praat, bungelt er een sigaret aan zijn onderlip, en hij morst nu as op het dure leren vloeiblad van zijn bureau. Nick mag er dan niet echt als een advocaat uitzien, maar mensen luisteren naar hem als hij iets zegt.

Hij veegt de as met de rug van zijn hand weg en kijkt naar de schroeivlek op het nieuwe leer.

'Als ze dat ziet, vermoordt ze me,' zegt hij. Hij heeft het over Dana. Hij doet een beetje spuug op zijn vinger en probeert iets aan de vlek te doen.

'Ik moet hier roken. Dana wil het thuis niet hebben. Ze zegt dat de lucht in het meubilair en in haar kleren trekt. Ik ruik het niet. Maar ja, ik ruik helemaal niet veel meer.'

Hij neemt een flinke trek van de sigaret en krijgt meteen een hoestbui.

'De eerste van vandaag.' Hij zegt dat tussen het hoesten door, met die sigaret nog in zijn mondhoek. 'Ze heeft gelijk.' Hij neemt de sigaret uit zijn mond, kijkt er even naar en steekt hem dan weer tussen zijn lippen. 'Die troep maakt je kapot. Dat zal me leren met een binnenhuisarchitecte te trouwen.'

Hij zegt niets over het feit dat hij twintig jaar ouder is dan zijn vrouw. Hij kijkt me aan om te zien of ik met hem meevoel. Maar daarvoor is hij aan het verkeerde adres.

Mijn eigen kleine praktijk, Madriani en Hinds, is bij lange na geen concurrent van RD&D. Mijn collega Harry Hinds en ik hebben sinds twee jaar een rustig bungalowkantoor ergens in het groen tegenover Hotel Del Coronado. We hadden goed verdiend aan een grote schadevergoeding in een civiele zaak, en omdat we ergens anders een nieuwe start wilden maken, hadden we de praktijk van Capital City daarheen verhuisd. Sindsdien waren mijn vijftienjarige dochter Sarah en ik helemaal gewend geraakt aan Coronado en omgeving. Sarah heeft geen moeder meer. Nikki is een paar jaren geleden aan kanker gestorven.

Ik ben vandaag naar RD&D gegaan omdat ik een telefoontje kreeg van een vriend. Nick is in de vijftig. De lucratiefste jaren voor een advocaat. Oud genoeg om de dingen goed te kunnen beoordelen en nog jong genoeg voor het zware werk in de rechtszaal. Hij denkt dat het verstandig van hem was om voor RD&D te gaan werken. Ik betwijfel dat. Nick lijkt in de afgelopen twaalf maanden tien jaar ouder te zijn geworden.

Toen hij daar in dienst kwam, hadden ze hem verzekerd dat hij civiele processen zou mogen voeren. In plaats daarvan hebben ze hem bedolven onder witteboordencriminaliteit. Dat is een groeisector in de advocatuur, net als faillissementen. In beide gevallen heb je te maken met het creatief boekhouden dat grote ondernemingen de afgelopen tien jaar aan de dag hebben gelegd. De ik-generatie die in de jaren zestig is geboren, komt steeds meer in de problemen.

Nick heeft de afgelopen twintig jaar de nodige ervaring opgedaan met criminaliteit in het bedrijfsleven, eerst op het openbaar ministerie en toen in zijn eenmanspraktijk. Er gaan geruchten dat Nick bij een andere firma kon komen maar toch bij RD&D besloot te blijven. Ik denk dat als je het naging Nick zelf degene zou blijken te zijn die zulke geruchten in omloop heeft gebracht.

De firma zocht een steun en toeverlaat voor de respectabele zakenman die een enkel foutje heeft gemaakt en tussen de kieren door is gevallen, de sympathieke beleggingsadviseur die jouw geld liever in zijn nieuwe jacht belegt dan in de aandelen waarover hij je heeft verteld en die vervolgens zelf aandelen drukt om je iets te geven wat je in je safe kunt leggen. Nick wil zoiets nauwelijks criminaliteit noemen.

'Ze zouden me steeds meer aan civiele zaken laten werken, maar zoals je ziet, is dat niet gebeurd.' Hij wijst naar de dossiers die een meter hoog tegen een van de muren liggen opgestapeld.

'Ze kunnen de dossierkasten niet snel genoeg aanslepen. We hebben de afgelopen twee maanden meer omzet gedraaid dan alle andere afdelingen. Ik heb tegen ze gezegd dat ik hulp nodig heb. Ze zeggen dat ik mijn mensen harder moet laten werken. Als ik vijftig uren per dag kon schrijven, zou ik het doen. Kruimelzwendel,' noemt hij het. 'Consumentenbedrog. Criminaliteit van niks. Ze zouden je een plastic ring en een speciale decodeerknop moeten geven voordat ze je van dat soort onzin beschuldigen. Ik zweer je, van de helft van die zaken wist ik niet eens dat het illegaal was voordat ik hier kwam werken.'

'Waarom ga je niet weg? Waarschijnlijk zou je je eigen salaris kunnen invullen.'

'Te veel geïnvesteerd. Ik zou ergens anders helemaal opnieuw moeten beginnen. Daar ben ik te oud voor. Ik heb een vrouw die wil dat ik zijden sokken draag als ik naar de rechtbank ga, en dat ik tegen verzekeringsmaatschappijen procedeer, want dan kan ze zonder te liegen onder een diner tegen haar vriendinnen zeggen dat haar man in het ondernemingsrecht zit. Ik weet dat ik volgens jou gek ben omdat ik hier zit. En omdat ik ben gescheiden en hertrouwd.'

'Ik heb niks gezegd.'

'Je zwijgen is oorverdovend,' zegt hij.

'Ik ben je therapeut niet.'

'Dat weet ik. Hij zegt het tegen me als ik iets verkeerd doe. Nou ja, misschien heb ik een paar stomme zetten gedaan. "Stom" is het woord dat het eerst in je opkomt, nietwaar?' Hij kijkt nog eens naar mijn gezicht en voegt er dan aan toe: 'Goed, dat "misschien" kan ik wel weglaten. Maar het is nu eenmaal gebeurd. Voorbij. Het is niet meer ongedaan te maken. Aan mijn privé-leven is niets te veranderen. Maar mijn werk, mijn carrière, daar zit nog wel beweging in.'

Dat klinkt optimistischer dan ik in lange tijd bij Nick heb meegemaakt. Hij is het soort advocaat dat in zijn element is als hij veel te veel zaken heeft.

'Ik wou dat jij mijn therapeut was,' zegt hij. 'Je zou eens naar hem toe moeten gaan. Ik ga elke week. Het is net of ik naar de tandarts ga, alleen laat ik in mijn hersenen boren, zonder verdoving. Ik zeg tegen hem dat ik me vrij goed voel en dat ik graag verder wil gaan met mijn leven. Hij zegt dat ik het hoofdstuk Margaret moet afsluiten nu ik van haar gescheiden ben. Ik zeg tegen hem dat ik het al heb afgesloten toen haar advocaat op de alimentatiezitting een puntige staak in mijn reet stak. Alsof dat nog niet genoeg was, pikte ze elke cent in die ik had. Ik zeg tegen hem dat ik dat hoofdstuk zo goed heb afgesloten dat het nooit meer open kan. En dan zegt hij, let op, dan zegt hij dat ik de scheiding moet verwerken, dat ik over mijn schuldgevoelens heen moet komen. Ik zeg tegen hem dat ik helemaal geen schuldgevoelens heb. Hij zegt dat ik ze zou moeten hebben, want anders kan ik me niet in de belevingswereld van anderen verplaatsen. En daar rekent hij me dan honderdvijftig dollar per uur voor.'

'Ga dan niet meer naar hem toe.'

Hij kijkt me door de sigarettenrook aan en trekt een grimas zoals je van Robert De Niro zou verwachten. 'Dan zou ik me waarschijnlijk schuldig voelen,' zegt hij. 'Mijn ouweheer zei altijd dat verdriet goed is voor de ziel. Ik weet het; dat is net zo onzinnig als dat ik voor deze klotefirma ben gaan werken. Maar je maakt je bed op en dan moet je er ook in slapen. En als dat dan toevallig naast een zesentwintigjarige vrouw met een ongelooflijk achterste is, wat kan ik dan zeggen?' Hij lacht. De prijs die Nick voor zijn genot betaalt.

Hij kijkt me over zijn halve leesbrilletje aan. Hij draagt een pak van drieduizend dollar, maar hij heeft roos op zijn schouders en sigarettenas op zijn das, en hij heeft ook een gerimpeld bruin voorhoofd dat in een kalende kruin overgaat, al probeert hij dat te camoufleren met zijn laatste slierten zwart haar.

'Mensen raken van elkaar vervreemd. Je kunt het een midlifecrisis noemen. Je kunt het een tweede jeugd noemen. Je kunt het noemen wat je wilt. Ik kreeg jeuk. En ik krabde.'

Zo beschrijft hij een snoepreisje van twee weken in het Caribisch gebied, een reisje met Dana, die op een dag naar de firma kwam om nieuwe vloerbedekking en meubelen voor het kantoor te kiezen en nooit meer wegging. En het was niet de eerste keer dat Nick jeuk had.

Hij ging met Dana naar Nevis en St. Lucia, en toen naar Belize en weer naar de Bahama's, met steeds een kleine voorsprong op de privé-detective die Margaret had ingehuurd om hem op te sporen. Ik weet niet wat Dana aan haar werkgever vertelde. Misschien nam ze vakantiedagen op of dacht ze dat ze Nick al aan de haak had geslagen en toch niet meer hoefde te werken.

De privé-detective kreeg ze in Nassau te pakken. Al die tijd was Nick officieel op een advocatencongres in New Orleans, op kosten van de firma.

'Heb jij het ooit met iemand van zesentwintig gedaan?' vraagt hij mij. Dat komt zomaar uit het niets.

'Toen ik zesentwintig was.'

'Nee. Nee. Ik bedoel nu?'

Ik weet wat hij bedoelt, maar Nick kennende weet ik ook dat het een retorische vraag is. Ik heb hem dit tegenover jury's zien doen als hij voor geld, veel geld, de zaak van een cliënt bepleitte. Met die kleine kraaloogjes van hem boorde hij gaten in die juryleden, en al die tijd glimlachte hij, al wist je dat er geen enkele humor achter die glimlach school.

Als Nick je een vraag stelt – bijvoorbeeld: 'Hoe weet je zeker dat de lucht niet groen is?' – verwacht hij nooit een antwoord. Hij wil dat je je rationele gedachteprocessen helemaal aan hem overlevert. Heeft hij eenmaal voor elkaar dat je je eigen logica in twijfel trekt, dan kan hij je gemakkelijk laten geloven dat je cliënt in de lucht kan zweven.

In dit geval streeft hij naar absolutie door middel van het zwijgen van een andere advocaat. Ook als ik het de laatste tijd niet met iemand van zesentwintig heb gedaan, kan Nick zich troosten met de gedachte dat ik dat graag zou willen.

'En dus huurt Margaret de duivel in,' zegt hij, 'een of andere rotzak van een scheidingsadvocaat uit Los Angeles die me aan een paal boven op een mierenhoop probeert te binden. En hoorden ze mij klagen?'

Het feit dat hij dat op dit moment doet, gaat volkomen aan hem voorbij.

'Nee. Ik voldoe gewoon de rekening en beschouw dat als de prijs die ik moet betalen omdat ik verder wil gaan met mijn leven.'

Als ik op de wallen onder zijn ogen mag afgaan, kon dat 'verdergaan met zijn leven' hem wel eens fataal worden. Nicks gezicht is een neergaande grafiek van slaapgebrek. Of hij nu te hard werkt om de alimentatie te kunnen betalen of zich 's nachts te veel met Dana amuseert – ik zou het niet kunnen zeggen. Een van die twee, of de combinatie, wordt zijn dood.

'Als jij zo'n jeuk had,' zegt hij, 'zou je dan niet krabben? Iedereen toch, met normale seksuele verlangens,' gaat hij verder, alsof ik er niet ben.

Nick denkt dat ik mijn eigen avontuurtjes heb gehad, misschien in een vorig leven, voordat ik weduwnaar werd, al heb ik nooit over zulke dingen met hem gepraat. Het is de reden waarom hij mij van tijd tot tijd bij zich laat komen. Ik ben goedkoper dan die therapeut van hem, en hij kan de dingen die ik zeg gemakkelijker negeren, want ik ben niet getraind in dat soort zweverige dingen. Omdat ik iemand van buiten zijn kantoor ben, kan hij veilig bij me uithuilen.

Zoals hij daar tegenover me zit, zien zijn bruine ogen eruit alsof ze achter dik gaas in een hondenasiel thuishoren. Er zitten van die wallen onder zoals bassets hebben.

Dana, de nieuwe mevrouw Rush, is slank en blond en tien centimeter groter dan Nick. Ze heeft het frisse, kwieke uiterlijk van een model dat op weg is een filmster te worden. En als ik ook maar een beetje mensenkennis heb, weet ze hoe je de laddersporten van het leven moet beklimmen. Ik heb haar nu drie keer ontmoet, en elke keer keek ze me bij het afscheid aan alsof ze iets met me wilde. Maar ja, ik denk dat in Dana's geval de meeste mannen die illusie koesteren en hopen dat hun fantasie op een dag werkelijkheid wordt.

Dana heeft een stijl die uitschreeuwt dat ze de hoofdprijs in de loterij is. Lang en gebruind als ze is, met een glimlach die straalt als een kernreactor, kan ze het vuur van het mannelijk ego al laten oplaaien met niet meer dan een vluchtige blik in een kamer waar nog veel meer mensen zijn. En misschien kijkt ze dan wel gewoon op de klok die achter je aan de muur hangt, bang dat ze te laat komt voor een afspraak om haar nagels te laten doen.

Nick ontmoette haar voor het eerst op een politieke geldinzamelingsactie. Hij liet zijn hersenen tegelijk met de fooi op de tafel achter en begon met zijn pik te denken. Hij liet haar zijn kantoor opnieuw inrichten, en de rest is geschiedenis. Hij loopt nu al bijna twee jaar in die tredmolen en begint ernstige slijtageverschijnselen te vertonen.

'Jij zou krabben. Ja?'

'Wat?' Ik kijk hem aan.

'Die jeuk? Zeg dat je zou krabben,' zegt hij, 'anders ga ik nog denken dat ik je libido verkeerd heb ingeschat.'

Ik kijk hem nietszeggend aan.

'Nou, zeg dan dat je niet zou krabben.'

'Ze is jouw vrouw,' zeg ik tegen hem. 'Ik zou niet krabben.'

'Maar als ze niet mijn vrouw was?'

'Ik geloof niet dat ik jouw uithoudingsvermogen heb.'

Hij lacht. 'Je moet je tempo beheersen. Dat is het grote geheim.'

'Dat moet je me dan maar eens laten zien.'

'Nou, goed. Ik geef toe dat het een probleem kan zijn.' Hij kijkt me aan. Laat een wenkbrauw rimpelen. Rimpels op rimpels. 'Evengoed: als je toch moet, hoe kun je het dan beter doen?'

Het is het soort uitdrukking dat je van Nick te horen krijgt voordat hij je vertelt hoeveel honorarium je hem moet betalen, en je moet hem altijd vooruit betalen. Voor Nick is het bijna een geloofskwestie om na te gaan waar het geld van zijn cliënten vandaan komt, want hij wil er zeker van zijn dat het niet door de overheid wordt geconfisqueerd omdat het onrechtmatig is verkregen.

'Ze wil dat ik ermee stop,' zegt hij.

Nu kijk ik op. Nick ziet dat.

'Niet met de advocatuur,' zegt hij, 'alleen met de grote strafzaken. Dus het komt van twee kanten. De firma belazert me en Dana zet me onder druk.' Hij pakt een potje maagtabletten uit zijn bureau, schroeft de dop eraf, strooit er een paar in zijn hand zonder ze te tellen en gooit ze in zijn mond, kauwend en slikkend, met een grote slok koffie erachteraan.

Als hij klaar is met kauwen en slikken, begint hij meteen weer over Dana. 'Ze is kwaad omdat ze hun beloften niet zijn nagekomen. Ze wil dat ik met Tolt ga praten. Dat ik ga eisen dat ik de grote civiele zaken krijg. Alsof hij die aan mij zou geven. Hij heeft de pest aan me.'

'Waarom?'

'Weet ik niet.'

'Er zal toch wel een reden zijn?'

'Hé, jij kent me toch? Altijd even rustig. Gemoedelijk. Ik ben de beste maatjes met iedereen. Ik leer hoe je carrière maakt. Misschien geloof je het niet, maar ik ben discreet, diplomatiek, politiek aan het worden,' zegt hij.

'Je bent je mes in iemands rug kwijtgeraakt?'

'Nou begin je alweer. Deze hond probeert nieuwe trucjes te leren en jij zit me de hele tijd af te kammen.'

'Nee, ik ken die hond. Hij zegt misschien wel dat het een struik is, maar in werkelijkheid probeert hij tegen mijn been te pissen.'

'Hoe kun je dat nou zeggen? Er is sprake van dat sommige partners me in het bestuur willen zetten.'

'Ik neem aan dat je het nu over de partners hebt wier foto aan de muur bij de receptie hangt, met onder hun namen de jaartallen tussen vierkante haken?'

'Ik meen het,' zegt hij.

'Ik weet dat je het meent. Daar maak ik me nu juist zorgen over. Als je dat meent, begin je te dementeren.'

'Denk je?'

'Nick, als ze jou in een bestuur willen hebben, welk bestuur dan ook, roepen ze de anarchie over zich af. De enige bestuurlijke functie waar jij geschikt voor bent, is die van keizer, en dan nog alleen in de hel en alleen met tralies voor de ramen.'

Hij lacht. 'Nou, ze denken erover. Tolt is de enige die in de weg staat. Het schijnt dat de helft van de mensen hier op het punt staan om weg te lopen.' Hij zegt dat met een beetje leedvermaak, alsof het zijn uiteindelijke doel is om de firma waar hij zelf voor werkt tot de grond toe plat te branden. Nick kickt op bloed, vooral dat van iemand anders.

'Je hebt dit niet van mij, maar ze zijn woest op hem.' Hij heeft het over Tolt. 'Er gaat een gerucht dat we geen eindejaarspremie krijgen. Hij wil alles in een nieuw kantoor in Chicago pompen. Ze hebben al te veel bankkrediet. Dat krijg je als je te snel groeit,' zegt hij. 'Als ik hier maar lang genoeg blijf en Tolt creatief gaat boekhouden, krijg ik hem misschien nog als cliënt.'

Dat zijn maar fantasieën van Nick. Adam Tolt is de bestuursvoorzitter van de firma, in feite dus de opperbaas, Jahweh, de hogere macht in wat nu Nicks universum is. Hij geeft leiding aan het bestuur, maar volgens iedereen die Tolt kent is hij degene die de beslissingen neemt. Hij is commissaris bij tien ondernemingen, waarvan twee in de Dow Jones.

'Wat heb je tegen Dana gezegd?'

'Dat ik ermee bezig ben. Dat ze een beetje geduld moet hebben. Als je maar rustig afwacht, komt alles goed.'

'Is dat ook iets wat je ouweheer altijd zei?'

'Ik las het op zo'n labeltje aan iemands teen in het lijkenhuis. Hij zat op de rails toen hij onder een trein kwam, en ze konden alleen nog een voet van hem vinden.'

Ik weet dat het verhaal waar is. De anekdotes van een lijkschouwer.

'Trouwens, ik heb een paar ijzers in het vuur.'

'Wat dan?'

'Ik kan er nu niet over praten.' Bij Nick is het altijd een groot raadsel. De volgende grote coup in zijn leven.

'Nou, in ieder geval deed ze niet moeilijk over Margaret,' zegt hij. 'Wat ik ook wilde doen, het was allemaal best, zolang we de rekeningen maar konden betalen.'

'Het lijkt wel of je spijt hebt dat je bij Margaret weg bent.'

'Eén keer per maand, niet vaker,' zegt hij. 'Als ik de alimentatie overmaak.' Dan denkt hij even na. 'Nee. Dat is niet waar. Soms zie ik haar in mijn dromen,' zegt hij. 'Dan komt ze met een bijl op me af.' Nick lacht altijd op dezelfde manier om zoiets, een schel, schril giechellachje dat je niet zou verwachten van zo'n grote kerel met zo'n dikke buik. De echtscheidingsprocedure was een gevecht op leven en dood.

'Er is een oud gezegde: de waarheid maakt je vrij,' zegt Nick. 'Ik ben daar het levende bewijs van. Ik heb haar de waarheid gezegd, en ze liet zich van me scheiden. Maar in ieder geval ben ik fluitend bij haar weggegaan.'

Hij glimlacht nu. Nick is niet bepaald in stijl vertrokken. De hele stad praatte erover. Geen kroeg of er werd over hem geroddeld. Iemand die zo welbespraakt was dat hij notoire oplichters en fraudeurs vrijgesproken kon krijgen, zag geen kans om zijn echtgenote te vertellen dat hij een andere vrouw wilde.

Zelfs toen ze hem met Dana had betrapt, was Margaret bereid hem te vergeven. Maar Nick vond een manier om haar tegen zichzelf te beschermen: met de tekst van een nummer van Paul Simon – '*Fifty ways to leave your lover*' – op een oude draaitafel en een afscheidsbriefje op de plank daarboven.

Margaret nam wraak in de echtscheidingsprocedure. Nick moet waarschijnlijk tot over zijn tachtigste blijven werken om de rekeningen te kunnen betalen, al vermoed ik dat zijn bruto jaarinkomen boven het miljoen ligt. Waarschijnlijk zit hij nu al in grote financiële moeilijkheden.

'Je zult je wel afvragen waarom ik je heb gevraagd bij me te komen.' Hij komt terzake.

De haartjes in mijn nek gaan overeind staan. Nick wil me om een gunst vragen.

'Laat ik eerst zeggen dat niet ik dit van je vraag, maar Dana.'

'Dat maakt het gemakkelijker voor mij om nee te zeggen,' merk ik op.

'Wees nou eens aardig. Ze mag je graag. Ze heeft me voorgesteld het aan jou te vragen.'

Nu begin ik me zorgen te maken.

'Ze heeft een vriend. Die vent zit samen met haar in de kunstcommissie van de gemeente. Het schijnt dat hij betrokken is geraakt bij een zaak die voor een onderzoeksjury komt.'

Ik schud al met mijn hoofd.

'Luister nou. Niet meteen zo negatief,' zegt hij. 'Laat me even uitpraten. Die man is alleen maar een getuige. Misschien zelfs dat nog niet eens. Hij heeft nog geen dagvaarding gekregen.'

'Waarom heeft hij dan een advocaat nodig?'

'Nou, hij denkt dat hij er nog een krijgt. Ja, ik weet het. En ik zou dit anders niet aan jou vragen, maar ik zou zelf met tegenstrijdige belangen te maken krijgen. Ik kan hem niet vertegenwoordigen. De man zit in zaken.'

'Het Colombiaanse kartel zit ook in zaken. Het is niets persoonlijks,' zeg ik tegen hem.

'Voorzover ik weet, heeft hij nooit iets gedaan. Geen strafblad. Hij is aannemer.'

Nick kennende, vermoed ik dat de man tunnels boort onder de grensovergang bij San Ysidro. Nick zou tegen een jury zeggen dat zijn cliënt naar olie aan het boren was, en waarschijnlijk zouden ze hem nog geloven ook.

'Waarom zou het Openbaar Ministerie met een aannemer willen praten?'

'Ze maken zich weer eens druk om geld dat zou worden witgewassen. Meer weet ik er niet van. Misschien dat een van hun informanten wat onzin heeft uitgekraamd. De federale diensten zijn daar op gezette tijden mee bezig. Het is een cyclisch verschijnsel,' zegt hij. 'Een van hun informanten heeft een slechte trip, begint te hallucineren, en vijf federale diensten draaien overuren. Het schijnt dat ze het vooral op de mensen in Mexico hebben voorzien.'

'Wat voor mensen in Mexico?'

'Je kunt alle details te horen krijgen als je met die man gaat praten.'

'Vooropgesteld dat ik met hem ga praten.'

'De naam van Dana's vriend.' Hij gaat niet op mijn woorden in. 'Eigenlijk is hij niet eens een vriend. Ze heeft hem nog maar een paar maanden geleden ontmoet. Het schijnt dat zijn naam is genoemd door een andere getuige op een zitting van de onderzoeksjury.'

'Hoe is dat gebeurd? Of sterker nog: hoe weet jij wat een getuige tegen een onderzoeksjury heeft gezegd? Ik weet niet beter of ze doen de deuren op slot en trekken de luxaflex dicht als een onderzoeksjury zitting heeft.'

'Vraag me geen dingen die ik niet weet,' zegt hij. 'Hé, als ik werd gedagvaard om voor een onderzoeksjury te verschijnen, zou ik op het eind waarschijnlijk jouw naam noemen.'

'Je wordt bedankt.'

'Nee. Ik meen het. Als ik tegen ze zei: "Ik ging lunchen met mijn vriend Paul," zou de FBI waarschijnlijk meteen in je vuilnis gaan wroeten. Ze doen niet anders. Ze zitten twee jaar achter je aan, spitten je tuin om, praten met al je vrienden, zeggen tegen je baas dat hij zich nergens zorgen over hoeft te maken, ze willen alleen even in je bureau kijken of daar heroïne in ligt. En dan stoppen ze. Er wordt niemand in staat van beschuldiging gesteld en niemand komt ooit te weten wat er aan de hand was. Natuurlijk sleuren al je buren hun kinderen het huis in en trekken ze de gordijnen dicht en doen ze de ketting op de deur zodra ze je over straat zien lopen. Maar zo is het leven in een democratie, nietwaar?'

Ik vraag me nog steeds af wat dat voor lui in Mexico zijn.

'Hoor eens. Het enige dat ik van je vraag, is dat je met die man gaat praten. Waarschijnlijk lost het probleem zichzelf op. Het is sterk de vraag of ze hem dagvaarden.'

'Een paar seconden geleden waren ze nog in mijn vuilnis aan het wroeten.'

'Ja, maar jij bent niet zo brandschoon als die kerel. Zeg, hij heeft alleen maar iemand nodig die zijn hand vasthoudt.'

'Het lijkt me een ideale zaak voor jou. Het zou iets nieuws voor je zijn,' zeg ik. 'Je zei dat hij een zakenman was.'

'Ik zou het ook doen, als ik kon. Maar ik zit met tegenstrijdige belangen. Ons kantoor heeft een paar jaar geleden een civiele zaak tegen zijn bedrijf gevoerd. Weet je wat het is? Dana heeft nogal opgeschept over haar man de advocaat. Ze zit nog maar kort in die kunstcommissie. Ze wilde een goede indruk maken. Dus toen die kerel haar over zijn juridische problemen vertelde, zei ze: "Ik zal zorgen dat mijn man met je praat." Maar nu blijkt dat niet te kunnen. Wat kan ik anders? Moet ik haar gezichtsverlies laten lijden?'

Dana kennende, neem ik aan dat die kerel haar probeerde te versieren. Ik zeg dat niet tegen Nick.

'Ze probeert indruk te maken,' zegt hij. 'Daar komt nog bij dat die man erg vrijgevig is. Hij schenkt grote bedragen aan goede doelen.'

'Als hij zo'n filantroop is, waarom wil de onderzoeksjury dan met die broeder Teresa praten?'

'Waarschijnlijk is het niets.'

Nick merkt dat ik al bijna ja heb gezegd.

'Je zou me een grote dienst bewijzen. Ik zou je eeuwig dankbaar zijn,' zegt hij. 'Nou ja, dat is misschien een beetje overdreven.'

'Je bedoelt dat ik Dana een grote dienst zou bewijzen.'

'Dat komt op hetzelfde neer.'

Ik zie al helemaal voor me dat hij haar vanavond naar bed leidt terwijl hij in haar oor fluistert dat hij haar vriend heeft geholpen, hem in goede handen heeft achtergelaten, en al die tijd alleen maar denkt aan de beloning die hem te wachten staat.

'Hoe heet hij? Die cliënt?' Ik kreeg een van zijn visitekaartjes en een pen om een notitie te maken.

'Gerald Metz. Ik zal hem vragen je te bellen.'

'Geen drugs, Nick. Ik doe geen drugszaken. Dat weet je.'

'Ik weet het. Het gaat niet om drugs. Geloof me. Voorzover ik weet, heeft hij niets gedaan. Zijn naam is gevallen omdat hij een keer zaken heeft gedaan met bepaalde mensen. Je weet toch hoe dat gaat?'

'Ik weet hoe het gaat.' Ik steek mijn hand op om hem tot zwijgen te brengen voordat hij helemaal opnieuw kan beginnen. Hoofdstuk twee: Rush over de burgerrechten.

'Luister naar zijn verhaal, zeg tegen hem dat hij zich geen zorgen hoeft te maken, en stuur hem een fikse rekening,' zegt hij.

'En als de onderzoeksjury hem oproept? Weet hij dat ik niet met hem mee kan gaan als hij voor de jury moet verschijnen?'

'Nu loop je wel erg op de zaak vooruit. Ach, als hij wordt opgeroepen, vertel je hem welke rechten hij heeft. Dat hij een beroep op het zwijgrecht kan doen.'

'Ik dacht dat je zei dat hij niets had gedaan?'

Nick kijkt me weer met dat beroemde glimlachje van hem aan. 'Waarom zou iemand een advocaat nodig hebben als hij echt helemaal niets heeft gedaan?' Dan lacht hij. 'Ik maak maar een grapje.'

'Nick!'

'Zeg, ik moet nu gaan. Ik heb een cliënt die op me zit te wachten. Ik ben al laat. Maar we spreken elkaar nog,' zegt hij.

'Ik dacht dat je me op een lunch ging trakteren.'

'Dat weet ik, en je hebt ja gezegd. Maar je zei het te gemakkelijk,' zegt hij. 'Maak het me de volgende keer wat moeilijker.' Hij is om zijn bureau heen gelopen, heeft zijn hand op mijn arm gelegd en leidt me naar de deur. 'Volgende week. Ik trakteer. Ik beloof het je. We doen het op de club. Jij bent nog niet op de club geweest. Dat hoort erbij als je hier partner wordt,' zegt hij. 'Net als een kamer met een raam.'

Nick heeft wat hij wil: ik zit eraan vast. 'Dana heeft tegen hem gezegd dat je hem zou bellen om een afspraak te maken.'

'Ik dacht dat je zei dat hij mij zou bellen?'

'Zei ik dat? Nou, bel jij hem maar. Hij is het misschien vergeten. Ik heb tegen Dana gezegd dat je daar begrip voor zou hebben.'

Ik had het mis. Nick heeft zijn beloning van Dana al gekregen.

'Zeg, ik weet zeker dat die kerel brandschoon is. Ik bedoel, mijn vrouw gaat heus niet met criminelen om.' Hij kijkt me over zijn halve brilletje aan. 'Dat is mijn werk.'

Hij heeft me nu bij mijn arm vast en dirigeert me naar de zijdeur, de deur die naar de buitengang leidt en dus niet naar de receptie, waar hij cliënten op een rij heeft zitten, als vliegtuigen op LaGuardia.

'Hoe goed kent Dana die kerel?'

'Zeg, ik moet je een verhaal vertellen.' Nick verandert van onderwerp. Daar is hij goed in.

'Een paar weken geleden neemt Dana me mee naar een expositie van een beroemde kunstenaar. Moet je horen. Zijn kunstwerk is een kartonnen wand die donkerblauw is geschilderd, met van dat glitterspul erop. Die wand is bedekt met condooms in allerlei verschillende kleuren. Ze zijn erop gelijmd als leeggelopen olifantsslurven. De kunstenaar noemt dat ding "Levende vingers". Ik vraag Dana wat het betekent. Ze zegt dat ze geen flauw idee heeft.'

'Het is maar wat je mooi vindt,' zeg ik.

'Nou, iemand vond het mooi,' zegt Nick. 'Want later die avond is die Picasso voor zevenentwintighonderd dollar van de hand gegaan. De koper was een oud wijf in een zijden cape en met een vilthoed waar een veer op zat. Ze zal wel denken dat die vingers tot leven komen als ze het kunstwerk in huis heeft. Begrijp me niet verkeerd,' zegt hij. 'Ik heb niks tegen kunst.'

En dat zegt iemand die ooit 's morgens vroeg het bijvak Kunstgeschiedenis volgde om onder de diapresentaties in het donker te kunnen slapen.

'Je hebt mijn vraag niet beantwoord.'

'Welke vraag?' zegt hij.
'Hoe goed kent Dana die kerel?'
'Wie, die dat schilderij heeft gemaakt?'
'Gerald Metz,' zeg ik.
'O, die. Ze kent hem helemaal niet. Ze zien elkaar maar één keer per maand. Wil je hem bellen? En volgende week gaan we lunchen.' Hij kijkt me met die grote bruine ogen aan. Die ogen zijn het laatste wat ik zie als ik aan de andere kant van de drempel van zijn deur sta en het walnoothouten paneel voor mijn ogen dichtschuift. Nick Rush heeft weer eens een overwinning behaald.

2

'Het is onzin! Ik weet niet wat Rush u heeft verteld, maar u kunt me op mijn woord geloven. Ik ben nooit bij iets illegaals betrokken geweest. Als u het niet gelooft, mag u het controleren. Ik ben zelfs nog nooit gearresteerd.'

Gerald Metz is fit, lang en gebruind. Maar hij ziet eruit als iemand die buitenshuis werkt, alleen doet hij dat dan niet met zijn handen. Zijn nagels zijn gemanicuurd en hij heeft geen eelt op zijn handpalmen. Ik vermoed dat de enige dingen die hij de laatste tijd met die handen heeft vastgehouden de drivers en ijzers uit zijn golftas zijn.

Hij heeft een nogal ruwe manier van spreken. Blijkbaar heeft hij zich omhooggewerkt uit wie weet wat voor achterbuurt. Hij is niet het type waar je aan denkt als je je een kunstliefhebber en mecenas voorstelt. Hij draagt een poloshirt onder een blauwe blazer.

'Daarom was ik ook zo verbaasd toen dit gebeurde. Waarom zou een onderzoeksjury met mij willen praten?'

Het is twee weken geleden dat ik bij Nick ben geweest, en Metz zit bij mij op kantoor. Hij heeft een dunne leren map op zijn schoot en hij praat nogal nerveus.

Als ik zijn leeftijd moest schatten, zou ik zeggen dat hij midden veertig is. Hij is hoekig, met een hoog voorhoofd en haar dat al uitgedund is en dat hij opzij kamt.

Hij geeft me papieren uit zijn aktetas en leunt dan in de stoel achterover. Hij probeert zelfvertrouwen uit te stralen, maar doet dat als iemand die kleren aantrekt die hem niet helemaal passen. De vingers van zijn ene hand tikken een ritme op de armleuning van zijn stoel, en hij heeft zijn benen over elkaar geslagen. Intussen kijkt hij nerveus het kantoor rond, op zoek naar iets waarnaar hij kan kijken. De zweetdruppels staan als puistjes op zijn voorhoofd.

'Bezwaar als ik rook?' zegt hij.

'Liever niet.'

Hij blaast zijn adem uit. Als hij voor de onderzoeksjury moet verschijnen, zweet deze man zich een ongeluk.

Ik lees de papieren die hij me heeft gegeven.

'Ik kende die mensen niet eens. Ik heb ze nooit ontmoet,' zegt hij.

'Hmm.' Ik zie dat in de aanhef van de brieven die aan hem zijn gericht nogal eens zijn voornaam wordt gebruikt: 'Beste Jerry.'

Onder de linkermouw van Metz' blazer komt een duur ogende gouden Rolex vandaan. Onder het praten kijkt hij daar steeds weer op.

'Hebt u een andere afspraak?' vraag ik.

'Hmm. Nee, nee.' Hij trekt zijn mouw omlaag om het horloge te bedekken en legt zijn hand eroverheen. 'Ik vroeg me alleen af of dit lang gaat duren.'

'Dat hangt ervan af. Zijn dit alle papieren die u hebt?'

Hij knikt. 'Dit is alles.'

Hij heeft een vaag accent, misschien Florida via New Jersey.

'We zijn niet eens tot zaken gekomen,' zegt hij. 'Er kwam niets van terecht.' Weer dat nerveuze gepraat. 'Ik snap niet dat ze zich voor mij interesseren. Als u ze nu eens gewoon belt om ze dat te vertellen?'

'Waar hebt u het over?'

'U weet wel, tegen de officier van justitie zeggen dat ik van niets weet.'

'De officier van justitie?'

'Waarom niet?'

Ik kijk hem glimlachend aan. 'Als ik dat deed, zouden ze u vast en zeker dagvaarden.'

'Waarom?'

'Gelooft u me nu maar.'

'Die verrekte overheid zit je altijd op de huid. De vorige keer waren het de belastingen.'

'Wanneer was dat?'

'Weet ik niet. Een paar jaar geleden. Ze maakten me meer dan een jaar het leven zuur. Ze wilden alle papieren die ik had. Veertien maanden lang konden ze helemaal niks vinden. En nu dit. Als je het mij vraagt, willen ze me iets betaald zetten.'

'Wat dan?'

'Ze zijn pissig op me omdat ze toen niks konden vinden. Het enige dat ik weet, is dat mijn naam steeds weer opduikt in die zaak. Als dit bekend raakt, wordt het de ondergang van mijn bedrijf.'

'Wat bedoelt u: uw naam die steeds weer opduikt?'

'Mensen worden opgeroepen om een verklaring af te leggen, vroegere werknemers van mijn bedrijf. Ze bellen me en zeggen dat hun allerlei vragen over mij en mijn bedrijf zijn gesteld, u weet wel, die toestand met die mensen in Mexico.' Hij knikt naar de brieven op mijn bureau.

'Die getuigen – belden zij u of belde u hen?'

'Ach, dat weet ik niet. Wat maakt het uit? Een van hen belde mij; ik belde iemand anders. Na een tijdje zeggen ze allemaal hetzelfde. Die aanklager. Die man van het Openbaar Ministerie.'

'De officier van justitie?'

'Ja, die. Hij brengt steeds mijn naam ter sprake en stelt vragen.' Hij denkt even na. 'Het was toch niet verkeerd van me dat ik met die mensen heb gepraat? De getuigen, bedoel ik?'

'Waarschijnlijk niet.'

'Wat bedoelt u precies?'

'Het staat hun vrij om over hun eigen getuigenverklaring met u te praten. Als ze dat willen. U zei dat het vroegere werknemers waren? Wat voor werk deden ze?'

Hij noemt me de namen. 'De een was secretaresse, de ander was mijn boekhouder.'

'Hoe bent u erachter gekomen dat ze voor de onderzoeksjury verschenen?'

Nu is hij even stil. Hij weet het niet meer. Hij zegt dat hij het in het roddelcircuit had gehoord. De bouwbranche is een klein wereldje.

'Dus blijkbaar hebt u haar gebeld, die getuige?'

'Waarschijnlijk wel. Ik maakte me kwaad. Kunnen ze dat zomaar doen? Een of andere officier van justitie die een heleboel vragen over mijn zaken stelt. Kan dat zomaar?'

'Een officier van justitie mag in een zaak die voor een federale onderzoeksjury komt bijna alles vragen wat hij maar wil. Wat wilde hij weten?'

'Vooral financiële gegevens, schijnt het.'

Dat zou logisch zijn, als ze onderzoek deden naar geld witwassen.

'Wat voor financiële gegevens?'

'Die zaak in Mexico. Ze schijnen zich alleen voor die ene zaak te interesseren.'

'Vertelt u me daar eens over.' Ik keek naar de brief die voor me op het bureau lag, met de handtekening onderaan. 'Vertelt u me eens over die Arturo Ibarra.'

'Twee broers. Arturo en Jaime. Arturo was het brein. Ik geloof niet dat Jaime kan schrijven.'

'Dus u kent ze?'

'Niet echt. Ik heb ze een paar keer ontmoet. En Jaime heeft zo'n schuin hoofd. Weet je wat ik bedoel? Hoe noemen ze die mensen? Anderthalers? Een holenman.'

'U bedoelt Neanderthaler?'

'Ja, dat kan wel.'

'En die ander, die Arturo?'

'Hij was het zakelijke type. Goed opgeleid. Het brein. Weet u, ik vind het niet prettig, maar ik heb een vraag. Hoeveel gaat dit me kosten?' Hij kijkt weer op zijn horloge.

'Dat hangt ervan af hoeveel tijd we nodig hebben.'

Hij kijkt kwaad naar het plafond. 'Kan ik op de een of andere manier mijn kosten voor juridische bijstand terugkrijgen? Ik bedoel, als ik er niets mee te maken heb, waarom zou ik dan zulke kosten betalen?'

'Jammer genoeg werkt het nu eenmaal zo.'

'Kan ik het van de belastingen aftrekken?'

'Dat kunt u uw belastingconsulent vragen,' zeg ik.

Hij kijkt me aan alsof hij wil zeggen: die vervloekte advocaten. 'Nou, wat wilt u weten? Laten we dit snel afhandelen.'

'Alles wat u zich kunt herinneren.'

'Die twee broers, die hadden samen met hun vader wat grond.'

'Hoe heette die vader?'

'Weet ik veel, meneer Ibarra. Ik heb de man nooit ontmoet. Het enige dat ik heb gehoord, is dat hij een grote projectontwikkelaar in Quintana Roo was. In het zuiden van Mexico. Op het schiereiland Yucatán. Bent u daar ooit geweest?'

Ik schud mijn hoofd. 'Ik heb ervan gehoord.' In de pers noemen ze het de eerste Mexicaanse narcostaat. Het grenst aan Guatemala en Midden-Amerika en er worden daar veel drugs gesmokkeld.

'Hoe bent u aan dat project gekomen?' vraag ik hem.

'Die twee broers kwamen naar me toe. Ze zeiden dat ze een vakantieoord op dat stuk grond wilden bouwen. Het lag aan de kust, met een strand erbij. Voor het grootste deel moerasland. Ten zuiden van

Cancún aan de grote weg, richting Tulum. Ze noemen het de Maya Rivièra. De twee broers brachten me naar hun grond, zo'n honderd hectare met cactussen, moerassen en muskieten, en waarschijnlijk ook slangen en alligators als je er wat dieper in doordringt. Ik geloofde hen op hun woord toen ze zeiden dat daar ook nog ergens een strand was.'

'Waarom waren ze naar u toe gekomen?'

'Mijn bedrijf heeft zwaar materieel. We waren het dichtste bij. Net over de grens. Het meeste werk wordt daar met de hand gedaan. Met schop en houweel. De arbeidskosten zijn laag.'

'Waarom wilden ze uw zware materieel?'

'Ze hadden haast. Het was een buitenkans. Ze konden opeens snel een vergunning krijgen. Ik weet alleen maar wat ze mij hebben verteld.'

'Gaat u verder.'

'Ik nam aan dat ze de ambtenaren wat hadden toegestopt. Dat is daar de gewoonste zaak van de wereld.' Hij zegt dat alsof ten noorden van de grens nooit iemand wordt omgekocht.

'Hoe wilden ze u betalen?'

'Wat geld vooruit, en dan een deel van het eigendomsrecht.'

'Welk deel?'

'Tien procent. Ze wilden die grond bouwrijp maken en dan doorverkopen aan een of andere hotelketen, die er een badplaats van zou maken. Het was de bedoeling dat we op dat moment allemaal onze slag zouden slaan.'

'U zei dat het niet doorging?'

'Nee. Ik hoorde dat de oude man het project heeft stopgezet. Hij ging over het geld. Ze kregen ruzie of zoiets en er kwam niets meer van terecht. Dat is alles. Meer valt er niet over te vertellen.'

'Alles?'

'Zo ongeveer. U moet niet vergeten dat het al een tijdje geleden is. U kunt niet van me verwachten dat ik alle bijzonderheden nog weet. De hele zaak duurde een paar maanden, niet langer. Het is nooit verder gekomen dan wat brieven en telefoontjes.'

'Maar u zei dat u daar bent geweest?'

'Ja. Op hun kosten. Waarom niet?'

'Hoe lang bent u daar geweest?'

'Weet ik veel, een paar dagen, misschien een week. Dat was twee jaar geleden.'

Ruimschoots binnen de verjaringstermijn voor het witwassen van geld, al zei ik dat niet tegen Metz.

'Hebt u hier in de Verenigde Staten een vertegenwoordiger of werknemer van hen ontmoet?'

'Nee. Niet dat ik me kan herinneren. Wacht eens even. Er was wel iemand. Ik weet zijn naam niet meer. We hebben elkaar een keer ontmoet en een paar maal met elkaar getelefoneerd. Misschien heb ik zijn kaartje nog.' Metz haalt zijn portefeuille tevoorschijn en begint daarin te zoeken: beduimelde bonnetjes, een rijbewijs, een sociale-verzekeringskaart die eruitziet alsof hij de Burgeroorlog nog heeft meegemaakt, een verzameling visitekaartjes. Ten slotte vindt hij het kaartje dat hij zoekt.

'Hier heb ik het.' Hij houdt het een eind van zich af; blijkbaar is hij aan een leesbril toe. '"Miguelito Espinoza." Een Mexicaanse koppelbaas.'

Hij geeft me het kaartje en ik zie een adres in Santee met een telefoonnummer. Aan de andere kant van het kaartje is alles onder de naam in het Spaans, inclusief de titel *notario publico*. In dit geval betekent het dat de man een soort notarisvergunning heeft. Hij is bevoegd om documenten te verifiëren en er zijn zegel op te zetten. Die titel wordt in de Verenigde Staten vaak gebruikt om bij mensen die geen Engels spreken ten onrechte de indruk te wekken dat de persoon in kwestie jurist is.

'Verder nog iets?'

Hij schudt zijn hoofd. 'Nee.'

'Dat weet u zeker?'

'Ja.'

'Er zijn een paar dingen die u goed moet begrijpen. Het feit dat u nog niet bent opgeroepen om een verklaring af te leggen, is niet noodzakelijkerwijs een goed teken.'

'Waarom niet?'

'Hebt u enige correspondentie van de officier van justitie ontvangen in verband met deze zaak?'

'Zoals wat?'

'Misschien een brief?'

'Nee.'

'Dat is gunstig. Want als u een van degenen bent tegen wie hun onderzoek is gericht, sturen ze u een brief. Daarin vertellen ze u over de gang van zaken, waarschuwen ze u om geen papieren te vernietigen, vertellen ze u dat u buiten de jurykamer met uw advocaat mag overleggen en dat u het recht hebt om geen verklaring af te leggen.'

'Waarom zouden ze een onderzoek tegen mij richten?'

'Ik zeg niet dat ze dat doen. Maar het feit dat ze u niet hebben opgeroepen en dat ze vroegere werknemers ondervragen, is niet gunstig.'

Die woorden maken indruk op hem. Hij kijkt niet meer op zijn horloge.

'Hoeveel telefoongesprekken hebt u met die mensen gevoerd?'

'Weet ik niet. Hoe zou ik me nou zoiets kunnen herinneren?'

'U kunt erop rekenen dat de DEA of de FBI het antwoord weet,' zeg ik tegen hem. 'Als ze onderzoek naar u doen, hebben ze misschien uw telefoongegevens al. Dan weten ze hoe vaak u met de broers in Mexico hebt gepraat en hoe lang elk gesprek duurde. Misschien weten ze van die Espinoza. Dat weten ze op zijn minst, tenzij de Mexicaanse autoriteiten de telefoonlijnen van de broers daar hebben afgetapt, want in dat geval weten ze waarschijnlijk nog veel meer.'

Ik zie dat dit een ontnuchterende gedachte is.

'Hebt u ze iets op papier gestuurd, brieven of zo?' Ik heb alleen brieven van de ene broer aan Metz voor me liggen, niets in de andere richting.

'Ik, eh... Ik geloof van niet.'

'U bewaart toch wel kopieën van uw zakelijke correspondentie?'

'Ja. Maar u weet hoe dat gaat. Soms raken dingen weg.'

'Wat bedoelt u?'

'Dit is alles wat ik kon vinden.'

'U bedoelt dat u misschien brieven aan die mensen hebt geschreven maar dat u daar geen kopieën van kunt vinden?'

'Het zou kunnen. Ik weet het niet meer.'

Dit ziet er niet goed uit.

'En als de officier van justitie ze met een dagvaarding opeist?'

'Dan geef ik ze wat ik kan vinden. Wat moet ik anders doen? Als ik ze niet kan vinden, kan ik ze niet vinden. Ja?'

'U zei dat een van de getuigen een vroegere secretaresse van uw onderneming was. Hoeveel kantoormedewerkers hebt u?'

'Eén. Soms niemand. Mensen nemen ontslag, komen en gaan. Dingen raken kwijt. Ik zei tegen mijn meisje op kantoor dat ze moest kijken wat we in de dossiers hadden liggen, zoals u vroeg. En dit heeft ze gevonden.' Hij wijst naar de paar brieven op mijn bureau.

'En als uw secretaresse wordt opgeroepen om een getuigenverklaring af te leggen? Wat zal ze dan zeggen?'

Hij kijkt me ijskoud aan. 'Dat ze me alles heeft gegeven wat ze kon vinden,' zegt hij.

'En dat is dit?'

'Ja. Ik probeer niet moeilijk te doen,' zegt hij. 'Ik kan ze alleen niet geven wat ik niet heb.'

'Natuurlijk.'

'Dat is alles wat ik u kan vertellen.'

'Hebt u een contract getekend met betrekking tot die zaken in Mexico?'

'Zover zijn we niet gekomen.'

'Hebben ze u iets betaald, een vergoeding?'

'Zoals ik al zei, hebben ze mijn reis daarheen betaald. Reiskosten en zo.'

'Hoeveel?'

'Dat weet ik niet, misschien vierduizend, vijfenveertighonderd dollar. En ik heb wat adviezen gegeven. Daar hebben ze me ook voor betaald.'

'Wat voor adviezen?'

'Over de locatie, over de moeilijkheid om zwaar materieel naar de bouwplaats en daar weer vandaan te krijgen.'

'Hoeveel hebben ze u daarvoor betaald?'

'Dat weet ik niet precies meer.'

'Een schatting?'

'Ik weet het niet.'

'Meer dan duizend dollar?'

'Ja, dat wel.'

'Meer dan vijfduizend?'

'Ja.'

Ik kijk van mijn schrijfblok op en richt mijn blik op Metz. 'Hoeveel?'

'Ergens in de buurt van de twee miljoen,' zegt hij.

'Dollar?'

Hij knikt.

Ik zit daar naar hem te staren, de blik van een dier dat midden in de nacht een locomotief op zich af ziet komen.

'Voor adviezen?'

'Nou, nee, nee, het was in feite een soort waarborg.'

'Een waarborg waarvoor?'

'Mijn materieel. U denkt toch niet dat ik zwaar materieel over de grens breng zonder dat ik van tevoren een of andere waarborg krijg? Dat zijn dure dingen. Een voorlader, zo'n grote met geledingen, kost wel een kwart miljoen dollar. Als zo'n ding nou eens verdwijnt? Ik bedoel, we hebben het niet over Nevada. Als ze iemand hebben omgekocht om vergunningen te krijgen en het gaat allemaal mis, dan is een moeras zonder vergunning om hem droog te leggen geen cent waard. Het eerste dat de Mexicaanse staat dan doet, is beslag leggen op mijn materieel.'

'Wat was er precies afgesproken over dat geld, die waarborgsom?'

'Ik zou hun geld in bewaring houden tot ik klaar was met mijn werk. Dan zou ik mijn materieel terughalen en betaald krijgen. Zij zouden hun waarborgsom terugkrijgen.'

'Maar u hebt nooit een contract getekend en u hebt nooit materieel over de grens gestuurd?'

'Nee.'

'En ze gaven u twee miljoen dollar in goed vertrouwen?'

'Dat klopt.'

'Wat gebeurde er toen de zaak niet doorging?'

'Toen kregen ze hun geld terug.'

'Alles?'

Hij trekt een gezicht, perst zijn lippen enigszins samen. 'Alles, behalve tien procent,' zegt hij.

Ik kijk hem aan.

'Voor mijn tijd.'

'Welke tijd?'

'U weet wel, de boel organiseren. Praten. Daarheen gaan.'

'Maar u zei dat ze voor uw reis betaalden?'

'Ja. Maar mijn tijd is ook geld waard, nietwaar? Zoals ik al zei: advieskosten.'

'Maar voordat u daarheen ging, had u geen contract of schriftelijke overeenkomst met betrekking tot die adviezen?'

'Nee.'

'Een week van uw tijd in Mexico, zonder de reiskosten die ze betaalden, is tweehonderdduizend dollar waard?'

'Ik had ander werk kunnen doen,' zegt hij.

'U bent een groot project misgelopen doordat u die week in Mexico was?'

'Dat kan. Ik bedoel, het had gekund. Ik weet het niet.'

Inmiddels ben ik verwoed aan het schrijven. Ik probeer Metz' verhaal op papier te krijgen voordat de belachelijke logica van dit alles opeens weer verdwenen is.

'En wat deed u met die waarborgsom van twee miljoen? Zette u dat in dit land op de bank?'

'Niet meteen,' zegt hij.

Ik hou op met schrijven en kijk weer op. 'Wat bedoelt u?'

'Ik bedoel dat ik mijn geld hierheen bracht toen de zaak niet doorging.'

'Uw geld?'

'Die tweehonderdduizend dollar. In de loop van de tijd,' zegt hij.

'Stop. U had een bankrekening in het buitenland?'

'Ja.'

'Waar?'

'In Belize,' zegt hij.

'Waarom in Belize?'

'Dat weet ik niet.'

'Hebt u die bankrekening vermeld in uw belastingaangifte over dat jaar?'

'Dat weet ik niet meer. Dat zou ik aan mijn boekhouder moeten vragen.'

'Is dat de boekhouder die al is opgeroepen om voor de onderzoeksjury te verschijnen?'

'Ja. Dat is zo.'

'En die tien procent die u hebt gehouden. Wat hebt u daarmee gedaan?'

'Die heb ik hierheen gehaald.'

'Overgemaakt naar een Amerikaanse bank?'

'Ja.'

'Maar niet alles in één keer?'

'Nee. Zoals ik al zei, in de loop van de tijd, al naar gelang ik nodig had.'

'Laat me eens raden. Tienduizend per keer?'

Hij knikt.

Dat is de wettelijke limiet die aan geld is gesteld dat het land binnenkomt. Ik hoef niet te vragen hoe hij het allemaal naar de Verenigde Staten heeft gekregen. Metz wilde heus niet twintig jaar de tijd nemen om tweehonderdduizend dollar in een tempo van tienduizend per jaar het land in te krijgen. Hij maakte natuurlijk gebruik van koeriers, vrienden of werknemers die op vakantie naar Belize gingen en het geld voor hem mee terug konden nemen.

'Ik durf dit bijna niet te vragen, maar werd dat geld aan u betaald of aan uw onderneming?'

'Soms is het niet helemaal duidelijk welke inkomsten aan mijn onderneming toevallen en welke aan mij. Voor geleverde diensten.'

'Ja, vast wel. Vooral wanneer het om advieskosten gaat?'

'Ja.' Zijn ogen begonnen te stralen. Hij was blij met mijn suggestie.

'Meneer Metz, ik denk niet dat wij zaken kunnen doen. Maar ik zal u een goede raad geven, omdat u toch voor mijn tijd betaalt, in elk geval voor dit gesprek.'

Hij kijkt me een beetje verrast aan.

'Als u mijn cliënt was, wat u niet bent, en u werd opgeroepen om voor een onderzoeksjury te verschijnen, dan zou ik u aanraden een beroep op het zwijgrecht te doen.'

3

Het is eind april, en Nick staat op het trottoir. Hij heeft zijn handen in de diepe zakken van een trenchcoat met ceintuur gestoken, de jas die hij al zolang ik hem ken op koele ochtenden aanheeft. Hij staat bij de trottoirband, vijftien meter van het bord boven de deur vandaan, een bord met grote goudkleurige letters, groter dan die op een grafsteen: EDWARD J. SCHWARTZ GERECHTSGEBOUW.

Rush is de enige advocaat die ik ken die nooit een aktetas gebruikt. Het is tegen zijn principes. Het zou afbreuk kunnen doen aan zijn image van iemand die alles in een ommezien kan afhandelen, uit de losse pols.

Als ik dichterbij kom, blaast hij wolken van warme adem de kille ochtendnevel in. Hij ziet me al op een blok afstand en glimlacht, knikt me nadrukkelijk toe en schommelt op de ballen van zijn voeten heen en weer om een beetje warm te blijven. Het is koud voor San Diego. Om deze tijd van het jaar is er mist in de vroege ochtend. Vanmiddag zullen mensen in hun overhemd op straat lopen.

Half negen. We komen bij elkaar voor een kop koffie en een kort gesprek. Ik wil Metz aan hem overdragen. Nick heeft om negen uur een afspraak met hem. Als ik geluk heb, ben ik al eerder weg. Ik ben niet van plan me nog dieper in deze zaak te laten trekken. Nick heeft dan nog een half uur de tijd voordat hij met Metz voor de rechter moet verschijnen. In één opzicht heeft Nick het goed aangevoeld. Metz is niet opgeroepen om voor de onderzoeksjury te verschijnen. Zes dagen na ons gesprek werd hij in staat van beschuldiging gesteld. Er waren verschillende aanklachten, variërend van het witwassen van geld tot schending van internationale valutawetgeving. Vanmorgen wordt hij voorgeleid in de federale rechtbank. Ik denk dat de FBI zich alleen nog maar aan het warmlopen is.

Het is de oude Nick Rush. Hij staat daar alsof hij aan het surfen is en boven op een hoge golf is terechtgekomen, met alle tien tenen net over de rand van het trottoir. Hij wil alles altijd op het laatste moment doen. Daarmee bewijst hij zijn bedrevenheid en daar meet hij zijn ego aan af.

Hij is er zijn hele carrière van uitgegaan dat een advocaat die meer dan twintig minuten nodig heeft om zich op een rechtszitting voor te bereiden een andere baan moet gaan zoeken. Ik heb hem de vloer zien aanvegen met ambitieuze jonge aanklagers die een jaar lang aan een zaak hadden gewerkt en die vervolgens moesten aanzien hoe Nick de jury bespeelde en niets van de bewijsvoering heel liet.

Dat is de reden waarom hij veel meer cliënten kan krijgen dan hij aankan. Als je een paar miljoen van de rekening van je werkgever hebt verduisterd of je hebt een halve ton coke onder de vloerplanken van je huis liggen, of je wordt betrapt terwijl de felle lampen elektriciteit aan het net onttrekken en de hennepplanten welig tieren in je kelder, is Nick Rush de man die je moet bellen. Of je nu amfetaminen maakt of in de boeken van je werkgever hebt zitten knoeien, Nicks sussende woorden, uitgesproken met een goddelijk zelfvertrouwen, nemen je angsten sneller weg dan een handvol Percocet.

Nick vond het niet nodig om langdurig met Metz te praten, als ik hem eerst maar wat voorbereidde. Ik waarschuwde hem dat Metz een staaf dynamiet met een kort lontje was, maar Nick zag alleen de uitdaging. Trouwens, zei hij, het doet er niet toe waar ze mee komen, Nick gaat verklaren dat hij onschuldig is en zoekt het later wel uit. Volgens Nick heeft hij Metz door de telefoon over de voor hem tegenstrijdige belangen verteld en heeft Metz een verklaring van geen bezwaar ondertekend en teruggestuurd.

Als ik bij hem kom, lacht hij me toe maar haalt hij zijn hand niet uit de zak om die van mij te schudden. 'Ik kan de stelling van Hemingway nu bevestigen – "De zon komt ook op",' zegt hij. Hij kijkt naar de mistige lucht. 'Al zou je dat niet zeggen, als je hier staat.'

'Hemingway was 's morgens te dronken om het zelf te kunnen weten. Hij haalde het uit de bijbel,' merk ik op.

'Dat bevalt me zo aan jou. Jij hebt zoveel weetjes in je kop zitten.'

'Altijd handig wanneer ik met mensen als jij te maken heb.'

'En wat voor soort mensen zijn dat dan?'

'Mensen die alleen het totaalbeeld zien,' zeg ik tegen hem.

Hij lacht, maar het is waar. Nick verspilt geen energie aan details die niet van belang zijn voor het totaalbeeld, de taak waar hij op een bepaald moment mee bezig is. Zijn intellect is een soort vacuüm. Hij kan de kleinste details van een proces in drie minuten opzuigen, rangschikken in volgorde van belang en weer naar buiten laten marcheren als een leger dat slag moet leveren in de rechtszaal – en dat alles binnen de tijd die zijn opponent nodig heeft om zijn tas open te maken.

'Nooit geweten dat jij degene was die de zittingen van vroeg op de ochtend doet,' zeg ik tegen hem.

'Daarvoor heeft God de jonge medewerkers geschapen,' zegt hij. 'Als Dana die lul niet kende, zou hij nu met een jong advocaatje te maken hebben.'

Ik waarschuw hem dat hij de zaak misschien helemaal niet meer wil doen, als hij heeft gehoord wat ik hem te zeggen heb. Ik stel voor om naar de kantine van het gerechtsgebouw te gaan. Nick zegt dat hij liever naar een cafetaria om de hoek gaat, en hij loopt al voor me uit.

Dit is federaal territorium, de paar blokken rond de twee federale gerechtsgebouwen. Het ene gebouw is gereserveerd voor faillissementszaken, het andere voor zwaardere zaken. Zoals de indiaanse naties van vroeger heeft dit deel van de stad zijn eigen cultuur en gelden er andere regels. Hier wordt de orde gehandhaafd door de FBI, de IRS, de DEA en een stuk of vijf andere alfabetorganisaties, die allemaal willen laten zien hoe onmisbaar en belangrijk ze zijn.

De federale gerechtsgebouwen zijn werelden van eindeloos marmer en grijsharige parketwachters in blauwe blazers die er als lakeien bij staan. Alles is hier veel stijlvoller dan in gewone rechtbanken. Aan alles zie je de grenzeloze budgetten en de eindeloze fiscale bevoegdheden van een federale overheid die tot aan de elleboog of zelfs de schouder met zijn handen in ieders zak zit. Het is een wereld waar ik niet graag kom. Ik beperk me liever tot de eenvoudige, enigszins rommelige gewone rechtbanken, waar degenen die de leiding hebben niet hun eigen geld kunnen drukken.

Nick gedijt in deze omgeving. Hij vindt het geen enkel probleem om de strijd aan te binden met zelfs de strengste leden van het hof, en soms scheelt het niet veel of hij riskeert disciplinaire maatregelen.

Alsof hij dat nog eens duidelijk wil maken, neemt hij me mee naar een verlopen cafetaria onder het oude Capri Hotel.

'Ik kom hier al twintig jaar koffiedrinken. Elke ochtend,' zegt hij.

Hij gaat me voor, een trap af. De verf op de muren is afgeschilferd. Aan een kant ontbreekt de leuning, blijkbaar geleend door een of andere zwerver.

'Ik kende de vorige eigenaar,' zegt Nick.

Ik volg hem door de deur naar de cafetaria. We gaan naar binnen en ik blijf staan. Het is een smerig hol.

'Ik wist niet dat je zulke goede connecties had,' zeg ik tegen hem.

'Het zag er toen beter uit,' zegt hij. 'Het is de laatste jaren achteruitgegaan.'

'Je meent het. Ik zou dat nooit hebben gedacht.'

De muren van de cafetaria hebben die smoezelige bruine kleur waarvan je weet dat het geen verf is. De roestvrijstalen afzuigkap boven de grill in de keuken is bedekt met zoveel vet dat de kok zijn eigen talgfabriek zou kunnen beginnen.

'En het is hier vooral nooit druk,' zegt Nick.

'Ik zie waarom.'

Ik durf hem niet naar het hotel boven ons te vragen. De grond hoeft maar een beetje te trillen en we krijgen het op ons hoofd.

'De eigenaar was Wan Lu Sun. Een Chinees,' zegt hij. 'Een goede zakenman. Maar hij is een paar jaar geleden gestorven. Zijn kinderen hebben het pand nu. Ze zijn anders dan de oude man. De nieuwe generatie. Geen gevoel voor waarden. Veramerikaniseerd.'

'Als jij het zegt.' Ik ben nog bezig het allemaal in me op te nemen en doe mijn best om niet in te ademen, want ik zie de stofdeeltjes in de enige bundel zonlicht die kans heeft gezien tot deze ruimte door te dringen, en ben bang dat het asbest is.

'De projectontwikkelaars cirkelen als gieren rond om het hele pand met hun sloopkogels ondersteboven te gooien,' zegt Nick.

'Dit is niet een van de gebouwen waar je...'

'Ja.' Nick glimlacht.

'Zeg dat het niet waar is.'

'Het is waar,' zegt hij.

Ik lees daar al bijna een jaar over in de kranten. Een actiegroep heeft een campagne op touw gezet om gebouwen in de binnenstad te behouden die volgens hen van historische waarde zijn. Om de paar maanden duikt Nicks naam ook op, in de voorste gelederen van de strijd.

'Neem een goede raad van me aan,' zeg ik tegen hem. 'Dit pand heeft behoefte aan een goede sloopkogel.'

'Wacht maar. Je gaat je eraan hechten.'

'Daar ben ik juist bang voor. Heb je nou echt niks beters te doen dan dit?'

'Ja, maar ik vind dat ik het aan die oude man verplicht ben,' antwoordt hij.

'Welke oude man?'

'Lu Sun,' zegt hij. 'Als hij er nog was, zouden die projectontwikkelaars niet eens in de buurt durven te komen. Behalve als ze hun eerstgeborene als onderpand achterlieten. De oude man zou zijn ziel en zaligheid voor deze grond hebben gegeven.'

Nick is in de loop van de jaren op heel wat windmolens afgestormd, maar dit gaat wel heel erg ver.

'Ik wist dat je graag actie mag voeren voor het een of ander,' merk ik op, 'maar dit is voor mij een totaal nieuwe kant van jou. Je passie voor het behoud van oude gebouwen.'

'Dat is iets wat ik pas laat in mijn leven heb ontdekt.' Hij glimlacht en knipoogt naar me. 'Onder ons gezegd: ik mag gewoon graag lekker stoken.'

'Wie had dat kunnen denken?'

'De firma geeft ons tijd om ons aan gemeenschapsactiviteiten te wijden. Ik moest iets vinden wat ik kon doen. Trouwens, ik heb geen zin om twee blokken verder te lopen naar een Starbucks-koffiehuis, om daar dan een beslissing op directieniveau te moeten nemen over het soort koffie dat ik wil drinken. Hier heb ik de tent voor mij alleen. Die nis daar in de hoek is van mij. Het is de enige zonder gaten in het skai.' Hij lacht.

Nick kent de serveerster bij haar voornaam. Ze ziet eruit alsof ze hier al werkt sinds het hotel feestelijk geopend werd.

'Twee koffie, Marge. We gaan in de nis zitten.' Hij schuift menukaarten opzij en pakt wat Equal-zoetjes uit wat zo te zien een privévoorraadje onder de kassa is.

'Ik heb de pest aan die Sweet 'n Low-zoetjes,' zegt hij, terwijl hij me naar de nis dirigeert. 'Die hebben een nasmaak.' We gaan op de bankjes zitten, iets uit de jaren vijftig, waarschijnlijk de laatste keer dat het etablissement werd gemoderniseerd.

'Je moet toegeven dat het een zekere ambiance heeft,' zegt hij. 'Nu hoeft er alleen nog maar een of andere dronken kerel met zo'n Cadillac met vinnen door de muur naar binnen te rijden, en het zou helemaal in stijl zijn.'

Marge komt met haar glazen koffiepot en schenkt in. Nick vraagt hoe het met haar gaat. Ze praten even.

Nu worden mijn indrukken natuurlijk sterk beïnvloed door de geur van smeulend vet in de keuken, waar niets in het bijzonder wordt klaargemaakt, tenzij de kok zelf honger heeft, maar hoe dan ook, het lijkt wel of de koffie uit de pot glijdt, in plaats van te stromen. Een deel ervan is vloeibaar, maar er zit ook veel zwarte smurrie in, teer of zoiets.

'Weet je, bij nader inzien heb ik toch liever thee,' zeg ik tegen haar.

'We hebben alleen Earl Grey,' zegt ze.

'Dat is goed.' Zolang ik de bodem van mijn kopje maar door het hete water kan zien.

Ze gaat weg om de thee te halen.

Nick ziet me naar zijn kopje kijken. Intussen gooit hij er drie zakjes zoetstof in en roert hij er wat melk doorheen. 'Wat is er?'

'Ik hou niet zo van een purgeermiddel zo vroeg op de ochtend.'

'Hé, dit is de echte shit,' zegt hij.

'Daar ben ik nou juist bang voor.'

'Nou, als je het weten wilt, de echte shit is in Londen te krijgen. Ik las laatst een artikel.' Typisch Nick. Alles doet hem denken aan een verhaal, zelfs als hij tegen een deadline van een zaak aan zit.

'Ze hebben spul dat ze Crappuccino noemen. Je betaalt je daar scheel voor. Het wordt gezet van een soort koffiebessen die door apen zijn uitgescheten.'

'Nick. Ik heb nog niet ontbeten.'

'Wil je eten? Dan laat ik haar een menukaart brengen.'

'Nee!'

Hij lacht.

'Ja, ik maak geen geintje. Vijftienhonderd dollar per ons en je moet toiletpapier als filter gebruiken. Ze zeggen dat het een erg aardse smaak heeft.'

'Geen wonder dat de Engelsen thee drinken,' merk ik op.

'Echt waar, de koffie hier is prima,' zegt hij. Hij staart nog voor zich uit, alsof hij die Crappuccino best eens zou willen proberen.

'De tijd dringt,' zeg ik. 'Wil je nou weten hoe het met Metz zit of niet?'

'Rustig maar. De voorgeleiding is maar een formaliteit. Je weet wel.' Hij kijkt weer om zich heen, neemt het allemaal in zich op, zijn privé-eetkamer. 'Heb je enig idee wat dit perceel waarschijnlijk waard is? Ik bedoel niet het gebouw. Ik bedoel de locatie.'

Ik schud mijn hoofd. 'Maar jij gaat het me vast wel vertellen.'

Hij haalt iets tevoorschijn wat op een mobiele telefoon lijkt. De laatste tijd mag Nick graag met dat soort apparaatjes spelen. Ik noem ze allemaal palmtops. Hij noemt dit dingetje een Handspring. Alle elektronische apparaatjes die je je maar kunt voorstellen, zitten in een ding ter grootte van een spel kaarten.

Hij schuift het stiftje uit zijn houder aan de zijkant en begint op het schermpje te tikken.

'Wat, je gaat nu toch niet iemand bellen?'

'Ik gebruik alleen de rekenmachine.'

'Nick, hoor eens. Bij mij op kantoor ligt werk op me te wachten.'

'Rustig nou maar. Ontspan je. Waarom ben je zo opgefokt?'

'Ik ben niet opgefokt. Ik heb gewoon betere dingen te doen.' Dit is de Nick die ik ken. Hij dringt me in het defensief en maakt een eind aan mijn overpeinzingen over onroerendgoedprijzen in de binnenstad.

'Ik denk dat het wel acht miljoen zou opbrengen, misschien achtenhalf,' zegt hij.

Metz loopt nu waarschijnlijk zijn schoenzolen te verslijten, ijsberend voor het gerechtsgebouw. Die vraagt zich natuurlijk af of hij vannacht in zijn eigen bed slaapt of op een brits in een cel.

'En het is buiten de corridor, de wegen naar Lindbergh Field. Dat is belangrijk,' zegt hij. 'Wil je weten waarom?'

'Eigenlijk niet, maar je gaat het me vast wel vertellen.'

'Als je buiten de corridor zit, mag je zo hoog bouwen als je wilt, zolang je maar een vergunning krijgt. Je weet wel, dan hoef je niet onder de maximumhoogte te blijven.'

'Ben je makelaar aan het worden?'

'Nee, maar dat zou ik moeten doen,' zegt hij. 'Een projectontwikkelaar koopt dit voor een prikkie op, gaat naar een bevriende ambtenaar van bouw- en woningtoezicht en vermenigvuldigt zijn investering van de ene op de andere dag met een factor vier. Hij hoeft alleen maar een vergunning te krijgen om hoger te bouwen. Hij zou niet eens iets met het pand te maken hoeven te hebben. Alleen maar kopen en verkopen. En dan verdient hij, nou, wat zal het zijn, twintig, vijfentwintig miljoen? En die klootzakken noemen onze cliënten schurken.'

'Dat is zakendoen,' zeg ik.

'Ja. Het soort zaken dat wij zouden moeten doen.' Nick glimlacht. 'Maar wij zijn te eerlijk.' Hij bazelt weer een eind weg. 'En trouwens, ik mag het verleden graag instandhouden. Dana heeft haar goede doelen; ik heb de mijne.'

'Kunnen we het nu weer over Metz hebben?' vraag ik.

'Weet je zeker dat je dat wilt opgeven?'

'Wat?'

'Metz.' Hij kijkt me aan alsof ik het ben die telkens afdwaalt. 'Ik bedoel, het zou een buitenkans kunnen zijn.'

'Ja hoor.'

'We kunnen het samen doen,' zegt hij. 'Per slot van rekening ben jij de enige met wie ik ooit een van de weinige echte geheimen in mijn leven heb gedeeld.'

'Wat dan?'

'Laura.' Nick is doodserieus als hij dat zegt.

Dat was ik bijna vergeten. Ik dacht dat Nick te dronken was om zich de avond te herinneren waarop hij na een beroerde dag op de rechtbank zijn mond voorbijpraatte. Hij voelde zich een mislukking, zelfs met zijn mooie nieuwe vrouw. Laura is het raadsel in Nicks leven – en waarschijnlijk de enige vrouw van wie hij ooit echt zal houden.

'Ga je nog wel eens naar haar toe?'

'Vorig week nog,' zegt hij. 'Een paar minuten maar. Luister. Metz is goed voor een fiks honorarium.' Nick is goed in het veranderen van onderwerp. Vooral wanneer het iets is waarover hij niet wil praten. 'Als hij geen geld had, zou hij niet met kunst bezig zijn.'

Ik lach.

'Dat is echt zo. Ik heb nog nooit meegemaakt dat een van die gasten geen geld had. Aan smaak wil het ze nog wel eens ontbreken, maar niet aan geld. Dat is een randvoorwaarde. Anders mogen ze er niet bij. Dan kom je niet op de invitatielijsten van veilingen en fondwervingsdiners. Je moet met je kop in de societyrubrieken van de *Tribune* en de *Times* staan.'

'Heb jij het op die manier gedaan?'

'Ik deed het via mijn vrouw. Ze heeft klasse en smaak,' zegt hij.

'En ze heeft jouw chequeboek.'

'Ja, dat ook.' Hij drinkt wat koffie en ik moet een andere kant op kijken. 'Waar moet je anders je vertier zoeken als je oud en winderig wordt?'

'Die kunstveilingen, vertier?' zeg ik.

'Ik had het niet over kunst.' Hij heeft het over Dana. 'Kom op. Waarom niet? Jij mag Metz' hand vasthouden en ik doe het proces. We tillen hem van de vloer en schudden hem leeg. Eens kijken wat hij in zijn zakken heeft.'

'Misschien ben je niet goed voorbereid op wat eruit komt vallen.'

'Is het zo erg?' zegt hij.

Nick en ik hebben sinds ons gesprek van vier dagen geleden niet met elkaar gepraat. Ik had een week geprobeerd hem aan de lijn te krijgen voordat ik hem eindelijk op zijn kantoor te pakken kreeg, en toen wilde hij er niet door de telefoon over praten. Zo is dat nu eenmaal met het soort werk dat Nick doet. Je weet nooit zeker of je telefoon wordt afgetapt.

'Je wilt mijn eerlijke mening?'

Hij knikt.

'Alle puzzelstukjes liggen op hun plaats, inclusief de overdracht van grote geldbedragen en de beloning voor het witwassen.' Ik stel hem op de hoogte. Hij luistert.

'Als we jouw vriend moeten geloven, nam hij tweehonderdduizend dollar terwijl hij twee miljoen van zijn zakenrelatie op een rekening in Belize parkeerde.'

Dat slaat hem helemaal niet uit het veld. 'Ga verder.'

'Hij noemt zijn aandeel advieskosten, maar die staan nergens in de boekhouding van zijn bedrijf.'

'Nou ja, een boekhoudfoutje,' zegt Nick.

'Hij zei tegen mij dat het geld bedoeld was als waarborg voor zwaar materieel dat hij voor werkzaamheden naar het zuiden zou moeten sturen. Maar dat materieel is daar nooit heen gegaan. Volgens Metz kwam het project niet van de grond. Hij maakte een reisje naar Mexico dat misschien een week duurde, en bracht daar tweehonderdduizend dollar voor in rekening.'

'Misschien is zijn tijd erg kostbaar,' zegt hij.

'En misschien wilden zijn twee Mexicaanse zakenrelaties wat inkomsten uit clandestiene activiteiten witwassen?'

Nick schraapt zijn keel. 'Dat wil niet zeggen dat hij daarvan wist.'

'En bovendien, tenzij ik die man verkeerd inschat, krijg je nog te maken met valutadelicten en waarschijnlijk belastingontduiking.'

Nick trekt zijn wenkbrauwen op, wrijft over zijn kin en kijkt me aan met een gezicht dat je zou verwachten van een taxateur die te horen krijgt dat de diamanten ring die hij je zojuist heeft aanbevolen in werkelijkheid van smeltend ijs is.

'Als je je in de zaak verdiept, zul je volgens mij ontdekken dat hij vrienden en buren gebruikte om zijn geld naar dit land terug te krijgen. Op die manier bleef hij steeds binnen het maximale bedrag dat je mag invoeren. En als hij dat deed, is hij vast nog wel een klein stapje verdergegaan en was hij dat geld helemaal vergeten toen hij zijn aangiftebiljet invulde.'

'Je hebt hem dat niet gevraagd?'

'Dat wou ik aan jou overlaten.'

Nick knikt, zijn wijze, begrijpende knikje. Dat heeft hij geoefend in al die jaren waarin hij naar de smerigste zaakjes luisterde. Zo langzamerhand is er niets meer waar hij warm of koud van wordt.

'Wat zei hij over die rekening in Belize? Waarom heeft hij die geopend?'

'Dat heb ik hem ook niet gevraagd. Ik wilde je manoeuvreerruimte niet beperken.'

Hij lacht en steekt me zijn koffiekopje even toe bij wijze van compliment.

Ik heb vaak het vermoeden dat Nick er niet boven verheven is om aan de feiten te sleutelen zodra het gordijn van een zaak is dichtgetrokken en hij en zijn cliënt er veilig achter zitten. Daarom heb ik Metz niet naar die dingen gevraagd: ik had geen zin om als Nicks hulpmonteur te fungeren.

'Heb je hem gevraagd waarom hij het geld heeft gehouden? Die tweehonderdduizend?' Nick hoopt tegen beter weten in.

'Jammer genoeg wel, en zijn antwoord was niet bemoedigend, of zelfs maar geloofwaardig.'

'Wat zei hij?'

'Advieskosten.'

'Dat lijkt me redelijk,' zegt hij.

'Vooral wanneer jij het als honorarium kunt inpikken,' merk ik op.

'Ik zie dat je snel leert. Laten we de zaak eens van de positieve kant bekijken.' Zelfs Nick kon toch niet zo optimistisch zijn dat hij zelfs maar een flinterdun zonnestraaltje in deze gigantische onweersbui zag?

'Niets van het grote geld kwam uit de Verenigde Staten, ja? Ik bedoel die twee miljoen. Het ging van Mexico naar Belize en weer terug. Dat is toch zo?'

'Behalve Metz' advieskosten.'

'Laten we dat even vergeten. We hebben hier misschien te maken met een financieel trucje. Maar het heeft zich allemaal buiten de jurisdictie van de Verenigde Staten afgespeeld. Ja?'

'Zo kun je het ook bekijken. Je kunt ook zeggen dat een Amerikaans staatsburger heeft meegewerkt aan valutadelicten in twee buitenlandse staten.'

'O ja? Nou, laten ze hem daar dan vervolgen. Jij en ik zijn niet bevoegd om de advocatuur uit te oefenen in Mexico. Dat is iemand anders z'n probleem.'

'Vraag Metz of hij het risico wil nemen om het komende millennium in een beerput in Mexico te zitten.'

'Denk je dat de Mexicaanse overheid hem echt zou aanklagen?'

'Ik denk dat als de FBI je vriend onder druk zet om erachter te komen wat hij weet, ze hem ook met uitlevering naar Mexico kunnen bedreigen. Waarschijnlijk lukt het ze wel om de medewerking van de Mexicaanse overheid te krijgen. Voorzover ik weet, hebben de twee landen een verdrag getekend.'

Nick denkt daarover na. Hij krabt met de rug van zijn vingers over zijn kin en kijkt me intussen grijnzend aan. 'Ik denk dat ik eens met mijn vrouw moet praten over het soort mensen waar ze mee omgaat.'

'Geef me antwoord op één vraag,' zeg ik. 'Had je niet het vermoeden dat dit iets met drugs te maken heeft?'

Hij kijkt me aan en aarzelt maar even. 'Nee. Ik vermoed dat nog steeds niet.'

De woorden zijn uitgesproken, maar ze klinken niet overtuigend. Het feit dat hij ze met een glimlach uitspreekt, doet nog meer afbreuk aan hun betekenis. Misschien wist Nick het niet zeker, maar aan zijn gezicht is te zien dat hij wel een sterk vermoeden had. Hij bedankt me voor mijn tijd en drinkt zijn koffie op, terwijl ik strak naar het water in het roestvrijstalen theepotje kijk. Nick kijkt op zijn horloge.

'Dan moet ik maar eens gaan,' zegt hij. 'Tenzij je natuurlijk een vriend een dienst wilt bewijzen.'

'Vergeet het maar,' zeg ik.

'Ik begrijp het.' Hij schuifelt de nis uit. 'Ik bel je vanmiddag. Dan vertel ik je wat er gebeurd is.'

'Alleen als je wilt dat ik je mijn tijd in rekening breng,' waarschuw ik hem.

Hij lacht en loopt dan naar de deur. 'Marge. Mijn vriend betaalt. Zet er een fikse fooi op,' zegt hij.

Voordat ik nog iets kan zeggen, is hij de deur uit.

Dat is typisch Nick. Hij belazert je aan alle kanten, maar hij is ook zo optimistisch dat het moeilijk is om hem niet aardig te vinden.

Ik geef hem een grote voorsprong en speel met het theezakje, maar niet omdat ik de thee wil opdrinken. Ik heb alleen geen zin om Nick met Metz voor het gerechtsgebouw tegen het lijf te lopen als ik op de terugweg ben naar mijn auto.

Marge komt met de rekening, gooit hem zonder plichtplegingen op de tafel en haalt Nicks koffiekopje weg, met de drab nog op de bodem. Twee minuten later sta ik op, pluk een paar biljetten van één dollar uit het opgevouwen pakje in mijn zak, en dan zie ik het. Tegen het versleten rode plastic van de bank aan de andere kant van de tafel ligt Nicks elektronische apparaatje. Nick is iemand met een cerebraal vacuüm, iemand die in een rechtszaal de meest abstracte gegevens in zich kan opnemen, maar hij mist het gen waardoor je aan materiële bezittingen gehecht raakt. Zolang ik hem ken, laat hij al dingen slingeren. Wat dat betreft, is hij net mijn tienerdochter: als hij iets heeft, raakt hij het kwijt.

Ik pak het op, stop het in de zak van mijn jas en betaal de rekening.

Buiten zet ik er vaart achter. Misschien kan ik hem nog te pakken krijgen voordat hij Metz treft. Als ik op de hoek ben, kijk ik door de straat naar het gerechtsgebouw, de plaats waar Nick met zijn cliënt heeft afgesproken. Er zijn een heleboel mensen tussen mij en de voorkant van het gebouw, mensen die op het trottoir lopen, maar Nick zie ik niet.

Ik steek over en loop aan de andere kant van de straat, in de hoop zijn aandacht te trekken voordat hij bij Metz is. Ik heb ongeveer een derde van het blok afgelegd als ik hem zie. Nick heeft zijn handen weer diep in de zakken van zijn jas en loopt haastig over het trottoir, zo'n dertig meter voor me uit en met vier rijstroken vol verkeer tussen ons in. Ik maak een kom van mijn hand voor mijn mond om te roepen, maar er rijdt net een bus tussen ons door. Het gevaarte braakt dampen uit en elke poging om te roepen verzuipt in het motorgedreun. Als hij voorbij is, is het te laat. Nick staat op het trottoir voor het pad dat naar het gerechtsgebouw leidt. Hij praat met Metz.

Ik haal mijn hand van mijn mond, klop op het apparaatje in mijn zak en loop door naar mijn auto, die een blok verderop staat. Ik zal hem later bellen en met hem afspreken hoe hij het apparaatje terugkrijgt.

Onder het lopen probeer ik onwillekeurig na te gaan wat Nick met dit alles van plan is. Ik vermoed dat hij de hele tijd al wist dat Metz tot aan zijn strot in de witwasserij zat. In dat geval wist hij ook dat ik de zaak niet zou aannemen. Waarom probeerde hij de zaak dan toch op mij af te schuiven? Misschien wilde hij zichzelf beschermen tegen bepaalde gegevens die boven tafel zouden komen en wilde hij dat ik als een soort filter voor die gegevens zou fungeren door eerst met Metz te praten. Op die manier kon hij de feiten beter naar zijn hand zetten wanneer hij zijn eerste gesprekken met de man had. Nick zou Metz ertoe kunnen brengen hem verhalen te vertellen die beter waren voor zijn zaak, zonder dat ze hem van uitlokking van meineed konden beschuldigen. Zulke machiavellistische gedachtekronkels zou ik van Nick verwachten.

Maar er is nog een andere mogelijkheid, en die is veel waarschijnlijker. Dat heeft met Dana te maken. Als ik kan afgaan op wat Metz me vertelde, als ik daar iets van kan geloven, wist Dana ongeveer wat zijn probleem was en dat het iets met drugs te maken kon hebben. Als ze, zoals Nick zegt, wil dat Nick betere cliënten zoekt, zou Dana niet willen dat hij deze zaak deed, zeker niet met een cliënt uit de kringen waarin ze zelf verkeert.

Als ik Dana een beetje ken, is ze vooral bang dat het haarzelf zou kunnen schaden, dat een ijverige verslaggever van een societyrubriek erachter zou komen dat Metz met de vrouw van zijn advocaat in die commissie zit – en dat terwijl ze wilde dat Nick betere cliënten kreeg en terwijl ze een vooraanstaande positie in de kunstwereld van de stad nastreefde.

Ze had tegen Metz kunnen zeggen dat hij met zijn probleem naar iemand anders toe moest gaan, maar dat zou hem er niet van hebben weerhouden om op eigen houtje Nick te bellen. Al was hij nog zo'n grote kunstliefhebber. Maar Dana zocht natuurlijk naar een veilige manier om mogelijke problemen te voorkomen. Nick zei wel dat hij Metz niet als cliënt kon aannemen omdat hij dan met tegenstrijdige belangen zou zitten, maar nu bleek dat opeens geen enkel probleem meer te zijn. Dat kwam niet erg geloofwaardig over. In ieder geval besloot Nick de zaak aan iemand anders over te doen.

Dus wie belt hij? De enige advocaat in de stad van wie hij weet dat hij geen drugszaak wil aannemen. En hup, daar stuitert de zaak alweer naar hem terug. Nu kan hij de zaak niet alleen aannemen maar ook tegen Dana zeggen dat hij geen keus had. Hij zal zich over haar vriend ontfermen, maar ze zal daar wel de prijs voor moeten betalen. Zijn hersenen moeten wel overuren hebben gedraaid. Niet alleen zou dit hem voordelen in zijn huwelijk opleveren, maar het zou zijn praktijk ook uitbreiden. Hoe zou ze kunnen klagen als ze zelf degene was die hem met die specifieke cliënt had opgezadeld? En per slot van rekening had hij geprobeerd de cliënt aan iemand anders over te doen.

Als ik aan het eind van het blok ben, glimlach ik in mezelf. Ik ben ervan overtuigd dat ik de onverkwikkelijke machinaties in Nicks huwelijk heb ontrafeld. Ik geniet zo van deze kleine overwinning dat ik geen individuele schoten hoor, maar een ononderbroken salvo, als een luidruchtige rits die wordt opengetrokken. De schoten galmen tegen de betonnen muren van de gebouwen om me heen en kaatsen tegen de overheidsgebouwen van vier verdiepingen aan Front Street. Mijn overlevingsinstincten komen meteen in actie. Mijn armen gaan omhoog en ik ga gehurkt tegen een muur zitten.

Pas wanneer ik het geluid van gierend rubber op de straat achter me hoor, draai ik me om. Een kleine donkere personenauto rijdt met achterlating van een wolk van uitlaatgas en verbrand rubber van het gerechtsgebouw vandaan. Ik hoor de achtcilindermotor hameren, de rauwe power van een motor die tot het uiterste wordt gedreven. De auto gaat linksaf, Broadway op. Het dwarsverkeer remt, komt gierend tot stilstand om niet tegen hem op te botsen. Claxons loeien. Voordat ik het allemaal helder kan zien, is de auto al om de hoek verdwenen.

Ik kijk door Front Street terug naar de hoofdingang van het gerechtsgebouw. Twee vrouwen kruipen over het trottoir. Een man helpt een van hen overeind, maar haar handen vliegen meteen naar haar mond en ze gilt het uit. Ik kan dat horen, een schelle gil, al ben ik er een half blok vandaan. Ze kijkt naar iets wat achter haar op het trottoir ligt.

Er komen steeds meer mensen omheen staan, en daardoor zie ik niets meer. Een van de parketwachters komt in zijn blauwe colbert het gebouw uit en rent het trottoir op. Hij verdwijnt achter de kleine zee van toeschouwers. Ik vermoed dat hij zich even later op zijn knie laat zakken.

Binnen enkele seconden komen er twee andere mannen in donkere uniformen achter hem aan. Ze rennen allebei het gerechtsgebouw uit. Ze hebben hun wapens getrokken. Een van hen praat in een microfoontje dat aan de schouderepaulet van zijn uniform zit vastgeklemd.

Het verkeer op Front Street is nagenoeg tot stilstand gekomen. Automobilisten blijven staan om te kijken. Ik zigzag tussen auto's met loeiende claxons door om aan de overkant te komen en loop over het trottoir naar de voorkant van het gerechtsgebouw. Er zijn nu meer mensen die in dezelfde richting rennen, allemaal met hetzelfde doel: ze willen zien wat er gebeurd is.

Duwend met mijn schouders baan ik me een weg door de menigte. Dan kan ik tussen de mensen door kijken. Op het trottoir, in een plas van bloed, zie ik een lichaam. Een man, donker haar, zijn gezicht van me afgewend op het beton, voor een deel bloederig of zelfs ontbrekend. Hij draagt een colbertje dat opzij is gedraaid toen hij viel. Zijn grijze broek is doorweekt van het bloed en zijn benen liggen er verdraaid bij, alsof ze probeerden te vluchten toen hij werd neergemaaid.

Ik zoek Nick, maar ik zie hem niet. Inmiddels zijn er minstens zes parketwachters op het incident afgekomen. Ze proberen de situatie onder controle te krijgen, duwen mensen terug, maken de weg vrij voor de ambulance die ik in de verte al kan horen. Twee politiewagens komen met flikkerende lichtbalken voor het gebouw tot stilstand. Een van de agenten heeft een pistool in zijn hand. Dan beseft hij dat het voorbij is en steekt het weer in de holster, die hij met het riempje dichtmaakt voordat hij mensen opzij begint te duwen om naar voren te komen.

Mensen krijgen een duw en struikelen. Een oude vrouw in een lange jas en een halsdoek zakt bijna op haar knieën. Een man steekt zijn hand uit en pakt haar vast. Ze kijkt verward op, want ze weet niet waar die reddende hand vandaan komt. De vertraagde paniek golft door de menigte. De verbijsterde stilte slaat om in opwinding en mensen krijgen hun bravoure terug. De nieuwsgierigheid laat zich gelden. Ze dringen om iets te kunnen zien, en de politieagenten duwen ze terug.

'Heb jij het gezien?'

'Nee. Ik hoorde de schoten.'

'Iemand gewond?' roept een van de agenten.

'Hier.' Een mannenstem.

Een verkeersagent met zijn fietshelm nog op baant zich een weg door de menigte. Pas op dat moment besef ik dat het niet één menigte is maar dat het er twee zijn, die elk als een sterrenhemel rondcirkelen om hun eigen zwarte gat. Op het trottoir zie ik Nick zitten. Zijn ogen met hun zware leden zijn halfdicht en staren strak naar het stroompje van zijn eigen bloed dat over het trottoir naar de goot stroomt. Er zitten donkere stipjes in zijn jas, zoveel dat ik ze niet kan tellen. De kogelgaten in zijn borst lopen schuin omlaag over zijn lichaam en verdwijnen pas als ze bij zijn middel zijn aangekomen. Door de kogelinslag is hij tegen een betonnen plantenbak gevallen, en zijn lichaam zit daar nu ineengezakt tegenaan, als een lappenpop die door een kind is neergegooid.

4

Ik sta daar op het trottoir en kan niets doen. Binnen enkele seconden komt er een brandweerwagen de hoek om, een minuut later gevolgd door een ambulance. Twee ziekenbroeders springen uit de wagen, en voordat ik in beweging kan komen, zijn ze al met Nick bezig. Ze buigen zich over hem heen, pakken materiaal uit hun grote tassen, naalden en plasma, een zuurstofmasker dat met een klein tankje verbonden is. Ik beweeg me door de menigte en besef dat de andere man Metz is. Ik zie de rug van een van de ziekenbroeders, die over hem gebogen zit en hartmassage toepast.

Binnen drie minuten zijn Nick en Metz op brancards en in de ambulance gelegd. Ik zie een deel van Nicks gezicht, om het masker heen, als ze hem voorbijrijden. Het heeft de kleur van as, een tint van blauwgrijs. Zijn ogen zijn halfopen en hebben een levenloze uitdrukking waarvan je weet dat het helemaal niet goed is.

Voordat ik me kan omdraaien om naar mijn auto te lopen, is de ambulance al weg. Ik denk dat ze naar Spoedgevallen gaan, maar gezien de vele medische voorzieningen in deze stad, is daar moeilijk naar te raden. Ik loop naar de auto en pak mijn mobiele telefoon. Na tien minuten bellen weet ik naar welk ziekenhuis ze zijn gebracht, maar daar krijg ik te horen dat de ambulance wel is aangekomen maar dat er geen informatie mag worden verstrekt. De zuster wil weten of ik familie ben. Ik zeg van niet. Ze vraagt mijn naam en telefoonnummer. Ik zeg tegen haar dat ik later opnieuw zal bellen en hang op. Ik kan niets doen. Half verdoofd ga ik naar mijn kantoor. Het is zo'n geval dat je rijdt, op een bestemming aankomt en niet weet hoe je daar bent gekomen. Ik sta geparkeerd in de straat van mijn kantoor, zit achter het stuur en weet niet hoe lang ik daar al zit.

Ik schud mijn hoofd en veeg over mijn voorhoofd. Een ogenblik denk ik dat ik het me verbeeld. Maar mijn handen beven. Ik draai het contactsleuteltje half om, zet de radio aan en druk op de toetsen voor plaatselijke stations. Ik val midden in een nieuwsuitzending en hoor de woorden:

'... voor het federale gerechtsgebouw in San Diego. Op dit moment weten we niet hoeveel mensen gewond zijn geraakt. Opnieuw werd er geschoten vanuit een rijdende auto.'

Ik zet hem harder.

'Volgens inmiddels bevestigde berichten zijn er twee doden gevallen.'

Dat feit is al tot me doorgedrongen, maar nu ik het hoor, wordt het pas echt.

'De identiteit van de twee slachtoffers wordt niet bekendgemaakt voordat de naaste familieleden zijn ingelicht. Volgens de politie is het motief achter de schietpartij onbekend. Er zijn geen arrestaties verricht en de politie zegt dat het onderzoek in volle gang is. We zullen u in een volgende nieuwsuitzending nader op de hoogte stellen.'

De rest van die dag en de dag daarna ging voorbij in een waas van nachtmerrieachtige beelden, duistere dromen waaruit ik alleen kan ontsnappen door wakker te worden en te ontdekken dat ik niet droom.

Gelukkig komt de politie pas na drie dagen naar me toe. Eerst dacht ik dat mijn naam misschien in Nicks agenda voorkwam. Toen ze die eerste dag niet kwamen, wist ik dat hij er niet in stond.

Een moord op twee personen, onder wie een prominente advocaat, recht voor het gerechtsgebouw – dat is voorpaginanieuws. De plaatselijke televisiestations en kranten stortten zich erop, de politie wakkerde het vuurtje aan en gaf informatie aan ze door, en dat was geen lovende informatie over Nick. Nick was een beruchte strafpleiter, het soort advocaat dat geen genade kende in de rechtszaal. Het was al uitgelekt dat er een envelop met vierduizend dollar in Nicks jaszak was aangetroffen toen ze het lichaam in het lijkenhuis uitkleedden. De autoriteiten wilden niet meer zeggen dan dat er een naam op de envelop geschreven stond. Het trekken van conclusies wordt aan de lezers overgelaten.

De politie zegt niets over het motief, al hebben verslaggevers inmiddels ontdekt dat Metz in staat van beschuldiging was gesteld. Ze noemen Metz alleen een prominente zakenman. Voor de pers draait het allemaal om Nick. De journalisten hebben er melding van gemaakt dat hij zich in grote drugszaken specialiseerde. Dat deed hij al toen hij nog op het Openbaar Ministerie werkte, en dat deed hij als advocaat nog steeds. Ze trekken daar vage conclusies uit, en daar kan de lezer dan weer over speculeren.

En de autoriteiten zwijgen in alle talen. Onder deze omstandigheden is de kans niet groot dat maatschappelijke organisaties hem in jubelende bewoordingen zullen herdenken.

Er staan camera's en een gestaag groeiend groepje journalisten voor het veiligheidshek van Dana's huis in de Cays. Ik heb de beelden op het avondjournaal gezien: de weduwe met donkere brillenglazen die door een haag van journalisten wordt gereden. Haar auto wordt bestuurd door vrienden, vooral door een lange man met platgekamd haar dat bij de slapen begint te grijzen. Hij draagt een colbertje dat eruitziet alsof het voor deze gelegenheid uit Saville Row is overgevlogen.

Dana mag blij zijn dat ze in een beveiligde wijk woont en dat het terrein van haar huis is omgeven door veiligheidshekken. Anders zouden de journalisten haar voortuin vertrappen en met hun camera's op ladders gaan staan om door haar ramen naar binnen te gluren. De beveiliging houdt de mediakudde tegen op het Silver Strand, ver van haar huis vandaan.

Vanmorgen is Harry al vroeg op kantoor, klaar om als buffer te fungeren wanneer de politie eindelijk komt opdagen. We verwachten ze. Ik heb Harry over Nicks elektronische apparaatje verteld. Zoals de meeste elektronische dingen is het voor Harry een raadsel, al vindt hij dat ik het aan de politie moet overdragen, dan kan die zich er het hoofd over breken. Maar ik wil dat pas doen als ik weet wat voor informatie erin zit.

Ik hoor de stemmen bij de receptie. Een of andere inspecteur en zijn collega. Hun namen ontgaan me. Ze willen meneer Madriani spreken.

Harry houdt ze even op om mij de tijd te geven me voor te bereiden. Met een stem die hard genoeg is om Nick uit de dood te laten herrijzen, vraagt hij waar het over gaat. De politie is natuurlijk bezig na te gaan wat Nick in de uren voor zijn dood heeft gedaan: de mensen die hij heeft ontmoet, degenen met wie hij heeft gesproken. Blijkbaar hebben ze met Marge gepraat, de serveerster in de gore cafetaria onder het Capri Hotel, en heeft zij de politie mijn signalement gegeven, of ze hebben mijn naam van Dana gehoord. Die wist waarschijnlijk wel dat Nick en ik elkaar die ochtend zouden ontmoeten. Als het is zoals ik denk, en als Nick zijn vrouw dus van de zaak-Metz op de hoogte hield, zal ze de politie mijn naam hebben genoemd. Nick zou het er dik hebben opgelegd. Hij zei natuurlijk tegen haar dat hij zijn best deed om mij de zaak te laten aannemen, en dat ik weigerde.

Ze heeft er vast wel bij stilgestaan dat als ik Metz als cliënt had aangenomen, ik misschien nu degene zou zijn die op een marmeren plaat in het lijkenhuis lag, in plaats van haar man. De laatste dagen gaat dat steeds weer door mijn hoofd. Het zit me helemaal niet lekker, al wordt mijn schuldgevoel verlicht door de gedachte aan mijn dochter Sarah als wees.

Even later wordt er op mijn deur geklopt. Harry's hoofd komt om de hoek, gevolgd door zijn lichaam. Hij glipt langs de deur en doet hem achter zich dicht.

'Twee stuks,' zegt hij, en hij geeft me een kaartje, een officieel kaartje van de politie met het gemeentewapen en de naam: inspecteur Richard Ortiz, afdeling Moordzaken.

'Laat ze maar binnen.'

'Je hoeft niet met ze te praten,' zegt hij.

'Als ik het nu niet doe, moet het later. Trouwens, wat heb ik te verbergen? Waarschijnlijk weten ze meer dan ik. Laten we dat tenminste hopen.'

Harry kijkt me aan met de blik van een advocaat wiens cliënt zojuist heeft geweigerd een goede raad op te volgen. Met een nors gezicht zwaait hij de deur helemaal open. 'U kunt binnenkomen,' zegt hij.

Even later komen er twee mannen binnen. Een van hen is lang en slank en heeft gemillimeterd haar. Hij heeft een pokdalig gezicht en zijn ogen staan zo diep in hun kassen dat ik een duikklok met schijnwerpers nodig zou hebben om de kleur te kunnen zien. Op de een of andere manier ziet hij er hongerig uit, als een menselijke afstammeling van de familie der gieren. Ik schat hem midden dertig. Aan zijn gezicht te zien heeft zijn beroep alle plezier dat hij in zijn leven had al-lang de kop ingedrukt.

De ander is gebouwd als een professionele footballspeler. Hij heeft kort blond haar, een stierennek en biceps die de mouwen van zijn colbertje onder spanning zetten. Hij is jonger.

'Meneer Madriani, ik ben inspecteur Ortiz.' De lange gier heeft de leiding. 'Mijn collega, brigadier Norm Padgett.'

Voordat ik een woord kan zeggen, gaat er een golf van paniek door me heen. Mijn blik valt op Nicks apparaatje, dat op een hoek van mijn bureau ligt, waar ik het vanmorgen heb neergelegd. Het is nu te laat.

'Gaat u zitten,' zeg ik. Als ik het apparaatje oppak, vragen ze zich misschien af waarom ik dat doe. Als Dana hun heeft verteld dat Nick zo'n ding had en ze konden het niet vinden toen ze zijn kantoor doorzochten, dan zijn ze er misschien naar op zoek.

'Wilt u koffie?' vraag ik.

Ze schudden allebei van nee.

'Wat kan ik voor u doen?'

Harry leunt met een deel van zijn gewicht op het dressoir dat langs de achterwand van mijn kantoor staat. De brigadier draait zich naar hem om.

'Sorry. U hebt mijn collega al ontmoet. Harry Hinds.'

'Ja,' zegt Ortiz. 'Dit is een vertrouwelijk onderzoek.'

'Ik begrijp het,' zegt Harry. 'Dan houden we het onder ons vieren.'

'Ik geloof dat mijn collega er liever bij blijft,' voeg ik daaraan toe.

'We kunnen dit ook op het bureau doen,' merkt Ortiz op.

'In dat geval ga ik mijn jas even halen,' zegt Harry dan.

Ortiz kijkt vanuit de donkere gaten in zijn schedel naar hem.

'Voorzover ik weet, ben ik nog steeds advocaat,' vertelt Harry hem.

'Is er een reden waarom u een advocaat nodig hebt?' vraagt Ortiz me.

'Misschien kunt u me dat vertellen.'

'Voorzover wij weten, staat u niet onder verdenking,' zegt hij.

'Blij dat te horen. Ik zal dat noteren,' zegt Harry.

De rechercheur glimlacht niet, maar zegt: 'Goed.' De eerste slag is voor ons.

'We hebben alleen een paar vragen,' zegt hij. 'Ik vermoed dat u weet waarom we hier zijn?'

'Vertelt u dat maar eens.'

Nu en dan kijk ik onwillekeurig naar het apparaatje dat op mijn bureau ligt. Ik zou het graag terloops willen oppakken en het in een van de laden van mijn bureau leggen. Maar dat durf ik niet.

'U hebt vast wel gehoord van de schietpartij die eerder deze week voor het gerechtsgebouw heeft plaatsgevonden. Een dubbele moord.'

Hij wacht op een reactie van mij. Bijvoorbeeld dat ik er in de krant over heb gelezen of zoiets. Ik zeg niets.

'We begrijpen dat u beide slachtoffers kende, Nicholas Rush en Gerald Metz.'

'Is dat een vraag?'

'Ja.'

'Ik kende meneer Rush. Ik heb meneer Metz één keer ontmoet.'

'Goed. Dank u.' Een schouderklopje van Ortiz. 'En ik neem aan dat u van de schietpartij op de hoogte was?'

'Ja.'

'Hoe hebt u ervan gehoord?'

Ik kijk hem aan. We duelleren met onze ogen.

'Ik zou graag een antwoord willen hebben.'

'Ik hoorde de schoten.'

'U was ter plaatse?' zegt hij.

'Ik was aan de overkant van de straat, ongeveer een half blok ervandaan. Toen het gebeurde, liep ik de andere kant op. Ik draaide me om, maar toen was het al voorbij.'

'Hebt u de auto gezien, de auto met de schutter?' vraagt Ortiz.

'Heel even maar. Hij reed de andere kant op, van mij vandaan. Ik herinner me dat het een donkere sedan was. Ik weet het merk of het model niet. Zo goed kon ik het niet zien.'

'En natuurlijk hebt u het kenteken niet gezien?'

Ik schud mijn hoofd.

'Dat was ook niet te verwachten,' zegt hij. 'We denken dat hij geen nummerbord had. Die zijn eraf gehaald door degene die hem heeft gestolen, kort voor de schietpartij. We hebben de auto gisteravond laat gevonden. Hij was achtergelaten aan de andere kant van de stad. Daar zult u in de krant van morgen vast wel over lezen.'

'Hebt u vingerafdrukken gevonden?' vraagt Harry.

'Daar zult u niet over lezen,' antwoordt Padgett.

'Hoe goed hebt u meneer Rush gekend?' zei Ortiz.

'We hadden van tijd tot tijd via ons werk met elkaar te maken. Verwezen cliënten naar elkaar. Dat soort dingen.'

'Ging u ook privé met elkaar om?'

'Van tijd tot tijd gingen we met elkaar lunchen. We kwamen elkaar tegen op bijeenkomsten van advocaten.'

'We hoorden dat u hem heeft gesproken op de ochtend dat hij werd doodgeschoten.'

'We hadden een kort gesprek.'

Padgett haalt zijn notitieboekje tevoorschijn.

'Kunt u ons vertellen waar het over ging?' vraagt Ortiz.

'In algemene termen?'

'Daar kunnen we mee beginnen.'

'Het ging over zaken. Een cliënt die Rush naar mij had doorverwezen.'

'Was die cliënt toevallig meneer Metz?' vraagt Padgett.

'Ik ga hem voorstellen daar geen antwoord op te geven,' zegt Harry.

'Ik dacht dat u alleen maar keek en luisterde.' Ortiz kijkt hem over zijn schouder aan.

'Soms sla ik de bal terug,' zegt Harry.

'Goed. Waarom zou meneer Madriani geen antwoord geven op mijn vraag?'

'Voordat een cliënt officieel wordt vertegenwoordigd,' zegt Harry, 'valt zijn identiteit onder het beroepsgeheim van de advocaat.'

Ik glimlach naar Ortiz. 'Lastig hè, die advocaten?'

'Wil dat zeggen dat u meneer Metz vertegenwoordigde?' zegt Ortiz.

'Nee. Het wil zeggen dat ik uw vraag niet ga beantwoorden.'

'Waarom niet? Wat hebt u te verbergen?' vraagt Padgett.

'De identiteit van een voormalige cliënt,' antwoordde Harry.

'Die dood is,' werpt Padgett tegen.

'Dan gaat u ervan uit dat die cliënt meneer Metz was,' zegt Harry. 'En dat is precies de vraag die u stelt. Daar geven we geen antwoord op.'

Ze komen hier niet verder mee. Ik kan aan Padgetts lichaamstaal zien dat hij het er niet bij wil laten. Ortiz daarentegen besluit het te negeren.

'We hebben gehoord dat u één gesprek met meneer Metz hebt gehad om vast te stellen of u al dan niet als zijn advocaat zou optreden, en dat u hebt geweigerd.'

Ze hebben met Dana gepraat.

'Kunt u ons vertellen waarom u de zaak niet hebt aangenomen?'

'Ook als we even aannemen dat uw informatie correct is, wat ik niet toegeef, zou ik daar geen commentaar op kunnen geven. Ik weet het. Zo komen we niet verder. Maar ik doe mijn best,' zeg ik.

'Dus u hebt met Metz gesproken?' vraagt Padgett.

'Heb ik dat gezegd, Harry?'

'Nee.'

'Dat heb ik niet gezegd.'

We weten allemaal waarom Harry erbij is. Hij ziet erop toe dat Padgett, die als notulist optreedt, niet al te creatief met pen en papier te werk gaat.

'Maar hij had juridische problemen,' zegt Ortiz.

'We hoorden dat hij in staat van beschuldiging was gesteld,' zegt Padgett.

'Als u het zegt.'

'Het stond in de krant,' zegt Padgett.

'O ja?'

'Laten we er niet omheen draaien,' zegt Padgett. 'We weten dat u die ochtend Rush hebt gesproken. We weten dat u niet zomaar een praatje met hem maakte. We hebben een getuige,' zegt hij. 'Die zegt dat u met de man over een tafel gebogen zat, nog geen tien minuten voordat hij werd doodgeschoten.'

'Waarom vraagt u het dan aan mij?'

'Omdat we willen weten waarover u sprak.'

'Uw getuige heeft niet genoeg gehoord om u dat te kunnen vertellen?'

Padgett zegt 'Nee' voordat zijn collega verbaal over hem heen kan lopen door te zeggen: 'We wilden horen wat u zou zeggen.'

'Wat is het nou, ja of nee? Als uw getuige het heeft gehoord, zou die persoon uw beste bron van informatie zijn. Want ik kan er niet over praten.'

'Dus het was een gesprek tussen advocaat en cliënt?' zegt Ortiz.

'Ik dacht dat we dat al hadden vastgesteld.'

'Als Rush uw vriend was, waarom wilt u ons dan niet helpen zijn moordenaar te pakken te krijgen?' zegt Padgett.

'Waarom vraagt u me niet of ik mijn vrouw nog sla?' zeg ik tegen hem.

'Doet u dat?' vraagt hij.

'Ze is een paar jaar geleden aan kanker overleden,' zegt Harry.

Padgett kijkt me aan. 'Sorry.'

'We willen alleen maar weten wat Metz u in uw eerste cliëntgesprek vertelde,' zegt Ortiz.

'Tenzij en totdat een rechter het tegendeel tegen me zegt, vallen alle gesprekken die ik met cliënten heb gehad onder het beroepsgeheim.'

'Zelfs dode cliënten?' vraagt Ortiz.

'Zelfs dode cliënten,' antwoord ik.

'Ik begrijp het. U maakt de regels niet, u volgt ze alleen maar op. Is dat het?' zegt Padgett.

'U bent niet zo dom als u eruitziet,' merkt Harry op.

'Harry. Ze proberen alleen maar hun werk te doen,' zeg ik.

'En u helpt ons niet erg,' zegt Ortiz.

'Sorry. Maar ik moet mijn eigen werk doen,' zegt Harry.

Ortiz gooit het over een andere boeg. 'Hoe lang kende u Nick Rush?'

'Tien jaar. Min of meer.'

'Hoe hebt u hem leren kennen?'

'Sinds het gebeurde, heb ik daar ook een paar keer over nagedacht. U weet hoe het gaat als je iemand verliest die je kent. Het zal wel op een congres of zoiets zijn geweest. Misschien op een bijscholingscursus. Maar eerlijk gezegd weet ik niet precies meer waar of wanneer het was.'

'Laat me u een vraag stellen. Hoe kon Metz een cliënt zijn als u zijn zaak niet aannam?' Padgett wil het niet opgeven.

'U weet net zo goed als ik dat of ik de zaak nu aannam of niet, alles wat een cliënt mij in een eerste gesprek heeft verteld...' Hij begint notities te maken. 'En let wel: hiermee zeg ik niet dat ik ooit over juridische zaken met meneer Metz heb gesproken, maar als ik dat heb gedaan, valt het onder het beroepsgeheim.' Hij krast het door en klapt zijn notitieboekje dicht. Op dat moment ziet hij Nicks apparaatje op mijn bureau. Hij kijkt er even naar. Mijn hart gaat meteen veel harder slaan.

'Ik hoorde dat u geen drugszaken doet,' zegt Ortiz.

Ik probeer hem aan te kijken, maar mijn blik gaat steeds weer naar zijn collega, die nog naar het apparaatje op mijn bureau kijkt.

'Is dat waar?'

'Pardon?'

'Dat u geen drugszaken doet?'

'In het algemeen niet, nee. Ik doe geen zaken die met narcotica te maken hebben.'

Als Padgett het apparaatje oppakt, omdraait en Nicks naam ziet, moeten we dit gesprek op het bureau afmaken, waarschijnlijk in het bijzijn van een rechter. Ze kunnen me beschuldigen van het achterhouden van bewijsmateriaal in een moordzaak.

'Nou, misschien hebt u dan toch nog een paar goede eigenschappen.' Padgett kijkt even niet naar het apparaatje en richt zijn blik op mij.

Ik grijns hem toe.

'Waarom doet u geen drugszaken?' vraagt hij.

'Ik ben niet deskundig op dat terrein.'

'Natuurlijk,' zegt hij.

'Is dat de enige reden?' vraagt Ortiz.

'Eventuele andere redenen zouden persoonlijk zijn en hebben niets te maken met enige cliënt of zaak,' zeg ik.

'Wilde u daarom de zaak-Metz niet aannemen? Omdat die met drugs te maken had?'

'Als we er even van uitgaan dat Metz mijn cliënt was en een eerste gesprek met me had, zou ik niets kunnen vertellen over de redenen waarom ik een dergelijke zaak niet wilde aannemen.'

'Zijn we weer op dat punt aanbeland?' vraagt Padgett.

'Het betekent dat het u niets aangaat,' zegt Harry.

'U vergist zich,' zegt Padgett. 'Ze zijn allebei dood, en dat gaat ons iets aan. Trouwens, waarom beschermt u een cliënt die niet bestaat?'

'Totdat een rechter me iets anders zegt.'

'Ik denk dat als Metz hier was hij zou willen dat u ons hielp,' zegt Ortiz. 'Dat zou ik tenminste willen, als iemand me vol gaten pompte terwijl ik op het trottoir stond en me met mijn eigen zaken bemoeide.'

'En uw vriend?' zegt Padgett. 'Ik zou toch denken dat u ons daarmee zou willen helpen, al was het alleen maar omdat het een goede collega van u was. U weet wel, haaien onder elkaar.'

Plotseling ben ik uit mijn stoel gekomen. Harry komt van het dressoir vandaan om me tegen te houden.

Padgett is ook opgestaan, zijn schouders naar achteren, zijn handen paraat.

Ik steek langzaam mijn hand over het bureau en pak een van mijn visitekaartjes uit de kleine houder op de hoek en gooi het hem toe. Omdat hij zo opgewonden is lukt het hem niet het op te vangen. Hij had zich voorbereid op een gevecht, en nu komt het opeens op behendigheid aan. Als ik hem te grazen wilde nemen, zou ik dat op dit moment moeten doen.

'Als u nog eens wilt praten, belt u dan even van tevoren,' zeg ik tegen hem. 'Dan kan ik beslissen of ik thuis wil zijn of niet.'

Padgett staat er wat schaapachtig bij, klaar voor een gevecht dat niet komt. Mijn kaartje ligt op de vloer. Omdat hij niet weet wat hij moet doen, bukt hij zich en raapt het op.

Ik maak van de gelegenheid gebruik om mijn hand naar het apparaatje uit te steken, het geluidloos over het bureau te schuiven en in de middenla te laten verdwijnen, en die te sluiten. Ortiz kijkt nog naar zijn collega en schijnt niets te merken, of als hij iets merkt, laat hij dat niet blijken.

'Dus u wilt ons niet helpen?' Hij kijkt mij weer aan.

'Als ik kon helpen, zou ik dat doen, maar ik kan het niet. Het is nu eenmaal een feit dat ik niets weet.'

Ortiz kijkt me met een spottend glimlachje aan. Hij gelooft het niet. Ik krijg het gevoel dat die grijns zo ongeveer alle humor vertegenwoordigt die hij in huis heeft.

'Zonder dat we over specifieke gegevens, cliënten of zaken praten, kan een advocaat goede redenen hebben om een zaak af te wijzen,' zeg ik tegen hem.

'Zoals?' vraagt Ortiz.

'Hypothetisch gesproken?'

'Hypothetisch,' zegt hij.

'Misschien het gevoel dat de cliënt je niet de waarheid vertelt.'

'Metz loog tegen u?' zegt hij.

'We hebben het niet over cliënten of zaken,' breng ik hem in herinnering.

'Natuurlijk niet.'

Padgett grijnst. Hij staat nog bij de rand van mijn bureau. Eindelijk bereiken ze iets. 'Waar loog hij over?' vraagt hij.

Ik kijk hem aan in de trant van: wat moet ik daar nu op zeggen?

'Wat? U doet alleen maar zaken met drugshandelaren die de waarheid spreken?'

Ik laat me niet op stang jagen.

'Maar het ging om drugs, nietwaar?' zegt hij.

'Dat heb ik niet gezegd.'

'U zei dat u daarom zijn zaak niet wilde aannemen.'

'Hij heeft nooit iets over meneer Metz gezegd.' Ortiz wil meer horen. Wat het ook is dat ik hem zal vertellen.

'Dus u hebt geen idee wie hen kan hebben vermoord? Of valt dat ook onder het beroepsgeheim?' vraagt Padgett.

'Nee, ik heb geen idee. Maar als ik u was, zou ik eerst eens op het Openbaar Ministerie gaan praten.'

'Daar zijn we al geweest. Alsof we tegen een muur praatten,' zegt Padgett.

Ortiz werpt hem een dodelijke blik toe. De brigadier kijkt als iemand die het liefst zijn woorden weer zou inslikken.

De politie verstrekt geen informatie.

Ik kijk op naar Harry. We hebben plotseling meer te horen gekregen dan zij.

Ondanks zijn stierennek en biceps lijkt het erop dat Padgett flink op zijn donder krijgt als Ortiz weer met hem op straat staat.

'Hebt u ooit van een vrouw gehoord die Laura heet?' vraagt Ortiz.

'In welk verband?'

'Ik weet het niet. Misschien een zakelijk contact. Misschien een vriendin van meneer Rush?'

'Alleen Laura, geen achternaam?' zeg ik.

'Nee. Alleen Laura.'

Ik denk even na. De envelop in Nicks zak met een naam erop, de envelop met vierduizend dollar. Reken maar dat zoiets de nieuwsgierigheid van de jongens van Moordzaken wekt. Maar omdat de vraag op die manier door Ortiz wordt gesteld, kan ik hem omzeilen zonder te liegen.

'U hebt het over een vrouw die Laura heet? Sorry. Ik kan u niet helpen.'

'U stroomt over van informatie,' zegt Padgett.

'Als er nog iets is, kunnen we dan weer contact met u opnemen?' vraagt Ortiz.

'U hebt mijn kaartje.'

Ortiz staat op en ze lopen naar de deur. Padgett loopt voor hem uit. Ik denk dat hij op dat moment liever zou achterblijven, bijvoorbeeld door zich onder mijn bureau te verstoppen.

'Nog één ding,' zegt Ortiz. Hij is bijna bij de deur en draait zich naar me om. 'Wist u dat meneer Rush en meneer Metz samen zakendeden?'

Hij ziet aan de lege uitdrukking op mijn gezicht, gespeeld of niet, dat die gedachte geen moment bij me opgekomen was.

Ik schud mijn hoofd.

Hij kijkt naar een stuk papier dat hij in zijn hand heeft. 'Iets wat Jamaile Enterprises heet?' Dat woord 'Enterprises' spreekt hij een beetje spottend uit. Hij kijkt me afwachtend aan.

'Niets? Niets?' zegt hij.

Ik ben sprakeloos.

'Ik vroeg me alleen maar af,' zegt hij, 'of meneer Rush, die toch uw vriend was, er misschien met u over had gesproken.'

5

Hoewel ik me niet kan herinneren dat Nick ooit door de deur van een kerk is gegaan, wordt zijn begrafenisdienst gehouden in de oude Mission San Luis Rey, een paar kilometer van de kust vandaan, bij Oceanside.

Het is allemaal erg stijlvol geregeld, met drie glanzende zwarte rouwwagens die genoeg bloemstukken vervoeren om er als een corso uit te zien. Voorop rijdt de wagen met Nicks kist, waarover een vlag is gedrapeerd. Niemand heeft mij uitgelegd wat die vlag op die kist doet, want Nick is nooit in dienst geweest, al is hij wel tijdens de uitoefening van zijn functie doodgeschoten. Het zal wel een idee van Dana zijn geweest. Die laat die vlag natuurlijk opvouwen en bij het graf aan haar overhandigen.

Een grote, stille menigte verzamelt zich onder de met de hand uitgehouwen balken van de oude Spaanse barokkerk, waarvan de lemen wanden elk kuchje en het geschuifel van schoenen op de Spaanse plavuizen enorm versterken.

We werken de gymnastiekoefeningen van een katholieke dienst af, van de banken naar de knielkussens en weer overeind. De priester galmt intussen een laatste zegen over de kist uit, besprenkelt hem met wijwater en zwaait met een gigantische koperen wierookbrander aan een ketting, waar grijze rookwolken uit komen.

De informatie die we van de politie hebben gekregen, blijft maar door mijn hoofd gaan – de naam Jamaile Enterprises en de verzekering dat Metz en Nick zaken met elkaar deden.

Zou het kunnen dat ze me alleen maar uit mijn tent probeerden te lokken? Dat was Ortiz en zijn collega niet gelukt, maar ze hebben wel een zaadje van achterdocht geplant dat nu begint uit te lopen. De vraag is: als Nick al eerder met Metz te maken had gehad, waarom vertelde hij me dat dan niet? De afgelopen twee nachten heb ik aan weinig anders gedacht. Ik heb geen duidelijk antwoord kunnen vinden, en dat zit me dwars. Was Jamaile een criminele onderneming? Het is mogelijk, al zou Nick nooit zo dom zijn om zijn naam op de oprichtingsakte te laten zetten – of het moest al zo zijn dat hij pas later ontdekte wat voor onderneming het was. Dat zou kunnen verklaren waarom hij Metz niet als cliënt wilde. En zo kom ik op een andere vraag: beschouwde Nick de situatie als gevaarlijk? Toen we die ochtend in de cafetaria zaten te praten, zag ik daar geen tekenen van. Het kost me moeite te geloven dat hij me op die manier zou gebruiken. Ik ben ervan overtuigd dat wat er ook is gebeurd Nick het niet zag aankomen.

Zijn kist staat op een draagbaar met wielen, midden voor het vergulde altaar waarboven gipsen heiligen zich als stenen wachters in hun nissen verheffen. Een grote houten crucifix met de beeltenis van Christus beheerst het hele tafereel. De geuren van wierook en kaarsvet hangen zwaar in de lucht, alsof ze aan de dakspanten hangen.

Harry en ik zijn laat gearriveerd en staan in een van de rijen achter in de kerk. Er zijn een paar politieke figuren aanwezig, mensen die Nick kende en met wie hij in de loop van de jaren samenwerkte, twee rechters van federale rechtbanken en een gemeenteraadslid. Een paar rijen naar voren zie ik een voormalig lid van de wetgevende macht, iemand die jaren geleden dankzij Nick onder een drugsaanklacht is uitgekomen. Nick deed dat toen zo handig dat zelfs de kiezers de man uiteindelijk vrijspraken. Hij werd herkozen en mocht zijn zetel tot de maximale termijn blijven bezetten.

Voorin zie ik twee rijen met collega's uit Nicks firma, vlak achter Dana, die helemaal in het zwart is uitgedost, compleet met sluier. Ze wordt geflankeerd door vrienden die haar papieren zakdoekjes aanreiken.

Ik heb uitgekeken naar Margaret, Nicks eerste vrouw, maar ik zie haar nergens. Misschien is ze er niet. Dat is een van die dingen waar je aan denkt: zou ze ondanks dat afschuwelijke gevecht van de scheiding toch nog komen? Zo ja, dan heeft ze zich stilletjes in de menigte verstopt.

De wielen van de draagbaar, waarvan er eentje protesterend piept, rommelen over de eeuwenoude Spaanse tegels. De dragers rijden de kist langzaam door het gangpad naar de deur en de wachtende lijkwagen. De teraardebestelling zal in besloten kring, met alleen wat familie en goede vrienden, plaatsvinden op Eternal Hills, enkele kilometers van de kerk vandaan.

De kist rijdt voorbij, gevolgd door Dana, met haar gezicht achter de sluier. Naast haar loopt de lange man die ik op het televisiejournaal heb gezien, de man die haar naar het huis reed – slank en serieus en met donker haar dat bij de slapen net grijs genoeg is om een zeker gezag uit te stralen. Hij steunt haar. Zijn ene hand omvat haar elleboog, zijn andere arm ligt om haar schouders. Aan de andere kant loopt een oudere blonde vrouw, waarschijnlijk een zuster van haar, want er is een duidelijke familiegelijkenis.

De rouwenden lopen achter hen aan vanaf de voorkant van de kerk, zodat Harry en ik bijna de laatsten zijn die weggaan. Als we op het grote plein voor de kerk staan, is de kist al in de wagen gezet. Het personeel van de uitvaartonderneming is druk bezig de familie in de limousines en de bloemstukken weer op de wagens te krijgen voor de rit naar de begraafplaats.

De limousine met Dana volgt dicht op de laatste glanzende zwarte rouwwagen met verduisterde ramen. De achterdeur aan de andere kant is open.

'Meneer Madriani.' Ik hoor mijn naam voordat ik kan zien waar de stem vandaan komt. Als ik me omdraai, sta ik tegenover de man die Dana heeft ondersteund toen ze door het gangpad van de kerk liep.

'We kennen elkaar niet,' zegt hij, en hij steekt zijn hand uit. 'Ik ben Nathan Fittipaldi, een kennis van mevrouw Rush.'

We schudden elkaar de hand.

Hij draagt een donker gestreept Italiaans pak met een zijden das, een duur linnen overhemd en glanzende kalfsleren zwarte loafers met kwastjes. Zijn broekspijpen hebben een messcherpe vouw. Alles aan zijn kleding ziet eruit alsof het op maat gemaakt is en hij het voor de eerste keer aanheeft.

'Ze heeft me gevraagd of ik met u wil praten. Ze is er momenteel niet zo best aan toe.'

'Dat kan ik me voorstellen.'

'Ze zou graag willen dat u naar haar huis komt. Ze wil met u praten. Ik heb tegen haar gezegd dat u daar vast geen bezwaar tegen zou hebben.'

'Natuurlijk niet. Wanneer?'

'Wanneer het u maar uitkomt. Ik zou het alleen niet vandaag doen,' zegt hij.

'Goed.'

'Misschien kunt u bellen voordat u naar haar toe gaat, dan weet u zeker dat ze thuis is. Ik zal u het nummer geven.'

Ik vertel hem dat ik dat nummer al heb. Hij zegt dat het veranderd is. Het schijnt dat Dana steeds door de pers werd gebeld.

'Meneer Rush heeft het aan sommige cliënten gegeven,' zegt Fittipaldi. 'We vermoeden dat een van hen het aan de pers heeft doorgegeven. Die mensen hebben geen respect voor rouwenden.' Het is niet duidelijk of Fittipaldi het nu over Nicks criminele cliënten of over de pers heeft, al vermoed ik dat hij ze tot dezelfde maatschappelijke categorie rekent. Ik vermoed dat Dana niet de enige is die op Nicks clientèle neerkijkt.

Hij noteert het nieuwe geheime nummer op de achterkant van een visitekaartje en geeft het aan me.

'Blij dat ik u heb ontmoet,' zegt hij. 'Dana zegt dat u een goede vriend bent. Ze zal ons in de komende weken en maanden allemaal nodig hebben.'

Ik glimlach maar zeg niets.

En voordat ik kan vragen waarover ze me wil spreken, is hij al om de achterkant van de limousine heen gelopen. Hij verdwijnt door de open deur aan de andere kant. Die deur gaat dicht en de stoet zet zich in beweging.

'Wat was dat?' vraagt Harry.

'Ik weet het niet.' Ik kijk naar het kaartje in mijn hand, duur velumpapier en nog wel met een watermerk. Ik keer het om naar de bedrukte kant. Daar staat:

FITTIPALDI KUNST & ANTIEK
NATHAN FITTIPALDI
Agenten voor de discrete collectioneur
Londen, New York, Beverly Hills, San Diego

Er staat geen telefoonnummer op, alleen een faxnummer en een webadres, 'Discretion.com'.

De uren die ik met Sarah thuis doorbreng, verlopen niet altijd zo rustig. Ze doet haar huiswerk, haar ene been onder het andere gevouwen in een van de fauteuils in sofastijl in onze huiskamer, met *Star Trek* op de televisie, die keihard aanstaat. Daar haalt ze negens en tienen mee. Vraag me niet hoe.

Haar haar is zo dik als een paardenstaart. Het is bruin met vleugen kastanjerood, dat als koper glanst wanneer het zonlicht erop valt. Het zit nu in kleine vlechtjes, iets nieuws. Ze zegt dat ze er de volgende morgen dan niet zo zoveel werk aan heeft.

Ze is hard op weg een jonge vrouw te worden. Ze kleedt zich anders en besteedt meer aandacht aan haar uiterlijk, en je merkt ook dat ze verstandiger wordt. Sarah heeft absoluut een eigen willetje. Terwijl andere kinderen zich helemaal laten leiden door de druk die leeftijdgenoten op hen uitoefenen, bezit mijn dochter een rijpheid die mij in mijn uitbundige, onbesuisde momenten vaak tot schaamte brengt. We spelen wel eens bordspelen en dan geeft ze blijk van een strategisch inzicht dat ik nooit van iemand van haar leeftijd zou hebben verwacht. Ze speelt met veel consideratie voor zwakkere tegenstanders, die ze tegen mijn aangeboren mannelijke agressie beschermt, totdat ze me verplettert. Ze is nog maar vijftien en ik moet er bijna niet aan denken hoe ze over een paar jaar zal zijn. Toch heb ik door haar meer vertrouwen in haar generatie gekregen. Het doet me goed om te weten dat er mensen als zij tussen zitten.

Vanavond hebben we ieder onze eigen bezigheden. Sarah is verdiept in haar natuurkunde en geschiedenis, en ik in de kleine palmtop die van Nick is geweest. Tot nu toe heb ik ontdekt dat je op het groene knopje aan de onderkant moet drukken om het schermpje aan te zetten. Maar zonder gebruiksaanwijzing durf ik verder niet veel te doen. Als het op computers aankomt, heb ik tien linkerduimen, en ik ben bang dat ik de gegevens verlies die erin staan opgeslagen. Het is nog tot daaraan toe om mogelijk bewijsmateriaal in een moordzaak achter te houden, maar ik moet er niet aan denken dat ik het ook nog kwijt zou raken.

Als ik het schermpje aanzet, staat bovenaan een afbeelding van een batterij. Zo te zien is die langzaam aan het leeglopen. Het donkere deel van de staaf schuift elke dag een beetje verder naar links. Ik vermoed dat als hij leeg is alle informatie in het apparaatje verloren gaat.

Ik trek het batterijklepje aan de achterkant open. Er zitten twee AAA-batterijen in. Ik kijk er even naar.

'Sarah?'

'Hmm?' Ze kijkt niet op van haar huiswerk, houdt haar blik strak gericht op het boek dat op haar schoot ligt.

'Hebben we batterijen in huis, AAA's?'

'Van die kleintjes?'

'Ja.'

'Ik geloof van wel.' Ze gaat naar de koelkast, waar ze haar batterijen bewaart, vooral voor de walkman waar ze in de auto altijd naar luistert.

'Deze?' Ze houdt er een omhoog.

'Ja, die.'

'Hoeveel moet je er hebben?'

'Twee.'

Ze brengt ze naar me toe. 'Wat is dat?'

'Het is een palmtop.'

'Ja. Dat weet ik. Maar wat is dat kleine dingetje daarbovenop?'

'Dat is een mobiele telefoon.'

'Cool. Hoe kom je daaraan?'

'Het was van een vriend.'

'En je mocht het lenen?'

'Zo ongeveer,' zeg ik. 'Weet jij iets van die dingen af?'

'Sommigen op school hebben er een. Die van hen zijn niet zo mooi.' Sarah kijkt over mijn schouder, grote bruine ogen die het apparaatje bestuderen. 'Wat wil je weten?'

'Hoe je de batterijen moet vervangen.'

'O, pa. Geef maar even.' Ze steekt haar hand al uit, maar ik trek het apparaatje weg.

'Ik wil niet het risico lopen dat de informatie die erin zit verloren gaat.'

'Misschien heeft het een bubbelgeheugen,' zegt ze.

Ik heb van bubbelgum en bubbelwijn gehoord. Maar een bubbelgeheugen is nieuw voor mij.

'Als dat zo is, zit alles binnenin opgeslagen, in een chip of zoiets. Daar hebben we bij techniek over geleerd. Ook als je de stroom eraf haalt, blijven de gegevens opgeslagen.'

'Hoe kom ik erachter of het een van die geheugens heeft?'

'Je kunt on line kijken. Iets wat zo cool is, moet een site hebben. Hoeveel kost het?'

'Weet ik niet.'

'Ik ben gauw jarig,' zegt ze.

'Ik koop batterijen voor je,' zeg ik.

Ze kijkt me aan alsof ze boos is, iets wat me altijd weer aan haar moeder doet denken.

'Mag ik het zien? Ik maak het niet stuk. Dat beloof ik,' zegt ze. Met tegenzin geef ik haar het apparaatje.

'Hé, dat knopje bovenop. Dat is de mobiele telefoon.'

'Weet ik. Niet aankomen.'

'Rustig maar,' zegt ze. Hetzelfde dat Nick tegen me zei voordat ze hem doodschoten. 'Waarom kunnen we hem niet gewoon aanzetten? Kijken of hij het doet.'

'Omdat de batterijen dan misschien opraken.' Ik vertel haar niet dat de politie inmiddels waarschijnlijk al achter het nummer van Nicks mobiele telefoon is. In dat geval heeft de service provider er al voor gezorgd dat de positie van de telefoon te bepalen is zodra hij signalen uitzendt, zelfs als hij alleen maar on line probeert te komen.

'Als er een site op internet is, zou jij die dan kunnen vinden?' vraag ik.

'Ik weet het niet. Ik kan kijken.'

Het kost haar nog geen vijf minuten. Sarah laat haar vingers vliegensvlug over het toetsenbord gaan en rolt met de muis om met behulp van Yahoo de sites af te gaan. Bij de vierde keer is het raak. We zien een logo dat overeenkomt met dat op het apparaatje, twee gebogen strepen die elkaar kruisen, met een stip daartussenin aan de onderkant. Handspring.com.

We kijken een halve minuut of zo naar de webpage.

'Ik zie niets wat op een gebruiksaanwijzing lijkt. Jij?' zegt ze.

'Nee. Wat doen we nu?'

'Wacht even.' Ze klikt op 'Customer support'. Er verschijnt een scherm voor e-mailberichten.

Sarah typt een boodschap in. Ze vertelt hun dat we de gebruiksaanwijzing kwijt zijn en willen weten hoe je de batterijen verwisselt. En ze vraagt of we dan eventuele opgeslagen gegevens kwijtraken.

Tien minuten later komt er een antwoord. Er zit een gebruiksaanwijzing aan vast. Het e-mailbericht zelf raadt ons aan het apparaat met een desktopcomputer te synchroniseren en dan de batterijen te verwisselen. Doen we dat niet, dan hebben we vanaf het moment dat we de oude batterijen eruit halen maar één minuut de tijd om de nieuwe erin te stoppen. Daarna zal het apparaat crashen en verliezen we alle gegevens die erin zitten.

'Blijkbaar zit er geen geheugen in,' zegt ze, 'alleen als de batterijen het doen.'

We kunnen het apparaatje niet aan de desktop koppelen, want daar hebben we de cradle en de software niet voor.

'Wil je het zelf doen of wil je dat ik het doe?' Sarah heeft het over het verwisselen van de batterijen.

'Ik doe het wel.'

Gewapend met de twee nieuwe batterijen en de uitdraai van internet, trek ik het klepje weer met mijn nagel van de achterkant. Mijn handen beven alsof ik een bom onschadelijk probeer te maken. Ik pak er een batterij uit en schuif vlug een nieuwe op zijn plaats. Ik trek de tweede eruit. Ik stop de andere erin en zie dan dat hij achterstevoren ligt. Ik laat het apparaatje bijna op de vloer vallen. Sarah vangt het nog net op. Ze houdt het vast terwijl ik de batterij omkeer en terugzet. Dan kijk ik haar aan. 'Denk je dat dit alles is?'

'Ik weet het niet. Zet hem eens aan.'

Ik zet het klepje terug, draai het apparaatje in mijn hand om en druk op de groene knop aan de onderkant. Als het schermpje oplicht, is er geen verandering in de batterij-indicator. Hij heeft nog dezelfde stand, bijna leeg. Verdomme. Een seconde later flikkert hij. Het donkere gedeelte glijdt plotseling over de afbeelding van de batterij naar voren, helemaal naar rechts. Hij is nu volledig geladen. Ik slaak een zucht.

'Goh pa, je moet echt wat rustiger aan doen. Je raakt helemaal in de stress van dat ding. Het is gewoon een klein computertje,' zegt ze.

'Ja. Goed.'

'Hé, laat mij eens kijken.'

Ik geef het aan haar en probeer intussen op adem te komen.

Sarah begint met de stift op het schermpje te tikken. 'Je kunt er ook graffiti op maken,' zegt ze. 'Zal ik eens voordoen?'

'Nee. Geen graffiti,' zeg ik.

'Pa, het is niet het soort graffiti waar jij aan denkt. Kijk,' zegt ze. 'Op dit deel van het scherm kun je letters schrijven om dingen op te roepen. Zie je wel?' Ze roept Nicks adressenboek op en schrijft de letter 'c' in een klein venstertje onder aan het scherm. Plotseling springt het boek naar voren met namen die met een 'c' beginnen.

'Ik begrijp het,' zeg ik tegen haar.

Ze laat me zien hoe je de agenda en de 'Te doen'-lijst kunt oproepen. 'Deze heeft zelfs e-mail, maar dan moet je de telefoon aanzetten,' zegt ze. 'Zullen we dat doen? De batterijen zijn nog helemaal nieuw.'

'Niet nu meteen.'

'Hé.' Alsof ik al haar plezier bederf. 'Dit is hartstikke cool. Op school zouden ze uit hun dak gaan.'

Reken maar. Mensen in Engeland bellen en boodschappen achterlaten voor Joe. En dan nog een keer naar ze bellen en zeggen dat je Joe bent en vragen of er boodschappen voor je zijn.

'Mag ik hem morgen mee naar school nemen?'

'Nee. En doe me een lol. Vertel niemand erover.'

'Waarom niet?'

'Voorlopig is het ons geheim.'

Ze kijkt me aan met een blik van 'waarom dat nou weer?'. Zo'n cool dingetje en ze mag er niemand over vertellen. Dan haalt ze haar schouders op en zegt: 'Goed.' En ze geeft het weer aan mij. Ze gaat naar haar stoel terug, naar haar huiswerk en de herhaling van *Star Trek*, de generaties waar nooit een eind aan komt.

'Sarah.'

'Wat?' Ze kijkt naar me op.

'Dank je. Zonder jou had ik het nooit gered.'

Ze vecht ertegen maar kan haar stralende glimlach dan niet meer bedwingen. 'Graag gedaan,' zegt ze.

Ik laat me weer op de bank zakken en kijk naar het apparaatje. Ik vraag me af of Nick software en een cradle had en of hij de gegevens thuis of op kantoor naar zijn desktop overzette. Als hij dat deed, heeft de politie de gegevens. Ze hebben de computers op beide plaatsen in beslag genomen. Het advocatenkantoor zal vast wel moeilijk doen over de vertrouwelijke informatie die op de harde schijven staat opgeslagen. Als hij dit apparaatje niet met zijn desktop synchroniseerde, ben ik nu de enige die over de gegevens beschikt.

Ik leg mijn voeten op de salontafel en begin met de stift te surfen.

Het kost me een aantal minuten om het adressenboek door te kijken. Er staan drieënveertig namen en telefoonnummers in, lang niet zoveel als ik had verwacht, gezien de vele mensen die hij kende. In de meeste gevallen zijn het alleen maar namen, zonder adres of andere informatie.

Sommige postcodes zijn in San Diego. Er is een 415 bij; dat is in San Francisco. Ik zie in het telefoonboek dat de twee andere postcodes in het adressenboek bij New York en Washington horen.

Ik herken een paar van de namen. Het zijn advocaten van RD&D in San Diego. Nick heeft bij sommige namen in de andere steden iets ingevuld bij 'beroep'. In de meeste gevallen bestaat de notitie uit één woord: 'Procesvoering', 'Vergunningen', 'Fusies', 'Overheidszaken'. Ik herken niet één van de namen die erbij staan.

In de 'Te doen'-lijst stond alleen een mededeling van de leverancier van het apparaatje, die de gebruiker adviseert zich voor de garantie aan te melden, maar verder was daar niets te vinden.

Op het kladblok stonden adressen, drie stuks, gevolgd door letters, SF, NY en WS. Drie van de vier steden die in het adressenboek voorkwamen. Er was ook een notitie over iets wat Antiquities Bibliotecha heette, en daar stond een aantal cijfers onder, misschien een buitenlands telefoonnummer. Ik maakte een notitie.

Om twaalf uur die avond, als Sarah al lang in bed ligt en een deel van het raadsel is opgelost, bel ik een paar van de nummers om bevestigd te krijgen wat ik al vermoed. Het zijn allemaal nummers van RD&D in de genoemde steden.

Het verbaast me dat er niet meer telefoonnummers in het apparaatje staan. Alleen al in San Diego kende Nick wel duizend mensen. Die staan geen van allen in het adressenboek. Er is niets te vinden over de rechtbanken in de vier steden, geen adressen, geen telefoonnummers, geen data van zittingen, alleen tijden van afspraken met advocaten in de verschillende kantoren van de firma.

De eerste van die afspraken had hij begin april in San Francisco. In het begin van de zomer had hij nog een aantal afspraken in New York en Washington. Dat ging de hele zomer zo door. De laatste afspraak had hij negen dagen voor zijn dood in San Francisco.

Aanvankelijk dacht ik dat Nick alleen maar wat oefende met het apparaatje en dat hij zijn papieren agenda niet in de prullenbak had willen gooien voordat hij alle functies van dit nieuwe ding onder de knie had. Maar het werkelijke doel duikt op als ik weer een naam ontdek. Een enkele cryptische notitie, steeds op de vijfentwintigste van de maand om elf uur 's morgens. Naast de tijd en de notitie – 'geld voor Laura' – staat het tekentje van een signaal om Nick eraan te herinneren. Daarnaast staat nog een tekentje, heel klein, als een beduimeld stukje papier. Ik tik er met de stift op en er verschijnt een notitie. Laura's voor- en achternaam, en die van haar moeder. Er staan ook een adres en een telefoonnummer bij.

Nick zou dit nooit aan een agenda of adressenboek op zijn kantoor hebben toevertrouwd, waar iedereen zijn nieuwsgierige blik erop kon werpen.

Laura zou nu bijna vier zijn. Ze was het product van een kortstondige verhouding met een jonge secretaresse die Nick in de maanden vóór Diana, toen zijn huwelijk met Margaret al op springen stond, buiten de firma had ontmoet. Het was een relatie met een ongelukkige afloop. Op de avond dat Nick me over het kind vertelde, was hij dronken. Zijn ogen liepen vol met tranen van spijt om wat er was gebeurd. Hij had Laura's moeder gevraagd met hem te trouwen, maar ze had geweigerd en tegen hem gezegd dat hij geen verplichtingen had. Ze hielden het geheim. Ze vroeg hem niet om financiële ondersteuning. Toch ging Nick een aantal keren per week na zijn werk naar het kind. En elke maand was er een envelop met geld. Hij zei me dat zijn dochter hem alleen als oom Nick kende. Hij heeft het nooit aan Margaret of Dana verteld.

Ik weet niet waarom hij het mij vertelde. Misschien kwam het door de drank; misschien had de alcohol hem weer eens duidelijk gemaakt dat hij tekort was geschoten. Wat het ook was, die avond werd ik Nicks vertrouweling. Het was typisch iets voor Nick, die altijd riskante spelletjes speelde, roekeloos racend over een rotsige levensweg vol ongelukkige beslissingen en de ellendige gevolgen daarvan.

6

In gevechtssituaties spreken ze van 'het schuldgevoel van de overlevende', het feit dat mensen die getuige zijn geweest van een traumatische gebeurtenis en in leven zijn gebleven, zich vaak schuldig voelen, misschien om niet onder ogen te hoeven zien dat de situatie buiten hun macht lag, dat ze hulpeloos waren.

Sinds Nick werd vermoord, draai ik de laatste momenten van zijn leven telkens weer af in mijn hoofd. Maar het moment dat me het meest bezighoudt, dat me het meest dwarszit, was het gevolg van een impuls.

Wat me bezighoudt, is niet het feit dat ik Metz en zijn zaak naar Nick heb terugverwezen. Metz loog tegen me over het witwassen van geld en waarschijnlijk ook over andere dingen. Ik vermoed dat Nick precies wist wat hij op me af wilde schuiven.

Wat me zo dwarszit, is iets wat op het eerste gezicht veel minder betekenis heeft. Het is het feit dat ik niet meer mijn best heb gedaan om Nick die ochtend op het trottoir aan te roepen. Ik denk daar 's nachts over, voor ik in slaap val, en in die eindeloze uren voor de ochtend aanbreekt. Dan zie ik mezelf weer lopen en analyseer ik al mijn bewegingen, zoals een choreograaf de volgorde van de danspassen door zijn gedachten laat gaan.

Voor iemand die niet met die last rondloopt, die de schoten niet heeft gehoord en de bloederige beelden van die ochtend niet heeft gezien, is het misschien onzinnig. Maar niet voor mij.

Ik had vanaf de overkant van de straat naar Nick geroepen, maar hij hoorde me niet, want er reed net een bus tussen ons door. Misschien kan ik de schuld aan de chauffeur en zijn dieselmotor geven, of aan de gemeente, of aan het drukke verkeer. Maar toen de bus voorbij was, toen ik hem naast Metz op het trottoir zag, bleef ik staan. Ik had nog een keer kunnen roepen, maar dat deed ik niet. Als ik het had gedaan en als ik het apparaatje voor hem omhoog had gehouden, zou Nick zijn overgestoken. Hij zou bij mij aan de overkant hebben gestaan toen de schutters aan kwamen rijden. Als ik hem had geroepen, zou Nick nu nog in leven zijn.

Dus waarom riep ik niet? Ik heb mezelf die vraag al honderd keer gesteld, en telkens krijg ik hetzelfde antwoord: mensen die we onsympathiek vinden, gaan we nu eenmaal uit de weg, en dat doen we uit het kleingeestig verlangen om iets onprettigs te vermijden, in dit geval een ontmoeting met Metz. Nadat ik zijn zaak had afgewezen, wilde ik liever niet met hem te maken krijgen, en daarom besloot ik Nick zijn apparaatje later terug te geven. Ik liet het in mijn zak glijden en liep weg. Ik kon op dat moment niet weten dat iets wat zo onbelangrijk leek, het feit dat ik hem niet riep, mijn afkeer van Metz, Nick Rush zijn leven zou kosten.

Ik weet zeker dat iedere psychiater tegen me zou zeggen dat mij geen enkele blaam treft. Maar een advocaat, iemand die getraind is om elk schuldgevoel aan te scherpen, zal er misschien anders over denken, net als ik. Zo iemand zal mijn handelwijze misschien als een directe doodsoorzaak zien.

Misschien is dit het schuldgevoel van de overlevende. Maar het is sterker dan alle andere redenen voor Nicks dood die ik kan bedenken, want hier had ik zelf de hand in. En totdat ik weet wie hem heeft doodgeschoten, en waarom, zal het me dwars blijven zitten.

Uit respect wacht ik een paar dagen voordat ik contact met Dana opneem. Ik bel haar laat in de middag. Het is mei, en het nummer mag dan nieuw zijn, het telefoonsysteem is dat niet. Het is een van die voorgeprogrammeerde dingen waarbij een stem de beller allerlei opties laat. 'Als u met Nick wilt praten, toets dan één. Als u met Dana wilt spreken, toets dan twee.' Het doet wel griezelig aan dat de stem die de tekst heeft ingesproken regelrecht uit het graf komt. Het is Nicks stem.

Ik druk op het nummer voor Dana en wacht tot ze opneemt.

Er wordt opgenomen door een andere vrouw, een dienstmeisje, neem ik aan, want Nick heeft me verteld dat Dana er een heeft aangenomen. Ze spreekt met een Mexicaans-Spaans accent.

'Ik zal kijken of mevrouw Rush thuis is. Wat is uw naam?'

'Paul Madriani.'

'Een ogenblik alstublieft.'

Ze zet me onder de knop en de telefoon gaat over op kamermuziek. Enkele seconden later wordt Mozarts strijkkwartet onderbroken.

'Hallo, Paul. Fijn dat je belt.' Dana's stem klinkt een beetje ademloos door de telefoon. Ik stel me voor dat ze met haar hoofd schudt om haar piekerige blonde haar uit haar ogen te krijgen. 'Ik wilde je spreken, maar liever niet door de telefoon. Heb je tijd om hier te komen?'

'Goed. Wanneer?'

'Kun je vanavond, zeg maar om half zeven, zeven uur?'

Ik kijk in mijn agenda. 'Ja, dat kan.'

'Goed. Dan zie ik je graag.' Ze hangt op.

Vanuit mijn kantoor ben je zo in de Cays. Het is maar een paar kilometer vanaf Coronado, over Silver Strand. Het is een van de betere plaatsen om te wonen. Je enige buurman in het noorden is het amfibische trainingskamp van de marine, kilometers verder op het strand. Toch woon je dicht bij de stad. Sommige van de huizen, in de meeste gevallen oude, gerenoveerde oudere panden, kosten vijf miljoen dollar.

Het is hier niet alleen zo duur omdat je een schitterend uitzicht over de baai hebt, maar ook omdat het nog een van de weinige plaatsen in Californië is waar je een eigen aanlegsteiger in je achtertuin hebt. De Cays geven rechtstreeks toegang tot de haven en vandaar tot de Stille Oceaan, en sommige plezierjachten die hier liggen, doen nauwelijks onder voor kleine cruiseschepen.

Dana heeft mijn naam aan het wachthokje aan het Strand doorgegeven. Als ik daar aankom, mag ik meteen doorrijden. Ze woont aan Green Turtle Cay. Ik ben daar een paar keer voor een of andere gelegenheid geweest, de laatste keer voor een diner om geld in te zamelen voor een goed doel dat ik me niet herinner.

Ik rij over de brug en ga naar links. Het huis wordt van de baai afgeschermd door een kunstmatig eiland dat Grand Caribe Cay heet. Als ik voor het huis tot stilstand kom, schemert het al. Ik geniet even van het uitzicht. Aan de andere kant van het water zijn allemaal lichtjes te zien. De schittering van de ondergaande zon spiegelt zich op de lichtgevende wolkenkrabbers. Het is net de mythische stad Oz, met de twinkelende huizen op de heuvels erachter. Ik vermoed dat het een van de redenen is waarom Nick dit huis heeft gekocht, en natuurlijk ook omdat Dana 's zomers zo mooi bruin kan worden op de brug van zijn boot. Hij heeft me eens verteld dat hij soms bij een van de gigantische vliegdekschepen van de marinebasis aan de noordkant van het eiland ging liggen. Dana deed dan het topje van haar bikini af en ging op haar buik op het dek van zijn boot liggen zonnen. Nick kreeg er een kick van om de matrozen kwijlend langs de reling te zien staan. Waarom zou je een mooie vrouw nemen als je er niet van kon genieten?

Ik stap uit de auto, gooi de deur dicht en doe hem op slot. Als ik me omdraai, zie ik dat Dana in de deuropening van het huis op me staat te wachten. Ze is tenger gebouwd, een meter zestig. Ze draagt donkere nylons, geen schoenen, en een zwarte jurk die op dit moment ver boven haar knieën komt, want ze heeft haar armen boven haar hoofd gestrekt om zich met haar lenige figuur schrap te zetten in de deuropening, alsof die de lijst van een schilderij is.

Ze weegt vast niet meer dan vijftig kilo. Dana doet me denken aan sommige vrouwelijke filmsterren die ik in het echt heb gezien. Op het witte doek lijken ze erg groot, maar als je ze tegenkomt, zijn de meesten erg tenger en klein. Het geheim van hun fysieke aantrekkingskracht is een kwestie van proporties, inclusief de fraaie details van een perfect gevormd gezicht. Dana heeft wel iets van Meg Ryan weg, tenger en met fijne trekken, in combinatie met een glimlach die steen kan doen smelten.

Ze kijkt me aan als ik over het pad naar het huis loop. Als ze haar hoofd heen en weer beweegt om het haar uit haar ogen te krijgen, blijven haar handen op de deurpost rusten.

'God, wat ben ik blij je te zien,' zegt ze. 'Ik zag je op de begrafenis, maar ik kon niet tegen al die mensen.'

'Ik begrijp het.'

Ze pakt me bij mijn hand vast en geeft me een kus op de wang. 'Ik weet niet wat ik zonder vrienden zou moeten beginnen,' zegt ze. 'Jij en Nathan.'

'Je bedoelt meneer Fittipaldi?' zeg ik.

'Hmm.' Ze knikt. 'Je zou niet geloven hoe goed hij voor me is geweest.'

'Hoe lang ken je hem?'

'Weet ik niet. Een jaar of zo. Hij zit met me in de kunstcommissie.'

'Hij is lid?'

'Hmm. Hij heeft erg veel invloed.' Ze leidt me het huis binnen en doet de deur achter ons dicht. 'Nathan heeft overal galerieën, in Beverly Hills, New York, Europa.' Ze gaat met me naar de huiskamer.

'Ik heb zijn kaartje gezien,' zeg ik. 'Wat doet hij precies? Ik bedoel, behalve dat hij een vriend van je is.'

'Hij koopt kunst aan voor belangrijke klanten. Particuliere verzamelaars, grote musea, dat soort dingen.'

'Dat klinkt indrukwekkend.'

'Dat is hij ook,' zegt ze. 'Maar laten we daar nu niet over praten.'

Dus ga ik over op een ander onderwerp. 'Hoe gaat het met je?'

'Dat kun je je niet voorstellen. Dat kan niemand,' zegt ze, 'totdat het gebeurt.' Dan kijkt ze me aan, met haar hand voor haar mond. 'O, dat spijt me.'

'Wat?'

'Ik vergat dat je je vrouw hebt verloren.' Ik weet niet of dit een onhandige poging van haar is om me eraan te herinneren dat ik beschikbaar ben. Met Dana weet je het nooit.

'Nikki is een paar jaar geleden gestorven,' zeg ik tegen haar.

'Nikki. Heette ze zo?'

Ik knik.

'Toch had ik eraan moeten denken,' zegt ze. 'Waar dacht ik aan? Aan mezelf natuurlijk. Mijn hoofd. Het is er niet helemaal bij. Nick heeft me erover verteld. Waar is ze aan gestorven? Dat ben ik vergeten.'

'Kanker.'

'Ja. En je hebt een dochter?'

'Sarah.'

'Hoe oud is ze?'

'Vijftien.'

'Vijftien. Dat weet ik nog,' zegt ze. 'Wat een leeftijd. En ik wed dat alle jongens verliefd op haar zijn. Je moet haar eens meebrengen, dan kan ik haar ontmoeten.'

'Misschien,' zeg ik.

'Het is natuurlijk een beetje anders. Ik bedoel, Nick is vermoord. En je vrouw is aan een ziekte overleden. Je zult tijd hebben gehad om je erop voor te bereiden.' Dana is weer op een andere versnelling overgegaan. Misschien komt dat door de gemoedstoestand waarin ze verkeert.

'Natuurlijk is het verdriet er niet minder om. Maar dit... Het was vooral de schok. Het ene moment is hij er nog, het volgende moment niet meer. En de pers. Je weet niet hoe het is om met die mensen te maken te krijgen. Ze hebben absoluut nergens respect voor. Er was er een die zo ver ging dat hij een boot huurde en naar onze steiger voer om foto's te maken. De politie moest hem wegslepen.'

'Ik zag er een paar bij het hek. Ze zaten in hun geparkeerde auto's,' merk ik op.

'Het zijn beesten,' zegt ze. 'Nou ja, in ieder geval zijn de cameraploegen weg. Ik bedoel, ik kon niet eens wegrijden. Ze blokkeerden de uitgang. De vereniging van eigenaren moest twee keer de politie bellen om ze weg te krijgen. Het is net een nachtmerrie. Ik verwacht steeds dat Nick binnen komt lopen. Maar ik kan niet wakker worden. Het gaat niet over.'

'Je hebt gelijk,' zeg ik tegen haar. 'Ik kan het me niet voorstellen.'

'Ik weet niet wat ik moet doen.' Ze kijkt naar me op.

Ik heb geen antwoorden, maar als ze naar me toe komt en haar armen om mijn hals slaat, haar hoofd tegen mijn borst vlijt en haar lichaam tegen me aan drukt, is het duidelijk dat Dana de antwoorden wel heeft. Ze neemt de maat van een nieuw stel schouders.

De geur van parfum, een mengeling van sandelhout en melati, zweeft omhoog om me te verleiden.

'Iemand heeft hem vermoord, Paul. En ik weet niet waarom.'

Ik schud mijn hoofd. 'Iemand heeft hem vermoord, maar het was een ongeluk.'

'Een ongeluk.' Ze houdt haar hoofd schuin omhoog en kijkt me in de ogen.

'Ik ben ervan overtuigd dat de dader niet op Nick schoot.'

Ze zegt niets. Toch moet die gedachte al eerder bij haar zijn opgekomen. De kranten maken veel werk van de theorie dat Metz het doelwit was. 'Ik heb het geen moment als een ongeluk gezien,' zegt ze.

'Nick was gewoon op het verkeerde moment op de verkeerde plaats,' zeg ik.

Ik weet niet of dat haar geruststelt, maar we komen van elkaar los en ze zet een stap van me vandaan. Ik kan zien dat er allerlei nieuwe gedachten door haar hoofd gaan.

Ze leidt me naar een tafel, waar een porseleinen koffiepot en twee kopjes op een zilveren dienblad staan. Ze biedt me koffie aan en schenkt in.

'Suiker?'

'Nee, dank je.'

'Melk?'

Ik schud mijn hoofd.
'Ga zitten,' zegt ze.
Ik laat me op de grote, weelderige bank zakken. Ze geeft me mijn kopje en zet dan haar eigen kopje op een tafel naast een fauteuil en gaat zitten. Omdat ze haar ene been onder zich heeft, is haar knie te zien. Er zit een ladder in haar kous. Ze ziet het en legt glimlachend haar hand erover – dat schattige schoolmeisjeslachje waar ze patent op heeft.
'Ik moet er verschrikkelijk uitzien.' Ze bijt op haar onderlip.
'Je ziet er heel goed uit.'
'Dat zeg je maar,' zegt ze, en dan strijkt ze met haar handen door haar haar in een poging het te fatsoeneren. Het wordt er alleen maar warriger van. Ze kijkt naar het lijfje van haar jurk om er zeker van te zijn dat alles op zijn plaats zit.
'Ik ben een wrak; dat weet ik. Ik heb niet geslapen sinds het gebeurd is.' Dat is te zien aan haar rode ogen. Haar jurk is verkreukeld. Misschien was ze even gaan liggen voordat ik kwam.
'Je vraagt je misschien af waarom ik je heb gevraagd om hier te komen? Je was een van Nicks beste vrienden.'
'Ik was een vriend.'
'Nee,' zegt ze. 'Je was niet zomaar een vriend. Je was een goede vriend. En daar had Nick er niet veel van. Ik weet dat. De andere leden van zijn maatschap gingen niet met ons om. O, op de begrafenis stonden ze allemaal vooraan, maar buiten kantoor wilden ze niets met Nick te maken hebben.'
'Ik heb van Nick wat anders te horen gekregen. Hij zei dat sommigen van hen hem in het bestuur van de firma wilden hebben.'
'Nick was een dromer.' Ze negeert mijn protest. 'Het waren allemaal grote advocaten, weet je. Ze deden zaken voor grote ondernemingen. Voerden grote processen.' Ik merk nu dat ze sommige woorden niet goed uitspreekt. Misschien had ze iets gedronken voordat ik kwam. 'Je zult wel weten dat ze Nick van alles hadden beloofd om hem bij hen op kantoor te krijgen. Maar ze kwamen die beloften niet na. Adam Tolt,' zegt ze. 'Die legde de rode loper uit om Nick binnen te halen. Zei tegen hem dat hij aan civiele zaken zou mogen werken, op de hoogste verdieping. Toen kwam Nick daar werken en bleken het allemaal leugens te zijn. Ze pakten het geld aan dat hij verdiende, maar ze wilden niets met Nick of zijn cliënten te maken hebben. Maar jij was anders. Jij was zijn vriend.'

'Misschien had het iets te maken met het feit dat we hetzelfde soort cliënten hadden.'

'Alleen deed jij geen drugszaken,' zegt ze.

Als ze van haar koffiekopje naar me opkijkt, kan ze zien dat dit me steekt.

'O, sorry,' zegt ze. 'Zo bedoelde ik het niet. Eigenlijk heb ik juist respect voor je principes. Zoiets zou Nick nooit kunnen doen. Ik zei tegen hem dat hij daar te goed voor was. Maar ik denk niet dat hij me ooit geloofde. Ik weet wat je denkt. Je denkt dat als jij de zaak had aangenomen, de zaak van Metz, dat Nick dan nog zou leven en jij dood zou zijn. Daar moet je niet aan denken.'

Blijkbaar heeft Dana er wel aan gedacht.

'Je kunt het jezelf niet kwalijk nemen,' zegt ze. 'Als iemand schuld heeft, ben ik het.'

'Jij?'

Ze knikt. 'Ik was degene die Metz met hem in contact bracht. Ik was de oorzaak van Nicks dood.'

'Nee. Dat is niet waar.'

'Het is waar genoeg,' zegt ze. 'Als ik hem niet uit de kunstcommissie had gekend, zou niets van dit alles gebeurd zijn.'

Hoe vertel ik haar dat Nick volgens de politie al zaken met haar man deed?

'Dan zou hij met zijn probleem naar een andere advocaat zijn gegaan en dan zou nu een andere arme stumper een dode man hebben.' Ze begint te huilen, een beetje maar. 'Verdomme,' zegt ze. 'Ik heb me voorgenomen om niet te huilen.' Ze vangt een enkele traan die over haar wang rolt met een servetje op. 'Nick was zo'n triest geval,' zegt ze. 'Al dat werk. Dat was het enige dat hij had.'

'Hij had jou,' zeg ik.

'Ja. Mij.' Dana komt van de stoel en keert me haar rug toe. Ik kan niet zien of ze zich onder controle probeert te krijgen of zich afvraagt wat ze nu moet zeggen.

'Ik wist dat je ermee zat,' zegt ze. 'En ik... Ik wilde gewoon tegen je zeggen dat het niet nodig is. Er is geen enkele reden om er zo over te denken.' Ze praat met haar rug naar me toe.

'Ik vond hem zo'n aardige man.' Ze haalt haar schouders op en draait zich naar me om, als een klein meisje, als een geschrokken elfje. 'Metz, bedoel ik. Hij was altijd een heer. Hij praatte over zijn familie. Hij had kleinkinderen. Wist je dat?'

De meesten van ons krijgen kleinkinderen, als we maar lang genoeg leven. Ik schud mijn hoofd.

'Waarom zou iemand hem dat aandoen? En Nick?'

'Ik weet het niet.'

'Ik zeg steeds weer tegen mezelf dat ik het niet kon weten, maar dat heeft geen zin. Ik voel me verantwoordelijk.' Met een zucht laat ze zich naast me op de bank zakken.

Ik vraag haar of ze een therapeut of zo heeft, iemand wiens werk het is om met verdriet om te gaan.

'Op dit moment weet ik niet of ik daar iets aan zou hebben.'

'Je weet het pas als je het probeert. Heb je vriendinnen hier in de buurt? Andere vrouwen?' vraag ik.

'Daar begin ik niet aan,' zegt ze. 'Ik ga niet de eenzame weduwe spelen.'

Ik verlang naar een van de stoelen, die verder weg staan. Ik denk dat Dana op dit moment in emotioneel opzicht helemaal uit het lood geslagen is. En toch zit ik hier naast haar op de bank. Ze pakt mijn hand met beide handen vast.

'Ik probeer me moedig voor te doen. Ja,' zegt ze. 'En moet je kijken wat er gebeurt.' Ze glimlacht en we lachen allebei.

'Ik moest met je praten, want de politie zei dat jij de laatste was die met Nick heeft gesproken.'

'Ja, dat denk ik ook.'

'Had hij het over mij?' Ze kijkt met grote ogen naar me op. Blijkbaar wil ze verlost worden van iets wat ik niet begrijp. Dan dringt het tot me door. Wat dom van me. Ze wil natuurlijk weten of hij van haar hield en of hij mij dat heeft verteld.

Ik begin me af te vragen hoe goed ze hem kende. Nick praatte met andere mannen over veel dingen, tot en met de meest fantastische verhalen over seks. Maar hij had het nooit over de liefde. Ik moet even over haar vraag nadenken. Ik zie dat ze die korte stilte als 'nee' interpreteert.

'Hij praatte de hele tijd over je,' zeg ik tegen haar. 'Jij was het belangrijkste in zijn leven.'

'O ja?'

'Absoluut.'

'Had hij het die ochtend over mij?'

'Wat bedoel je?'

'Ik bedoel, noemde hij mijn naam?'

'Ja. Meermalen.'

'Wat zei hij?'

'Dat je het beste was dat hem ooit was overkomen.' Hij zei dat misschien met een bepaald beeld voor ogen, namelijk het fraaie ronde landschap van haar strakke kleine achterste, maar in zekere zin had hij het gezegd.

'Echt waar?'

Ik knik en steek als een padvinder drie vingers op, in de hoop dat ze niet meteen wegrotten en eraf vallen.

Voordat ik mijn hand omlaag kan brengen, pakt ze hem met beide handen vast. We zitten daar enkele ogenblikken. Ik kijk naar de tafel, het koffiekopje, alles behalve Dana's blauwe ogen. Ze wil iets van me. Ik weet niet of het troost of informatie is.

'Ik probeer te begrijpen waarom het gebeurd is,' zegt ze. 'Jij hebt Metz ontmoet; dat heeft Nick me verteld. Waarom zou iemand hem willen vermoorden?'

Dana begeeft zich nu op verboden terrein, dingen waarover ik niet kan spreken. Als ik dat doe en ze vertelt het door aan de politie, dan kunnen ze me op het matje roepen voor een stevige schrobbering. Ze zouden zeggen dat ik mijn beroepsgeheim heb geschonden. Omdat de cliënt dood is en er geen andere belangen gediend hoeven te worden, zou een afstandsverklaring er misschien wel in zitten.

'Ik weet het niet.'

'Hij moet je iets hebben verteld. Ik weet dat het te maken had met zaken die hij in Mexico deed.'

'Dat heeft hij je verteld?'

Ze knikt. 'Voordat hij met Nick ging praten. Na afloop van een van de commissievergaderingen hadden we het over zijn probleem.'

'Hoeveel heeft hij jou verteld?'

'Niet veel. Hij zei dat hij niets verkeerds had gedaan maar dat hij een advocaat nodig had, en dus vertelde ik het aan Nick. Waar ging het over? Ik moet het weten.'

'Ik kan het je niet vertellen.'

'Waarom niet?'

'Luister, je komt het gauw genoeg te weten. De politie vindt de mensen die Nick hebben vermoord heus wel. En dan komt het allemaal uit. Je moet wat geduld hebben.'

'Jij hebt makkelijk praten. Ik heb mijn man verloren,' zegt ze. 'Ik wil weten waarom. Was hij bij iets betrokken?'

'Waarom zeg je dat?'

Op dat moment zie ik dat ze spijt heeft van haar woorden. 'Laat maar,' zegt ze. 'Ik ben de laatste tijd niet helemaal mezelf.'

Dat is niet waar. Dit is de Dana die ik ken.

'Het is alleen zo moeilijk om geduld te hebben. Om te wachten, niet te weten wat er gebeurd is.'

'Ja. Dat weet ik.'

'Dus hij heeft je niets verteld waar je iets uit kunt afleiden? Metz, bedoel ik?'

Ik schud mijn hoofd. Dat is een leugen, maar op dit moment kan ik niets anders doen. Of ze me nu gelooft of niet, ze accepteert het.

'Er was nog een reden waarom ik belde,' zegt ze. 'Ik wilde over iets anders met je praten.'

'Wat dan?'

'Het is... Ik ben bang dat het nogal lomp overkomt,' zegt ze.

'Zeg het toch maar.'

'Het gaat over Nicks levensverzekering.'

Ik kijk haar vragend aan.

'Ik bedoel, of Nick een levensverzekering had... Bij de firma. Het feit dat hij is doodgeschoten, vermoord... Ik... Ik bedoel, ik weet niet wat ik moet doen.'

'Je wilt weten of de verzekering misschien niet zal uitkeren omdat hij vermoord is?'

Ze knikt. Dit is de hulpeloze Dana, blauwe ogen en zijdezachte huid, een versluierd gezicht. Zoals ze daar zit en mijn hand vasthoudt.

'Was er een levensverzekering?'

'Ik geloof van wel. Nick vertelde me daar een keer over. Het was iets met compagnons.'

'Een compagnonsverzekering?'

'Ja, dat is het. Weet jij wat dat is?'

Dat zou je van een firma als RD&D verwachten. Een hoge levensverzekering op ieder van de leden van de maatschap, want als een van de leden stierf, moest de firma de nabestaanden uitkopen.

'Het is niet echt mijn terrein,' zeg ik tegen haar.

'Dat weet ik, maar ik vertrouw je. Je was Nicks vriend.' Dana gebruikt dat nu als wapen.

'Heb je de polis?'

Ze schudt haar hoofd.

'Had Nick een safe thuis of een kluisje op de bank?'

'De politie heeft de safe meegenomen,' zegt ze. 'We hadden een kluisje op de bank, maar dat is verzegeld totdat ze de inhoud kunnen onderzoeken. Ik kan niet eens bij de papieren van het huis. De hypotheek,' zegt ze. 'Om te kijken hoeveel schuld erop zit. Hoeveel eigen vermogen ik heb.' Ze mag dan hulpeloos zijn, dom is ze niet.

'Dus geen polis?'

Ze schudt weer met haar hoofd en kijkt me min of meer ademloos aan, wachtend op antwoorden.

'Dit moet wel erg harteloos overkomen,' zegt ze. 'De inhalige weduwe.'

'Als er een levensverzekering is en jij bent de begunstigde, dan heb je er recht op,' zeg ik.

'Ik heb niemand anders hierover verteld, maar Nick heeft me... Nou, hij heeft me niet in zo'n erg gunstige situatie achtergelaten. Financieel, bedoel ik.'

'Daar had ik geen idee van.'

'Niemand wist dat, behalve ik,' zegt ze. 'Ik denk dat het komt door bepaalde investeringen die hij heeft gedaan. Ik las in de krant dat hij vierduizend dollar cash bij zich had toen hij stierf. Ik kan dat niet geloven. Nick vertelde me dat het slecht ging op de beurs en dat we veel geld hadden verloren. Het huis is niet afbetaald, dat weet ik. Ik zal de boot moeten verkopen. Die boot was Nicks grote trots. Misschien moet ik naar iets bescheideners gaan zoeken. Ik bedoel, een huis, als ik nog iets wil overhouden om van te leven. Je kent Nick. Hij ziet het als een erezaak om op de rand van de afgrond te leven.' Ze praat alsof hij nog leeft. 'En zolang hij de dingen regelde, stelde ik nooit vragen. Maar nu...' zegt ze.

'Ik begrijp het.'

'Daarom belde ik jou. Ik wist dat je het zou begrijpen. En Nick vertrouwde je.'

Dana weet hoe ze het mes in de wond moet ronddraaien.

'Ik kan een paar telefoontjes plegen,' zeg ik.

'O, dank je. Het is zo'n opluchting dat ik het allemaal aan iemand anders kan overdragen.'

Mijn gezicht maakt haar duidelijk dat ik dat niet heb gezegd. Dana besluit dat te negeren.

'Om iemand te hebben die weet wat hij doet.' Plotseling heeft ze haar armen om mijn hals. Ze buigt zich op de bank naar me toe, met haar warme gezicht innig tegen mijn borst, zodat ik mijn handen moet gebruiken om niet achterover te vallen. 'Ik weet niet wat ik zonder jou zou moeten beginnen,' fluistert ze.

Op dat moment komt er, zeker gezien de situatie, een vreemde gedachte bij me op. Ik denk aan Dana's opmerking over Sarah en jongens, en ik weet opeens zeker dat Dana zich vanaf haar vijftiende in al deze trucjes heeft bekwaamd. Ik neem me voor eens ernstig met mijn dochter te gaan praten.

7

Als ik de volgende morgen op kantoor kom, is Harry bezig de roze telefoonbriefjes door te nemen. Intussen kijkt hij met een half oog naar een van de ontbijtshows op het televisietoestel in de hal. Zijn tas staat naast hem op de vloer en hij heeft zijn jas nog aan, dus ik veronderstel dat hij net is binnengekomen of weer op weg naar buiten is.

Er liggen wat telefoonbriefjes in mijn vakje op de balie. Ik pak ze op.

Op het scherm is een van de presentatoren aan het woord, een onderuitgezakt type in bretels en zonder jasje. Hij doet zijn best om er in zijn gesteven overhemd van drieduizend dollar als een doodgewone jongen uit te zien.

'Ik denk dat hij zijn rug verrekte toen hij een draai aan het nieuws gaf,' zegt Harry.

Mijn collega moet niets hebben van wat tegenwoordig voor journalistiek doorgaat, zeker op de buis. Volgens Harry hangen ze te veel aan de lippen van politici die het liegen tot een kunstvorm hebben verheven – het is niet zo erg dát je liegt, als je het maar goed weet te brengen.

We hebben tegenwoordig een receptioniste die ook het archief bijhoudt, al is ze er vanmorgen nog niet. Marta komt maar zes uur per dag, want ze studeert ook nog. Ze sorteert de boodschappen die op ons antwoordapparaat zijn ingesproken, giet correspondentie in de definitieve vorm en houdt het archief bij om te voorkomen dat we in een lawine van losse papieren verdrinken.

'Nou, hoe ging het, je gesprek met de weduwe?' Harry was bij me toen ik Dana belde.

'Goed.'

'Wat wilde ze?'

‘Advies.’ Ik kijk mijn telefoonbriefjes door. Nathan Fittipaldi heeft gebeld. Misschien heeft Dana hem gevraagd dat voor alle zekerheid even te doen.

‘Geen schouder om op uit te huilen?’ zegt Harry.

‘Dat ook.’ Ik verander vlug van onderwerp en vertel Harry over het beetje informatie dat ik uit Nicks palmtop heb kunnen halen.

‘Laten we in je kantoor verder praten.’ Harry pakt de afstandsbediening om de televisie uit te zetten. Het scherm wordt donker en we gaan mijn kamer in en doen de deur dicht.

‘Ik heb gedaan wat je zei,’ zegt hij. ‘Je weet dat je veel van die dingen tegenwoordig op internet kunt vinden.’ Harry heeft het over de gegevens van de Kamer van Koophandel.

‘Gelukkig was Effie er gisteravond om on line te gaan.’ Harry wil nog steeds geen computer gebruiken, zelfs niet voor tekstverwerking. In Harry’s ivoren toren zijn toetsenborden er alleen voor secretaresses en typografen. Geen enkele zichzelf respecterende advocaat zou er ooit een aanraken. Ik heb al eens tegen hem gezegd dat hij een dinosauriër is.

‘Ze heet Marta, niet Effie,’ zeg ik nu tegen hem.

‘Ik zie haar graag als Effie.’ Harry is de laatste tijd gek op *film noir*, de oude verhalen van Dashiell Hammett en Raymond Chandler, de tijd waarin alles nog zwart-wit was. Hij gaat zelfs zo ver dat hij onze secretaresse naar Sam Spades assistente in *The Maltese Falcon* noemt. Er komt nog eens een dag dat ik op kantoor kom en de namen ‘Spade en Archer’ in zwarte letters op onze voorruit aantref.

‘Mij best, zolang zij het niet erg vindt,’ zeg ik tegen hem. ‘Met het oog op seksuele intimidatie en zo.’

‘Ze vindt het wel leuk,’ zegt hij.

Marta is een Latina van ongeveer een meter vijfenvijftig. Ze heeft een goed gevoel voor humor, een vriendelijk karakter en een arbeidsethos die haar zestien uur per dag in touw houdt: studie, werk en twee kinderen. Ze wil graag alles leren en heeft zich over het hele kantoor ontfermd. Zo vond ze zelfs nog wat ruimte voor archiefkasten in een van de lege *cabañas* die twee deuren van ons kantoor vandaan staan.

‘Ze ging on line,’ zegt Harry. ‘Ze is daar goed in.’

‘Misschien kan ze het jou leren,’ merk ik op.

Harry kijkt me aan met een blik van ‘vergeet het maar’. ‘We vonden de bedrijfsgegevens van Jamaile Enterprises. Het is een vennootschap. De gegevens zijn ruim een jaar geleden ingediend. Die Metz van jou is de hoofdvennoot. Nick staat vermeld als een van de directeuren. Het ziet ernaar uit dat Metz de dagelijkse leiding van de onderneming had en dat Nick misschien alleen maar een investeerder was. Het is niet helemaal duidelijk.'

Ik vraag me af of dit misschien een van de investeringen was waar Dana me over vertelde, de investeringen die verkeerd gingen. De reden waarom ze geen geld heeft.

'Nog andere namen gevonden?'

'Eén. Een zekere Grace Gimble,' zegt Harry. Hij kijkt in het notitieboekje dat hij in zijn hand heeft en haalt zijn schouders op alsof hij er niet veel van begrijpt. 'Ze wordt in de gegevens opgevoerd als de secretaris van de vennootschap.'

'Waar was dat bedrijf gevestigd?'

'Het adres is een postbusnummer.' Hij geeft het me op een stukje papier.

'Reken maar dat de politie daar al met een rechterlijk bevel is geweest,' zeg ik.

Hij knikt. 'Misschien weet een van Nicks collega's ervan?'

Ik ben nog steeds bezig mijn telefoonbriefjes door te nemen. 'Verder nog iets?'

'De gebruikelijke dingen. De statuten. Het doel van de onderneming.'

Ik kijk naar hem op.

'Import en export. En alle andere wettige activiteiten die ze wilden ontplooien. Een heleboel frasen uit de voorbeeldboeken.'

'Dat is alles?'

'Ik ben naar de juridische bibliotheek gegaan en heb ze in de Lexis-Nexis-databank naar Grace Gimble laten zoeken.' Dat hebben we nog niet op onze kantoorcomputer; het is ons nog te duur. 'We vonden een paar G. Gimbles, geen Grace, en omdat we niet meer over haar weten, konden we niet nagaan of het de juiste persoon is.'

'Wat denk je?' vraag ik.

'Over die vrouw?'

Ik knik.

'Het kan een secretaresse zijn, iemand die voor de firma werkt. Een extra handtekening die ze nodig hadden toen ze de gegevens indienden.'

'Dat dacht ik ook.'

'Wil je dat ik het naga? Dat ik die firma bel?'

'Nee. Laten we daar nog even mee wachten. Het lijkt me niet goed om dezelfde vragen te stellen als de politie.'

Harry denkt na. 'Waarom heeft Nick je hier niets over verteld? Hij was toch zo'n goede vriend?' Hij kijkt me met een twinkeling in zijn ogen aan. 'Ik bedoel, als hij zaken deed met Metz, wat had hij dan te verbergen? Tenzij ze smokkelwaar importeerden,' zegt hij.

'Daar moet je niet eens aan denken,' zeg ik meteen. 'Een advocaat als Nick spreekt in een jaar tijd met een heleboel mensen. Misschien heeft hij door de telefoon met Metz gesproken en de papieren per post aan hem opgestuurd.'

'Dacht je?' zegt Harry. 'Alsof Nick zoveel voor ondernemingen werkte dat hij het zich niet kan herinneren.'

Daar zit wat in.

'Heb je er met haar over gesproken?' Harry bedoelt Dana.

Ik schud mijn hoofd.

'Waarom niet?'

'Het kwam niet ter sprake.'

Hij lacht. 'Had ze het te druk met het losmaken van je stropdas, speelde ze met je riem?'

Ik kijk hem aan.

'Laat maar. Ik weet het. Ik heb geen respect voor mensen die in de rouw zijn.'

Ik beschouw dat als de constatering van een feit.

'Wat wilde ze?'

'Informatie over een levensverzekering.'

'Had hij die?' Harry's wenkbrauwen gaan een beetje omhoog.

'Dat weten we niet.'

'Jij misschien niet,' zegt Harry, 'maar ik heb zo het gevoel dat de vroegere mevrouw Rush het wel weet, al roept dat meteen een andere vraag op.'

'Welke?'

'Waarom jij? Jij doet ongeveer evenveel verzekeringszaken als dat Nick vennootschappen oprichtte.'

'Ze dacht dat ze me kon vertrouwen.'

'Kan ze dat?' Harry wil weten of ik in meer dan alleen de juridische aangelegenheden geïnteresseerd ben.

'Ze wilde ook weten waar Nick en ik het die ochtend bij de koffie over hadden.'

'Aha. En heb je haar dat verteld?'

'Wat ik er nog van wist. Niet alles.'

'En terwijl je dat aan het vertellen was, kwam die verzekering ter sprake?'

'Ja.'

'Wat voor levensverzekering is het?'

'Zoals ik al zei, weten we niet eens of er wel een verzekering was.'

'Ze heeft geen polis?' zegt Harry.

Ik schud mijn hoofd.

'Niet zeggen,' zegt hij. 'Zijn firma had een compagnonsverzekering op hem afgesloten?' Harry leert snel.

'Het zou best kunnen.'

Hij begint te lachen, het lachje dat hij voor domme daden van domme mensen reserveert. 'Je hebt tegen haar gezegd dat je erheen zou gaan en hun ernaar zou vragen?'

'Iemand moet het doen. Hij heeft haar zonder een cent achtergelaten. Ik heb trouwens nog een andere reden om het te doen,' zeg ik tegen hem.

'Een reden die met het honorarium verband houdt, hoop ik?'

'Ik denk van niet.'

Harry kijkt me aan. 'Je hebt toch niet tegen haar gezegd dat je het gratis zou doen?'

'Ik heb helemaal niets over honoraria gezegd. Er is een probleem. Nick heeft me dingen verteld die ik niet kan bespreken. Die dingen hebben met andere mensen te maken. Onschuldige mensen die hier op een erg lelijke manier bij betrokken kunnen raken.' Ik moet er niet aan denken dat Laura en haar moeder ook door verslaggevers rondom hun huis worden belaagd. Dat is de reden waarom ik niets tegen de politie heb gezegd – dat en het feit dat Nick me een geheim had toevertrouwd.

'Je zult me moeten vertrouwen. Er is een reden. Het is een goede reden.' Ik kijk Harry aan. Hij kijkt terug en knikt dan.

'Nick heeft wat slechte investeringen gedaan,' zeg ik dan.

'Ja. In ex-vrouwen.'

'Hij heeft nog een paar andere fouten gemaakt.'

Harry kijkt me aan. Hij begrijpt dat dit het punt is waarover ik niet kan praten.

'Dit zit je erg hoog?'
'Ja.'
'Goed. Prima. Wat moet ik voor je doen?'
'Dank je.'

8

Rocker, Dusha & DeWine is een van de grote oude advocatenkantoren in de stad. Niemand kan zich herinneren wanneer Jeremiah Rocker overleed, en op James Dusha's portret in de hal zie je een echte heer met een vest en een gesteven boord. Hij tuurt door een pince-nez in de camera.

De naam van de firma mag dan oud zijn, hun businessplan is helemaal van deze tijd. In de afgelopen jaren hebben ze twee andere grote advocatenkantoren opgeslokt en nieuwe kantoren in San Francisco, New York en Washington geopend. Ze zijn nu actief in de centra van macht en geld, en het schijnt dat ze op jacht zijn naar meer. Ze zijn altijd op zoek naar advocaten die goede contacten bij grote ondernemingen hebben.

De firma is ook op het politieke toneel verschenen. Een paar jaar geleden leidde RD&D een campagne voor een wet die later de Hervormingswet Procesvoering Ondernemingen zou gaan heten. Die naam bevatte meteen alle trefwoorden, alles wat mensen haten aan 'ondernemingen' en 'procesvoering' en wat ze prachtig vinden aan 'hervorming'. Dit specifieke stukje venijn droeg bij aan een forse recessie, al zou je dat niet zeggen als je naar de winsten keek die RD&D behaalde.

De wet bevat een zogeheten 'veilige haven'-clausule voor advocaten en accountants, opdat ze zich kunnen afschermen van evidente fraude aan de kant van hun zakelijke cliënten, terwijl ze intussen vorstelijke honoraria in de wacht slepen. Op die manier kunnen de advocaten en accountants zowel civielrechtelijke als strafrechtelijke aansprakelijkheid vermijden, terwijl de ondernemingen die hun cliënten zijn miljarden dollars van nietsvermoedende beleggers inpikken. Binnen vier jaar begonnen grote concerns in het hele land als kaartenhuizen in elkaar te zakken. Ze vroegen hun faillissement aan, zodat tienduizenden mensen hun baan verloren en de pensioenrechten van talloze anderen in waardeloos papier veranderden. Natuurlijk kon niemand RD&D iets maken. De wet verschafte het kantoor juridische immuniteit.

De firma RD&D is een van de grote spelers van dit spel geworden. Het is wel eens gebeurd dat ze eerst lobbyden om een bepaalde gang van zaken tot misdrijf bestempeld te krijgen en vervolgens namens de benadeelden een collectieve eis indienden, dus een eis namens duizenden slachtoffers tegelijk. Ze vonden het heel gewoon dat de slachtoffers maar drie cent per dollar kregen, en dat het leeuwendeel daarvan aan gigantische advocatenhonoraria opging.

De firma bestaat uit meer dan driehonderd advocaten en een onbekend aantal juridisch assistenten, secretaresses en werkbijen, en allemaal zitten ze aan de roeiriemen vastgeketend en zwoegen ze dag in dag uit om het grote schip van de commerciële advocatuur op de juiste koers te houden, altijd op weg naar de superwinsten. Weinigen in de advocatuur en absoluut niemand bij RD&D staan ooit stil bij het idee dat gerechtigheid, als die al bestaat, alleen maar een bijproduct van het verdienen van geld is.

Dit alles blijkt al uit het adres van de firma en de smaakvolle inrichting van de ruimten die het publiek te zien krijgt. De firma RD&D gebruikt de bovenste vijf verdiepingen van een hoog kantoorgebouw aan het water, met uitzicht op de baai. Het is algemeen bekend dat ze ook eigenaar zijn van de rest van het gebouw en dat ze die kantoorruimte verhuren, tot ze genoeg concurrenten hebben opgekocht om al die verdiepingen ook te kunnen vullen.

De bestuurskantoren bevinden zich op de dertiende verdieping. Een Perzisch tapijt, lang genoeg om een startbaan op een vliegveld te bedekken, leidt naar de receptie. Dat tapijt bevat genoeg geknoopte wol om de vingers vervormd en de ogen verblind te hebben van een generatie van kinderen die de godganse dag in een schemerig slavenhok in het Midden-Oosten zaten te zwoegen.

Op een voetstuk in het midden van de ruimte staat een groot bronzen beeldhouwwerk van walvissen, moeder en kalf, een metalen symbool van het belang dat de firma aan moederschap en het milieu hecht.

Om in alle opzichten gedekt te zijn en geen zakenrelaties te kwetsen hangen er aan de muren olieverfschilderijen van schepen, sommige met volle zeilen, van boven beschenen door spotjes, zoals je in musea ziet. Dit alles doet geen enkele afbreuk aan het vrije uitzicht op het westen, over de baai heen, een weergaloos uitzicht op het noordelijk deel van het eiland Coronado met zijn enorme marinebasis.

Ik ga naar de balie en laat daar een kaartje op vallen. 'Paul Madriani voor meneer Tolt.'

De receptioniste, een slanke roodharige vrouw in een zakelijk mantelpakje en met een telefoon-headset, heeft nagels van twee centimeter lang. Ze pakt mijn kaartje op en kijkt ernaar. Ik zeg dat ik een afspraak heb.

'Een ogenblik.' Ze drukt op een knop, noemt iemand mijn naam en zegt dat ik een afspraak heb. Dan luistert ze, glimlacht en drukt op een knop om de verbinding te verbreken. 'Meneer Tolts assistente komt zo. Wilt u even gaan zitten?'

Ik probeer de weelderige bank onder een schilderij met een vierkant getuigd schip bij storm op zee, en hoop dat ik niet nat word. Het is druk bij de receptie. De hele tijd piepen er telefoons en er zijn drie receptionistes die op knoppen drukken en de mantra 'RD&D', 'RD&D' herhalen – DeWine is blijkbaar ergens in het commercieel tumult verloren gegaan, want elke declarabele seconde telt. Vingers met lange nagels vliegen met de snelheid van flamencodansers over de telefoontoetsen om verbindingen tot stand te brengen met de kamers achter de receptie op de lager gelegen verdiepingen. Het is of ik een kassa aan één stuk door hoor rinkelen. Gecomputeriseerde declaratieapparaten die op de telefoons zijn aangesloten, klikken elke zes minuten, als er weer een tiende van een uur in rekening kan worden gebracht. De meeste casino's hebben geen gokautomaten die zo'n gestage stroom inkomsten opleveren.

Binnen een minuut komt een goedgeklede vrouw in een donkerblauw mantelpak de hoek van de balie om. Ze glimlacht onder haar blonde haar, dat tot op haar schouders hangt. Ze blijft even staan om mijn kaartje van de balie te pakken en komt dan, haar blik nog op het kaartje gericht, naar me toe.

'Meneer Madriani.'

Ik hijs mezelf van de bank.

'Glenda Rawlings, meneer Tolts administratief assistente. Als u mij wilt volgen.'

Ik volg haar langs de receptie en door de gang. Aan het eind van de gang is maar één grote dubbele deur. Op het donkere mahoniehout is in goudkleurige letters de naam 'Adam Tolt' aangebracht. Ze klopt aan.

'Binnen.' De stem klinkt gedempt achter het massieve hout.

Ze maakt de deur open en gaat me voor. Ik heb Tolt nooit eerder ontmoet. Hij zit zeven meter van me vandaan als een grijze eminentie achter een kolossaal donker bureau. God zou ook zo'n werkomgeving hebben, als Hij meer geld had. Op planken van gelijke hoogte langs drie van de vier muren staan Griekse vazen. De vierde wand bestaat uit glas. Die vazen hebben aardse tinten en zijn duidelijk voorwerpen van grote waarde. Aan de wand achter Tolt hangt een Matisse, geen reproductie, een origineel. In schokkende kleuren, felblauw en groen.

Het blad van Tolts bureau bevat inlegwerk van birdseye-piqué. Het vormt een delicate rand om exotisch donker glanzend hout heen, hout dat eeuwen in een tropisch oerwoud heeft gestaan. Op dat bureau bevinden zich alleen een sierlijke zilveren pennenset, een telefoon met duizend knoppen en een groot leren vloeiblad. Op het vloeiblad ligt een stapeltje papieren waaraan de man zijn onverdeelde aandacht wijdt. Hij kijkt niet op als ik binnenkom.

'Glenda, ik heb het dossier van de zaak-Masery nodig. Zeg tegen Halston dat ik hem wil spreken voordat ik vertrek. En bel Schafer en zeg tegen hem dat ik een briefing over de zaak-Electric Stylus wil als ik vrijdag terug ben.'

Met de punt van zijn vulpen krast hij een schuine streep over de bladzijde die hij aan het lezen is.

'Aan deze memo voor Wentworth moet nog wat worden gewerkt.' Hij gooit het papier naar haar toe, zodat het door de lucht zeilt. Ze krijgt het een centimeter of dertig boven het blad van zijn bureau te pakken.

'Ik weet niet wie dat rekenwerk heeft gedaan,' zegt hij, 'maar het klopt niet.' Inmiddels kijkt hij al naar het volgende papier van de stapel.

'Ja, meneer. Ik zal er meteen voor zorgen.'

Hij zet zijn handtekening. De punt van zijn pen vliegt als een naald over het luxe briefpapier. Dan pakt hij het papier op en herhaalt het proces. Hij doet dat vier keer snel achtereen. Zijn handtekening bestaat zo te zien uit twee letters, een A met een T erdoorheen, gevolgd door een of andere krabbel. Hij zet die handtekening met de bedaagde majesteitelijkheid van iemand die gewend is de koninklijke zegelring te gebruiken om een vorstelijk bevel te bekrachtigen.

Tolt is niet meer weg te denken uit de politiek van deze staat, en zelfs niet uit de landelijke politiek. Als jongeman schijnt hij een handelsdelegatie naar Azië te hebben geleid, waar binnen een jaar geruchten over omkoping begonnen op te duiken, geruchten die tot een schandaal uitgroeiden en ertoe leidden dat een complete regering door de aankoop van defensiematerieel ten val kwam. Het feit dat een van Tolts cliënten de leverancier van dat materieel was, tastte zijn reputatie blijkbaar niet aan. Dat hij dat kon doen, zonder dat zijn naam ooit in de pers of in het officiële onderzoek werd genoemd, leverde hem een bijnaam op, die in duistere hoeken en achter zijn rug om werd gebruikt: De 'Stealth Fixer'.

Tolts politieke sporen zijn even illusionair als een schaduw. Als je er licht op laat schijnen, zijn ze weg. Sommigen vermoeden dat zijn vingerafdrukken zich nog niet eens aan het gladde leer van zijn eigen aktetas zouden hechten. Momenteel zit hij in meer dan tien raden van commissarissen, en ook in het nationaal bestuur van een van de twee grote politieke partijen. Gezien het morele kompas waardoor het land zich in de afgelopen kwart eeuw laat leiden, zullen we hem ongetwijfeld op een dag in het hooggerechtshof of in het kabinet zien zitten.

Hij kijkt pas naar me op als hij de dop weer op zijn pen heeft geschroefd.

'En Glenda, hou mijn telefoontjes tegen, en bel het vliegveld en zorg dat de Gulfstream volgetankt is en klaarstaat. Ik heb geen zin om nog een keer op de bemanning te moeten wachten.'

'Ja, meneer. Uw auto staat beneden. De chauffeur wacht.'

'Dank je, Glenda.'

Ze loopt vlug weg, een toonbeeld van efficiency, en doet de deur achter zich dicht.

Tolt pakt mijn kaartje op, dat ze bij zijn rechterhand op het vloeiblad heeft gelegd, en bekijkt het. Hij draagt een bril, heeft een gerimpeld voorhoofd en een gebruind gezicht en ziet er fit uit voor een man van wie ik vermoed dat hij begin zestig is. 'Meneer Mad-re-ani?'

'Maa-drie-aanie. Met lange a's,' zeg ik tegen hem.

'Gaat u zitten. Ik heb niet veel tijd. Ik moet voor zaken naar Washington,' zegt hij.

Ik heb meteen zin om alarmfase één voor de Amerikaanse belastingbetaler af te roepen. Hij kijkt op zijn horloge. 'Ik hoorde dat u me wilde spreken. Het had iets met Nick Rush te maken.'

'Als dit u ongelegen komt, kunnen we elkaar misschien ontmoeten als u wat meer tijd hebt. Bijvoorbeeld als u terug bent.'

'Nee. Nee.' Hij is me liever nu meteen kwijt.

Ik ga zitten. 'Ik ben hier op verzoek van mevrouw Dana Rush. Nicks weduwe. Ze vroeg me om wat zakelijke aangelegenheden voor haar uit te zoeken.'

'Ik begrijp het.' Hij schudt plechtig met zijn hoofd. 'Tragisch,' zegt hij. 'Dat iemand met zulke schitterende vooruitzichten zomaar in de kracht van zijn leven wordt neergemaaid!' Als je Tolt zo hoort, zou je denken dat het vooral tragisch is dat Nicks vingers niet meer over de toetsen van de geldmachine vliegen.

'Het gaat met name om de levensverzekering van haar man, de compagnonsverzekering van de firma.'

'Eh, ja.' Plotseling zoekt hij iets, draaiend in zijn stoel. Dan ziet hij het: het attachékoffertje achter hem op de vloer, onder een kastje. Hij draait zich helemaal om met zijn stoel, zodat hij met zijn rug naar me toe zit, en pakt het koffertje op.

'Ik bemoei me meestal niet met dat soort details,' zegt hij. 'Hebt u met Humphreys gesproken?' Tolt heeft zich weer naar me toe gedraaid en het attachékoffertje ligt nu open op zijn bureau. Een ogenblik denk ik dat hij misschien een exemplaar van de verzekeringspolis in dat koffertje heeft. Dan besef ik dat het niet zo is. Hij zoekt gewoon zijn spullen bij elkaar voor de reis.

'U moet Humphreys hebben,' zegt hij. 'Dat is de algemeen directeur van de firma. Hij regelt al die dingen. Als u een verzekeringsclaim hebt, kunt u die bij hem indienen.'

'Ik heb gisteren met meneer Humphreys gesproken. Hij is degene die deze afspraak heeft geregeld. Hij zei dat zich een probleem voordeed maar dat hij daar niets over kon zeggen. Hij zei dat ik het met u moest bespreken.'

'Een probleem? Ik weet niets van een probleem. Wie zei u dat u vertegenwoordigt?'

'Mevrouw Rush. Dana Rush.'

Hij kijkt me aan alsof die naam hem niets zegt. 'Wacht eens even.' Hij pakt de telefoon op, drukt op een van de sneltoetsen onderaan en wacht tot hij verbinding heeft.

'Hallo, George. Met Adam.' Hij draait helemaal rond met zijn stoel tot hij me weer aankijkt. 'Ik heb hier iemand bij me, een zekere Paul Mad-ri-ani. Hij zegt dat hij door de telefoon met jou over de compagnonsverzekering van Nick Rush heeft gesproken.'

'Hmm. Hmm.'
'Nou, waarom weet ik daar niets van?'
'Hmm.'
'Nou, ja, maar dat had iemand me moeten vertellen.'
'Hmm. O ja? Is iemand dit aan het uitzoeken?'
'Hmm. Hmm. Nou, dat is goed, maar wat...'
'Hmm. En hoe ziet het eruit? Denkt Jim dat we er middenin komen te zitten?'
'Hmm. Hmm. Nou, hou me op de hoogte. Goed.' Hij hangt op, pakt mijn kaartje weer en kijkt er nog eens naar.
'U hebt gelijk. Er zou zich een probleem kunnen voordoen,' zegt hij.
'Wat dan?'
Hij legt mijn kaartje neer en begint weer papieren uit een bureaula in het open attachékoffertje op zijn bureau te leggen.
'Aan de ene kant is er het goede nieuws dat er inderdaad een compagnonsverzekering op Nick was afgesloten. Dat is gebeurd toen hij hier lid van de maatschap werd. De firma betaalde de premie,' zegt hij. 'Dat hoort bij de voorzieningen voor leden van de maatschap. In ruil voor de verzekeringsuitkering verklaren de erfgenamen dat ze afstand doen van alle belangen in de firma,' zegt hij. 'Zo'n compagnonsverzekering is een goede manier om ervoor te zorgen dat iedereen goed af is.'
'En?'
'Er is ook slecht nieuws,' zegt Tolt. 'Blijkbaar is de begunstigde van de verzekering niet uw cliënte.'
'Wat bedoelt u?'
'Hoe goed hebt u Nick gekend?' vraagt hij.
'Vrij goed.'
'Dan wist u dat hij al eerder getrouwd is geweest.'
Ik knik.
'Dat is het probleem,' zegt hij. 'De polis staat op naam van zijn eerste vrouw. Ik geloof dat ik haar een keer op een bijeenkomst hier op kantoor heb ontmoet. Ze heet Margaret. Kent u haar?'
Ik slaak een diepe zucht en knik.
'Waarschijnlijk weet ze niet dat de polis nog op haar naam staat. In elk geval nog niet.' Hij is aan het rommelen in het attachékoffertje om er zeker van te zijn dat hij alles heeft. 'Dit brengt ons in een moeilijke positie,' zegt hij. 'Als iemand anders aanspraak maakt op de verzeke-

ring, moet de maatschappij haar in kennis stellen. U doet verzekeringszaken, dus u zult dat allemaal wel weten.'

'Ik doe geen verzekeringszaken.'

'Ik dacht dat u zei...'

'Ik zei niets.'

'Op uw kaartje staat dat u advocaat bent.'

'Ik doe strafzaken. Daar kende ik Nick van.'

'O,' zegt hij, en hij houdt op met inpakken. Zijn borstelige grijze wenkbrauwen komen als twee muizen op het midden van zijn voorhoofd naar elkaar toe.

Hij pakt mijn kaartje nog eens op en kijkt er ditmaal wat beter naar. Hij leest het en zegt, alsof hij tegen zichzelf praat: 'Madriani. Madriani. Nu weet ik het weer. U was de verdediger in die zaak van ongeveer een jaar geleden. Ze vonden het lijk in haar kantoor bij het strand. Wat was dat ook weer?'

'De zaak-Hale.'

'Ja, die. Die oude man die de loterij won. Het slachtoffer was een vrouw.'

'Zolanda Suade,' zeg ik.

'Ja, die.' Hij sluit het deksel van het attachékoffertje en kijkt me aan. 'Dat was een knap staaltje werk,' zegt Tolt. 'En al die gratis publiciteit.'

'En ik maar denken dat niemand zich ervoor interesseerde.'

'Ooit witteboordenwerk gedaan?' vraagt hij.

'Soms.'

'Zo.' Zijn wenkbrauwen gaan een beetje omhoog. Hij zal zich wel afvragen hoe goed ik met het declaratieprogramma op de ongebruikte computer in Nicks kamer zou kunnen omgaan. Hij laat het gesloten attachékoffertje op zijn bureau liggen en leunt in zijn stoel achterover. 'Hoe lang zei u dat u Nick hebt gekend?'

'We kenden elkaar een paar jaar.'

Hij zit me zwijgend over zijn bureau heen aan te kijken, wachtend op informatie. Die verstrek ik niet.

'Jammer genoeg heb ik hem niet zo erg goed gekend,' zegt hij. 'Ik vind het vervelend dat ik niet meer tijd voor de man heb uitgetrokken. Hij heeft zich daar vast wel aan gestoord, maar helaas begreep Nick niet hoe moeilijk het is om leiding te geven aan een firma als deze. Mopperende leden van de maatschap die allemaal een hogere premie aan het eind van het jaar willen, eindeloze discussies om ze ervan te overtuigen dat we moeten uitbreiden. Het is soms net of ik herder van een kudde katten ben en al die katten beginnen met elkaar te vechten. Daar komt nog bij dat onze winst de laatste twee jaar is gedaald.'

Ik begin medelijden met hem te krijgen en kijk intussen naar de onbetaalbare Matisse die in een vergulde lijst achter zijn stoel hangt.

'Te veel advocaten,' zegt hij.

'Zo te horen bent u op zoek naar nog meer.'

Hij glimlacht.

'Nick en ik kwamen elkaar natuurlijk wel eens tegen in dit gebouw. We spraken elkaar op het kerstfeest. Ik geloof dat we twee keer samen aan een zaak hebben gewerkt. Soms komt een cliënt in de problemen met bepaalde zaken.'

Hij bedoelt dat Nick erbij werd gehaald als de firma hulp nodig had om de criminele rommel op te ruimen wanneer een van hun cliënten met zijn zakelijke praktijken wat al te kort door de bocht was gegaan.

'En hij deed een paar drugszaken. Ik geloof niet dat het er veel waren. We probeerden hem zoveel mogelijk witteboordenwerk te laten doen.'

'Ik begrijp het. Zover wilde de firma in de criminele voedselketen nog wel gaan, maar liever niet verder?'

'Zo ongeveer. Begrijpt u me niet verkeerd. U moet niet denken dat ik neerkijk op wat andere advocaten doen. Hun cliënten hebben absoluut recht op een krachtdadige verdediging.'

'Maar niet hier?'

'Nou...' Het antwoord stond op zijn gezicht te lezen. 'Jammer genoeg zitten we op het moment niet zo ruim in de strafrechtspecialisten. We hebben wel een paar jonge medewerkers, maar Nick was het lichtend baken. Daarom konden we het ons niet veroorloven hem andere dingen te laten doen. En nu zitten we met een probleem. Nu Nick weg is, moeten we op zoek gaan naar iemand om zijn plaats in te nemen. Nick had zaken in behandeling. Die moet iemand van hem overnemen,' zegt hij. 'Het is uw terrein. Misschien kunt u ons wat aanbevelingen doen?'

Als ik niet beter wist, zou ik denken dat hij me een baan aanbood. Voor hem is dit een crisissituatie. Zoals alle machtige mannen heeft Adam Tolt het gevoel dat alleen zijn eigen problemen tellen.

'We zouden kunnen wachten tot het lijk koud is,' zeg ik tegen hem.

'Natuurlijk,' zegt hij. 'Wat onnadenkend van me.' Ondanks die woorden heeft hij nog steeds die commerciële blik in zijn ogen. Tolt is een kruising van Franklin Delano Roosevelt en de duivel. Hij heeft de stralende grijns van Roosevelt, en ook diens flamboyante, joviale houding en tegenwoordigheid van geest. Het ontbreekt hem alleen aan het sigarettenpijpje en de polio. Hij ziet er trouwens opmerkelijk fit uit en beweegt zich als een man van half zijn leeftijd.

'Ik wou dat ik meer voor u kon doen,' zegt hij. 'Maar u begrijpt het probleem? Met die verzekering?'

'Ja.'

'Wat wilt u nu gaan doen?'

'Ik ga terug en vertel het mevrouw Rush. Zou ik een kopie van de polis kunnen krijgen?'

'Uiteraard. Ik zal een notitie maken en er een naar uw kantoor laten sturen. Natuurlijk zouden ze het onderling kunnen regelen,' zegt hij. 'De twee echtgenotes.'

'Hoe?'

'Door af te spreken het bedrag te delen.'

'Hoe hoog is het bedrag?'

'Twee miljoen,' zegt hij. 'Ze zouden kunnen afspreken samsam te doen.'

'Waarom zou de begunstigde daarmee instemmen?'

'Nou, misschien heeft zij ook een probleem. Misschien is er bij de scheiding een regeling over de gemeenschappelijke boedel getroffen en valt haar verzekeringsclaim daar ook onder.'

'Is er zo'n regeling?'

'Ik neem het aan,' zegt hij. 'Waarschijnlijk was hij gewoon vergeten een andere begunstigde van de verzekering aan te wijzen.' Hij kijkt me over een bruggetje van zijn handen aan, met zijn ellebogen op de armleuningen van de stoel. Dan gaat hij rechtop zitten en klikt hij de slotjes van zijn attachékoffertje dicht. Duizend dollar per uur – honderdvijfenzestig dollar per tien minuten – het is voor hem een dure grap om zomaar een praatje met iemand te maken.

'En als ze het niet onderling kunnen regelen?' vraag ik.

Hij trekt een gezicht en kijkt me aan. 'Dan neem ik aan dat de verzekeringsmaatschappij een sekwestratieverzoek moet indienen.'

Hij bedoelt dat de verzekeringsmaatschappij haar handen ten hemel heft, erkent dat ze geld schuldig is maar niet weet aan wie ze moet betalen. Dat moet de rechter dan uitzoeken. Na een jaar of twee van procesvoering, met advocaten van de verzekeringsmaatschappij en van de twee vrouwen die elkaar in de rechtszaal in de haren vliegen, wordt er dan uiteindelijk een cheque uitgeschreven, maar je weet nooit van tevoren welke naam erop komt te staan. Het enige dat zeker is, is dat het leeuwendeel naar de advocaten gaat.

Harry had gelijk. Ik ben er middenin gestapt. Nu moet ik Dana bellen en haar het slechte nieuws vertellen. Het is het oude liedje: de laatste mensen ter wereld die hun testament bijwerken en alles goed geregeld hebben wanneer ze doodgaan, zijn advocaten.

9

Vanmorgen heeft Harry nieuws. Hij heeft het door de telefoon gehoord van een vriend van hem, een officier van justitie die hij van zijn donderdagse kaartavondje kent. Gisteren heeft die man zich tussen het schudden en delen door laten ontvallen dat de federale autoriteiten een arrestatie hebben verricht. De arrestant wordt niet van de moord op Nick verdacht, maar volgens de officier van justitie is er misschien een verband.

Harry staat in de deuropening van mijn kamer. Hij heeft net een krant gekocht uit het rek voor de sigarenwinkel in onze straat en kijkt de binnenpagina's door. Op de voorpagina, die ik kan zien, staat een foto van een kraan die een sloopkogel door het reclamebord op het dak van het oude Capri Hotel laat vliegen, het hotel waar Nick 's morgens koffie ging drinken. Ik vraag me onwillekeurig af wat hij ervan zou zeggen, als hij naar beneden kijkt, of voor mijn part omhoog.

'Hier heb ik het,' zegt Harry. 'Het is maar een kort stukje.' Hij begint te lezen. 'De kop luidt: "Arrestatie voor pasjesdiefstal." Een speciale eenheid, samengesteld uit verschillende politiediensten en geleid door agenten van de INS, de immigratiedienst, deed gisteravond een inval in een woning in Santee en verrichtte een arrestatie in verband met de diefstal van duizenden grenspasjes, afgelopen mei in Tijuana.

De grenspasjes, die door de INS worden verstrekt, dienen voor korte bezoeken aan de Verenigde Staten. Ze werden op 23 mei bij het Amerikaanse consulaat in Tijuana buitgemaakt door gewapende roofovervallers.

Gearresteerd werd Miguelito Espinoza, een plaatselijke koppelbaas die ongeschoolde werkkrachten inhuurde, voornamelijk voor werk in de landbouw. Volgens de autoriteiten was Espinoza ten tijde van de inval in zijn huis aanwezig en bood hij geen verzet.

De politie weigerde te zeggen of ze in Espinoza's woning enig bewijsmateriaal hebben gevonden. Aangenomen wordt dat de grenspasjes op de zwarte markt maar liefst een miljoen dollar waard zijn. Vreemdelingen zonder papieren of smokkelaars van mensen of goederen kunnen ze gebruiken om de Verenigde Staten binnen te komen.

De autoriteiten zoeken al maanden naar de verdwenen grenspasjes. Volgens bronnen die niet met naam genoemd willen worden, zijn deze documenten het allernieuwste op het gebied van laseridentiteitstechnologie en wordt gebruikgemaakt van hologrammen. Gevreesd wordt dat de overvallers de lasertechnologie kunnen kopiëren om nieuwe pasjes te maken.'

Harry laat de krant zakken en kijkt me over de bovenrand aan. 'Dat is alles.'

'Waarom denkt je vriend de officier van justitie dat dit in verband staat met Nick en de schietpartij?'

'Hij zei dat de arrestant met Metz in verband stond.'

'Zei hij ook hoe?'

'Dat zei hij niet, en ik wilde ook niet over de tafel kruipen om het hem te vragen. Ik kreeg het gevoel dat hij het waarschijnlijk ook niet wist.'

'Denk je dat hij het je zou vertellen als je hem belde en het aan hem vroeg?'

Harry schudt zijn hoofd. 'We kennen elkaar, maar we zijn geen dikke vrienden. Hij zei wel dat die vent die ze hebben opgepakt, die...' Hij kijkt weer naar het artikel. 'Die Espinoza. Dat die al een hele tijd door de federale diensten in de gaten werd gehouden. We hebben het nu over maanden,' zegt Harry. 'En we hebben het over intensieve surveillance. Het schijnt dat de immigratiedienst die grenspasjes tot elke prijs terug wilde hebben. Ze willen die arrestant stevig aan de tand voelen om na te gaan of hij iets van die schietpartij weet. Ze nemen aan dat hij er niet rechtstreeks bij betrokken was, want hij werd op dat moment geschaduwd. Maar ze denken dat hij misschien iets weet. Ik vroeg me af of ik het je moest vertellen, maar ik wist dat je het zou willen weten.'

'Dank je.'

Harry begint een kop thee voor zichzelf te zetten: een kopje met heet water in de magnetron aan de andere kant van de gang. Als hij terugkomt, laat hij een theezakje in het water zakken. 'Had Tolt een exemplaar van die verzekeringspolis?'

'Wat?'

'De compagnonsverzekering ten gunste van Rush' vrouw?'

'O. Ja. Hij stuurt hem ons toe.'

'Wilde hij meewerken?'

'Eigenlijk wel. Zoveel als hij kon. Er is wel een probleem, een complicatie.'

'Wat voor complicatie?' vraagt hij.

'Het schijnt dat zij niet als begunstigde op de polis staat vermeld.'

'Dat kun je inderdaad een complicatie noemen. Wie is dan wel de begunstigde?'

'Zijn eerste vrouw.'

Harry rolt met zijn ogen. 'Wat ga je eraan doen?'

'Weet ik niet.'

'Laat me je een goede raad geven. Als je die polis hebt, stuur hem dan naar haar toe. Doe er een briefje bij waarin je haar aanraadt een goede verzekeringsadvocaat te nemen.'

'Dat kan ik niet doen.'

'Waarom niet?'

'Omdat er anderen bij betrokken zijn.'

'Wie?'

Als we hierbij betrokken raken, zal ik Harry vragen afstand te doen van zijn honorarium. Hij verdient een antwoord.

'Er is een kind. Nick had een dochter. Ze is een paar jaar geleden buitenechtelijk geboren, voordat hij Dana leerde kennen. Ze heet Laura.'

Harry kijkt me aan. De raderen draaien in zijn hoofd. 'Die envelop met geld die de politie in Nicks zak vond,' zegt hij.

Ik knik. 'Nick betaalde al sinds Laura's geboorte voor haar. Dat was hem niet door een rechter opgelegd. Hij deed het vrijwillig. Behalve de moeder en hij wist niemand ervan. Zo wilden ze het.'

'En je wilt het kind aan dat verzekeringsgeld helpen.'

'Jammer genoeg zal dat niet gaan. Ze is nu eenmaal niet de begunstigde van het verzekeringscontract. Ik kan wel proberen er iets voor haar uit te slepen.'

'Onze honoraria?'

Ik knik.

Harry knikt ook. 'Waarom heb je me dit niet eerder verteld?'

'Dat kon ik niet. Als de politie je ondervroeg, kon je in alle eerlijkheid zeggen dat je niets wist. Ik wilde hun privacy beschermen. Op deze manier raken ze niet meteen betrokken bij de strijd om het verzekeringsgeld.'

'Waarom heeft Nick de naam van het kind niet op de polis laten zetten?'

'Waarschijnlijk was hij nog niet van plan om dood te gaan. En als hij haar als begunstigde noemde, zou ze Dana meteen tegenover zich krijgen. Dat is misschien ook de reden waarom hij Margarets naam op de polis liet staan. Daardoor is het onduidelijk waar het geld naartoe gaat. Het kind zou iets kunnen krijgen als haar moeder besluit erachteraan te gaan en als blijkt dat Margarets claim ongeldig is omdat ze van Nick is gescheiden. Ik vind dat ik dit voor Nick moet doen. Hij zou het ook voor mij doen als ik in zijn situatie verkeerde.'

'Dat verkeerde je bijna,' zegt hij.

'Herinner me daar niet aan.'

'Ik begrijp het. Ik wou alleen dat je het me eerder had verteld. Dat je een beetje meer vertrouwen in me had gehad.'

'Het was geen kwestie van vertrouwen.'

'Ik begrijp het.' Harry voelt zich gekwetst. 'Natuurlijk geven we ons honorarium op. Dat is geen punt.'

Harry kijkt in de donkere thee in zijn kopje en vraagt zich af of hij het daarbij moet laten. Maar dat kan hij niet. 'Rush' dood was niet jouw schuld,' zegt hij.

'Wie zei dat het dat was?'

'Niemand. Alleen heb ik soms het gevoel dat je twijfelt. Vooral nu ik weet wat erachter zit. Kende ze hem, die dochter, bedoel ik?'

Ik knik. 'Volgens Nick ging hij zo vaak mogelijk naar haar toe. Ze dacht dat hij haar oom was. Je kon in zijn ogen zien dat hij zielsveel van haar hield. Hij vertelde me hoe intelligent ze was. Hoe blij.'

'Toch is het niet jouw schuld. Je zag wat Metz voor iemand was en begon er niet aan. Je hebt Nick gewaarschuwd. Had je soms liever dat Sarah op dit moment zonder vader zat?'

'Geloof me, daar heb ik aan gedacht. Ik heb me afgevraagd wat Nick in mijn situatie zou doen. Nick betaalde vierduizend dollar per maand aan haar moeder. Daar is nu een eind aan gekomen.'

'En je denkt aan het verzekeringsgeld?' Harry begrijpt het al.

'Ja, daar denk ik aan. En als ze een beetje ouder wordt, gaat ze vast veel vragen over haar vader stellen, wie hij was en hoe hij is gestorven.

Het zou mooi zijn als ze dan ook wat antwoorden kreeg, iets wat verdergaat dan de afschuwelijke speculaties in vergeelde krantenberichten over haar vader die zakendeed met een louche cliënt en tegelijk met die cliënt om het leven kwam.'

'Dat van dat geld begrijp ik. Maar het is de taak van de politie om uit te zoeken wie hem heeft vermoord en waarom dat is gebeurd.'

'Misschien. Maar ik zie ze nu niet bepaald het vuur uit de sloffen lopen.'

'Zouden ze denken dat Nick zijn verdiende loon kreeg?' zegt Harry.

'Eén strafpleiter meer of minder – dat staat vast niet hoog op hun prioriteitenlijst.'

'Je denkt dat het in de la met onopgeloste zaken terechtkomt?'

'Ja, dat denk ik.'

'Misschien hoort het daar ook thuis.'

'En als je zijn dochter was?'

'Dat ben ik niet, en dat ben jij ook niet. Trouwens, als je nu eens op onderzoek gaat en je vindt antwoorden die je helemaal niet aanstaan? Wat dan?'

'Dat zie ik dan wel weer.'

Harry schudt zijn hoofd. 'Als je dit voor Nick doet, kun je het wel vergeten. Die man kan er geen waardering meer voor opbrengen.' Hij neemt een klein slokje thee.

'Weet je, Harry, ik hoop dat als iemand mij op straat doodschiet, dat jij dan op zijn minst een klein beetje met me begaan bent.'

'Doe je het daarom? Nou. God verhoede het,' zegt hij, 'maar als iemand je doodschoot, zou ik waarschijnlijk wat tranen vergieten. Ik zou je in stijl begraven en ontroerende woorden uitspreken bij je graf. Ik zou alles in het werk stellen om voor Sarah te zorgen. Of om er in elk geval voor te zorgen dat ze goed terechtkomt. Ik zou veel aan je denken, en ik zou verdergaan met mijn leven.'

'Een nuchtere levensinstelling,' zeg ik.

'Ja, als het om iets gaat waar ik toch niets aan kan doen. We hebben langgeleden een beslissing genomen,' zegt hij. 'We doen geen drugszaken. Dat hebben we afgesproken. Om goede redenen. Het kost je te veel tijd om alle nieuwe wetgeving bij te houden, en alles wat met drugs te maken heeft, maakt zoveel meningen los als een kapotte rioolbuis boven de Niagara. Trouwens, er zijn dingen die je gewoon niet wilt doen. Bijvoorbeeld achter georganiseerde misdaad aangaan. Als je dat doet, loop je gevaar dingen te ontdekken die je liever niet wilt weten. Dingen waardoor je je 's nachts gaat afvragen of je alle deuren wel goed op slot hebt, met de ketting ervoor, en of je genoeg tralies voor je ramen hebt.'

'Daarom heb ik Metz niet als cliënt aangenomen,' merk ik op.

'Precies,' zegt Harry. 'Want dat hadden we afgesproken. Waarom geef je mij dan niet de schuld van Nicks dood? Ik kan ermee leven.' Hij draait zich om en loopt door de gang naar zijn kantoor.

Een aantal minuten zit ik daar naar het krantenbericht te kijken, de naam Miguelito Espinoza, en ik vraag me af wat Metz met grenspasjes zou willen.

Dan ga ik naar de receptie. Marta is daar bezig het archief bij te werken. Ik maak een van de archiefkasten open, de la met M-O.

'Kan ik iets voor je opzoeken?' Marta kijkt op van haar bureau.

'Ik heb het al, geloof ik.' Ik haal de map met gegevens van Gerald Metz tevoorschijn.

'Hoe gaat het met je?' vraag ik.

'Goed.' Ze glimlacht opgewekt.

Efficiënt als ze was, zou Marta dit dossier binnen negentig dagen hebben gesloten, want er waren geen declaraties te versturen. Ze zou de map in het archief hebben gedaan, in een van de kartonnen dozen die in de bungalow twee deuren verderop staan. En als ze over een paar jaar nog bij ons zou zijn, zou ze hem op een dag samen met andere dossiers naar een vuilstortplaats hebben gebracht, het uiteindelijke archief van de Amerikaanse cultuur.

Ik trek me met de map in mijn kantoor terug. Er staat niet veel in, de paar brieven die Metz me die ochtend in mijn kantoor heeft gegeven, en mijn aantekeningen op een paar velletjes uit een geel schrijfblok. Op de derde pagina staat de naam van Miguelito Espinoza, twee keer onderstreept en met een adres en telefoonnummer in Santee. Het was de naam die op het beduimelde visitekaartje stond dat Metz me gaf. Espinoza had als tussenpersoon gefungeerd toen die twee broers in Mexico zogenaamd samen met Metz aan een ontwikkelingsproject zouden werken.

Margaret Rush en ik hebben elkaar in meer dan drie jaar niet gezien, dus als ze de voordeur opendoet, zie ik dat mijn gezicht haar wel bekend voorkomt maar dat ze het niet helemaal kan plaatsen.

'Margaret. Ik ben Paul Madriani.'

Een korte aarzeling en dan: 'O ja.' Ze glimlacht en strijkt met de rug van haar hand over haar haar om het enigszins in model te brengen. Er zit vuil onder haar nagels. Ze draagt een spijkerbroek met moddervegen op de knieën.

'Ik was net in de tuin bezig,' zegt ze.

'Zou ik even binnen mogen komen?'

Ze aarzelt. Ze wil haar veiligheid niet in gevaar brengen, maar ook niet onbeleefd zijn. Dan maakt ze de deur open. 'Natuurlijk.'

'Het is langgeleden,' zeg ik tegen haar.

'Ja.' Ik kan merken dat ze er nog niet helemaal zeker van is wie ik ben. Ze herkent de naam, het gezicht, maar ze weet niet meer precies waar ze me van kent.

'Ik geloof dat we elkaar voor het laatst op die boottocht op de baai hebben gezien. De receptie van de plaatselijke balie, een paar jaar geleden,' zeg ik tegen haar.

'O ja.' Nu weet ze het weer. 'Je was een vriend van Nick.'

'Ja.'

Ik zie aan haar gezicht dat ze er nu spijt van heeft dat ze me wilde binnenlaten. 'Ik heb niet veel tijd,' zegt ze. 'Ik wilde me net omkleden om weg te gaan.'

'Het duurt maar even.'

'Wat wil je?' zegt ze. 'Je zult vlug moeten zijn.'

'Hoe gaat het met je?'

'Met mij? Prima.' Ze staat nog in de deuropening. 'Mag ik vragen waar je voor komt?'

'Kunnen we naar binnen gaan?' vraag ik.

'Vooruit dan maar. Maar ik heb niet veel tijd.'

Ze draait zich om naar de huiskamer en ik volg haar. De kamer is klein, zoals het hele huis klein is, een bungalow aan een straat met keurig onderhouden voortuinen en Japanse populieren langs de kanten. Er staat een bank tegen de muur. Als je erop zit, kijk je door het raam aan de voorkant van het huis naar de straat. Op planken, hoog aan de wanden en rondom de hele kamer, staan vrouwelijke siervoorwerpen van porselein en kristal, en er is ook een antiek theestelletje. Tegen een van de wanden staat een kast met geslepen ruitjes en in de hoek, naast de haard, staat een oorfauteuil. Daar gaat ze in zitten. Ze laat de bank aan mij over.

'Ik zag je niet op de begrafenis, maar er waren ook veel mensen.'

'Nicks begrafenis?' vraagt ze.

'Ja.'

'Ik was er niet. Aan dat deel van mijn leven is al een hele tijd geleden een eind gekomen,' zegt ze. 'Waarover wilde je me spreken?'

Blijkbaar wil ze niet eerst een praatje met me maken.

Haar haar is grijs geworden sinds ik haar voor het laatst zag. Ze heeft rimpels bij haar ogen. Aan de gespannen uitdrukking op haar gezicht kan ik zien dat ze Nick misschien wel jaren geleden uit haar leven heeft gebannen, maar dat er nog steeds gedachten aan hem in de duistere holten van haar geest rondzweven.

'Hoe gaat het met je zoon, Jimmy heet hij toch?'

'James,' zegt ze. 'Het gaat goed met hem.'

'Ik wilde over Nick praten.'

'Wat is er met hem?' zegt ze.

'Om precies te zijn over zijn nalatenschap.'

'O, ja. Nu begrijp ik het. Zijn kantoor belde me een paar dagen geleden. Het gaat om die verzekering, hè?'

'Ja, de compagnonsverzekering.'

'Heeft ze jou gestuurd?'

'Wie?'

'Wie.' Ze zegt het spottend en haar woede trekt zich samen in de lijnen bij haar ogen. 'Je weet wie ik bedoel. Dana.'

'Nee.'

'Waarom ben je hier dan?'

'Om een probleem te vermijden,' zeg ik tegen haar. 'Om mogelijke onenigheid te voorkomen. Misschien ook om te doen wat ik denk dat goed is.'

'En wat is dat dan?'

'Nick is dood. Hij is op dit moment uit ieders leven verdwenen, jouw leven, haar leven. Die verzekering zou jullie beiden ten goede kunnen komen.'

'Nu praat je net als Nick. Je wilt alleen maar vrede stichten, alles regelen voor iedereen. "O ja, en dan nog wat. Ik naai mijn binnenhuisarchitecte en wil graag scheiden, maar het is niets persoonlijks."'

'Je hebt alle reden om kwaad te zijn.'

'Nou en of.'

'Maar in je woede moet je jezelf niet schaden,' ga ik verder.

'Wat bedoel je?'

'Je hebt een exemplaar van de polis ontvangen?'

'Ja.'

'En je weet dat jij als begunstigde wordt genoemd?'

'Ja.'

'Je weet ook dat er in het kader van de echtscheiding een regeling over de boedel is getroffen?'

Ze kijkt me aan maar reageert niet. Ze weet dat het hierom draait.

'Ik neem aan dat je hiervoor een advocaat in de arm hebt genomen?'

'Waarom zou ik jou dat moeten vertellen?'

'Je hoeft me helemaal niets te vertellen. Als je inderdaad een advocaat hebt, is dat goed. In dat geval zou ik met hem moeten praten.'

'Het is een vrouw.' Ze zegt dat op een toon alsof mannelijke advocaten niet te vertrouwen zijn.

'Als je me haar naam geeft, neem ik contact met haar op en kan ze met je overleggen.'

'Ze heet Susan Glendenin.'

'Ze werkt voor het advocatenkantoor Petersen in de binnenstad?'

'Ja.'

'Ik ken haar wel.' Dat is geluk hebben. Susan Glendenin is een goed advocate; belangrijker nog, ze is een redelijk denkend mens te midden van steeds meer advocaten die over lijken gaan en die zich niet voor redelijkheid maar alleen voor oorlogvoering interesseren.

'Je moet ook begrijpen dat dit een moeilijke juridische kwestie is, de vraag aan wie de verzekering moet uitkeren.'

'Wat bedoel je?'

'Ik bedoel dat de verzekeringsmaatschappij hoe dan ook aan iemand moet betalen. Het kan ze niet zoveel schelen wie dat is, als ze er maar van af zijn.'

'En?'

'Misschien kunnen jullie allebei winnen.'

'Wat was je naam ook weer?'

'Paul Madriani.' Ik grijp in het borstzakje van mijn pak, vind het kleine pakje visitekaartjes, pak er een uit en geef het aan haar.

'Laat me je dit vertellen, Madriani, opdat je het goed begrijpt. Ik neem die twee miljoen dollar en geen cent minder. Ga maar naar je cliënte terug, die hoer, die echtbreekster, en zeg tegen haar dat ze wat mij betreft mag doodvallen. En jij erbij. Nou, als je me wilt excuseren – ik heb dingen te doen.' Ze staat uit de stoel op.

'Ik heb één vraag,' zeg ik.

'Nou?'

'Meen je het als je zegt dat je je claim op de verzekering alleen opgeeft in ruil voor twee miljoen dollar?'

Ze kijkt me door venijnige kleine spleetjes aan. De woede van een heel leven welt op in haar ogen. Alle verbittering komt boven. 'Reken maar,' zegt ze.

10

Deze ochtend draagt Dana een zijden pyjama, zwart en glad. Ze is op blote voeten en zit op de rand van een fauteuil in haar huiskamer, haar ene been onder zich gevouwen. Ze probeert uit te leggen dat ze Nicks exemplaar van de verzekeringspolis heeft gevonden maar vergeten is me daarover te bellen.

'Ik zweer het je, Paul. Het is me ontschoten. Ik vond hem nadat we met elkaar hadden gepraat. Hij lag in zijn safe, in de studeerkamer.' Dana kijkt me met een moeizaam glimlachje aan. Ze wil erg graag dat ik haar geloof, dat ze onschuldig en hulpeloos overkomt, zoals ze daar naast de haard zit.

'Je gelooft me?' Ze fladdert met haar lange wimpers in mijn richting. De lichaamstaal is goed, de huivering in haar stem is authentiek, dus als ik haar niet beter kende, zou ik er misschien zelfs intrappen. Ze heeft me voor niets naar dat advocatenkantoor gestuurd om aan een exemplaar van de polis te komen, terwijl ze al wist wat erin stond.

'Alsjeblieft, geloof me,' zegt ze.

Ik kijk haar niet meer aan. In plaats daarvan kijk ik naar een van die kinetische speeltjes die Nick in zijn kantoor had. Het staat nu op de salontafel. Het zijn vijf glanzende stalen bolletjes aan koorden, en ze klikken de hele tijd tegen elkaar aan. Ik laat haar daar een seconde of twee naar luisteren en vraag dan: 'Hoe heb je de safe opengekregen?'

'Ik heb de code gevonden.'

'Waar lag die?'

'In een van de laden. In Nicks bureau boven.'

'Misschien kunnen we kijken wat er verder nog in die safe ligt. Er kunnen nog meer belangrijke papieren bij zijn.' Ik begin overeind te komen van de bank.

'Nee. Dat hoeft niet,' zegt ze. 'Ik heb gekeken wat er nog meer in lag. Er is verder niets.'

Ik kijk haar aan. Ze weigert mijn blik te beantwoorden. 'Weet je, je doet het vrij goed. Je bent niet de beste, maar hebt ook niet veel ervaring. Tenminste, dat hoop ik.'

'Ervaring waarmee?'

'Liegen.'

'Wat bedoel je?'

'Moet ik geloven dat Nick zijn persoonlijke papieren veilig in een safe opbergt en de code dan in zijn bureaula achterlaat, waar elke probleemjongere die in zijn huis inbreekt hem meteen zal vinden? Misschien was jij met een andere Nick Rush getrouwd dan de Nick die ik heb gekend.' Ik begin van de bank te komen alsof ik weg wil gaan.

'Goed.' De smekende toon is nu uit haar stem verdwenen. Ze klinkt nu gespannen en ze zakt in haar stoel onderuit en slaat haar ogen neer. Intussen strijkt ze de zachte plooien van de zijde op haar dij glad. 'Goed. Ik had die polis de hele tijd al.' En dan kijkt ze naar me op en gaat met een zachtere, zwakkere stem verder, het soort stem dat ze gebruikt als ze haar vrouwelijke overredingskunst in de strijd werpt. 'Maar ik wist niet wat ik moest doen. Ik zag haar naam op die polis en raakte in paniek. Ik was wanhopig. Ik had geen cent en ik had niemand tot wie ik me kon wenden. Begrijp je het? Je weet niet hoe het is om niemand te hebben. Nou ja, je weet het wel. Iemand die je kunt vertrouwen.'

'Iemand als Nick?' zeg ik.

'Eh, ja. Hij regelde alles. Onze financiën, belastingen, de beleggingen. Ik had geen idee. Ik dacht dat we goed zaten. Ik weet niets van die dingen.'

'Hoe weet je dan dat je geen cent hebt?'

Ze haalt diep adem, zucht en wendt haar ogen af. 'Ik heb Nathan naar onze financiën laten kijken. Na Nicks dood.'

'Fittipaldi?'

Ze knikt.

'Het is een prettig idee dat je niet helemaal alleen was,' zeg ik dan.

Ze stelt het sarcasme niet op prijs. 'Ik moest me tot iemand wenden. Wat had je dan verwacht dat ik deed?'

'Waarom heb je de verzekeringspolis niet aan Fittipaldi laten zien?'

'We hebben erover gepraat. Hij wist ook niet wat we ermee moesten doen.'

'O.'

'Ik dacht dat jij een vriend van Nick was. Ik dacht... Ik dacht dat jij, omdat je Nick al kende voordat we getrouwd waren, dat je misschien...'

'Je dacht dat ik naar de firma zou gaan, zou horen dat je naam niet op de polis staat, medelijden met je zou krijgen en misschien met Margaret Rush zou gaan praten. Is dat het?'

'Nou...' Eerst kijkt ze naar het plafond en dan weer naar mij. Ze fladdert een beetje met haar wimpers. 'Ja. Ik dacht dat je haar misschien zou kennen. Dat je misschien een vriend van haar was.'

'Je dacht dat ik zou kunnen bemiddelen. Is dat het?'

'Vergiste ik me daarin?'

'Nee. Maar het was misschien wel een beetje naïef,' zeg ik. 'Al heb je dat ruimschoots gecompenseerd door de situatie perfect te manipuleren. Ik bedoel, het was de moeite van het proberen waard. Vrienden zijn nu eenmaal vrienden.'

'Ja. Ik dacht dat ze misschien naar jou zou luisteren.'

Ik lach en laat de stalen balletjes op de tafel nog eens klikken. 'Eigenlijk heb ik haar maar één keer ontmoet. Maar zelfs als we de beste maatjes waren geweest, moet je wel een erg idealistisch beeld van vriendschap hebben om te geloven dat Maggie Rush, of wie dan ook, zomaar een claim van twee miljoen dollar zou opgeven.'

'Dus ze weigerde?'

'In bewoordingen die ik niet in beschaafd gezelschap zou willen herhalen,' antwoord ik.

Dana is uit haar stoel gekomen. Ze keert me de rug toe en brengt de nagels van haar ene hand naar haar mond alsof ze ze tot op het leven wil afbijten. Ik kijk naar haar in de spiegel boven de haard. Ze staat daar op haar nagels te bijten en haar ogen turen naar een onzichtbare horizon. Intussen denkt ze na over haar volgende stap.

Plotseling draait ze zich om, kijkt me aan en zegt: 'Wat doen we nu?'

Voordat ik iets kan zeggen, zit ze naast me op de bank en schuift ze het kinetische speeltje van me vandaan, opdat al mijn aandacht naar haar uitgaat. De zijde glijdt over het kamgaren van mijn broek.

'Nou, je zou Nathan kunnen bellen om hem het nieuws te vertellen,' zeg ik. 'Ik weet niet wat ik ga doen. Waarschijnlijk ga ik naar kantoor terug om nog wat te werken.'

'Je weet wat ik bedoel.' Ze neemt mijn linkerhand in beide handen.

'Je zult me toch helpen? Je hebt met die vrouw gepraat. Je weet hoe ze over me denkt. Ze haat me. Je weet dat Nick niet van plan was haar al dat geld na te laten. Ze waren gescheiden.'

'Dat is waar.' Ik begin van de bank op te staan.

'Je gaat toch niet weg?' zegt ze. 'Alsjeblieft, ga niet weg. Je bent de enige die me kan helpen. Je hebt met het advocatenkantoor gepraat. Je weet dat ze Nick niet eerlijk hebben behandeld. Je zou toch denken dat ze nu wilden helpen.'

'Ik heb met Adam Tolt gesproken.'

'En?'

'Blijkbaar wil hij zich er niet mee bemoeien. Wat hem betreft, is het iets tussen jou en de verzekeringsmaatschappij.'

Dat maakt haar zo gespannen dat ze in mijn hand knijpt tot het bloed uit mijn vingertoppen wegtrekt.

'Je was Nicks vriend. Je laat ze dit toch niet doen? Ik bedoel, niet met de vrouw van je vriend. Zeg me dat je dat niet zou doen.'

'Je moet een goede advocaat nemen,' zeg ik. Harry zou trots op me zijn.

'Ik heb er een,' zegt ze. 'Jij.'

'Nee, ik bedoel een advocaat die met een verzekeringspolis kan jongleren. Die alle kleine lettertjes naar zijn hand zet, op de uitzonderingen hamert, de bepalingen zo stevig vastspijkert dat de verzekeringsmaatschappij er niet meer mee kan schuiven. En dan is er nog de boedelscheidingsregeling die Nick met Margaret heeft getroffen. Ik hoop dat hij die regeling door een goede advocaat heeft laten opstellen.'

'Wat bedoel je?'

'Omdat het daarom draait,' leg ik uit. 'Als die regeling goed is opgesteld – nou, dan zal geen enkele advocaat, zeker niet een goede die verstand heeft van verzekeringen, er veel tijd aan willen verspillen.'

'Maak ik geen kans?' Ik heb mensen die van moord werden beschuldigd met minder angst in hun ogen zien kijken. 'Heb je ernaar gekeken?' zegt ze. 'De boedelscheidingsregeling.'

'Nee. Maar verbintenissenrecht is niet mijn sterkste punt.'

Ze laat mijn hand als een dode vis vallen.

'Wie moet ik dan nemen?'

'Ik weet het niet.'

'Je kent vast wel iemand. Als het een kwestie van geld is: ik kan betalen,' zegt ze.

'Ik dacht dat je geen cent had.'

'Ik kan eraan komen.'

'Het is niet alleen een kwestie van geld.'

'Wat is het dan?'

'Laat me er een paar dagen over nadenken,' zeg ik tegen haar.

'O, goed. Natuurlijk. Neem alle tijd die je nodig hebt. Je moet me wel afschuwelijk vinden. Ik bedoel, dat ik jou bij zoiets heb betrokken.'

'Waar zijn vrienden anders voor?'

'Ik wist wel dat je me zou helpen.' Voorlopig staat op alle vrienden aan wie ze denkt het portret van een president afgedrukt.

'Nick moet je veel hebben verteld,' zeg ik.

'Wat?' Ze is heel ergens anders met haar gedachten.

'Over zijn werk, bedoel ik. Wat hij deed.'

'Eigenlijk niet.'

'Als ik jou zo hoor, hadden jullie een erg nauwe band.'

'Ja, we hielden van elkaar, als je dat bedoelt.'

'En ik wed dat jullie elkaar veel toevertrouwden als jullie samen in bed lagen.' Ik kijk haar aan. Zij kijkt mij aan. Ik glimlach. Ze krijgt een kleur.

'Nou, een beetje.'

'Goed. Dan heeft hij je zeker ook over Jamaile Enterprises verteld?'

Ze kijkt vragend naar me op. 'Nee. Ik denk van niet. Wat is dat?'

'Dat is een vennootschap – tenminste, dat was het totdat het zijn belastingen niet meer betaalde.'

'Wat heeft dat met Nick te maken?'

'Hij was een van de directeuren.'

'Ik weet daar niets van. Ik heb daar nooit van gehoord. Hij heeft me nooit iets verteld,' zegt ze.

'Ik dacht dat hij dat misschien wel had gedaan, want de enige andere directeur van die vennootschap was een kennis van je.'

'Wie dan?'

'Gerald Metz.'

Haar ogen worden donker als ze dat hoort. Ik zie aan haar pupillen dat ze de informatie op zich laat inwerken. 'Wat? Nee. Daar heeft hij nooit iets over gezegd.' Ik voel dat de vragen in haar exploderen als popcorn boven een heet vuur.

'Wanneer deden ze dat? Heeft Nick je dat verteld?' vraagt ze.

'Meer dan een jaar geleden, en nee, Nick heeft er niets over verteld.'

Als ze iets weet, zou je dat niet aan haar verwarde gezicht kunnen zien. 'Ik begrijp het niet.'

'Ik ook niet. Nick vertelde me dat je Metz in de kunstcommissie hebt ontmoet.'

'Dat klopt.'

'Wanneer was dat?'

'Ik weet het niet. Waarschijnlijk de eerste keer dat ik daarheen ging,' antwoordt ze. 'Nu je het erover hebt: hij wist blijkbaar wie ik was.'

'Hoe?'

'Dat weet ik niet. Hij kwam naar me toe en stelde zich voor. Hij zei: "Je bent toch met Nick Rush getrouwd?"'

'Dus hij gaf toe dat hij Nick kende?'

'Nee. Ik vroeg het hem, en hij zei dat hij hem alleen van naam kende. Hij had Nicks naam in de krant gezien. Zoiets. Met het soort cliënten dat Nick had, kon hij zijn naam niet uit de kranten houden, gesteld dat hij dat al zou willen, wat niet het geval was.'

Ik zwijg even en denk over dit alles na. Dana kijkt me niet aan. In plaats daarvan kijkt ze strak naar de vloerbedekking.

'Hoe ben je erachter gekomen dat ze samen een vennootschap hadden?'

'De politie,' zeg ik tegen haar. 'We zijn het nagegaan en het bleek te kloppen.'

'De politie?'

'Ja.'

'Ze hebben mij niets verteld.'

'Misschien wilden ze je er niet mee lastigvallen.' Ik zie dat dit belangrijk voor haar is.

'Hoe hadden ze jou gevonden?'

'Dat weet ik niet.'

Ze denkt even na. 'Ik heb tegen ze gezegd dat ik Metz naar Nick had verwezen,' zegt ze.

'Nou, voorzover jij op dat moment wist, was dat de waarheid. Nietwaar?'

'Absoluut.'

Ik kan aan haar afgetobde gezicht zien dat dit niet een van Dana's betere dagen is. Eerst die verzekering, nu de politie die wist dat haar man zakendeed met Metz voordat zij hem kende, informatie die niet strookt met wat ze tegen hen heeft gezegd. Ze moet zich wel afvragen wat ze nu denken.

'Hoe legde Metz zijn juridische problemen aan je voor?' vraag ik. 'Wat zei hij precies?'

Ik kan zien dat ze al in dezelfde richting denkt, dat ze de gebeurtenissen probeert te reconstrueren. 'Het... Het was op een vergadering.' Nu weet ze zich even geen raad. Ze heeft te veel informatie te verwerken, verontrustende informatie, of misschien wil ze alleen maar dat ik dat denk.

'Ik geloof dat het in maart was. In ieder geval in het voorjaar. Hij kwam na de vergadering naar me toe en zei dat hij wist dat ik met een goede advocaat getrouwd was en dat hij hulp nodig had met een zakelijk probleem. Ik zei dat mijn man strafzaken deed, en hij zei dat... dat hij dat nodig had.'

'Vertelde hij je iets over zijn probleem?'

'Nee, niets. Alleen dat hij een advocaat nodig had.'

'Had je voor dat gesprek ooit eerder met Metz gepraat?'

'Ja. Ik bedoel, er zitten achtentwintig mensen in de commissie. We komen bij elkaar. We praten. We fungeren als een soort coördinatiecentrum voor kunstsubsidies in de gemeente.'

'Gaat er veel geld om?'

'Dat hangt ervan af. Sommige van die subsidies zijn groot. We hebben momenteel een subsidie voor een nieuw operagebouw in behandeling. Dat zou om een paar miljoen dollar kunnen gaan. In de meeste gevallen zijn het kleine individuele subsidies.'

'En Metz? Was hij meestal aanwezig op die vergaderingen?'

'Meestal wel. We hadden een paar keer over andere dingen met elkaar gesproken. Ik kan niet zeggen dat ik hem goed kende.'

'Weet je hoe Metz in die commissie is gekomen?'

'Net als wij allemaal, denk ik. Benoemd door iemand uit het gemeentebestuur.'

Ik denk daarover na. Ze kijkt me aan.

'Gewoon uit nieuwsgierigheid: wie heeft jou benoemd?'

'Ik wist wel dat je dat zou vragen. De politie vroeg het ook, en ik wist het niet meer. Heel gênant,' zegt ze. 'Maar ik heb later mijn benoemingspapieren opgezocht. Het was wethouder Tresler.'

'Ken je hem?'

Ze schudt haar hoofd. 'Niet persoonlijk. Ik bedoel, misschien heb ik hem wel eens bij een of andere gelegenheid ontmoet. In dat geval kan ik het me niet herinneren. Ik interesseer me niet zo erg voor politiek.'

Ik denk: natuurlijk wel, alleen niet voor het soort politiek waar ze met stembriefjes werken.

'Hoe ben je dan benoemd?'

'Nick dacht dat het leuk voor me zou zijn. Hij was blijkbaar op zoek naar iets waaraan ik plezier zou beleven. Het stelt niet veel voor,' zegt ze. 'Ik bedoel, het is niet een van de beste commissies om in te zitten. Er zijn andere commissies en adviesgroepen waar je voor betaald krijgt. Het lidmaatschap van de kunstcommissie is onbezoldigd. Je krijgt alleen wat onkosten vergoed. Eens per jaar mag er een klein groepje naar Europa voor gesprekken met galeriehouders. Dat gebeurt bij toerbeurt. Ik ben nog niet in de gelegenheid geweest.' Ze slaat haar ogen neer. 'Ik zal nu ook wel niet meer de kans krijgen. Ik bedoel, ik moet me misschien uit de commissie terugtrekken en een baan zoeken. Ik weet niet wat ik je nog meer kan vertellen. Je wilt me toch wel helpen?' Dana heeft mijn hand vastgepakt en begint er weer in te knijpen. Als ik opsta, moet ik me bukken om mijn hand los te krijgen.

'Ik zal doen wat ik kan. Ik neem nog contact met je op.'

Nu Nick en Metz dood zijn en de politie op schimmen jaagt, vormt die Espinoza het enige concrete spoor. Voorlopig zit hij weg te rotten in een federale gevangenis, wachtend tot zijn advocaat een borgtochtregeling voor hem heeft getroffen.

Met die federale rechters weet je het nooit. Ik ben bang dat zo'n rechter in een of andere opwelling een bedrag vaststelt dat Espinoza of een van zijn relaties kan opbrengen. In dat geval zouden ze de man vrijlaten en zou Espinoza in een ommezien verdwenen zijn – mijn laatste kans om aan informatie te komen.

Daarom steek ik vanmiddag mijn hoofd in de juridische leeuwenbek. Ik wil proberen zijn advocaat te worden, dan kan ik zorgen dat hij in de gevangenis blijft.

Als ik naar de voordeur van zijn huis loop, hoor ik binnen een televisietoestel: de lawaaierige muziek en stemmen van tekenfilms.

Boven dat alles uit krijst een baby.

Ik klop aan. Als er mensen binnen zijn, reageren ze niet. Ik kijk nog eens naar het huisnummer boven de voordeur. Als Miguelito Espinoza's gezin of wie het ook was die hier met hem woonde, niet is verhuisd, is dit het juiste adres.

Ditmaal klop ik harder. Na een paar seconden beweegt er een silhouet achter het matglas.

'Wie is daar?'

'Mijn naam is Paul Madriani.'

'Wat wilt u?'

'Ik zoek de familie van Miguelito Espinoza.'

Aan de andere kant van de deur hoor ik alleen het geluid van de televisie en de krijsende baby.

'Wat wilt u van ze?' De deur gaat een paar centimeter open, met een veiligheidsketting op ooghoogte. Een blauw oog, omringd door piekerig blond haar, gluurt ter hoogte van mijn borst door de opening.

'Hallo.' Ik kijk haar met mijn meest ontwapenende glimlach aan en steek een kaartje door de opening. Ze pakt het aan en houdt, terwijl ze het leest, tegelijk met enige moeite de baby op haar arm.

'Ik ben advocaat. Ik denk dat ik meneer Espinoza kan helpen.'

'U bent bij Michael geweest? U hebt hem gesproken?'

'Bent u zijn vrouw?'

Ze kijkt me weer aan maar geeft geen antwoord. Dan kijkt ze nog eens naar het kaartje.

'Hij had niets met die dingen te maken,' zegt ze. 'Ik ken Michael. Hij zou zoiets nooit doen. Trouwens, toen ze hem oppakten, zei hij dat ze niets hadden, geen bewijs.' Ze praat alsof ik haar man daar in de deuropening ga berechten, door een deur met de ketting erop.

'Dat dacht ik ook,' zeg ik tegen haar. 'Mag ik binnenkomen?'

'Wanneer hebt u met hem gesproken?'

'Ik voel er eigenlijk weinig voor om dat allemaal hier op de stoep te bespreken. Ik heb wat papieren die ik u wil laten tekenen.'

'Waarvoor?'

'Dan kan ik hem vertegenwoordigen.'

Plotseling gaat de deur dicht. Ik hoor dat de ketting door de koperen gleuf glijdt. De deur gaat weer open, nu helemaal. In de deuropening staat een typisch kindvrouwtje, een meter vijfenvijftig, vijftig kilo schoon aan de haak. Ze heeft lang, vet, blond haar en draagt een versleten spijkerbroek en een flanellen mannenoverhemd dat haar vier maten te groot is. Ze staat op blote voeten op de vuile vloerbedekking achter de deuropening. In haar armen heeft ze een in een blauwe deken gewikkelde baby. Ik kan het gezicht van het kind niet zien. Haar gezicht is ovaal, met fijne trekken, bijna vogelachtig. Haar mondhoeken hangen omlaag, alsof ze niet meer in staat is om te lachen.

'Hij heeft honger,' zegt ze.

Aan het gekrijs te horen dat uit de deken komt mankeert hij niets aan zijn longen.

'Wat zei Michael? Heeft hij naar me gevraagd?'

Ik negeer haar vragen. 'Mag ik binnenkomen?'

'Ja.' Als ik naar binnen ga, kijkt ze achter me, de straat op, alsof ze misschien nog iemand verwacht. Dan doet ze de deur dicht en draait hem met het kind op haar arm op slot, waarna ze de ketting er ook weer voor schuift.

Ze draait zich om en loopt de huiskamer in. Daarbij stapt ze over allerlei rommel heen, kledingstukken, oude kranten, lege frisdrankblikjes en iets wat zo te zien een wegwerpluier is. Er zitten verkleurde vlekken op de vloerbedekking. Misschien heeft Miguelito ooit huisdieren gehad. Midden op de vloer ligt een lege pizzadoos, met gesmolten kaas die hard als wit plastic aan de binnenkant van het karton geplakt zit.

Het kindvrouwtje steekt haar hand uit naar de knop van de televisie. De baby houdt even op met huilen en begint dan opnieuw.

'Hij houdt van het geluid van de televisie,' zegt ze. 'Soms wordt hij daar rustig van.' Ze trekt de deken weg en aait de baby over zijn hoofd om hem te troosten.

'Wat heeft hij gezegd? Kunt u hem uit de gevangenis krijgen? Ik heb geen eten meer in huis,' zegt ze. 'Kan Michael me aan wat geld helpen?'

'Bent u zijn vrouw?'

Ze knikt.

'Hoe heet u?'

'Robin. Robin Watkins. Espinoza,' zegt ze. 'We zijn vorige zomer getrouwd.'

'Hebt u daar een bewijs van? Een huwelijksakte?'

'Waarom zou ik dat moeten bewijzen?'

'Dat is noodzakelijk, als u wilt dat ik uw man vertegenwoordig.'

'Ik heb hem ergens,' zegt ze.

'Kunt u hem vinden?'

'Even wachten.' Ze loopt half huppelend, half rennend door de gang. Haar stappen laten nauwelijks een afdruk achter op de versleten vloerbedekking. Ik sta bij de deuropening van de huiskamer en kijk naar de rommel waarmee de vloer bezaaid ligt. Tegen de muur staat een bank die betere tijden heeft gekend. De bekleding van een van de armleuningen is aan flarden. Hier is een kat geweest.

Ik hoor moeder en kind in de andere kamer. Ze trekt laden open en gooit ze dicht; er vallen dingen op de vloer. Na een minuut of zo komt ze door de gang terug. Ditmaal loopt ze gewoon, vlug maar niet zo onbeheerst. Ze strijkt met haar hand door haar haar. Blijkbaar is ze zich er nu pas van bewust dat haar uiterlijk van belang kan zijn voor het lot van haar man. Ze heeft behalve de baby nu ook een envelop in de vingers van de hand die ze onder het kind heeft. Ze houdt me de envelop voor en ik pak hem aan.

'Kunt u hem op borgtocht vrij krijgen?' vraagt ze.

In de envelop zit een enkel papier. Ik haal het eruit en vouw het open. Het is een huwelijksakte die in juli door de gemeente is verstrekt aan Miguelito Espinoza Garza en Robin Lynn Watkins. Robin verklaart daarin dat ze achttien jaar oud is. Ik zou dat niet graag onder ede willen verklaren.

'Kunt u dat?' zegt ze. 'Hem eruit krijgen?'

'Ik weet het niet. U moet iets tekenen.'

'Ze wilden me niet met hem laten praten,' zegt ze. 'Ze hebben hem daar in dat grote gebouw. Dat grote witte gebouw in de binnenstad. Ik ging naar binnen en ze wilden hem niet eens vertellen dat ik er was.' Op haar rechterwang zit een vuile veeg. Annie het weesmeisje. 'Ze zeiden dat ik weg moest gaan of dat ze me anders zouden arresteren.' Waarschijnlijk hadden ze dan een leerplichtambtenaar gebeld.

'Weet u of hij al een andere advocaat heeft?' vraag ik. 'Een toegevoegde advocaat?'

Ze haalt haar schouders op en schudt haar hoofd. 'Zoals ik al zei: ze wilden me niks vertellen.' Ze kijkt me met grote blauwe lege ogen aan.

'Hoe lang kent u Michael al?' vraag ik.

'Waarom wilt u dat weten?'

'Het is misschien goed als ik iets over zijn achtergrond weet.'

'We hebben elkaar op de kermis in Pomona ontmoet. Vorige zomer. Ik werkte op een van de draaimolens en Michael kwam naar me toe. Hij zag me.' Ze glimlacht bij de herinnering aan die liefde op het eerste gezicht. Ze kijkt mij nu niet aan, maar staart dromerig in de verte. 'We leefden een tijdje samen,' zegt ze. 'Maar toen zei Michael dat ik wat geld van de gemeente kon krijgen als we getrouwd waren. Hij was hier niet veel, en dus... Misschien zou ik u dit niet moeten vertellen.'

'Het geeft niet.'

'Ik krijg bijstand. Het is voor mijn baby. Misschien zou ik het eigenlijk niet mogen krijgen. Maar Michael is er niet. Hij is veel op reis. Ik maak me zorgen,' zegt ze, 'want ik heb geen geld meer voor babymelk. Ik ben blut. Mijn baby heeft honger.' Ze aait hem weer over zijn hoofdje en kust zijn gezicht, dat verloren gaat in de deken.

Ik heb een dunne leren map onder mijn arm. Ik maak hem open en haal er een getypt vel papier uit dat ik van kantoor heb meegenomen. Met een pen zet ik haar naam onder de stippellijntjes voor de handtekening.

'Dit is een machtiging en een overeenkomst voor juridische diensten,' zeg ik tegen haar. 'Het stelt mij in staat om namens Michael op te treden. Hier.' Ik geef haar de pen. We manoeuvreren met de baby en uiteindelijk heb ik hem in mijn armen, terwijl zij de map, het papier en de pen neemt.

'Waar moet ik tekenen?'

'Onderaan. Het stippellijntje boven uw naam.' Ik wijs met een vinger onder de baby vandaan. Hij krijst nog van de honger.

Ze vraagt niet waarom ik die handtekening nodig heb. Maar als ze opkijkt, zegt ze: 'Hoe moet ik u betalen?'

We ruilen van map en baby. Ik stop het ondertekende papier weer in de map, haal dan mijn portefeuille uit de binnenzak van mijn jas en maak hem open. In het vak voor papiergeld heb ik vier honderdjes en wat kleinere biljetten. Ik trek de honderdjes eruit en geef ze aan haar.

'Dit is voor u. Michael en ik regelen wel iets. Maakt u zich geen zorgen.'

Haar ogen beginnen te stralen.

'Koop wat voeding voor de baby, en wat boodschappen voor uzelf.'

II

Midden juni. We zitten bij elkaar in Adam Tolts vergaderkamer met walnoothouten lambriseringen.

'Glenda. Met Adam. Je mag ze allemaal binnenlaten.' Tolt legt de hoorn weer op de haak en leunt achterover tegen de hoge rug van de gecapitonneerde stoel. Hij kijkt mij aan. We zitten aan de glanzende tafel in de directievergaderkamer naast zijn kantoor. Dit is het walhalla, de plaats waar het bestuur van de advocatenfirma elk kwartaal bijeenkomt om de winstdoelstellingen te bepalen, de plaats waar de premies worden vastgesteld en waar nieuwe leden van de maatschap worden benoemd, ongetwijfeld met een geheime gouden handdruk.

'Ik laat dit aan u over,' zegt Tolt. Hij heeft het over de onderhandelingen die nu gaan beginnen. 'Ik stel iedereen aan elkaar voor, en als ik dan nog iets kan doen, nou...' Hij maakt een aristocratisch gebaar, een losse beweging met de rug van zijn hand naar boven, zoals je van een Venetiaanse doge zou verwachten. Zijn hand beweegt zich over de leren map met gouden hoeken en de zwarte Mont Blanc-pen die er als een slanke torpedo bovenop ligt.

Tolts ogen bestuderen de deur achter me. Intussen trommelen de vingers van zijn ene hand, waaraan een gouden universiteitsring prijkt, een roffel op het tafelblad. Het klinkt als het voorspel van een executie.

Tolt heeft instinctief de ereplaats aan het hoofd van de tafel ingenomen. Dit is zijn domein. Hij geeft me niet veel kans, zeker niet in het licht van de hardnekkige houding van de twee vrouwen, Dana en Margaret Rush. Ze nemen geen van beiden genoegen met minder dan twee miljoen, het volle bedrag van Nicks verzekering, al vermoed ik dat Dana wel over te halen is om haar eisen wat lager te stellen. Ik heb Tolt niet verteld wat ik naar voren ga brengen. Ik weet niet of ik hem kan vertrouwen. Daarom krijgt hij straks alles voor het eerst te horen.

De deur tegenover me gaat open en ik kijk op. Tolts administratief assistente leidt hen naar binnen. Het eerste gezicht dat door de deuropening komt, is zo rood als een roos. Het is een man van ongeveer een meter tachtig, goedgebouwd, waarschijnlijk achter in de veertig. Hij heeft kort blond haar met een scheiding aan de linkerkant, als een plattelandsbankier. Hij draagt een fraai donker pak, een power-pak met krijtstreepje vanwege het psychologisch overwicht. Hij kijkt me even met zijn verzengende blauwe ogen aan en grijnst zelfverzekerd. Zijn ogen vertellen me niets. Het is de blik die je krijgt van politici die bruisen van de energie en zakenlieden die over de lijken van anderen naar de top zijn geklommen.

Op grond van de agenda en de signalementen die ik van Tolt heb gekregen neem ik aan dat dit Luther Conover is, directeur claims bij Devon Insurance, de maatschappij van Nicks levensverzekering.

'Luther. Goed je te zien.' Tolt staat op uit zijn stoel. 'Het is een tijdje geleden.'

'Ja. Te lang. Wanneer voor het laatst? Ik denk toen ons bestuur bij elkaar kwam voor de noordelijke kampioenschappen. Wanneer was dat? Twee jaar geleden?'

'Zoiets. Hoe is het met Julie en de kinderen?'

'O, goed. De tweeling gaat volgend jaar studeren.'

'Nee.' Tolt gooit een heleboel twijfel in zijn stem.

'Achttien,' zegt Conover.

'Dat kan ik bijna niet geloven. Het was nog maar klein grut.' Tolt houdt zijn hand ter hoogte van het tafelblad. 'Het is een hele tijd geleden,' zegt hij.

'Laten we blij zijn dat we elkaar nu ontmoeten,' zegt Conover. 'Niet dat ik je niet graag tegenkom, maar ik weet niet of mijn portefeuille het wel aankan.'

'Onzin,' zegt Tolt. 'We amuseren ons altijd geweldig. Trouwens, het is niet je eigen geld.'

'Nee, maar je handen trekken mijn zakken steeds uit model.' Conover kijkt me lachend aan, het teken dat ik mag meedoen. De sfeer is hartelijk; iedereen grinnikt. Ik heb geen idee waar ze het over hebben, behalve dat Tolt in het verleden zijn stempel op Devon Insurance heeft gedrukt.

'Ik wil je voorstellen aan Paul Madriani.'

We schudden elkaar de hand. Hij kijkt me aan met diezelfde onverstoorbare grijns die hij bij het binnenkomen ook al op zijn gezicht had, met een onderzoekende blik om vast te stellen welke advocaat hem nu weer een poot probeert uit te draaien. Dan richt hij zijn aandacht weer vlug op Adam en praten ze over golf. Ze maken grappen en vragen naar elkaars handicap.

'Je zou een keer naar Temecula moeten komen,' zegt Conover.

'Het schijnt dat ik tegenwoordig alleen nog kan spelen als ik op vakantie ben,' zegt Tolt.

'Waar doe je dat?'

'Op De Anza.'

'Ben je lid?'

Tolt knikt. 'We hebben een appartement op de veertiende fairway. Daar gaan we zo nu en dan naartoe.'

'Hoe is het met Margo?'

'Goed. Ze is gezond. Ze zorgt dat ik in vorm blijf.'

'De Anza. Zover ben ik nog niet.' Conover kijkt in mijn richting. 'Speelt u golf, meneer Madriani?'

'Het spijt me, maar dat is niet een van mijn zonden.'

'Goed. Dan moeten we u eens op de baan hebben. Ik zoek iemand die ik kan verslaan. Adam hier slaat de benen onder me vandaan, als we eens samen op de baan zijn. Wat hij met zijn drives tekortkomt, maakt hij meer dan goed met zijn putts.'

'Ja, om te winnen moet ik je een poets bakken,' zegt Tolt.

We lachten weer. Intussen staan ze voor de deur van de vergaderkamer in de rij.

Achter Conover komt een slanke man van in de dertig binnen. Hij heeft een aktetas in beide handen en probeert hem over Conovers schouder heen te tillen als hij achter hem aan komt om tegenover me aan tafel te gaan zitten.

'Neem me niet kwalijk,' zegt Conover. 'Dit is Larry Melcher, de advocaat van Devon. Paul Madriani. Is het Madriani? Spreek ik het goed uit?'

'Ja.' Ik schud Melchers hand terwijl ik met Conover praat. Als ik de jurist aankijk, kijkt hij met een typische advocatenblik terug om me te intimideren. Er wordt in deze kamer heel wat afgetast. Dat doen alle juristen die met dit soort zaken bezig zijn. Het liefst zou hij me fouilleren. In plaats daarvan beproeft hij de greep van mijn hand, alsof een eventueel geschil uiteindelijk zal worden beslist met een partijtje armpje drukken aan de vergadertafel.

'Wel, wie vertegenwoordigt u hier precies?' Melcher is nog niet eens gaan zitten of hij graaft al naar informatie die hij kan gebruiken om mijn cliënte te grazen te nemen. Het wordt tijd om duidelijkheid te verschaffen.

'Mijn firma vertegenwoordigt Dana Rush. U hebt misschien mijn collega ontmoet in de hal?'

'Ik geloof niet dat we de gelegenheid hadden.' Hij zegt dat met een veelbetekenende grijns waaruit ik afleid dat de sfeer in de hal niet erg hartelijk was. Met Dana en Margaret in dezelfde ruimte, moesten ze het ijs misschien wel van de muren schrapen.

Nu komt Dana binnen, gevolgd door Harry. Ik heb hem onder druk moeten zetten om hem mee te krijgen. Ik had een vredebewaarder nodig, iemand die tussenbeide kon komen in het geval dat Margaret en Dana besloten het voor de bijeenkomst alvast uit te vechten.

Ze komen helemaal om de tafel heen naar me toe, en Dana gaat tussen Harry en mij in zitten. Als ik iedereen aan elkaar voorstel, kijkt Conover met grote ogen naar mijn cliënte en laat hij zijn parelwitte tanden schitteren. Hij zou haar ongetwijfeld graag een paar vragen stellen, en misschien ook uitkleden, maar dit is er niet de plaats en de tijd voor.

Intussen komt Margaret door de deur achter hem naar binnen. Ze neemt de omgeving in zich op, de kroonluchter van Frans kristal boven de tafel en de originele schilderijen aan de muren, en ziet hoe God de hemel misschien zou inrichten als Hij het geld had. Ze wordt gevolgd door haar advocate Sue Glendenin, een intelligent en opgewekt blondje, kwiek en alert. Haar tengere bouw en soms ook bedeesde stem hebben al menig advocaat ertoe gebracht om haar te kleineren in de rechtszaal, waarna hij in de kreukels in de hoek kwam te liggen, met lege zakken. Zoals gewoonlijk glimlacht Susan. Margaret niet.

Glendenin gaat vooraan staan, stelt zich aan Tolt voor en begint visitekaartjes uit te delen. Ze herhaalt dat bij Conover en zijn advocaat en knikt dan mij toe.

'Hoe gaat het, Paul?'

'Dat vertel ik je straks wel.' Ik knipoog naar haar.

'Ik hoef jou er niet een te geven.' Ze stopt het houdertje met kaartjes weer in haar zak. Dat ontgaat Conover niet, het feit dat de advocaten van de twee tegenstanders een paar woorden wisselen en elkaar nog steeds glimlachend aankijken.

Langzaam bewegend, als een gewond dier op het territorium van een roofdier, kan Margaret niet genoeg dingen vinden om haar blik op te richten. Ze kijkt naar de schilderijen achter ons, naar de klok. Haar blik gaat naar overal en nergens. Het enige waar ze niet naar kijkt, is Dana. De onzichtbare vrouw. Terwijl er alom wordt gegroet en handen worden geschud, is niemand zo dom of zo moedig om de fout te begaan die twee vrouwen aan elkaar voor te stellen. Zij van hun kant doen hun uiterste best om elkaar te negeren.

'Misschien moesten we maar eens beginnen,' zegt Tolt. 'Wil iemand koffie? Iets te drinken?'

'Een whisky-soda, maar pas als we klaar zijn,' zegt Conover. Hij en Tolt lachen.

'Waarom wachten?' zeg ik. 'Harry wil best even inschenken.' Iedereen lacht weer, behalve Margaret, die erbij zit alsof ze elk moment in woede kan uitbarsten.

'Gaat u zitten.' Tolt speelt voor ceremoniemeester, terwijl zijn assistent de koffiebestellingen opneemt en via de interne telefoonlijn doorgeeft.

Iedereen gaat zitten zoals hij of zij graag wil. Omdat het stoelen op wielen zijn, zie ik Margaret zichtbaar langs de tafel van ons vandaan glijden. Haar advocate blijft dichtbij, naast Melcher, dicht tegen hem aan, zodat hij, als hij aantekeningen wil maken, zijn schrijfblok tegen zijn buik moet houden, anders ziet ze het.

Tolts assistente, Glenda, heeft zich aan het andere eind van de tafel geïnstalleerd. Ze notuleert de vergadering.

'Ik neem aan dat we allemaal weten waarom we hier vandaag zijn.' Tolt gaat rechtop in zijn stoel aan het hoofd van de tafel zitten. 'Devon Insurance heeft een verzekering verstrekt op het leven van een van de leden van deze maatschap, Nicholas Rush. Zoals we allen weten, is meneer Rush overleden, en nu blijken er twee afzonderlijke partijen te zijn die het verzekeringsbedrag opeisen. Ze claimen ieder het volledige bedrag van de polis, twee miljoen dollar. De ene claim is ingediend door mevrouw Margaret Rush, de andere claim door mevrouw Dana Rush. U moet me maar verbeteren als ik iets zeg dat niet juist is, of als er vragen zijn.' Tolt kijkt de tafel rond. Niemand zegt een woord.

'Er zijn enige bijzonderheden,' zegt hij. 'Complicaties waarover we zo nodig vast wel kunnen praten.' 'Bijzonderheden en complicaties', zo noemt Tolt de kwestie van de boedelscheidingsregeling die indertijd door Margaret en Nick is aangegaan, en het feit dat de naam van de weduwe niet als begunstigde in de polis wordt genoemd, kwesties die voor sommige derdewereldlanden voldoende zouden zijn om elkaar de oorlog te verklaren, gezien de bedragen waar het om gaat.

Tolt schraapt zijn keel en neemt een slok water uit een glas dat Glenda eerder heeft ingeschonken en bij zijn hand heeft neergezet.

'Op deze bijeenkomst willen we nagaan of we met zijn allen tot overeenstemming kunnen komen en zo de zaak tot een eind kunnen brengen zonder dat het tot een gerechtelijke procedure komt.' Terwijl hij dat zegt, kijkt Tolt naar de twee vrouwen. 'Dat zou betekenen dat we niet naar de rechtbank hoeven te gaan om de rechter een beslissing te laten nemen, een beslissing waarmee misschien niemand van ons helemaal gelukkig zal zijn.'

'Daar kan ik mee leven, als de rechter de bepalingen van de verzekeringspolis bekrachtigt.' Margaret lost een schot voor de boeg. Ze kan zich niet langer inhouden.

'Ja, maar als u nu eens verliest?' zegt Tolt. 'Er staat nog meer op het spel, zoals uw advocate u ongetwijfeld heeft uitgelegd. En geen van de aanwezigen hier zou willen dat u uiteindelijk met lege handen staat.'

Margaret werpt een valse blik naar Dana. Ze is er natuurlijk van overtuigd dat Tolt niet namens iedereen in de kamer spreekt.

'Hetzelfde geldt voor u.' Hij wendt zich tot Dana. 'Ik geloof echt niet dat Nick zou willen dat het slecht met een van u beiden ging.'

Margaret kreunt duidelijk hoorbaar. 'O, bespaar ons dat,' zegt ze.

Tolt negeert dat. 'Het is een feit dat geen van de aanwezigen hier zou willen dat een van u wordt geschaad. Ik denk dat als u de risico's in overweging neemt, en er een tijdje over nadenkt, u het met ons eens zult zijn.' Margaret zou aan één mensenleven niet genoeg hebben om tot die conclusie te komen.

Glendenin draait een beetje naar haar cliënte toe en legt haar hand op Margarets arm, een gebaar om haar tot rust te manen, maar het levert haar alleen een laatdunkende blik van haar cliënte op. En dan draait Susan net zo snel weer terug om Melchers privacy te beperken, Margaret in haar zee van woede en minachting achterlatend.

'Dat heeft hopelijk ook op ons betrekking?' zegt Conover. 'Dat niemand wordt geschaad, bedoel ik.'

'Absoluut.' Tolt verzekert hem dat met een twinkeling in zijn ogen. Dit is op zijn minst een komisch intermezzo.

'Dat is een hele geruststelling,' zegt Conover glimlachend. 'Natuurlijk erkennen we dat we verplicht zijn het verzekerde bedrag uit te keren. Het enige probleem is: aan wie betalen we?'

Margaret kijkt nog met een en al minachting naar Dana. Ik vermoed dat mijn cliënte het liefst onder de tafel zou verdwijnen. Margarets onwil om te onderhandelen heeft niet zozeer te maken met het geld als wel met het feit dat Dana er iets van zou krijgen. Margaret schuift haar stoel nu op zijn wieltjes naar haar advocate en fluistert iets achter haar hand in Susans oor. Sinds ze tegen mij heeft gezegd dat ze geen compromissen zal sluiten, zal ze dat heus ook niet doen. Ze heeft haar huwelijk al aan Dana verloren en is niet van plan om de polis met haar naam erop ook nog aan haar prijs te geven. Dat staat in haar ogen geschreven als ze daar zit te fluisteren, en je hoeft geen waarzegger te zijn om de boodschap te lezen: 'Geen cent minder dan twee miljoen.' Ik zie dat ze naar de deur kijkt. Er hoeft niet veel te gebeuren of ze gaat weg. Ze weet dat we geen tweede kans krijgen om met de verzekeringsmaatschappij te overleggen, behalve in het kader van een gerechtelijke procedure.

'Misschien kan er een beetje beweging in komen,' zegt Conover. Hij kijkt naar Margaret, die nog in het oor van haar advocate fluistert. 'Misschien zou een van de dames een beetje water bij de wijn kunnen doen. Bijvoorbeeld haar advocaat vragen met een aanbod te komen.'

Conover kijkt recht naar Margaret terwijl hij dat zegt. Ze houdt abrupt op met fluisteren. Zijn tactiek is duidelijk: een wig drijven tussen de vrouwen en op de twee miljoen blijven zitten: het geld levert zeven procent rente per jaar op en de dames vermalen elkaar tot gruis in een of andere rechtszaal.

Hij staat op het punt om aan Margaret, de granaat in de hoek, te vragen of ze akkoord zou gaan met een compromis. Conover wil de pen uit de granaat trekken en maken dat hij hier wegkomt. Ik denk dat hij alleen maar naar deze bespreking is gekomen om Adam Tolt een plezier te doen. Ongetwijfeld zit Adam in allerlei raden van commissarissen en is hij goede maatjes met Conovers superieuren op het hoofdkantoor. Tolt is een man die overal een ijzer in het vuur heeft.

'Dat is precies waar ik op hoopte.' De eerste serieuze woorden die ik uitspreek. 'Een beetje beweging,' zeg ik.

'Is uw cliënte bereid haar claim te verlagen?' Dat komt van de advocaat, Melcher, die erop springt als een panter.

'Dat is ze. Ze is bereid de helft op te geven.'

'Kijk eens aan,' zegt Conover. 'Mevrouw Rush.' Hij wijst naar Dana en gebruikt het woord waarvan hij weet dat het Margaret Rush woedend maakt. 'Mevrouw Rush is bereid een miljoen dollar op te geven om deze kwestie tot een eind te brengen.' Als je hem zo hoort, is het net of hij naar applaus hengelt tijdens een geldinzamelingsactie.

'Dat zei ik niet. Ik zei dat ze bereid is de helft op te geven.'

Tolt zit achterovergeleund en laat zijn ellebogen op de armleuningen van zijn stoel rusten. Hij heeft een bruggetje van zijn handen gemaakt en kijkt geïnteresseerd naar het gevecht.

'Ze is bereid twee miljoen dollar op te geven,' voeg ik eraan toe.

'U bedoelt dat ze bereid is afstand te doen van alles?' Conover kijkt me ongelovig aan, met een blik van 'wat doen we hier dan?'

'Nee. Niet meer dan de helft,' zeg ik tegen hem.

Hij schudt zijn hoofd en kijkt zijn advocaat aan, die zijn schouders ophaalt. Ze vragen zich allebei af wat hun ontgaan is.

'Leg eens uit,' zegt hij.

'De totale claim is niet twee miljoen dollar,' zeg ik tegen hem. 'Het is vier miljoen.'

'Waar hebt u het over?' vraagt Melcher.

'Ik heb het over de clausule van de dubbele uitkering.'

'Wat?' Melcher kijkt zijn baas hoofdschuddend aan. Hij haalt zijn schouders op en draait zijn handpalmen naar boven alsof hij zich afvraagt wie die idioot heeft binnengelaten. 'Wat voor praktijk hebt u?' zegt Melcher. 'Geen verzekeringsrecht.'

'Vooral strafzaken,' zeg ik tegen hem.

'Aha.' Hij kijkt alsof dat alles verklaart. 'Die clausule heeft alleen betrekking op een sterfgeval door een ongeluk.' Hij zegt dat op milde toon, alsof ik alleen maar een beetje bijgeschoold hoef te worden. 'Dit was moord,' zegt hij. 'Misschien wel een dubbele moord, maar geen dubbele uitkering.' Hij glimlacht een beetje om zijn eigen woordgrapje. 'Meneer Rush is vermoord, of hebben we dat verkeerd begrepen?'

'Dat zou kunnen,' zeg ik. 'Hebt u het politierapport gelezen?'

'Ergens,' zegt Melcher. Hij maakt zijn tas open en begint te vissen.

'Laat me u de moeite besparen. Ik zal het u uitleggen. Nick Rush was misschien het slachtoffer van een opzettelijke daad. Dat geven we toe. Maar het blijft de vraag of hij het beoogde slachtoffer was of alleen maar een onschuldige voorbijganger – *per ongeluk doodgeschoten*.' Ik benadruk die laatste drie woorden.

'Kom nou,' zegt Melcher. 'Dat meent u toch niet?'

Conover kijkt zijn advocaat aan en vraagt zich af wat er in godsnaam aan de hand is. Dit was helemaal niet zijn bedoeling. Een korte bijeenkomst en dan de deur uit, gevolgd door manjaren van procesvoering, jaren waarin ze de twee vrouwen de duimschroeven zouden aanzetten.

'Ik meen het volkomen serieus. En wat belangrijker is: er is jurisprudentie over dit onderwerp.'

Pakjes papier, allemaal netjes aan elkaar vastgeniet, glijden uit een andere richting over de tafel. Harry heeft ze uit een bruine map gehaald die voor hem op tafel ligt. Hij doet dat als een croupier die kaarten uitdeelt in een casino. De glijdende papieren komen voor de advocaten en Conover tot stilstand.

'Er is ook een kopie van het politierapport over de schietpartij bij. Daarin wordt de conclusie getrokken dat de overleden Nicholas Rush niet het beoogde slachtoffer was, maar dat zijn cliënt Gerald Metz naar alle waarschijnlijk het doelwit was van de aanslag. Dat is gebaseerd op het bewijsmateriaal dat ter plaatse is aangetroffen, getuigenverklaringen en nog meer gegevens die in het bezit zijn van de autoriteiten. Ik kan u die lectuur van harte aanbevelen,' voeg ik eraan toe.

Harry verspreidt kopieën van het politierapport, zodat Conover en zijn advocaat nog met de eerste bladzijde van onze juridische argumentatie bezig zijn als het politierapport er al bovenop komt schuiven, als een honkballer die het thuishonk bereikt.

De advocaten zijn nu druk bezig bladzijden om te slaan. Glendenin en Tolt leunen geamuseerd achterover, alsof ze helemaal geen belang bij dit gevecht hebben, terwijl Conover zijn advocaat aankijkt alsof hij van hem verwacht dat hij een konijn uit zijn hoed tovert.

'Dit is niets. Dit betekent niets,' zegt Melcher. Hij heeft nog niet de tijd gehad om één bladzijde te lezen, maar omdat zijn baas erbij is, voelt hij zich gedwongen om zijn zwaard uit de schede te trekken. 'Rush stond naast zijn cliënt. Natuurlijk werd hij doodgeschoten.'

'En uw argument is?' vraag ik.

'Zijn cliënt was het beoogde slachtoffer. Dat staat hier.'

'Dat ben ik met u eens. Dat is precies wat ik zeg.'

'Nee. Nee. Nee. Nee.' Melcher zegt dat alsof elke herhaling van dat woord zijn redenering sterker maakt. 'U begrijpt het niet. Het feit dat uw cliënt naast het beoogde slachtoffer stond, wil nog niet zeggen dat hij per ongeluk is doodgeschoten. Ik bedoel, hij trad op namens de man. Hij was zijn advocaat.'

'Wat betekent dat?' vraagt Harry. 'Bedoelt u dat hij het risico bewust aanging?'

'Dat niet precies. Nou, in zekere zin,' zegt Melcher. 'Ik bedoel, die man... En met alle respect, dames.' Hij kijkt Dana aan en werpt dan een snelle blik op Margaret. 'Met alle respect, maar meneer Rush had nogal wat dubieuze cliënten.'

'Vertel mij wat,' zegt Margaret.

'Wat heeft dat ermee te maken?' vraag ik.

'Ga maar na.' Melcher begint zich op te winden. 'Een louche drugsadvocaat staat met zijn cliënt voor een federaal gerechtsgebouw, als er ineens op hen tweeën wordt geschoten. Ja, als u medeleven wilt, kunt u bij mij altijd terecht,' zegt hij. 'Maar dit gaat te ver. Wat denkt u dat een jury zal zeggen als ze horen dat uw man namens een drugshandelaar optrad toen hij werd doodgeschoten?' Hij kijkt me met opgetrokken wenkbrauwen aan, alsof hij zojuist een bom op onze zaak heeft laten vallen. Hij wacht niet tot ik antwoord geef. 'Ik zal u vertellen wat ze dan zeggen. Dan zeggen ze dat hij zijn verdiende loon kreeg. Vooral wanneer u beweert dat... dat... dat...' Zijn woede krijgt de overhand en hij begint te sputteren. 'Dat dit...' Hij gooit de papieren voor zich neer. 'Dat dit een sterfgeval door een ongeluk is?'

'Ten eerste krijgt een jury die informatie nooit te horen,' zeg ik tegen hem.

'Wat?' zegt hij.

'Reken maar niet dat een rechter u toestaat de jury zelfs maar te vertellen dat meneer Rush advocaat was, laat staan dat hij iets met meneer Metz te maken had. Het is irrelevant, en ik zou meteen naar voren brengen dat het tendentieuze informatie is.'

Harry mengt zich erin. 'Lees de punten van de argumentatie,' zegt hij. 'Die zijn erg verhelderend.'

'Het enige waar het hier om gaat...' zeg ik. Melcher kijkt weer naar mij. Hij weet dat het twee tegen één is. 'Het enige waar het hier om gaat, is of meneer Rush het beoogde slachtoffer van die daad was of dat hij per ongeluk is gedood. Laat me u een vraag stellen.'

Conover kijkt omlaag, zijn hoofd in zijn handen, zijn ellebogen op de tafel – alsof hij geen behoefte heeft aan nog meer vragen.

'Als meneer Rush nu eens in zijn eentje voor dat gerechtsgebouw had gestaan, zonder meneer Metz, zou die schietpartij dan ook hebben plaatsgevonden?'

Melcher kijkt mij aan, daarna naar het politierapport dat voor hem ligt, en dan weer naar onze schriftelijke uiteenzetting. Hij geeft liever geen antwoord. Hij weet dat het een vraag is die ik uiteindelijk aan een jury kan voorleggen.

'Het is een eenvoudige vraag. Denkt u op grond van de gegevens waarover u momenteel beschikt dat de schietpartij dan ooit zou hebben plaatsgevonden?'

'Dat weten we niet.' Conover laat zien waarom hij Melchers baas is. Zijn hoofd komt omhoog en hij snijdt zijn advocaat de pas af voordat de man antwoord kan geven. 'We weten het niet. We hebben geen tijd gehad om dit alles door te lezen.' Dat was beter dan dat hij in het bijzijn van getuigen toegaf dat ik gelijk had, ook al was dit niet het eigenlijke onderwerp van deze bespreking. Conover had voorlopig geen behoefte meer aan verrassingen.

'Als onze cliënten een gerechtelijke procedure tegen u moeten aanspannen, kunt u natuurlijk altijd de politie oproepen,' zeg ik tegen hen.

'Welke politie?' Melcher kan het niet laten.

'De politiefunctionarissen die zullen verklaren wie het beoogde slachtoffer was en dat de dood van meneer Rush een ongelukkige bijkomstigheid was.'

Dat zijn de ideale getuigen in een civiele zaak, dat weten ze allebei: politiemensen die getuigen dat een advocaat per ongeluk is doodgeschoten. Welke reden zouden ze kunnen hebben om te liegen? En hoe kunnen ze hun verklaring nog veranderen als alles al in het politierapport is vastgelegd?

'U krijgt ze vast wel zover dat ze de jury alles over meneer Metz vertellen, en de louche praktijken waar hij zich mee bezighield.'

'En als wij het niet doen, doet u het wel,' zegt Melcher.

Ik geef dat glimlachend toe. 'Het enige waarover ze niet mogen praten, is het feit dat meneer Metz de cliënt van meneer Rush was of dat meneer Rush advocaat was.'

'Als daar ook maar iets van naar buiten komt,' zegt Harry, tikkend op onze papieren, 'dan wordt het proces ongeldig verklaard.'

'Nou, wat hebben we?' zeg ik tegen hen. 'We hebben iemand die over straat loopt en zich met zijn eigen zaken bemoeit, en plotseling wordt hij geraakt door een kogel die voor iemand anders bestemd was.'

Dit is het moment waarop de realiteit tot hen doordringt. Dat duurt enkele seconden, en dan wordt de stilte verbroken door Adam

Tolt, die zo hard in zijn stoel achteroverleunt dat de veren ervan kraken. Hij probeert zijn gezicht in de plooi te houden, maar dat is onbegonnen werk. Ten slotte barst hij in lachen uit.

'Kom op, Luther, je moet toegeven dat ik je nooit zo om de oren heb geslagen.' Nog steeds lachend zegt hij: 'Ik moet zeggen dat het mij een ongeluk lijkt.'

'Jij bent niet bepaald een objectieve toehoorder, Adam.' We naderen de grenzen van Conovers humor.

'Kom nou,' zegt Tolt. 'Ga met me naar Temecula, dan maak ik het goed met je in de bunkers.' Tolt moet onwillekeurig weer lachen, al doet hij zijn best om zijn vriend Luther niet belachelijk te maken. 'Zeg, ik zal een goed woordje voor je doen. Ze hebben er vast wel begrip voor.' Hij heeft het over het hoofdkantoor.

'Het politieonderzoek is nog niet afgesloten,' zegt Melcher. 'Wie weet wat ze nog ontdekken.'

'Als u ze van richting kunt laten veranderen wanneer ze hun neus al tegen de grond hebben gedrukt, kunt u meer dan ik,' zeg ik.

'Wij hebben het vaak genoeg geprobeerd,' zegt Harry. 'Wij kunnen het weten. Natuurlijk zaten ze vroeger meestal achter onze cliënten aan.' Harry moet daar onwillekeurig een beetje om glimlachen. De ironie ontgaat Conover en Melcher. Er staat hun een vier voor ogen, gevolgd door een heleboel nullen op een cheque.

Er zijn redenen waarom de politie niet te veel sporen in verschillende richtingen wil volgen, in elk geval op papier. Zodra ze een verdachte hebben gearresteerd, zouden ze de verdedigers telkens op de hoogte moeten stellen. Elk spoor dat in een andere richting wijst, brengt hun bewijsvoering een beetje aan het wankelen. Als ze die informatie niet aan de verdedigers verstrekken, kan dat voor hen een grond zijn om na een veroordeling in hoger beroep te gaan. De politie is niet geneigd om bij elk nieuw gegeven dat opduikt als een windvaan in een andere richting te gaan zoeken – in elk geval niet zolang de rechtbanken zeggen dat een rechte lijn de kortste weg naar een veroordeling is.

'Natuurlijk mag u best tegen een paar bomen pissen, als u denkt dat u ze achter een andere geur aan kunt laten lopen,' zegt Harry. 'Intussen verwachten we wel van u dat u het volledige bedrag van de polis uitkeert. Niet twee miljoen, maar vier, conform de desbetreffende clausule. En opdat we het niet vergeten...' Harry reikt het laatste papier uit zijn map aan, een formele claim, gericht aan de verzekeringsmaatschappij. Conover weet meteen wat dat betekent.

Hoewel hij eerst niet wilde komen, geniet Harry nu van deze ogenblikken. Het gebeurt niet vaak dat je een verzekeringsmaatschappij in die houding krijgt: voorovergebogen, de handen om de enkels.

'Aangezien u al hebt toegegeven dat u de verplichting hebt om te betalen,' gaat Harry verder, 'zullen we, als u niet aan de claim voldoet...'

'... beweren dat wij te kwader trouw zijn,' vult Conover vlug voor hem aan. Hij heeft de brief die Harry hem zojuist heeft gegeven al eerder gezien. Zo'n brief kan de voorzet zijn van aangifte wegens kwade trouw.

Als Devon Insurance in dit geval schuldig zou worden bevonden aan kwade trouw, kan de opgelegde schadevergoeding duizelingwekkend hoog zijn. We zouden hun boeken kunnen bestuderen om vast te stellen welk bedrag hoog genoeg was om de onderneming te bestraffen voor het nalaten van een prompte betaling aan twee vrouwen, van wie de een net haar man door moord heeft verloren en de ander nog niet bekomen is van een venijnige echtscheiding. Dit is voor een verzekeringsmaatschappij niet bepaald het gunstige moment om de huifkarren in een kring te zetten en op indianen te gaan schieten.

Conover kijkt Margaret aan, die een gezicht als een donderwolk heeft, zelfs nu ze op het punt staat de overwinning te behalen.

Met Harry's brief nog in zijn hand, kijkt hij aandachtig naar Dana, die alleen maar vaag glimlacht. Als hij een beetje verder naar links keek, zou hij zien dat Susan zich achter Melcher verschuilt. Ze kijkt naar de tafel als een muis die net het laatste kruimeltje te pakken heeft gekregen. Susan Glendenin was degene die Vesuvius naar deze bijeenkomst kreeg en voorkwam dat ze uitbarstte, zodat we nu in alle rust over een verdeling van de buit tussen de twee mevrouwen Rush kunnen spreken.

Conover slaat zijn blik naar mij op. Zo te zien is het wel duidelijk wat hij denkt. Hij weet dat we hem in de tang hebben en vraagt zich af of we hem nog loslaten voordat hij het hoofdkantoor moet bellen om uit te leggen wat er gebeurd is. Ik denk niet dat hij me binnenkort voor een partijtje golf zal uitnodigen.

12

Miguelito Espinoza, vader van een baby en echtgenoot van het kindvrouwtje, is vijfendertig en zo hard als een diamant. Hij heeft een getatoeëerde ketting van zwarte inkt om zijn hals, en op beide armen heeft hij Spaanstalige bendegraffiti in opzichtige letters.

Hij heeft zijn haar naar achteren gekamd, met een strak netje eroverheen dat nog net de bovenkant van zijn oren bedekt. De ogen van de man zijn dood, en zoals hij daar zit, heeft hij niet alleen een donkere huid maar is hij ook in andere opzichten een duister type, onverschillig, zijn ene been over het andere, *cool*, zijn stoel van de tafel vandaan geschoven alsof hij lekker onderuitgezakt op weg naar de hel is.

Er staat hem een hele waslijst van aanklachten te wachten: gewapende roofoverval, diefstal van federaal eigendom alsmede het wederrechtelijk bezit daarvan. Als ze kunnen bewijzen dat hij iets met de diefstal van die grenspasjes te maken heeft, kan hij voor elk van die aanklachten vijfentwintig jaar gevangenisstraf krijgen. En hij kan ook nog eens tien jaar krijgen voor de drie grenspasjes die ze in zijn kast hebben gevonden.

We zitten tegenover elkaar aan een stalen tafel in een van de kleine advocatenkamertjes in het Metro Detention Center, een hoge witte tombe in de binnenstad. Buiten het glas kijkt een bewaarder toe. Hij kijkt de hele tijd naar de tafel tussen ons in om te voorkomen dat we iets aan elkaar doorgeven zonder dat hij het merkt.

Toen dit gebouw een paar jaar geleden werd neergezet, kwam daar een groot schandaal van. De aannemer had de federale overheid bedrogen met het beton dat werd gebruikt, en als gedetineerden maar hard genoeg tegen de muren bonkten, konden ze er gaten in slaan en daardoor aan hun beddenlakens naar beneden klimmen. Bewakers luisterden naar het gehamer dat van boven kwam, en zodra ze de richting hadden bepaald, renden ze naar buiten voordat de onvrijwillige bewoners van het gebouw aan hun beddenlakens naar beneden waren gegleden en een goed heenkomen hadden gezocht. Sindsdien heeft de overheid de celmuren laten verharden, zodat de gedetineerden nu minstens een lepel nodig hebben om zich een uitweg te schrapen.

Espinoza is niet onder de indruk van mijn komst. Hij zit vol vragen. Als jongen van de straat vertrouwt hij het niet en bekijkt hij het gegeven paard van alle kanten. Wie weet, gaat het beest hem toch nog bijten.

'Waarom vertel je me niet wie je heeft ingehuurd, man?'

'Dat heb ik je gezegd. Robin, je vrouw.'

'Hoor eens, man. Bewaar dat gelul maar voor je vrienden. Robin weet nergens een moer van af. Denk je dat ik achterlijk ben? Robin is te stom om voor de duvel te dansen. Waar zou zij een advocaat vandaan halen? Ze kan verdomme niet eens het telefoonboek vinden. En als ze het kon, kon ze het niet lezen. Trouwens, ze heeft geen poen om jou te betalen. Moet je die fijne kleren van jou eens zien, en dat mooie leren koffertje van je.' Hij zegt dat spottend en wijst losjes met de vingers van één hand naar mijn aktetas die naast de tafel op de vloer staat.

'Hoor eens, man.' Hij gaat rechtop aan de tafel zitten, zijn ellebogen op het blad, en buigt zich dicht naar me toe alsof hij seksuele voorlichting gaat geven. 'Kijk me aan,' zegt hij. 'Ik praat pas tegen jou als ik weet wie je bent. Snap je dat?'

Ik haal mijn schouders op. 'Goed. Ik hoop dat je kamer je bevalt.' Ik sta van mijn stoel op, pak mijn attachékoffertje en begin naar de deur te lopen.

'Hé, man. Waar ga je heen?'

'Je zei dat je niet wilt praten.'

Hij kijkt over zijn schouder naar de bewaarder, die deze kant op begint te komen om hem naar zijn cel terug te brengen.

'Ga zitten, man.'

'Niet als jij niet wilt praten.'

'Goed, man. Goed. We praten. Rustig nou maar.' Hij zit weer onderuitgezakt op de stoel. Hij doet zijn best om de bewaarder te negeren en hoopt blijkbaar dat de man weer weg zal gaan.

'Ga zitten, man.' Hij tikt met twee vingers op het roestvrijstalen tafelblad, een uitnodiging voor mij om weer bij hem te komen zitten. Alles is beter dan de cel. 'Misschien kunnen we over het weer praten,' zegt hij.

Ik ga zitten, en de bewaarder gaat weer tegen de muur staan om naar ons te kijken.

'Hou nou even je gemak,' zegt hij. 'Geef me even de tijd.' Hij denkt na, probeert na te gaan wie mij kan hebben ingehuurd en waarom. 'Ik wil alleen maar weten wie je bent,' zegt hij. 'Dat is alles.'

'Dat heb ik je gezegd.'

'Jij hebt mij niks gezegd. Wie heeft je ingehuurd?'

'Wat maakt het nou uit, zolang we je hier maar uit krijgen?'

Hij kijkt even schichtig in het rond en denkt na.

'Waarom zou je dat doen?'

'Zie het maar als mijn burgerplicht,' antwoord ik.

Zijn ogen zeggen dat ik uit mijn nek lul, maar dat durft hij niet te zeggen, want misschien sta ik dan weer op en loop ik echt weg.

Daarom zegt hij: 'Kun je dat? Me hieruit krijgen?'

'Ik weet het niet. Je zult me eerst moeten vertrouwen. Je moet me vertellen wat er aan de hand is.'

'Kun je me hier op borgtocht uit krijgen?'

'Dat zal niet makkelijk zijn.'

'Wat heb ik dan aan jou?'

'We zitten hier dicht bij de grens en je wordt ervan beschuldigd dat je duizenden grenspasjes hebt gestolen. Niet iedere rechter zal je zomaar op borgtocht vrijlaten.'

'Rot op, man, denk je dat ik een vluchtrisico vorm?' Hij kent meer advocatenjargon dan de helft van de advocaten die ik ken.

'Het gaat er niet om wat ik denk.'

'Ik heb er niks mee te maken, man. Die rottige pasjes. Ik weet niet hoe ze daar zijn gekomen.' Hij zit nu rechtop, lang niet zo cool meer. Hij kijkt me recht in de ogen en probeert met die donkere kraaloogjes van hem een beetje eerlijkheid uit te stralen.

'Je had ze bij je thuis. Onder in je kast.'

'Het waren er maar drie, man. Waar is de rest?'

'Misschien denken ze dat jij ze dat nog gaat vertellen.'

'Hoe weet ik dat nou? Ik weet er niks van.' Hij kijkt om zich heen, schudt zijn hoofd, zijn handpalmen omhoog, het eeuwig ontkennende gebaar van de bajesklant, het toonbeeld van de vermoorde onschuld. 'Ik lig in mijn bed te maffen, man, en die klerelijers komen binnen en schijnen met hun klotezaklantaarns in mijn ogen en drukken een pistool tegen mijn kop. En voor ik er erg in heb, pakken ze die dingen uit mijn kast. Ik zeg je, man, jij weet net zoveel als ik. Ik weet niet hoe die rotdingen daar gekomen zijn. Misschien heeft iemand ze daar neergelegd, man.'

'Blijkbaar. De vraag is: wie?'

'Hoe moet ik dat nou weten?'

'Het is jouw woning.'

'Een hoop mensen komen en gaan,' zegt hij. 'Misschien hebben die het gedaan.'

'Welke mensen?'

Hij denkt even na. Je kunt het in zijn ogen lezen. Hij heeft die deur op een kier gezet en wil hem nu weer dichtdoen.

'Mensen.'

'Wat voor mensen?'

'Die rotzakken van de immigratiedienst,' zegt hij. 'Die moeten mij altijd hebben.'

'Je bedoelt dat de INS je erin heeft geluisd? Dat ze het bewijsmateriaal onder in je kast hebben gedumpt?'

'Hoe moet ik dat nou weten? Alles kan, man.'

'Je zult wat beters moeten bedenken.'

Hij kijkt nors om zich heen. Zijn grijze cellen bewegen zich nu met de snelheid van het licht. Hij zoekt naar nieuwe manieren om tegen de zoveelste advocaat te liegen.

Ik vertel hem dat als hij door de staat Californië was aangeklaagd, hij alle reden had om zich de grootste zorgen te maken. 'Dan had het je derde veroordeling kunnen worden,' zeg ik. 'Ik heb je strafblad gezien. Het ziet er niet goed uit. Hoe lijkt het je om de rest van je leven achter de tralies te zitten?'

'Maar het is verdomme geen aanklacht van de staat Californië.' Daar kan hij tenminste troost uit putten.

'Misschien niet, misschien wel.'

Espinoza werpt me een zijdelingse blik toe. 'Wat bedoel je daar nou weer mee?'

'Die verdwenen grenspasjes waren eigendom van de federale overheid. Maar omdat sommige van die pasjes in deze staat zijn opgedoken, om precies te zijn onder in jouw kast, kan Californië je ook aanklagen wegens heling.'

'Dat kunnen ze niet doen, man. Nee toch?'

Ik trek een gezicht. Alles is mogelijk.

Hij zit nu dicht tegen de tafel aan. Ik heb zijn onverdeelde aandacht. 'Vertel op, man. Waarom zouden ze me dat willen flikken?'

'Waarom niet? Denk je dat ze je wel zullen matsen? Voor het geval je het nog niet in de gaten hebt: ze willen je onder druk zetten, Miguel. Ik mag je toch Miguel noemen?'

Hij knikt. 'Waarom?'

'Omdat ze denken dat jij iets weet. Ze willen dat je een paar van je vrienden verlinkt.'

'Wie heeft jou gestuurd?' zegt hij.

'Krijgen we dat weer?'

'Ik weet niks.' En meteen gaat hij weer onderuitgezakt zitten, alleen heeft hij nu zijn hand bij zijn mond en bijt hij op zijn nagels. Hij spuwt de stukjes nagel, samen met het zwarte vuil dat eronder zit, van het puntje van zijn tong af. Ik kijk enkele ogenblikken naar hem, zoals hij daar zit te bijten en te spuwen, en ik zie dat zijn kleine kraaloogjes in alle richtingen kijken, alsof de muren oren hebben. In dit geval hebben ze dat misschien ook wel. Ik acht het niet uitgesloten dat ons gesprek wordt afgeluisterd. Er zijn de laatste tijd zogeheten Speciale Administratieve Maatregelen ingevoerd. Die maatregelen stellen federale gevangenisautoriteiten in de gelegenheid om gesprekken af te luisteren wanneer wordt aangenomen dat de nationale veiligheid op het spel staat, zelfs gesprekken tussen advocaat en cliënt. Espinoza wordt verdacht van de diefstal van duizend hightechpasjes om het land binnen te komen – ze vragen zich vast af waarvoor die pasjes werden gestolen.

Op de rug van Espinoza's hand staat in lugubere blokletters het woord 'sangre' getatoeëerd. Dat betekent 'bloed'. Zulke kreten, in zulke letters, zie je ook op muren in East Los Angeles, waar de bendeoorlogen woeden.

'Ook als ze je niet aan de staat Californië overdragen, zullen de federale autoriteiten je het leven zuur maken. Voor het geval het je niet is opgevallen: de grenzen worden de laatste tijd strenger bewaakt – een beetje strenger.'

Ik leg de nadruk op die laatste woorden. Hij denkt even na, begrijpt dan wat ik bedoel en kijkt me aan. 'O nee, man.' Dan wendt hij zijn ogen af, alsof hij afstand wil scheppen tussen hemzelf en zijn eigen conclusies. 'Ik ben verdomme geen terrorist. Misschien wel eens mensen. Ja, goed, ik heb wel eens mensen over de grens gebracht. Maar niet die troep. O nee, man.'

'Misschien weten zij dat niet. We hebben het over riskante dingen die verdwenen zijn. Dit waren geen visa die iemand thuis op zijn computer in elkaar heeft geflanst, Miguel. Op die pasjes is met lasertechniek gewerkt, met hologrammen. Jij weet net zo goed als ik dat iedereen daarmee de grens over kan komen. Dat cameraatje dat ze bij de grensovergang in San Ysidro hebben om foto's te maken en ze naar Virginia te sturen.' Hij luistert nu heel aandachtig. Hij weet precies waar ik het over heb.

'Je weet wel, dat cameraatje dat ze gebruiken om na te gaan of paspoorten en grenspasjes vervalst zijn. Dat cameraatje, en die mensen in Virginia – die kunnen je niet tegenhouden als je met een van die dingen de grens probeert over te komen. Ze zouden denken dat je gewoon een eerlijke burger bent die voor zaken naar de Verenigde Staten komt. Met dat soort pasjes zouden schurken heel gevaarlijk spul het land in kunnen brengen.'

'Dat is niet...' Hij bijt het volgende woord in tweeën.

'Dat is niet wát? Dat is niet de reden waarom ze gestolen zijn?'

Door dit alles denkt hij nu aan gevaren waaraan hij nooit eerder heeft gedacht. Hij kijkt naar het tafelblad en dan weer naar mij.

'Waarom, man? Ik bedoel, waarom zouden ze denken dat ik een terrorist ben? Zoiets heb ik nooit gedaan.' Hij trommelt met twee vingers op de tafel om zijn woorden kracht bij te zetten.

'Misschien denken ze dat je hogerop wilt.'

'Hé man, je zit me te belazeren. Dat is gelul.' Hij wendt zich van me af, van de duivel die hij niet wil zien of horen. Maar de gedachte is zijn hersenen binnengedrongen, en sist daar nu als een bijtend zuur.

'Dat kunnen ze niet maken, man. Dat mogen ze niet. Ze hebben verdomme geen bewijs. Er zijn wetten,' zegt hij. 'Ik heb rechten.'

'Natuurlijk kun je al die argumenten naar voren brengen,' merk ik op. 'Maar de mensen die in jury's zitten, zijn tegenwoordig een beetje gespannen. Als ze denken dat je zo'n soort bedreiging vormt, nou, dan gooien ze je misschien gewoon de bak in tot aan de tijd dat je kleinkinderen kinderen hebben.'

Ik kan zien dat die woorden indruk op hem maken. Een ogenblik staat hij er niet meer bij stil wie mij heeft ingehuurd en denkt hij aan de blauwe lucht buiten – en hoe lang het misschien zal duren voordat hij die lucht weer te zien krijgt.

Hij kijkt me met glanzende bruine ogen aan. 'Wat wil je weten, man? Ik vertel je alles wat ik weet.'

'Wat bedoel je, je bent zijn verdediger?' Harry kijkt me aan alsof ik gek ben. Hij zit in een van de stoelen voor cliënten tegenover mijn bureau.

'Ik heb hem gistermiddag in de federale gevangenis opgezocht en tegen hem gezegd dat ik zijn advocaat wilde worden.'

'Waarom? Heeft hij je een voorschot gegeven?'

'Dat moeten we nog regelen. Heb jij ooit van een drug gehoord die ze op straat Mejicano Rosen noemen?'

Harry schudt zijn hoofd. 'Ik heb wel van Maui Wowee gehoord. Hawaïaanse sensimilla. Dat is hetzelfde spul,' zegt hij. 'Krachtig. En ik heb van black tar en white china gehoord, van angle dust, en van snow en bud, en van baby-T...'

'Wat is baby-T?'

'Een ander woord voor crack,' zegt hij.

'Hoe ken je al die woorden?'

'Sommigen van ons leiden een minder beschermd leven,' zegt Harry.

'Maar je hebt nooit van Mejicano Rosen gehoord?'

'Je Spaans is belabberd,' zegt Harry. 'Je klinkt als een joodse stomerijbaas in Tijuana.'

'Wil je wat voor me doen? Wil je het voor me uitzoeken?'

'Waar?'

'Weet ik niet. Begin maar op de plaatsen waar dat minder beschermde leven van jou je heen voert. Misschien op je donderdagse kaartavond met die rechercheur van Zedendelicten en die officier van justitie.'

'O, goed. Wat moet ik zeggen? Hé, jongens, we hebben een cliënt die wat spul uit Mexico smokkelt en we willen graag weten wat het waard is?'

'Probeer de bibliotheek. Neem Marta mee. Misschien is er iets op Lexis-Nexis te vinden. Een krantenbericht of een gerechtelijke procedure waarin het ter sprake komt.'

'Je verspilt mijn tijd. Waarom vraag je het niet aan je cliënt?'

'Espinoza is al tot het uiterste gegaan. Hij vertelt mij niets meer, tenzij hij heel erg eenzaam wordt in de gevangenis. Ik krijg het gevoel dat hij me niet zo erg vertrouwt.'

'Hoe is het mogelijk, hè? Alleen omdat je langs slinkse wegen informatie uit hem los probeert te peuteren over een dubbele moord waar een vriend van jou bij betrokken is?'

'Hé. Ik weet niet eens zeker of hij me als zijn advocaat laat optreden.'

'Heb je Nick toevallig ook genoemd? Heb je hem verteld over al het bloed op het trottoir voor het federale gerechtsgebouw, en het feit dat Metz, die tegelijk met Nick is doodgeschoten, Espinoza's naam had genoemd?'

'We hadden niet zoveel tijd.'

'Ik merk dat je het te druk had met luisteren.'

'Dat is het werk van een advocaat,' zeg ik hem. 'De ellende aanhoren.'

'Je gaat je afvragen waarom ze een advocaat de spreekbuis van zijn cliënten noemen,' zegt Harry. 'Wanneer wou je dat stukje informatie aan je cliënt voorleggen, het feit dat je hoopt dat hij in de kringen verkeert van de mensen die Nick hebben vermoord, en of hij je misschien ook wat namen wil noemen die je aan de politie kunt doorspelen?'

'Je moet het zo bekijken. Ik zou hem aan een geweldige beroepszaak kunnen helpen. Dat heeft een toegevoegde advocaat niet in de aanbieding. Ik zal het hem vertellen als het nodig is.'

'O, goed,' zegt Harry. 'Dan schorsen ze je misschien alleen maar, in plaats van je voorgoed uit de advocatuur te zetten. Hoe kun je er zeker van zijn dat hij niet zelf de hand had in de schietpartij?'

'Je vriend op het Openbaar Ministerie zei dat hij op dat moment werd geschaduwd.'

'Hij zei dat hij dat dacht. Dat is niet hetzelfde.'

'Hij heeft toegegeven dat hij de mensen kende die achter die overval in Tijuana zaten, de mensen die de vrachtwagen klemzetten en de grenspasjes stalen. Natuurlijk had hij er zelf niets mee te maken.'

'Natuurlijk niet.'

'En hij noemde me een naam. Alleen een voornaam.'

'Wat heeft hij je nog meer verteld?'

'Informatie over de mogelijke verblijfplaats van die persoon.'

Daar wordt Harry niet warm of koud van.

'Misschien was het alleen maar toeval. Espinoza zegt dat het een patser uit Mexico was, iemand met dure kleren aan. Hij zegt dat de man altijd een pakje bankbiljetten bij zich droeg en dat hij blijkbaar de leiding had. Hij heette Arturo.'

Harry kijkt me vanuit zijn ooghoek aan. 'Nou en?'

'Een van die gebroeders Ibarra waar Metz me die ochtend in mijn kantoor over vertelde, heette Arturo.' Ik denk even na. 'Toch vraag je je af waarom hij zou overnachten in een zwijnenstal als die woning van Espinoza. Ik ben daar geweest. Hij zegt dat die Jaime en een paar vrienden een paar dagen bij hem hebben gelogeerd. Ik wilde weten wanneer dat was. Hij zei dat hij het zich niet precies kon herinneren, maar het was afgelopen zomer. Het was in ieder geval nadat die vrachtwagen met die grenspasjes in Tijuana was overvallen. Hij zegt dat die kerels een paar van die pasjes bij hem achtergelaten moeten hebben. Natuurlijk viel hij toen in zijn eigen kuil.'

Ik kan zien dat Harry nieuwsgierig is, maar hij wil niet aandringen.

'Hij haalde zijn verhalen door elkaar en liet zich ontglippen dat sommige van die pasjes gebruikt zouden worden om iets over de grens te krijgen. Wat hij Mejicano Rosen noemde.'

Harry denkt even na. 'Heb je er al bij stilgestaan dat deze man in mensen handelt? Een koppelbaas langs de Mexicaanse grens. Misschien is die Rosen een persoon? Een ander soort smokkelwaar,' zegt Harry. 'Trouwens, waarom denk je dat hier iets van waar is? Tien tegen een dat hij Nick overhoop heeft geknald.'

'Nee. Dat heeft hij niet gedaan.'

'Hoe weet jij dat?'

'Omdat hij op dat moment hier niet was. Hij was in Mexico.'

Harry kijkt me aan.

'Sarah zit op school met een jongen wiens vader op een van de grensposten van de immigratiedienst werkt. We hebben elkaar in het afgelopen basketbalseizoen leren kennen. Ik belde hem tegen het eind van de vorige week en vertelde hem dat ik een cliënt had, en dat ik moest weten of de man in een bepaalde periode in het land was geweest of niet. Hij zei dat je dat niet kon nagaan, dat ze in de regel geen paspoortnummers noteren. Ik vertelde hem dat ze dat bij die persoon misschien wel hadden gedaan en vroeg hem dat te checken. Dat deed hij. Espinoza gebruikte zijn paspoort, geen grenspasje, om vier dagen voordat Nick werd doodgeschoten de grens over te steken bij Tijuana. Hij kwam pas vijf dagen later terug.'

'Waarom zouden ze dat hebben bijgehouden?' vraagt Harry.

'Ik dacht dat als de informatie van je vriend over die pasjes juist is, en als de federale diensten Espinoza in de gaten hielden, ze hem op een "signaleringslijst" bij de grens hadden staan. En dat was ook zo.'

Ik was niet van plan me met Espinoza in te laten zolang ik niet zeker wist dat hij niet de hand had in het doodschieten van Nick. Dat zou me een beetje te rommelig zijn geweest. Ik loop toch al langs de afgrond.

13

'Ik vrees dat ik goed nieuws en slecht nieuws heb.' Adam Tolt kijkt Harry en mij over de uitgestrektheid van zijn bureaublad aan.

Hij belde gistermiddag laat en wilde vanmorgen met me praten. Hij zei dat het belangrijk was, maar dat hij het niet door de telefoon kon bespreken.

Als het iets met Nicks dood of Dana te maken heeft, verliest Harry me niet uit het oog. Hij bemoeit zich nog steeds met mijn vertegenwoordiging van Espinoza.

'Vertelt u ons eerst maar het goede nieuws,' zegt Harry.

'Onze vrienden van Devon Insurance werken eraan om ons een voorstel tot een schikking te doen. Als we af moeten gaan op de geluiden die ze laten horen, wordt het een erg royaal aanbod.'

'Hoe royaal?' zegt Harry.

'Drie komma acht miljoen.'

'Dat zijn er geen vier,' zegt Harry.

'U verwachtte toch niet dat ze het volledige bedrag zouden aanbieden?' zegt Tolt. 'Gelooft u me, dit aanbod is niet door hun advocaten aangeboden. Als u dit afwijst, verschansen ze zich en zeggen ze dat ze helemaal geen dubbele uitkering hoeven te betalen.'

'En wie zou met zo'n schikking akkoord moeten gaan?' zegt Harry. 'We weten allemaal waar Margaret vandaan komt. Als je tegen haar zegt dat ze haar eis moet verlagen, kun je beter gauw een goed heenkomen zoeken, want dan vliegt ze je naar de keel. Dan komt er misschien niets van de hele regeling terecht.'

'Dat ben ik met u eens,' zegt Tolt. 'Het ziet ernaar uit dat uw cliënte een stapje terug moet doen. Ik heb de maatschappij zover gekregen dat de schikking niet vertrouwelijk hoeft te zijn.'

Tolt bedoelt dat het ons vrij zou staan de schikking in de openbaarheid te brengen.

'Waarom gingen ze daarmee akkoord?'

'Dat gingen ze eerst ook niet, maar ik heb ze verteld dat het hun aanbod acceptabeler zou maken. Natuurlijk hoeft u het niet in de openbaarheid te brengen, maar u zou het mogen doen. Een pluim op uw hoed,' zegt hij.

De meeste verzekeringsmaatschappijen zouden er nooit mee akkoord gaan dat de voorwaarden van een schikking in de openbaarheid kwamen. Zoiets maakt advocaten in andere zaken agressiever, vooral wanneer het om een bedrag van meer dan zes cijfers voor de komma gaat.

'Je moet je afvragen of het de moeite waard is om tien jaar lang over zo'n bedrag te procederen,' zegt Tolt. 'Om tweehonderdduizend dollar.'

'Misschien wilt u dat aan Margaret vragen, als ze is opgehouden met schuimbekken,' zegt Harry.

'U hebt het slechte nieuws nog niet gehoord,' zegt Tolt.

Hij maakt een bruine map open die vóór hem op het bureau ligt. Er zitten enkele papieren en een opgevouwen spreadsheet in.

'Er doet zich een probleem voor. Niet met de schikking van de verzekeringsmaatschappij. Iets anders. De firma heeft na Nicks dood een financiële controle gehouden. Dat is gebruikelijk wanneer een lid van de maatschap vertrekt.' Hij doet het voorkomen alsof Nick ontslag heeft genomen.

'We onderzoeken welke verplichtingen de firma heeft en welke gelden de advocaat in kwestie voor cliënten in beheer heeft. Dat soort dingen.'

Harry en ik zitten te luisteren.

Tolt houdt zijn vuist voor zijn mond en schraapt zijn keel een beetje. 'Het probleem is dat er iets niet in de haak is met de gelden die Nick van cliënten in beheer had.'

Als je advocaat bent, laat dat soort nieuws al het bloed uit je hoofd weglopen.

'Hebben we het over een kleine rekenfout?' vraag ik.

'Helaas niet. Er is een tekort van meer dan vijfenzeventigduizend dollar,' zegt hij.

'U bedoelt dat Nick zich geld van zijn cliëntrekeningen heeft toegeëigend?'

'Dat niet precies,' zegt Tolt. 'Alle geldopnamen dateren uit de laatste zestig dagen.'

'Dat begrijp ik niet.'

'Het geld is na Nicks dood opgenomen. Blijkbaar heeft iemand blanco overschrijvingsformulieren te pakken gekregen en er Nicks handtekening op gezet. De bedragen zijn overgemaakt naar rekeningen op verschillende namen bij een aantal banken in de stad. We zijn die rekeningen nagegaan. Het geld werd opgenomen en de rekeningen werden binnen enkele dagen gesloten. Het lijkt erop dat degene die dit deed er eerst goed over heeft nagedacht. Vanwege het bankgeheim kunnen we niet achter de sofinummers van de rekeninghouders komen, al lukt dat misschien wel met een dagvaarding of een huiszoekingsbevel van de autoriteiten. Ik vermoed dat degene die dit deed valse legitimatiebewijzen of sofinummers heeft gebruikt. Natuurlijk kan ik die dingen niet met zekerheid zeggen zolang we geen nader onderzoek hebben gedaan. Maar we hebben wel een paar van die overschrijvingsformulieren en we weten dat de handtekening niet van Nick zelf is. Dat weten we. We hebben nog geen aangifte bij de politie gedaan.'

'Maar u neemt wel de tijd om het ons te vertellen?' zeg ik.

'Onder de omstandigheden leek dat me het beste.'

'Waarom?'

'De firma wil slechte publiciteit proberen te vermijden. Het lijkt erop dat uw cliënte ruim een week na de schietpartij een aantal persoonlijke bezittingen uit zijn kantoor heeft gehaald.'

'Dana?'

Hij knikt. 'Volgens een van onze secretaresses zaten de overschrijvingsformulieren van die cliëntrekeningen in een la in Nicks bureau. Toen mevrouw Rush daar was geweest, waren ze weg.'

'Dat is een erg oplettende secretaresse,' zegt Harry. 'Hoe kan zij dat weten?'

'Normaal gesproken zou ze het niet weten,' zegt Tolt. 'Maar de politie had die ochtend net de gele tape van Nicks kamer weggehaald. Het is maar een vermoeden van me, maar ik denk dat mevrouw Rush de politie had gebeld om te vragen wanneer ze de persoonlijke bezittingen van haar man kon komen ophalen. De secretaresse in kwestie heeft die ochtend op verzoek van de firma de inventaris opgemaakt van alles wat zich in die kamer bevond. Dat gebeurde omdat we Nicks kamer voor iemand anders in gereedheid wilden brengen en de cliëntdossiers aan anderen wilden overdragen.'

'Ik begrijp het,' zeg ik. Tolt heeft Dana precies waar hij haar hebben wil.

'Het is een pijnlijke situatie,' zegt hij. 'Vroeg of laat moeten we het tekort aan de orde van advocaten melden. Het zou beter zijn als het geld werd teruggestort.'

Harry en ik kijken elkaar aan, maar we zeggen geen woord.

'De orde van advocaten heeft geen jurisdictie over leken, en als het geld is teruggestort, zou de firma geen reden hebben om aangifte te doen. We laten de politie er liever buiten. Begrijpt u me goed. Ik wil niet meer verdriet veroorzaken dan absoluut noodzakelijk is.' Je kunt aan zijn stem horen, aan de overtuiging die daarin doorklinkt, dat hij het meent. Als de informatie juist is, heeft hij Dana al meer beschermd dan hij zou moeten doen. Hij neemt daarmee een zeker risico.

'Wat wilt u dat ik doe?'

'Praat u met haar,' zegt hij.

'Wist u dit al toen we met de verzekeringsmaatschappij om de tafel zaten?'

'Als ik het had geweten, was ik daar niet bij geweest,' zegt hij.

'Maar u beseft dat die schikking misschien wel de enige bron is waaruit ze het geld kan terugstorten?' vraag ik.

'Daar heb ik over nagedacht. Ik zou het niet prettig vinden om haar tot een schikking te dwingen op voorwaarden waarvan u vindt dat ze ongunstig zijn. Maar u kunt zich vast ook wel in onze positie verplaatsen. Als ze dit bij de verzekeringsmaatschappij zouden horen, trekken ze ongetwijfeld hun aanbod in.'

Tolt heeft gelijk. Ze zouden het op een rechtszaak aan laten komen. Intussen zouden wij de politie erbij moeten halen. Ze zou in staat van beschuldiging worden gesteld.

'U ziet het probleem?' zegt hij.

Ik erken het door hem gekweld aan te kijken. Dit is een van die momenten waarop woorden de dingen alleen maar erger kunnen maken.

'En is er nog één laatste aspect,' zegt hij.

'Welk aspect?' vraagt Harry, alsof het niet erger zou kunnen worden.

'Ik wil daar eigenlijk niet op ingaan. Ik geloof het geen moment,' zegt Tolt. 'Maar als de politie moet worden ingelicht... De politie is altijd nogal argwanend, en ze zitten met een onopgeloste dubbele moord... Nou...' Hij houdt zijn hoofd schuin en trekt de schouder aan die kant op.

'Misschien vragen ze zich af of een vrouw die zo dringend geld nodig heeft niet iemand heeft ingehuurd om haar man te vermoorden voor de levensverzekering. Is dat het?' zeg ik.

'Zoals ik al zei: ik geloof het geen moment.'

Maar het zet de zaak wel in een heel nieuw perspectief. Het ziet ernaar uit dat Dana genoegen moet nemen met een schikking, of ze dat nu leuk vindt of niet. Als het klopt wat Tolt me vertelt, ga ik niet alles op alles zetten om wat extra geld van de verzekeringsmaatschappij los te krijgen, gesteld dat ik dat al zou kunnen.

'Ik verzoek u om met uw cliënte te praten en te vragen met welke regeling ze akkoord zou gaan. En doet u dat zo snel mogelijk. Natuurlijk zal ik u de gegevens van de cliëntrekeningen sturen.'

Ik beloof dat ik met Dana zal praten, maar verder beloof ik niets. Ik heb niet veel keus.

'Goed. Wel, nu dat gebeurd is...' Tolt slaakt een zucht. Je kunt bijna zien hoe de spanning als hittegolven van zijn lichaam opstijgt. 'Het was geen aangename taak,' zegt hij, 'maar ik moest de kaarten uitspelen die ik gedeeld kreeg. Ik hoop dat u daar begrip voor hebt?'

'Natuurlijk.'

'Goed. Hebt u al iets meer over Nicks dood gehoord? De politie loopt hier in en uit,' zegt hij. 'Ze stellen vragen maar geven zelf geen antwoorden.'

'Daar staan ze om bekend,' merk ik op. 'We lezen de kranten. Dat is het wel zo'n beetje.' Ik vertel hem niet over Espinoza. Voorlopig kunnen Harry en ik die dingen beter voor ons houden.

'Bij ons ook.' Hij schudt zijn hoofd, zet zijn bril af en leunt in zijn stoel achterover. 'Weet u, ik kan niet begrijpen waarom een man als Nick zich met iemand als Metz heeft ingelaten.'

Hij heeft het nu niet over een advocaat en zijn cliënt, maar over de vennootschap, Jamaile Enterprises.

Na onze bijeenkomst over de verzekeringsproblematiek heeft Tolt me verteld dat de politie nog druk bezig was met het onderzoek. Ze ondervroegen leden van de maatschap en het personeel. Ze brachten Jamaile Enterprises ter sprake. Volgens Tolt, die elke steen in de firma heeft omgedraaid, is die vennootschap een raadsel voor iedereen.

'Ik heb me dat ook afgevraagd,' zeg ik. 'Laat me u iets vragen. Hebben die rechercheurs ooit de naam Grace Gimble genoemd?'

Hij kijkt eerst mij en dan Harry aan, denkt daar even over na en schudt dan langzaam met zijn hoofd. 'Nee. Niet dat ik weet. Hoezo? Wie is ze?'

'Dat weet ik niet zeker. De naam dook op in de gegevens van die vennootschap. Een van de oprichters.'

'Waarschijnlijk een secretaresse. Iemand die in de buurt was toen ze het regelden. Wanneer is die vennootschap opgericht?'

'Ruim een jaar geleden.'

Hij laat dat even op zich inwerken. 'Nick heeft drie jaar voor onze firma gewerkt.'

'Daarom dacht ik dat u de naam misschien zou kennen.'

'Ik geloof niet dat er momenteel iemand met die naam voor ons werkt, maar ik kan iemand in de personeelsgegevens laten kijken. Vooropgesteld dat die zo ver in de tijd teruggaan.' Hij maakt een aantekening op een schrijfblok dat hij op zijn bureau heeft liggen en legt zijn pen er dan bovenop.

'Nou, er zijn dus twee dingen die Nick met Metz in verband brengen: die onderneming waarbij Nick betrokken was, en zijn vrouw Dana, die met Metz in de kunstcommissie zat.'

'Er is nog iets,' zeg ik. 'Nick heeft geprobeerd Metz op me af te schuiven, voordat Metz in staat van beschuldiging werd gesteld. Hij zei dat hij vanwege tegenstrijdige belangen de zaak niet zelf kon doen. Er was iets met contracten die Metz had, een zaak waarin RD&D aan de andere kant stond.'

'Dat kan ik nagaan. Maar als wij een tegenstrijdig belang hadden, hoe kon Nick dan toch naar de voorgeleiding gaan?' vraagt hij.

'Hij zei me dat hij het aan Metz heeft verteld, en ook aan de andere cliënt, neem ik aan, en dat ze allemaal afstand hadden gedaan.'

'Die man duikt steeds weer in Nicks leven op,' zegt Tolt. 'We weten niet waarom of hoe ze samen tot zaken zijn gekomen. Weet iemand hoe Metz in die kunstcommissie terechtkwam?'

'Hij is benoemd door Zane Tresler,' zegt Harry.

Ik kijk mijn collega aan, verbaasd over de bron van die informatie en over het gemak waarmee hij dit vertelt.

'Nou, jij kwam er niet aan toe, dus ik besloot het even uit te zoeken,' zegt hij. 'Hij heeft ook je vriend Fittipaldi benoemd.'

'Wie is dat?' vraagt Tolt.

'Een vriend van Dana,' antwoord ik.

'Dana's termijn is over drie jaar om, tenzij ze opnieuw wordt benoemd. Fittipaldi heeft nog een jaar,' zegt Harry. 'Metz had nog twee jaar toen hij aan zijn eind kwam. Verder nog iets wat je wilt weten? Het is dezelfde Tresler als die van het museum dat ze in de binnenstad willen bouwen. Heb je daarvan gehoord?' zegt hij.

In het afgelopen jaar hebben er twee of drie keer berichten over het museum in de kranten gestaan. Het moet dertig miljoen dollar gaan kosten en het komt ergens in de buurt van de haven. Ze willen het volgend jaar met de bouw beginnen.

'Eigenlijk wordt het museum naar zijn vader genoemd, Zane senior.' Tolt buigt zich met zijn ellebogen op zijn bureau naar voren, glimlachend om het verbale duel tussen Harry en mij. 'Een combinatie van overheidsgeld, federale subsidies en bijdragen van de Tresler Family Foundation. De oude Tresler is eind jaren zestig gestorven. Er zijn een zoon, een kleinzoon en ook een achterkleinzoon, geloof ik.'

'Wie van hen zit in het gemeentebestuur?'

'Zane junior, de zoon. Ik geloof dat hij al twintig jaar in het gemeentebestuur zit. Zo lang als ik me kan herinneren. Hij is voorzitter van de commissie voor de rechtbanken. Dat weet ik ook. De rechters moeten elk jaar voor hem in het stof kruipen om 's winters verwarming en 's zomers airconditioning te krijgen. Hij gaat over de financiering van het personeel, het kantoormeubilair, de pennen, de paperclips. Hij heeft meer over de plaatselijke rechtbanken te zeggen dan het hof van beroep. Ik zou hem zo als lid in onze maatschap verwelkomen. Hij zou niet eens hier op kantoor hoeven te werken, maar jammer genoeg is hij geen jurist.' Als je Tolt zo hoort, is dat maar een kleine belemmering.

'Waar gaat hij nog meer over?' vraag ik.

'Niet veel. De kleinzoon heeft tegenwoordig de leiding van de familiebedrijven. Mitchell Tresler. Hij is in de dertig. Niet zo pienter als zijn vader. Ik denk dat de genen wat zijn verdund. Ik heb gehoord dat nummer vier ook ergens rondloopt, waarschijnlijk op de lagere school. Als ik een leuk kleindochtertje had, zou ik haar naar die school sturen en tegen haar zeggen dat ze vriendjes met hem moet worden. Dat jongetje wordt op een dag schatrijk.'

'Waar kwam het familiegeld vandaan?'

'Voornamelijk uit vastgoedontwikkeling,' zegt Tolt. 'Ze doen grote projecten, winkelcentra, grote woonwijken. En verder geven ze een heleboel geld aan goede doelen.'

'De familie is in het begin van de vorige eeuw in het onroerend goed begonnen. Zane senior heeft het meeste opgebouwd. Ik heb de man nooit ontmoet, maar het schijnt dat je hem niet in de weg moest zitten als er een run op nieuwe bouwgrond was. Zijn wielen zouden te diepe sporen in je lichaam achterlaten. En hij had veel connecties. Hij was bevriend met William Mulholland, de architect die het Owens Aquaduct heeft gebouwd. Hoe dan ook, op een gegeven moment bezat de familie een groot deel van de oostelijke helft van de gemeente. In die tijd was dat alleen nog maar een woestenij met struiken en prairiehazen. De Treslers kochten het op voor een schijntje. Toen kwam dat waterproject erdoor, de aftakking van de Colorado. Plotseling zat die oude Tresler op een fortuin.'

'Grappig, zoals dat dan gaat,' zegt Harry.

'Ja, hè?' zegt Tolt. 'De rest is geschiedenis. Zane junior werd groot in de jaren dat de gemeente ook groot werd, en nu heeft hij de leiding. Dit jaar is het zijn beurt om voorzitter van het college van wethouders te worden. Hij heeft ook de leiding van de regiocommissie.'

'Wat houdt dat in?' vraag ik.

'De gemeente, het stadsbestuur en het havenbestuur hebben een paar jaar geleden een overeenkomst getekend. Ze richtten toen een speciale regionale organisatie op die de waterkant en de meeste winkelstraten in de binnenstad bestuurt. Ze hebben het laatste woord over ontwikkeling in die zones. Tresler is daar voorzitter van. Dat verschaft hem een enorme macht. Zijn wil is wet.'

'Dat is een beetje riskant, nietwaar?' zegt Harry. 'Ik bedoel, dat je in een overheidsorgaan zit dat over bestemmingsplannen gaat, terwijl je familie een projectontwikkelingsbedrijf heeft?'

'Tresler is een erg zorgvuldige man,' zegt Tolt.

'En als je verstandig bent, stel je geen vragen. Is dat het?' zegt Harry.

'Niet als je zijn stem voor iets belangrijks wilt hebben,' zegt Tolt. 'Maar eerlijk gezegd denk ik dat hij wel te vertrouwen is. Niemand kan hem iets bieden dat hij nog niet heeft – geld, macht, noem maar op, Zane Tresler heeft het. Ze noemen het politiek. En zoals ik al zei, hij is erg zorgvuldig.'

Niet veel mensen zullen het geloven, maar de overheid is in deze staat het machtigst op plaatselijk niveau. Dingen als een contract om vuilnis op te halen, bestemmingsplannen en vergunningen om op je eigen land te doen wat je wilt, kunnen je hier van de ene dag op de andere miljonair of straatarm maken.

Sommige wethouders treden op als feodale heersers. Ze trekken zich niets aan van maximale ambtstermijnen en hebben ook niet veel last van kritische media, want die zijn vooral geïnteresseerd in wat er in Washington en de hoofdstad van de staat gebeurt. Wethouders van grote gemeenten in deze staat hebben meer kiezers achter zich dan leden van het Congres. Ze heersen over gemeenten met enorme oppervlakten. En zoals de koloniale machthebbers in de begintijd van Californië oefenen sommigen een onbetwist gezag uit.

In een staat waar veel burgers geen Engels kunnen lezen, schrijven of spreken, waar kiezers als vazallen door hun dagelijks bestaan sjokken, hun belastingen betalen en weinig vragen stellen, kan een goed geoliede machine iemand tientallen jaren macht opleveren, gewoon omdat hij die macht nu eenmaal heeft. Als je wilt dat je straten worden geveegd, je riolen goed doorstromen en de deuren van de polikliniek openblijven, kun je maar beter trouw zweren aan je plaatselijke wethouder. In sommige gemeenten zijn ze op die manier al bijna tot Stalins utopische staat gekomen. Daar doet het er niet meer toe wie er stemt. Het gaat er alleen om wie de stemmen telt. Het is het oude clientèlestelsel, levend en wel in het zonnige zuiden van de staat Californië.

'Dus onze Tresler is de rode draad tussen Dana, Metz en Fittipaldi. Hun toegangskaartje tot de kunstcommissie. Wat betekent dat?' vraagt Harry.

'Waarschijnlijk niets,' antwoordt Tolt.

'U denkt niet dat Tresler zich door iemand laat omkopen?'

'Als het iemand anders was, zou ik zeggen dat die tot aan zijn ellebogen in het smeergeld zat,' zegt Tolt. 'Maar Tresler heeft het geld niet nodig.'

'De duivel heeft al volop slechtigheid, maar hij wil altijd meer,' zegt Harry. Mijn compagnon gelooft heilig in de duistere kanten van de mens.

'Ja, hij houdt van macht. Smeergeld aannemen – ach, je kunt ernaar zoeken, maar ik denk dat je je tijd verspilt. Hij moest nu eenmaal iemand in die commissie benoemen. Waarom niet de mensen die hem geld voor zijn campagne hebben gegeven? Het spijt me het te moeten zeggen, maar ik heb hem zelf ook financieel gesteund. Net als een paar anderen.'

Dat verrast Harry en mij niet.

'Zo nu en dan moet je de raderen een beetje smeren,' zegt Tolt. 'We doen allemaal alsof het geen omkoping is, alleen maar de uitoefening van onze rechten volgens het Eerste Amendement. Toch zijn er momenten waarin de meesten van ons zich er liever buiten zouden houden.'

'Misschien zouden we moeten kijken wie er nog meer geld hebben gegeven?' zeg ik.

Tolt kijkt me aan met een blik van 'wat bedoel je?'.

'Nick, Dana, Metz, onze vriend Nathan Fittipaldi. De gegevens van die schenkingen moeten openbaar zijn.'

'Ik denk dat u daar niets meer uit kunt afleiden dan wat u al weet. Waarschijnlijk staat iedereen die iets voorstelt op Treslers lijst,' zegt Tolt.

'Evengoed zullen we ernaar kijken.'

Het zal me één ding vertellen: of Dana het geld op eigen naam heeft geschonken. Ze zei tegen me dat ze Tresler niet kende. Nu wil ik weten of ze de waarheid sprak.

Harry maakt een aantekening op de achterkant van een van Tolts visitekaartjes, dat hij uit het houdertje op zijn bureau heeft gepakt.

'Wat ik niet kan begrijpen,' zegt Tolt, 'is waarom Nick zakendeed met Metz.'

Ik schud mijn hoofd. 'Ik weet het niet. Maar het lijkt wel een soort van obsessie van Metz te zijn geweest om Nick juridisch werk voor hem te laten doen.'

Er verschenen nog meer rimpels in Tolts voorhoofd. 'Dat zit me nog het meest dwars. Het heeft iets met de firma te maken, en dat bevalt me helemaal niet. Ik zou het alleen kunnen begrijpen wanneer die onderneming, dat Jamaile en nog wat, bedoeld was als een organisatie voor de import en export van drugs. In dat geval zouden ze erg veel aan Nicks diensten hebben gehad.'

Hij kijkt me aan om te zien of ik andere theorieën heb. Die heb ik niet.

'Ik wil graag denken dat Nick ging twijfelen,' zegt hij. 'Dat hij erover nadacht en besloot het niet te doen, of dat, als hij er dan toch bij betrokken raakte, de betere kant van zijn karakter zich liet gelden en hij eruit wilde stappen.'

'Misschien hebben ze hem daarom vermoord?' oppert Harry.

'Dat was toch een ongeluk?' zegt Tolt.

'O ja.'

Het wordt stil in de kamer. We denken na over wat er in Nicks leven kan zijn gebeurd. Alleen het tikken van de antieke chronometer aan de wand verbreekt de stilte.

'Er is nog een andere mogelijkheid,' zegt Tolt. Zijn vingers vormen een bruggetje, met zijn wijsvingers tegen zijn onderlip. Hij is nog in gedachten verzonken, probeert het raadsel te ontwarren.

'Natuurlijk is het maar een theorie,' zegt hij. 'Het zou niet goed zijn om erover te praten, zeker niet nu de verzekeringskwestie nog niet is geregeld en we ervan uit moeten gaan dat Nicks dood een ongeluk was.' Hij kijkt Harry en mij aan, wachtend op onze al dan niet stilzwijgende instemming.

'Wat is de theorie van een advocaat anders dan een vermoeden?' zeg ik.

'Precies. Maar denk eens na. Als Metz nu eens Dana – laten we dat even aannemen – zonder dat ze het wist bij een onwettige activiteit wilde betrekken...'

'Waarvoor?' zegt Harry.

'Om Nick onder druk te kunnen zetten.'

'Ze zegt dat ze Metz niet zo goed kende. Ze hadden elkaar maar een paar keer gesproken,' merk ik op.

'Ja. Maar het zou Nicks poging verklaren om Metz op u af te schuiven, nietwaar? Op die manier wilde hij wat afstand scheppen tussen zichzelf en die man, terwijl hij tegelijk zijn vrouw beschermde.' Tolt heeft verstand van menselijke motieven.

'Ga verder.'

'Als die twee mannen niet met elkaar overweg konden, dreigde Nick misschien uit de school te klappen. Als dat gebeurde, zou Nick een erg reële bedreiging voor hen vormen, voor de mensen die hen hebben gedood.'

'U bedoelt de mensen aan de andere kant van de drugsconnectie?' zegt Harry.

Tolt knikt.

'Ik kan me gewoon niet voorstellen dat Nick zich ooit met drugshandel zou inlaten,' zeg ik.

'Ik vind het ook geen prettig idee dat een van de leden van mijn maatschap dat zou doen,' zegt Tolt, 'maar er zijn wel vreemdere dingen gebeurd. Van de menselijke natuur kun je alles verwachten. En het heeft er alle schijn van dat het echtpaar Rush in financiële moeilijkheden verkeerde.' Hij keek naar de spreadsheet van de gelden die Nick voor cliënten in beheer had.

Dat is een van de vragen waarop geen antwoord te geven is. Waar is al het geld heen gegaan dat Nick in de loop van de jaren verdiende? Zonder accountantscontrole, zonder de gegevens van zijn bank- en creditcardrekening, zullen we dat nooit weten.

Tolt ontwaakt uit zijn korte mijmering. Hij gaat rechtop zitten. 'Hoe dan ook, voorlopig is het niet zinvol om te veel over eventuele slachtoffers te speculeren. Zeker niet nu een verzekeringsmaatschappij klaar zit om haar pen in de inktpot te dopen en haar handtekening op een cheque te zetten.'

'Akkoord,' zegt Harry.

'Wat doen we aan dat andere?' zegt Tolt. Hij bedoelt de vervalste bankoverschrijvingen.

'Laat me met Dana praten.'

'Goed. Maar wacht daar niet te lang mee.'

14

Ik rij voorbij de Coronado-brug de Interstate 5 naar het zuiden op en neem de middelste rijbaan. Ik kom langs Logan Heights. Dan neem ik de afslag National City en rij naar het oosten. In mijn spiegeltje zie ik de gigantische kwiklampen van de marinewerf. Hun spookachtige oranje schijnsel mengt zich in het onheilspellende wolkendek dat boven de baai hangt.

Het is bijna negen uur. Midden in de week is het op dit uur van de avond niet druk. Mijn voorruit is bedekt met een fijne nevel.

De straten zijn verlaten, afgezien van enkele zielen die daar maar wat rondhangen. De enige etalages die op dit uur verlicht zijn, zijn die van drankwinkels en een paar cafés.

Het kost me twintig minuten om de straat te vinden die Espinoza tijdens ons laatste gesprek in de gevangenis heeft genoemd. Ik ben inmiddels tot de conclusie gekomen dat dit in ieder geval klopt.

De buurt straalt het soort aura uit waarvoor mijn zesde zintuig gevoelig is. Mijn nekharen gaan overeind staan. Het is niet een buurt waar ik 's avonds mijn hond zou willen uitlaten, tenzij het beestje scherpe tanden heeft, van rauw vlees houdt en harder kan lopen dan een kogel.

Ik zie licht bij de volgende hoek en ga langzamer rijden. Als ik dichterbij kom, zie ik drie tieners. Een van hen, in een donker sweatshirt met capuchon, buigt zich naar het passagiersraam van een auto die midden op straat is gestopt, halverwege het kruispunt. De auto schommelt op het ritme van salsa-jive uit een geluidssysteem dat bij elke basdreun de wortels van mijn gebit laat trillen.

De jongen in het sweatshirt en zijn twee vrienden kijken naar me als ik voorbijrijd. Misschien ben ik een klant, misschien een undercoveragent. Ze verliezen hun belangstelling als ik verder ga.

Ik rij langzaam, op zoek naar huisnummers. Door de motregen en het gebrek aan straatlantaarns zijn die nummers niet te zien. Ik kijk op het stukje papier dat naast me op het dashboard ligt, de aantekeningen die ik eerder deze week van mijn gesprek met Espinoza heb gemaakt. Hier is het. Espinoza sprak nogal cryptisch, maar hij verstrekte me toch wat echte informatie.

Volgens hem had die Jaime een alternatieve verblijfplaats als hij in de stad was. Hij was daar een paar keer voor besprekingen naartoe geweest en kwam bij twee gelegenheden 's avonds niet terug. Espinoza vertelde me dat hij Jaime een keer naar dat adres reed, kort voordat hij van San Diego naar Mexico ging. Espinoza zette hem daar af en zei dat het nummer 406 of 408 was, dat wist hij niet precies meer. Maar hij vertelde me wel dat hij de man had gezien die Jaime had ontmoet. De man was lang, meer dan een meter tachtig, en mager. Zo mager als een lat, zei Espinoza. De man was een Latino en had een slordige donkere baard en zwart haar. Hij doeg een vuile grijze vilthoed. Espinoza zag die man enkele ogenblikken met Jaime staan praten. Toen gingen ze naar binnen en reed Espinoza weg. Het enige dat hij zich verder kon herinneren, was een tamelijk oude Chevrolet Blazer die naast het huis stond. Hij zei dat hij zich die auto herinnerde, omdat de achterruit was ingeslagen en iemand met isolatietape een groot stuk zwart plastic op de raamstijlen had geplakt.

Ik rij langs kinderspeelgoed op het trottoir. Boven de voordeur van een huis tegen het eind van het blok zie ik in het halfduister drie roestige metalen cijfers die op het kozijn zijn gespijkerd. Ik tuur in het donker. Zo te zien staat er 486.

Ik rij door, en ditmaal ga ik een hoek om, rij een stukje de zijstraat in, parkeer de auto en doe mijn lichten uit.

Ik heb thuis mijn pak en das uitgetrokken en draag nu een oude spijkerbroek, een marineblauwe pull-over en een verbleekt denimjasje dat ik voor karweitjes buitenshuis gebruik. Ik draag ook een paar sportschoenen.

Ik stap de auto uit, doe hem op slot en kijk op mijn horloge. Het is bijna half tien.

Ik heb maar een paar seconden nodig om bij de hoek terug te komen en begin dan door de straat te lopen. Ik stop twee deuren voor het huis waar ik het huisnummer boven de deur heb gezien. De motregen is overgegaan in een lichte nevel, en in het donker zie ik de regen niet meer vallen. Toch voel ik natte speldenprikken van vocht op mijn voorhoofd en in mijn nek. Ik zet de kraag van mijn jasje omhoog en loop door de straat. Omdat ik nu langzamer vooruitkom, en dichter bij het huis ben, kost het me geen moeite om het nummer boven de deur te onderscheiden. Als ik de stenen trap nader, zijn de metalen cijfers 486 duidelijk zichtbaar boven de voordeur. De even nummers zijn aan deze kant van de straat. Tenzij Espinoza maar wat heeft verzonnen, staat het huis dat ik zoek aan de even kant.

Ik hoor de harde salsa en zie de rode achterlichten van de auto die anderhalf blok van me vandaan nog steeds op het kruispunt staat. Ik loop vlug over het trottoir tot ik twee deuren van het eind van het blok verwijderd ben, maar dan schittert er opeens een lichtstraal op het natte wegdek midden op de straat. De koplampen bevinden zich achter me en komen snel dichterbij. Ik spring vlug over een vochtig stukje gras voor een van de huizen en duik onder de trap. Het is niet de bedoeling dat de jongeren bij die stilstaande auto mijn silhouet in het licht van die koplampen kunnen zien. De naderende auto is nu iets meer dan een blok van me vandaan.

Ik haal diep adem en blijf enkele seconden onder de trap staan om me te oriënteren. Net als ik op het punt sta om weer de straat op te gaan, kijk ik achter me. Op de deur die naar een benedenwoning leidt, staat het nummer 406A in vaal geworden sjablooncijfers. Vanbinnen, misschien boven, misschien vanachter de deur van die woning, komen de gedempte geluiden van een televisietoestel.

Ik ga het trottoir weer op en zie dat de auto met de salsa-jongeren nog op het kruispunt aan het eind van het volgende blok staat. Er is nu een andere auto bij gekomen; hij stopt achter de eerste auto. De jongens die te voet zijn, hebben zich nu opgesplitst. Ze praten door de open ramen van beide auto's.

Ik kijk weer naar het huis. Er groeit een grote struik tegen de voorkant. Half daarachter zie ik een raam, en daardoor zie ik het flikkerende, blauwige schijnsel van een televisie op de neergetrokken luxaflex.

Ik kijk naar links, naar het volgende huis, en zie dat daar ook een benedenwoning onder de voortrap is. Haaks op het trottoir liggen tussen de twee huizen twee stroken beton, elk iets breder dan een autoband. Daartussenin ligt een beetje grind en een harde ondergrond die nu nat is. Een lichte regenbooglans drijft op de motorolie in de plassen. Dit pad loopt dood op de voorkant van wat vroeger een garage was en nu de buitenmuur van weer een andere benedenwoning.

Ik stap over de twee stroken beton en door het gras en kijk naar de deur onder de trap van het tweede huis. Dat heeft nummer 408A.

Ik loop naar het trottoir terug en kijk naar 406. Er is geen pad voor een auto aan de andere kant. Hier steken de lange grashalmen aan weerskanten van de trap als stekels omhoog. Ik ben geen tuinier, maar je hoeft geen deskundige te zijn om te kunnen zien dat het gras en onkruid de laatste tijd niet verpletterd zijn onder de wielen van een zwaar voertuig. De trottoirband wordt daar ook niet door een drempel onderbroken.

Als Espinoza de waarheid spreekt, en als hij zich die Chevrolet Blazer met kapotte achterruit goed herinnert, en de plaats waar hij geparkeerd stond, wed ik dat 408 het adres is van de man met de baard en de vilthoed.

Ik kijk nog eens. De benedenwoning lijkt donker, tenminste voorzover ik door een klein zijraampje naar binnen kan kijken. Ik loop naar het trottoir terug en kijk nog eens wat er op het kruispunt rechts van me gebeurt. Het verkeer is daar nu helemaal vastgelopen. Er staan zoveel auto's dat ik ze niet kan tellen. Er wordt daar zaken gedaan bij het leven. Mensen komen, mensen gaan, er is muziek, er zijn stemmen – de geluiden van wat in deze buurt voor avondhandel moet doorgaan. Ik kijk op mijn horloge. Het is nu tien uur geweest.

Espinoza zei niet of Jaime en die andere man, die met de vilthoed, de trap opliepen of daaronder verdwenen toen ze naar binnen gingen. Omdat ik de situatie ter plaatse niet kende, kon ik niet van tevoren weten dat ik voor deze vraag zou komen te staan.

Vanaf het trottoir kijk ik naar de ramen aan de voorkant van 408. Op de begane grond zie ik de lichtgloed van een televisie. Ook achter een kleiner raam, misschien van een wc, brandt licht.

Op de bovenste verdieping is alles donker. Ik loop een meter of zeven over het trottoir en kijk naar de linkerkant van het huis. Daar zijn ramen, maar die zijn allemaal donker. Ik loop de andere kant op. Eén licht aan de achterkant van de begane grond. Ik kan niet zien hoeveel woningen er zijn.

Ik controleer of niemand door een raam of een van de donkere portieken aan de overkant naar me kijkt. Harry zou me de huid volschelden als iemand de politie belde en ik als gluurder of stalker werd opgepakt en hij naar het bureau moest komen om me op borgtocht vrij te krijgen.

Voorzover ik nu kan zien, is de kust veilig, en dus ga ik de trap op en vind de brievenbus op de veranda. Onder elke gleuf is een naam op een stukje papier in een groef aangebracht. Sommige van die namen zijn getypt, andere zijn met pen of potlood geschreven. Ik haal mijn huissleutels tevoorschijn. Aan mijn sleutelring heb ik een lampje. Ik druk op het knopje aan de zijkant daarvan en het zwakke rode lichtstraaltje glijdt over de namen.

Apt. A: Johnson.

Geen voorletter

Apt. B: Hernandez

Geen voorletter

Apt. C: Rosas, James

Apt. D: Washington, Leroy

Apt. E: R. Ruiz

Apt. F: Moreno.

Ook geen voorletter.

Saldado, H.

Met behulp van het lichtje en een klein zakboekje maak ik potloodaantekeningen. Als ik daarmee klaar ben, ga ik vlug de trap af. Ik loop terug naar de auto en binnen een minuut sta ik aan de overkant van de straat geparkeerd, een half blok van het huis met het garagepad vandaan. Ik parkeer tussen twee andere auto's, met mijn neus naar het huis toe, zodat ik de voorveranda en de woning daaronder kan zien.

Ik kijk op mijn horloge. Het is bijna half elf. Sarah kan nu elk moment thuiskomen. Ze heeft een sleutel. Ik heb tegen haar gezegd dat ze niet op moet blijven. Ze is vijftien, een beste meid, allemaal goede cijfers en erg rustig. Ze is de enige aan wie ik denk voordat ik zaken aanneem die risico's met zich meebrengen of voordat ik domme dingen zoals vanavond doe.

Ik ga gemakkelijk zitten en richt mijn blik op het verkeer in de dwarsstraat, een blok van me vandaan. Om de een of andere reden lijkt het wel of al dat verkeer rechtdoor gaat, dus dwars over de straat waarin ik geparkeerd sta. Ik weet niet waarom dat zo is, maar het betekent wel dat er niet veel verkeer op me afkomt. Ik zit ook nog onderuitgezakt, dus de kans dat iemand me ziet, is erg klein.

Ik dommel een beetje in, met één oog open. Nu en dan worden er extra veel zaken gedaan op het kruispunt. Het verkeer loopt dan vast en er komen auto's mijn kant op, zodat ik een beetje dieper moet wegzakken.

Ik weet niet hoe lang ik heb geslapen, maar mijn beide ogen zijn dicht als ik wakker word van het geluid van piepende banden. Ik doe mijn ogen open en probeer me vlug te oriënteren. De straatdealers op het kruispunt zijn allemaal verdwenen. Ik zie alleen nog de rode puntjes van de achterlichten van de laatste auto die is gekeerd en van me wegreed. Binnen twee seconden gaan ze een andere straat in en zijn ze weg. Het kruispunt is nu helemaal verlaten.

Ik zit onderuitgezakt achter het stuur en vraag me af wat er gebeurd is. Even later heb ik het antwoord. Het komt in de vorm van een politiewagen die langzaam met flikkerende kleurenlichtbalk over het kruispunt rijdt. De agenten die erin zitten, gebruiken hun schijnwerper om de struiken en de schaduwen bij het hoekhuis te verlichten. Ze rijden langzaam over het kruispunt en kijken naar de voorkant van het huis op de tegenoverliggende hoek. Ze blijven langzaam rijden, en plotseling, zo snel als ze gekomen zijn, is de weerspiegeling van het gekleurde licht verdwenen.

Ik blijf nog een aantal minuten naar het kruispunt kijken. Niets. Niemand. Blijkbaar zijn ze afgeschrikt door de politie.

Dan verschijnen er plotseling koplampen om de hoek achter me. Ik laat me zo ver onderuitzakken dat ik nu bijna onder het stuur zit, mijn benen ingetrokken, mijn knieën onder de stuurkolom. Mijn hoofd en schouders buigen opzij naar de passagiersplaats, zodat ik onder het raam aan de bestuurderskant blijf.

De auto komt langzaam dichterbij. Ik hoor hoe de wielen over de steentjes op het wegdek knarsen. Even later hoor ik ook de geluiden van hun politieradio, al hebben ze hun ramen dicht.

Ze bewegen hun schijnwerper over de drie geparkeerde auto's. De felwitte lichtbundel strijkt door mijn ramen, en plotseling gaat de lichtbalk weer aan. Als ze me hier op de vloer van mijn auto betrappen, een blok van de drugssuper vandaan, halen ze mijn auto waarschijnlijk helemaal binnenstebuiten, op zoek naar drugs. En of ze nu iets vinden of niet, mijn naam staat genoteerd. Binnen vierentwintig uur trek ik nieuwsgierige blikken van aanklagers en griffiers op de rechtbank. Rechters turen in mijn ogen, op zoek naar een glazige blik.

God sta me bij als ik op een ochtend, morgen bijvoorbeeld, slaperig op de rechtbank verschijn.

De patrouillewagen stopt naast de auto die achter mij geparkeerd staat. Er gaat een deur open. De politieradio is nu zo hard dat ik de ruis tussen de oproepen kan horen. Voetstappen buiten.

Hij trekt aan de portiergreep van de auto achter me. Die glipt uit zijn vingers. Op slot. Dat probleem zou hij niet hebben als hij mijn portier probeerde. Het is nu te laat om de deuren op slot te doen. Trouwens, ik weet dat hij met een zaklantaarn door het raam kijkt.

Ik zie het al helemaal voor me: hij maakt het portier open en treft me bewusteloos onder het stuur aan. Ze moeten het dak van de auto slopen om me eruit te krijgen.

Ik kan merken dat hij nu zorgvuldig aan het kijken is en met zijn zaklantaarn door de ramen schijnt. De lichtstraal gaat door mijn achterraam.

'Jimmie.'

'Ja. Ik zie hem.'

Mijn hart bonkt.

Een autoportier valt met een klap dicht. Plotseling buldert de motor. Banden gieren naast mijn oor, net buiten de deur. Onmiddellijk is het weer donker en stil. Ik hou mijn adem in en wacht af. Het lijkt een eeuwigheid. Waarschijnlijk is het vijftien seconden. Ik breng voorzichtig mijn hoofd omhoog, als een schildpad die uit zijn schaal komt. Ik wurm me langs het stuur omhoog en vraag me af hoe ik daar ooit onder heb gepast. De mysteries van de adrenaline. Er zit een helse pijn in het onderste van mijn rug.

De patrouillewagen is gestopt bij het kruispunt waar in drugs werd gehandeld. De lichtbalk flikkert in zijn desoriënterend ritme van rood en blauw. De jongen in het sweatshirt met de donkere capuchon staat over de voorkant van de politiewagen gebogen. Die capuchon is nu omlaag getrokken en hij blijkt gemillimeterd haar te hebben, donkere stoppels waar je zijn schedelhuid doorheen ziet schemeren.

Een van de agenten laat hem zijn voeten uit elkaar zetten en doet hem vlug handboeien om achter zijn rug. Zijn collega doorzoekt voorzichtig de zakken van de jongen.

De fouillerende agent legt kleine ontdekkingen op de motorkap, duwt er nu en dan met een vinger tegenaan, bekijkt ze in het licht van een zaklantaarn, als een goudzoeker die steenklompjes bestudeert.

De andere agent zit nu op zijn hurken en betast de enkels van de jongen. Misschien zoekt hij een pistool.

Dan heeft hij iets gevonden! Ik kan hem bijna horen. Als hij overeind komt, heeft hij een rol bankbiljetten uit de sok van de jongen gehaald, tegelijk met een of ander spul in kleine plastic pakjes. Ik zie ze glanzen in het licht van de schijnwerper, die nu op de motorkap van de patrouillewagen is gericht.

Een tweede politiewagen, die assistentie komt verlenen, nadert uit de andere richting. Binnen de kortste keren staat het kruispunt vol met blauw. De lichtbalken blijven flikkeren.

Ze zijn nog steeds bezig de jongen te fouilleren. Een van de agenten heeft nu een schoen in zijn ene en een sok in zijn andere hand. Hij kijkt in de schoen en gooit hem op de grond. Hij begint de sok heen en weer te schudden. Er vallen kleine witte pakjes op de motorkap. Die sok is een hoorn des overvloeds. De mannen in uniform grijnzen.

Er komt nog een politiewagen aan. Ik begin me zorgen te maken. Misschien slaan ze daar hun kamp op en gaan ze op safari om de vrienden van de jongen te zoeken.

Genoeg opwinding voor één avond. Ik kijk op mijn horloge. Het is nu bijna één uur 's nachts. De hele voorkant van het huis aan de overkant is in duisternis gehuld. Het schijnsel van de televisie in het bovenraam is weg. Ik verspil hier mijn tijd. Espinoza neemt me in de maling. Hij heeft me waarschijnlijk het adres gegeven van een van de huizen waar hij zijn illegalen dumpt, een tussenstation aan de ondergrondse spoorlijn naar het beloofde land.

Ik zie dat de agenten de jongen op de achterbank van een van de patrouillewagens zetten. Tien minuten later begint het weer te misten en gaan ze uit elkaar. De lichtbalken worden gedoofd en ze rijden in verschillende richtingen weg. Waarschijnlijk denken ze dat ze dat kruispunt voor de rest van de nacht tot rust hebben gebracht.

Ik wil net het sleuteltje in het contact omdraaien, als ik een silhouet aan de overkant zie.

Hij heeft blijkbaar in de schaduw bij de voordeur gestaan, waar ik hem niet kon zien. Hij buigt zich naar voren om te kijken of de politie weg is. Ik kan alleen het bovenste deel van zijn lichaam zien. Hij leunt tegen de massieve verandamuur van een meter hoog, met beide handen in de zakken van zijn spijkerbroek. Hij is lang en slank en het donkere silhouet van zijn hoofd is vanboven nogal spits. Hij draagt een hoed om zich tegen de regen te beschermen, een vilthoed met neergeslagen rand.

15

De volgende dag werkte ik me suf van de slaap door een ochtendzitting heen. Gelukkig was het niet iets waarvoor ik helder moest denken. Het was maar een eerste verschijning. Ik stond naast mijn cliënt in de verdachtenbank terwijl de aanklachten werden voorgelezen, en ik bladerde in mijn agenda om te kijken welke dag ik voor mijn pleidooi kon voorstellen. Tussen het bladeren door veegde ik de slaap uit mijn ogen. Ik was de halve nacht in touw geweest, op zoek naar de man met de rare hoed.

Ik keek naar de namen op de brievenbussen en hield vijf mogelijkheden over. Omdat Espinoza me had verteld dat de man een Latino was, hoef je daar geen raketwetenschapper voor te zijn.

Hernandez, James Rosas, R. Ruiz, ene Moreno en H. Saldado. Het zal moeilijker worden om het rijtje nog korter te maken, en dan ga ik er nog van uit dat de naam van de man op een brievenbus staat en hij geen valse naam gebruikt. En vooropgesteld dat ik hem kan identificeren, en ook dat ik verband kan leggen tussen deze man en de Ibarra's in Mexico, de twee broers over wie Metz me vertelde, ben ik misschien iets op het spoor. Ik lach om mezelf. Het zijn wel veel veronderstellingen. Ik begin het gevoel te krijgen dat Harry gelijk had, dat ik het moet vergeten.

Terwijl ik dat denk, blader ik in het telefoonboek van San Diego. Ik vind de naam Hernandez, twee pagina's lang. Omdat ik geen voorletter heb, moet ik naar het adres zoeken. Met behulp van een liniaal neem ik de eerste bladzijde door en sla dan om naar de tweede. Als ik het vind, ben ik verrast: 'Susan'. Ik streep de naam op mijn lijstje door. Het was misschien gemakkelijker dan ik dacht.

Een half uur later heb ik James Rosas en R. Ruiz, voornaam Richard, gevonden, beiden op het juiste adres. Ik noteer hun telefoonnummers. Er staan veel Moreno's in het telefoonboek, maar niet een in die straat. Bij een aantal van hen staat wel een telefoonnummer, maar geen adres. Omdat ik geen voorletter weet, kom ik niet verder. Ik heb hetzelfde probleem met Saldado, al weet ik dat de voorletter een H is. Hij – als het een man is – heeft óf geen telefoon óf hij heeft zich niet in het telefoonboek laten opnemen. Ik gooi het telefoonboek midden op mijn bureau, leun achterover in mijn stoel en denk na.

Na enkele ogenblikken roep ik de telefoongids in mijn computer op, zoek naar een naam, en klik, als ik hem heb gevonden, op de knop om het nummer te draaien. Als het toestel voor de derde keer overgaat, wordt er opgenomen. Ik neem de hoorn van de haak voordat ze zich helemaal heeft voorgesteld: 'Carlton Incasso.'

Het is een vrouwenstem, hees, met veel slijm in de keel.

'Joyce?'

'Ja, met wie spreek ik?' Ze lispelt een beetje, alsof ze een sigaret in haar mondhoek heeft hangen.

'Paul Madriani.'

'Ah, mijn favoriete advocaat.' Ik hoor een zachte fluittoon als ze inademt. Daar volgt een hoestbui op, en nog wat gerochel, het geluid van een houtrasp op een stuk vurenhout.

Ik hou de hoorn een paar centimeter van mijn oren vandaan om me enigszins te beschermen.

'Hé, Bennie, het is Paul Madriani.'

'Wie?' Ik hoor haar man op de achtergrond.

'Paul Madriani. Je weet wel, die advocaat.'

'Ga me niet vertellen dat die rottige officier van justitie weer met ons wil praten.'

'Nee,' zegt ze. 'Hij belt alleen om ons gedag te zeggen.'

'Zeg hem ook gedag,' zegt hij.

'Bennie zegt je gedag. Je belt toch alleen om ons gedag te zeggen?'

Ik vraag haar Bennie gedag te zeggen. Ze doet het.

'Nou, wat wil je? Een drukbezette advocaat als jij belt niet om zomaar een praatje te maken. Laat me eens raden. Je wilt dat we een cliënt voor je zoeken die zijn rekening niet heeft betaald? Heb ik gelijk of niet?'

'Niet precies.'

'Zoals ik toen in de rechtbank al tegen je zei: mijn woord is me heilig. Dit is van het huis. Heb ik hem dat niet verteld, Bennie?'

Joyce schreeuwt dat zo hard dat ik de hoorn weer van mijn oor vandaan moet houden, maar ik kan Bennie horen.

'Ja. Ja.'

'Geef me de naam en ik vierendeel de schoft,' zegt ze.

Joyce en Ben zijn eigenaar van Carlton Incasso. Ik weet niet waar ze die firmanaam vandaan hebben. Waarschijnlijk van een pakje sigaretten. Het klonk beter dan Schwartz. Die naam zou misschien een pluspunt zijn, als Joyce niet degene was die de telefoon opnam.

Het enige dat ik weet is dat je, al rochelt ze nog zo erg, Joyce niet achter je aan wilt hebben als je iemand geld schuldig bent. Als een speurhond krijgt ze alle wanbetalers te pakken.

Ik heb mensen minder zien lijden als de maffia in hun knieschijven had geschoten. Ze vindt je in je huis, bij je buren, bij je moeder, drijvend in de rivier de Merced, in Yosemite, op je vakantieadres. Je kinderen komen met briefjes in hun broodtrommeltje van school en vertellen je dat je moet betalen. Als je naar een bruiloft gaat, staan je naam en het bedrag dat je schuldig bent met lipstick op de achterruit van de trouwauto geschreven. Joyce beschouwt de incassowetgeving als een grote uitdaging. Als ze je niet op je werk kan bellen, huurt ze een vliegtuig dat boven je werkplek vliegt en je naam op vijftienhonderd meter in blokletters in de lucht schrijft, gevolgd door het woord 'wanbetaler' in roze rook.

De meeste incassobureaus werken met een serie brieven. Ze beginnen met een beleefd verzoek en eindigen met het voorstel je kinderen als slaaf te verkopen. Van Joyce krijg je één beleefde brief. Daarna ben je je leven niet zeker meer.

Ongeveer een jaar geleden ging ze te ver toen ze in actie kwam tegen een kerk die met het betalen van een drukkerijrekening wilde wachten tot de Heer op aarde was wedergekeerd. Op een zondag was ze onder de dienst naar de kerk gekomen, piekfijn gekleed, met een hoed en met een naamplaatje. Ze ging bij een van de grote deuren aan de voorkant staan en glimlachte naar de grijsharige koster die aan de andere kant de kerkgangers begroette en zich afvroeg wie die vriendelijke vrijwilligster toch was. Joyce deelde bulletins uit aan een paar honderd gelovigen.

Toen de dominee de kansel besteeg, begreep hij niet waarom leden van zijn kudde telkens moesten lachen wanneer hij de hel ter sprake bracht. Joyce had in de bulletins een aanmaning over de drukkerijrekening opgenomen. Daarin werden de lezers eraan herinnerd dat de duivel een wanbetaler is. Ze hielden allemaal op met lachen toen er een politieman verscheen met een machtiging om de collecteopbrengst van die ochtend in beslag te nemen. Joyce had de pech dat een van de ouderlingen van de kerk de hoofdofficier van justitie was.

'Nou, hoe heet hij?' vraagt ze. 'Die kerel die we moeten zoeken?'

'Het is geen cliënt,' zeg ik. 'De orde van advocaten heeft er bezwaar tegen dat ik jullie diensten daarvoor gebruik.'

'Waarom? Vinden ze ons niet aardig?'

'Het is niets persoonlijks,' zeg ik tegen haar. 'Ze willen dat we de geschillencommissie erbij halen als een cliënt zijn rekening niet betaalt.'

'Jij bent advocaat. Wou je beweren dat je die zaken niet wint?'

'Ook als we winnen, stellen ze meestal voor dat we de zaak maar vergeten. Het is slechte pr. Er zijn al te veel mensen die de pest aan advocaten hebben.'

'Het is een wonder dat je met die orde, met zo'n organisatie, het hoofd boven water kunt houden.'

'Vertel mij wat.'

'Nou, wat wil je?'

'Ik zou graag willen dat jullie wat namen natrekken, kijken of er informatie over die mensen te vinden is.'

'Wat? Hun kredietverleden bijvoorbeeld?'

'Misschien. Dat zou helpen.'

'Je wilt niet dat we ze volgen?'

'Niet precies. Ik weet waar die mensen wonen. Van sommigen wil ik graag de voornaam hebben, een telefoonnummer, een werkgever, als jullie die kunnen vinden. Waar ze een bankrekening hebben. Wie hun vrienden zijn.' Ik geef haar de namen van mijn lijst en het adres.

'En opdat jullie niet in moeilijkheden komen,' zeg ik tegen haar. 'Jullie kunnen beter niet naar die buurt toe gaan. Alleen wat jullie op afstand kunnen vinden. Goed?'

'Hé. Als ik ergens heen ga, neem ik Bennie altijd mee.'

Daar ben ik nu juist zo bang voor.

'Wat heb je nog meer?' vraagt ze. 'Geen sofinummers? Misschien een kentekennummer?'

'Nee. Sorry.'

'Dat is het? Achternaam – eerste voorletter? En van sommige mensen heb je dat niet eens.'

'En het adres,' merk ik op.

'Je verlangt nogal wat,' zegt ze.

'En nog één ding. De man die ik zoek. Het is mogelijk dat hij in drugs handelt.'

'Hmm. Nou, dat zou kunnen helpen,' zegt ze.

'Hoe dan?'

'Die kerel die in drugs handelt, moet een semafoon hebben, nietwaar? Een mobiele telefoon? Heb jij ooit een drugshandelaar gezien die geen pieper en geen mobieltje had?'

'Ik ken niet zoveel drugshandelaren.'

'Neem het maar van mij aan. Ze hebben piepers en mobieltjes. Dat soort mensen heeft dat altijd. Natuurlijk zijn die dingen soms van iemand anders,' zegt ze. 'Dat is goede handel.'

'Wat, mobiele telefoons?'

'Ja, om ze te stelen,' zegt ze. Joyce kennende, weet ik dat het niet voor honderd procent een grapje is.

'Nou, dan doen we eerst de grote vijf,' zegt ze.

'Wat is dat? In de lucht springen en de handen tegen elkaar laten klappen?'

'Nee. Nee.' Joyce heeft gevoel voor humor. 'Dat is de *high five*, de hoge vijf. Dit zijn de grote vijf. Dat is iets anders. Ik heb het over de providers. Er zijn hier in de regio vijf grote firma's die mobiele telefonie aanbieden. Ik weet dat. We incasseren voor alle vijf. Nou, die kerel die je zoekt – als hij een mobieltje heeft, kom ik achter het nummer. Wil je een kopie van zijn rekening? Dat kost je niks extra's, want dit is toch van het huis.'

'Je kunt dat voor elkaar krijgen?'

Ze aarzelt maar even. 'Voor jou wel. Wanneer heb je dit nodig?'

'Gisteren,' zeg ik.

'Geef me een dag of zo,' en ze hangt op.

16

Ik heb dit zo lang mogelijk uitgesteld. Adam Tolt verwacht voor het eind van de dag een telefoontje van me. Daarom bel ik vanmiddag Dana en zeg tegen haar dat ik haar moet spreken, hier in mijn kantoor. Ze vraagt of het over de verzekering gaat. Om haar over te halen zeg ik dat het onder andere daarover gaat. Dan zeg ik dat we ook nog iets ernstigers te bespreken hebben.

Het is kwart over drie, en ze is te laat. Als ze eindelijk op de receptie verschijnt, is ze niet alleen. Ze heeft Nathan Fittipaldi bij zich.

Ik ben met een cliënt aan het telefoneren en ik heb de deur van mijn kamer op een kier staan, zodat ik ze door de opening kan zien. Ze zijn allebei heel netjes gekleed, net twee keurige studenten op weg naar een feest.

Fittipaldi draagt een lichtbruine broek en een shirt met Ralph Laurens poloruiter links op de borst. De mouwen van een witte sweater hangen over zijn schouder en zijn bij zijn hals losjes geknoopt. Hij trekt een kam door zijn donkere haar, maakt een scheiding in het midden, zodat hij eruitziet als een overjarige vrijer op het omslag van *Gentlemen's Quarterly*.

Dana draagt een wit tennisshort, strak genoeg om weinig aan de verbeelding over te laten, en een blauw mouwloos topje dat veel van haar sproetige, gebruinde schouders laat zien. Ze draagt ook een wit tennispetje, zo'n ding dat alleen uit een bandje en een klep bestaat, waar dan allemaal blond haar bovenuit komt. Haar ogen houden zich schuil achter een designzonnebril waarvan ik schat dat hij haar zeker vierhonderd dollar heeft gekost.

Ze zet die bril af en houdt een van de poten nonchalant tussen haar voortanden. Ze zet ook het petje af, laat hem op onze balie vallen en haalt een spiegeltje uit haar tasje om haar kapsel even bij te werken.

'Ik moet er wel verschrikkelijk uitzien.' Ze giechelt.

'Je ziet er geweldig uit.' Hij komt achter haar staan en drukt haar even tegen zich aan.

Als ze zich naar me omdraait, kan ze door de deuropening kijken en ziet ze me in mijn kamer telefoneren. Voor Dana is dat een open uitnodiging. Voordat ik me van de telefoon kan bevrijden om de deur dicht te doen, is zij daar al aangekomen. Ze buigt zich naar voren, glimlacht naar me alsof ze kiekeboe speelt door de opening, duwt hem helemaal open en wuift naar me. Ik kan al haar parelwitte tanden in mijn deuropening zien glanzen.

Fittipaldi komt achter haar aan. Hij is een kop groter dan Dana en kijkt nieuwsgierig mijn kamer in. Met zijn schouders en borst vult hij het shirt helemaal op en hij ziet er erg fit uit.

'Paul, je kent Nathan al?'

Met de telefoon in mijn ene hand hou ik de palm van mijn andere hand omhoog. Op die manier laat ik ze weten dat ik graag het ene gesprek afmaak voordat ik aan het volgende begin.

'Oeps.' Dana lacht. Ze slaat haar hand voor haar mond. Wat ben ik toch dom.

Ze kijkt Fittipaldi aan en vormt met haar mond de woorden: 'Jullie twee kennen elkaar.' Ook ik kan dat vanaf de andere kant van de kamer duidelijk zien. Dan knikt ze, een zelfverzekerd knikje om nog eens te bevestigen dat ik ook bij de incrowd hoor.

'Ja, dat is zo.' Hij glimlacht en knikt me toe. Hij heeft zijn handen nu in zijn zakken.

Zonder enige gêne komt Dana gewoon binnen. Ze loopt nonchalant door mijn kamer, haar handen samengevouwen op haar rug, als Leslie Caron die Gigi speelt. Ze bekijkt alle platen aan mijn muren, mijn advocatenvergunning van het gerechtshof van Californië, de ingelijste certificaten van het federaal gerechtshof, en mijn certificaat van de arrondissementsrechtbank.

Terwijl ze dat doet, blijft Nathan in de deuropening staan en neemt hij de kamer in ogenschouw. Ik zie aan zijn gezicht dat mijn kamer niet aan zijn galerienormen voldoet.

'Nee, ik begrijp het. Ik weet wat u wilt. Ik weet niet of het lukt, maar ik kan het proberen.' Ik probeer het gesprek met mijn cliënt cryptisch en vertrouwelijk te houden. Het is een zakenman die is aangeklaagd wegens oplichting en verduistering.

Dana kijkt Fittipaldi aan en fluistert: 'Ik hoop dat dit niet te lang gaat duren.' Ze zegt dat hard genoeg om voor mij verstaanbaar te zijn, want ze staat maar een meter van mijn bureau vandaan. De vrouw die op een verzekeringsuitkering van twee miljoen dollar wacht en intussen haar boodschappen doet van het geld dat haar man voor cliënten in beheer had, heeft haast.

Dan zegt ze hardop: 'Het is echt een mooie auto, Nathan. Ik vind hem prachtig. Ik kan bijna niet wachten tot we gaan.' Dana kennende, weet ik dat ze het geld wil zien. Het slechte nieuws mag ik houden.

Ik zie me gedwongen mijn hand over het mondstuk te houden om te voorkomen dat haar stem tot mijn cliënt doordringt.

'Is daar iemand?' vraagt hij.

'Er komt net iemand binnenlopen,' zeg ik tegen hem.

Ze draait zich om en kijkt me aan. Ze wijst met haar vinger naar de deur, stelt met dat gebaar de voor de hand liggende vraag: of ik soms wil dat ze de kamer uitgaat?

Ik schud mijn hoofd. Ik zal het telefoongesprek later moeten voortzetten.

Dana heeft een kleur. Haar wangen zijn rood en haar steile haar is maïsgeel van de zomerzon.

'Luister, ik moet u terugbellen. Schikt dat morgen? Bent u dan op kantoor?'

Hij zegt dat hij er dan is.

'Dan bel ik u morgenmiddag.'

Omdat hij een vrouwenstem in mijn kantoor over een auto heeft horen zwijmelen, denkt hij natuurlijk dat ik iets beters te doen heb en zijn zaak zal vergeten, en dus dringt hij aan op een nadere toezegging.

'Ja. Nee. Ik bel u voor drie uur.'

Voordat de hoorn op de haak ligt, laat Dana al een stortvloed van woorden over me heen gaan. 'Ik dacht dat je het niet erg zou vinden als ik Nathan meebracht,' zegt ze. 'We waren net een ritje aan het maken. Hij liet me zijn nieuwe Jaguar KX zien.'

'XK,' zegt hij.

Ze lacht. 'Wat weet ik van auto's? Ik bedoel, ik weet alleen dat hij prachtig is.' Ze kijkt Fittipaldi aan alsof ze hem wil verzekeren dat hij echt niet in een roestbak door de stad tuft.

'Je moet die auto echt zien,' zegt ze tegen mij. 'Hij is middernachtblauw of zoiets, en gloednieuw.'

Fittipaldi staat stralend in de deuropening, alsof hij zojuist een kind heeft gebaard.

'We reden met de kap omlaag over het Strand. En laat me je dit zeggen: dat ding zweeft over de weg. Heel anders dan de Mercedes waar Nick in reed.' Zoals ze dat zegt, is het net of Nick ook in andere opzichten niet aan Nathan kon tippen. 'We wilden langs de kust rijden om ergens te gaan eten. Nathan kent een geweldig restaurant in Del Mar.'

'O ja?'

De eerste woorden die ik ertussen kan krijgen.

'Je moet die auto echt zien. En voelen hoe hij zit. Ik bedoel, ik zat daar op de passagiersplaats en drukte mijn gezicht ertegenaan. Het voelt aan als een wolk.' Ze zegt dat heel dromerig, met haar ogen dicht.

Inmiddels begint het op een plan te lijken. Je gaat naar buiten, slaat je lunchpauze over en wrijft met je gezicht over Nathans fraaie stoelbekleding.

'En je zult dit niet geloven, maar die bekleding is van echt jaguarleer,' zegt ze. 'En zooo glad.' Ditmaal voegt ze een beetje beweging aan de woorden toe. Ze wrijft met haar vlakke handpalmen over haar blote dijen, net onder de zoom van haar short. Natuurlijk moet ze daarvoor haar kleine achterste uitsteken. Het is net iets van Marilyn Monroe, maar Dana heeft het geperfectioneerd en nu is het helemaal van haar.

Dit alles is niet verspild aan Fittipaldi. Hij kan zijn ogen niet van haar afhouden.

'Niet iedereen kan dat krijgen,' zegt ze. 'Maar Nathan heeft die bekleding speciaal via een dealer in Manhattan besteld. Hij heeft ze het hele interieur opnieuw laten inrichten.'

Ze draait zich naar hem om en laat de zonnebril in haar tasje vallen. 'Waar zit die dealer, lieveling? Een blok van je galerie in New York vandaan?'

'Twee blokken,' zegt hij.

'O ja? Ik kan me bijna niet voorstellen dat een autodealer op vierkante meters in Manhattan zit. Om er nog maar van te zwijgen dat ze op jaguars gaan jagen voor de bekleding van hun stoelen.'

'Nou, ze zitten daar vlak bij Nathans galerie.'

Hij schraapt zijn keel een beetje. 'De jaguars zijn dicht bij de Guatemalteekse grens gedood en gevild.'

'Ja, ik geloofde ook niet dat ze in New York rondliepen,' merk ik op.

'Ze waren gedood door Mexicaanse stropers,' zegt hij. 'De politie kreeg ze te pakken.'

'Had jij even geluk,' zeg ik.

'Meestal worden ze niet verkocht.' Ik neem aan dat hij het over de huiden heeft, niet over de Mexicanen. 'Maar deze zijn geveild voor een goed doel.'

'Natuurlijk. Voor de stoelen in je auto.'

Hij lacht, al kan ik aan zijn ogen zien dat hij het niet grappig vindt. 'Voor uitbreiding van het leefmilieu voor wilde dieren,' zegt hij.

'En je zou eens moeten zien wat hij met het dashboard heeft gedaan,' zegt Dana.

'Ik geloof niet dat meneer Madriani daarin geïnteresseerd is,' zegt hij.

Ik heb Dana vaak genoeg meegemaakt om te weten dat ze wel tien verschillende persoonlijkheden kan aannemen. Ze kan net zo gemakkelijk van persoonlijkheid veranderen als van garderobe, en meestal doet ze dat dan ook. Ik heb meegemaakt dat ze alleen maar een blote schouder ophaalde in een vol restaurant, en meteen gingen honderd kerels een trui voor haar halen.

Vandaag weet ze dat ik iets ernstigers te bespreken heb dan die verzekeringszaak. Daarom heeft ze tot op zekere hoogte de persoonlijkheid van het hulpeloze domme blondje aangenomen. Ze hoopt dat ik daardoor minder streng tegen haar zal zijn, en misschien zelfs dat ik alles op alles zal zetten om haar te helpen.

Ze dweept nog enkele ogenblikken met de auto, tot ze eindelijk buiten adem is en onder ogen moet zien dat ik haar niet daarvoor heb laten komen.

'O, moet je mij toch eens horen,' zegt ze. 'Je wilt natuurlijk over de verzekering praten. Dit gaat toch over de verzekering?' Dana's leven is één lange zoektocht naar bevrediging. Vertel me eerst het goede nieuws. Vertel me het slechte nieuws helemaal niet.

Ze laat zich in een van mijn cliëntenstoelen zakken, legt haar tennispetje op haar handtas bij haar voeten en kijkt dan op haar horloge. Cocktailtijd in Del Mar.

Ik kijk Fittipaldi even aan.

'O, maak je om Nathan maar geen zorgen,' zegt ze. 'Hij weet er alles van. Hij is de enige met wie ik kon praten. Behalve jij.' Ze voegt dat er op het laatste moment aan toe.

'Geweldig.' Ik glimlach.

'Ik weet niet wat ik zonder hem had moeten beginnen,' gaat ze verder. 'Ik bedoel, zonder jullie twee zou ik verloren zijn geweest. Jullie twee kennen elkaar?' Haar wenkbrauwen trekken zich boven haar grote blauwe ogen samen.

'We hebben elkaar ontmoet,' zeg ik.

'Ja.' Fittipaldi steekt me glimlachend zijn hand toe. Welkom in Club Dana.

We schudden elkaar de hand.

'Nou, wat voor aanbod hebben ze gedaan?' zegt ze. Ze vist in haar tasje, vindt wat lipgloss en wendt zich, voordat ik antwoord kan geven, weer tot Nathan. 'Ga zitten.' Ze klopt op de armleuning van de stoel naast haar.

Als hij gaat zitten, kijkt ze mij weer aan. 'Ze hebben toch een aanbod gedaan? Je zei dat het over de verzekering ging...'

'Onder andere.'

'Wat dan?'

'Ik denk dat we dat beter onder vier ogen kunnen bespreken,' zeg ik tegen haar.

'Ik wacht wel buiten,' biedt Fittipaldi aan.

'Nee.' Ze zegt dat nadrukkelijk. Hij komt half uit een stoel overeind die nog niet eens warm is, maar dat woord van haar houdt hem tegen.

Ze brengt gloss op haar lippen aan en houdt daarbij een handspiegeltje omhoog. 'Alles wat je mij vertelt, kun je Nathan ook vertellen,' zegt ze, alsof het een principekwestie is. Ze houdt even op met glossen. 'Per slot van rekening is hij de enige die me al deze tijd heeft bijgestaan. Ik kan je niet zeggen hoeveel vrienden – of misschien moet ik zeggen, mensen van wie ik dacht dat het vrienden waren – me na Nicks dood in de steek hebben gelaten. Je leert mensen pas kennen als er zoiets gebeurt. Ik bedoel, ze zien me een winkel binnenkomen en doen alsof ik er niet ben. Nee. Ik wil dat Nathan erbij is, dat hij hoort wat je me te vertellen hebt.' Ze is weer aan het glossen.

Hij kijkt me aan, houdt zijn hoofd schuin en glimlacht alsof hij wil zeggen: zoals je wilt.

'Het lijkt me niet zo'n goed idee,' zeg ik tegen haar.

'Waarom niet?'

'Als ik je dat vertelde, zou ik je moeten vertellen wat het is. In Nathans bijzijn.'

Dat zet haar aan het denken. Ze kijkt me aan en probeert mijn gedachten te lezen. Dan raadt ze verkeerd.

'Ze hebben het afgewezen, hè?' Plotseling is alle energie uit haar verdwenen. Ze houdt op met glossen en legt het spiegeltje en de gloss op de rand van mijn bureau.

'Als het slecht nieuws is,' zegt ze, 'vertel het me dan.' Maar ze wacht niet op een antwoord. 'Ik begrijp het. Ze willen niet betalen.' Ze wendt haar ogen af. Blijkbaar weet ze al zeker dat dit het is. De fonkeling in haar ogen heeft plaatsgemaakt voor een vastbesloten blik. 'Ik wist het,' zegt ze. 'Ik zei het toch?' Dat laatste is voor Fittipaldi bestemd.

Ze is nu uit haar stoel gekomen. Hij blijft zitten en kijkt me een beetje gekweld aan, met een blik van 'hoe ben ik hier nou weer in verzeild geraakt?'.

'Zei ik het niet, Nathan?' Voordat hij antwoord kan geven, kijkt ze mij weer aan. 'Ik zei gisteren nog tegen hem dat die verzekeringsmaatschappij me zou verneuken. Ik wist dat zodra ik die man zag. Die... die Luther. Hoe heet hij?'

'Conover?' zeg ik.

'Ja. Conover,' zegt ze. 'Meteen toen hij me aankeek, wist ik dat hij de pest aan me had.' Het bruisende vrouwtje is weg. Voor Dana is het nu iets persoonlijks. Ze begint achter de twee stoelen langs heen en weer te lopen.

'Zoals hij naar me bleef kijken. Hij bekeek me van top tot teen,' zegt ze. 'Ik wist wat hij dacht.'

'Wat dan?' vraag ik.

Ze kijkt me aan. 'Dat weet je net zo goed als ik.'

Als ik haar aankijk alsof ik dat niet weet, zegt ze: 'Hij...' Nu kost het haar moeite om het te zeggen. 'Hij vroeg zich af waarom iemand als ik getrouwd was met iemand als Nick.'

Ik schud even met mijn hoofd en kijk haar weer aan alsof ik er niets van begrijp. Ik ben nieuwsgierig. Ik wil horen wat ze nog meer te zeggen heeft.

'Ik denk dat Dana bedoelt dat de verzekeringsmaatschappij zich kritisch opstelde vanwege het leeftijdsverschil.' Nathan redt haar.

'Dat is het,' zegt ze. 'Ik wist dat hij dat dacht. Dat ik een ordinaire geldwolvin was.'

Ik denk bij mezelf dat ik het woord 'ordinair' nooit zou gebruiken om Dana te beschrijven.

'Kun je je voorstellen hoe kwetsend dat is?' zegt ze. Ik verwacht ieder moment dat ze naar de papieren zakdoekjes gaat grijpen.

In plaats daarvan zegt ze: 'Goed, als ze het hard willen spelen, doen wij dat ook. Die schadevergoeding waarover je ze vertelde. Die schadevergoeding bij wijze van straf. Hoeveel denk je dat we kunnen krijgen?'

Dana mag dan niets van sportwagens weten, het instinct om wraak te nemen heeft ze van nature. 'We zullen gehakt van ze maken,' zegt ze tegen mij. 'We procederen ze kapot. Het idee dat ze mij kunnen verneuken!' Ze praat nu in zichzelf en loopt weer heen en weer, met haar rechterwijsvinger bij haar onderlip. Haar lange nagel komt tegen een ondertand aan en versmeert haar rode lipgloss een beetje. Ze vraagt zich af hoe ver ik aan het wiel moet draaien als ze de verzekeringsmaatschappij eenmaal op de pijnbank heeft liggen.

Dan houdt ze op. Ze draait zich naar me om.

Omdat hij aanvoelt dat er iets ernstigers op komst is, draait Fittipaldi zich in zijn stoel naar haar om. Hij heeft zijn rug dus nu naar me toe.

Ik kan aan Dana's schichtige blauwe ogen zien dat er plotseling een duistere gedachte in haar is opgekomen.

'Gaan ze haar betalen?' vraagt ze. Ze bedoelt Margaret.

'Dana. We moeten dit onder vier ogen bespreken.'

'Dat doen ze, hè? Dat is het, hè? Verdomme nog aan toe. Ik wist het. Ze hebben besloten dat kreng te betalen in plaats van mij.' Ze kijkt Nathan aan en gaat dan verder. 'Over mijn lijk. Ik was met Nick getrouwd toen hij werd doodgeschoten. Ik leefde met hem, leefde met zijn gezeur, niet zij. Ga je tegen ze procederen?' Ze kijkt me aan alsof ik plotseling de vijand ben. 'Of hebben ze jou ook afgekocht?' zegt ze.

'Dana!' Fittipaldi's stem klinkt nu zo gezaghebbend dat ze hem aankijkt.

Hij schudt langzaam met zijn hoofd, een teken dat ze misschien te veel heeft gezegd, te ver is gegaan, dat ze tot rust moet komen en op haar woorden moet letten.

Van glad jaguarleer naar koud staal – in minder dan een minuut.

Ik zeg niets. Ik wacht af of ze het vuur weer gaat opstoken. Maar dat doet ze niet. In plaats daarvan blijft ze staan en kijkt ze eerst naar de vloerbedekking, dan weer naar Nathan en dan weer naar mij. Ik vermoed dat ze zich probeert te herinneren wat er allemaal aan venijn over haar glanzende onderlip is gevloeid toen de duivel haar in zijn greep had. Als duidelijk blijkt dat ze is opgehouden, verbreek ik eindelijk de stilte.

'Nathan heeft gelijk,' zeg ik tegen haar. 'Je moet gaan zitten. Tot rust komen.' Ze kijkt naar de stoel, maar ze gaat er niet heen.

'De verzekeringsmaatschappij heeft een aanbod gedaan,' zeg ik tegen haar.

Het is of er een zwak lichtje achter haar ogen opflikkert. De stalen lippen beginnen een glimlach te vormen.

'Maar de reden waarom ik je heb gevraagd hier te komen, de reden waarom ik je wil spreken, heeft niets met de verzekering te maken. Tenminste niet rechtstreeks. Het... Nou, het is veel ernstiger.'

Wat kan er ernstiger zijn dan twee miljoen dollar? Daar staat ze van te kijken. Het hoopvolle lichtje in haar ogen is plotseling weer gedoofd. Haar ogen worden glazig. Binnen enkele seconden nadat de woorden over mijn lippen kwamen, zijn Dana's ogen twee waterige blauwe knikkers. Ze wankelt op haar slappe benen.

Als ze eindelijk weer helder kijkt, richt ze haar blik niet op mij, maar op Fittipaldi, die nog naar haar omgedraaid zit. Ze kijkt hem maar heel even aan. Een duistere angst glijdt als de schaduw van een zwarte wolk over haar gezicht.

Ik kan Nathans gezicht niet zien.

Een ogenblik lijkt het of haar benen echt onder haar bezwijken, maar dan is Fittipaldi uit zijn stoel gekomen en grijpt hij haar vast. Ze strompelt een stap en krijgt zichzelf dan weer onder controle. Hij helpt haar in de andere cliëntenstoel.

Hij buigt zich over haar heen. 'Ze is zichzelf niet,' zegt hij. 'Ze staat onder enorme druk.'

'Ja.'

'Heb je iets voor haar? Iets te drinken? Misschien cognac?'

'Geen cognac,' antwoord ik. 'Frisdrank en wat wijn in de koelkast hiernaast.'

'Alleen een beetje water,' zegt ze. 'Het gaat alweer.' Ze strijkt met de rug van haar hand over haar voorhoofd. Haar ogen zijn nog een beetje glazig. Tenzij ze enorm goed kan acteren, is dit geen komedie. Dana is zo wit als een doek.

'Als je dat wilt halen?' zegt hij.

Ik ga weg om een glas water te halen. Het kost me een minuut of zo om een schoon glas in de kast te vinden, wat ijs uit een van de bakjes in het vriesvak van de koelkast te pakken en het glas met water te vullen.

Ik ben bijna bij de deur van mijn kamer terug, als ik Fittipaldi gedempt hoor spreken. 'Niets zeggen. We zijn er bijna doorheen. Rustig blijven.'

Als hij opkijkt, sta ik met het glas in mijn hand in de deuropening. Ik glimlach als de butler die aan het sleutelgat heeft geluisterd.

'Niets zeggen waarover?' vraag ik.

'O, we praatten maar wat.' Hij zit met een knie op de vloer naast haar stoel, houdt haar hand vast en kijkt me aan. Blijkbaar vraagt hij zich af hoeveel ik heb gehoord.

Dana beheerst zich, gaat rechtop zitten in de stoel. Ze haalt diep adem en begint weer de oude te worden. Ze heeft weer kleur in haar gezicht. Ik geef haar het glas en ze neemt een slokje water. Met twee vingers verzamelt ze een beetje condens op de rand van het glas en strijkt het zachtjes over haar voorhoofd. Ze neemt nog wat meer en strijkt het over haar hals en borst, net boven het décolleté van haar topje.

Wat het ook was dat haar zo razend had gemaakt, Nathan heeft haar tot rust gekregen.

'Ik weet niet wat het was,' zegt ze. 'Ik voelde me alleen een beetje zwak.' Ze neemt weer een slokje uit het glas.

'Waarover wilde je met haar spreken?' Nathan heeft plotseling de leiding. 'Kan het niet tot morgen wachten?' vraagt hij. 'Misschien kan ik haar beter naar huis brengen.'

'Het is een ernstige aangelegenheid,' antwoord ik. 'Maar als het een dag moet wachten, kan dat wel.'

'Goed,' zegt hij.

'Dan zal ik ze maar bellen om het te zeggen.'

Nathan buigt zich naar me toe. Hij zegt het bijna, maar net niet: wie?

Dana kijkt naar me op als ik langs haar naar de zijkant van mijn bureau loop, waar ik blijf staan en haar aankijk. Zelfs in haar ellendige staat is ze een en al spanning. Ze zit boordevol vragen die ze eigenlijk niet wil stellen, maar die ze niet kan inhouden.

'Nee.' Ze haalt diep adem. 'Ik voel me al beter. Ik wil graag weten wat het is.' Ze houdt het ijskoude glas water nu tegen haar voorhoofd.

'Het heeft met het advocatenkantoor te maken,' zeg ik tegen haar. 'Rocker, Dusha en Dewine. RD&D.'

Ze kijkt me een volle seconde aan. Dan gaan haar ogen dicht en blaast ze haar adem uit. Als ze haar ogen weer opendoet om me aan te kijken, vermoed ik dat ze weet waar ik het over heb. Maar als ze Nathan dan een zijdelingse blik toewerpt, vraag ik me af of hij het ook weet.

Om eventuele twijfels weg te nemen zeg ik tegen haar: 'Ze hebben wat vragen over een aantal van de bankrekeningen die Nick beheerde.'

'O.' Haar droge lippen gaan een beetje open en haar hoofd gaat langzaam op en neer. 'Ik begrijp het. Ik voel me beter,' zegt ze. 'Misschien heb je gelijk. Misschien moeten we dit onder vier ogen bespreken. Per slot van rekening heeft het met Nicks advocatenkantoor te maken.' Ze buigt zich naar Nathan toe, die nog naast haar geknield zit. 'Zou je ons even alleen willen laten?' zegt ze.

Plotseling is Fittipaldi de man die in de kou staat. 'Goed.' Wat kan hij anders zeggen?

'Dat is lief van je,' zegt ze.

'Als je me nodig hebt, ben ik bij de deur.' Waarschijnlijk op zijn knieën met zijn oor tegen het hout.

Ze laat zijn hand langzaam uit de hare glijden, en hij verlaat de kamer en doet de deur achter zich dicht.

'Weet je zeker dat het weer gaat?' vraag ik.

'Ik voel me veel beter,' zegt ze.

In plaats van in de stoel achter mijn bureau te gaan zitten, kom ik naar voren en ga ik met één bil op de rand van het bureau zitten. Zo kijk ik op haar neer in de stoel.

'Wat dacht je dat ik je ging vertellen?'

'Wat bedoel je?'

'Wat ik bedoel?' Ik glimlach. 'Toen je door het lint ging en bijna mijn ficus platdrukte achter die stoel daar.'

Ze glimlacht om mijn grapje. 'Ik weet het niet. Ik voelde me plotseling gewoon zwak.'

'Een paar minuten geleden scheen je je nog prima te voelen. Toen wilde je de verzekeringsmaatschappij de oorlog verklaren. Totdat ik zei dat ik je niet daarvoor had laten komen. Dat het iets anders was, iets ernstigers. Wat dacht je dat het was?'

'Ik weet het niet. Ik weet het niet zeker.' Ze kijkt eerst naar de ene muur en dan naar de andere. Haar ogen richten zich op alles behalve mij.

'Maar je weet toch waarom ik je hier heb laten komen?'

'Ik weet het niet zeker.' Ze kijkt me vragend aan, maar ze transpireert. Het is de eerste keer dat ik Dana ooit heb zien zweten. Ze houdt het glas weer tegen haar voorhoofd om dat met condens te bedekken. Intussen likt ze de gloss van haar lippen.

'Denk er eens over na,' zeg ik tegen haar. 'Of misschien moeten we Nathan weer binnen roepen?'

'Nee,' zegt ze.

'Dat dacht ik al. Hij weet niet van dat geld van Nicks cliënten, hè?'

Ze verplaatst het glas van haar voorhoofd naar haar schoot om iets te hebben waarop ze haar ogen kan neerslaan, weg van mijn strakke blik. Ze schudt vlug met haar hoofd, alsof dat de betekenis minder pijnlijk maakt.

'Vertel eens: eigende je je dat geld toe voor- of nadat je iets met Nathan kreeg?'

Ze schudt haar hoofd, trekt een van haar schouders op. Ze wil het niet zeggen.

'Je dacht dat ik je zou vertellen dat de politie met je wil praten over Nicks dood – was dat het? Van zoiets zou ik ook verwachten dat je begint te wankelen op je benen. Ik bedoel, als dat nieuws plotseling op je afkomt, en je denkt even aan de verschillende mogelijkheden.'

Ze kijkt op. 'Waarom zouden ze met mij willen praten? Ze hebben al met me gepraat, kort nadat het gebeurd was. Ik weet niet wat je bedoelt.'

'Dat weet je wel degelijk. Je dacht dat ze je misschien zouden verdenken. Dat ze je als de jeugdige weduwe zagen, getrouwd met een man die met zijn werk getrouwd was, een advocaat die volgens jou keihard werkte maar toch niet zoveel geld had. Je stelde je voor dat de politie aan al dat verzekeringsgeld dacht, aan die twee miljoen die het verlies van een dierbare misschien wel voor een groot deel kunnen compenseren. O, ik weet wel wat je denkt,' ga ik verder. 'Die politiemensen met hun bekrompen geest, altijd wantrouwig. Maar ik ben bang dat het een genetisch gebrek is waar wij beiden nu eenmaal mee te maken hebben. Het is een van de voorwaarden om tot de politie te worden toegelaten. En het is verdomd lastig als je mijn werk doet.'

Ze kijkt naar me op en glimlacht. Voor het eerst heb ik laten blijken dat ik misschien toch nog aan haar kant sta.

'Toch zou een redelijk denkend mens zich kunnen afvragen wat een jonge vrouw als jij niet allemaal met zoveel geld zou kunnen doen. Nietwaar?'

'Ik weet het niet,' zegt ze. 'Maar je hebt gelijk wat de politie betreft.

Ze zijn erg achterdochtig. Wie weet wat er in ze omgaat?'

'Maar waarom zouden ze al die dingen denken?'

'Ik weet niet of ze die dingen denken,' zegt ze. 'Jij bent degene die erover begon.'

'Ja, hè? Goed. Laten we het over iets anders hebben.'

Opluchting in haar ogen. Een ander onderwerp.

'Laten we het hebben over wat Nathan niet wilde dat je aan mij vertelde.'

'Wat bedoel je?'

'Toen ik met dat glas water voor de deur stond?'

Dit is niet het gespreksonderwerp waarop ze hoopte. 'Paul, luister.' Haar stem verandert in pure honing, zoetvloeiend en zacht, als iets wat van een warme kachel glijdt. 'Ik kan dat nu echt niet aan. Ik voel me niet zo goed.'

'Je voelt je weer wat zwakjes, hè?'

'Ja. Een beetje maar.'

'Zullen we een ander onderwerp proberen?' vraag ik.

Ze knikt.

'Laten we het over het advocatenkantoor hebben, RD&D. Ze staan daar nu voor een moeilijke beslissing. Wat moeten ze doen aan al dat geld van cliënten dat is overgemaakt door iemand anders, iemand die Nicks honoraria incasseerde? Onverdiende honoraria,' ga ik verder. 'Ik bedoel, misschien moeten ze nu voor sommige cliënten werken zonder dat ze daarvoor betaald worden, omdat iemand anders het geld al heeft ingepikt.'

'Wat kunnen ze anders doen?' zegt ze.

'Nou, eens kijken.' Ik wrijf over mijn kin alsof ik daarover moet nadenken, wat niet zo is. 'Tja, ze zouden een grafoloog kunnen vragen de handtekeningen op die overschrijvingsformulieren te bestuderen. Het schijnt dat op al die formulieren ongeveer dezelfde handtekening staat. Dus dat zal niet zo'n probleem zijn. En dan zouden ze op zoek gaan naar verdachten, en naar schrijfvoorbeelden en handtekeningen van die verdachten. Kun je zien waar dit heen leidt?'

'Hoe zouden ze verdachten kunnen vinden?' zegt ze.

'Nou, ze hebben de rekeningen waar het geld naartoe is gestuurd. De lokettisten van de bank kunnen zich waarschijnlijk wel een gezicht herinneren, ook als het sofinummer van iemand anders is gebruikt.'

Ze hoort dat rustig aan. Misschien heeft ze vermommingen gebruikt.

'Maar ik denk dat ze de dader gemakkelijk kunnen vinden. Sterker nog, ik denk dat ze al weten wie het is.'

'Hoe?'

'De persoon in kwestie heeft de overschrijvingsformulieren min of meer openlijk uit Nicks la gepakt.'

Haar ogen worden groot. Hier heeft ze niet van terug.

'Nu komt het moeilijke. Ze moeten een beslissing nemen.'

Ze wacht gespannen af.

'Eén. Ze kunnen het geld uit het vermogen van de persoon in kwestie halen. Misschien heeft die persoon een lucratieve verzekeringsuitkering te goed. Je weet wel, proberen de hele zaak onder het tapijt te vegen. De firma de schande besparen. Maar dan moeten ze wel zo snel in actie komen dat de orde van advocaten geen onderzoek kan instellen.'

Ik kan bijna zien dat ze knikt, en haar mondhoeken gaan een klein beetje omhoog. Dat scenario staat haar wel aan.

'Of twee. Ze kunnen de overschrijvingsformulieren aan het Openbaar Ministerie overdragen, aangifte doen van valsheid in geschrifte en diefstal en het verder aan de officier van justitie overlaten. Dat laatste is een zuiverder gedragslijn. Iedere goede advocaat zou dat waarschijnlijk aanbevelen. Op die manier krijgen ze geen moeilijkheden met de orde van advocaten. Ze zouden alleen maar een beetje gezichtsverlies lijden.'

Haar mondhoeken gaan weer omlaag.

'En omdat ze daar op het politiebureau allemaal zo bekrompen en wantrouwig zijn en toch niet veel te doen hebben, zit het er dik in dat ze allemaal hartstikke paranoïde worden zodra de officier van justitie die formulieren in handen krijgt – het ligt er natuurlijk wel aan wie ze heeft getekend.

In dat geval zouden we misschien ook een beetje meer begrip kunnen krijgen voor die lastige types die ten onrechte denken dat jij een reden had om Nick een plotselinge dood toe te wensen.

Ik bedoel, al die bankformulieren op Nicks naam maar met de handtekening van iemand anders, de druk op de verzekeringsmaatschappij om een paar miljoen uit te keren, en jij en je vriendje die in een sportwagen door de stad rijden, met de kap omlaag en zittend op jaguarhuiden... Je moet toegeven dat zoiets niet het gedrag is van een rouwende weduwe.'

'Zoals jij het zegt, is het zo...' Ze zoekt naar het woord.

'Ordinair?'

'Egoïstisch,' zegt ze.

'Dat is een goed woord. Ik bedoel niet goed, maar je begrijpt wel wat ik bedoel. Dus. Nou.' Ik hijs mijn andere bil op het bureau, zodat ik er nu helemaal bovenop zit en mijn voeten recht voor haar een paar centimeter boven de vloer bungelen. 'Voordat ik Adam Tolt terug moet bellen om met hem te bespreken wat zijn firma zou kunnen doen, moest jij me maar eens vertellen wat Nathan niet wilde dat je me vertelde, toen ik voor de deur stond.'

Ze zit daar met grote ogen na te denken over wat er zou kunnen gebeuren: mogelijkheid nummer één, de zaak onder het tapijt geveegd; mogelijkheid nummer twee, zware aanklachten wegens valsheid in geschrifte en diefstal, waarschijnlijk gevangenisstraf en misschien ook nog verdacht worden van een dubbele moord. Het is geen moeilijke keuze. Ze hoeft maar een fractie van een seconde over het antwoord na te denken.

'We gingen met elkaar om,' zegt ze. 'Al een tijdje. Nathan en ik.'

'Ik ben stomverbaasd.'

'Ik bedoel, voordat Nick overleed.'

'Je bedoelt, voordat hij werd doodgeschoten?' zeg ik. 'Er is verschil. Als Nick in een ziekenhuis aan longontsteking was gestorven, met Metz in het bed naast hem, zou de politie niet overal op zoek zijn naar de mensen die hen hadden doodgeschoten. Dan zouden ze gewoon hebben gedacht dat het Gods werk was en dan zou je gezellig met Nathan op de bank kunnen zitten alsof er niets was gebeurd. Je ziet het verschil?'

Ze kijkt me verbitterd aan. 'We hebben de politie er niet over verteld. We dachten dat ze het niet hoefden te weten. Het was persoonlijk.'

'En nu zijn jullie bang dat ze er toch achter komen.' Ik maak de gedachte voor haar af.

Ze knikt.

'Hoe? Jullie zijn toch zo discreet geweest?' zeg ik.

'O, hou op.'

'Nee. Ik meen het. Nathan is een expert op het gebied van discretie. Dat staat zelfs op zijn visitekaartje.'

Ze vindt dit niet prettig en kijkt me met venijnige oogjes aan. 'Zelfs jij moet het begrijpen,' zegt ze. 'Mijn huwelijk met Nick was voorbij. Dat was het al zes maanden voordat hij werd doodgeschoten.' Nu ze kwaad is, kost het haar blijkbaar geen moeite om het woord uit te spreken. 'Hij mocht met me blijven pronken, maar dat was alles. En dat deed hij dan ook de hele tijd, bij al zijn vrienden. Jij kunt daarvan meepraten. Jij was een van hen.'

'Hé. Hij heeft mij nooit iets verteld.'

'Evengoed was het een leeg huwelijk. Hij wist dat en ik wist het.'

'Waarom liet je je dan niet van hem scheiden? Of vond je een gemakkelijker manier om het probleem op te lossen?'

'Je kunt toch niet serieus geloven dat ik hem heb vermoord of dat ik daar iets mee te maken had?' Nu ze iets wil – namelijk dat ik haar ontkenning accepteer – worden Dana's ogen weer zacht en vochtig. Ze krijgt dat sneller voor elkaar dan dat de meeste kinderen met een waterpistool kunnen schieten.

'Nee. Dat is niet jouw stijl,' zeg ik tegen haar.

Ze glimlacht. Haar opluchting is bijna tastbaar. Ik zie dat haar kin, die ze naar voren had gestoken, weer mooi rond wordt.

'Jij zou waarschijnlijk gif gebruiken, of een mes,' ga ik verder. 'Maar van Nathan ben ik niet zo zeker. Per slot van rekening houdt hij van snelle auto's, en degene die Nick heeft doodgeschoten, heeft veel rubber op straat achtergelaten.'

'Wij hadden er niets mee te maken,' zegt ze. 'Je moet me geloven.'

'Dus nu is het "wij"? Je kunt voor Nathan instaan?'

'Hij heeft het niet gedaan. Hij zou zoiets niet kunnen doen.'

'Je moet jezelf niet tekortdoen,' zeg ik. 'Je onderschat de aantrekkingskracht die je op mannen uitoefent. Dat staat je niet.'

Ze zou kwaad moeten worden, maar instinctief houdt ze zich in. Ze kijkt naar me op en strijkt met haar tong over haar lippen.

'Jij gelooft me niet. Wat kan ik doen om je te overtuigen?' zegt ze. Ze wordt nu helemaal zacht en vrouwelijk, erg gevaarlijk, op zoek naar haar gifklier.

'Waarschijnlijk komt het niet door jou,' antwoord ik. 'Het komt door de cynicus in mij. Ik heb er soms ook moeite mee om te accepteren dat de aarde rond is. Maar daar kom ik wel overheen. Maar laten we terugkomen op mijn eerste vraag. Als je niet van Nick hield, waarom liet je je dan niet van hem scheiden?'

'Dat weet ik niet. Waarschijnlijk zou ik dat ook hebben gedaan als ik de juiste man had gevonden.'

'Dus Nathan was niet de juiste man?'

'O, ik mag Nathan graag.' Daarmee bedoelt ze: totdat zich iets beters aandient. 'Ik bedoel, hij is erg serieus. Ik wil hem niet kwetsen. Ik wil niet dat hij dat weet, dat van die overschrijvingsformulieren.'

'Ja. Ik kan me voorstellen dat hij dan nog eens goed over jullie relatie gaat nadenken. In ieder geval denk ik dat hij dan voortaan elke avond zijn bankformulieren en creditcards in de kluis legt.'

'Wij hebben geen van beiden iets met Nicks dood te maken. Je moet begrijpen dat ik wanhopig was,' zegt ze. 'Nick heeft me drie maanden achterstand op de hypotheek nagelaten. Ik weet niet waar al het geld heen ging. Het enige dat ik weet, is dat ik er niets van te zien kreeg. De bank dreigde beslag op de auto te leggen. De helft van de tijd kwam hij 's avonds niet thuis. We praatten nauwelijks met elkaar. Ik denk dat hij van Nathan wist. Maar blijkbaar kon het hem niet schelen. Er speelde iets anders. Misschien had hij een ander. Ik weet het niet.'

'Hij heeft je daar niets over verteld?'

Ze schudt haar hoofd.

Ik laat me van het bureau afglijden en loop naar de andere kant, waar ik in mijn stoel ga zitten en peinzend over mijn kin krab. Ik zit daar een hele tijd, misschien wel een minuut, niets anders te doen dan naar de muur onder de rij vergunningen en certificaten te staren.

Voor Dana moet dat wel een jaar lijken. Al die tijd zit ze te zweten.

'Wat ga je aan die bankformulieren doen?' Eindelijk verbreekt ze de stilte.

'Nou.' Ik slaak een diepe zucht. 'Het ziet ernaar uit dat je met wat minder genoegen moet nemen als de verzekeringsmaatschappij over de brug komt.'

'Ja. Dat weet ik. Vijfenzeventigduizend dollar,' zegt ze.

'Nee. Het zal een beetje meer zijn.' Ik neem de condities van de schikking met haar door, het feit dat Margaret twee miljoen wil hebben of anders niet akkoord gaat. In dat laatste geval vervalt de hele schikking en staat er Dana een onaangenaam gesprek met de officier van justitie over vervalste bankfomulieren en waarschijnlijk nog veel meer te wachten.

Ik vertel haar nu ook dat Harry en ik geen korting verlenen op het honorarium dat we van haar verlangen. We willen een derde van alles wat ze krijgt, inclusief de vijfenzeventigduizend die ze aan Tolts firma terug moet betalen.

Al die tijd zit ze te luisteren. Ze protesteert niet. Als een blok ijs rekent ze uit wat ze mee naar huis mag nemen nadat ze door de advocaten is uitgekleed. Het staat haar niet aan, maar ze heeft niet veel keus.

'Is dat het?' zegt ze.

'Ja, ervan uitgaand dat Tolt niet van gedachten is veranderd en dat de orde van advocaten zich niet op zijn kantoor heeft gestort.'

Ze grijpt haar tasje en tennispetje van de vloer, staat op uit de stoel en maakt aanstalten om weg te lopen. Haar kleine witte achterste deint heen en weer.

'Nog één ding,' zeg ik.

'Wat?' Ze draait zich halverwege tussen mijn bureau en de deur om. Dana heeft het gevoel dat ze de prijs heeft betaald voor de luxe van een minachtende blik, het smalende gezicht waarmee ze me aankijkt, met haar ene had op haar heup, boven haar goudbruine dijen.

'Weet je wie Grace Gimble is?' vraag ik.

'Wie?'

'Grace Gimble?'

'Een van Nicks vriendinnetjes, neem ik aan?'

'Ik vraag het jou,' zeg ik.

'Ik heb nooit van haar gehoord.'

'En Jamaile Enterprises?'

Ze schudt laatdunkend met haar hoofd. 'Je hebt me dat al eerder gevraagd. Ik heb je gezegd dat ik daar nooit van heb gehoord. Mag ik nu gaan?'

'Nog één vraag, voor het geval de politie het mij vraagt. Wat heb je ze over Nathan verteld? Hebben ze je naar hem gevraagd?'

'Nee. Niet met zijn naam,' zegt ze. 'Ze stelden alleen algemene vragen. Hoe was mijn huwelijk met Nick? Waren we gelukkig? Wat kon je op zoiets antwoorden?'

'Je had het met de waarheid kunnen proberen.'

'O ja. Mijn man en ik praatten nauwelijks met elkaar. Hij steunde me niet. Ik had een ander. Hij had vast ook iemand, want hij kwam soms 's avonds niet thuis. O ja, voor mij was hij dood meer waard dan levend. Geweldig juridisch advies,' zegt ze.

Ze heeft gelijk.

17

Het is eind juni en blijkbaar is de politie nog niet dichter bij een oplossing van de moord op Nick dan twee maanden geleden. Het lijkt er sterk op dat het onderzoek naar de dubbele moord uiteindelijk vastloopt.

Ik rij het parkeerterrein aan Harbor Boulevard op en vind een lege plek voor bezoekers. Zane Treslers kantoor bevindt zich op de bovenste verdieping van het gemeentehuis, een toren in Spaanse Jugendstil tegenover de baai.

Ik passeer de beveiliging op de begane grond en neem de lift naar de kantoren van de wethouders. Helemaal aan het eind van de marmeren gang is een dubbele deur van doorschijnend gegraveerd glas in mahoniehout. De naam ZANE TRESLER staat in vergulde letters op dat glas. Tresler vertegenwoordigt district 5, en Adam had gelijk, hij is tegenwoordig voorzitter van het college van wethouders.

Ik trek de zware deur open en loop naar binnen. De receptie is een museum op zich. Midden in de ruimte verheft zich een vitrinekast van vloer tot plafond, als een zuil van ijs. Daarin bevinden zich voorwerpen uit een vroegere beschaving. Als ik moest raden, zou ik zeggen dat ze uit Midden- of Zuid-Amerika kwamen. Stukken eeuwenoud aardewerk staan op planken rond een grote stenen plaat, die met wit gips is bedekt waarin figuurtjes zijn gekrast. Op het gedrukte kaartje ernaast staat:

> *Mayastèle, zesde eeuw.* Deze schitterend bewaard gebleven Mayaplaat, bedekt met kalkgips en bekrast met hiërogliefen, is een eeuwenoud document, een schriftelijke uitingsvorm van Mayaklerken, die belangrijke gebeurtenissen of religieuze ceremonies beschreven. Deze stèle is in 1932 bij de ruïnes van Tulum

aan de Caribische kust van het schiereiland Yucatán ontdekt. Aangenomen wordt dat hij uit een nog oudere plaats, ergens in het midden van zuidelijk Mexico, daarheen is gebracht.

Ik heb om tien uur een afspraak met Tresler. Ik ben een paar minuten te vroeg. Ik loop om de vitrinekast heen en geef mijn kaartje aan de jonge vrouw die achter de balie zit.

Ze pakt de telefoon en geeft mijn naam door. Dan luistert ze even en hangt op.

'Er komt zo iemand voor u,' zegt ze.

Ik draai me om en kijk naar deze kant van de vitrinekast. Er staan daar stukken aardewerk, schalen en een kruik, sommige met witte haarscheurtjes die waarschijnlijk nog uit de tijd van Mozes dateren. Op het keurig gedrukte kaartje ernaast staat: '*Tolteeks. Tiende eeuw.*' Voordat ik verder kan lezen, word ik van achteren aangeroepen.

'Meneer Madriani?'

Als ik me omdraai, staat er een jongeman tegenover me.

'Hallo. Ik ben Arnie Mack, een van de assistenten van wethouder Tresler.' Hij schudt me de hand en lacht me argeloos toe.

'De man heeft hier een hele expositie,' merk ik op.

'Ja. Een van de passies van de wethouder. Hij is erg geïnteresseerd in archeologie en geschiedenis. Hij probeert een museum met voorwerpen uit die regio van de grond te krijgen.'

'Ja. Dat had ik gehoord.'

'Als u me wilt volgen...' Hij gaat me voor langs de receptie. We komen voorbij een bewaakte deur die naar het binnenste heiligdom leidt.

We komen bij twee deuren naast elkaar, elk voorzien van gouden letters.

Zane Tresler
Voorzitter college van wethouders

Als de jongeman de deur openmaakt, komt er een muffe lucht op me af. Het is een vertrouwde geur die je wel vaker in overheidsgebouwen ruikt, iets uit de crisistijd van de jaren dertig. Ik associeer die muffe lucht vaak met macht.

Hij doet enkele aarzelende stappen het enorme kantoor in. 'Pardon, meneer.'

'Wat?'

'Uw afspraak van tien uur is er.'

'Nou, laat hem binnen.'

'Hier is hij.'

Achter een bureau op zeven meter afstand zit een kale man. De rimpels klimmen hoog zijn voorhoofd op en eindigen pas als ze aan de oversteek van zijn kruin beginnen. Die kruin lijkt me net een glanzende kogel. Treslers aandacht is gericht op een gigantische stapel papieren die op het leren vloeiblad voor hem ligt. Afgezien daarvan is zijn bureaublad helemaal leeg.

Blijkbaar bezit hij het concentratievermogen van een mysticus, want hij beweegt niet en kijkt ook niet op. Intussen klikken en schuifelen onze schoenen over het harde marmer, op weg naar zijn bureau.

Tresler, tenger gebouwd, ziet er niet uit als iemand die een vermogen van in de miljarden bezit en de teugels van een politieke dynastie bijeenhoudt, al is dat een dynastie van plaatselijke betekenis. Hij draagt een kunstzijden wit overhemd met korte mouwen, dichtgeknoopt tot aan de keel, met een van die veterdasjes die in de jaren vijftig populair waren. Op zijn dasje prijkt een groot stuk blauwgroen turkoois in een zilveren zetting, net onder zijn adamsappel. Als ik niet beter wist, zou ik elk moment verwachten dat hij een banjo of gitaar tevoorschijn haalde. Zijn neus raakt bijna de papieren aan die hij leest.

De jongeman kijkt mij aan. Hij weet niet goed of hij moet gaan of niet. 'Meneer.'

'Ga weg,' zei Tresler. 'Maak dat je wegkomt. Zie je dan niet dat ik aan het lezen ben?'

'Uw afspraak van tien uur, meneer.'

'Dat weet ik. Ik heb je gehoord. Denk je dat ik doof ben?'

'Ja, meneer.' De jongeman vindt dat ik het verder zelf maar moet uitzoeken. Hij begeeft zich op zijn leren zolen naar de deur, schaatsend over het marmer.

'Gaat u zitten. Ik ben hier zo mee klaar.' Tresler heeft me nog steeds niet aangekeken.

Ik ga in een van de leren fauteuils tegenover zijn bureau zitten, sla mijn benen over elkaar, en kijk naar hem. Dat gaat zo een tijdje door. Ik begin me af te vragen of hij misschien in slaap is gevallen, maar zijn neus hangt nog steeds boven de stapel papieren. Zo ongeveer elke minuut komt zijn hand van zijn schoot achter het bureau vandaan om een papier om te slaan en op de afgewerkte stapel te leggen.

Na een paar minuten schraap ik mijn keel.

'Wat komt u hier doen? Heeft Ramiriz u gestuurd om mijn kont te kussen?'

De Ramiriz over wie hij het heeft, is vermoedelijk Bernardo, de president van het gerechtshof.

'Nee, dat niet. Ik kom niet in opdracht van iemand anders.'

Hij kijkt nu eindelijk naar me op, met een vragende blik. Dan pakt hij een vel papier op. Ik kan erdoorheen kijken en zie regels die aan de andere kant getypt zijn.

'Hier staat dat u van de orde van advocaten bent,' zegt Tresler. 'Over het rechtbankbudget.' Hij schuift zijn bril over de rug van zijn neus omhoog en kijkt me strak aan.

Ik schat dat hij eind zestig, misschien zeventig is. Normaal gesproken heb je een beetje consideratie voor mensen van die leeftijd. Je neemt aan dat hun kribbigheid ongeveer tegelijk met hun winderigheid is opgekomen, en waarschijnlijk om dezelfde redenen. Maar in het geval van Tresler heb ik het sterke vermoeden dat hij met deze persoonlijkheid uit de moederschoot is gekomen.

'Wat wilt u?' vraagt hij.

'Adam Tolt heeft deze afspraak geregeld,' vertel ik hem. 'Hij heeft me die dienst bewezen. Dat verklaart misschien die foutieve vermelding in uw agenda.'

'Ah. U bent een vriend van Adam?' zegt hij.

'We kennen elkaar.'

'Hoe is het met Adam?' Hij legt zijn agenda weer op het bureau, een eindje opzij.

'Toen ik hem gisteren sprak, zag hij er goed uit.'

'Mooi. Blij dat te horen.' Tolts naam schijnt hetzelfde verzachtende effect te hebben als een licht laxeermiddel.

'U hebt een kaartje?' zegt hij.

De jongeman was te bang geweest om hem het kaartje te geven dat hij had, en dus haal ik er een uit mijn zak en geef het aan hem.

Hij bekijkt het. 'Madd-re-ani.'

'Maa-drie-aanie,' zeg ik.

'U zegt dat Tolt u heeft gestuurd?'

'Nee. Hij heeft de afspraak voor me gemaakt. Hij heeft me niet gestuurd. Tolt en ik zijn kennissen,' zeg ik. 'Hij was zo goed de afspraak voor me te regelen, omdat ik u niet kende.'

'Ik begrijp het. U hebt samen met hem aan wat zaken gewerkt, hè? Adam is een goed advocaat.' Hij zet zijn bril af en tuurt nu naar me, zodat ik het gevoel krijg dat hij me niet meer kan zien. Hij tast wat rond tot hij de middelste la van zijn bureau openmaakt. Er komt een klein poetsdoekje tevoorschijn en hij begint zijn brillenglazen een voor een schoon te wrijven, waarbij hij er telkens een beetje warme lucht op ademt.

'Hij heeft in een paar zaken namens mij opgetreden,' zegt hij.

'Dat wist ik niet.'

'O, ja. Het is een aantal jaren geleden,' zegt hij. 'In de jaren zestig. Het ging om land.'

'Zoals u zei: hij is een goed advocaat.'

Hij zet zijn bril op en kan weer helder zien. Het doekje verdwijnt in de middelste la. Alles op zijn plaats.

'Dus als het niet om het rechtbankbudget gaat, waarover wilt u me dan spreken?'

'Ik zou graag informatie willen hebben over een aantal benoemingen in de kunstcommissie die u een tijdje geleden deed.'

'Mensen die ik heb benoemd?' zegt hij. 'Hoezo? Heeft een van hen iets verkeerds gedaan?'

'Een van hen is vermoord,' zeg ik.

'Wanneer was dat?'

'Twee maanden geleden. U hebt er waarschijnlijk wel in de kranten over gelezen. Hij heette Gerald Metz. Hij is doodgeschoten voor het federale gerechtsgebouw, samen met zijn advocaat.'

Hij kijkt me aan en trekt een gezicht. 'Ik herinner me de krantenkoppen. Maar de naam zegt me niets. Ik geloof niet dat ik hem ken.'

'U hebt hem benoemd.'

'Ik benoem een heleboel mensen in een heleboel functies. Dat wil nog niet zeggen dat ik ze ken. Als u daar vragen over hebt, kunt u de informatie van mijn personeel krijgen. U gaat hier de deur uit en komt dan bij mijn secretaresse. U geeft haar uw naam op en ze helpt u aan alle informatie die u maar hebben wilt.'

'U zei dat u zich de naam Gerald Metz niet herinnert?'

'Dat zei ik.'

'Ik heb nog twee andere namen. Mag ik u vragen of u een van hen kent?'

'Hoor eens, ik heb het druk,' zegt hij.

'Ik moet weten of ze, als u ze niet persoonlijk kende, door iemand anders voor de benoeming zijn aanbevolen. En zo ja, door wie?'

'Waarom zou u dat willen weten? Voor wie zei u dat u werkte? Bent u journalist?' Zijn giftanden beginnen tevoorschijn te komen.

'Nee. Ik ben advocaat. Ik had een vriend die ook is omgekomen. Hij was de advocaat die werd doodgeschoten.'

Hij knikt ernstig. 'Ik herinner me die schietpartij. Ik zag het in de kranten. Vreselijk.'

'De naam van de cliënt was Gerald Metz.'

'Hmm.'

'U wist niet dat een van de mannen die daar werden doodgeschoten iemand was die u in de kunstcommissie had benoemd?'

'Nee.' Hij schudt zijn hoofd. 'Dat heeft niemand me verteld. Ik wist dat mevrouw Rush in de commissie zat. 'Ik begrijp dat haar man uw vriend was.'

'U kent Dana?'

'Nee. Ik kan niet zeggen dat ik haar ooit heb ontmoet. Maar ik kende haar man.'

'Hoe kende u Nick?'

'O, dat weet ik niet. Ergens ontmoet. Een of andere gelegenheid, een diner voor een goed doel. We kwamen elkaar een paar keer tegen. Hij leek me een sympathieke kerel. Hoe heette die cliënt ook weer?'

'Gerald Metz.'

Hij denkt na en schudt dan langzaam met zijn hoofd. 'Nee. Ik geloof niet dat ik die naam ken. Ik zeg niet dat ik hem niet heb benoemd. Ik herinner me alleen die naam niet.'

'Dus u zou me ook niet kunnen vertellen waarom u meneer Metz in de commissie hebt benoemd.'

'Hij was vast wel gekwalificeerd. Maar ik zou het u niet zo kunnen vertellen.'

'Zouden er ergens documenten zijn waaruit blijkt of deze mensen door anderen zijn aanbevolen?'

'Dat zou kunnen,' zegt hij. Ik krijg het gevoel dat het antwoord op die vraag afhankelijk is van de reden waarom ik die gegevens wil hebben.

'Kunt u me vertellen hoe Dana Rush, Nicks vrouw, benoemd is?'

'O, dat is gemakkelijk,' zegt hij. 'Haar man vroeg me haar te benoemen.'

'Nick?'

'Ik neem aan dat ze geen andere man had.'

'Dan moet u Nick vrij goed hebben gekend?'

'Zoals ik al zei: in de loop van de jaren hadden we elkaar een paar keer ontmoet. Wel, als u me nu wilt verontschuldigen. Ik heb veel werk te doen.'

'Waar kan ik de gegevens van die benoemingen vinden?'

'Praat met mijn personeel,' zegt hij. Tresler buigt zich weer over zijn stapel papieren. Hij wil me kwijt.

'Mag ik u nog één naam voorleggen?'

'Wie?' Hij wordt kortaf.

'Nathan Fittipaldi.'

Hij denkt even na, zoekt vlug in zijn geheugen en schudt dan met zijn hoofd. 'Nooit van gehoord.'

'U hebt hem ook in de commissie benoemd.'

'Zoals ik al zei: ik benoem veel mensen. Als u vragen hebt, kunt u met mijn personeel praten. En nu wegwezen.'

18

Harry heeft nog geen twee dagen nodig gehad om Treslers lijst van campagnedonateurs te pakken te krijgen. Zoals te verwachten was, duikt Adam Tolt overal op.

'Die man staat op de donateurslijst van iedereen,' zegt Harry. Hij zit onderuitgezakt in een van mijn cliëntenstoelen en kijkt naar de computeruitdraaien terwijl hij zijn ontdekkingen samenvat.

'Het Congres, de halve wetgevende macht, de gemeenteraad. Tolt gaf de vorige keer geld aan beide kandidaten voor het gouverneurschap. Je zou denken dat iedereen daar kwaad om werd,' zegt hij. 'Nou, blijkbaar niet. De naam en het adres van die man staan zeker al voorgedrukt op hun Rolodex als ze die kopen. Als ik ooit geld wil geven, hou me dan tegen.'

Om de een of andere reden geloof ik niet dat we ons daar zorgen over hoeven te maken.

'Tolt gaf aan alle vijf wethouders,' zegt hij. 'Hij trok niemand voor. Tweehonderdvijftig dollar per persoon. Het maximum voor particulieren. Hij gaf hetzelfde bedrag aan Tresler.' Harry denkt dat we dit als maatstaf kunnen gebruiken om de anderen te beoordelen. 'Hij heeft veel geld, maar hij geeft kleine bedragen.'

Het is een van de mythen van de moderne tijd dat rijkaards per definitie grote bedragen geven. Zelfs rijke mensen beperken hun donaties meestal tot een paar honderd dollar per kandidaat. Ze spreiden het geld gewoon over meer mensen.

'Metz en Fittipaldi staan allebei op de lijst,' zegt Harry. 'Maar ook met kleine bedragen. Metz gaf honderd dollar, Fittipaldi honderdvijftig. Het is wel interessant dat ze alleen aan Tresler gaven. Ik denk dat ze daar een doel mee hadden.'

'Benoeming in de commissie,' zeg ik.

Harry knikt. 'En al vind ik het niet leuk om je te teleurstellen: Dana komt op geen enkele lijst voor.'

Blijkbaar heeft ze niet gelogen. Dana doet niet aan politiek, tenminste niet aan partijpolitiek.

'Maar er is wel iets anders,' zegt Harry. 'Weet je wie als grote donateur op de lijst voorkomt?'

'Nick.'

'Hoe wist je dat?'

'Een ingeving,' antwoord ik. Tresler kende hem. Een politicus met driehonderdduizend kiezers in zijn district zal je niet gauw bij je voornaam kennen als je niet in een van twee categorieën valt: je hebt macht of je hebt kortgeleden iets voor hem gedaan.

'Hoeveel?' vraag ik.

'Misschien wil je daar ook eens naar raden? Noem eens een bedrag.'

'Duizend?' zeg ik.

'Probeer tienduizend,' zegt hij.

Nu ga ik rechtop zitten. Geen wonder dat Tresler zijn naam kende.

'En om boven het maximum uit te komen,' zegt Harry, 'richtte hij een PAC op, "Burgers voor een Goed Bestuur".'

Harry heeft het over een politiek actiecomité, mensen met een gemeenschappelijk belang die geld bijeen leggen.

'Ze gaven het in de loop van twee jaar, in termijnen van vijfduizend dollar. Alles ging naar Tresler. Nick blijkt de penningmeester te zijn. Hij gaf het individuele maximum, tweehonderdvijftig dollar per jaar.'

'Laat me eens kijken.' Harry geeft me de uitdraai. Ik kijk de lijst door. Ik hoef niet ver te gaan om het PAC te vinden. De donateurs staan in volgorde van het geschonken bedrag, de grootste geldschieters bovenaan.

Harry kan aan mijn gezicht zien dat ik dit niet had verwacht.

Er staan twintig namen bij Nicks PAC, een aparte lijst voor elk jaar, maar de namen zijn ongeveer hetzelfde. Sommige mensen wonen niet in de gemeente. Twee niet eens in Californië.

'Heb jij ooit geweten dat hij met zulke dingen bezig was?' vraagt Harry.

'Nick interesseerde zich niet erg voor maatschappelijke vraagstukken,' antwoord ik.

'Dat dacht ik al. Maar ik ben het toch nagegaan. Hij gaf aan niemand anders. Ik keek overal naar de namen van donateurs, bij gemeente, staat en federale overheid. Nergens kwam ik Nick tegen, behalve bij Tresler. Nou, waar denk je dat hij op uit was?'

Ik schud mijn hoofd. Geen flauw idee.

'We mogen aannemen,' zegt Harry, 'dat hij voor die tienduizend dollar heeft gezorgd om zijn vrouw in die commissie te krijgen. Maar je moet toegeven dat het een groot middel voor een klein doel is. Vooral voor iemand die achter is met zijn hypotheekaflossingen.'

Ik leun in mijn stoel achterover. Ik kijk nog steeds naar de lijst van namen onder die van Nick.

'Toen je met Tresler praatte, zei hij daar niets over?'

'Nee.'

'Misschien moet je teruggaan en het hem vragen.'

'Hij zou gewoon zeggen wat politici altijd zeggen als ze daarnaar worden gevraagd: "Ik sta boven dat alles. Ik kijk er nooit naar." Hij zou doen alsof hij verbaasd was en me vertellen dat Nick blijkbaar een volgeling is van zijn filosofie: seniele strijdlustigheid. Dat wil zeggen, als ik ooit verder kwam dan de voordeur. Inmiddels heeft Tresler mijn naam waarschijnlijk op de lijst "gekken en malloten" bij de beveiliging in de hal gezet. Toch probeerde hij niet verborgen te houden dat hij Nick heeft gekend.'

'Het is goed om te weten dat Nick met zijn geld tenminste een beetje erkenning heeft gekocht, al was het postuum,' zegt Harry. 'Maar eigenlijk zijn we niet veel verder gekomen.'

De telefoon op mijn bureau gaat.

'Behalve dat we meer vragen hebben.' Harry maakt de gedachte af terwijl ik de telefoon opneem.

'Hallo.'

'Ik ken geen andere advocaten die hun eigen telefoon opnemen.' Ik herken de schorre stem aan de andere kant van de lijn.

'Met Joyce,' zegt ze. 'Ik wed dat je dacht dat ik dood was en in de hel zat.'

Ze vertelt me dat zij en Bennie de vorige avond in de buurt van het huis van de drugshandelaar zijn gaan kijken. 'Maar maak je geen zorgen,' zegt ze. 'Bennie was gewapend. Een dubbelloops jachtgeweer, beide lopen geladen. We moesten zelf bij het adres kijken,' zegt ze.

'Jullie geloofden me niet?'

'Wij zijn professionals,' zegt ze. 'We doen de dingen graag goed.'

Ik stel me haar op die veranda voor, met een van die zaklantaarns waarvoor je een batterij ter grootte van een broodtrommel nodig had.

Ik zie voor me hoe ze de namen op de brievenbus in een zakboekje noteerde, terwijl Bennie met zijn donderbus in de auto zat, klaar om alles aan puin te knallen als er iemand naar buiten kwam. Ik tel al minstens drie misdrijven. Dat is het probleem met Joyce. Ik ken gangsters die discreter te werk gaan.

'Wat heb je ontdekt?'

'De man die je moet hebben. Het is een zekere Hector Saldado,' zegt ze.

'Weet je dat zeker?'

'Ja. Absoluut,' zegt ze. 'Geloof me.'

'Wacht even.' Ik pak een pen en wat Post-its uit de houder op het bureau. 'Wil je het spellen?'

Ze doet het. 'Hij is niet alleen de enige met een mobiele telefoon die daar woont,' zegt ze. 'De enige van de namen die je me gaf, weet je nog wel?'

'Ja.'

'Maar hij voert ook veel gesprekken met Mexico.'

Ik ben stil, en daar leidt ze uit af dat ik dit belangrijk vind.

'Ik dacht wel dat het je zou interesseren,' zegt ze. 'Het waren er een heleboel. Die telefoongesprekken. Bijna elke dag minstens drie of vier. Nooit lang. Je weet wel, een minuut, twee minuten. Maar hoe lang duurt het om drugs te bestellen? Vast wel minder tijd dan wanneer je een pizza bestelt. Er is niet zoveel keuze.'

'Je hebt de gegevens van zijn mobiele telefoon?'

'Ik zei toch dat ik die zou krijgen? Wil je alles hebben? De lijst is nogal lang. Je weet wel, een minuut hier, twee minuten daar. Ook vaak dezelfde telefoonnummers. Ik ben het nagegaan. De landcode en het netnummer. Mexico,' zegt ze.

'Waar? Weet je welk deel van Mexico?'

'Wacht even,' zegt ze. 'Eens kijken. Ik heb het hier ergens.'

Ik hoor dat ze haar hand over het mondstuk legt en in papieren aan het zoeken is.

'Hier heb ik het,' zegt ze dan. 'Cancún. Quin-ta-na Roo? Kan dat?'

'Ik heb ervan gehoord,' zeg ik. Dat is het deel van Mexico waar Metz heen ging toen hij zakendeed met de twee gebroeders Ibarra. 'Luister. Ik heb nog een klus voor jullie.'

Vanmiddag heb ik niet veel tijd. Ik heb een vlucht om vier uur, zaken in Capital City met onderweg ook nog iets. Ik moet om drie uur op het vliegveld zijn, maar voorlopig zit ik nog met Adam Tolt te lunchen in de privé-eetruimte naast zijn kantoor. Tolt zit aan de ene kant, ik aan de andere, met tussen ons in een tafel ter lengte van een startbaan. De tafel is gedekt met een linnen tafellaken en twee kaarsen in zilveren kandelaars. Die passen bij de zilveren schotels onder de schalen van eierschaalporselein die voor ons staan.

Het advocatenkantoor heeft een kok voor speciale gelegenheden, en ook een firma die obers in wit uniform stuurt wanneer ze maar nodig zijn. Ze komen uit de keuken, die zich naast deze kamer bevindt. Alles wat je nodig hebt om een vijfsterrenrestaurant te runnen.

'Je hebt het erg goed aangepakt,' zegt Adam. 'Ik denk niet dat iemand het onder de omstandigheden beter had kunnen doen. Je gebruikte de kaarten die je gedeeld kreeg, en je behaalde een goed resultaat.'

'Voor wie?'

'Voor je cliënte,' zegt hij. Hij reikt met zijn tafelmes over de tafel en prikt in een van de kleine blokjes boter in de schaal. Hij haalt het mes terug en besmeert een warm Frans broodje dat hij uit het met linnen beklede mandje op de tafel heeft gepakt.

'Ik weet wat je denkt, dat ik je een hak zette door de schikking te gebruiken om het geld van haar terug te pakken. Het is een feit...'

'Het is een feit dat je je geld terug hebt,' onderbreek ik hem.

'Precies.' Hij glimlacht. 'Wat kan ik zeggen? Soms lukken de dingen gewoon.'

Ik heb het gevoel dat ze voor Adam een beetje vaker lukken dan voor de meesten van ons.

We vieren het feit dat de verzekeringsmaatschappij het geld heeft overgemaakt. Dana is akkoord gegaan met mijn voorstellen en heeft me gemachtigd een bedrag aan RD&D over te maken om het geld van cliënten te compenseren dat ze had opgenomen. Met rente natuurlijk. Dat overschrijvingsformulier ligt in een envelop op Adams bureau, terwijl we het brood met elkaar breken.

'Voor alle duidelijkheid: ze heeft geen reden tot klagen. Ik neem aan dat je haar dat hebt verteld.' Hij bedoelt dat ze nu geld op de bank heeft, in plaats van een gevangenisstraf die haar boven het hoofd hangt.

De ober brengt de hoofdgang, gevogelte gesmoord in rode wijn, met wilde rijst, lange korrel, een schaal roergebakken groenten en een nieuwe selectie van de wijnhandelaar, vijf verschillende wijnen om uit te kiezen.

'Het pièce de résistance,' zegt Adam. Een andere ober komt met allerlei bijgerechten, gevulde champignons en asperges in een geglaceerde botersaus, voedsel machtig genoeg om een arme man jicht te bezorgen.

'De fazant is geroosterd in madera,' zegt Adam. 'Ik proefde dat gerecht voor het eerst toen ik in Portugal was. Dat was vier jaar geleden, geloof ik. Ik probeerde het recept te krijgen, maar ze wilden het me niet geven. Dus toen liet ik Armand het restaurant in Lissabon bellen. Hij is onze kok, en de chef-kok van Marmade,' zegt hij.

'Dat vermoedde ik al.'

'Ze gaven het hem. Hoffelijkheid van koks onder elkaar. Dat heb je op ieder terrein,' zegt hij.

De ober tilt het glazen deksel van de schotel die hij voor Adam heeft neergezet. Mijn ober doet hetzelfde. Adam steekt zijn vork in de vogel, helemaal tot je de tanden niet meer ziet. Hij snijdt een klein stukje met zijn mes af en proeft het, terwijl de ober wijn inschenkt.

'Zeg tegen Armand dat hij zichzelf deze keer heeft overtroffen,' zegt hij tegen de ober.

De man glimlacht en maakt een lichte buiging. 'Verder nog iets, meneer?'

Adam kijkt me aan.

'Misschien zouden we het liggend kunnen eten, zoals de Romeinen deden,' merk ik op. 'Maar als er verder nog iets is, zou ik het niet kunnen bedenken.'

'Nee, dat is alles,' zegt Adam.

Ze gaan weg.

'Ik zou Harry ook hebben uitgenodigd,' zegt Tolt. 'Je hebt in hem een geweldige collega. Een beste kerel. Van de oude school. Ik herken dat altijd meteen.'

Om de een of andere reden kunnen die twee goed met elkaar opschieten. Ik had dat niet verwacht, Adam de wereldreiziger, vertrouweling van de machtigen der aarde, en Harry die zijn eigen overhemden strijkt.

'Ik was erg onder de indruk van zijn grondige research, het stuk dat jullie aan de verzekeringsmaatschappij gaven. Dat was zijn werk?' Hij kijkt naar me op.

'Helemaal. Harry heeft me meer dan eens gered,' antwoord ik.

'Elke ridder heeft een goede wapenmeester nodig,' zegt Tolt. 'Ik zou hem hebben uitgenodigd, maar ik wilde over iets anders met je praten.'

Op de een of andere manier wist ik dat Adam dit feestmaal niet zomaar had aangericht. Hij had een doel.

'Nog meer wijn?' stelt hij voor.

'Nee, dank je.' Ik kijk op mijn horloge.

'Maak je geen zorgen,' zegt hij. 'Ik laat je door mijn chauffeur naar het vliegveld brengen.'

'Mijn bagage zit al in de kofferbak van mijn auto.'

'Je kunt hem in onze garage parkeren. De chauffeur brengt je in tien minuten naar het vliegveld en zet je daar voor de deur af. Op die manier hoef je geen parkeerruimte te zoeken. Geef hem je vluchtnummer en hij pikt je op als je terugkomt.'

'Ik kan dat niet allemaal aannemen.'

'Onzin.'

'Als je daarmee doorgaat, raak ik er nog aan gewend, Adam.'

'Dat is ook de bedoeling.' Hij glimlacht en neemt weer een hap.

'Nou, waar wilde je over praten?' Ik wil wel eens weten welke prijs ik moet betalen.

'Ik heb je niet gevraagd waarom ze het geld nam. Dana, bedoel ik. Mevrouw Rush. Ik neem aan dat ze in geldnood verkeerde. Nou ja, achteraf is er geen kwaad aangericht. Maar ik zou wel graag één ding willen weten.'

Ik leun achterover, neem een slokje wijn en luister.

'De verzekering – dat ze dat geld nam. Hadden die dingen iets met Nicks dood te maken? Ik hoef niet alle bijzonderheden te weten,' zegt hij. 'Wat jullie als advocaat en cliënte met elkaar hebben besproken, moet vertrouwelijk blijven. En als je dat tegen me zegt, accepteer ik dat. Als je niets kunt zeggen, heb ik daar begrip voor. Het gaat mij vooral om de firma. Ik wil alleen maar weten of we nog repercussies van dit alles kunnen verwachten?'

'Je wilt weten of ik denk dat Dana Nick heeft vermoord?'

Hij trekt een gezicht. 'Tja. In zekere zin,' zegt hij. 'Ik heb het een en ander getraineerd, een paar dingen onder het tapijt geveegd. En ik heb mijn nek uitgestoken, een klein beetje maar. Dat deed ik om de firma te beschermen. Maar als er iets is, en de politie gaat op zoek, nou, dan zullen ze die bankformulieren vinden die ze heeft vervalst. Dan moet ik dat aan de orde van advocaten uitleggen, en misschien wil de politie dan ook weten waarom ik het niet heb gemeld.'

'Dat begrijp ik.'

'Ik wist wel dat je het zou begrijpen.'

'Jammer genoeg kan ik je niet helpen. Niet omdat ik dat niet wil,' zeg ik. 'Ik weet het echt niet. Ze zegt dat ze er niets mee te maken had. Ze zegt dat Nick haar zonder een cent heeft achtergelaten. Dat is de enige reden waarom ze die bankformulieren uit zijn bureau had meegenomen.'

'Geloof je haar?'

Ik lach zonder geluid te maken. 'Ik heb het al lang geleden opgegeven om in koffiedik te kijken. Ze wist van de verzekering. Ze had een exemplaar van de polis. Ze vertelde me dat ze hem eerst niet kon vinden. Maar eerlijk gezegd geloof ik haar niet. Ze moet hebben geweten dat Margarets naam op de polis stond.'

'Dus ze loog tegen je.'

'Meermalen.'

'En de kwestie van de dubbele uitkering?'

'Ze wist niet hoe dat zat, tenminste, die indruk wekte ze. Maar ze pikte de theorie erg snel op toen ik haar vertelde dat Nicks dood een ongeluk was. Ik geloof niet dat het nieuws voor haar was. Ze las vast wel kranten, volgde het onderzoek. De politie was al openlijk aan het speculeren. Ik weet niet of ze met iemand anders heeft gesproken die haar precies heeft uitgelegd hoe het met dat dubbele bedrag zat.'

'Maar je instincten. Die moet je toch wel hebben ontwikkeld in al die jaren dat je strafrechtzaken doet. Wat gaven je instincten je in?'

Ik kijk hem aan alsof ik dat misschien liever niet wil zeggen. Maar dan zeg ik het toch. 'Mijn instincten geven me in dat Dana een bron van moeilijkheden is. Ik zeg niet dat ze haar man heeft vermoord. Ik zeg dat het verschrikkelijk moeilijk is om na te gaan wat er op een bepaald moment achter die blauwe ogen schuilgaat. Is ze ertoe in staat? Ik denk van wel. Ik bedoel niet het overhalen van de trekker.'

'Je bedoelt dat ze iemand kan hebben ingehuurd?'

'Zulke dingen zijn wel eens gebeurd. Maar...'

'Maar wat?'

'Deze lui waren professionals.'

'Hoe weet je dat?'

'Ik was erbij. Ik hoorde de schoten. Als Dana iemand heeft ingehuurd om Nick te doden, zou het waarschijnlijk iemand zijn die ze ergens heeft ontmoet, in een bar, misschien een minnaar die niet wil deugen. Zulke types hebben meestal geen toegang tot automatische wapens, hooguit tot semi-automatische. Maar Nick en Metz zijn gedood met een machinepistool. Negen millimeter. Ik heb een paar patroonhulzen op de grond zien liggen. Die vlogen uit het raam van de auto toen hij schoot.'

'Hmm.' Tolt leunt in zijn stoel achterover, langzaam kauwend op een stukje fazant. Hij denkt na. 'Dus je gelooft niet dat zij het heeft gedaan?'

'Dat zeg ik niet. Ze had absoluut een motief. En misschien is ze vindingrijker dan ik denk. Ze kan de grens zijn overgestoken. Met wat geld hebben gewapperd op de juiste plaatsen in Tijuana. Waarschijnlijk kun je daar wel politieagenten vinden die je in contact brengen met mensen met uzi's, AK's, lieden die ook het talent hebben om zulke wapens te gebruiken. Misschien doen die politieagenten het zelf voor je, als je ze maar genoeg betaalt. Dat heb je hier in San Diego. We zitten hier dicht bij de Mexicaanse grens en dat schept een heel nieuwe dynamiek.'

'Dus ze kan het hebben gedaan?'

'Het is mogelijk.'

'Je bedoelt eigenlijk dat alles mogelijk is.'

'Dat bedoel ik.'

'Jammer genoeg helpt dat me niet om 's avonds in slaap te komen,' klaagt hij.

'De dingen zijn zoals ze zijn,' zeg ik.

We zijn klaar met de hoofdgang en ze brengen crème brûlée als dessert, en ook koffie met een glaasje cognac. Hij biedt me een sigaar aan, maar ik sla die af.

'Nick was er vroeger gek op. Op het laatste kerstfeest rookte hij ze als een schoorsteen,' zegt Adam.

'Dat is het verschil tussen ons.'

'Niet het enige verschil,' zegt hij. 'Het zit me niet lekker, dat van Nick. Ik bedoel niet alleen dat hij dood is. Hij werd hier binnen deze firma ook niet zo goed behandeld als hij verdiende. En dat neem ik mezelf kwalijk. Ik geef hier de toon aan, en in het afgelopen jaar was dat een nogal onverschillige toon. Maar mijn vrouw was ziek.'

'Dat wist ik niet.'

'Ja. Kanker,' zegt hij.

'Vreselijk.'

'Nou, het is goed gekomen. Ze heeft het overwonnen,' zegt hij. 'Maar je weet nooit hoeveel tijd je je dierbaren nog bij je hebt. Daarom heb ik in de afgelopen twee jaar extra tijd met haar doorgebracht, in plaats van op kantoor. En ik ben bang dat Nick – hij was een van onze nieuwkomers – ik ben bang dat hij door de kieren is gevallen. Ik kan de gedachte niet uit mijn hoofd zetten dat wat het ook was waarbij hij betrokken raakte – Metz, bedoel ik – nou, dat hij dat misschien deed omdat hij niet veel vertrouwen meer had in zijn perspectieven hier. Jij hebt hem het best gekend. Heeft hij ooit iets gezegd?'

'Hmm... Ehh. Nou, het valt niet te ontkennen dat hij teleurgesteld was.'

'Dus hij heeft het jou verteld. Ik wist het. En ik moet het mezelf kwalijk nemen. Ik had het gewoon te druk om aandacht aan hem te besteden.'

'Daar kun je niets aan doen,' zeg ik tegen hem. 'Ik weet het. Ik heb ermee te maken gehad.'

Hij kijkt me vragend aan.

'Ik heb zes jaar geleden mijn vrouw aan kanker verloren.'

'Dat wist ik niet.'

'Ik weet hoe het is. De tijd die eroverheen gaat. Je leven staat stil. Maar de tijd niet. Je houdt een tijdje op met leven. Na haar dood duurde het bijna een jaar voordat ik weer volledig kon functioneren.'

'Dus je weet het. Goddank hoefde ik dat niet mee te maken. Maar je leeft voortdurend met de angst. En intussen ging de firma gewoon door. We groeiden. Dat gebeurt er als je te groot wordt. Je gaat naar kwantiteit streven, in plaats van kwaliteit.'

'Je bedoelt dat Rocker-Dusha te groot wordt?'

'Ik hoop van niet.' Hij glimlacht. 'Evengoed kwam Nick tussen de raderen van die machine terecht. Hij zal wel hebben gedacht dat hij niet goed bij de firma paste. Per slot van rekening had hij altijd een eenmans strafrechtspraktijk gehad. Misschien paste hij hier beter dan hij zelf wist. Maar ik was er niet om hem dat te vertellen.' Op dit moment kijkt Tolt niet zozeer naar mij als wel door me heen, naar de muur achter me. Hij maakt zijn persoonlijke balans op en is niet blij met wat hij te zien krijgt.

'Negenentwintig jaar bij de firma. Ik ben zevenenzestig. Binnenkort sturen ze me met pensioen. En ik vind dat ik dan met ere moet vertrekken. Maar dan denk ik aan Nick en vraag ik me af of hij nog in leven zou zijn als ik hier op kantoor was geweest.'

'Misschien zou je een beetje fatalistischer moeten zijn,' merk ik op.

'Wat bedoel je?'

'Lincoln moest elke morgen opstaan met de wetenschap dat hij die dag berichten over doden en gewonden onder ogen zou krijgen. Hij prees zich gelukkig als het om duizenden ging, niet om tienduizenden. Na een jaar of zo kwam hij tot het inzicht dat de oorlog het werk van God was, dat God de natie strafte voor de zonde van de slavernij en dat hijzelf alleen maar een instrument was. Lincoln kwam tot de overtuiging dat wat hij ook deed, of hoe hij zijn generaals ook aanspoorde, hij geen eind aan de oorlog kon maken voordat God er klaar mee was.'

'Dus je vindt dat ik meer als Lincoln zou moeten zijn?'

'O, dat vind ik van iedereen,' zeg ik.

'Jij bent niet fatalistisch. Je bent een idealist.'

'Nee. Ik ben een cynicus, want ik weet dat het niet gaat gebeuren. Maar ik kan me je gevoelens indenken.'

'Dat dacht ik al. Jij bent anders dan Nick,' zegt hij.

'In welk opzicht?'

'Jij ziet wat praktisch is, wat uitvoerbaar is. Te veel mensen hier zien dat niet. Ik kan Nick niet beoordelen, want ik heb hem niet goed genoeg gekend. En dus doe ik dat ook niet. Hij en ik pasten misschien beter bij elkaar dan ik ooit zal weten, want het ontbrak me aan de tijd of ik nam er niet de tijd voor. Ik wil die fout niet nog eens maken. Het leven is te kort om niet de mensen te kennen met wie je samenwerkt. Ik heb hier dus veel over nagedacht en ik zou jou graag beter willen leren kennen. Ik zou graag willen dat je voor de firma komt werken.'

Ik kijk hem met grote, verbaasde ogen aan.

'We verdubbelen het inkomen dat je nu in je praktijk verdient. En we vinden ook een plek voor Harry. Ik laat mijn research doen door mensen die in Harvard hebben gestudeerd. Die zouden nog veel van hem kunnen leren.'

Harry in een kantoor als RD&D – dat zou zoiets zijn als een brandende sigaret naast een berg kruit.

'Het lijkt me niet zo'n goed idee.'

'Ik wil niet dat je me nu meteen antwoord geeft. Denk erover na. Bespreek het met Harry. Haal jullie rekenmachines tevoorschijn en ga eens na wat jullie nodig hebben om hier aan boord te komen. Denk erover na. Ik zie geen reden waarom jullie tweeën niet met elkaar kunnen blijven samenwerken. We vinden kamers naast elkaar, geven jullie allebei een contract, en na een jaar zouden jullie allebei lid van de maatschap zijn. Je zou direct aan mij rapporteren.'

'Ik ben gevleid,' zeg ik. 'Maar ik denk niet...'

'Denk er nu niet over na. Geef het wat tijd. We spreken elkaar als je terug bent van je reis.'

Wat kan ik zeggen? Ik kijk op mijn horloge. Het is tijd om te gaan. Adam pakt de telefoon van de plank achter hem, bestelt zijn auto met chauffeur en loopt dan met me mee naar de lift.

'Gewoon op G-1 drukken, de garage beneden, niveau 1. Mijn chauffeur staat daar op je te wachten en haalt je bagage op. Geef hem je sleutels, dan zet hij je auto in de garage. Hij kan daar blijven staan tot je terug bent. Geef hem je vluchtnummer en hij staat voor de terminal om je op te pikken. O, en nog iets. Hier, neem een van deze.' Hij geeft me een van de nieuwsbrieven van de firma, acht pagina's in vierkleurendruk, gevouwen als een klein formaat krant. 'Iets te lezen voor in het vliegtuig,' zegt hij.

19

De straalmotoren bulderen en door de acceleratie word ik tegen de rugleuning van mijn stoel gedrukt. Enkele seconden later komen we van de grond los en stijgen snel naar driehonderd meter hoogte.

De piloot laat de motoren wat minder toeren maken en we glijden over Ocean Beach, met glanzende blauwe vlekken van zwembaden in tuinen, en langs Sunset Cliffs, de altijd maar bewegende lijn van de branding. De piloot laat de krachtige turbines weer ronken en de Boeing 737 gaat snel omhoog, in noordelijke richting langs de kust.

We komen op de gewenste hoogte en ik trek het attachékoffertje onder de stoel voor me vandaan, pak eruit wat ik wil hebben en leg het terug. Op het tafeltje voor me liggen de nieuwsbrief van Tolts firma, een dossier met campagne-uitspraken van Tresler die Harry heeft verzameld, en Nicks palmtop.

Ik leun in de stoel achterover en sla de nieuwsbrief open. Net voorbij de vouw zie ik mijn naam in vette letters.

Madriani en Hinds
Regelen Claim Voor
Nalatenschap Rush

Daarom heeft Adam me die nieuwsbrief gegeven. Het is geen lang verhaal, een centimeter of tien. Het gaat over de compagnonsverzekering van de firma. Adam heeft de gelegenheid te baat genomen om die verzekering aan te prijzen als een van de grote voordelen die leden van zijn maatschap genieten.

In twee korte zinnen behandelt het artikel Nicks dood, de datum en het feit dat hij vanuit een auto werd neergeschoten terwijl hij voor het federale gerechtsgebouw met een cliënt stond te praten. De laatste twee alinea's zijn in feite een reclametekst voor Harry en mij.

'Het zal degenen die Nick Rush hebben gekend goed doen te vernemen dat, ofschoon Nicks dood tragisch en ontijdig was, de advocaten Paul Madriani en Harry Hinds van het advocatenkantoor Madriani en Hinds in Coronado een aanzienlijk verzekeringsbedrag ($ 3,8 miljoen) voor Nicks nabestaanden hebben verkregen.

De schikking met de verzekeringsmaatschappij was gebaseerd op de veronderstelling dat Nicholas Rush het onschuldige en onbedoelde slachtoffer van een schietpartij was, zodat zijn erfgenamen een dubbele verzekeringsuitkering wegens dood door ongeluk konden opeisen.'

Advocaten mogen, meer nog dan de meeste andere mensen, graag illusies koesteren over hun eigen capaciteiten. Maar ik weet dat zulke schikkingen niet totstandkomen als de verzekeraars en de mensen aan wie ze rapporteren niet onder iemands invloed staan, in dit geval die van Adam Tolt.

Ik vermoed dat Adam net zo goed beseft als ik dat het een symbiotische relatie was. We gebruikten elkaar. Ik wilde er zoveel mogelijk dollars uitslepen en zo snel mogelijk tot een schikking komen. Hij wilde de advocatenfirma buiten schot houden. Als Tolt niet had voorgesteld om zijn kantoor voor de bijeenkomst met de verzekeraars te gebruiken, zou ik dat hebben gedaan.

Ik nam aan dat er een aantal bijeenkomsten en een paar maanden voor nodig zouden zijn om het allemaal precies voor elkaar te krijgen. Adams invloed was misschien nog groter en reikte misschien nog verder dan ik had gedacht.

Zelfs ik sta ervan versteld dat hij de verzekeraars zover kon krijgen dat ze opgewekt hun portemonnee trokken en dat ze Adam ook nog toestemming gaven het bedrag te publiceren, zoals hij erg graag wilde.

Terwijl mijn collega zijn juridisch onderzoek deed om onze eisen kracht bij te kunnen zetten, deed ik mijn eigen research. Ik wist dat Adam zitting had in een aantal raden van commissarissen.

Toen ik me in allerlei publicaties verdiepte, ontdekte ik dat hij om precies te zijn zeven commissariaten had – tenzij mij er een paar zijn ontgaan, wat heel goed mogelijk is. In al die zeven gevallen ging het om grote multinationals met het hoofdkantoor in de Verenigde Staten. De medecommissarissen waren de gebruikelijke topfiguren, namen die je herkende van overheidsfuncties die ze in het verleden hadden gehad of zaken waarvoor ze hadden gestreden. Het zijn mensen die fortuinen verdienen en daarvoor niets anders doen dan hun connecties onderhouden. Ze hebben kans gezien zakelijke beroemdheden te worden. Ondernemingen staan in de rij om hen in hun raad van commissarissen te hebben. Omdat ze het ene commissariaat hebben, krijgen ze ook het andere. Omdat ze die twee commissariaten hebben, valt het derde hun ook ten deel. Hebben ze er eenmaal drie, dan denkt iedereen dat ze bekwaam zijn. Uiteindelijk zitten ze in de vergaderzaal en vergelijken ze hun handicaps op de golfbaan. Ze verdienen meer dan een miljoen per jaar, ten koste van de beleggers. Niet alleen in Hollywood kan het beeld dat mensen van iemand hebben tot werkelijkheid worden.

Toen ik mijn research deed, ontdekte ik dat drie commissarissen van Devon Insurance nog meer commissariaten met Adam gemeen hadden. Meer hoefde ik niet te weten.

De schikking, en de publiciteit die er nu op volgt, is gunstig voor RD&D, want daarmee komt een eind aan allerlei lelijke speculaties over de manier waarop Nick is gestorven. Als Adam of een ander lid van de maatschap nu op een cocktailparty met vragen van cliënten wordt geconfronteerd, kan hij zeggen: 'Heb je het niet gehoord? Ja, Nicks dood was een ongeluk.' In de ogen van zakelijke cliënten, voor wie het uitwisselen van dollars zoiets is als ademhalen, vormt de uitbetaling van geld een betrouwbaar bewijs. De betaling van bijna vier miljoen dollar door een nuchtere, degelijke verzekeringsmaatschappij bewijst voor hen dat Nick gewoon een willekeurig slachtoffer in een gewelddadige wereld was. Binnen een jaar weten de meeste zakelijke cliënten van Adam niet meer precies hoe Nick om het leven is gekomen en denken ze dat hij misschien door de bliksem is getroffen.

Ik zou graag willen denken dat Adam enig respect voor me heeft en niet denkt dat ik me gevleid voel door zijn artikel. Maar als hij denkt dat het zijn aanbod om bij de firma te komen aantrekkelijker kan maken voor Harry en mij, zal dat voor hem vast wel een extra reden zijn geweest om dit artikel te publiceren.

Ik kijk de rest van de nieuwsbrief door. Weer een kantoor in oprichting. Ditmaal in Houston, gericht op olie en gas. Misschien zijn niet alle leden van de maatschap tevreden, maar Adam is nog steeds op weg. Hij bouwt zijn belang in RD&D alsmaar verder uit.

Ik steek de nieuwsbrief achter de flap van de stoel voor me en kijk naar de computeruitdraaien van Treslers campagnebijdragen. Harry heeft twee van de namen uit Nicks lijst van PAC-donateurs onderstreept. Een van hen is een advocaat op het kantoor van RD&D in Washington. De ander is een zekere Jeffery Dolson, die op hun kantoor in San Francisco werkt. Beide mannen zijn lid van de maatschap. Ze komen niet alleen in het adressenboek in Nicks palmtop voor, maar ook in zijn agenda, die vermeldt op welke dagen en tijdstippen hij hen in hun respectievelijke steden heeft ontmoet. In de twee maanden voordat Nick omkwam, had hij twee keer een afspraak met Dolson in San Francisco. Negen dagen voor de schietpartij waren ze voor het laatst bij elkaar. Dat is de reden waarom ik vanmiddag naar San Francisco vlieg, en niet rechtstreeks naar Capital City.

Het kantoor van RD&D in San Francisco bevindt zich op 1 Market Plaza, met uitzicht op de Bay Bridge en de waterkant. Een dure locatie, maar ook binnen loopafstand van het zakencentrum. De firma heeft hier twee hoog gelegen verdiepingen, ingeperst tussen een ander advocatenkantoor beneden en een effectenkantoor boven.

Het is bijna vijf uur, sluitingstijd, als ik uit de lift stap en over het tapijt naar de receptie loop.

Een jonge Aziatische vrouw met een telefoonheadset zit op een van de posten achter de balie. Twee andere vrouwen pakken hun spullen bij elkaar om naar huis te gaan.

De vrouw glimlacht. 'Kan ik u helpen?'

Ik geef haar mijn kaartje. 'Ik wil graag Jeffery Dolson spreken.'

'Hebt u een afspraak?'

'Jammer genoeg niet. Ik ben zojuist met het vliegtuig aangekomen en besloot het erop te wagen.'

'Een ogenblikje.'

Dolson heeft de leiding van de fusieafdeling van de firma. Door middel van fusies en acquisities maken juristen gebruik van de wetten die ondernemingen van de politiek hebben gekocht, wetten die ervoor moeten zorgen dat de rijkdom in zo weinig mogelijk handen geconcentreerd blijft, meestal door kleine beleggers buitenspel te zetten. Praat maar eens met juristen uit de praktijk en ze zullen je vertellen dat het tot de normale cyclus van het bedrijfsleven behoort dat topmanagers rijk worden wanneer hun ondernemingen failliet zijn. Mensen die vinden dat de wereld te snel verandert, kunnen troost putten uit het feit dat in Amerika veel geld nog op de ouderwetse manier wordt verdiend, namelijk door het te stelen.

De receptioniste praat door het doorzichtige buisje van haar headset met iemand die zich ergens achter of boven haar bevindt.

'Ik weet het niet. Wacht even. Ik zal het hem vragen.' Ze kijkt me aan. 'Mag ik u vragen waar het over gaat?'

'Ik heb vanmiddag met Adam Tolt in San Diego geluncht, en ik wilde even langskomen om meneer Dolson te spreken.' Dat is allemaal waar, maar het is geen antwoord op haar vraag. Evengoed doet Tolts naam weer wonderen. De vrouw keert me haar rug toe en houdt haar hand over het uiteinde van het buisje, maar ik kan haar in het mondstuk horen mompelen. 'Blijkbaar is hij door meneer Tolt naar u verwezen.'

Sesam open u. Drie minuten later word ik de lift in geleid door een secretaresse met mijn kaartje in haar ene hand en een sleutel om op de directieverdieping uit de lift te komen in haar andere hand. Ik volg haar door het labyrint van scheidingswanden naar de andere kant van het gebouw, waar de gang breed en de rozenhouten lambrisering echt is. Ze klopt op de deur aan het eind van de gang, de deur waarnaast Dolsons naam in plastic letters op de muur is aangebracht.

'Ja. Binnen.'

De deur wordt geopend en ik zie een groot hoekkantoor met ramen in twee wanden. Een daarvan kijkt uit op de kabeloverspanning van de Bay Bridge. Door het andere raam zie ik de spits van het Ferry Building.

De man achter het bureau is jong. Ik schat hem midden dertig. Hij trekt zijn das recht, en aan zijn bureau te zien, waar papieren uit de niet helemaal gesloten bovenste la steken, heeft hij in de gauwigheid nog wat orde geschapen. Je hoeft maar een grote naam te noemen en iedereen raakt in paniek.

Dolson manoeuvreert zich om de halfopen la heen, die hij toch niet meer dicht krijgt, en loopt naar mijn kant van het bureau. We schudden elkaar de hand en hij kijkt naar mijn kaartje. 'Ik hoor dat u zojuist met het vliegtuig bent aangekomen?'

'Ja. Een vlucht vanuit San Diego. Ik heb vandaag met Adam Tolt geluncht en uw naam kwam een paar keer ter sprake. Omdat ik toch voor andere zaken naar het noorden ging, leek het me een goed idee als we elkaar eens ontmoetten.'

'Mijn naam?' zegt hij. 'Hoe is het met hem? Meneer Tolt, bedoel ik. Ik zie hem ongeveer eens in de zes maanden. Als we met een aantal divisiehoofden bij elkaar komen.'

'Het gaat goed met hem. Erg goed,' antwoord ik.

'Dus Adam, meneer Tolt, heeft u naar me toe gestuurd?'

'Nee. Eigenlijk kwam uw naam in een andere context ter sprake. Ik begrijp dat u Nick Rush hebt gekend?'

Zijn pupillen zweven van mijn gezicht vandaan en richten zich op de ramen achter me, maar keren dan terug, alsof ze de brug overgestoken en weer teruggekomen zijn, dat alles binnen een seconde.

'Nick Rush?' zegt hij.

'Ja. Nick was een vriend van me. En uw naam is gevallen.'

'O ja?' Dat is een octaaf hoger dan zijn vorige woorden. Ik kan merken dat hij graag zou willen vragen in welke context Nick zijn naam had genoemd, maar dat doet hij niet.

'Het is verschrikkelijk wat hem is overkomen,' zegt hij.

'Ik begrijp dat Nick u hier op kantoor heeft opgezocht, ongeveer een week voordat hij werd gedood?'

Zijn lippen bewegen, trillen een beetje, maar er komt niets uit. 'O. O, dat,' zegt hij. 'Door alle toestanden was ik dat helemaal vergeten.'

Hoe kun je nu je laatste ontmoeting vergeten met iemand die negen dagen later is vermoord?

'Dus de politie heeft niet met u gesproken?'

'Waarom zouden ze dat willen?'

'Meestal praten ze met iedereen die kort voor een moord contact met een van de slachtoffers heeft gehad.'

'Ik zou ze niets kunnen vertellen. Hoe heeft Nick u verteld... Ik bedoel, waarom vertelde Nick u over onze bespreking?'

'Nick en ik hadden niet veel geheimen voor elkaar.'

'O. Ik begrijp het.' Zijn ogen kijken alsof ze de bank waarop ik plaats had genomen zouden kunnen inslikken. Hij is bleek geworden. 'Vertelt u me eens,' zegt hij dan. 'Hoe kent u Adam Tolt?' Dolson probeert alle stukjes in elkaar te passen.

Ik maak mijn attachékoffertje open en haal de nieuwsbrief van de firma tevoorschijn. Die nieuwsbrief is nog heet van de pers in San Diego en heeft de koloniën nog niet bereikt. Ik geef hem aan Dolson en wijs hem op het verhaal onder de vouw, het verhaal met mijn naam in de kop.

'Ik ben namens Nicks vrouw tot een schikking gekomen met de verzekeringsmaatschappij.'

Hij vergelijkt de naam op mijn kaartje met de kop boven het artikel. Dan leest hij het artikel alsof hij de letters met zijn ogen van het papier zuigt. Als hij klaar is, kijkt hij me aan. 'Goed resultaat,' zegt hij.

Dat is het beste compliment dat je van een advocaat kunt krijgen.

'Ik hoorde dat Nick hier een paar besprekingen met u heeft gehad?'

Ik kan aan zijn gezicht zien dat hij niet weet of ik iets weet, en zo ja, hoeveel. Hij probeert zijn standpunt te bepalen, maar ziet eruit als iemand die tegen de paniek vecht.

'Het ging niet over zaken,' zegt hij.

'Pardon?'

'Mijn gesprekken hier met Nick. Die gingen niet over zaken.' Hij zegt dat met de zekerheid van iemand die een multiplechoicevraag moet beantwoorden en er maar een gooi naar doet.

Ik zeg niets. Ik zit hem alleen maar aan te kijken. Wat doe je met een getuige die nerveus is? Je laat hem praten.

'Hij kwam van tijd tot tijd gewoon langs. En dan praatten we wat. Dat is alles,' gaat hij verder.

'Dus Nick kwam helemaal uit San Diego hierheen om een praatje met u te maken?'

'Dat heb ik niet gezegd.'

'Maar hij kwam hier speciaal naartoe om met u te praten?'

'O nee. Dat denk ik niet.'

'Zo staat het wel in zijn agenda.'

Hij kijkt me aan. Het is het gezicht dat je zou verwachten van iemand die zijn tong aan het inslikken is. 'Zijn agenda?'

'Ja.' Ik zeg er maar niet bij dat het een palmtop was en dat ik waarschijnlijk het enige exemplaar bezit.

'Nick heeft mijn naam in zijn agenda geschreven?'

'Dat zei ik.'

'U hebt dat gezien?'

'Ja.'

'Zijn kantooragenda?'

'Een van zijn agenda's.'

'Dus ik neem aan dat ze het op het kantoor in San Diego ook hebben gezien?'

'Ik zou hebben verwacht dat het u meer interesseerde of de politie het had gezien.'

'O. Ja, goed. Daarom dacht u dat ze misschien met me wilden praten?'

'Ja. Hoezo? Is er nog een andere reden?'

'Dat heb ik u al verteld. Ik weet niets. Hebben ze die agenda gezien? De politie, bedoel ik?'

'Nou, daar ben ik niet zeker van.'

'Wat bedoelt u, u bent daar niet zeker van?'

'Nou, misschien hebben ze dingen gezien waar ik niet van weet. Maar ik denk van niet. Tenminste, nog niet.'

'Waarom doet u dit? Wat wilt u? Geld?'

'Waarom denkt u dat ik geld zou willen?'

'Niets. Ik weet het niet. Ik begrijp er niets van. Mijn naam in Nicks agenda. Ik heb u al gezegd dat ik niets weet. Ik neem aan dat u hier niet met Adam over hebt gesproken?'

'Tolt? Nee. Vindt u dat ik dat moet doen?'

Hij zegt niet ja of nee, en dus draai ik de duimschroeven nog een beetje aan. 'Het zal u interesseren dat u niet de enige bent.'

'Wat bedoelt u?'

'Er staan andere namen in die agenda. Besprekingen met andere leden van de firma. Dagen en tijdstippen.'

Hij zegt niets, kijkt me alleen maar aan.

'Waarom vertelt u me niet waar die besprekingen over gingen?'

'Dus dat heeft Nick u niet verteld?'

'Dat zou hij hebben gedaan, als ik het hem had gevraagd. Maar iemand heeft hem eerst doodgeschoten.'

'Die besprekingen hadden daar niets mee te maken. Trouwens, er staat in het artikel dat het een ongeluk was.'

'Ja. Maar dat is geschreven door uw firma. Natuurlijk willen ze zo min mogelijk ophef. Als een lid van de maatschap wordt doodgeschoten, kan het maar beter een ongeluk zijn dan iets sinisters. Vindt u ook niet?'

'Ik vind dat u nu moet gaan.' Dolson heeft moed verzameld en zichzelf ervan overtuigd dat ik niets weet. 'Ik vind dat u die agenda moet vergeten, of wat het ook is dat u hebt gezien of denkt dat u hebt gezien.'

'U mag uzelf voor mijn part in de maling nemen, maar die agenda bestaat.'

'Wilt u weten wat ik denk?'

'Ja.'

'Ik denk niet dat er een agenda is met mijn naam erin. Ik denk dat u dat hebt verzonnen. Waar is hij? Hebt u hem meegebracht?'

'Als hij niet bestaat, hoe weet ik dan op welke dag u met Nick hebt gesproken?'

'Dat is misschien alles wat Nick u heeft verteld. Of misschien hebt u het toevallig gehoord. Zoals ik al zei: het ging niet over zaken.' Hij draait zich om en loopt naar zijn bureau terug. 'Ik heb werk te doen. Ik zou graag zien dat u vertrekt.'

Wat er ook aan de hand is, Dolson zet er in zijn angst een hoge muur omheen. Bij mijn bureau aangekomen, kijkt hij me aan. 'Gaat u weg of hebt u liever dat ik de bewakingsdienst bel?' Hij pakt de telefoon op alsof het een wapen is, met zijn vingers al boven de toetsen.

'Als u dat wilt.'

'Ik neem aan dat u er zelf wel uitkomt?'

Hij kijkt me door de deuropening van zijn kamer na. Zijn ogen blijven op me gericht totdat de liftdeuren achter me dichtgaan. Van één ding kan ik zeker zijn: wat Nick en Dolson ook met elkaar hebben besproken, het was geen praatje over het weer.

Het is maar een paar blokken, nog geen twee kilometer, van Dolsons kantoor naar een van de drie adressen die ik in Nicks palmtop heb gevonden. De andere twee adressen zijn in Washington en New York.

Als ik het adres heb gevonden, begint het al laat te worden. De binnenstad van San Francisco is, zoals de meeste grote steden, een ramp als het op parkeren aankomt, zelfs na werktijd. Ik doe er tien minuten over om een plekje te vinden. Omdat het na zes uur is, hoef ik niets in de meter te stoppen. Ik doe de huurauto op slot en loop twee blokken terug naar het adres dat in de palmtop staat.

Het adres zit tussen een aantal trendy restaurants in. Het is een antiekzaak met dure Aziatische kunst in de etalage, een zaak waar een prestigieuze binnenhuisarchitect voor welgestelde klanten zou gaan winkelen. Het is in een zijstraat van de Embarcadero, maar meer naar het westen dan het kantoor van RD&D.

Het gebouw dat ik zoek, neemt een kwart van het blok in beslag, modern en vier verdiepingen hoog, met veel rookglas. Maar er is iets vreemds aan de hand. Er brandt niet één licht in een van de kantoren aan deze kant van het gebouw. Meestal is er in zo'n gebouw altijd wel iemand die overwerkt, of is er op zijn minst een portier.

Ik kijk op het straatnaambord om er zeker van te zijn dat dit de straat van het adres in Nicks palmtop is. Ik had het apparaatje aan Dolson kunnen laten zien, maar daar zou ik niets mee zijn opgeschoten. Hij zou hebben beweerd dat ik die dingen er zelf in had gezet. Dat is het probleem dat de politie op dit moment ook zou kunnen hebben, tenzij Nick de informatie van het apparaatje ook naar zijn computer had overgezet, en ik ben er zo langzamerhand zeker van dat hij dat niet heeft gedaan. De informatie op de palmtop is te lang uit het bezit van het slachtoffer geweest om nog geloofwaardig te zijn. Iedereen kan iets hebben toegevoegd of gewist. Ze zouden mij op mijn woord moeten geloven, mij, een strafpleiter, een vriend van de overledene, iemand die bewijsmateriaal heeft achtergehouden in een moordzaak. Als ik een getuigenverklaring zou afleggen, zou die uit elkaar vallen als nat wc-papier.

Het is de goede straat. Ik ga de hoek om en loop langs wat blijkbaar de voorkant van het gebouw is.

Deze kant kijkt uit op de baai. Ik hoor het verkeer dat twee blokken van me vandaan door de Embarcadero rijdt, langs de pakhuizen met hun enorme gewelfde deuren en reusachtige nummers op de gevels. Ik voel een kille zeebries en er hangt een zilte geur in de lucht. Aan deze kant brandt ook geen licht op de bovenverdiepingen, maar zo'n vijftig meter verderop zie ik wel de hoofdingang.

Ik zet de kraag van mijn jasje omhoog, steek mijn handen in mijn zakken en loop door. De wind doet de zomen van mijn broekspijpen wapperen.

Als ik dichterbij kom, zie ik het huisnummer boven de voordeur, hetzelfde nummer dat Nick in zijn palmtop heeft genoteerd. Er is geen vergissing mogelijk. Het is het juiste adres. Maar degene bij wie Nick hier is geweest, is weg. Het gebouw is leeg. Er zit een groot bord tegen de binnenkant van de glazen voordeuren geplakt:

TE HUUR

20

Het is donderdag, midden op de ochtend, en als ik de parkeergarage onder Susan Glendenins kantoor inrijd, herken ik de grote, donkerblauwe Lincoln uit de jaren zestig. Hij staat dicht bij me geparkeerd.

Deze auto, zo groot als een boot, was ooit het bezit van Nick. Misschien kan ik beter zeggen dat de auto Nick bezat.

De Lincoln convertible met een inklapbare hardtop die in de carrosserie verdween, was een experiment van Ford. Er zijn er maar vier van gemaakt, die alle vier door topmanagers zijn uitgetest. Om de een of andere reden is de productie nooit van de grond gekomen. De auto en zijn innovaties stierven op de tekentafel.

Nick liep er begin jaren tachtig tegenop. De auto maakte deel uit van het honorarium dat hij van een cliënt kreeg die betrapt was op het smokkelen van drugs in de opgeklapte hardtop. In die tijd nam de overheid een auto die voor zoiets was gebruikt nog niet in beslag.

De auto trekt meer aandacht dan de meeste schoonheidskoninginnen. Met de top naar beneden lijkt hij verbazingwekkend veel op de presidentiële limousine waarin Kennedy vermoord is, en hij is dan ook een keer gebruikt voor een film waarin die gebeurtenis voorkwam. Nick was ervan overtuigd dat zijn exemplaar het enige van de vier was dat nog over de weg reed. Hij aanbad die auto, dekte hem altijd af, beschermde hem zoals de Israëlieten de Ark des Verbonds beschermden. Om die reden jutte Margaret haar advocaten op en schiep ze er een groot behagen in om Nick bij de scheiding de Lincoln afhandig te maken.

Dat weet ik, want telkens wanneer ik hem ontmoette en we iets gingen eten of drinken, praatte hij weer over die auto. Dat was dan net een slowmotionherhaling van een knoertharde slag in de Super Bowl. Van alle scherpe, pijnlijke slagen die de scheiding hem toebracht, was het verlies van die dierbare auto het scherpst en het pijnlijkst. Het ergste was nog dat Margaret met zijn grote blauwe lieveling door de hele stad reed. Ze weigerde hem te verkopen en parkeerde hem op krappe plekjes bij de supermarkt, alleen om deuken in de deuren te krijgen. Telkens wanneer Nick die auto zag, telde hij er een paar deuken bij. Blijkbaar wachtte Margaret boven al op me.

Ik had in Capital City drie dagen nodig gehad om mijn zaken af te handelen, terwijl Sarah bij vrienden logeerde. Omdat Harry en ik het oude kantoor niet helemaal kunnen opgeven, hebben we het grootste deel van de ruimte onderverhuurd aan twee jonge advocaten en hebben we één kamer voor onszelf overgehouden.

Op de ochtend dat ik terugkom, is Harry tamelijk tevreden over zichzelf. Hij heeft zijn portie goede daden voor die dag al verricht. We hebben het fikse honorarium dat we van Dana hebben gekregen naar Nicks dochter Laura doorgestuurd met een brief waarin we uitleggen dat het geld afkomstig is uit Nicks nalatenschap.

Harry is ook blij met een artikel dat twee dagen eerder in de *Tribune* is verschenen. Het is een verkorte versie van Adams nieuwsbrief, waarin wij de eer krijgen voor de schikking met de verzekeringsmaatschappij. Het vormt ook de inleiding tot een artikel op pagina twee, waarin wordt gemeld dat de politie nog niet weet wie er achter de schietpartij zaten. Kranten en twee televisiestations hebben naar het kantoor gebeld. Ze willen informatie en vragen om televisie-interviews. Adam maakt veel werk van die schikking. Op dit moment kan de pers alles wel gebruiken, als het maar de leegte opvult die is ontstaan doordat het onderzoek naar de dubbele moord blijkbaar niet vordert.

Om de een of andere reden heeft de politie tot nu toe geen poging gedaan om Espinoza te ondervragen. Waarom ze hem negeren, na de tip die Harry van zijn vriend de officier van justitie heeft gekregen, is me een raadsel, maar ze hadden eerst met mij moeten praten om hem te vinden, en dat hebben ze niet geprobeerd.

Ik had een bepaalde reden om Susan Glendenin te vragen op deze ochtend een ontmoeting met Margaret Rush voor me te arrangeren. Misschien kan Margaret opheldering verschaffen over bepaalde zaken in het laatste jaar van Nicks leven: zijn transacties met Metz.

Ik neem de lift van de garage naar de vierde verdieping. Als ik daar aankom, werkt de airconditioning op volle toeren. De stad is nu al vijf dagen in de greep van een alle records brekende hittegolf, met verzengende lucht die loom vanuit de woestijn komt aangewaaid.

Als ik bij de receptiebalie kom, met mijn vinger in de kraag van mijn jasje om het als een zak over mijn schouder te hangen, zie ik dat Susans deur gesloten is. Ze is met Margaret aan het overleggen. Nadat de secretaresse hun heeft verteld dat ik er ben, moet ik een paar minuten wachten voordat Susan de deur openmaakt.

Zoals altijd is ze opgewekt. Ze heeft deze ontmoeting geregeld omdat ze graag iets voor een ander doet en ook omdat het een redelijk verzoek van me was. Glendenin is het soort advocaat dat rechtbanken en rechters overbodig zou maken, tenminste, als de opponenten over evenveel gezond verstand zouden beschikken.

'Hoe gaat het, Paul?'

'Prima.'

'Nog heet buiten?'

'Als de hel.'

'Wil je iets kouds te drinken?'

'Water zou erg lekker zijn.'

'Kom binnen.'

Ze geeft de secretaresse opdracht ijswater te halen en leidt me haar kamer in.

Als ik binnenkom, zit Margaret in een van de cliëntenstoelen met haar rug naar me toe. Ze kijkt niet om en begroet me niet, totdat Susan duidelijk maakt dat het onbeleefd van haar zou zijn om me te negeren.

'Margaret, ik geloof dat je Paul Madriani al kent?'

Ze draait zich nu naar me om. Meer dan een strak glimlachje en een knikje kan er niet af, en dan richt ze haar blik meteen weer op de andere kant van het bureau, waar Susan in haar leren BodyBilt-stoel met hoge hoofdsteun en op maat gemaakte armleuningen gaat zitten. Advocaten zijn net zo gek op hun directiestoelen als tien jaar geleden op hun Porsches. Voordat ze zo'n stoel kopen, testen ze de hendels voor de luchtcilinder die de hoogte en spanning van de leuning beheerst, alsof ze met mach 20 over de baan vliegen. De babyboomers krijgen zo langzamerhand de snelheid van geriatrische patiënten.

Ik neem de andere cliëntenstoel en hoop dat Margaret een beetje zal ontdooien voordat mijn ijswater komt.

'Ik heb met Margaret overlegd over het verzoek dat je hebt gedaan,' zegt Susan. 'Ze is bereid om zo goed mogelijk je vragen te beantwoorden, al stelt ze wel bepaalde voorwaarden.'

'O.'

'Ze wenst niet te praten over de scheiding of de boedelscheidingsregeling. Ze wil liever ook niet over zijn tweede huwelijk praten, als dat enigszins mogelijk is.'

'Ik begrijp het.' Susan heeft dit gesprek alleen van Margaret gedaan gekregen door haar te vertellen dat Dana concessies moest doen in de zaak van de levensverzekering. Dat appelleert aan iets wat erg diep zit bij Margaret: haar zucht naar wraak.

Als ze wist dat Dana heeft gefraudeerd met geld dat de firma voor cliënten in beheer had, zou ze met die grote blauwe auto van haar op topsnelheid naar Broadway racen om dit laatste nieuws aan de politie te vertellen. Niemand weet het, behalve Adam en ik, en ook een paar ondergeschikten in zijn kantoor die gezworen hebben te zwijgen, met hun carrière als onderpand.

'Zal ik beginnen?' vraag ik. De deur achter ons gaat open en de secretaresse komt binnen met een dienblad, glazen en drie grote plastic flessen water, die elk zweten van het condens uit de koelkast. Ik wacht tot ze weg is en ga dan verder.

'De vragen die ik wil stellen, hebben te maken met zakelijke transacties van Nick in de laatste twaalf tot achttien maanden van zijn leven.'

'Dan heb je de verkeerde voor je,' zegt Margaret. Ze kijkt me nog steeds niet aan. Ik heb de onvergeeflijke zonde begaan dat ik een vriend van Nick was.

'Misschien, maar ik dacht dat je iets kon hebben gehoord, misschien van anderen.' Ik gok erop dat haar advocaten in de scheidingszaak grondig onderzoek naar Nicks handel en wandel hebben gedaan.

'Goed. Wat wil je weten?'

'Heb je ooit gehoord van een bedrijf, een vennootschap, een onderneming met de naam Jamaile Enterprises?'

Ze denkt daarover na. Haar strakke gezicht wordt een beetje milder doordat ze haar energie nu aan het graven in haar geheugen besteedt. 'Nee, ik geloof van niet. Of wacht even,' zegt ze. 'Ja, één keer. Dat was in de tijd van de scheiding.' Ze schendt haar eigen regel. 'Mijn advocaten kwamen erachter. Ze dachten dat Nick die vennootschap gebruikte om activa aan de boedel te onttrekken.'

'Deed hij dat?'

'Nee. Ik wil hier echt niet over praten,' zegt ze.

Ik kijk Susan aan, die een gezicht trekt. Ze wil wel helpen, maar kan het niet.

'Ze gingen op onderzoek uit maar konden niets bij die onderneming vinden,' zegt ze.

'Weet je nog wanneer dat was?'

'Nee.'

'Weet je nog of ze Nick daar vragen over stelden op de rechtszitting?'

'Ik dacht dat we het niet over de scheiding zouden hebben.'

'Het is een simpele vraag,' zegt Susan. 'Je weet het nog of je weet het niet meer.'

'Goed. Ik weet het niet meer,' zegt ze.

'Heb je ooit de naam Gerald Metz gehoord, in verband met Jamaile Enterprises?'

'Was dat niet die man die tegelijk met Nick is doodgeschoten?'

Ik knik. Ze moet me aankijken om dat te zien, en er is nu eindelijk oogcontact.

'Bedoel je dat ze zaken met elkaar deden?'

'Daar lijkt het op.'

'Weet de politie daarvan?'

'Ja. Hebben je advocaten zich ooit in Metz verdiept? Hebben ze geprobeerd na te gaan wie hij was en wat voor zaken dat waren?'

'Ik weet het niet. Je zou met hen moeten praten.'

'Dat heb ik gedaan. Ze wilden er niet over praten zolang jij geen schriftelijke toestemming hebt gegeven.'

'Dat zou ik met hen moeten overleggen,' zegt ze. Margaret en haar advocaten willen liever niet over de scheiding praten, en zeker niet over de boedelscheidingsregeling. Waarschijnlijk zijn ze bang dat Dana alsnog zal proberen aan te tonen dat Margaret geen recht op het verzekeringsgeld had.

Susan neemt haar hand van de armleuning van haar stoel om te kennen te geven dat ik daar niet verder op in moet gaan, dat ik beter over iets anders kan beginnen.

'Heb je ooit de naam Grace Gimble gehoord?' vraag ik.

Nu kijkt ze me abrupt aan. Ik kan haar nek bijna horen knakken. 'Wat heeft Grace hiermee te maken?'

'Ken je haar?'

'Ja. Ze is een vriendin van me,' zegt ze. 'Een van de weinige kennissen die we samen hadden. Ik bedoel, iemand die Nick en ik allebei kenden. Ze is na de scheiding met me bevriend gebleven.'

'Weet je waar ik haar kan vinden?'

'Misschien. Maar vertel me eerst waarom je naar haar vraagt.'

'Haar naam duikt op in de oprichtingspapieren van die vennootschap waarover ik je vertelde, Jamaile Enterprises. Kun je me vertellen wie ze is? Waarom haar naam op die papieren voorkomt?'

Ze denkt daar even over na en kijkt intussen naar het eikenhouten oppervlak van Susans bureau. Misschien vraagt ze zich af of iemand die iets met Nick te maken had wel een vriendin kan blijven. 'Dat is niet moeilijk,' zegt ze. 'Toen Grace niet meer bij de overheid werkte, ging ze als secretaresse aan de slag. Juridisch assistent, noemen ze dat. Om een beetje bij te verdienen. Ik weet dat Nick haar van tijd tot tijd wat werk toespeelde, in de tijd voordat hij bij RD&D ging werken. Voordat we...'

'Ik begrijp het. Weet je waar ze woont?'

'Ik denk van wel.' Margaret zoekt in haar tasje en haalt een zwart adressenboekje tevoorschijn. Ze bladert erin tot ze Grace Gimbles adres heeft gevonden. Ze leest het me voor en ik noteer het op een Post-it-velletje van Susans bureau.

'Heb je een telefoonnummer?'

Ze geeft me dat ook.

'Heb je haar de laatste tijd gesproken?'

Ze denkt na. 'Minstens een jaar niet,' zegt ze. 'Ze zal wel op Nicks begrafenis zijn geweest. Ik weet dat niet, want ik was er niet bij.'

'Hoe kende ze Nick?'

'Ze was zijn secretaresse op het Openbaar Ministerie, voordat hij daar wegging.'

Ik hou op met schrijven en kijk haar aan. Ze kan zien dat ik dit niet had verwacht.

'Ze ging daar weg in de tijd dat Nick voor zichzelf begon. Nick heeft me verteld dat ze een cursus voor juridisch assistent volgde en freelance werkte.'

Dat zou verklaren waarom haar naam op de oprichtingspapieren van Jamaile voorkwam, vooral wanneer Nick, om welke reden dan ook, geen gebruik wilde maken van het administratief personeel van de firma.

Voordat Margaret nog meer kan zeggen, gaat Susans telefoon. Susan kijkt me aan en rolt met haar ogen. 'Ik heb ze gezegd dat ze niet mochten doorverbinden.' Ze neemt op. 'Ja.' Ze kijkt naar mij, dan naar haar bureaublad, en houdt dan haar hand over het mondstuk. 'Het is voor jou,' zegt ze.

De enige die weet dat ik hier ben, is Harry.

'Wil je het in een andere kamer aannemen?' zegt ze.

'Nee.'

Susan schuift de telefoon een eindje naar me toe en rekt het snoer zo ver uit dat ik de hoorn aan de rand van haar bureau bij mijn oor kan houden.

'Hallo.'

'Een ogenblik.' Het is Susans secretaresse. Even later hoor ik Harry's stem.

'Paul.'

'Ja.'

'Zeg, ik heb iets voor je. Ik heb net de post van vandaag binnengekregen.'

'Kan het niet wachten? Ik zit midden in een bespreking.'

'Je zult dit willen weten.'

'Goed.'

'Espinoza heeft een andere advocaat,' zegt Harry.

'Wat?'

'Ik dacht wel dat je geïnteresseerd zou zijn. Een zekere Gary Winston in National City.'

'Sinds wanneer?'

'Bijna een week geleden. Het bericht is net over de post binnengekomen. En dat is nog niet alles. Ik besloot het eerst even na te trekken, voordat ik je tijd verspilde. Ik ging even na of Espinoza nog gevangenzit. Dat zit hij niet.' Harry kan aan mijn zwijgen merken dat hij mijn onverdeelde aandacht heeft.

'Er is gisteren een borgtochtzitting geweest. De borgsom werd vastgesteld op een miljoen dollar.'

'Dan zit het waarschijnlijk wel goed,' zeg ik. 'Tenzij ik me heel sterk vergis en hij beter bij kas is dan ik denk, kan hij de tien procent zelf nooit opbrengen, de honderdduizend dollar voor borg.'

'Mis,' zegt Harry. 'Hij is al sinds gistermiddag een vrij man. Ben je daar nog?' Harry aan de andere kant van de lijn hoort alleen dode lucht.

'Ja. Ik denk na. Wie heeft die borgsom gestort?'

'Weet ik niet. Zal ik dat proberen uit te zoeken?'

'Ja.'

'Misschien weten ze ook waar hij is. Of in ieder geval het adres dat Espinoza hun heeft opgegeven.'

'Laten we hopen dat hij in de gaten wordt gehouden door de borgtochtfirma die hem dat geld heeft voorgeschoten.' Als ze wisten wat voor vluchtrisico hij vormde, zouden ze hem niet als cliënt hebben aangenomen, tenzij ze een of andere garantie hadden gekregen.

'En Harry...'

'Ja?'

'Probeer iets te weten te komen over die advocaat, die Winston. Bel me op mijn mobiele nummer zodra je iets weet. Ik zit straks in de auto.'

Ik stop het briefje met Grace Gimbles adres en telefoonnummer in mijn zak en verontschuldig me bij Susan en Margaret voor mijn overhaaste vertrek.

'Heb je verder geen vragen meer?' zegt Margaret.

'Op dit moment niet. Ik bel Susan wel als ik nog meer vragen heb. De volgende keer kunnen we dit onder een lunch doen. Ik trakteer.'

Margaret weet niet of ze dat wel wil, of ze niet moet zeggen: nu of nooit. Ze zegt helemaal niets. Ik zeg tegen Susan dat ik haar later nog zal bellen, en dan ben ik de deur uit.

Zolang ik niet over meer informatie beschik, moet ik van veronderstellingen uitgaan. Degene die de advocaat heeft ingehuurd om Espinoza vrij te krijgen, heeft ook de borgsom opgehoest. En dat is geen kattenpis. Tenzij ze de loterij heeft gewonnen, was het niet zijn vrouw. Wie het ook is, hij moet een reden hebben gehad om Espinoza uit de gevangenis te krijgen. En het moet iemand zijn geweest die Espinoza kende of in ieder geval eerder had ontmoet. Espinoza kent misschien wel honderd mensen die daaraan voldoen, maar de enige die ik ken is de man met de vilthoed, de man van wie Joyce me vertelde dat hij Hector Saldado heet.

Er trilt iets tegen mijn been. Het komt uit de zak van mijn jasje, dat op de stoel naast me ligt. Het is mijn mobiele telefoon, die overgaat. Ik vis hem uit mijn zak.

'Hallo.'

'Kun je me horen?' Het is Harry.

'Ja. Ga je gang.'

'Ik heb die advocaat te pakken gekregen, die Winston.'

'Ja.'

'Hij zegt dat hij Espinoza nooit had ontmoet voordat hij hem op de rechtbank zag, op de borgtochtzitting. En nu komt het. Die vent is nog maar vier maanden geleden als advocaat begonnen. Hij zegt dat hij door de telefoon is ingehuurd door een mannenstem. Die persoon identificeerde zich als Espinoza's broer. Een paar uur later bracht een koerier een cheque voor het voorschot, tegelijk met een door Espinoza ondertekende verklaring om van advocaat te veranderen. Die jongen zegt dat hij de hoorzitting heeft geregeld. Hij noemde het een makkie. Ik kreeg het gevoel dat het zijn eerste keer op de rechtbank was.'

'Waarom?'

'Hij dacht dat hij zijn cliënt een dienst bewees met die borgsom van een miljoen dollar. Blijkbaar heeft de officier van justitie die de borgtochtzittingen deed even niet goed opgelet. Hij vroeg het hof om een kwart miljoen, keek toen naar het dossier en besefte waar hij mee te maken had. Hij verhoogde het bedrag meteen naar een miljoen, want hij dacht natuurlijk net als jij dat Espinoza dat niet kon opbrengen. De jongen probeerde het verlaagd te krijgen, maar daar wilde de rechter niet van weten. Espinoza zei op de terugweg naar zijn cel tegen de jongen dat hij zich geen zorgen moest maken. Het zou geen probleem zijn. Die advocaat zegt dat hij van de borgsom weet. Hij zegt dat iemand anders het moet hebben geregeld.'

Mijn bangste vermoedens. 'Heb je met de man van de borgtochtfirma gesproken?'

'Die was niet op kantoor.'

Ik hoop dat hij zijn investering – Espinoza – in de gaten houdt.

'Waar ga je nu heen?' vraagt Harry.

'Ik rij over de Interstate 5 naar het zuiden.'

'Kom je naar kantoor terug?'

'Nee. Zeg, hoe laat heb jij het?'

'Het is ongeveer twintig over elf,' antwoordt Harry.

'Als ik je over een uur nog niet heb gebeld, wil je dan iets voor me doen?'

'Wat dan?'

'Bel de politie in San Diego en geef ze dit adres.' Ik noem Harry het adres. Hij schrijft het op en leest het aan me voor.

'Wat is er aan de hand?' zegt hij.

'Doe het nou maar.'
'Moeten ze een patrouillewagen sturen?'
'Meer dan een,' zeg ik tegen hem. 'Maar geef me een uur.'
'Goed.'

21

Ik parkeer in de schaduw van een oude populier, een half blok verder en aan de andere kant van de straat. Ik kijk naar het oude huis met zijn half ingezakte voorveranda.

Het grote houten huis van twee verdiepingen op 408 lijkt bij daglicht nog groter en slechter onderhouden dan 's avonds. Ik zie ook iets wat er de vorige keer niet was: een oude terreinwagen die bij het huis geparkeerd staat. De ingedeukte carrosserie is in de grondverf gezet maar niet van nieuwe lak voorzien. Hij staat op het grindpaadje aan de andere kant van de trap, met zijn voorbumper in de struiken naast het huis. De grote, agressieve achterbanden staan nog net op het trottoir.

Maar wat me vooral opvalt, is de achterkant van de auto. Waar de ruit moet zitten, zie ik een stuk gekreukt zwart plastic, vastgeplakt en rond het frame geslagen. Deze auto moet wel de Chevrolet Blazer zijn waar Espinoza me over vertelde toen ik hem in de gevangenis bezocht.

Ik zit een paar minuten te kijken. Er zijn tekenen van leven in een van de huizen, dat op 408. De voordeur gaat open en de hordeur wordt naar buiten geduwd.

De man is lang en slank en hij heeft in elke hand een koffer. Ik herken het postuur. Het is de Mexicaan die ik die avond had gezien en over wie Espinoza me had verteld, maar ditmaal zonder vilthoed. Als de naam op de brievenbus echt is, en als Joyces informatie klopt, is dit Hector Saldado, die dagelijks met zijn mobiele telefoon naar Cancún en omgeving belt.

Saldado draagt de koffers de trap af naar de achterkant van de geblutste Blazer. Hij duwt het rek met de reserveband uit de weg en tilt de achterdeur met het plastic voor de ruit omhoog. Als hij de koffers naar binnen gooit, komt iemand anders de deur uit. Ze rent op blote voeten, halfnaakt, met een baby in haar armen, en is op de bovenste trede als Saldado zich omdraait en haar ziet.

Ze probeert op de trap langs hem te glippen, maar hij steekt zijn hand uit en pakt haar arm vast. Hij rukt het kind bijna uit haar armen.

Ze probeert zich los te trekken en hij zwaait haar naar zich toe, zodat de baby door de centrifugale kracht bijna uit haar armen vliegt.

De Mexicaan is sterk en pezig. Zijn handen pakken haar bovenarmen van achteren vast en hij tilt haar op, met het kind nog in haar armen. In een ommezien heeft hij haar de trap weer opgeduwd en verdwijnt ze in de duisternis voorbij de deur. Dan blijft hij staan, draait zich om en kijkt of iemand het heeft gezien. Ik laat me opzij glijden achter het stuur. Dan verdwijnt hij.

De hele episode heeft nog geen twintig seconden geduurd. Iemand die het gezien had, zou vinden dat die man wel erg agressief met zijn vrouw omging. Misschien reden om de politie te bellen, al zou ik niet willen dat mijn eigen leven aan een zijden draadje kwam te hangen. Ik weet niet wat ze hier doet, maar Robin Watkins, Espinoza's kindvrouwtje, verkeert in grote moeilijkheden.

Ik pak mijn mobiele telefoon en draai 911. De centrale neemt op.

'Ik wil een geval van huiselijk geweld melden.'

'Is het dringend?'

'Ja.'

'Wordt het geweld op dit moment gepleegd?'

'Ja.' Ik geef haar het adres en mijn naam en mijn mobiele nummer.

'We sturen een auto.'

'Hoe lang duurt dat?'

'Het kan enkele minuten duren,' zegt ze.

'Hoeveel minuten?'

'Ik kan u geen schatting geven. We hebben op het moment geen agenten in de buurt. Zodra er een wagen beschikbaar is.'

Ik hang op, haal diep adem en stap uit de auto. Van de achterbank pak ik mijn oude attachékoffertje, Samsonite, zwaar en met harde zijkanten. Ik sluit het autoportier en loop naar de kofferbak. Daar vind ik onder de reserveband de bandenlichter, een stalen staaf van ruim een centimeter dik en ongeveer een halve meter lang, kaarsrecht en met een beitelpunt aan het ene uiteinde om hem in de krik te zetten. Aan het andere eind maakt het ding een hoek van vijfenveertig graden met de eigenlijke lichter. Deze staat heeft tegenwoordig twee jengelende senatoren die hun burgers elk verdedigingsmiddel willen afpakken. Het is alleen nog maar een kwestie van tijd voordat hamers en bandenlichters ook verboden zijn.

Ik haal de dossiers en papieren uit mijn attachékoffertje en leg de bandenlichter er schuin in, de enige manier waarop hij erin past. Dan sluit ik het koffertje en gooi ik de kofferbak dicht. Als ik de straat oversteek, druk ik op het knopje van de afstandsbediening aan mijn sleutelring en hoor ik dat de deuren op slot gaan. Het is benauwend heet. De zon brandt op het kapotte betonnen wegdek van de straat.

Boven aan de trap kijk ik naar de brievenbus. Saldado, H. woont volgens het briefje nog in appartement G.

Ik trek de hordeur open. De voordeur staat nog open en ik ga naar binnen. Het is hier koeler, donker, met een luchtstroom die vanaf de achterkant van het huis door de gang trekt.

Het appartement onder aan de trap, meteen rechts van me, heeft de letter 'A' in geblutst koper. Die letter is in de bovenstijl van de oude paneeldeur geschroefd.

Links van me is ook een deur; appartement B. Verderop zijn er nog twee deuren aan diezelfde kant, de appartementen D en E. Appartement G, dat van Saldado, moet boven zijn.

Ik beklim de trap met twee treden tegelijk. Ik kijk goed waar ik mijn voeten neerzet en probeer zo min mogelijk geluid te maken. Als ik bijna boven ben, komen mijn ogen ter hoogte van de vloer op de eerste verdieping. Die vloer bevindt zich recht boven de gang van beneden.

Ik ga verder omhoog tot ik de deur aan de rechterkant zie, voorbij de trap: G.

Gezien de indeling van het gebouw neem ik aan dat Saldado's appartement groter is dan de andere appartementen. Omdat er vanwege het open trappenhuis maar één deur aan de rechterkant is, beslaat zijn woonruimte de hele lengte van het gebouw, van rechtsvoor tot rechtsachter.

Ik druk mijn oor tegen de vuile bepleistering van de muur, net boven de vloer. Als ik daar sta te luisteren, ben ik nog zes of zeven treden van de eerste verdieping verwijderd. Ik hoor geluiden van een televisie die binnen aanstaat, stemmen en dan ingeblikt gelach.

Ik kijk op mijn horloge en hoop gauw de gierende banden van een politiewagen te horen. In plaats daarvan hoor ik de kreet van een vrouw, een enkele langgerekte kreet, gevolgd door een doffe klap.

Blijkbaar valt daarbinnen iets of iemand tegen de muur. Door het trillen van de muren trek ik mijn hoofd weg. Ik hoor nu een gedempte kreet en iets wat op snikken lijkt.

Vlug maak ik het attachékoffertje open en haal de bandenlichter eruit. Ik weeg het ding in mijn hand en probeer wanhopig iets te bedenken, een afleidingsmanoeuvre, iets wat Saldado afleidt van de vrouw, al was het maar tot de politie arriveert.

Op de gang voor me, voorbij de deur naar zijn appartement, steekt de muur naar voren uit, ruim een halve vierkante meter. In een groter gebouw zou de muur daar een stalen balk afdekken, onderdeel van de binnenconstructie. In dit geval zit er waarschijnlijk de waterleiding of de meterkast achter, aangebracht toen ze het oude huis in appartementen opsplitsten.

Ik kijk weer naar Saldado's deur. Ik kan niet ongemerkt zijn appartement binnenglippen, maar mijn visitekaartje kan dat wel. Ik schrijf vlug iets op de achterkant van een van mijn kaartjes, ga naar de bovenkant van de trap en zet het attachékoffertje zorgvuldig midden op de bovenste tree. Iemand die erlangs komt, moet het wel zien.

Vlug loop ik door de gang tot ik recht voor Saldado's deur sta. Er zit een kijkgaatje in die deur, zo'n ronde visooglens. Ik weet het niet zeker, maar ik denk dat iemand die van binnen naar buiten kijkt niet ver genoeg door de gang kan kijken om het achtergelaten attachékoffertje te zien.

Ik haal diep adem, schuif dan het kaartje onder de deur door en bonk twee keer zo hard als ik kan op de deur.

Binnen wordt nog één keer snel gesnikt. Dat wordt onmiddellijk gesmoord. Voordat het ophoudt, ben ik drie meter de gang door, soepel lopend op de ballen van mijn voeten. Ik loop niet naar het lege koffertje toe maar daar juist vandaan.

Ik kruip weg achter de zuil van de waterleiding of elektriciteit. De ruimte is nauwelijks diep genoeg om mijn lichaam te verbergen, al druk ik mijn rug tegen de muur.

Er gaan enkele seconden voorbij. Ik luister.

De televisiestemmen worden plotseling zachter, tot ik ze niet meer kan horen. Dan hoor ik niets meer. Het lijkt wel of ik daar een eeuwigheid sta te luisteren. Er vormen zich zweetdruppels op mijn voorhoofd en bovenlip, terwijl mijn zwetende handen de bandenlichter omklemd houden. Ik spits mijn oren. Niets. Seconden gaan over in een minuut. Ik kijk op mijn horloge. De politie zou er al moeten zijn.

Dan hoor ik het. De geluiden van elk oud gebouw, het universele gekreun van een oeroude vloerbalk als iemand eroverheen loopt. Iemand is langzaam naar de deur gelopen en tuurt nu waarschijnlijk door het kijkgaatje. Ik stel me voor wat er binnen gebeurt. Een man, lang en pezig en met een ruige baard, tuurt door het gaatje en ziet niets. Dan pakt hij mijn kaartje op en leest de boodschap.

Meneer Espinoza: omdat u een andere advocaat hebt genomen, hebt u recht op teruggave van $5000 honorarium. Een vriend gaf me dit adres en ik probeer u te vinden. Paul Madriani.

Saldado mag dan niet van bezoek houden, maar vijfduizend dollar?

Er gaan nog meer seconden voorbij, en dan hoor ik voetstappen binnen. Ik hoor gehuil, ditmaal van het kind. Dan moeizame voetstappen. Een mannenstem, iets in het Spaans. De geluiden komen dichter bij de deur. Ik verstrak mijn greep op de bandenlichter in mijn rechterhand. Binnen wordt het slot omgedraaid. De deur gaat open. Ik druk mijn rug tegen de muur.

'Wie is daar?' Het is een vrouwenstem, angstig, haperend. 'Wie is daar?'

Ze luisteren even. Waarschijnlijk tuurt Saldado door het kijkgaatje terwijl hij een pistool tegen haar hoofd gedrukt houdt.

'Ga kijken wie het is.' Een barse fluisterstem met een accent. 'En vergeet niet dat ik je baby hier heb.' De deur gaat even dicht. Dan hoor ik dat de ketting eraf gaat, en de deur gaat weer open. Hij duwt haar de gang op en doet de deur vlug achter haar dicht. Ik hoor dat het slot wordt omgedraaid en dat de ketting weer op zijn plaats wordt geschoven.

Ik gluur om de hoek van mijn schuilplaats. Ze ziet me niet. Robin Watkins heeft haar rug al naar me toe, want ze kijkt naar het enige zichtbare voorwerp dat daar niet thuishoort, het attachékoffertje dat ik op de trap heb achtergelaten. Ik had gehoopt dat Espinoza daarheen zou gaan, want dan had ik een goede kans gekregen om hem met de bandenlichter te lijf te gaan.

In plaats daarvan staat Robin nu boven aan de trap en kijkt naar beneden. 'Hallo. Bent u daar?'

Ik blijf op mijn schuilplaats en geef geen antwoord. Ik ben bang dat ze, als ze me ziet terwijl Saldado haar kind daarbinnen heeft, in paniek raakt en me zal verraden. Ze begint langzaam de trap af te lopen en blijft roepen.

Als ze bijna beneden is, kan ik haar voetstappen niet meer horen. Nu en dan hoor ik haar stem, als ze roept. Ik hoor het piepen van de voordeur, gevolgd door de houten hordeur, die opengaat en dichtvalt.

Het valt niet te voorspellen wat ze gaat doen als de politie nu komt aanrijden: naar hen toe gaan of weer de trap oprennen om haar baby te redden.

Maar het gebeurt niet. Ik kijk op mijn horloge. De politie neemt de tijd. Enkele seconden later hoor ik de deuren beneden weer open- en dichtgaan, eerst de hordeur en dan de voordeur. Ik hoor ook haar voetstappen, maar niet op de trap. Ze loopt door de benedengang naar de achterkant van het gebouw. Ze gaat zorgvuldig te werk, kijkt op elke plaats waar ik kan zijn, blijft roepen. Ik hoor de achterdeur open- en dichtgaan, en dan is het stil. Ik blijf wachten en vraag me af wat Saldado binnen doet. Waarschijnlijk kijkt hij uit de ramen. Als er een politiewagen komt aanrijden, kan er van alles gebeuren.

Enkele seconden vraag ik me af of haar angst het van haar moederinstincten heeft gewonnen. Misschien is Robin er via de achtertuin vandoor gegaan. Binnen hoor ik de baby ontroostbaar huilen. Robin kan dat ongetwijfeld ook horen.

Ongeveer als ik denk dat ze er echt vandoor is, hoor ik het rammelen van de knop van de achterdeur, ditmaal niet beneden, maar op de achterveranda van de eerste verdieping, op anderhalve meter en rechts van me. Ik druk me zo diep mogelijk in de schaduwen weg. De deur gaat open.

Ze komt eraan. Ze gaat naar het appartement terug en zal vlak langs me moeten lopen om daar te komen. De deur achter haar gaat dicht. Ik hoor haar ademhalen, haar tranen wegsnotteren. Haar voeten schuifelen over de oude houten vloer. Haar gezicht is gekneusd en een van haar ogen is dichtgeslagen. Er komt bloed uit haar neus. Ik kan niet zien of die neus gebroken is. Ze kijkt naar de vloer en ziet me pas als ze opkijkt.

Ik hou mijn vinger tegen mijn lippen om haar duidelijk te maken dat ze stil moet zijn. Robin kijkt naar de deur aan de gang en dan weer naar mij. Ze ziet de bandenlichter in mijn hand en schudt vlug met haar hoofd. Robin Watkins weet wat er achter die deur is en heeft weinig vertrouwen in mij of in het wapen dat ik in mijn hand heb.

Voordat ze iets kan zeggen, steek ik mijn hand uit en trek ik haar naar de muur.

'Mijn baby is daarbinnen,' fluistert ze.

'Weet ik. Hoeveel zijn er binnen, behalve Saldado?'

Ze kijkt me aan alsof ze de naam niet herkent of de vraag niet begrijpt.

'De man binnen bij je baby, is hij alleen?'

Ze knikt langzaam, in trance. Ik vraag me af of ze alleen maar diep geschokt is of ook onder invloed van drugs verkeert.

'Waar is je man?'

Ze wijst naar de deur.

Het kind huilt weer.

'Mijn baby. Ik moet naar mijn baby,' zegt ze.

Ik moet haar arm vasthouden om te voorkomen dat ze doorloopt. 'Heeft hij een pistool? De man binnen?'

Ze schudt haar hoofd en haalt haar schouders op. Ze weet het niet. 'Een mes,' zegt ze. 'Iets anders heb ik niet gezien.'

'We moeten hem op de een of andere manier naar buiten zien te krijgen,' zeg ik tegen haar.

Ze schudt haar hoofd en probeert zich weer los te trekken.

'Hoor eens, als je me niet helpt, krijg ik je baby daar niet uit.'

Dat maakt indruk op haar.

We hebben niet veel tijd. Saldado moet haar hebben gehoord toen ze de achterdeur open- en dichtdeed. Hij zal op dit moment door het kijkgaatje loeren en zich afvragen waar ze blijft.

'Loop zo snel mogelijk langs de deur.' Ik hou mijn hand over haar oor en fluister. 'Pak het koffertje en neem het mee naar de deur. Als je bij de deur bent, hou je het voor hem omhoog. Hij kijkt door het gaatje naar je. Zeg tegen hem dat ik naar mijn auto ging om wat papieren te halen die je man moet tekenen, maar dat het geld in het koffertje zit. Begrepen? Het geld zit in het koffertje. En zet het dan voor de deur neer. Als hij de deur openmaakt, ga je niet naar binnen, absoluut niet.'

'Mijn baby is binnen.'

'Dat weet ik. Ik haal je baby voor je. Begrijp je?'

Ze kijkt naar me op. Ik weet niet zeker of ze het begrijpt.

'Komt het goed met mijn baby?' Ze zegt het bijna hardop.

Ik leg mijn hand over haar mond.

'Ik haal je baby. Als hij opendoet, loop je gewoon richting trap en blijf je uit de weg.'

Ze knikt.

Voordat ze nog een vraag kan stellen, duw ik haar verder. Ze kijkt over haar schouder naar me achterom, al is ze nu in zijn gezichtsveld gekomen. Ik geef een teken dat ze de andere kant op moet kijken. Ze doet dat, waardoor het lijkt of iemand aan de touwtjes van een marionet trekt. Ze verkeert in een soort shocktoestand. Ik ben bang dat ze, als ze het koffertje heeft gepakt en naar de deur is teruggelopen, vergeten is wat ze dan moet doen.

Maar voordat ze daar is, blijft ze voor de deur staan. Ik hou mijn adem in. Als hij de deur opendoet en haar naar binnen trekt, kan ik niets doen. Ik zou een telepathische boodschap naar haar willen sturen: doorlopen.

Ik hoor de deurketting aan de binnenkant verschuiven. Ik begin in beweging te komen om de afstand tot de deur te verkleinen. Blijkbaar roept het geluid van de ketting haar terug in de werkelijkheid. Haar voeten komen in beweging, en ze schuifelt door de gang naar de trap en mijn attachékoffertje.

Ik haal diep adem en druk me weer in mijn schuilplaats tegen de muur. Ik hoop dat Saldado alleen is en geen pistool heeft. Reken maar dat hij kwaad is als hij ontdekt dat ik alleen maar zestig dollar in mijn portefeuille en wat kleingeld in mijn zak heb.

Ze pakt het koffertje op en draait zich om. Een robot in trance. Ik knik en geef haar een teken dat ze terug moet komen, terug naar de deur.

Ze loopt als een zombie. Misschien heeft ze een hersenschudding opgelopen door die klappen op haar hoofd. Ze draagt het lege koffertje in haar linkerhand. Als ze er is, blijft ze staan en staart ze naar de deur.

Saldado zal op dit moment door het kijkgaatje naar haar kijken. Ik geef haar een teken door mijn ene pols vast te pakken en de andere hand met de bandenlichter omhoog te brengen. 'Hou het koffertje omhoog en laat het aan hem zien.' Het scheelt niet veel of ik spreek die woorden nog uit ook.

Ten slotte doet ze het. Ze aarzelt even en zegt dan: 'Het geld zit erin.'

Ik hoor dat de ketting van de deur gaat. Dan wacht hij. 'Waar is hij?'

Ze schudt een beetje met haar hoofd om de nevel te laten optrekken. 'Hij ging naar zijn auto,' zegt ze. 'Papieren om te ondertekenen.'

Hij denkt daar even over na. Dan draait hij het slot open. Sesam open u. Ik manoeuvreer me om de zuil heen en beweeg me snel met mijn rug langs de muur, met drie grote zijdelingse stappen. Robin staat daar nog met het koffertje. Ze is helemaal versuft.

Met de bandenlichter in beide handen knik ik met mijn hoofd om te kennen te geven dat ze opzij moet gaan. Ze ziet me niet of het dringt niet tot haar door.

De deurknop draait. Er is geen tijd meer. Met mijn rug tegen de muur breng ik mijn linkerbeen omhoog, zet mijn voet tegen de arm met het koffertje, en geef haar een zo hard mogelijke zet met mijn voet. Het koffertje valt uit haar hand op de vloer. Robin komt twee meter verder op de vloer terecht. Meteen daarop gaat de deur een klein eindje open.

Ik gooi mijn lichaam ertegenaan, de schouder voorop, en duw met mijn benen. Ik struikel over het koffertje en mijn leren zolen verliezen hun grip op de houten vloer.

De deur is al halfopen voordat Saldado weet wat er aan de hand is. Zijn ogen gaan wijd open, twee zwarte olijven drijvend in een zee van wit. Ik vang een glimp op van zijn gezicht voordat hij zo snel als een kat reageert. Hij gooit zich tegen de andere kant van de deur, zodat die recht tegen me aankomt. Hij steekt zijn hand om de deur heen, en er zit iets in, iets dat glanst, dat flitst, een vlijmscherp ouderwets scheermes. Hij haalt naar me uit, raakt mijn rechterarm en snijdt door de dunne mouw van mijn katoenen overhemd alsof het een papieren zakdoekje is.

In het moment dat ik nodig heb om weer tot actie over te gaan, doet hij de deur dicht alsof er van de andere kant een berg op gevallen is.

Ik duw uit alle macht. Ik verlies het. De deur gaat centimeter voor centimeter dicht, totdat hij tegen iets hards aankomt en niet verder kan. Ik kijk omlaag en zie Robin Watkins, bloedend en gekneusd, bij mijn voeten. Ze heeft mijn koffertje klemgezet in de opening.

Ik gooi mijn schouder tegen de deur en die geeft mee. Saldado weet dat hij niet kan winnen. Hij kan duwen, maar hij kan de deur niet dicht krijgen. Hij probeert naar het koffertje te schoppen, maar Robin houdt het met beide handen op zijn plaats.

Hij probeert weer met het mes naar me uit te halen. Ditmaal sla ik met de bandenlichter naar zijn hand en raak hem op zijn knokkels. Hij trekt zijn hand weer in. Enkele seconden houdt hij me tegen. Ik gooi me tegen de deur, een keer, twee keer, drie keer. Elke keer gaat de dreun in zijn lichaam aan de andere kant over. Hij incasseert een stuk of wat van die dreunen en doet dan plotseling een stap terug. De deur vliegt open.

Saldado trekt zich naar het midden van een kleine huiskamer terug. Hij loopt achteruit en valt bijna over een klein, nietig salontafeltje. Hij drukt een van de poten plat en schopt de rest van het tafeltje opzij. Versplinterde stukken hout vliegen door de kamer. Het blad van de tafel valt op een groot pakket dat in plastic verpakt is en aan het eind van de bank op de vloer ligt.

De Mexicaan duikt soepel ineen en houdt het scheermes voor zich uit. Zijn blik is gericht op de bandenlichter in mijn handen.

Links van me is het kind, een jongetje. Hij zit in een bevuilde Pamper op de bank en kijkt met grote ogen naar mij. Op dit moment huilt hij niet, zo hevig is hij van mijn binnenkomst geschrokken. Hij heeft een van zijn vuistjes, nat van het speeksel, in zijn mond.

Ik kijk naar Saldado, en we komen allebei tegelijk op dezelfde gedachte. Hij beweegt zich naar het kind toe. Ik haal uit met de bandenlichter en sla een paar centimeter mis, maar dat is genoeg om hem naar links terug te laten deinzen. Meteen duik ik in de opening. Ik beweeg me naar rechts en zorg dat ik tussen hem en de jongen kom te staan. Hij blijft naar links gaan om mij verder naar rechts te dwingen. Hij kijkt naar de open deur, en naar Robin Watkins die geknield op de vloer zit. Ik ben nu waar ik wil zijn en blijf daar. Hij heeft het scherpe mes, maar ik heb met de bandenlichter een groter bereik. Als hij naar me uithaalt en mist breek ik zijn arm. Als ik geluk heb, sla ik hem op zijn hoofd.

Saldado bestudeert de situatie. Zijn donkere ogen gaan heen en weer tussen Robin, die in de deuropening geknield zit, en haar kind op de bank. Hij kan naar geen van tweeën toe. Hij doet een schijnaanval in de richting van de moeder en ik haal meteen uit met de bandenlichter, al raak ik alleen de lucht. Hij gaat de andere kant op, naar het kind. De bandenlichter beschrijft een acht door de lege ruimte.

Hij deinst terug en grijnst naar me. 'Niet zo makkelijk, hè?' Met zijn arm veegt hij zweet van zijn bovenlip.

Ik kijk naar zijn ogen. Hij schat in hoe groot mijn bereik is en in hoeverre ik wil riskeren dat hij me met het mes te pakken krijgt.

Hij kijkt naar het kind en dan weer naar de moeder. Het ligt voor de hand wat hij kan doen, en ik vraag me af voor welke van de twee hij zal kiezen. Al die tijd kijkt hij ook naar de bandenlichter. Hij kijkt vlug naar het kind en neemt een halve stap in die richting.

Ditmaal ga ik er niet op af. In plaats daarvan beweeg ik mijn hoofd in die richting, terwijl ik mijn voeten stevig op de vloer houd. Als hij toch nog naar de deur gaat, ben ik klaar voor hem.

Saldado kan zich niet meer inhouden. Ik heb net genoeg tijd om snel uit te halen met de bandenlichter. Ik mep naar hem als een linkshandige slagman bij het honkballen en het gebogen eind van mijn slagwapen treft hem met volle kracht ergens linksonder op zijn borst. Het is een verschrikkelijke dreun. Ik hoor botten kraken.

'Unnnnnhhhh.' De lucht wordt uit zijn longen geperst. Saldado wankelt achterover. Schrik en pijn, meteen gevolgd door woede – alle emoties van de adrenaline flikkeren in nog geen seconde over zijn gezicht. Voordat ik hem een tweede klap kan toedienen, steekt hij in mijn richting. Het is een halfslachtige poging, maar wel genoeg om mij op een afstand te houden.

Hij komt weer op me af. Het scheermes zwaait onder de bandenlichter door. Ik buig me achterover en de scherpe rand van het mes mist mijn buik op een haar na.

Ik mep met de bandenlichter en raak de rug van zijn hand, maar met te weinig kracht om schade aan te richten.

Saldado houdt zijn ene hand nu tegen zijn zij. Hij kijkt onder zijn arm door, voelt de pijn en gaat na wat de schade is. Hij heeft bloed op zijn overhemd. Hij kijkt ernaar en beseft dan, net als ik, dat ik hem daar niet heb geraakt.

Er zit een boog van kleine rode vlekjes hoog op zijn schouder, alsof iemand een natte verfkwast in zijn richting heeft gegooid.

Hijgend, pijn lijdend, ziet hij toch eerder dan ik waar de stipjes vandaan komen. Hij grijnst. 'Je bloedt, *señor*.'

Ik kijk vlug omlaag. Er druipt bloed van het uiteinde van de bandenlichter op de vloer.

Terwijl ik even afgeleid ben, doet Saldado weer een uitval. Ik zie hem, hij ziet dat ik hem zie, en hij verstijft meteen. Nu hij de klap van het staal op zijn hand heeft gevoeld, heeft hij geen zin om mij een tweede kans te geven.

De rechtermouw van mijn overhemd is van elleboog tot manchet rood gekleurd. Blijkbaar heeft hij, toen hij het scheermes om de deur heen stak, mijn onderarm geraakt. Door de adrenaline voel ik de pijn niet. Of misschien heeft hij een zenuw doorgesneden.

Hij beweegt nu langzamer. En ik ook. Hij draait zijn getroffen zij van me weg, beschermt die kant van zijn lichaam, nog steeds met zijn hand op de onderkant van zijn ribbenkast. Intussen beweegt hij met zijn andere hand het mes langzaam voor mijn gezicht heen en weer.

Hij probeert me een aanval op het mes te laten doen en brengt het nog dichterbij. Ik loop niet in de val. Als ik naar het mes uithaalde, zou hij met me mee draaien en mijn arm vastgrijpen. Intussen zou het scheermes zijn werk kunnen doen.

'Man, als je zo doorgaat,' zegt hij, 'loopt het net zo met je af als met die op de vloer daar.'

'Ja, vrouwen slaan, daar ben je goed in,' zeg ik.

'Nee. Nee. Niet die. Die ander. Daar.' Hij maakt een handgebaar in de andere richting. 'Ik laat je het geld houden. Neem het en ga weg. Ik geef je je leven.'

Ik kijk vlug en zie het in plastic verpakte pakket dat op de vloer ligt.

'Espinoza?'

Hij knikt langzaam en grijnst naar me.

'En zijn vrouw en kind?'

Hij haalt zijn schouders op en kijkt me met een ontwapenende glimlach aan. 'Wat kunnen die me schelen?'

Robin moet hebben gezien dat hij haar man doodde. Ik kan niet geloven dat hij haar laat gaan.

'Ik heb de politie al gebeld,' zeg ik tegen hem.

'Je liegt.'

'Wacht maar af.'

Hij zwaait met het mes naar me. 'Hoe lang denk je dat je zo kunt blijven bloeden voordat je van je stokje gaat? Huh? Waarom ga je niet gewoon weg?'

Zijn ogen vertellen me dat hij met het mes op me afkomt zodra ik naar de deur begin te lopen.

'Laat haar het kind meenemen en weggaan.'

'Goed.'

'Robin?'

Ze kijkt naar me maar zegt niets.

'Pak je kind op,' zeg ik tegen haar.

Ze kijkt naar het kind en dan weer naar mij.

'Sta op en pak je kind.'

De Mexicaan grijnst. Hij weet dat als hij mij te pakken kan krijgen, hij vrouw en kind ook te pakken krijgt voordat ze bij de voordeur zijn.

Ze staat op. Doet een paar aarzelende stappen de kamer in.

'Kom achter me,' zeg ik tegen haar.

De Mexicaan glimlacht naar me. In een ommezien zou hij haar kunnen grijpen. Dan zou hij mij dwingen de bandenlichter te laten vallen, om vervolgens haar keel door te snijden en mij te doden.

Ze komt achter me staan, pakt het kind, houdt het in haar armen.

'Ga,' zeg ik tegen haar.

Ze gaat naar de deur, draait zich dan om en kijkt me aan.

'Ga!' Ik kijk om, mijn blik een fractie van een seconde van hem weggedraaid.

Op dat moment komt hij op me af. Het mes komt van onderen. Met de hand die hij op zijn gewonde zij hield, reikt hij omhoog en grijpt het uiteinde van de bandenlichter vast voordat ik daarmee kan zwaaien.

Ik druk zijn andere arm, die met het scheermes, met mijn elleboog tegen mijn zij.

'Ga!' Met mijn tanden op elkaar geklemd. Ik bijt bijna mijn tong af als Saldado's lichaam tegen me aan dendert. Zijn schouder dreunt tegen mijn kin en dwingt mijn hoofd verder naar rechts.

Met ogen vol angst, en met haar kind dicht tegen zich aan, verdwijnt ze over de gang.

Saldado, wiens hand met het scheermes onder mijn arm beklemd zit, probeert met zijn pols te manoeuvreren om in mijn rug te snijden. Ik voel dat het mes over het katoen van mijn overhemd schraapt, en ik trek en draai aan hem om hem uit zijn evenwicht te brengen.

Ik zet het gewicht van mijn lichaam in en laat de natuurwetten hun werk doen. De centrifugale krachten slingeren ons de kamer door tot onze voeten op een onbeweeglijk voorwerp stuiten, Espinoza's lichaam, en de zwaartekracht de overhand krijgt.

Ik leg mijn hand om zijn nek en geef hem op weg naar beneden een harde duw. Daardoor versnel ik zijn val en laat ik hem op zijn borst neersmakken.

Ik val met mijn schouder op de vloer. De keiharde klap pompt alle lucht uit mijn longen.

Saldado komt op zijn borst terecht, vlak voor mijn ogen. Hij blaast een nevel van dampende bloeddruppeltjes uit zijn neus en mond, voortgestuwd door adem uit zijn beschadigde long. De hand met het mes slaat tegen de vloer en het scheermes klettert over de oude hardhouten planken.

Een aantal seconden bewegen we geen van beiden. Ik lig ineengedoken op mijn zij tegen het eind van de bank en krijg geen lucht meer.

Intussen luister ik naar zijn gierende ademhaling, die telkens door een kreungeluid wordt onderbroken.

Mijn hersenen beginnen dienst te weigeren en mijn gezichtsveld wordt een waas, alsof iemand water over een plaat glas voor mijn ogen heeft gegoten.

Ik zie hem zijn hoofd omhoogbrengen. Schuimende bloedbellen druipen uit zijn neus en mond.

Mijn eigen ademhaling komt langzaam en ondiep op gang. Mijn hoofd is zo licht als helium.

Hij werkt zich moeizaam op handen en knieën overeind. Met ogen, die glazig van pijn en tegelijk vuurspuwend van woede naar me kijken, wankelt hij heen en weer.

Ik zie het glanzende mes op de vloer liggen.

Hij kijkt om en ziet het ook.

Ik probeer in beweging te komen, maar mijn lichaam wil niet gehoorzamen. Mijn voeten zijn ijskoud en mijn gezichtsveld is nog wazig. Het is of ik allemaal geluiden in mijn oren heb, zoemende geluiden.

Als ik weer naar hem kijk, is Saldado's aandacht niet meer op het scheermes gericht. In plaats daarvan krabbelt hij moeizaam overeind, zijn hand tegen zijn zij, zijn donkere ogen op de muur aan de straatkant gericht. Terwijl mijn hele gezichtsveld wegzakt, herken ik het geluid, ergens buiten de muren van de kamer: de elektronische harmonie van een sirene.

22

Als ik in de wereld der levenden terugkeer, zie ik eerst alleen een waas, een nevelig beeld van het witte plafond in het appartement van de Mexicaan.

Ik lig plat op mijn rug en voel geen pijn. De harde vloer is weg; er is iets zachters voor in de plaats gekomen. Ik probeer te gaan zitten, maar dat kan niet. Ik lig vastgesjord op een brancard. Ik begin mijn hand naar mijn hoofd te brengen, maar iemand pakt mijn arm vast. 'Stil blijven liggen. Anders trek je de naald eruit.'

Een man in een blauw uniform maakt met tape een naald op de rug van mijn hand vast. Hij zit met één knie op de vloer en is druk met me bezig. Hij draait aan een klein plastic wieltje op een slang die uit een zak met een heldere vloeistof komt. Via die slang en die naald komt de vloeistof in mijn lijf terecht.

'Hoe voelt u zich?'

Ik probeer te praten. 'Alsof ik een stokje in mijn keel heb.'

'Niet praten. Inspecteur, hij begint bij te komen.'

De zak met het infuus wordt vastgehouden door een andere ziekenbroeder die naast hem staat. De naald zit in mijn goede hand, de linker. Mijn rechterarm zit helemaal in het verband: gaas en tape van mijn pols tot mijn elleboog. Mijn armen zijn over mijn borst gelegd, alsof ze me in een kist willen stoppen.

'Je hebt veel bloed verloren.'

Ik praat door de kikker in mijn keel. 'Ik kan niks voelen.'

'Dat komt door de pijnstillers.' Dat is een andere stem. 'Maak je geen zorgen. Morgenvroeg voel je je beroerd.' Het gezicht komt nu eindelijk ook in zicht. Het komt me bekend voor, maar ik kan het niet thuisbrengen. Hij is in hemdsmouwen en draagt een das, en hij heeft donkere brillenglazen. In zijn ene hand heeft hij een notitieboekje en in zijn andere een blikje cola light.

'Laat me rechtop zitten.' De riemen houden me op mijn plaats.

'Nee. Nee. Liggen blijven.' De ziekenbroeder wil niet dat ik beweeg.

'Ja. Anders zou je op je snufferd vallen en een proces tegen de gemeente aanspannen.' Het blikje cola heeft nog een ijzig laagje condens.

'Ik zou je er een aanbieden, maar dan zou je de plaats van het misdrijf onderkotsen. En dat zou zo'n verrekte advocaat tegen ons gebruiken op de rechtbank. De kotsverdediging. Dan zouden we dat nooit kunnen oplossen.' Hij wijst met het blikje opzij.

Ik draai mijn hoofd in die richting en zie Espinoza. Tenminste, het bovenste deel van zijn lichaam. Het grootste deel is nog in plastic verpakt, maar niet zijn hoofd en bovenlijf, waar het plastic is doorgesneden en opzij getrokken als de schil van een banaan. Zijn gezicht is wit, helemaal leeggebloed. Een streep opgedroogd bloed, zo dun als tandfloss, loopt over zijn keel.

Ik draai mijn hoofd terug om de man met de donkere brillenglazen aan te kijken. 'Ken ik u?'

'Jazeker.' Hij zet de bril af. 'Inspecteur Ortiz.' Hij lacht me stralend toe. Zijn huid trekt zich zo strak over de botstructuur van zijn gezicht dat het lijkt of zijn tanden deel uitmaken van een naakte schedel. 'Weet je nog wel? We hebben een leuk gesprekje gehad in je kantoor. Ik deed de monoloog. Jij had het over je beroepsgeheim. We praatten over je vriend Nick Rush en Gerald Metz. Weet je nog wel?'

Ik knik.

'Ik wist het niet zeker. Al dat spul uit die infuuszak dat ze in je stopten. Waarschijnlijk bijna net zo goed als het spul dat Metz verkocht. Wat denk je?'

Ik geef hem geen antwoord.

'Wat, geen mening? Ook goed. Dan laten we het erbij. Wat denk je hiervan?' Hij wijst met zijn hoofd naar Espinoza's lichaam. 'Denk je dat dit een ongeluk was? Ik heb begrepen dat Rush' dood een ongeluk was. Dat las ik in de krant,' zegt hij. 'Ja. Geraakt door een verdwaalde kogel. Zoals ze dan zeggen: snelheid kan dodelijk zijn.' Hij buigt zich weer voorover en kijkt me aan.

Ik reageer niet.

'Wat, niets in te brengen? Jezus, voor een advocaat heb jij niet veel te zeggen. En ik dacht nog wel dat jij het meesterbrein achter die verzekeringscoup was. Nou, dat is goed. Spaar je stem maar. We kunnen morgen praten. Trouwens, één lijk tegelijk. En zo komen we op dit lijk hier. Je hebt het niet toevallig zien gebeuren, hè?'

Ik schud mijn hoofd.

'Dacht ik het niet. Wat kun je me vertellen? Eens kijken. We weten dat hij dood is. Wat heeft hij gebruikt, een scalpel?'

Ik draai mijn hoofd de andere kant op en kijk de kamer door. Het is weg. Ik kijk Ortiz weer aan. 'Zo'n ouderwets scheermes.'

'Oei. En heeft hij jou daar ook mee gesneden?'

Ik knik.

'Een naam?'

Ik moet de kikker even uit mijn keel verdrijven voordat ik het woord eruit kan krijgen. 'Saldado.'

'Aha. Ik neem aan dat het deze keer niet iemand is wiens advocaat je bent. Goed zo. Hij woonde hier, hè?'

Ik knik.

'De man is niet erg aardig voor bezoekers,' zegt hij.

Een van de ziekenbroeders controleert het verband op mijn arm en ik huiver.

'Jullie mogen hem zo naar buiten brengen,' zegt Ortiz. 'Ik wil nog even met hem praten.'

De man controleert het infuus nog even en gaat dan zijn spullen bij elkaar zoeken.

'Voor een advocaat ben je een beetje traag van begrip,' zegt Ortiz. 'Het is de bedoeling dat je je kaartje aan een gewonde geeft, niet aan een dode.' Hij houdt mijn kaartje in zijn hand. Dat met het briefje voor Espinoza op de achterkant.

'Wil je me vertellen waar dit over gaat?'

'Ik gebruikte dat kaartje om binnen te komen. Hij had ze.'

'Wie?'

'De moeder. Het kind.'

'Dat telefoontje naar 911. Huiselijk geweld.'

Ik knik.

'Aha. En wie gaf jou de cape en de maillot? Waarom heb je niet op ons gewacht?'

'Geen tijd. Waar zijn ze?'

'Het gaat goed met ze. Ze heeft morgenvroeg een joekel van een blauw oog. Maar ze is in leven. Dat kunnen we niet van haar lelijker wederhelft hier zeggen.' Hij wijst naar de dode die naast me op de vloer ligt.

'Ik moet zeggen dat ze er vrij goed onder blijft, gezien de omstandigheden. Maar ja, het was waarschijnlijk ook geen rozengeur en maneschijn. Wie heeft haar in elkaar geslagen, Saldado?'

Ik knik. 'Jullie hebben hem?'

'Nee. Toen we hier aankwamen, was hij al weg. Maar we zoeken naar hem. We kijken in elk huis, zelfs in het riool. Overal waar we kunnen komen. Hij duikt vanzelf wel weer op.'

'Dat denk ik niet.'

'Wat, je weet iets?'

Ik schud mijn hoofd.

'Geloof me. We krijgen hem nog wel.'

Als ze hem niet te pakken kregen toen hij naar buiten kwam, krijgen ze hem niet meer. Mensen als Saldado reizen zonder koffer en hebben alles al voorbereid. Voordat de politie op hun deur klopt, hebben ze wel tien plannen klaar, plaatsen waar ze kunnen onderduiken, holen waar ze in kunnen duiken of uit kunnen springen, plaatsen waar ze worden opgepikt, of waar ze worden afgezet. Als ik niet was gekomen, zouden Espinoza, zijn vrouw en zijn kind over een paar uur in geschenkverpakking achter in de donkere Blazer hebben gelegen, waarschijnlijk op weg naar een ondiep graf ergens in de woestijn ten oosten van de stad. Ik moet me al heel sterk vergissen, of Saldado of wat zijn echte naam ook is, is allang weg, waarschijnlijk richting Cancún.

Ortiz houdt even op met aantekeningen maken om mijn arm en hoofd te bekijken, en noteert dan nog een paar dingen voor zijn rapport. 'Hij heeft je lelijk te grazen genomen.'

'Zoals ze dan zeggen: je had die andere kerel moeten zien.'

'Wat heb je gedaan, hem een dagvaarding overhandigd?'

'Zijn ribben gebroken.'

Hij kijkt glimlachend, ongelovig op hem neer. 'Daarmee, met je vinger?'

'Een bandenlichter.' Ik wijs onder de voorste rand van de bank.

Ortiz duwt de bank een centimeter of tien naar achteren, zodat het uiteinde van de bandenlichter in zicht komt.

'Jack. Hier ligt iets wat jullie is ontgaan.'

Een van de technisch rechercheurs komt naar ons toe, met chirurgenhandschoenen aan.

'Heeft Saldado dat ding aangeraakt?' zegt Ortiz.

Ik knik.

'Zoek naar vingerafdrukken, en registreer het dan,' zegt hij tegen de technisch rechercheur. 'Je moet zijn afdrukken ook nemen om ze te elimineren. En bloed,' zegt hij. 'Kijk of er sporen op zitten. Misschien hebben we geluk en kunnen we zijn DNA gebruiken om hem te identificeren. Onze man hier zegt dat hij een paar ribben heeft gebroken met dat ding daar.'

Ik hoest en schraap mijn keel om weer zijn aandacht te trekken.

'Wat is er nou weer?'

Ik tik op de voorkant van mijn overhemd en op mijn borst aan de andere kant dan mijn verwonde arm.

'Wat zeg je?'

'Zijn bloed.'

Ortiz bekijkt het van wat dichterbij. Het bloed dat de Mexicaan heeft opgehoest toen we tegen de vloer sloegen. Er zit een fijne nevel van heel kleine vlekjes, kleine stipjes opgedroogd bloed. Het zit als roest op de borst van mijn witte overhemd, en er zit ook wat op de zijkant van mijn gezicht.

'Jack. Haal eens een schaar.'

Even later komt de technisch rechercheur terug. Een paar keer knippen en hij heeft een stuk van tien bij tien centimeter uit mijn overhemd.

'Jij wordt veel mededeelzamer als iemand je met een mes heeft geprikt. Dat moet ik onthouden als ik weer naar je kantoor kom om je te ondervragen. Heb je verder nog iets?'

Ik schud mijn hoofd.

'Voorlopig is het wel genoeg. Je ziet er niet zo best uit,' zegt hij. 'Willen jullie hem hier weghalen?' Hij heeft het tegen de ziekenbroeders. 'Je hebt een stuk of wat hechtingen in je arm nodig. Als ik van tevoren bel naar Spoedgevallen en tegen ze zeg dat er een advocaat op komst is, halen ze vast hun grootste naald uit de kast.' Hij glimlacht naar me.

'Goed idee,' zegt de technisch rechercheur. 'Zeg tegen ze dat ze die harpoen moeten nemen die ze gebruiken om lijken te sluiten als ze sectie hebben verricht. Dan heeft hij iets om over te praten als hij zijn mouwen opstroopt op advocatencongressen.'

'Dank je.'

'Geen dank.' Ortiz, die zijn donkere bril weer op heeft, glimlacht naar me. 'Wil je dat ik je collega bel?'

Ik knik. Ik probeer de woorden te vormen, maar er komt niets uit.

Ik probeer het opnieuw. 'Mijn dochter.'

'Ik moet tegen hem zeggen dat hij haar moet bellen?'

Ik knik vlug.

'Ze houden je daar minstens een nacht. Ter observatie,' zegt hij. 'En we praten morgen verder, hmm? Even voor alle duidelijkheid: je hoeft me niet te vertellen dat er geen verband bestaat tussen je vriend hier en die andere cliënt, meneer Metz. Want ik weet al dat er verband was.'

Ik schud mijn hoofd.

'Laat maar,' zegt hij. 'Ik neem ook aan dat je me erover gaat vertellen als je je wat beter voelt. Morgen bijvoorbeeld?'

Voordat ik iets terug kan zeggen, heeft Ortiz zich omgedraaid om met een van de agenten te praten. 'Ik wil dat hij wordt bewaakt. Belangrijke getuige,' zegt hij. 'Hij wordt pas uit het ziekenhuis ontslagen als ik toestemming geef. Ik persoonlijk. Begrepen?' Dan kijkt hij me aan en knipoogt. 'Tot morgenvroeg.'

De moord op Espinoza neemt zowat de hele voorpagina van het ochtendblad in beslag, compleet met foto's van Saldado's appartementengebouw, dat de politie met gele tape heeft afgezet. Harry heeft kranten meegebracht naar mijn kamer in het ziekenhuis, en ook schone kleren. Voor mijn deur zit een bewaker. Die moet ervoor zorgen dat ik niet wegga.

'Je hebt zelfs het avondjournaal gehaald,' zegt Harry.

'Wanneer mag ik hier weg?'

'Rustig maar. Het had erger kunnen zijn.'

'Hoe dan?'

'Je had een kamer kunnen delen met iemand anders.'

'Dat doe ik ook. Met jou.'

'Je had hier als ziekenfondspatiënt kunnen liggen.'

'Ja, dat is zo.'

'Kijk eens naar een soapserie.' Harry wijst op de televisie boven het bed. 'Dat verzet de zinnen.'

'Dat brengt me buiten zinnen, kun je beter zeggen.'

'Rustig maar. In ieder geval heeft Saldado geen zenuw doorgesneden,' zegt hij.

Harry heeft gelijk. Mijn arm doet vanmiddag verrekte pijn, pulserend tot aan mijn oksel, en vandaar naar mijn hersenen, tot vlak achter mijn oogballen – als kleine bliksemschichten.

'Een van de weinige keren dat ik het met de politie eens ben,' zegt hij. 'Vertel ze wat je weet, en we kunnen weer aan het werk voor het Amerikaanse volk.'

'Wat ik weet? Espinoza is dood.' Harry heeft een broek en een schoon overhemd meegebracht, en ik verkleed me terwijl we praten. Voorzichtig leid ik de mouw over mijn verbonden arm en maak het manchetknoopje dicht.

'Het ziet ernaar uit dat je een tijdje met je linkerhand moet schrijven.'

'Ik neem aan dat ze Saldado niet hebben gevonden?'

Harry schudt zijn hoofd. 'Ze zijn nog met het buurtonderzoek bezig, praten met mensen. Volgens mij verspillen ze hun tijd. Als jij een lijk in je huiskamer had liggen, zou je dan blijven rondhangen?'

Ik geef hem geen antwoord.

'Ik ook niet,' zegt hij.

'Zou je met een gebroken rib zo hard kunnen rennen?' vraag ik.

'Hangt ervan af waar ik voor wegrende,' zegt Harry.

Ik zet mijn ene voet op de rand van het bed en probeer met een stijve arm mijn veter te strikken.

'Zal ik dat voor je doen?'

'Als ik begin te kwijlen, mag je me in het bejaardentehuis zetten. Tot dan toe kan ik mijn eigen veters strikken,' zeg ik tegen hem.

'Goed. Ik wou alleen maar helpen.'

'Hoe lang kan Ortiz me hier houden?'

'Ik zal je één ding vertellen. Ik zou niet graag jouw verpleegster zijn.'

'Harry?'

'Ja?'

'Hoe lang kan Ortiz me hier houden?'

Harry kijkt me aan en haalt zijn schouders op. Als ik moet wachten tot mijn collega me uit het ziekenhuis bevrijdt, kan ik hier nog heel lang zitten.

Ik pak de andere schoen, zet hem op de rand van het laken, waar het matras tegen een van de zijstangen aankomt, en begin aan de veter te werken. Dan hoor ik stemmen buiten de deur. Even later gaat die open. Ik laat mijn veter even met rust en kijk op.

Ortiz komt binnen, ditmaal met zijn collega, de blonde footballspeler.

'We hadden het net over je,' zeg ik.

'Wat zei ik je, Norm? Laat een advocaat een dagje met zijn reet boven een ondersteek liggen, en hij glimlacht als hij je ziet.'

'Voor het geval het je niet is opgevallen: deze advocaat glimlacht niet,' zeg ik tegen hem.

'Kijk eens aan. Een paar uur van de verdoving af, en het eerste dat weer functioneert, is zijn mond. Je kent brigadier Padgett nog?' zegt Ortiz.

'Hoe zou ik hem ooit kunnen vergeten?' Padgett haalt een notitieboekje en een potlood tevoorschijn om aantekeningen te maken. 'Hoe gaat het?'

'Zo te zien beter dan met jou.' Padgett laat zich in de andere bezoekersstoel zakken, naast Harry.

'Ga me niet vertellen dat je kunt schrijven,' zegt Harry.

Ik kijk hem aan. 'Wees een beetje aardig.'

'Luister naar je collega,' zegt Ortiz. 'Hij wil naar huis.'

'Ik zou je de hand schudden, maar beide armen doen pijn,' zeg ik tegen hem.

'Steekwond in de ene arm, de hele nacht een infuus in de andere.' Glimlachend beschrijft Ortiz mijn verwondingen aan Padgett.

'Ik ben er klaar voor om te vertrekken.'

'Je hebt je veter nog niet gestrikt,' zegt hij. 'En vertel ons daarna wat er gebeurd is.'

'Wat er gebeurd is! Ik ben gestoken. Ik ben het slachtoffer van een misdrijf.'

'Ja, maar wat deed je daar? En ga me niet vertellen dat je op zoek was naar een cliënt.'

'Dat was ik.'

'Kom daar niet mee aanzetten. Dat wil ik niet horen. Espinoza was je cliënt niet. Niet meer.' Ortiz kijkt zijn collega aan. 'Onze advocaat hier schuift een kaartje onder de deur van die kerel door om hem te vertellen dat hij vijfduizend dollar heeft die hij aan zijn dode gast wil geven.'

'Dat is solliciteren naar de functie van speldenkussen,' zegt Padgett. 'Hebben ze je dat op de universiteit geleerd?'

'Op die manier kon ik binnenkomen.'

'Waarom zat je zo achter hem aan? Espinoza?' zegt Ortiz. 'Voorzover we kunnen nagaan, heb je geen gebrek aan cliënten. Zijn vrouw heeft ons verteld dat je bij haar thuis kwam en haar man wilde vertegenwoordigen.'

Ze hebben al veel antwoorden paraat. Ik zeg niets en Padgett vult het nog wat aan.

'Je liet hem in de bak zitten. In de federale gevangenis. We hoorden dat je collega hier zowat een hartstilstand kreeg toen hij belde en hoorde dat Espinoza vrij was. Heeft iemand je ooit verteld dat als je een cliënt aanneemt je hem juridische diensten moet bewijzen?'

'Voor wie werk jij, voor de orde van advocaten?' vraagt Harry.

'We hebben met de eerstejaars rechtenstudent gepraat die hem vrij heeft gekregen,' zegt hij. 'En omdat je geen honorarium hebt gekregen, deed je het ook niet voor het geld.'

'Dus vertel ons eens,' zegt Ortiz, 'waarom was iedereen zo geïnteresseerd in Espinoza?'

'Wil jij het hem vertellen of zal ik het doen?' zegt Harry.

'O, geweldig. Een advocaat met hersens.' Ortiz kijkt Harry aan.

'We hoorden dat Espinoza misschien iets over de schietpartij voor het federale gerechtsgebouw wist.' Ik begin te praten voordat Harry de kans krijgt.

'En waar hebben jullie dat gehoord?'

'Van jullie,' zegt Harry.

Ortiz kijkt hem meteen aan.

'Van ons?'

'Wat moeten we anders doen? Mensen praten nu eenmaal. Sommigen van hen werken voor de overheid. Goed, eigenlijk mogen ze niet praten. Maar ze doen het toch. En wij luisteren.'

'Je hebt de namen van die mensen?' zegt Ortiz. Padgett scherpt de punt van zijn vulpotlood door wat nieuw lood naar boven te schuiven.

'Ik geloof niet dat ze hun namen ooit hebben genoemd,' zegt Harry.

'Diensten of afdelingen?'

Harry schudt zijn hoofd. 'Dat ook niet.'

'Het waren dus anonieme telefoontjes naar jullie kantoor.'

'Zoiets,' zegt Harry.

'Wat zou je ervan zeggen als een officier van justitie je dit onder ede vroeg, in het bijzijn van een rechter?' vraagt Padgett. 'Heb je zin om een tijdje in de bak te zitten wegens minachting van de rechtbank?'

'Daar hebben ze net zulke kamers als hier, dus mij zou je niet horen klagen. Tv, drie maaltijden per dag. Waarschijnlijk pik ik ook een paar cliënten op in de recreatiezaal. Het is net vakantie,' zegt Harry. 'Om van de publiciteit nog maar te zwijgen. Advocaat gaat het gevang in omdat hij zijn bronnen beschermt.'

'Dat zeggen ze van journalisten,' zegt Padgett.

'Ja, maar het is zo'n geweldig principe,' zegt Harry. 'Ik denk dat ze het ook wel van advocaten willen zeggen.'

'Ja, dat is zo. De helden van de verzekeringsclaim,' zegt Ortiz. 'Dood door ongeluk. Laten we het daar eens over hebben. Wie vertegenwoordigde je? De echtgenote, de nieuwe echtgenote, hoe heet ze ook weer?'

'Dana,' zegt Padgett. 'Je weet wel, die er zo goed uitziet. Blond. Lekker klein ding. Giftanden met diamantjes erop.'

'Hoe kon ik dat vergeten? Hoeveel heeft ze gekregen, een miljoen, anderhalf miljoen?' vraagt Ortiz.

'Zoiets,' zeg ik.

'En jij,' zegt Padgett. 'Hoe heb jij je honorarium ontvangen? Een overboeking? Of was er een andere regeling?' Hij grijnst. 'Je weet dat we daar altijd achter kunnen komen.'

'Ga je gang.'

'We hebben gehoord dat ze met iemand anders gaat,' zegt Ortiz.

'Iemand anders dan wie?' vraag ik.

'Laat hem nou even,' zegt Padgett. 'Misschien was het een tijdelijke aandrang. Misschien was het zakelijk. Zeg, wat vind je van zijn auto?' Padgetts gezicht verraadt veel. Met zo'n gezicht hoef je niet veel te zeggen om toch iets te bekennen. Ze hebben Fittipaldi geschaduwd. 'Ja, ik weet het. Ik hou ook niet van Jaguars.'

'Misschien was het een triangel,' zegt hij.

'Je bedoelt zeker trio?'

'Trio, triangel. Met zijn drieën.'

Ik kijk Ortiz aan. 'Ik weet dat dit een boeiend gesprek is, maar kunnen we verdergaan?'

'Pas wanneer je me over Espinoza vertelt,' zegt hij.

'Wat wil je weten?'

'Om te beginnen: waarom zocht je hem op het adres van die Saldado?'

'Ik had Saldado's naam. Espinoza gaf me die naam toen ik hem in de gevangenis ondervroeg.' Dat is niet helemaal waar, maar op deze manier hou ik Joyce en Bennie erbuiten.

'Hoe kenden ze elkaar, Espinoza en Saldado?'

'Ik weet niet wat de connectie tussen hen was. Niet precies.'

'Wat weet je wel?' Padgetts potlood vliegt nu over het notitieboekje.

'Weet je nog, die grenspasjes die een jaar of zo geleden gestolen zijn? Die vrachtwagen in Tijuana?'

'De reden waarom Espinoza gearresteerd was,' zegt Ortiz.

'Ja. Ik las in de krant over de arrestatie. Espinoza kwam ook ter sprake in mijn gesprek met Metz, voordat ik hem naar Nick verwees.'

Dat maakt de twee rechercheurs nieuwsgierig.

'Wat zei hij?'

'Hij noemde me de naam. Hij zei dat Espinoza als tussenpersoon optrad voor mensen met wie hij zakendeed in Mexico.'

'Wat voor mensen?'

'Twee broers.'

'Namen?' zegt Ortiz.

'Ibarra. Arturo en Jaime.'

'Dus die broers waren drugshandelaren?' zegt Ortiz.

'Wie weet?'

'Het is jouw werk om dat te weten. Dus daarom wilde je Metz niet als cliënt?'

'Hij heeft me verteld dat ze hem hadden ingehuurd voor wat bouwwerkzaamheden. Meer weet ik er niet van.'

'Maar je geloofde hem niet,' zegt Ortiz.

'Het doet er niet toe wat ik geloof.'

'Natuurlijk wel. Daarom verwees je Metz naar je vriend. Daarom is hij dood. En daarom blijf je rondneuzen. Of is mij iets ontgaan?' Ortiz is vlug van begrip.

Harry klapt een paar keer in zijn handen. Hij zit nog in zijn stoel in de hoek. 'Dus nu kunnen we allemaal naar huis? Mijn collega kan de therapie krijgen die hij nodig heeft en we kunnen allemaal verdergaan met ons leven?'

'Dus toen Metz werd neergeschoten en die kerel werd gearresteerd, herinnerde jij je de naam?' Padgett wil voorkomen dat hij dingen verkeerd noteert.

'Dat heb ik je gezegd.'

'Zeg het nog een keer,' zegt hij.

'En nu een beetje langzamer, dan kan hij zijn lucifermannetjes een beetje groter tekenen,' zegt Harry.

'*Fuck you,*' reageert Padgett.

'Als je denkt dat je dat kunt spellen, schrijf het dan in je boekje.'

Als Padgett niets opschrijft, zegt Harry: 'Dat dacht ik al.'

'Je las er in de krant over?' Padgett probeert hem te negeren. 'Of kreeg je er lucht van dat iemand die in de federale gevangenis zat misschien iets zou weten? Wat is het nou?' vraagt Padgett.

'Beide.'

'Beide? Hoe kan dat nou?'

'Iemand vertelde hem over Espinoza's arrestatie, en dus ging hij in de krant kijken,' zegt Ortiz.

'Misschien zou jij de aantekeningen moeten maken,' zeg ik tegen hem.

'Toen zag je de naam en herinnerde je je ook dat Metz die naam had laten vallen. Is het zo?'

'Ja.'

'Nu weten we nog steeds niet waarom je Espinoza als cliënt hebt genomen,' zegt Padgett. 'Waarom je niet gewoon ons belde.'

'Dat heb ik gedaan.'

'Wanneer?'

'Gisteren. 911. Jullie kwamen nogal laat.'

'Leuk,' zegt hij.

'Wat klopt er nou niet?' zegt Ortiz.

'Wat bedoel je?'

'Wat zit je zo dwars aan Metz en je vriend Rush?' zegt Ortiz. 'Je denkt dat Rush niet tot drugshandel in staat was?'

'Het gaat er niet om of hij ertoe in staat was, maar of hij het zou doen.'

'Ik begrijp het. Hij was te ethisch.'

Ik glimlach. 'Hij was te slim. Nick was vroeger officier van justitie geweest. Toen deed hij grote drugszaken. Waarom zou hij na al die jaren in drugs gaan handelen?'

'Misschien had hij het geld nodig. We hebben naar zijn bankrekening gekeken,' zegt Padgett. 'De bodem van de schatkist kwam in zicht. Trouwens, dacht je dat smerissen en officieren van justitie nooit de fout ingaan?'

'In jouw geval zou ik een uitzondering maken,' zeg ik.

Waar het me om gaat, is niet dat Nick boven elke twijfel verheven was maar dat hij beslist niet dom was.

'Trouwens, Nick zou nooit in drugs gaan handelen met een cliënt. Daarmee zou hij jullie wel erg in de kaart spelen. Loopt het water jullie niet in de mond bij die gedachte? Een strafpleiter de cel ingooien omdat hij in zee is gegaan met iemand als Metz? Hmm?' Ortiz geeft het met zijn gezicht toe. 'En vertel me nu eens,' ga ik verder. 'Hebben jullie enige drugsconnectie gevonden? Bij een van beiden?'

'Jij hebt ons er net een gegeven. Die twee broers in Mexico,' zegt Padgett.

'Ik heb niet gezegd dat het om drugs ging.'

'Maar dat dacht je.'

'En misschien is dat juist de fout die we maken.'

'Wat denk je dan dat het was?' zegt Ortiz.

Ik haal diep adem, blaas wat lucht uit en kijk Harry aan. Ik sta op het punt de Rubicon over te steken. 'Ooit gehoord van iets wat Mejicano Rosen heet?'

Ortiz kijkt zijn collega aan, die zijn hoofd schudt. 'Wat is het?'

'Dat weten we niet. Volgens Espinoza handelen die mensen in Mexico daarin.'

'Misschien iets nieuws. Iets uit een laboratorium,' zegt Padgett. 'Ik kan contact opnemen met de DEA. Wie weet hebben die ervan gehoord.'

'Ik heb links en rechts gebeld,' zeg ik. 'Niemand hier in Californië die narcoticazaken doet, heeft er ooit van gehoord. Ik geloof niet dat het een drug is.'

'Wat is het dan?'

Ik schud mijn hoofd. 'Dat had ik aan Espinoza willen vragen.'

'We weten wie voor zijn vrijlating heeft betaald. Wie de advocaat heeft ingehuurd en de borgsom heeft opgehoest,' zegt Ortiz. 'Je mag drie keer raden. De eerste twee keer tellen niet.'

'Saldado.'

'Ik denk dat hij hem ergens buiten de gevangenis heeft opgepikt. Hij wilde hem niet ver laten komen.'

'Is het zijn echte naam?' vraagt Harry.

'Dat weten we niet. We zoeken nog naar vingerafdrukken in het appartement. Als hij ooit in de Verenigde Staten gearresteerd is, hebben ze misschien iets. Wie weet krijgen we dan een andere naam.'

'Waarschijnlijk krijg je er twintig,' zegt Harry.

'We konden geen rijbewijs op naam van Hector Saldado vinden. De kans is dus groot dat het een valse naam is,' zegt Padgett.

'En de auto?' vraag ik.

'Welke auto?'

'Die bij het huis stond. Die roestige Blazer.'

Ortiz kijkt me aan alsof ik Swahili spreek.

'Kapotte achterruit. Zwart plastic ervoor.'

Ortiz kijkt Padgett aan, die zijn hoofd schudt.

'Er stond geen auto.' Als Ortiz mij weer aankijkt, weet hij dat er wel een auto heeft gestaan. 'Waar is hij heen? Je weet niet toevallig ook het nummer?'

Ik schud mijn hoofd. 'Hij stond er toen ik naar binnen ging. Je bedoelt dat hij weg was toen jullie mensen daar aankwamen?'

'We weten dat hij hem niet heeft meegenomen.' Padgett is uit zijn stoel gekomen. Hij is bang dat hij op de een of andere manier iets tussen zijn vingers door heeft laten glippen. Hij had de leiding van de agenten die buiten waren.

'Neem contact met de verkeerspolitie op. Die hebben de omgeving van het huis afgezet,' zegt Ortiz.

'Misschien was die auto niet van hem?' zegt Padgett.

'Espinoza vertelde me erover. Zo vond ik het huis. Hij dacht blijkbaar dat die auto van Saldado was.'

'Wie heeft hem dan meegenomen?' vraagt Ortiz.

Ik heb geen antwoord voor hem.

Ortiz kijkt zijn collega aan. 'Ga met de andere huurders in het gebouw praten. Zoek uit of er behalve Saldado nog iemand is verdwenen. Nu meteen. Gebruik de telefoon buiten. En probeer een signalement van de auto te krijgen.'

Ik geef ze bijzonderheden over het zwarte plastic dat voor de achterruit zat.

'Dat maakt hem beter herkenbaar,' zegt Ortiz. 'Zet iemand aan de telefoon. Zoek uit wie daar is. Hebben we daar nog iemand?'

Padgett weet het niet zeker.

'Ga na of de buren het nummer van die auto weten. Misschien herinnert iemand zich iets. En Norm...' Padgett is de deur al uit. Hij steekt zijn hoofd weer naar binnen. 'Bel naar de grens. Laat ze die auto tegenhouden als hij het land uit probeert te komen.'

23

Vanmorgen belt Adam Tolt. Hij wil met me lunchen. Ik neem aan dat hij wil weten of ik voor zijn firma kom werken.

Kort na twaalf uur tref ik hem aan een tafel op het terras van het Del Coronado aan. Hij zit onder een van de grote parasols en kijkt over zijn menu heen naar de blauwe oceaan. Het is een van die dagen waarop iedereen naar San Diego zou willen verhuizen.

'Sorry dat ik laat ben.'

'Geeft niet.' Hij heeft al iets te drinken. 'Wat kunnen ze je brengen?'

Ik bestel een van de luxe tapbiertjes, dat de ober gaat halen. Ik hang mijn jasje over de rugleuning van de stoel en ga zitten.

'Je bent vlot gekleed,' zeg ik tegen hem. Tolt is vandaag zonder pak en das. Hij draagt een katoenen broek en een poloshirt.

'Een paar keer per jaar ga ik onaangekondigd de bijkantoren langs. Ik loop gewoon naar binnen, inspecteer de boel, kijk hoe het reilt en zeilt, praat wat met de leden van de maatschap – dat soort dingen. Ik neem de Gulfstream, want die brengt me er vlug, en dan kan ik net zo goed een beetje comfortabel gekleed zijn.'

'Niet gek, zo'n leven.'

'Vanavond ga ik weg. Daarom wilde ik met je praten.'

Het is even stil. 'Ik heb in de krant gelezen wat er gebeurd is. Die Espinoza.' Hij neemt een slok uit zijn glas: whisky met ijs. Adam wil weten wat er aan de hand is. Waarom ik hem niet eerder over Espinoza vertelde.

'Jij hebt een opwindender praktijk dan de meesten van ons,' zegt hij.

'Wat? Wil je daarmee zeggen dat de firma niet meer geïnteresseerd is?'

'Heb ik dat gezegd? Dat heb ik niet gezegd. Hoezo? Heb je een besluit genomen?'

'Ik heb het niet met Harry besproken, maar ik denk niet het een goed idee zou zijn.'

'Dan heb je er niet lang genoeg over nagedacht. Neem wat extra tijd. We kunnen Harry meenemen op een tochtje met de Gulfstream. Laat hem wat met het speelgoed van de firma spelen.'

Dat kan gevaarlijk worden. Harry wordt gefascineerd door het luxe leven en zou best een testvlucht met de Gulfstream naar Monaco willen maken. Ik besluit niets over die zwakheid van mijn collega te vertellen.

'Je hoeft niet meteen te beslissen. Neem de tijd.'

Adam accepteert geen weigering.

'Je arm?' Hij wijst naar de bult onder de rechtermouw van mijn overhemd. Mijn arm is helemaal dik van het verband. 'Ik neem aan dat hij je daar te pakken heeft gekregen, die andere kerel. Hoe heette hij ook weer?'

'Saldado.'

'Je had me over Espinoza kunnen vertellen.' Adam kijkt gekwetst.

'Indertijd kon ik dat niet.'

'Beroepsgeheim?'

Ik knik.

'Volgens de krant had hij iets met Nicks dood te maken.'

'Er wordt veel gespeculeerd,' zeg ik. 'Bovendien was Espinoza die dag in het buitenland.'

'Ik neem aan dat je antwoorden probeert te vinden?'

'Ik geef toe dat ik het niet goed aanpakte. Harry heeft me gewaarschuwd.'

'Harry moet de betere helft van jullie maatschap zijn. De helft met het gezonde verstand. Heb je iets ontdekt?'

'Voordat ik iets kon ontdekken, werd Espinoza vermoord.'

'Je had niet het gevoel dat je tegenstrijdige belangen diende? Toen je hem als cliënt aannam?'

'Nu praat je net als Harry.'

'Hij heeft misschien wel gelijk.'

'Waarom ben je hier zo in geïnteresseerd?' vraag ik hem.

'Ik wil de firma beschermen,' zegt hij. 'Jijzelf bent waarschijnlijk geïnteresseerd omdat je vindt dat je verplichtingen tegenover Nick hebt?'

Ik kijk hem aan maar geef geen antwoord.

'Je hoeft het niet uit te leggen. Ik begrijp het. Daarom belde ik. Ik neem aan dat je er niet verder mee komt.'

'Daar ziet het naar uit.'

'Wat weet je van die andere man, de man die je heeft aangevallen?'

'Niet veel. Ik kon hem wel goed bekijken.'

'Heeft Metz hem ooit genoemd?'

'Nee.'

Adam leunt in de stoel achterover. Hij kijkt me aan en vraagt zich waarschijnlijk af of ik hem alles heb verteld. 'Er is nog iets,' zegt hij. 'Maar voordat ik je dat vertel, moet ik weten of er nog iets anders is, iets wat je me niet hebt verteld.'

'Waarover?'

'Over Nicks dood.'

'Nee. Ik geloof van niet.'

Adam kijkt me aan door de donkere brillenglazen van zijn dure pilotenbril met gouden randen. Hij probeert in mijn hoofd te kruipen. Advocaten weten dat iedere andere advocaat altijd een klein beetje achterhoudt, al is het maar om nog wat troeven achter de hand te hebben.

'Nou, wat wou je me vertellen?' vraag ik.

'Ik zou het niet moeten doen.'

'Je bent helemaal hierheen gekomen om het me niet te vertellen?'

'Goed. Vooruit. Ik zal het je vertellen, maar dan moet je me wel beloven dat het niet verder komt dan deze tafel.'

'Akkoord.'

'Het is een brief. Die is aan Nick gestuurd, op zijn kantooradres. Hij kwam twee dagen na zijn dood aan.'

Hij pakt het grote linnen servet op dat sinds mijn komst precies doormidden gevouwen voor hem op de tafel heeft gelegen. Er ligt een envelop onder. Die geeft hij aan mij.

Op de envelop zit een postkamerstempel van de firma, zodat je meteen de datum van binnenkomst kunt zien.

'Een van de secretaresses vond hem. Op de een of andere manier was hij beneden in een verkeerde bak terechtgekomen. Hij heeft Nicks kamer nooit bereikt. Na zijn dood was er grote chaos op kantoor. De politie heeft dingen uit zijn kamer gehaald, maar blijkbaar hebben ze niet in de postkamer gekeken.'

'Wanneer kreeg je hem?'

'Vanmorgen,' zegt hij. 'Een van de secretaresses die de bak doornam, vond hem. Zodra ze Nicks naam en de datum van binnenkomst zag, bracht ze hem naar me toe. En natuurlijk heb ik hem opengemaakt.'

'Natuurlijk.'

'Hij was naar de firma gestuurd.' Adam vindt het nodig zich te verdedigen.

Er zit een buitenlandse postzegel in de hoek, iets in het Spaans. Adam heeft gelijk wat de datum betreft.

'Ik ben het nagegaan. De man bestaat echt. Het is een belangrijke figuur. Volgens mijn informatie is hij eigenaar van een keten van banken en vakantiehotels in Mexico.'

Ik maak de envelop open, haal de brief eruit en vouw hem open. Het is luxe papier en de tekst is in het Engels getypt, volgens de datering vier dagen voor Nicks dood. Het briefhoofd is in reliëf, een soort zegel, iets wat eruitziet als het helmteken van een krijgsheer uit vroeger tijden, en daaronder staat een telefoonnummer, een netnummer van één cijfer (9), gevolgd door drie cijfers en een streepje, weer twee cijfers, weer een streepje en twee cijfers. Ik heb al eerder zo'n soort telefoonnummer gezien. Zulke nummers stonden op de rekening van Saldado's mobiele telefoon, de rekening die ik van Joyce had gekregen, al staat hier ook de landcode van Mexico bij.

Bovenaan staat blijkbaar een adres, iets wat Blvd. Kukulcan, Km. 13 Z.H. heet, en een stad, Cancún, Q. Roo, Mexico, C.P. 77500.

De brief zelf is kort. Twee alinea's.

Geachte heer Rush,

Ik heb uw naam van relaties ontvangen. Ik heb gehoord dat u een verstandig zakenman en advocaat bent. Ik schrijf u om u te laten weten dat ik op de hoogte ben van de recente activiteiten van mijn zoons. Als vader ben ik niet blij met hun activiteiten. Ik wil van de gelegenheid gebruikmaken om u ervan te verzekeren dat ze geen toestemming hebben om daarmee verder te gaan. Dat heb ik mij heilig voorgenomen.

Ik verzeker u dat ik mijn zoons op gepaste wijze zal aanpakken. Ik verzoek u daar als verstandig man rekening mee te houden bij eventuele toekomstige handelingen die u zou willen verrichten.

Geheel de uwe,
Pablo Ibarra

Ik ben klaar met lezen, bestudeer de brief even en lees hem dan opnieuw. Ik probeer het belang van de boodschap in te zien.

'Wat vind je ervan?' vraagt hij.

'Ik weet het niet.'

'Blijkbaar probeert hij te voorkomen dat Nick achter zijn twee zoons aan gaat. Ik bedoel, hij verzekert Nick dat hij zijn zoons op gepaste wijze zal aanpakken. Daarmee wilde hij misschien zeggen: dat hoef jij dus niet meer te doen. Ik doe het wel. Heb je niet ook die indruk?'

Ik lees de brief nog een keer. 'Het zou kunnen.'

'Als hij... Ik bedoel, als Nick op de een of andere manier achter die zoons aan ging, dan is het mogelijk dat ze hem hebben gedood.'

Ik kijk hem bevestigend aan.

'Daarom is het belangrijk dat je me alles over die Ibarra vertelt.'

'Waarom denk je dat ik iets weet?'

'Omdat je Nick hebt gekend. Je hebt met Metz gepraat. Jij bent misschien wel de enige die weet hoe de stukjes in elkaar passen.'

'Welke stukjes?'

'Heeft dit alles met drugs te maken? Je hoeft geen helderziende te zijn om de signalen te zien. De brief komt uit Mexico; de zoons doen dingen die niet door de beugel kunnen. Nick was deskundig op het gebied van narcoticazaken. Je kunt de stukjes in elkaar passen,' zegt hij.

'Heb je de politie hierover verteld, over de brief, bedoel ik?'

Hij schudt zijn hoofd en negeert me bijna, zozeer wordt hij door andere problemen in beslag genomen. 'Ik wilde eerst met jou praten. Dan kwam ik misschien niet voor verrassingen te staan.'

'Geweldig.' Ik laat de brief vallen en hij zweeft als een blad naar de tafel tussen ons in.

'Wat is het probleem?'

'Het probleem is dat mijn vingerafdrukken nu overal op die brief staan.'

'Ja?'

'Reken maar dat de politie op zoek gaat naar vingerafdrukken als je die brief aan ze geeft,' zeg ik tegen hem. 'Zeker als ze zo'n brief pas na al die tijd krijgen. Ze zullen willen weten waar hij al die tijd is geweest en wie hem in zijn vingers heeft gehad.'

'Daar heb ik niet aan gedacht. Wat doen we nu?'

Twee advocaten die in een duur restaurant zitten te lunchen en zich afvragen hoe ze hun sporen kunnen uitwissen op een stukje achtergehouden bewijsmateriaal in een moordzaak. Niet bepaald een vraagstuk dat je wilt tegenkomen op je toelatingsexamen voor de advocatuur.

'Je kunt zeggen dat ik geen strafzaken doe,' zegt hij. 'Maar we zitten hier samen in. Ik heb die brief ook aangeraakt.'

'Maar jouw afdrukken zijn gemakkelijk te verklaren. De brief was aan jouw firma gericht. Je moest hem openmaken om te kijken wat het was. Of de inhoud onder het beroepsgeheim viel. En nu wil de politie natuurlijk weten waarom je hem aan mij hebt laten zien.'

Hij zet zijn bril af en legt hem op de tafel. Terwijl hij naar me kijkt, wrijft hij met zijn hand over zijn kin en denkt hij na over het probleem. 'We kunnen hem met een doek afvegen of zoiets.'

'Geen goed idee, Adam.'

'Nee, misschien niet.' Ik merk dat Adam liever had gezien dat ik met dat idee was gekomen. Zulke vragen kom je tegen in verslagen van hoorzittingen van de orde van advocaten, voordat ze je vergunning intrekken: wie heeft die handelwijze voorgesteld?

'Dat is het probleem met bewijsmateriaal,' vertel ik hem. 'Soms kom je niet in de problemen door wat er is maar door wat er ontbreekt. Als we onze afdrukken uitwissen, gaan die van Ibarra ook verloren. Ze zouden zich afvragen waarom die er niet op zitten.'

Hij kijkt me gekweld aan.

'Het geeft niet. We vertellen ze gewoon de waarheid. Je wist dat ik nieuwsgierig zou zijn. Ik was een vriend van Nick. Je wilde weten of ik er iets van wist. En dus gaf je me de brief te lezen. Het betekent alleen dat de politie mij veel meer vragen gaat stellen.'

'Ja. Dat is altijd de beste aanpak, denk ik,' zegt hij. 'De waarheid. Nou?'

'Nou wat?'

'Weet je er iets van?' Hij pakt de brief van de tafel. Ditmaal houdt hij hem zorgvuldig aan de randen vast, vouwt hem voorzichtig op en schuift hem weer in de envelop. Al die tijd kijkt hij mij aan, wachtend op een antwoord.

'De brief, nee. Die heb ik nooit eerder gezien.'

'Dat dacht ik al,' zegt hij. 'Anders had je het me verteld, nietwaar?' Hij bedoelt, net zoals je me over Espinoza hebt verteld.

Ik ontwijk de vraag door een flinke slok bier te nemen.

Adam is slim. Of hij nu aan mijn vingerafdrukken op de brief heeft gedacht of niet, hij is vastbesloten om elk stukje informatie dat zijn kant op komt grondig na te trekken, opdat zijn firma vooral buiten schot blijft. Hij vermoedt ook dat ik iets achterhoud, en zelf doet hij dat natuurlijk ook.

'Heb je ooit eerder van die man gehoord? Die Pablo Ibarra?'

Dat vraagt om een bevestigende leugen. 'Ik heb de naam wel eens gehoord. Vertel eens: hoe lang heb je die brief al? Echt?'

Adam glimlacht. 'Wat maakt dat voor verschil?'

'De politie zal het willen weten.'

'Ik heb hem vanmorgen gekregen,' zegt hij.

'Dus je bent niet op de avond na Nicks dood naar de postkamer gegaan om te kijken of er post voor hem was?'

'Wie vraagt dat, jij of de politie?'

'Misschien wil ik het helemaal niet weten.'

'Geloof me, dat wil je niet,' zegt hij. 'Waar heb je die naam gehoord? Van die Ibarra?'

'Gerald Metz noemde hem.'

'Metz?' Hij had gedacht dat ik 'Nick' zou zeggen. Nu is hij verrast.

'In mijn eerste gesprek met hem. Hij had wat werk voor die zoons gedaan. Een bouwproject, zei hij.'

'Heeft hij de vader ooit genoemd?'

'Terloops.'

'Kende Metz hem?'

'Dat hangt ervan af of je Metz wilt geloven. Volgens hem kende hij alleen de naam. Hij had hem nooit ontmoet.'

'Dat heb je me niet eerder verteld.'

'Ik heb het de politie ook niet verteld. Zoals jij met die brief.' Die is raak. 'Ik heb een goede raad voor je,' zeg ik dan.

'Ja?'

'Als je met je verhaal naar de politie gaat, neem ik aan dat je secretaresse het zal bevestigen?'

'Absoluut.'

'Misschien kun je er dan voor zorgen dat ze in ieder geval de envelop aanraakt.'

Hij glimlacht. Adam heeft zich dat al voorgenomen.

'Wat zei Metz nog meer over die kerels?'

'Hij zei ook dat de vader zich zorgen maakte over iets. Dat de zaak daarom niet doorging. Als je tenminste kunt afgaan op iets wat Metz zei.'

'Ga verder.'

'Dat is het.'

'Als de kranten hier weet van krijgen, spijkeren ze ons aan het kruis. Dan bestormen ze de firma en willen ze weten waar Nick mee bezig was. En of er een onderzoek naar ons wordt ingesteld, en of we papieren in de shredder stoppen.'

'Ik weet niet hoe het met jou is,' zeg ik, 'maar ik denk dat het antwoord in Mexico te vinden is. Ik heb een vlucht voor morgen geboekt, de eerste gelegenheid die er was. Ik wil wat informatie hebben. Ik ga niet wachten tot die informatie op mij afkomt.'

'Als je met Ibarra wilt praten, kun je gewoon de telefoon pakken.'

'Daar heb ik over gedacht. Het probleem is dat hij misschien wel achter Nicks dood zit. Ik bedoel niet dat hij de trekker heeft overgehaald, maar misschien heeft hij iemand ingehuurd. Als hij dat niet heeft gedaan, komt hij misschien tot dezelfde conclusie als wij, namelijk dat zijn zoons erachter zaten. Denk je dat hij zoiets door de telefoon met me wil bespreken?'

'Waarschijnlijk niet.'

'Ik denk ook van niet. Trouwens, als ik hem bel, zal hij, ook als hij wel met me wil praten, willen dat ik daarheen kom. Hij zal zelf zijn voorwaarden willen stellen, onder andere dat we elkaar op zijn territorium ontmoeten.'

'Ik wil dit net zo graag uitzoeken als jij. Als mensen vragen gaan stellen, wil ik kunnen antwoorden dat Rocker, Dusha en DeWine niet bij onwettige activiteiten betrokken zijn. Als iemand zegt van wel, kunnen ze op een claim wegens laster rekenen, en die zal hun dan hun huis, hun hond, hun vrouw en hun pensioen kosten, niet noodzakelijkerwijs in die volgorde. Ik ga met je mee,' zegt hij dan. 'De Gulfstream staat al met een volle tank op het vliegveld. We kunnen er in een uur of vier zijn. Laten we vanavond vertrekken. Er is trouwens een beveiligingsbedrijf in Mexico-Stad waar we zaken mee doen. Ik heb al vaker gebruik van ze gemaakt. Ik kan ervoor zorgen dat ze voor ons klaarstaan. Een van de grootste drugsbendes van de wereld opereert vanuit het schiereiland Yucatán. Ik heb gelezen dat de helft van de toeristenhotels in Cancún met drugsgeld is gebouwd. Gezien het soort mensen waarmee we te maken hebben, lijkt het me verstandig om ons extra te beveiligen.'

Dat klinkt wel goed maar ook ongelooflijk duur. 'Ik wil de firma niet op kosten jagen.'

'Onzin. Ik mag dan niet zo avontuurlijk zijn als jij, maar ik heb wel graag wat extra bescherming als ik mijn neus in iets steek.'

Hij kijkt op zijn horloge. 'Ik denk dat Cancún de tijd van de Central Time Zone heeft. We kunnen daar morgen pas iets doen. Laten we afspreken dat we elkaar om negen uur vanavond op het vliegveld van Carlsbad ontmoeten. McClellan-Palomar – daar hebben we het vliegtuig staan. Weet je waar dat is?'

'Ik vind het wel.'

De ober brengt onze lunch. Adam pakt de envelop met Ibarra's brief op, anders komt hij misschien nog onder de soepspatten te zitten.

'Intussen laat ik mijn secretaresse deze envelop een paar keer aanraken en zorg ik dat hij morgenvroeg per koerier bij de politie wordt afgeleverd, als wij weg zijn.'

24

Drie uur in de lucht. De ranke Gulfstream vliegt door de nachtelijke hemel naar het zuiden. Ik kijk uit het kleine ovale raampje en luister naar het ronken van de twee straalmotoren. We vliegen boven onweerswolken, en ik vraag me af waar we zijn en wat er beneden ons ligt.

Adam ligt tegenover me op de bank te slapen, met de gordel losjes over zijn borst, over de deken heen die hem bedekt. Hij heeft zijn schoenen uit en zijn kousenvoeten steken onder de rand van de deken vandaan.

Hij is gewend geraakt aan de betere dingen. Dat krijg je als je zo'n bevoorrecht leven leidt. Hij weet niet dat er op vliegvelden zulke lange rijen voor de controleposten staan dat je je in een scène uit *Gandhi* waant. Als ik tegen hem zei dat ze geen maaltijden meer serveren met echt zilveren bestek, zou hij me vast niet geloven. Als je zei dat het uit veiligheidsoverwegingen tegenwoordig verboden is om zelfs plastic bestek aan boord te gebruiken, zou hij meteen vragen: 'Hoe moet je dan je biefstuk snijden?' Zo'n man staat helemaal buiten de realiteit.

Hij slaapt als een baby, met zijn mond open. Ik vermoed dat hij snurkt, maar de motoren maken zoveel lawaai dat ik het niet kan horen.

Ik kijk naar de sterren, gaatjes in de donkere hemel, en val ten slotte ook in slaap.

Opeens schudt Adam aan mijn goede arm. Hij is helemaal gekleed, met zijn schoenen weer aan, en trekt zijn das recht.

'We dalen af naar het vliegveld van Cancún. Misschien wil je je nog even opfrissen.'

Twintig minuten later zijn we op de grond en taxiën we naar een hangar, waarvan de gigantische deur al openstaat en die vanbinnen helemaal verlicht is. De piloot taxiet naar binnen en zet de motoren af.

Terwijl hij dat doet, komen er drie grote terreinwagens op ons af, donker en glanzend in het felle licht. Ze parkeren een eind van elkaar vandaan bij de vleugel aan Adams kant. Ik begin mijn bagage bij elkaar te pakken.

'Laat je bagage maar achter,' zegt Adam. 'Die halen ze wel voor ons op.'

Ik volg hem naar de deur. Adam slaat de piloot op zijn arm. 'Goede vlucht. Erg comfortabel. En nu gaan jullie terug naar San Diego? Vanavond nog, heb ik begrepen.'

'Ja. We zijn hier morgen terug. En dan blijven we hier tot zondagavond aan de grond staan.'

'Geweldig,' zegt Adam, en hij gaat de trap af, op de voet gevolgd door mij. Voordat ik beneden ben, is hij al handen aan het schudden en glimlacht hij naar twee mannen die uit een van de auto's zijn gestapt. Hij wenkt me naar zich toe.

'Julio. Dit is Paul Madriani. Paul. Dit is Julio Paloma. Julio is onze gids hier. Ik hoop dat je daar geen bezwaar tegen hebt. Onze firma heeft Julio's bedrijf al vaker voor de beveiliging ingeschakeld als we hiernaartoe gingen. Ik ben zo vrij geweest.'

'Geen probleem.' We schudden elkaar de hand. Julio is een grote man, zo'n een meter vijfennegentig. Hij heeft een brede grijns, gelijkmatige witte tanden en een hand die mijn hand helemaal opslokt. Met zijn stierennek en schouders als van een footballspeler is hij de grootste man die ik ooit heb gezien, behalve de man die naast hem staat.

Adam stelt hem voor als Herman Diggs, een Afro-Amerikaanse reus die uit Detroit blijkt te komen. Ik kijk naar hem op. Een van zijn voortanden is afgebrokkeld als een stuk ijs. Ik vraag niet hoe dat zo gekomen is. Ik zou graag mijn hand terug willen hebben. Beide mannen dragen een donkere blazer met het logo van hun bedrijf op het borstzakje.

Adam vertelt me dat ze specialisten op het gebied van bedrijfsbeveiliging zijn. Ze praten even met Adam, terwijl hun ondergeschikten onze bagage ophalen.

We lopen naar de tweede auto in de rij, gevolgd door het circus van Julio en Herman. Achter in de safari lopen kerels met onze bagage, die ze achter in de laatste auto van de rij zetten. Intussen krijgen ze te horen wat de beste route is naar waar we vannacht ook zullen slapen.

'Weet je zeker dat je genoeg auto's hebt?' vraag ik Adam.

'Je kunt hier nooit voorzichtig genoeg zijn,' zegt hij. 'Julio kan daarvan meepraten. De vorige keer dat ik in dit land was, reed hij me door Mexico-Stad. Dat was zo'n twee jaar geleden, nietwaar?' Hij verheft zijn stem enigszins om boven het bulderen van een straalvliegtuig in de verte uit te komen. Hij draait zich om naar Julio, die druk bezig is met het regelen van de rit en hem niet hoort.

Daarom kijkt Adam mij weer aan. 'Laten we maar instappen,' zegt hij.

Buitensporig grote banden met veel agressief rubber. We zouden een ladder kunnen gebruiken om op de achterbank van de kolossale Suburban te klimmen. We gaan zitten en vinden de gordels. Adam sluit het portier om de koele lucht van de airconditioning binnen te houden. De motor draait nog.

'Het was een bijeenkomst over gas- en olieconcessies voor een van onze cliënten.' Adam gaat gewoon door met zijn verhaal, al luistert er niemand. 'En allemachtig, toen probeerde iemand onze attachékoffertjes te stelen. Twee jongens op een motor.'

'O ja?'

'Dat bedoel ik nou. Je moet voorzichtig zijn.'

'Kregen ze de koffertjes te pakken?'

'Welnee,' zegt hij. 'Herman daar zag het allemaal in zijn zijspiegeltje. Hij maakte het portier aan de bestuurderskant open, net op het moment dat ze hard weg wilden rijden. Het werd een grote puinhoop. De binnenkant van de deur onder het bloed, botbreuken. Er is niemand omgekomen, dus het had nog erger kunnen zijn.'

'Ja. Ze hadden tegen Herman op kunnen rijden,' zeg ik.

Adam lacht. Hij zet zijn bril af en maakt de glazen schoon met een zakdoek. De airconditioning van de auto draait op volle toeren, want een van de voorportieren staat nog open.

'Ze beginnen te beslaan. Ik heb de pest aan de vochtigheid hier.' Adam kijkt op zijn horloge en tikt er dan met zijn vinger op. Het is stil blijven staan. Hij doet het af en tikt er zachtjes mee tegen het metalen frame aan de binnenkant van het passagiersraam. Dan houdt hij het tegen zijn oor aan om er zeker van te zijn dat het weer loopt.

'Deze oude Hamilton is antiek,' zegt hij. 'Net als ik. Hij houdt de tijd erg goed bij, maar hij heeft een hekel aan vochtigheid. Ook net als ik.' Hij veegt met zijn zakdoek zweet van zijn voorhoofd weg. 'Hoe laat heb jij het?'

'Het is net half twee geweest.'

'Dan is het hier half vier,' zegt hij. 'Central Time. We slapen later. Anders zijn we niets waard.'

Herman en Julio hebben eindelijk alles geregeld en we gaan op weg naar de stad. Herman zit achter het stuur en Julio zit naast hem.

Als we het vliegveld achter ons hebben gelaten, rijden we binnen twee minuten met grote snelheid over een donkere vierbaansweg. Na enkele minuten komen we bij een viaduct. We slaan af en rijden in de richting van open water achter een vlak terrein dat bedekt is met lage junglebegroeiing. Na een paar kilometer komen er lichten in zicht. We zien nu ook voetgangers in de zandige berm van de weg, en hier en daar een klein bedrijfje. Nog eens een kilometer, en er is een trottoir en de lichten zijn feller.

'Bent u hier ooit eerder geweest?' Julio kijkt naar me opzij vanaf de voorbank.

'Nee.'

'Het was hier een en al jungle, *un pantano*, een, eh, moeras, tot zo'n...' Hij moet even nadenken. 'Tot zo'n twintig jaar geleden. Toen besloot de regering toeristenhotels te bouwen. Hier.' Hij glimlacht en wijst naar de bodem van de auto, alsof de regering de hotels op die plaats wilde stichten. 'En hup, er kwamen overal toeristenhotels. Melía Cancún, La Piramides, Royal Solaris Caribe. Net als Las Vegas,' zegt hij. 'Bent u daar geweest?'

'Al heel wat jaren niet.'

'Disneyland, huh?'

'Het schijnt van wel.'

Hij begint ons de bezienswaardigheden aan te wijzen. Inmiddels volgen de percelen elkaar op, paleisachtige tuinen waarop de Franse aristocratie jaloers zou zijn geweest. De villa's en tuinen worden verlicht door hele slagordes van schijnwerpers, sommige met gekleurd licht, vooral bij fonteinen, die hoog de lucht in spuiten. Hij vertelt ons dat de drukke boulevard waarover we rijden, twee rijbanen in elke richting, met stoplichten, Boulevard Kukulcan is.

Adam maakt zijn gordel los en buigt zich naar de voorbank toe om beter verstaanbaar te zijn. 'Dit is de straat waar die Ibarra zijn kantoor heeft?'

'Ja, meneer. We komen daar straks langs. Voorbij Kukulcan Plaza. Ik zal het u laten zien.'

'Nog iets over de twee zoons?' vraagt Adam. 'De gebroeders Ibarra.'

'Ja. Slechte mensen. Erg slecht,' zegt hij. 'Hmm, het zuiden. Ze zitten in het zuiden, bij Tulum.'

'Hij bedoelt dat ze daar grond hebben,' probeert Herman onder het rijden te vertalen. Hij kijkt nu en dan over zijn schouder om er zeker van te zijn dat hij te verstaan is. 'Het schijnt dat ze proberen hun grond tot ontwikkeling te brengen. Als je het mij vraagt, doen ze iets anders.'

'Drugs?' vraagt Adam.

'Misschien.'

'En de vader?'

'Een raadselachtige man,' zegt Herman. 'Ik heb gehoord dat hij en de jongens niet met elkaar kunnen opschieten.'

Adam leunt weer achterover en buigt zich dan naar mij toe. 'Dat komt overeen met wat wij hebben gehoord. Dat de vader en de zoons niet met elkaar kunnen opschieten. En drugs.'

'Metz vertelde me dat de broers zwaar materieel nodig hadden om een project aan de kust te ontwikkelen, een stuk grond dat ze wilden verkopen als terrein voor een vakantieoord. Het zou waar kunnen zijn.'

'Heeft Metz materieel gestuurd?'

'Nee.'

'Nou, dan heb je je antwoord,' zegt Adam. 'Maar misschien is een deel van zijn verhaal wel waar.'

'Wat dan?'

'Het feit dat de vader en de zoons de pest aan elkaar hebben.'

'Hier is het.' Julio draait zich om en leunt over zijn stoel. 'Dat daar rechts is het winkelcentrum. Uw hotel is hier, maar wij gaan door naar Ibarra's kantoor?'

'Ja. Ja.' Adam geeft hun een teken dat ze moeten doorrijden. Hij wil zien waar Ibarra zijn kantoor heeft.

'Dat is een winkelcentrum, voor het geval u iets nodig hebt,' zegt Herman. 'Veel winkels, restaurants, airco. Favoriete plek van Amerikanen die willen zeggen dat ze in Mexico zijn geweest maar die niet van de hitte houden. Ze noemen deze omgeving de Zone. Zona Hotelera.'

'Zona Hotel-aaa-ra,' zegt Julio.

'Hé, wat zeg ik dan? Zeg, ik praat zoals wij in de States praten, en jij doet je Latino-shit en dan komt het allemaal wel goed. Rustig maar.'

‘Genoeg, jongens, jullie maken meneer Madriani nerveus,’ zegt Adam.

‘We maken maar een geintje,’ zegt Herman. ‘Hotel-a-ree-ya.’

‘Aaa-ra,’ zegt Julio. Hij heeft van voren een bult onder zijn jas. Als hij zich vooroverbuigt en zich opzij draait, zwaait die jas open en zie je de metalen clip in de handgreep van een zwaar semi-automatisch wapen. Dat alles zit hoog onder zijn oksel in een versleten leren schouderholster.

Herman draait zich naar ons om en leunt weer achterover. ‘Ibarra’s kantoor is een eindje verderop.’

We rijden een kleine kilometer. Rechts van ons zien we weelderig groen ter grootte van een golfbaan, een tapijt van fluweelzacht gras dat zich glooiend tot in de verte uitstrekt, en daarachter een enorm vakantiehotel in de vorm van een piramide, tien of twaalf verdiepingen hoog – wat de farao’s hadden kunnen bouwen als ze rookglas en twinkelende lichten hadden gehad. Aan de voorkant golft een Mexicaanse vlag zo groot als een startbaan langzaam heen en weer aan de top van een vlaggenstok, in beweging gebracht door de zachte Caribische bries.

‘Is dat van de oude man?’ vraagt Adam. Hij klinkt alsof hij papa Ibarra best als cliënt zou willen hebben.

‘Misschien,’ zegt Julio. ‘Maar hij heeft vast wel compagnons.’

‘Ik zou best een van hen willen zijn,’ zegt Adam.

‘Zijn kantoor is op de bovenste verdieping. Het penthouse,’ zegt Herman. ‘Niemand zonder escorte en afspraak komt daarboven.’ Herman klinkt alsof hij het heeft geprobeerd. ‘De man is een Mexicaanse Howard Hughes.’

‘Wie is die Joward Jewes?’ zegt Julio. ‘Je hebt het altijd maar over Joward Jewes.’

‘Hughes. Hughes.’ De lucht die langs Hermans afgebrokkelde voortand stroomt, maakt een zacht fluitend geluid. ‘Luister hoe ik het zeg, stomme Latino. Waarom leer je geen fatsoenlijk Engels?’

‘Omdat we hier Spaans spreken,’ zegt hij. Julio draait zich om naar achteren en glimlacht naar mij. Hij geeft een tikje op mijn knie. ‘Let maar niet op ons. We doen altijd zo. Trouwens, u hoeft zich geen zorgen te maken, tenzij ik dit ding op zijn hoofd richt.’ Hij wijst naar het wapen onder zijn arm.

‘Wat? Dat ding? De laatste keer dat je dat dingetje probeerde te trekken, bleef het haken achter je rits,’ zegt Herman. ‘We moesten zijn mond met papieren zakdoekjes volstoppen, anders schreeuwde hij de hele stad bij mekaar.'

'U moet hem niet geloven,' zegt Julio. 'Hij is alleen maar jaloers omdat ik alle mooie vrouwen krijg.'

'Ja.' Herman gaat daar verder niet op in. 'Hier in de stad zeggen ze dat die Ibarra nogal vreemd is. Hij is schatrijk, maar niemand krijgt hem ooit te zien. Weet u wat ik bedoel? Hij laat zijn geld het woord doen.'

Julio is nu via zijn kleine walkietalkie met de andere auto's aan het communiceren, iets in het Spaans. Als hij luistert, houdt hij zijn andere vinger tegen zijn oor.

Dan maakt de voorste auto rechtsomkeert. We volgen zijn voorbeeld, drie donkere auto's als een trein midden op de boulevard. Een half blok verderop zit een politieagent op een motor, zijn armen over elkaar, zijn ene voet op de grond om de motor in evenwicht te houden. Hij ziet ons, kijkt, grijpt naar het stuur van de motor. Dan ziet hij ervan af. Hij komt niet in beweging. Zijn armen gaan weer over elkaar.

Je gaat er onwillekeurig van uit dat zulke auto's als deze, toonbeelden van macht met ruiten van rookglas, die dicht achter elkaar rijden, een hoge regeringsfunctionaris vervoeren, of erger nog, een grootgrondbezitter. Eén blik was genoeg: de verkeersagent heeft besloten dat hij iemand anders zijn dagelijkse bijverdienste moet aftroggelen.

We rijden een kleine twee kilometer en slaan dan een particuliere oprijlaan in die met veel bochten de helling opgaat. Ten slotte komen we tot stilstand voor de ingang met baldakijn van een klein hotel.

Herman springt uit de auto en maakt het portier open. Voor zo'n grote man is hij snel. Adam stapt uit. Ik schuif over de zitting en volg hem.

Als de automatische deuren opengaan en zich achter ons sluiten, is het of we van een sauna in een koelkast komen. Adam en ik blijven in de kleine hal staan, terwijl Julio zich voorstelt en zakendoet bij de antieke balie van bewerkt eikenhout die zich even voorbij de deur bevindt.

Het is een klein hotel in Europese stijl. Adam vertelt me dat het vroeger een villa was, negenendertig kamers vol marmer en andere luxe. Het hotel gaat verloren in een zee van klatergoud, al die grote toeristenhotels met hun glinsterende lichten en hectaren van tuinen en gazons. Niemand zou Casa Turquesa opmerken. Met zijn glanzende vloeren en rondgaande trap is het weggestopt tussen het strand en het winkelcentrum.

Enkele seconden later is Julio met de sleutels van de kamers terug.

'U beiden hebt kamers op de bovenste verdieping. Kamers naast elkaar. Herman krijgt de kamer aan de ene kant, ik die aan de andere kant. Twee van mijn mannen zijn hier beneden, de anderen blijven bij de auto's.'

De manager van het hotel, vergezeld door vier piccolo's, een voor elke tas, leidt ons naar de lift, en we gaan naar boven.

Drie minuten later ben ik alleen in mijn kamer, de deur dicht, de airconditioning aan.

Ik doe de gordijnen dicht. Ik ben te moe om van het uitzicht te genieten, en het grote bed lokt me meer dan het zwembad beneden. Ik neem een douche en een half uur later slaap ik.

25

Kort voor negen uur in de morgen is de hal van het Casa Turquesa leeg, afgezien van een meisje achter de kleine balie bij de deur.

'*Buenos días.*' Ze glimlacht en vraagt me of ik in het restaurant bij het zwembad wil ontbijten.

In plaats daarvan bestel ik een taxi.

Twintig minuten later zet de chauffeur me af in een gedeelte van het oude Cancún, in een straat die Tankah Calle heet. De winkels zijn hier niet zo opzichtig als die bij de stranden en de hotels. De gebouwen zijn voor het merendeel twee of drie verdiepingen hoog en zien er vervallen uit.

Cancún is tegenwoordig een stad met een miljoen inwoners, maar het voelt aan als een stil provinciestadje dat misschien een beetje te snel gegroeid is. Moderne winkels zitten ingeklemd tussen gestuukte gebouwen die eruitzien alsof ze uit de jaren veertig dateren. De straten staan vol auto's, en de meeste daarvan laten hun claxon horen, het Mexicaanse equivalent van remmen.

Ik zoek naar een adres en besef dan dat het bewuste nummer zich aan de overkant van de straat bevindt. Ik manoeuvreer me tussen de claxonnerende auto's door en loop dan een half blok.

Ik zie de naam al op een bord boven het trottoir hangen voordat ik het nummer zie. 'Antiquities Biblioteca'.

Nick had het in zijn palmtop verkeerd gespeld. Ik ben vanmorgen vroeg opgestaan en heb in het telefoonboek van Cancún gekeken. Het telefoonnummer in het boek kwam overeen met dat in Nicks palmtop, maar dan natuurlijk zonder de landcode van Mexico.

Vanaf het trottoir zie ik een bordje met OPEN op de glazen deur hangen, dus daar loop ik op af. Ik zie een vrouw achter een toonbank. Ze praat met een man die met zijn rug naar me toe staat. Ik heb mijn hand al bij de deurknop als hij zich omdraait en ik hem van opzij kan zien.

Ik trek mijn hand vlug terug en loop van de deur weg. Ik blijf doorlopen tot ik drie winkels verder een krantenrek vind. Ik laat een paar Mexicaanse muntjes in de gleuf vallen en pak een krant die ik niet kan lezen. Ik ga op een bankje zitten en sla hem open.

Zes minuten later komt Nathan Fittipaldi door de voordeur van de antiekzaak naar buiten. Omdat hij mijn kant op komt, houd ik de krant voor mijn gezicht tot hij voorbij is en de straat oversteekt. Dan volg ik hem.

Na twee blokken gaat hij een parkeergarage binnen. Hij loopt de schuine helling af en verdwijnt in het halfdonker. Ik blijf met de krant aan de overkant van de straat staan en let op de uitgang. Een minuut of zo later komt een grote Lincoln Towncar omhoogrijden met een chauffeur achter het stuur. De achterruiten zijn getint, maar de chauffeur moet stoppen om bij de uitgang het parkeergeld te betalen.

Door de voorruit zie ik Fittipaldi op de achterbank zitten. Dicht tegen hem aan zit een vrouw met blond haar en donkere brillenglazen. Blijkbaar heeft Dana de tijd gevonden voor een vakantie in Mexico.

Om half elf ben ik in het hotel terug, waar Adam in het restaurant zit te ontbijten.

'Waar was je? Ik belde naar je kamer, maar er werd niet opgenomen.'

'Ik heb een eindje gewandeld om wat beweging te krijgen.'

'Hoe was het?'

'Goed.'

'Hoor eens, ik heb over onze plannen hier nagedacht. We hebben niet veel tijd,' zegt hij. 'Tenzij je hier wilt blijven en met een lijntoestel terug wilt.'

'Ik moet maandag op kantoor terug zijn.'

'Dan lijkt het me het beste als we deze dag gebruiken om onderzoek te doen naar de broers aan de kust. Wat vind jij?'

'Ik dacht dat we met de vader zouden praten.'

Herman en Julio zitten zo ver van ons vandaan dat we kunnen praten zonder dat iemand ons hoort. Het restaurant en de bar bij het zwembad zijn leeg. Adam draagt een stevige lichtbruine broek en hoge schoenen en een licht nylon shirt.

'Misschien is het verstandig om pas op vrijdag met Pablo Ibarra te gaan praten. Ik heb mijn kantoor naar het zijne laten bellen om hem te laten weten dat ik voor zaken naar hem toe kom. Ik heb ze gezegd dat ze het vaag moeten houden. Hij weet dat ik van dezelfde firma ben als Nick. We hebben een voorlopige afspraak voor morgenavond. Maar als jij dat wilt veranderen, kan dat.'

'Nee. Dat is goed.'

'Ik vermoed dat de antwoorden uiteindelijk bij de oude man te vinden zijn,' zegt hij. 'Maar ik ben ook bang dat als we meteen de confrontatie met hem aangaan, zonder dat we meer weten dan nu, Pablo Ibarra ons niets wil vertellen. Hij heeft er toch al geen belang bij om met ons te praten, tenzij hij denkt dat wij meer weten dan in werkelijkheid het geval is.'

'Hoe doen we dat?'

'Je hebt zijn brief aan Nick gelezen,' zegt hij. 'Wat denk je dat hij probeerde te zeggen?'

'Hij zei tegen Nick dat hij zich terug moest trekken.'

'Precies. Dat hij zijn zoons met rust moest laten. Nick wist iets van de zoons en ze deden iets wat de vader niet aanstond. We moeten Pablo Ibarra het gevoel geven dat wij weten wat dat was.'

'Ik luister.'

'We moeten naar hun activiteiten kijken. We moeten op zijn minst een vermoeden hebben van wat ze doen.'

Er valt iets voor Adams plan te zeggen.

'Ik heb Julio's mensen de locatie aan de kust laten verkennen.'

'Wanneer?'

'Toen ik belde en tegen ze zei dat ze ons hier moesten opwachten. Ik wilde zo goed mogelijk gebruikmaken van het beetje tijd dat we hadden. Twee van zijn mensen namen gisteren een van de auto's, gingen naar de kust en verkenden het terrein. Ze hebben het gevonden.'

'Nou, dan gaan we er toch heen?'

'Dat dacht ik ook.'

Een uur later rijden we langs de kust, langs het vliegveld.

In de zon ziet het terrein er anders uit. De hotels zijn net albasten paleizen, zoals ze daar tegen de achtergrond van het blauwe water van de Caribische Zee staan.

Het water is zo helder dat duikers zweren dat ze door lucht kijken. Als de jungle even is onderbroken of als de weg op een hoger punt komt, zie ik aanrollende golven en witte stranden, bespikkeld met koraalinhammen en riffen van basalt.

Het verkeer op de weg rijdt in een behoorlijk tempo. Hier en daar zijn er maar twee rijbanen, maar dan komen er banen bij en kun je weer inhalen. Er is erg weinig verkeer, alleen een paar touringcars, meestal leeg, en gehuurde busjes die duikers naar een afgelegen strand brengen.

De lucht is helder en licht. Maar in de verte, boven de jungle in het zuiden, is hij loodgrijs. Elke paar seconden zie ik kleine draadjes vuur, bliksemschichten die honderd kilometer voor ons uit tegen de junglebodem slaan.

Grote landkrabben rennen de straat over. Ze bewegen zich als gigantische spinnen van jungle naar jungle over de strook wegdek die hen van de zee scheidt.

Adam vertelt me over de twee gebroeders Ibarra, Arturo en Jaime. Hij heeft een dun dossier dat door Julio's bedrijf is samengesteld en dat 's morgens vanuit het kantoor in Mexico-Stad is doorgefaxt.

'Ik heb er vanmorgen even naar gekeken toen ik opstond,' zegt hij. 'De broers verschillen drie jaar in leeftijd. Arturo, de oudste, is de handige jongen, de ritselaar, de zakenman, als je het zo wilt noemen. Jaime is een en al spieren, ook tussen zijn oren. Hij heeft de reputatie dat hij driftig kan worden. Vier jaar geleden heeft hij in een privé-club iemand in een gevecht gedood. Hij deed een beroep op zelfverdediging en kwam met de schrik vrij. Hij heeft een paar kleinere veroordelingen achter de rug, maar geen uitgebreid strafblad.' Adam bedoelt: wat zou je anders verwachten van de onhandelbare zoon van een rijke man?

'Hij begon als tiener met autodiefstal en bracht het twee jaar geleden tot een veroordeling wegens poging tot moord. Het schijnt dat het geld van zijn vader hem tot nu toe buiten de gevangenis heeft gehouden. Al gaat dat niet lang meer goed, nu vader en zoon ruzie met elkaar hebben gekregen.'

'Drugs?' vraag ik.

'Acht jaar geleden,' zegt Adam. 'Eens kijken.' Hij bevochtigt zijn duim en slaat een bladzijde om. 'Hier heb ik het. Beide zoons zijn gearresteerd. De zaak werd geseponeerd wegens gebrek aan bewijs. De federale gerechtelijke politie geloofde dat ze in de cocaïne zaten, dat ze het verbouwden in de jungles van het gebied waar we vandaag heen gaan.'

'Iets in de Verenigde Staten?'

Hij kijkt een tijdje naar de lijst in het dossier en slaat dan wat bladzijden om. 'Daar ziet het niet naar uit. Er zijn wel kredietgegevens. Daaruit blijkt dat ze bankrekeningen in verschillende landen hebben, Belize en de Caymans, geen grote kapitalen, maar er wordt wel geld bij- en afgeschreven.'

'Dus ze verdienen ergens geld mee,' zeg ik.

'Daar lijkt het op,' zegt Adam. 'Vier maanden geleden vroegen ze een lening aan, en toen gaven ze een opsomming van hun activa, inclusief hun laatste grote storting. Die storting hadden ze ongeveer acht maanden geleden gedaan, en dat was bijna driehonderdduizend Amerikaanse dollars. Dus ze zijn met iets bezig.' Adam haalt diep adem, sluit het dossier, en we leunen achterover voor de rit.

Een uur later zien we grote borden langs de weg voor iets dat 'Xcaret' heet. Julio legt uit dat het een recreatiepark met veel water is, een themapark rondom Mayaruïnes. Gezinnen gaan er een dagje naartoe. Voor een toegangsprijs mogen ze in de natuurlijke lagune zwemmen of in de kunstmatige waterwegen spelen die de projectontwikkelaars met de zegen van de regering hebben aangelegd.

De Maya-Rivièra heeft zijn fraaie gedeelten, met een ongelooflijk natuurschoon en een ongerepte jungle, en ook met vakantieoorden voor rijke toeristen. We komen langs een stuk of drie van die oorden. De meeste hotels zijn omgeven door ijzeren hekken, met gewapende bewakers in hokjes bij de poort.

Voorzover ik kan zien, blijven de toeristen binnen de hekken, en als ze daarbuiten komen, doen ze dat in een auto met airconditioning, op weg naar het vakantieoord of ervandaan.

Het echte leven speelt zich hier af. Rijdend met een snelheid van honderdtwintig kilometer per uur zien we telkens mensen langs de berm lopen, groepjes mannen in overhemden en spijkerbroeken die vier maten te groot voor hen zijn.

'Er moet hier ergens een stad zijn,' zeg ik tegen Julio.

'Er zijn hier dorpen. Overal in de jungle,' zegt hij.

'Waar gaan ze heen?'

'Ze zoeken werk,' zegt hij.

Elke paar kilometer komen we weer een groepje tegen. Ze sjokken in oude sportschoenen over de zandige berm. Sommigen hebben vrouwen en kinderen bij zich, kleine kinderen, schoongeboend en gedragen door hun moeder, terwijl hun oudere broertjes en zusjes door het zand lopen. Net als hun ouders zijn ze op zoek naar een manier om eten te vinden voor de volgende dag. Ik denk onwillekeurig aan

Sarah thuis, en wat ze zou denken als ze kinderen van haar eigen leeftijd zag die niet naar school kunnen gaan en die met de grootste moeite hun kostje bij elkaar moeten scharrelen.

Adam buigt zich naar me toe en zegt: 'Zelfs hiervoor hebben de natuurlijke krachten van de economie een oplossing.' Ik begin het gevoel te krijgen dat hij mijn gedachten kan lezen.

'Welke dan?'

'Daarom vond ik het zo vreemd dat de Ibarra's wilden dat Metz zwaar materieel hierheen bracht. Daar heb je je antwoord.' Hij wijst in de verte, een kilometer of zo voor ons uit, naar een kaal landschap waar een stuk jungle is weggehakt.

'Daar gaan ze allemaal heen,' legt hij uit.

Het ziet eruit als een Egyptische bouwplaats van tombes en het zou in *The Ten Commandments* niet misstaan. Een enorme mierenhoop van mensen, te veel om te tellen, met schoppen en kruiwagens – nergens ook maar één zware machine te zien. Zelfs beton wordt in een serie grote kuipen op locatie gemengd, zonder moderne betonmolens.

'Daarom vond ik dat verhaal van Metz zo vreemd,' zegt hij. 'Als arbeidskrachten goedkoop én volop te krijgen zijn, waarom zou je er dan bulldozers en graafmachines bij halen? Trouwens, de regering hier is er ook niet voor. Hier in Mexico mag je je machines niet afschrijven. Ze verwachten van je dat je je eigen landgenoten in dienst neemt. Geef ze banen. Heb je gisteravond het hotelpersoneel gezien?'

'Wat is er met ze?'

'Het is een compleet leger,' zegt Adam. 'Er waren er drie voor nodig om ieder van ons naar onze kamers te brengen, een om voorop te lopen, een om onze bagage te dragen en een om te volgen, misschien om ervoor te zorgen dat we niet van achteren worden overvallen. Mexico leert revoluties te vermijden. Je kunt niet zeggen dat ze niet hun best doen.'

'Zo te horen kom je hier wel vaker.'

'Vaak genoeg. Ik hou van de mensen hier. Ze zijn vriendelijk. Je weet wat je aan ze hebt.'

'Waarom dan al die beveiliging?'

'Ik hou van mensen,' zegt Adam, 'maar ik ben niet gek.' Hij ziet iets. Hij buigt zich naar voren en praat in Julio's oor.

Als hij weer achteroverleunt, kijkt hij me aan en wijst naar links. 'Dat daar is Puerto Adventuras. Het is een vakantieoord Ze hebben daar een vloot van goede visboten. Heb je ooit op zee gevist?'

'Nee. Maar ik heb cliënten gehad die dat deden.'

'Je zou het eens moeten proberen. Op de terugweg gaan we daar dineren. Misschien blijven we daar ook overnachten; dat hangt ervan af hoe laat het is.'

'Ik heb geen schone kleren, tandenborstel of dergelijke meegebracht.'

'Dat geeft niet. We passen ons bij de plaatselijke bevolking aan. Trouwens, alles wat we nodig hebben, kunnen we daar vinden.'

We komen langs een aantal borden met het woord CENOTE plus telkens een aantal kilometers. Ik vraag Julio ernaar.

Hij vertelt me dat het heilige waterplaatsen van de Maya zijn. In die kalkstenen grotten onder de jungle, waar zich grote hoeveelheden zoet water verzamelen en waar soms ondergrondse rivieren in uitkomen, aanbaden ze hun goden.

'In de jungle hier zijn veel van die plaatsen. Sommige indianen halen hun water nog steeds daarvandaan. Maar je moet voorzichtig zijn,' zegt hij. 'Pas op voor... eh... hoe zeg je dat? *Caiman*.'

'Krokodillen. Grote,' zegt Herman. 'Hij bedoelt dat als je hier van de weg afgaat je goed uit je ogen moet kijken als je ergens water gaat drinken.'

Ik knoop dat in mijn oren. Niet dat ik van plan ben om iets te drinken dat niet uit een afgesloten fles komt.

Een paar minuten later kijkt Julio naar een kaart die opengevouwen op zijn schoot ligt. Hij praat weer in het Spaans in zijn walkietalkie. '*Aqui. No, no, no, no, aqui*.'

De voorste auto remt en slaat plotseling linksaf, zonder richting aan te geven. Die auto rijdt minstens zeventig. We volgen allemaal.

We hobbelen over een onverharde weg door de jungle tussen de grote weg en de kust. Mijn hele lichaam stuitert op en neer in de gordel. Zo leggen we een paar kilometer af.

Als de weg wat oploopt, geeft Julio de auto's opdracht langzamer te gaan rijden. Ten slotte stoppen we. Hij wijst de plaats op de kaart aan en overlegt met Herman, die het blijkbaar met hem eens is. Dan stapt Julio uit en loopt hij vlug naar de voorste auto. De man op de passagiersplaats van die auto stapt uit en ze gaan samen lopend verder.

Ze blijven ongeveer vijf minuten weg, en dan zie ik Julio naar ons terugkomen, half lopend, half rennend. Ten slotte bereikt hij de auto. Adam drukt op de knop om zijn raampje omlaag te laten gaan.

'Hier is het.' Julio is buiten adem. Het zweet loopt over zijn voorhoofd en wangen en druipt van zijn kin. 'Dit wilde u zien.'

Adam sluit het raam en stapt uit. Hij zegt tegen Herman dat hij de motor en de airconditioning aan moet laten staan.

Ik stap aan de andere kant uit, en Julio maakt de kofferbak van de auto open en zoekt daar naar iets. Hij haalt er een fles water uit en neemt een grote slok. '*Señor*?' Hij houdt me de fles voor.

Ik weiger.

Dan vindt hij twee veldkijkers, grote Bausch & Lomb's, 12 × 50. Hij geeft ze aan Adam en mij en loopt dan voor ons uit over de weg.

Als we drie of vier minuten naar boven zijn gelopen en een bocht zijn omgegaan, komen we op het hoogste punt, waar Julio's maat nog staat en naar de zee in de verte kijkt. Hij zit gehurkt en gaat helemaal op in de lage junglebegroeiing langs de kant van de weg.

Hij spreekt in het Spaans tegen Julio en steekt twee vingers op. Hij wijst in de verte. '*Dos hombres a la casa.*'

Adam en ik gaan bij hen zitten. Ik zie dat de jungle vanaf dit punt licht afloopt naar een kleine baai en wat rotsige uitlopers, een kleine twee kilometer van ons vandaan. Iets naar het noorden, minder dan een kilometer van ons vandaan, zie ik een grote open plek in de jungle, rode klei en naakte kalksteen, als een kale plek in een zee van groen, minstens een hectare groot. Er ligt daar een verzameling troep, autowrakken en oude autobanden, wat grotere vrachtwagens, oude Fords en Chevrolets, een met een roestige kraan op de rug die eruitziet alsof hij honderd jaar oud is.

De grond is bespikkeld met lege tweehonderdlitervaten die in de zon liggen te roesten. Sommige zijn ingedeukt en op hun kant gevallen. Zwarte vlekken verspreiden zich uit die wijdopen vaten over de bodem, het laatste restje olie dat in de grond weglekt.

Helemaal aan de andere kant, het dichtst bij de rotsen en de zee, staat een bouwkeet. De keet heeft witte wanden en een plat metalen dak met een airconditioningapparaat waaruit golven van hitte opstijgen.

Voor de keet liggen een paar grote vrachtwagenbanden met stukken triplex eroverheen – een primitieve houten veranda voor de deur aan die kant.

Julio is klaar met praten tegen zijn maat. Hij draait zich op zijn hurken om en vertaalt het voor Adam en mij.

'Deze weg gebruiken ze niet,' zegt hij. '*Otra*. Die daar.' Hij wijst. 'Ze gebruiken een andere weg.'

Ik zet de kijker voor mijn ogen en stel hem in. Aan de andere kant, meer naar het noorden, slingert een strook bruinrode bodem zich de jungle in en verdwijnt om een bocht.

'Mijn maat zegt dat er twee bij het huis zijn. De keet. Ze zijn gewapend.'

Ik zet de kijker weer voor mijn ogen en tuur. Ik zie niets bewegen bij de keet. De auto's die het dichtstbij geparkeerd staan, zijn zo te zien leeg. Omdat we de zon nu achter ons hebben, zullen mensen die buiten zijn zich waarschijnlijk achter de keet bevinden, in de schaduw, waar we ze niet kunnen zien.

'We blijven hier maar een paar minuten,' zegt Adam. 'Het wordt heet.' Hij zet zijn hoed af, een van die slappe safaridingen met een brede canvas rand, en maakt er dan een prop van en gebruikt hem om over zijn voorhoofd te vegen.

Julio geeft hem een fles water. Adam schroeft hem open, neemt een slok en spuwt het meteen uit. 'Het is heet,' zegt hij.

Julio haalt zijn schouders op. Hij heeft niets anders bij zich.

Adam giet de rest van het water over zijn achterhoofd en laat het op de jungleplanten bij zijn voeten druipen. Daarna vouwt hij de hoed weer open en zet hem op.

'Daar.'

Als ik kijk, staat Julio naast me.

Ik zet de kijker weer voor mijn ogen en richt hem op de bouwkeet. Een man loopt vanaf de achterkant in onze richting. Aan zijn ene schouder hangt iets wat zo te zien een geweer met korte loop is. De loop is naar de grond gericht. Net als hij om de hoek aan de voorkant van de keet loopt, gaat de deur open en stapt een andere man op de triplex veranda.

Ik tuur door de kijker om hem te kunnen onderscheiden. Hij wendt zijn lichaam van me af en doet de deur stuntelig met één hand dicht. Ik zie dat er geen arm uit de andere mouw van zijn overhemd steekt.

Als hij zich weer omdraait, zie ik waarom. Zijn arm is tegen zijn lichaam verbonden om de gebroken ribben te ondersteunen die ik Hector Saldado heb bezorgd toen ik hem met de bandenlichter sloeg.

26

'Weet je het zeker?' zegt Adam.

'In hoogsteigen persoon,' antwoord ik. 'Het grootste deel van de tijd keek ik naar de scherpe rand van dat scheermes, maar ik zal dat gezicht voorlopig niet vergeten.'

Adam kijkt ook en ik geef mijn kijker aan Julio, die naar hem tuurt en de kijker dan aan mij teruggeeft. 'Hij is een arm kwijt?' zegt hij.

'Bij wijze van spreken.' Ik zie Saldado van de triplex veranda afkomen. Hij vist met één hand een sigaret uit een pakje in zijn borstzak en steekt hem dan aan met een aansteker uit diezelfde zak.

Dan slentert hij naar een van de auto's die daar staan, een grote bestelbus met open achterdeuren, en roept twee van de bewakers naar zich toe.

Hij wijst in de bestelbus en geeft ze instructies. Een van hen stapt in, terwijl de ander, die zijn geweer over zijn schouder heeft geslagen, iets naar buiten probeert te trekken. Hij heeft het niet makkelijk.

Saldado roept er nog een stuk of wat achter de keet vandaan. Ten slotte zien zes van hen kans om het ding uit de wagen te krijgen.

'Zie je dat?' zegt Adam.

'Ja.'

Wat het ook is, het is een meter of twee lang en verpakt in een katoenen beddenlaken dat er met touw omheen is gebonden. De zes mannen wankelen onder de last. Ze tillen het op de veranda voor de bouwkeet en dan door de deur naar binnen.

'Wat denk je dat het is?' Adam laat de kijker zakken en kijkt mij aan.

'Ik weet het niet.'

Enkele ogenblikken later komt Saldado uit de keet, stapt in het busje en rijdt weg over de onverharde weg aan de andere kant van het terrein.

'Nou, we weten nu één ding zeker. De broers hadden iets te maken met jouw Espinoza,' zegt Adam.

'Ik zou graag willen weten wat ze daar versjouwden.'

'We kunnen proberen het van dichterbij te bekijken.'

'Hoe?'

Adam praat met Julio, die vervolgens in het Spaans met de andere man spreekt. Hij wijst met zijn hand naar de andere weg. Als Julio terugkomt, zegt hij: 'Vanaf de andere weg kun je veel dichter bij de keet komen. Hij zegt dat er grotere ramen aan de achterkant zijn, een schuifdeur. Ze gingen daar gisteren heen en konden toen met kijkers mensen binnen zien.'

Adam denkt erover na. 'Je wilt het proberen.'

'Waarom niet?'

Een kwartier later zitten we af te koelen in de auto's met airconditioning. We rijden weer over de grote weg. We gaan een kleine twee kilometer terug en nemen dan een andere onverharde weg in de richting van de zee. Julio zegt onder het rijden iets in zijn walkietalkie. Een minuut of zo later kijk ik door de achterruit en besef dat de twee andere auto's van onze karavaan plotseling verdwenen zijn.

'Maak je geen zorgen,' zegt Adam. 'Julio's mensen weten wat ze doen.'

'Ja, ze halen de artillerie erbij,' zegt Herman. 'Voor het geval we bonje krijgen.' Hij is het er niet mee eens wat we doen. 'Moet ik het kogelvrije vest uit de kofferbak halen?' zegt hij. 'Dat met het *bull's eye* waar allemaal gaten in zitten?'

'Herman, hou op,' zegt Adam.

'Ja, meneer.' Maar als ik in het spiegeltje kijk, glimlacht Herman nog en knipoogt hij naar me. Zijn afgebrokkelde tand ziet eruit als een gebroken hekpaaltje.

'Het komt wel goed,' zegt Julio. 'Als ze ons tegenhouden, zeg ik tegen ze dat u over zaken wilt praten. Dat u op zoek bent naar grond voor een vakantiehotel. Ik laat ze ook weten dat we mensen op de weg hebben.' Hij houdt de walkietalkie omhoog. 'Andere auto's. Dan zullen ze niets doen. Ze kunnen niet nagaan met hoevelen we zijn.'

Adam glimlacht naar me. 'Daarvoor huur je mensen in.'

De twee Suburbans rommelen over de weg, hotsend over de kuilen van de laatste wervelstorm. Plotseling trapt Herman op de rem. Het stof spuit onder de banden vandaan. Hij draait wild aan het stuur om te voorkomen dat we tegen een pick-uptruck botsen die dwars over de weg geparkeerd staat. We komen naast de weg terecht, met de neus van onze auto in de lage begroeiing van de jungle.

'Man op de weg,' zegt Herman. Zijn ene hand reikt naar iets onder het stuur, en als het weer omhoogkomt, houdt het Hermans grote roestvrijstalen .45 omklemd.

'Herman. Doe dat pistool weg,' zegt Adam. 'Julio.'

Zonder een woord te zeggen stapt Julio uit de auto. Hij gooit de deur achter zich dicht en houdt zijn handen voor zich uit om te laten zien dat ze leeg zijn. Hij houdt ze boven zijn schouders en begint in rad Spaans te spreken.

Het stof gaat geleidelijk liggen en ik zie een man: vaal geworden sportschoenen, donkere broek, geel overhemd. Hij richt een geweer op Julio's borst. Een andere man duikt aan de andere kant van de weg uit de jungle op. Als ik me omdraai, komen er nog meer uit de struiken dicht bij onze auto. Een van hen heeft een AK die hij beurtelings op mijn raampje en Hermans achterhoofd richt.

Gelukkig heeft Herman het pistool weer in de holster gestoken en heeft hij nu beide handen op het stuur.

'Iedereen rustig blijven,' zegt Adam.

Het gesprek gaat nog een hele tijd door. Julio heeft zijn handen omhoog en de andere man houdt zijn geweer op hem gericht. Na wat een eeuwigheid lijkt maakt Julio een aarzelende beweging met één hand naar zijn riem. Hij reikt erg langzaam omlaag en pakt zijn walkietalkie uit het foedraal. Hij houdt het omhoog, opdat de andere man kan zien dat het geen wapen is, en praat er dan in. De andere man kijkt en luistert. Ten slotte knikt de andere man. Hij wijst met de loop van zijn geweer in de rijrichting.

Adam haalt diep adem. 'Nou, het ziet ernaar uit dat ze ons hier niet overhoop gaan schieten.'

Julio komt naar de auto terug en stapt in, zijn gezicht glimmend van het zweet. 'Het is in orde.' Hij haalt diep adem en veegt met een zakdoek over zijn gezicht. 'Hij zegt dat we hem moeten volgen.'

De pick-up rijdt achteruit om de weg vrij te maken.

Herman begint achteruit de struiken uit te rijden. Zijn banden slippen over al die groene bladeren. Hij komt weer op de weg en rijdt langs de pick-up.

We houden even in, net lang genoeg om een andere wagen, een gedeukte roestige Toyota pick-up, de gelegenheid te geven om voor ons te gaan rijden. Er zitten twee mannen in de bak. Op hun schoot hebben ze geweren die in onze richting wijzen. Ze zitten op de zijwand, hun ene hand op de kolf van het geweer, hun vinger om de trekker, terwijl ze zich met hun andere hand vasthouden om op de hobbelende wagen in evenwicht te blijven.

'Wat zei hij?' zegt Adam.

'Privé-terrein,' zegt Julio.

'Al dat gepraat voor één woord?' zegt Herman.

'Ja, nou. De volgende keer mag jij het woord doen.'

'Je hebt het goed gedaan,' zegt Adam. 'Je hebt ons in leven gehouden. Beter dan je maat, die dat verrekte pistool van hem trok.' Adam klopt Julio op de schouder.

Hij heeft voorkomen dat we overhoop werden geschoten. Adam weet dat heel goed.

Even later rijden we het zonlicht in, een groot open terrein. Van hieruit gezien lijkt de open plek veel groter dan vanaf de jungleweg erboven. Herman en de bestuurder voor hem maken instinctief een wijde boog naar links om slippend voor de bouwkeet tot stilstand te komen.

'*Un momento.*' Julio is de auto al uit voordat hij helemaal tot stilstand is gekomen. Hij heeft zijn handen weer in de lucht en praat met de man in het gele overhemd, die van de passagiersplaats van de Toyota is gekomen. De twee mannen met geweren springen uit de bak en richten hun wapens op onze voertuigen. Ze krijgen algauw gezelschap van drie anderen, die uit het niets lijken op te duiken. Een van hen, degene aan mijn kant van de auto, heeft puisten. Het is een jongen van vijftien of zestien.

De man in het gele overhemd steekt zijn hand op, met de palm naar voren, het universele gebaar om te blijven staan waar je bent. Hij praat tegen Julio.

Hij roept naar de keet, en even later gaat de deur open. Het is te donker om iets te kunnen zien. De man praat vanuit die keet.

'*Por favor, señor.*' Julio komt nu tussenbeide, met zijn handen nog omhoog. Ik kan een paar woorden verstaan. '*Norteamericanos, hombres de negocios.*'

Vragen vanuit de keet.

'*Sí.*' Julio knikt. '*Sí.*'

Dan is het stil. Julio staat daar maar, zwetend in de zon.

De jongen die buiten staat, blijft met de loop van zijn geweer langs mijn hoofd zwaaien.

Nog meer conversatie tussen Julio en de man in de keet, Spaans dat te snel voor mij is om er veel van te begrijpen, al versta ik wel de woorden '*pueden entrar*'.

Julio komt naar de auto terug. Hij maakt Adams portier open en steekt zijn hoofd naar binnen. 'U beiden kunt naar binnen gaan,' zegt hij. 'Wij moeten hier blijven. Ze zullen u fouilleren. U hebt geen wapens bij u?'

Adam schudt zijn hoofd.

'Nee,' zeg ik.

Julio houdt het portier open terwijl we uitstappen. Ik schuif over de achterbank en ga aan Adams kant naar buiten, want ik houd me liever verre van Puistenkop, die met zijn schietijzer naast mijn portier staat.

Ze fouilleren ons beiden erg grondig, tot en met onze enkels, billen en kruis. Ze pakken de leren map uit Adams hand en kijken of er iets anders in zit dan papier en een pen. Ze geven het hem terug, en dan dirigeert een van hen ons naar de bouwkeet. Hij port met het geweer in mijn rug. We stappen op de triplex veranda en lopen naar de deur.

Wanneer Adam naar binnen loopt, voel ik een stroom koele lucht, afkomstig uit de airconditioner op het dak, die op volle toeren draait.

Zodra ik over de drempel ben, valt de deur met een klap achter me dicht. Opnieuw voel ik handen die me van onder mijn armen tot aan mijn riem fouilleren.

Instinctief gaan mijn handen omhoog. Dan trekt degene die me fouilleert mijn portefeuille uit mijn achterzak.

In de keet is het zo donker als in een grot, want de ramen zijn klein en de jaloezieën zijn dichtgetrokken. Er staat een kleine vloerlamp in de hoek. Omdat ik uit het felle zonlicht kom, kan ik de eerste ogenblikken bijna niets zien.

De man achter me komt naar voren. Hij is ouder, harder, met scherpe trekken die de jongens buiten nog niet hebben. Zelfs in het halfduister kan ik zien dat hij een pokdalig gezicht heeft.

In de hoek zit een man achter een bureau. Hij heeft glad donker haar en draagt een overhemd en een das. Ik schat hem midden dertig. Hij leunt achterover in een oude houten draaistoel die kreunt als hij beweegt. Zijn handen zijn achter zijn nek gevouwen en zijn voeten, in krokodillenleren loafers, liggen midden op het bureau, boven op het vloeiblad met papieren en afgescheurde strookjes van een rekenmachine.

Op de rand van het bureau staat een glas. Vermoedelijk is het whisky met ijs.

Hij kijkt onverschillig toe terwijl de man nu Adam fouilleert en daarbij zo hard duwt dat Adam bijna zijn evenwicht verliest. Ten slotte vindt hij wat hij zoekt: Adams portefeuille. Dan loopt hij van hem vandaan.

De man achter het bureau zegt: 'U mag uw handen weer omlaag doen.' Perfect Engels. 'Dus u bent beiden Amerikaan en u bent hier voor zaken. U hebt visitekaartjes bij u?' De pokdalige man gooit hem beide portefeuilles toe en hij vangt ze op nadat ze een keer op zijn bureau zijn gestuiterd. Een ervan komt in zijn schoot terecht.

Hij maakt een van de portefeuilles open en kijkt erin. 'Paul Madriani.' Hij kijkt. Ik knik. Dan de andere portefeuille. 'En Adam Tolt.'

Ik kijk naar de grote deken over het voorwerp dat bij de wand op de vloer ligt, minder dan een meter van me vandaan.

Hij begint in de portefeuilles te vissen en haalt kaartjes tevoorschijn. 'U bent allebei advocaat. Wat kan ik voor u doen, heren?'

'Mag ik vragen wie u bent?' zegt Adam.

'Dat mag u.' Maar hij noemt geen naam.

'We, eh, we zijn hier op zoek naar geschikte bouwlocaties,' zegt Adam. 'Onroerend goed langs de kust. De Rivièra tussen Cancún en Tulum. Op zoek naar mogelijkheden.'

'Aha. Dat wil iedereen wel, een goede mogelijkheid. Gaat u zitten. Waar zijn je manieren, Jorge? Breng de heren iets te drinken.' Terwijl hij zijn ondergeschikte de les leest over diens gebrek aan gastvrijheid, is hij nog in onze portefeuilles aan het zoeken.

Adam gaat op een harde houten stoel tegenover het bureau zitten. Ik probeer de bank op een meter afstand, dichter bij het raam. Door een spleet in de jaloezie zie ik Julio buiten een praatje maken met een van de bewakers. Herman heeft de achterdeur van zijn Suburban omhooggezet en zit met zijn armen over elkaar op de rand, zijn benen bungelend over de bumper. Hij zweet met zijn jasje aan en houdt zijn hand in de buurt van het pistool dat daaronder zit. Nu ga ik ervan uit dat ze hem dat wapen niet hebben afgepakt.

Van hieruit kan ik ook een stukje van het voorwerp op de vloer zien. De deken is daar iets teruggeslagen. Het ding is wit en het ziet eruit als gips met ruwe randen.

'Wat wilt u drinken? We hebben bourbon.' Hij haalt nog een paar dingen uit onze portefeuilles, rijbewijzen en zo, en vergelijkt ze met de kaartjes die hij al heeft.

'Zo te horen wordt het bourbon,' zegt Adam.

'En u?' Hij kijkt naar me op.

'Hetzelfde.'

Jorge gaat weg om de drankjes te halen.

De man achter het bureau kijkt Adam strak aan. 'U houdt vast aan die onzin?'

'Waar hebt u het over?'

'Die onzin over onroerend goed?'

'Ik verzeker u...'

'U mag uw verzekeringen houden,' zegt hij tegen Adam. 'Ik wil weten wat u hier doet.'

'Ik zeg u dat we op zoek zijn naar bouwlocaties.' Adam heeft zijn leren map met pen en papier in zijn hand.

'Goed. U wilt over onroerend goed praten. Wij hebben onroerend goed. We hebben daar een mooie rotspartij, die gaat helemaal de oceaan in. Misschien wilt u het zien? Veel rotsen op de bodem.'

'We dachten eerder aan een mooi strand,' zegt Adam.

'Natuurlijk.'

'Ik zeg u dat we optreden namens investeerders, een consortium in het noorden.'

'Dat klopt. Een onderneming die Jamaile Enterprises heet,' zeg ik.

Ik voel dat er een huivering door Adam heen gaat als ik die woorden uitspreek. Als blikken konden doden, had ik me op dat moment geen zorgen hoeven te maken over de man achter het bureau. Maar ik ga ervan uit dat we niets te verliezen hebben. Ik wil zien of dit een reactie oplevert, maar de man schijnt de naam niet te kennen.

Ik denk dat dit de zakelijk ingestelde broer Ibarra is, Arturo, die ons nu van een rots dreigt te gooien. Onwillekeurig denk ik aan Jaime, die door Metz de Neanderthaler werd genoemd.

'Om hier land te kopen hebt u een Mexicaanse partner nodig.'

'Dat weten we,' zegt Adam.

'Ik heb genoeg Amerikaanse partners gehad voor de rest van mijn leven,' zegt hij. 'Ze laten het altijd afweten. De vorigen werden bang. Ze lieten ons in de steek.'

'Hoe hebt u dat opgelost?' vraag ik.

Hij kijkt me aan, trekt een gezicht en kijkt dan naar Jorge, die met twee glazen terug is gekomen, bourbon met ijs. 'We moesten de relaties verbreken.' Hij glimlacht met dunne lippen, strak en sinister.

'Nou, ik kan u verzekeren dat u dat in ons geval niet zou hoeven te doen,' zegt Adam.

Jorge zet een van de glazen bourbon voor Adam op het bureau en geeft het andere aan mij. Dan gaat hij op het andere eind van de bank zitten en staart met duistere, dode ogen naar Adams achterhoofd.

Nu en dan kijkt hij even naar mij. Dat doet hij met de vriendelijkheid van iemand die je opmeet voor een doodskist.

'Ik heb ze gezegd dat je ze misschien de rotsen wilt laten zien.' Ibarra heeft het tegen Jorge. 'Natuurlijk laten we ze eerst hun glas leegdrinken.'

'Ik zeg u dat we alleen maar aan het verkennen zijn, op zoek naar bouwlocaties.' Ik hoor de spanning in Adams stem. Plotseling heeft hij geen gezag meer en moet hij proberen een man die wel gezag heeft te overtuigen.

'Verkennen,' zegt hij. 'Dat is een goed woord. Het ziet ernaar uit dat u inderdaad aan het verkennen was. U komt hier met gewapende mannen naartoe.' Hij knikt naar de auto's, naar Julio en Herman, en ik vraag me meteen weer af of ze intussen door Ibarra's mannen ontwapend zijn.

Er klopt buiten iemand op de deur.

'Ja, wat is er?'

Een van de bewakers komt binnen. Het is de man in het gele overhemd, met een geweer op zijn rug. Hij loopt door de keet naar het bureau en buigt zich naar Ibarra's oor om hem iets toe te fluisteren.

De schoenen komen van het bureau en Ibarra gaat rechtop zitten. Er wordt vlug overlegd in het Spaans, gefluisterd en gedempt. Dan stuurt Ibarra de man met een handgebaar weg. De bewaker verlaat de keet.

'Ik hoor dat u nog ergens een auto met nog meer mannen hebt. U zegt dat u op zoek bent naar bouwlocaties, maar het lijkt erop dat u me niet vertrouwt. Dat is niet goed voor de zaken.'

'Je kunt nooit voorzichtig genoeg zijn,' zegt Adam.

'Nee. Wilt u die mensen oproepen, ze vragen hierheen te komen? Dan kunnen we gezellig met zijn allen zitten praten.'

'Dat lijkt me geen goed idee.' Tolt glimlacht naar hem.

'Dat dacht ik al.' Ibarra moet even nadenken over zijn volgende zet.

'*Salute.*' Adam heft zijn glas en neemt een slok.

De Mexicaan volgt zijn voorbeeld, en ik doe dat ook. De whisky is zacht, iets duurs, net warm genoeg om zich met een gloed door mijn lichaam te verspreiden, heel geschikt om te voorkomen dat mijn knieën beginnen te trillen.

Ibarra blijft in onze portefeuilles zoeken. Hij haalt elk stukje papier eruit en neemt daar de tijd voor. Mijn blik dwaalt af naar het stuk steen met de gipsrand dat tegen de wand ligt. Dan tikt er iets tegen het raam, dicht bij me.

Jorge hoort het en trekt met zijn vinger een van de jaloezieën omhoog om naar buiten te kijken.

'*Qué es?*' vraagt Ibarra.

'*Nada.*' Jorge laat de jaloezie zakken en kijkt mij aan.

Ik haal mijn schouders op.

Als hij zich omdraait naar zijn baas, kijk ik even over mijn schouders naar de auto's.

Julio, die mijn ogen door de spleet in de jaloezie ziet kijken, maakt een discreet gebaar: hij knikt en wijst onder zijn middel met zijn duim in de richting van de auto's.

Een oude Buick is in een stofwolk naast de zwarte Suburban tot stilstand gekomen. Er stappen twee mannen uit. Een van hen is Hector Saldado.

'Als u klaar met ons bent, gaan we maar eens weer.'

'U gaat wanneer ik het zeg,' zegt Ibarra.

Ik kijk op mijn horloge. 'U hebt minder dan een minuut, dan komen onze mensen. Neem een beslissing.'

Adam kijkt me aan en vraagt zich af waar ik het over heb.

Ik loop naar het bureau en pak de twee portefeuilles op, en ook onze rijbewijzen en de papieren die Ibarra daarbovenop heeft gelegd. Hij doet geen poging om me tegen te houden.

'Kom, we gaan.' Ik loop naar de deur. Tolt staat op en volgt me. Ik hoor voetstappen op de triplex veranda buiten, de stemmen van twee mannen die Spaans spreken. Nog een seconde en Saldado is bij ons binnen.

Jorge is van de bank gekomen. Als ik opkijk, heeft hij zich als een rotsblok tussen ons en de deur geposteerd. Hij kijkt Ibarra vragend aan. Arturo aarzelt even, kijkt met half dichtgeknepen ogen naar ons en knikt Jorge toe. Hij gaat uit de weg en maakt de deur open.

In de tijd die hij daarvoor nodig heeft grijp ik achter me als een marathonloper die het stokje overneemt. Ik pak de leren map uit Adams hand. Ik breng hem naar mijn gezicht op het moment dat Jorge de deur opendoet, alsof ik mijn gezicht tegen de zon afscherm. Op deze manier kan Saldado me niet zien.

'Jaime, *cómo esta*?' Arturo Ibarra begroet zijn broer.

Als ik op de veranda stap, kijk ik omlaag en zie ik twee voeten in puntige cowboylaarzen recht voor me. Ik stap eromheen.

'Pardon.'

Adam volgt me.

Als we van de veranda afkomen, heeft Julio het autoportier al openstaan. Herman zit achter het stuur en de motor draait al.

Zonder achterom te kijken buig ik mijn hoofd, ga naar binnen en schuif vlug over de achterbank. Adam komt direct achter me aan. Julio gooit de deur dicht en springt op de passagiersplaats.

We zeggen geen van allen een woord tot we minstens twee kilometer over de onverharde weg hebben afgelegd, en dan barst Adam uit: 'Wat was dat nou? Dat had onze dood kunnen worden. Waarom hebben je mannen Saldado niet tegengehouden?'

27

Het beste dat Julio's mensen kunnen bedenken, is dat Saldado via een andere route naar de bouwkeet is teruggekeerd. Trouwens, ze keken uit naar een bestelbus, niet naar de Buick waarin hij terugkwam.

'Allemachtig,' zegt Adam. 'Waarom denken jullie dat ik jullie heb ingehuurd? Om me voor mijn kop te laten schieten?'

'We dachten dat we alles onder controle hadden,' zegt Julio. Hij kijkt recht voor zich uit en mijdt elk oogcontact met Adam, die woedend is. Tolt stuitert op en neer op de achterbank. Hij zit naar voren gebogen en heeft zijn gezicht vijftien centimeter van Hermans achterhoofd vandaan.

'Jullie dachten. Heeft een van jullie eraan gedacht om de weg te verkennen? Om te zien wie er in de auto's zitten die voorbijkomen? Nee. Jullie man daar op die andere weg heeft Saldado goed door zijn kijker kunnen zien. Hij wist hoe hij eruitzag.'

'Hoe konden ze nu in alle auto's kijken die over die weg komen?' protesteert Herman.

'Dat is hun werk,' zegt Adam. 'Dat doe je als je een professional bent. Als jullie dit werk niet aankunnen, moet ik anderen zoeken.'

'Ik doe mijn werk goed,' zegt Herman.

'Spreek me niet tegen.'

Julio brengt zijn hand een beetje omhoog met de bedoeling Herman tot zwijgen te brengen.

'Als ik me voor mijn kop wilde laten schieten, had ik me aan een boom laten binden en had ik jou op me laten schijfschieten met die donderbus onder je arm. Niet dat je iets zou kunnen raken. Het scheelde niet veel of je had ons overhoop laten schieten toen we hierheen reden en jij dat ding tevoorschijn haalde.'

'Rustig maar, Adam. Er is niets gebeurd,' zeg ik tegen hem.

'Er is niets gebeurd,' zegt hij. 'Je was er toch zelf bij? En hoe haalde je het in je hoofd om over Jamaile Enterprises te beginnen?'

'We kregen geen reactie op Jamaile,' zeg ik tegen hem.

'Nou, van mij wel. Allemachtig. Het had onze dood kunnen worden.'

'Als die andere auto niet op de weg had gestaan, hadden ze ons evengoed doodgeschoten, ongeacht wat we hadden gezegd.'

'Hij heeft gelijk,' zegt Julio. 'Ze geloofden ons niet, totdat ik een van hen over de walkietalkie met de andere auto liet praten.'

'Je hebt het verprutst,' zegt Tolt. 'Geef het nou maar toe.'

'Als u zich daardoor beter voelt: goed,' zegt Julio.

'Het is niet zijn schuld,' merk ik op.

'Gelul.'

'Adam?'

'Wat?'

'Als Julio op dat moment Saldado niet had herkend, hadden jij en ik daar bourbon zitten drinken terwijl die Mexicaan binnenkwam en in mijn glas begon te pissen.'

'Dat is waar,' zegt Herman.

'Als ik je mening wil horen, vraag ik er wel om,' snauwt Adam. 'En wat jullie betreft: als hij zijn werk goed had gedaan, hadden we ons niet druk hoeven te maken om Saldado. Ik denk er hard over om naar het kantoor in Mexico-Stad te bellen en ze mensen te laten sturen die hun vak verstaan.'

'En wat jou betreft.' Hij kijkt mij aan. 'Hoe wist je dat hij ons zou laten gaan? Hoe kon je dat op die manier forceren? Hij had net zo goed tegen die gespierde idioot kunnen zeggen dat hij ons overhoop moest schieten. Dan lagen we daar nu dood op de vloer.'

'Als Saldado was binnengekomen en mij had gezien, zouden we nu dood zijn,' werp ik tegen.

Ik kijk in Hermans spiegeltje en zie zijn afgebrokkelde tand dwars door zijn opeengeklemde lippen heen. Hij houdt het stuur met beide handen vast en kijkt naar mij, blij dat iemand anders een deel van Adams woede over zich heen krijgt.

'Breng me naar Cancún. Ik betaal een fortuin voor die twee idioten,' zegt hij.

Hij leunt achterover, ziedend van woede, zijn armen over elkaar, zijn gezicht van me afgewend, kijkend uit het zijraampje. Dan komt de tweede golf. Adam doet wat elke nijdige advocaat het beste kan: hij onderwerpt iedereen om hem heen aan een kruisverhoor en eist antwoorden die er niet zijn.

'Waar ging hij heen toen hij wegging? Vertel me dat eens.'

'Wie?' Julio draait zich naar hem om. Hij had dat niet moeten vragen.

'Wie? Nou, wie denk je dat ik bedoel? Saldado.'

'Hoe kunnen wij dat nou weten?' Julio kijkt weer naar voren.

'Natuurlijk niet. Dat zou ook veel te makkelijk zijn geweest. Je had een van je mannen achter hem aan kunnen sturen.'

'Adam, hou nou op. We wisten niet eens dat hij daar zou zijn,' probeer ik te sussen.

'Waarom hebben jullie hem niet in de gaten gehouden?' Adam negeert me. 'Wat deed hij, dook hij opeens weer op? Verscheen hij uit het niets?' Hij richt die woorden tot Julio's achterhoofd. De Mexicaan zit zwijgend voor zich uit te kijken. Zijn gezicht wordt steeds roder, tot het zo rood is als een biet. De aderen op de zijkant van zijn hals lijken op chirurgische slangetjes. 'Als je voor mij werkte, zou ik je ontslaan.'

Adams autoriteit vult de hele auto op, een en al woede en beledigingen.

Terwijl ik dit allemaal aanhoor, vraag ik me af of Nick ooit zo behandeld is door Adam. Het is een van die momenten waarop je meer over iemand te weten komt dan je zou willen. Julio zit daar en laat het allemaal over zich heen komen. Herman houdt het stuur omklemd en kijkt recht voor zich uit. Hij knarst met zijn tanden en probeert zich af te sluiten van zijn omgeving.

Misschien ben ik nu veel te weekhartig, maar Adam is voor een groot deel zo kwaad omdat hij diep geschokt is door het besef dat het niet veel scheelde of de wereld had het op dit moment zonder een van zijn favoriete bewoners moeten stellen: hijzelf.

'Schiet op, breng ons terug naar Cancún,' zegt hij. 'Nu.' Adam leunt weer achterover en slaat zijn armen over elkaar. Met een ijzige blik kijkt hij uit het zijraampje.

De terugrit verloopt in diepe stilte. Herman en Julio zitten als twee stenen beelden voorin en halen zo min mogelijk adem, bang dat ze Adams woede weer over zich heen krijgen.

Als we voor het Casa Turquesa stoppen, is het donker. Blijkbaar is Adam nu over zijn woede heen. 'Ik ga me wat opfrissen. Zullen we over een half uur in het restaurant beneden gaan eten?'

'Goed.'

'Julio. Jij en Herman kunnen bij ons aanschuiven.' Adam stapt uit de auto en gaat naar binnen.

'Wat is dat, een keizerlijk bevel?' vraagt Herman.

'Stil. Hij kan je horen,' zegt Julio.

'Wat kan mij dat verdommen? Laat hij het maar horen.' Herman buigt zich over het stuur. 'Tegen wie denkt hij wel dat hij het heeft?'

'Hij was bang. Ik ook.'

'Ja, maar jij gedroeg je niet zo,' zegt Herman. 'Hij had niet het recht om ons zo uit te kafferen. Ik bedoel, ik zou iemands tong uit zijn bek rukken voor veel minder dan dat. Ik ben een professional. Ik heb kogels opgevangen voor mensen die veel meer waard waren dan die klootzak.'

'Stil nou,' zegt Julio. 'Jij hebt deze baan niet nodig. Ik wel. Ik kan het me niet veroorloven om ontslagen te worden omdat jij je mond niet kunt houden. Ga zwemmen of kijk naar een film op de televisie. Je moet tot rust komen.'

'Dat kan ik niet. Ik moet over een half uur eten. Je hebt de baas gehoord.'

'Neem dan een koude douche.' Julio stapt uit, gooit het portier dicht en loopt naar het hotel. Herman en ik blijven achter.

'Het is het niet waard,' zegt Herman.

Het was een akelig incident, maar ik ga Hermans vuur niet aanwakkeren. In plaats daarvan stap ik uit, strek mijn benen, welf mijn rug, en dan zie ik hem in mijn richting de trap afkomen. De stress heeft me nog meer te pakken dan ik dacht. Ik denk dat ik me dingen verbeeld, maar dan kijkt Harry me aan en zegt: 'Waar bleven jullie nou?'

Binnen gaan Harry en ik meteen naar de bar. Ik voel me zo slap als een natte spaghettisliert en plof op een van de barkrukken neer. De barkeeper maakt een margarita en giet het in een glas ter grootte van een vissenkom. Meestal hou ik het op wijn of bier, maar vandaag maak ik een uitzondering. Harry zit op de kruk naast me.

'Hij heeft je niet verteld dat ik kwam?'

'Met geen woord.'

'Hij zal het in de drukte zijn vergeten. Hij zei tegen mij dat hij er pas op het laatste moment aan dacht.'

'Wat doe je hier?'

'Ik kwam kijken of ik kon helpen,' zegt hij. 'Ik maakte me zorgen.'

'Waarover?'

'Het gesprek dat we hadden. Dat jij zou omkomen en dat ik dan verder moest met mijn leven.'

Ik kijk hem aan maar zeg niets.

'Ik dacht daarover na. En nou, misschien zou het toch niet zo gemakkelijk zijn als ik dacht. Trouwens, als jou iets overkwam, zou ik onze hele firma moeten delen met Sarah. Ze zou me villen.'

Ik glimlach en por met mijn elleboog in zijn ribben. 'Nou, wanneer ben je gekomen?'

'Vanmiddag. Adam belde me.'

'Wanneer?'

'Gisteravond.'

'We kwamen pas na vier uur vannacht aan.'

'Zo laat was het niet toen hij belde. Misschien komt het door het tijdsverschil. Evengoed belde hij me uit bed. Hij zei dat het vliegtuig naar San Diego terug moest om een van de leden van de maatschap vanmorgen vroeg ergens naartoe te brengen. Dat het vanmiddag weer hierheen zou gaan. Hij vroeg me of ik zin had in een vliegreisje. Ik had op vrijdag niets te doen, dus hier ben ik dan. Adam heeft een auto naar het vliegveld gestuurd om me af te halen.'

Ik zuig wat margarita door een rietje en voel hoe de tequila mijn maag schroeit als een bijtend zuur. Ik herinner me nu waarom ik ben gestopt met drinken.

'Ik denk dat Adam in een andere wereld leeft dan de rest van ons,' zegt hij dan. 'Wat vond je van het vliegtuig?'

'Vergeet het maar. Het past niet in ons budget.'

'We kunnen het ergens parkeren en erin wonen,' zegt hij. 'We gebruiken het als vliegend kantoor. Ik denk dat ik daar wel aan zou kunnen wennen.' Harry in de jetset. 'Het zou even duren, net als het ontwikkelen van een verfijnde smaak. Je weet wel. Een beetje rondvliegen. Naar Bimini. Las Vegas.'

'Jij weet niet eens waar Bimini ligt,' merk ik op.

'Ja, maar de piloot kan het wel vinden,' zegt hij. 'Denk je dat die zakenlui ze de coördinaten opgeven als ze aan boord gaan? Nee, ze vertellen alleen dat ze erheen willen, dat ze wat geld willen vergokken aan een dobbeltafel, en een uur later zitten ze in Reno in het Mapes.'

'Harry.'

'Ja?'

'Het Mapes Hotel is twintig jaar geleden gesloopt.'

'O ja?'

'Ja.'

'Goed. Dan zitten ze in het MGM in Las Vegas. Gebruik je fantasie.'

'Denk je dat Adam daarheen zou gaan?'

'Als je het over de duivel hebt...' zegt Harry.

Voordat ik me op de kruk kan omdraaien, is Harry al opgestaan. 'Adam. Dat vliegtuig van jou is niet gek.'

'Je hebt van de vlucht genoten?'

'Wat valt er niet te genieten?'

Tolt schudt zijn hand. Hij heeft zich omgekleed en draagt nu een katoenen broek, een schoon overhemd en sandalen. Hij ziet er ontspannen uit.

'Ik ben blij dat je kon komen.' Adam spreekt weer met een normale stem.

'Ja, dat kon hij.' Ik draai me op de kruk om en kijk Adam aan.

'Wat heb jij nou?' zegt hij. 'Het leek me een aardige verrassing. Het vliegtuig kwam leeg hiernaartoe. Het liep tegen het weekend. Waarom zouden we hem niet ook een pleziertje gunnen?'

'Hij heeft gelijk,' zegt Harry. 'Weet je, ik denk dat ik er ook een neem.' Hij wijst naar de vissenkom die ik voor me op de bar heb staan.

'Waarom niet? Een margarita voor mijn vriend hier,' zegt Adam.

'Hoe is je vlucht verlopen?' Hij en Harry lopen naar een van de tafels.

Adam is een van die grootheden die zwevend op hun eigen roem door het leven gaan. Ik vermoed dat hij zich nu iets minder groot voelt omdat hij zich in mijn bijzijn heeft laten gaan. Hij klampt zich aan Harry vast en ze lopen naar de tafel om over de grote voordelen van een privé-vliegtuig te praten.

'Neem je glas mee en kom bij ons zitten,' zegt Adam nog tegen mij.

'Straks.' Ik zie Herman binnenkomen en in mijn richting lopen.

'Hoe gaat het?' vraagt hij.

'Ik ben me aan het bezatten,' antwoord ik.

'Prettig om te weten dat tenminste één van ons weet wat hij doet. Spuit die verrekte Vesuvius nog lava?' Hij heeft het over Adam.

'Ik denk dat hij voorlopig uitgespuugd is.'

'Waarom gaan we dan niet eten? Dan is het maar voorbij en kan ik naar mijn kamer terug,' zegt Herman.

'Als je dat wilt weten, moet je met de reisleider gaan praten.' Ik knik naar de tafel.

'Wie heeft hij daar bij zich?'

'Mijn collega.'

'Wat doet die hier?'

'Weet ik niet. Adam zit vol verrassingen. Rustig nou maar. Ga zitten. Bestel iets te drinken.'

'Hé man, ik niet. Ik heb dienst. Dat doe ik niet. Nee. Dat ontbreekt er nog maar aan. Die kerel zou tegen mijn baas zeggen dat ik onder diensttijd heb gedronken. In zo'n bui is hij wel. Dan kost me dat mijn baan en sta ik maandag weer hamburgers te bakken in Lubbock.'

'Een paar minuten geleden had je zin om ontslag te nemen. Trouwens, je kwam toch uit Detroit?'

'Via Lubbock,' zegt hij. 'Daar verloor ik mijn studiebeurs. Ik kreeg een knieblessure en kwam toen hier terecht.'

'Football?'

'Ja.' Herman werpt een heimelijke blik op de tafel. Hij wil zeker weten dat hij veilig kan praten. 'Die vuurspuwende klootzak verschroeide alle haren in mijn nek. Gelukkig ben ik niet recht op een van die tacovreters af gegaan die de andere kant opkwamen met al hun artillerie. Had ik dat wel gedaan, dan zou hij nu net Jaws zijn, je weet wel, van James Bond, met een complete ijzerwinkel die uit zijn kop steekt.'

'Waar is Julio?'

'Die houdt zich schuil. Hij komt zo naar beneden. Heb je gezien dat er geen minibar op de kamers is, en er zijn ook nergens automaten. Het is hier verdomme net een graftombe. Buiten het seizoen.' Hij pakt een handvol barservetjes en veegt het zweet van zijn voorhoofd en hals. Hij laat de servetjes nat en verkreukeld op de bar terugvallen.

'We hebben niks te vreten gehad sinds het ontbijt. Geen middageten, geen avondeten. Volgens ons contract moeten we elke twee uur pauzeren. Heb jij iets van pauzes gemerkt?'

'Rustig nou maar. Drink iets.' Een drankje zou hem kunnen kalmeren. Zolang Herman in deze bui is, ben ik bang dat als Adam zijn mond weer opendoet Herman hem voorgoed dichttimmert.

'Wou je mij in moeilijkheden brengen, man? Trouwens, ik wil eten. Ik drink later wel wat, als het wat koeler is. Dat spul is niet goed voor je in deze hitte.' Herman wordt op dit moment vooral geobsedeerd door zijn lege maag. Ik hoor hem knorren.

De barkeeper komt de stapel servetjes opruimen die Herman op de bar heeft gekwakt, en Herman begint tegen hem te klagen over het grondwettelijk recht op toegang tot een automaat.

'*No hablo inglés.*'

'Ja. Wedden dat je verdomd goed Engels spreekt als ik een vijftigje op de bar leg en een rondje bestel?'

'*Qué?*'

'Lik mijn reet.'

De barkeeper doet de servetjes in een afvalvak naast hem, glimlacht en loopt weg van de woedende donkere reus die naast me zit.

'Dit is niks hier. Ik wil wat eten.' Hij draait zich om naar de tafel van Adam. 'Hé, baas. Gaan we nog eten of hoe zit dat?'

Adam, die met zijn rug naar hem toe zit, draait zich om, knippert een paar keer met zijn ogen en glimlacht dan. 'Goed. Heb je honger, Herman? Goed idee. Ga Julio maar halen. We gaan wat eten.'

Het gesprek tussen Adam en mijn collega ging niet alleen over de geschiedenis van de luchtvaart.

'Hij heeft me verteld wat er vanmiddag is gebeurd.' Harry smeert een beetje boter over een warme tortilla. Het lege margaritaglas staat naast hem op tafel. Harry voelt zich goed.

'Wat is dat toch tussen jou en die Saldado?' zegt hij. 'Hoeveel kansen ga je hem nog geven?'

'Het was deze keer niet mijn idee om bij hem op visite te gaan.'

'Weet je, Adam, toen je zei dat je hierheen zou gaan en dat je al die beveiliging had ingehuurd, dacht ik dat alles onder controle zou zijn.'

Ik kijk hem aan. Harry praat door.

'Maar blijkbaar kunnen dingen evengoed verkeerd gaan.'

'Even voor alle duidelijkheid. Je hebt met Adam gesproken voordat we hierheen gingen?'

Harry kijkt me aan. 'Heb ik dat gezegd?'

'Ja, dat heb je gezegd.'

Hij kijkt me schaapachtig aan en wendt zich dan tot Adam. 'Ik wist wel dat ik dat glas niet had moeten nemen.'

'Paul, het is niets bijzonders. Harry maakte zich zorgen om je,' zegt Tolt. 'En daar had hij alle reden voor, na wat er bij Saldado thuis is gebeurd.'

'En dus belde je me om met me te lunchen en kwam het toevallig zo uit dat je nog een paar vakantiedagen te goed had.'

'Nou, goed, we spanden een beetje samen.'

'Een beetje.'

'We wilden niet dat je hier in je eentje naartoe ging,' zegt Harry.

Nu begrijp ik hoe Harry hier is gekomen. Leeg vliegtuig? Kom nou. Adam stuurde het terug om hem op te halen, want op donderdag moest een van ons tweeën op kantoor zijn.

'Hij heeft wel een beetje gelijk,' zegt Adam.

'En kijk nou wat er gebeurd is,' gaat Harry verder. 'Ondanks alle voorzorgsmaatregelen. Ondanks alle beveiliging. Weet je wat ik vind? Ik vind dat we met zijn allen moeten gaan zwemmen. Morgen liggen we de hele dag lekker in de zon, we lunchen uitgebreid, en dan stappen we in Adams vliegtuig, zeggen *Adiós* en gaan naar huis.'

'Ik stem voor,' zegt Adam.

'Ben je het dan vergeten? We hebben morgenavond een afspraak met Pablo Ibarra.'

'Vergeet die afspraak met Ibarra nou maar,' zegt Harry. 'Je hebt vandaag zijn zoon ontmoet, de zoon die kan praten en die niet met zijn knokkels over de grond sleept, en wat ben je te weten gekomen? Niets.'

'Zo is het niet precies.'

'O nee? Vertel me dan eens wat je hebt ontdekt dat je nog niet wist,' zegt Harry.

'We hebben ontdekt dat de zoons met Saldado te maken hebben.'

'Sorry. Je hebt volkomen gelijk,' zegt Harry. 'En wat nog meer, behalve die ontdekking, die ze bijna op je grafsteen hebben uitgehakt?'

'We weten dat Espinoza door Saldado is vermoord en dat Espinoza met Gerald Metz in contact stond. We weten ook dat de broers al eens eerder Amerikaanse partners hebben gehad en dat het toen niet goed is gegaan. Hoe zei hij dat ook weer? Ze moesten de relaties verbreken?'

Adam knikt. 'Zoiets.'

'Dat wist je voordat je hierheen kwam,' houdt Harry vol. 'Als mensen hun partners ombrengen, komt dat meestal doordat ze ontevreden zijn over het een of ander.'

'Nee. Tot nu toe hadden we alleen maar vermoedens. Nu heeft Arturo Ibarra het ons zelf verteld, en dus weten we meer. Als jij naar huis wilt gaan, ga je maar. Ik ga eerst met Pablo Ibarra praten, en dan pas ga ik naar huis.'

'Moet je hem horen,' zegt Harry. 'Heb je nog niet genoeg van die mensen? Praat jij eens tegen hem.' Hij vraagt dat aan Adam en legt zijn linnen servetje naast zijn bord.

Adam slaakt een diepe zucht, pakt zijn glas wijn op en neemt een slokje. 'Eerst moet ik me verontschuldigen. Ik geef toe dat ik me vanmiddag niet meer in de hand had. Dat kwam door al die opwinding. Julio, Herman, jullie moeten begrijpen dat ik niet meende wat ik zei. En Paul. Ach, je weet het wel. Ik ben nooit eerder zo dicht bij de dood geweest en daardoor had ik mijn zenuwen niet meer onder controle. Ik heb het niet goed aangepakt.'

'Je stond op en volgde me naar buiten,' zeg ik. 'Dat was alles wat je onder die omstandigheden moest doen.'

'Ik wil je best vertellen dat ik bijna mijn maag leegkotste op zijn bureau toen ik hem met die portefeuilles in zijn hand zag. Ik dacht dat hij zeker wist dat we logen.'

'Waarschijnlijk wist hij dat ook. Wat hij niet wist, was waar die andere auto's stonden, hoeveel mannen daarin zaten en hoe goed ze bewapend waren. Je gaat geen oorlog voeren als je niet weet waar de vijand is.'

'Dat was Julio's idee,' zegt Adam. Hij heft zijn glas naar de Mexicaan, en Julio glimlacht en slaat dan bescheiden zijn ogen neer. Hij begint wat bij te trekken.

Ik vraag hem wat hij tegen het raam gooide om de aandacht te trekken.

'Een muntje,' zegt hij. 'Misschien wel een munt van tien peso. Ik weet het niet.' Zo'n munt is minder waard dan een Amerikaanse dollar.

'Wat geeft het?' zegt Adam. 'Zet het maar op de rekening.'

We lachen allemaal.

'Verdomme.' Adam kijkt weer op zijn horloge, doet het af en tikt ermee tegen de rand van zijn bord. 'Dat ding blijft steeds stilstaan.'

'Dat komt door al dat klamme zweet,' zegt Harry. 'Waarschijnlijk is het bevroren.'

'Hoe laat is het?'

Ik kijk op mijn horloge. 'Tien voor half acht.'

Adam zet zijn horloge gelijk, windt het op en houdt het tegen zijn oor.

'Ik moet even bellen om naar mijn berichten te luisteren,' zeg ik. 'Ik wil weten of er iemand heeft gebeld.'

'Dat doet me aan iets denken. Dat was ik bijna vergeten,' zegt Harry. 'Je had wat berichten, voicemail en e-mail. Ik heb Marta ernaar laten luisteren. Ze heeft een lijstje gemaakt en de e-mails uitgeprint. Ik heb ze boven in mijn tas.'

'Iets belangrijks?'

'O. Dat was ik bijna vergeten. Grace Gimble.'

'Wat is er met haar?'

'Ik heb haar gesproken. Het is zoals we dachten. Ze hielp Nick met het opstellen van de papieren voor Jamaile, maar ze weet niet waarvoor die firma werd opgericht. Ze zei dat Nick haar alleen maar heeft gevraagd die papieren in orde te maken. Ze zette haar handtekening omdat ze er nu eenmaal bij was.'

Weer een doodlopend spoor.

'En Joyce van Carlton belde. Ze liet haar privé-nummer achter en zei dat je haar terug moet bellen. En je vriend Blakley uit New York. Hij stuurde je woensdag een e-mail. Hij is het adres uit Nicks palmtop nagegaan. Het was een leeg kantoorgebouw, net als...'

Ik kijk hem doordringend aan.

'Net als dat andere gebouw. Wat? Wat heb ik gezegd?'

'Wat zei je over Nick?' Adam kijkt naar hem op terwijl hij het horloge weer om zijn pols doet.

'Niets,' zegt Harry.

'Had Nick een palmtop?'

Harry is al in de fout gegaan.

'Ja. Hoe noemden ze zo'n ding?' Ik kijk Harry aan.

'Een Handspring, geloof ik,' zegt hij.

'Ja.'

'Hoe heb je daarvan gehoord?'

'Nou, Nick liet hem in de cafetaria achter waar we die ochtend zaten te praten. Toen hij op weg was naar Metz.'

'Wat? En jij hebt hem gevonden?'

'Paul zag hem op de bank liggen en probeerde hem in te halen,' zegt Harry. 'Maar hij was er niet op tijd.'

'Toen was hij al neergeschoten?' zegt Adam.

'Nee.'

Adam kijkt me aan, een van die scherpe analytische blikken waar hij patent op heeft.

'Ik vroeg me de hele tijd al af waarom je dit deed,' zegt hij. 'De dood van een vriend, plotseling en gewelddadig – dat kan ik me indenken. Maar dat is het, hè?'

'Wat?' Harry kijkt hem aan en vraagt zich af wat hem is ontgaan.

'Die palmtop doet er niet toe,' gaat Adam verder. 'Wat je collega bedoelt, is dat als hij Nick had kunnen inhalen, hem op straat had kunnen tegenhouden, Nick niet op die plaats had gestaan toen ze voorbij kwamen rijden om Metz dood te schieten. Dat is het toch?'

'Ik weet niet waar je het over hebt.'

'Het is volkomen duidelijk. Ik kan het zien. Het staat in je ogen geschreven. Wat hield je tegen?'

'Wat bedoel je?'

'Ik bedoel de reden waarom je hier bent, op zoek naar antwoorden,' zegt hij.

'Nu begin je net zo te praten als Harry.'

'Wat is het?' zegt hij.

'Laten we het over iets anders hebben.'

'Goed. Laten we het over Nicks elektronische adressenboek hebben. Heb je dat aan de politie gegeven?'

'Nee.' Harry kijkt Adam aan met zo'n blik die advocaten uitwisselen als ze het over de stomme dingen hebben die cliënten doen. 'Hij wilde eerst kijken wat erin zat.'

Adam rolt met zijn ogen. 'Daar heb je inmiddels toch wel genoeg tijd voor gehad?'

'Ik geloof niet dat Nick het ding zo lang heeft gehad. Hij begon er net een beetje mee te spelen. Probeerde uit te zoeken hoe het werkte.'

'Dus er zat niets in?'

'Een paar dingetjes. Wat namen, adressen, een paar afspraken. Niets van betekenis.'

'Dat adres in New York?'

'Een doodlopend spoor.'

'Aha.' Adam is kwaad: weer een geheim dat ik niet met hem heb gedeeld. Maar er is nog iets anders waar ik nog niet eerder aan heb gedacht.

'Laat me je wat vragen: heb je dat ding van Nick nu bij je?' vraagt Adam.

Ik schud mijn hoofd. 'Het ligt op kantoor.'

'Dat is jammer. Weet je, als je mij ernaar had laten kijken, had ik misschien iets herkend. Per slot van rekening werkte Nick voor de firma.'

Die is raak.

Adam is moe. Hij wil slapen. 'We kunnen morgen overdag bij het zwembad uitrusten en 's avonds naar Ibarra gaan om uit te zoeken wat hij weet. Ik laat het vliegtuig tanken en we gaan morgenavond weer terug, zodra we klaar zijn. We slapen in de Gulfstream en zijn 's morgens in alle vroegte terug. Maandagochtend gaan we zo fris als een hoentje aan het werk. Wat zeggen jullie daarvan?' Adam kijkt ons beiden aan.

'Akkoord.'

Julio glimlacht. Het zit er bijna op.

28

De zon begint hier al bij zonsopgang op het beton te branden. Tegen de tijd dat we op de patio achter het Casa Turquesa verschijnen, huppelt Harry op blote voeten over het zwembadterras voordat hij zich in het water laat glijden.

'Hoe is het?' vraagt Adam.

'Ik wou dat ik meer eelt onder mijn voeten had.'

'Ik bedoel het water.'

'Dat voelt goed aan.' Harry duikt onder, komt weer boven en schudt het water uit zijn haar. Dan begint hij onder water te zwemmen. Voor iemand die ooit heeft gerookt tart Harry alle wetenschappelijke verhandelingen. Hij heeft de longcapaciteit van een blaasbalg in een smederij.

Adam heeft er al voor gezorgd dat er een tafel onder een van de twee canvas cabanas aan dit eind van het zwembad is gezet.

Hij heeft Julio en Herman de ochtend vrij gegeven, zodat ze kunnen uitslapen na de lange rit langs de kust van de vorige avond. Een van Julio's mannen let op de auto's, en een ander zit in de hal de krant te lezen en een oogje in het zeil te houden.

'Het is eigenlijk niet de moeite waard om het hotel open te houden,' zegt Adam. 'Er is niemand.'

Hij heeft gelijk. Harry zwemt in zijn eentje in een zwembad ter grootte van een meer. Volgens de receptionist is de enige andere gast die ze behalve ons in huis hadden vanmorgen vertrokken. Grotere groepen zitten in de andere hotels langs de weg, die zich hebben toegelegd op groepsreizen en congressen. Maar hoe je het ook wendt of keert, het is duidelijk geen hoogseizoen in Cancún.

Kleine ultralightvliegtuigjes, waarvan de motoren snorren als grasmaaiers, komen elke paar minuten over ons heen. Ze vliegen in noordelijke richting langs het strand en maken reclame voor alles wat de weinige toeristen misschien willen kopen. Deze heeft een sleep met de tekst: '*Pat O'Brien – Caribische Kreeftenstaart.*'

Harry klimt uit het zwembad, nadat hij eerst een plens water op het beton heeft gespat. Hij pakt een handdoek van een stapel op een van de ligstoelen en loopt dan op zijn tenen over het hete beton naar het eiland van schaduw onder de cabana. Daar zet hij zijn voet op de stoel om zich af te drogen en kijkt uit over de oceaan.

'Weet je, ik heb eens nagedacht.' Harry probeert met een puntje van de handdoek water uit een van zijn oren te krijgen. 'Als wij drieën deze stukjes in elkaar kunnen passen – Espinoza, Saldado, de Ibarra's – waarom kan de politie dat dan niet?'

'Misschien omdat wij bepaalde dingen voor ze achterhouden,' zeg ik.

'Bijvoorbeeld Nicks palmtop.' Dat is Adam.

'En de brief van Pablo Ibarra,' voeg ik daaraan toe.

Adam glimlacht. 'Touché.'

'Dat weet ik,' zegt Harry. 'Maar je moet bedenken dat wij maar met zijn drieën zijn. De politie heeft een heel leger, een massa hulpmiddelen, databanken, forensische labs, betaalde informanten. Inmiddels hebben ze Saldado's vingerafdrukken uit zijn woning.'

'En dat betekent?' vraagt Adam.

'Dat betekent dat ze waarschijnlijk meer weten dan wij, om te beginnen zijn echte naam. Het hoeft ze niet zoveel tijd te kosten om contact op te nemen met de Mexicaanse autoriteiten.'

'Wat wil je daarmee zeggen?' vraagt Adam.

'Nou, als Saldado een strafblad in Mexico heeft, weet de Mexicaanse politie ook met welke mensen hij omging. Je zou toch denken dat de politie lijntjes tussen de stippen kon trekken.'

'Misschien zijn ze gewoon een beetje trager,' zegt Adam.

'En ze zijn niet zo gemotiveerd,' voegt Harry daaraan toe.

'Wat bedoel je?'

'Daar hebben Paul en ik het over gehad. Nick was niet het soort misdaadslachtoffer waar het hele politieapparaat warm voor loopt.'

'Je denkt toch niet serieus dat ze de zaak maar op zijn beloop laten?' zegt Tolt.

'We weten alleen dat ze geen Gulfstream hebben om naar het zuiden te vliegen,' zeg ik tegen hem.

Adam kijkt me met gefronste wenkbrauwen aan.

'Niet dat ik het niet op prijs stel, maar het is een feit. Als ze geen dringende reden hebben om hierheen te vliegen, bijvoorbeeld om een verdachte op te pikken, of een verdachte te ondervragen die al in hechtenis is, kost het tijd voordat de bureaucratie toestemming voor zo'n reis geeft.'

'Daar had ik niet aan gedacht,' zegt Adam. 'Dus je denkt dat ze misschien toch op het spoor zitten.'

'Ik weet niet hoe het spoor ze kan ontgaan,' zegt Harry. 'Het spoor dat naar de Ibarra's leidt zou niet duidelijker kunnen zijn, of we moesten bordjes aanbrengen. Je hebt die rechercheurs hun naam genoemd in het ziekenhuis.'

Adam knikt en kijkt instemmend naar de tafel. Hij begint weer een beetje vertrouwen in het systeem te krijgen.

'En ze moeten inmiddels de brief van Ibarra hebben,' zegt Adam. 'Die inspecteur, hoe heet hij ook weer?'

'Ortiz,' antwoord ik.

'Reken maar dat die op het oorlogspad is als ik terug ben. Hij wil natuurlijk weten hoe lang ik die brief van Ibarra al had. Daarom heb ik niet naar kantoor gebeld. Ik wil niet dat iedereen daar zegt dat ze met me hebben gesproken of dat ze weten waar ik ben. Het is beter als ik kan zeggen dat ik deze dagen niemand van mijn kantoor heb gesproken.'

'Wat ga je doen als je terug bent?' vraagt Harry.

'Me zo klein mogelijk maken, me door de politie laten uitschelden, denk ik. Wat kunnen ze anders doen?'

'Als ze kunnen bewijzen dat je die brief hebt achtergehouden, kunnen ze een heleboel doen,' zegt Harry. 'Als het jou om het even is, ga ik net zo lief vanavond naar San Diego terug, dan kan ik op de tv zien hoe de Dodgers de Padres om de oren slaan. In plaats daarvan gaan we naar een of andere vent die, als hij maar een beetje op zijn zoons lijkt, zijn mensen opdracht geeft ons om de oren te slaan. Als we geluk hebben.'

'Morgen zijn we thuis,' zeg ik tegen hem. 'Dan kun je de uitslag in de krant lezen.'

'Welke uitslag, die van de Padres of van ons?' zegt Harry.

'Dat doet me aan iets denken.' Adam kijkt op zijn horloge en houdt het weer tegen zijn oor. 'Hoe laat heb je het?'

'Een paar minuten over negen,' antwoord ik.

'O, shit. Volgens mijn horloge is het twintig voor negen.'

'Je moet dat ding eens laten repareren,' zegt Harry.

'Ik moet gaan. Ik moet de piloot bellen en zorgen dat hij vanavond geen alcohol drinkt. En hij moet de tank van het vliegtuig volgooien, anders staan we hier de hele nacht.' Adam is al uit zijn stoel gekomen en halverwege naar de trap gelopen. Hij praat over zijn schouders tegen ons.

Ik zie hem de trap opgaan, met twee treden tegelijk, als een man van in de twintig. Zo gaat hij helemaal naar boven en daar is hij in een ommezien door de deur naar de hal verdwenen.

'Als de piloot drinkt, kunnen we vanavond niet weg,' zegt Harry.

'Daar ziet het naar uit.'

'Hoeveel denk je dat ervoor nodig is om een van die dingen vol te krijgen?'

'O, ik denk dat elke piloot die ik ken aan een liter wodka genoeg heeft om onder zeil te gaan.'

'Heel grappig,' zegt Harry glimlachend. 'Je weet wat ik bedoel. Het vliegtuig.'

'Hoe moet ik dat nou weten?'

'Denk je dat ze in de rij moeten staan? Betalen met een creditcard?'

'Ga het Adam vragen.'

Hij denkt daar even over na. 'Nee. Die trap is te heet. Trouwens, als ik weer naar binnen ga, de airco in, ben ik vandaag niets meer waard.' Hij kijkt in plaats daarvan naar het zwembad. 'Ik denk dat ik het water weer inga. Waarom ga je niet op zijn minst op de kant zitten en laat je voeten in het water bungelen?'

'Waarom niet?' Ik pak mijn zonnebril van de tafel en doe mijn hardloopschoenen uit.

'Trouwens, de zon brandt misschien wat onzin uit je hoofd weg,' zegt hij. 'Een liter wodka.'

Harry heeft gelijk. Het water voelt goed aan. Het zwembad is ondiep, amper een meter, met overal bordjes die de noordelijke gasten waarschuwen dat ze niet moeten duiken, want dan breken ze hun nek. Als je iets diepers wilt, hoef je alleen maar de trap af te gaan en over het strand te lopen om in de Caribische Zee te zwemmen.

Er snort weer een ultralicht vliegtuigje met reclame over ons heen. Harry duikt nog net op tijd in het midden van het zwembad op om het te zien.

Enkele ogenblikken later vliegt er nog een over, ditmaal uit een andere richting en zo'n tien meter boven de daken, zo dichtbij dat ik de steundraden kan zien en de nylon stof op de vleugels kan zien flappen als hij voorbij snort. Zijn schaduw flitst over het terras en het zwembad en is al bijna weer weg voordat ik hem zie.

'Vliegt hij niet een beetje laag?' vraagt Harry.

'Een beetje maar.'

Harry, die in de richting van het strand kijkt, houdt zijn hand boven zijn ogen en ziet het toestel boven het water vliegen.

'Je kunt er zeker tochtjes mee maken,' zegt hij. 'Er zat een passagier in.'

Ik kijk op, maar het gebouw naast het hotel staat in de weg. Als ik naar Harry opkijk, is hij weer onder water.

Een zeebries verdrijft iets van de hete lucht van het terras. Ik maak mijn handen in het zwembad nat en zet ze, achteroverleunend, achter me op het hete terras. Ik begin honger te krijgen en vraag me af waar Adam blijft.

Op het water vaart een parasailboot voorbij. De motor ronkt en maakt dan weer minder toeren, deinend over de golven op weg naar het noorden. Daarachter, op deze afstand bijna onzichtbaar, strekt de dunne stalen kabel zich schuin omhoog naar de parachute. De parachutist is niet meer dan een stipje aan de hemel.

Ik zie de parachute langzaam in de verte voorbij zweven. Dan hoor ik waterspatten. Harry gooit met steentjes. Wespen zoemen langs mijn oor. Ik sla ze weg met de rug van mijn hand. Er springt een vonk van de betonnen rand van het zwembad, en er slaat iets tegen mijn wang. Ik wrijf erover. Een seconde nadat ik het bloed op mijn hand zie, dringt het tot me door.

Een silhouet duikt in het zonlicht over het dak van het Casa Turquesa. Het werpt een schaduw die al een afstand van twintig meter over de tuin en het zwembadterras heeft afgelegd voordat ik zelfs maar om kan kijken. Het caleidoscopisch silhouet van een roofvogel glijdt met grote snelheid over de grond. Even later is er het schelle gieren van de ultralichte motor – vluchtige beelden van kleur vullen mijn gezichtsveld een fractie van een seconde op. Het vliegtuigje is al bijna weer weg voordat ik het hoor.

Ik lig languit op het hete beton en rol op mijn zij. In het voorbijgaan lost het vliegtuigje een serie schoten die fonteintjes veroorzaken in het zwembad en tegels aan de rand verbrijzelen. Even later slaat er een stortregen van lege koperen patroonhulzen in het water, terwijl andere hulzen over het beton aan het andere eind klikken.

Als het ultralichte toestel over het strand vliegt en optrekt, en daarbij hoogte wint en snelheid verliest, zie ik de piloot, die beide handen aan de stuurknuppel heeft en recht voor zich uitkijkt. Het vliegtuigje is alleen maar een open frame en de piloot heeft zijn voeten in een soort stijgbeugels. Ik zie hem op een daarvan drukken, en het toestel maakt een lichte bocht naar rechts en begint te klimmen.

Zijn passagier, die ook een vliegbril draagt om zijn ogen te beschermen, zit op een soort klapstoeltje achter hem, een stukje hoger, met achter zich de propeller. Hij kijkt over zijn schouder om te zien hoeveel schade hij heeft aangericht. Ik zie dat hij een machinepistool met korte loop in zijn handen heeft. Hij beweegt het ding, is ermee bezig. Dan besef ik dat hij een magazijn met nieuwe patronen in het wapen steekt.

Ik kijk waar Harry is, maar ik zie hem niet. Ik zie wel een vage rode wolk van bloed in het water, bijna in het midden van het zwembad. Ik kijk waar de wolk vandaan komt en zie een donker silhouet op de bodem liggen, en voordat ik kan nadenken, ben ik in het water, trap ik me van de kant weg, maai ik met mijn armen.

Voordat ik er ben, vul ik mijn longen met lucht, en bij de volgende slag duik ik op de ondiepe bodem af. Stilte, alleen mijn hartslag in mijn hoofd en borst. Ik grijp Harry onder zijn armen, om zijn borst, mijn voeten onder me, en duik vlug weer op. Ik weet niet of hij nog leeft. Zijn lichaam is slap en zijn kin rust op zijn borst. Ik pak zijn haar vast, trek zijn hoofd naar achteren en kijk naar zijn gezicht. Zijn ogen zijn dicht.

Met mijn voeten op de bodem waad ik achteruit door het water. Ik sleep Harry mee in de richting van de trap en het hotel.

In de verte beweegt het ultralichte toestel zich in een ruime boog over de branding. Het keert, laat zijn vleugel zakken en komt terug.

Ik concentreer me op het vliegtuig, maar dan stuiten mijn hielen tegen de trap van het zwembad en val ik achterover, zodat ik op de volgende tree kom te zitten, met Harry op mijn schoot. Ik hou hem vast en probeer overeind te komen.

Ik zie de ober in zijn witte linnen jasje. Hij ligt op zijn buik op de tegelvloer, net binnen de schuifdeur van het restaurant. Maar hij kijkt niet naar mij. Hij kijkt naar het naderende vliegtuigje.

Ik schreeuw en zwaai naar hem. Hij moet me helpen.

In plaats daarvan krabbelt hij overeind en rent hij naar de keuken.

Ik kijk omlaag en zie Harry's bloed op mijn shirt. Het haar op zijn achterhoofd is aan elkaar geplakt. Een hoofdwond. Niet gunstig.

Als ik omkijk, komt het vliegtuigje omlaag. Het maakt snelheid en heeft zijn staart nu recht in de wind van zee. Met niets dan adrenaline hijs ik Harry en mezelf op het terras en sleep hem met zijn hielen over het beton, tot ik bij de cabana van canvas kom, waar ik hem in de schaduw leg. Ik draai me om en kijk naar de trap die naar het hotel leidt, maar er is daar niemand.

Het vliegtuigje nadert het strand. Ik pak de tafel en leg hem op zijn kant neer om Harry af te schermen. Dan pak ik een handdoek en sla die om zijn hoofd in een poging het bloeden te stelpen, maar er is geen tijd. Aan het geluid van de motor te horen komt het vliegtuigje snel dichterbij.

Ik kom onder de cabana vandaan en zie het vliegtuigje recht op me afkomen, op een afstand van misschien nog zo'n tweehonderd meter. Ik ren over het zwembadterras naar het andere eind om de afstand tussen ons kleiner te maken, zodat hij minder tijd heeft om te mikken.

Als een radarinstallatie richt de schutter zijn aandacht op het bewegende object. Kogels verbrijzelen het glas in de ruiten en de openslaande deuren naar de bar, die een dak van palmbladeren heeft en uitkijkt over het strand. Dan hoor ik het geluid van de schoten.

De schutter lost beheerste salvo's. Een halve seconde, twintig patronen. Ik zie lichtflitsen in de loop en het spoor van koperen patronen, glinsterend in het zonlicht. De patroonhulzen vallen als regen uit het vliegtuigje.

Ik ga languit op het beton liggen, glijdend op knieën en ellebogen, terwijl de kogels in de gestuukte muur vlak boven me slaan, tot in de lage heg bij mijn voeten. Even later hoor ik het geluid van het salvo. Het gaat bijna verloren in het gieren van de motor, want op dat moment komt het vliegtuigje met grote snelheid over het zwembad, gevolgd door zijn gevleugelde schaduw.

De schutter draait zich om en lost nog een salvo, maar de piloot ziet zich gedwongen de neus op te trekken om over het dak van het hotel heen te komen. De kogels gaan hoog over en scheuren door het palmbladerdak van de bar. Het vliegtuigje verdwijnt achter het Casa Turquesa.

Waar blijven Julio en zijn bewakers nou? Ik kijk op mijn horloge. De secondewijzer loopt nog. Ik denk dat ze over anderhalve minuut, misschien twee minuten, terug zijn. Het hangt ervan af hoe lang ze nodig hebben om rechtsomkeert te maken.

Ik ren terug naar de cabana waar Harry op het beton ligt en pak onderweg een handdoek mee.

Ik kniel neer, houd mijn oor bij zijn neus en mond en voel of er polsslag is. Zwak, maar hij leeft. Ik til zijn hoofd iets op en zoek met mijn vingers naar de wond en voel door het haar heen of het bot is ingedeukt. Niets, alleen bloed. Ik vouw de handdoek tot een lange reep op en wikkel hem zo strak mogelijk om zijn hoofd, als een soort tulband. Ik pak kussens van twee van de ligstoelen die daar staan, en ook een stapel handdoeken. Ik leg de handdoeken onder zijn voeten om ze omhoog te krijgen. Misschien is dat niet zo'n goed idee als iemand een hoofdwond heeft, maar ik denk dat Harry in een shocktoestand verkeert. Ik bedek hem met de kussens. Meer kan ik op dat moment niet doen.

Dan stap ik onder de cabana vandaan. Ditmaal ga ik naar de andere kant van het zwembad. Ik wil afstand scheppen tussen Harry en mij, opdat ze niet in de verleiding komen om kogels door het dak van blauwe canvas te sproeien.

Aan deze kant is er een kleine, paddestoelvormige kioskbar met een palmbladerdak, vlak naast het zwembad.

Ik kijk vlug om me heen, op zoek naar dekking. In de hoek van de patio, ruim tien meter van me vandaan, bij het lage muurtje aan de rand van het strand, staat een bank van wit metaal. Een derde van die bank wordt in beslag genomen door een bronzen beeld van een zittende man. Dat beeld is meer dan levensgroot, een massief brok metaal, met de voeten stevig op de grond en het hoofd naar het noorden gericht, peinzend uitkijkend over de strook wit zand en de zee. Een van zijn armen is tot schouderhoogte opgeheven en heeft een sigaar tussen twee vingers.

In de zee trekt de parasailboot, de boeg in de woelige golven, zijn parachute nog voort, zonder te beseffen wat er op een paar honderd meter afstand gebeurt. De bestuurder maakt een grote cirkel, met een hoefijzer van wit water achter hem aan.

Op dat moment snijdt het gieren van een motor in de verte door de stilte, heel even maar. Dan is het weg, gedempt door de hoge gebouwen om me heen. Ik tuur langs het dak van het hotel en dan langs de daken van de gebouwen aan weerskanten. Ik kijk ook steeds weer naar de zuidwesthoek van de plaza, de opening tussen het hotel en het half voltooide gebouw ernaast, waar het ultralichte vliegtuigje de vorige keer vandaan kwam.

Dan is het plotseling achter me. Het komt in noordelijke richting over het strand aangevlogen. Ik laat me vallen, krimp ineen en wacht, steunend op mijn knie, tot de kogels inslaan. Het duurt even voor ik de beelden en geluiden heb gecoördineerd, en dan zie ik het, ruim een halve kilometer ten zuiden van me. Het komt deze kant op, een vliegtuigje dat over het strand vliegt, met een lange reclamesleep achter zich aan.

Mijn hoofd bonkt. Ik hoor sirenes ergens in de verte. Nog een paar seconden en ik hoor ze opnieuw, op de grote weg. Ze komen deze kant op.

Het vliegtuig is nergens te bekennen. Ik haal opgelucht adem. Dan kijk ik weer in Harry's richting.

Een aantal personeelsleden staat in het achterste deel van de hal, dicht bij de trap naar het zwembad. Ik zie dat ze om de rand van een grote spiegelglazen deur heen kijken.

Ik zwaai met mijn arm om te kennen te geven dat ze naar beneden moeten komen om te helpen. Als de deur opengaat en de bedrijfsleider en een andere man de trap beginnen af te dalen, explodeert de helft van de drankflessen in de kiosk achter me. Voordat ik het geluid hoor en opkijk, vliegen houtsplinters van de plank waarop die flessen stonden als tandenstokers in het rond.

Het vliegtuigje hangt bijna roerloos in de lucht, tegen de zeebries in, net boven de nok van het hoteldak.

De vleugels schommelen en de piloot heeft moeite om het toestel in evenwicht te houden. Intussen komt er weer een serie wolkjes uit de loop van het machinepistool, want de tweede inzittende schiet weer over zijn schouder.

Ik laat me op het beton neerploffen en op hetzelfde moment sist en kraakt er iets langs mijn oor.

Als ik opkijk, moet de piloot alles op alles zetten om zich in evenwicht te houden. Het toestel begint naar voren te komen doordat de zeebries in kracht afneemt.

Als het volgende salvo losbarst, slaan enkele kogels met een doffe klap tegen iets van metaal in de kiosk. De rest van de kogels vliegt dwars door het gebouwtje heen, flitsend als elektriciteit. Een van de kogels spat uit elkaar als hij vlak bij mij tegen het beton slaat.

Ik besluit daar weg te rennen. Eerst kijk ik nog even op.

De schutter heeft de loop omhoog gericht en schuift een nieuw magazijn in het wapen. Hij haalt de grendel over en laat de schuif dichtvallen voordat hij me ziet. Dan tikt hij op de schouder van de piloot.

Het is een race om dekking te vinden.

Het vliegtuigje drukt de neus omlaag om meer snelheid te krijgen. Ik hoor de motor als hij op me af komt denderen alsof we in de achtbaan zitten, door de luchtstromen meegevoerd over de palmen.

De gevleugelde schaduw is binnen een seconde om me heen en de kogels slaan weer in het beton, jagen snel achter me aan over het betonnen terras.

Ik duik naar voren en kom met mijn schouder tegen het lage muurtje langs het strand. Ik stuiter terug als een biljartbal, rol onder de bank en ga in foetushouding onder het zittende bronzen beeld liggen.

Kogels slaan vonken van de bank. Enkele kogels vinden openingen in het rasterwerk en hakken scherfjes uit het beton. Die scherfjes regenen tegelijk met fragmenten van de koperen kogels tegen mijn gezicht.

Het vliegtuigje gaat recht over me heen en de schutter blijft op me vuren. Kogels raken het brons en veranderen in paddestoelvormige klompjes, totdat de laatste kogels het lage muurtje raken.

Ik krabbel onder de bank vandaan, blijf geknield zitten en tuur over de rand van het muurtje naar de zee.

Het vliegtuigje vliegt over de branding en gaat omhoog. De schutter kijkt achterom, rekt zijn hals, probeert onder de flitsende propeller en de staartsectie door te kijken om te zien of hij me heeft geraakt. Als hij mijn hoofd boven het muurtje ziet, tikt hij de piloot op de schouder en maakt hij koortsachtige gebaren. Hij wil het nog een keer proberen.

Ik voel dat er iets warms op mijn schouder druipt. Ik reik omhoog en voel dat er bloed uit mijn oorlel komt. Iets heeft me daar geraakt.

Ik kijk naar het vliegtuigje. De schutter wil dat ze keren. De piloot kan dat niet. Hij gebaart met zijn hand naar het andere vliegtuigje dat zijn pad kruist en langs de kust vliegt met op zijn sleep de reclametekst: '*Señor Frog – gratis T-shirt bij diner.*'

De schutter zwaait gefrustreerd met zijn armen. De piloot neemt gas terug. Ik hoor dat de gierende motor in toonhoogte omlaag gaat. Hij geeft het andere vliegtuig alle ruimte om te passeren.

De piloot gaat achter de reclamesleep langs, en hij geeft meer gas, drukt de neus omlaag en laat een vleugel zakken om meer snelheid in de bocht te krijgen. Ik kan de piloot nu goed zien. Hij kijkt mijn kant op, probeert zich snel te oriënteren.

Ik ga staan, opdat hij me kan zien.

De schutter wijst met zijn arm, beweegt hem vanaf de elleboog heen en weer om de aanvalsrichting aan te geven.

Zodra ik dat zie, beweeg ik me zijdelings over de plaza. Ik ren in noordelijke richting langs het muurtje langs het strand. Ik blijf naar het vliegtuig kijken tot ik op het punt ben aangekomen waar ik wil zijn. Dan blijf ik staan en draai me naar hem om.

Het is net een balspel. De piloot moet raden welke kant ik op ga. Hij houdt zijn blik strak op mij gericht, stelt zijn koers een beetje naar links bij, laat de neus zakken om meer snelheid te krijgen. Hij komt er nu snel aan, voorovergebogen over de stuurknuppel, beide handen en voeten in actie.

Hij concentreert zich helemaal op mij en ziet daardoor niet de kabel op maar een paar meter afstand, de kabel tussen de parasailer en zijn boot. Als hij tegen de kabel aan vliegt, wordt hij met zoveel kracht naar voren geslingerd dat ik het buizenframe van de vleugel boven zijn hoofd zie ombuigen. De linkervleugel verkreukelt als papier. Het fiberglazen frame slaat zich om de kabel en het weefsel scheurt helemaal kapot.

Minstens honderd meter boven hen beleeft de parasailer een onverwachte sensatie. Hij wordt door de schok meer dan tien meter naar voren geslingerd.

De bestuurder van de boot ziet wat er gebeurd is en zet de motor af, zodat zijn boeg meteen in het water zakt.

De piloot heeft het vliegtuigje niet meer onder controle. De motor van het vliegtuigje gaat geweldig tekeer en de propeller raakt iets. Het toestel valt in de lucht uit elkaar; ik krimp ineen van schrik.

Het restant van de vleugel valt weg. Het frame, de motor en de passagiers – alles stort als een baksteen neer en plonst net voorbij de branding in het water.

Stukken van de vleugel en staartsectie zweven en dwarrelen er als bladeren achteraan en storten ook in de zee.

De parasailer zweeft omlaag en komt soepel op het water neer. De boot maakt rechtsomkeert om hem op te pikken.

Als ik achteromkijk, is alles van het vliegtuig al weg. Ik zie alleen nog een glanzende olievlek op de deinende, donkerblauwe golven.

Mijn hele lichaam beeft. Ik draai me om naar het hotel, waar Harry nog roerloos onder de cabana ligt.

29

Binnen enkele minuten na aankomst hebben ziekenbroeders Harry gestabiliseerd: een infuus in zijn arm, verband om zijn hoofd en een zuurstofmasker over zijn gezicht.

Terwijl politieagenten over het hotel uitzwermen, sommigen met getrokken pistool, dragen de ziekenbroeders Harry de trap op en rijden hem op een brancard door de hal. Die staat vol met politie, en er zijn ook een paar voorbijgangers binnengelopen om te kijken wat er aan de hand is.

Ik kijk uit naar Julio's bewaker. Ik zie hem niet. Julio en Herman zijn nergens te bekennen.

Ik denk erover om de hoteltelefoon te gebruiken en Adam op zijn kamer te bellen, maar de brancard gaat nu te snel. Ik wil bij Harry in het ziekenhuis zijn voor het geval er iets gebeurt.

Buiten klappen ze de brancard in elkaar en schuiven ze Harry achter in de ambulance. Ik ga achter de ziekenbroeder aan naar binnen, en zodra de deur dichtgaat, rijden we over de oprijlaan naar de boulevard. Daar heeft zich ook een menigte verzameld, maar twee verkeersagenten houden de mensen tegen. Ze hebben de oprijlaan afgezet en verplaatsen de afzetting even om ons door te laten.

De ziekenbroeder vertelt me dat het ziekenhuis niet ver is, een paar kilometer.

Alles voltrekt zich in een waas. Ik zie de vingers van Harry's linkerhand bewegen, en dan zijn rechterarm. Hij doet zijn ogen open, knippert even, kijkt naar het plafond van de ambulance, en ziet mij.

'Het komt goed met je. Stil blijven liggen. We zijn bijna in het ziekenhuis,' zeg ik tegen hem.

Hij glimlacht, probeert iets te zeggen, maar dat kan hij niet met dat masker over zijn neus en mond.

Hij knikt, maar ik weet niet of hij me gelooft.

Vier minuten later rollen ze Harry de ambulance uit en brengen hem naar de afdeling Spoedgevallen. Een zuster met een papieren mondkapje over haar kin ziet me en haalt me van de brancard vandaan als we bij de ingang zijn. Ik geef haar wat eerste informatie, en dan zegt ze dat ik naar de hal moet gaan, naar de opnamebalie. De zwaaideur gaat voor me dicht.

Het is druk in de hal. Mensen zitten onderuitgezakt op stoelen, en sommigen zien eruit alsof ze hier de hele nacht al hebben gezeten. Kinderen spelen, kruipen over de vloer.

Ik sta twintig minuten in de rij, vul dan formulieren in en ga weer in de rij staan. Het duurt nog een half uur. Ik leun tegen de balie en beantwoord vragen over de ziektekostenverzekering van onze firma. Ik geef ze mijn creditcard als garantstelling voor de betaling. Die komt uit de doorweekte portefeuille in mijn broekzak. De hele voorkant van mijn overhemd zit onder Harry's met water verdunde bloed.

Als ik klaar ben, moet ik nog eens veertig minuten wachten. Ik loop wat heen en weer en kijk nu en dan op mijn horloge. Ik heb twee keer naar het hotel gebeld. Bij de receptie neemt niemand op. Daar heerst natuurlijk grote verwarring.

Alle stoelen in de wachtruimte zijn bezet. Mensen kijken naar me, met dat bloed op de schouder van mijn overhemd, bloed dat uit de wond in mijn oor komt. Ik kijk weer op mijn horloge en vraag me af waarom het zo lang duurt. Ik weet ook dat met elke minuut die verstrijkt de kans op slecht nieuws groter wordt.

Dan hoor ik een stem. 'Is hier iemand voor meneer Hinds?'

Ik draai me om en zie een jonge Mexicaan in een groen operatiepak bij de balie staan.

'Ja, ik.'

Hij heeft een van die gezichten waar je niets van kunt aflezen. De enige zichtbare emotie is vermoeidheid.

'Ik ben dokter Ruiz.' Hij kijkt naar mijn bebloede overhemd. 'Gaat het wel goed met u?'

'Ik mankeer niets. Hoe is het met hem?'

'Meneer Hinds rust nu. We hebben röntgenfoto's gemaakt om naar botbreuken, kogelfragmenten, botsplinters van de schedel in de hersenen te zoeken. We hebben niets gevonden. Blijkbaar is de kogel alleen maar over de schedel geschampt.'

'Dus het komt goed met hem?'

'Hij heeft veel bloed verloren. Er moesten nogal wat hechtingen aan te pas komen om de hoofdhuid te sluiten. Ik kan niets met zekerheid zeggen. We moeten hem de komende vierentwintig uur in observatie houden om er zeker van te zijn dat zich geen zwellingen voordoen in de hersenen. We houden hem hier in ieder geval tot morgen. Morgenvroeg zullen we kijken wat we dan doen.'

'Mag ik naar hem toe?'

'Even. Hij moet rusten. Op dit moment is hij verdoofd tegen de pijn. Als dat middel is uitgewerkt, krijgt hij zware hoofdpijn.' Hij houdt zijn hoofd schuin en kijkt naar mijn oor. 'Weet u dat u gewond bent?'

Ik breng mijn hand omhoog en raak mijn oor aan. 'Ja. Het stelt niets voor.'

'Als u wilt, laat ik een van de zusters de wond schoonmaken.'

'Dat hoeft niet. Ik doe het wel als ik in het hotel terug ben.'

Hij leidt me door een gang en door een dubbele deur naar een van de opnamekamers van Spoedgevallen. De deur is open. Harry ligt op een brancard in het midden van de kamer. Hij heeft een deken over zich heen en zijn hoofd zit in het verband.

De dokter vertelt me dat ze hem over een paar minuten naar een kamer op een bovenverdieping brengen. Ik bedank hem en hij gaat naar zijn volgende patiënt.

Ik loop op Harry af en kijk naar hem. Zijn ogen zijn dicht. Ik leg mijn hand op zijn arm. Hij doet zijn ogen open en kijkt me aan.

'Hoe voel je je?'

'Geweldig.' Knarsende stem. 'Misschien geven ze me een recept mee voor wat ze in mijn arm hebben gepompt. Op dit moment voel ik me hartstikke goed. Wat is er gebeurd?'

'Weet je niets meer?'

'Wie bent u?' zegt hij.

Hij kijkt in mijn ogen. 'Geintje. Het laatste wat ik me herinner is een schaduw op het water, kort voordat de berg boven op me viel. Wat was dat?'

'Daar praten we later over. Rust jij nu maar uit. Over een paar minuten brengen ze je naar een andere kamer.'

'Nee, nee. Ik ga met jou mee.' Hij probeert van de brancard te komen.

'Harry!'

'O, shit.' Met zijn hand op zijn hoofd laat hij zich weer op de brancard zakken. 'Mijn hoofd voelt aan alsof het eraf gaat.'

'Als je niet stil blijft liggen, gebeurt dat waarschijnlijk ook. De dokter zegt dat je wat pijn zult voelen als de verdoving is uitgewerkt. Voorlopig moet je rusten. Ik kom later vanavond nog eens bij je kijken.' Ik geef een kneepje in zijn arm en loop naar de deur.

'Paul?'

'Ja.'

'Waar zijn Adam en Julio?'

'Dat is een goede vraag.'

Ik houd voor het ziekenhuis een taxi aan en ga naar het hotel terug. Als we bij het kruispunt met de weg naar het Casa Turquesa komen, zie ik dat er geen menigte meer voor het hotel staat. Aan het begin van de oprijlaan staat een motoragent die iedereen controleert.

De zon is verschroeiend heet. Ik kijk op mijn horloge. Het is bijna twee uur. Ik voel me misselijk. Ik heb hoofdpijn. Ik heb sinds gisteravond niet meer gegeten. Het bloed uit mijn oor is opgedroogd en aangekoekt, maar het zweet dat in de taxi, die geen airconditioning heeft, over mijn gezicht stroomt, brandt in de wond.

De agent bij de ingang zou het bloed op mijn overhemd zien zodra we daar stopten, en dan zou de ondervraging al beginnen voordat ik uit de taxi kan komen.

In plaats van naar het hotel te gaan laat ik de chauffeur langs de ingang rijden en linksaf slaan voorbij Kukulcan Plaza.

Op de heuvel achter het winkelcentrum staan appartementengebouwen die uitkijken op het strand. Julio's bedrijf heeft een appartement in een van de goedkoopste gebouwen gehuurd om de grote Suburbans in de ondergrondse garage te kunnen parkeren. De rest van Julio's team heeft in het appartement geslapen. Herman heeft me onderweg aangewezen waar dat is.

Ik laat me voor het gebouw afzetten.

Het gebouw van twee verdiepingen bevat zes appartementen met aan de voorkant een trap die naar de eenheden op de bovenverdieping leidt. Alle appartementen zien er hetzelfde uit.

Toen we kwamen aanrijden, zag ik de ingang van de garage, een betonnen afrit aan de zijkant van het gebouw. Ik ga daar nu heen en loop de afrit af.

Ik kijk uit naar Julio's bewaker, de man die op de auto's zou moeten passen. Misschien heeft hij een radio waarmee hij contact met zijn baas kan opnemen. Zo niet, dan is er misschien een telefoon in het appartement boven. Ik kan Adam bellen en hem vragen wat er in het hotel allemaal gebeurt, en dan kunnen ze me ook wat schone kleren brengen. Met een beetje geluk hebben Adam en Julio inmiddels de meeste vragen van de politie al beantwoord. Ik kan nog wat extra informatie verstrekken, en dan kan ik op mijn kamer wat eten en een dutje doen voordat we naar Pablo Ibarra gaan – dat wil zeggen, als die ontmoeting nog steeds doorgaat.

Na de gebeurtenissen van deze ochtend ben ik tot Harry's standpunt bekeerd. Zodra ik Adam te pakken heb, wil ik hem onder druk zetten. Wanneer Harry weer mag reizen, moeten we in het vliegtuig springen en als de gesmeerde bliksem maken dat we thuiskomen. Het is tot daaraan toe om op zoek te gaan naar antwoorden op vragen rondom Nicks dood. Het is heel wat anders om die antwoorden te vinden.

Hoewel de ondergrondse garage als een bunker in de aarde is uitgegraven, is het er warm en vochtig.

Ik ga de hoek om en zie de auto's. Twee van de Suburbans staan er. Nummer drie is er niet. Die aan de rechterkant heeft een draaiende motor en verpest de lucht in de garage met zijn uitlaatgassen.

De bewaker zit in de auto naar muziek te luisteren, met de airconditioning aan. Ik hoor het gedempte trillen van lage tonen, een monotoon basritme. Ik verwacht elk moment dat de auto op en neer gaat springen.

Als ik bij de zijkant kom, zie ik de vertrouwde baardstoppels in het zijspiegeltje. Ik heb daar in de auto twee dagen tegenaan gekeken. Julio zit achter het stuur. Ik tik op de ruit achter hem, maar hij hoort me niet. Ik maak de deur aan de bestuurderskant open.

'Waar waren jullie nou?' De woorden zijn nog niet over mijn lippen of ik zie de spat op de voorruit, een spat als roestkleurig pleisterwerk. In de voorruit zitten barsten als spinnenwebben. Ze waaieren uit, met in het middelpunt een gat in de ruit, een paar centimeter boven het stuur.

De zijkant van Julio's gezicht heeft een asgrijze tint van blauw. Zijn ogen zijn halfdicht, een doodse staar. Midden op zijn voorhoofd zit de uitgangswond ter grootte van een kwartje, de randen opgezwollen, het bloed al gestold. Dat bloed is over zijn gezicht naar beneden gelopen, in stroompjes rond zijn neus, en heeft grote delen van zijn overhemd en broek bedekt.

Ik sta daar met open mond en met de zoete metaalsmaak van koolmonoxide in mijn keel. De oorverdovende muziek en het feit dat ik vlak naast een dode sta, in een vreemd land, brengen me bij mijn positieven. Ik kijk vlug in de garage om me heen om er zeker van te zijn dat ik alleen ben.

Ik zoek in de zakken van mijn korte broek naar een doekje, een papiertje, wat dan ook. Ik vind een opgevouwen kassabonnetje dat nog vochtig is. Ik maak het open en neem het tussen mijn duim en wijsvinger. Dan reik ik voorzichtig onder het stuur langs, vindt het contactsleuteltje en zet de motor af. De schokkende stilte doet me ineenkrimpen. Ik kijk nog eens om me heen om te zien of ik alleen ben. Dan sluit ik het portier en veeg ik de handgreep met mijn overhemd af.

Het kost me vijf minuten om de helling weer op te gaan. Ik steek de lege straat achter de plaza over, trek mijn overhemd uit en laat het in een afvalbak op het trottoir aan de overkant vallen. Via een deur aan de achterkant kom ik in het winkelcentrum. De koele, droge atmosfeer van de airconditioning slaat me tegemoet. Afgezien van het bloed op mijn oor zie ik eruit als een toerist die zijn shirt bij het zwembad heeft laten liggen, met schoenen zonder sokken en een bezweet gezicht.

Net voorbij de deur hangt er een munttelefoon aan de muur. Ik zoek tussen de Mexicaanse munten en vraag me even af welke ik voor een lokaal gesprek moet gebruiken. Ik doe uiteindelijk een munt van tien peso in de gleuf en draai het nummer van het hotel. Even later heb ik de receptie aan de lijn.

'Ik zou graag met de heer Adam Tolt willen spreken. Hij is een gast.'

'Een ogenblik.'

Ik hoor stemmen. De receptionist spreekt in het Spaans met iemand anders. Ik hoor hem 'señor Tolt' zeggen, en dan hoor ik een wrijvend geluid, zijn hand die het mondstuk afdekt, en het woord '*Inglés*'. Dan komt er een andere stem aan de lijn. 'Hallo, met wie spreek ik?'

'Ik probeer meneer Tolt te bereiken. Adam Tolt. Hij is een gast in het hotel.'

'Met wie spreek ik?' Het is een stem met gezag.

Een half uur geleden, voordat ik Julio's lijk vond, zou ik hem mijn naam hebben genoemd en zou ik daarna de straat zijn overgestoken om met de politie te praten. Nu zeg ik geen woord. Ik hang op.

Het hotel heeft een kleine balie met één telefoon. Als ik nog een keer bel, zal de receptionist mijn stem herkennen.

Achter een toonbank, dicht bij me, staat een jong meisje dat mensen parfum laat uitproberen. Ik ga naar haar toe en zeg dat ik een ongelukje heb gehad. Daarbij wijs ik naar mijn oor. Ik vraag haar of ze het erg zou vinden om een telefoongesprekje in het Spaans voor me te voeren. Het zou maar even duren.

Ze komt glimlachend achter de toonbank vandaan. Ik laat weer een munt in de telefoon vallen en draai opnieuw.

'Ik wil een van hun hotelgasten spreken. Een Afro-Amerikaanse man. Een zwarte man. Hij heet Herman. Ik ben zijn achternaam jammer genoeg vergeten, maar er zijn niet veel gasten in het hotel.'

Als de receptionist opneemt, spreekt het meisje hem in rad Spaans toe. Het gesprek gaat even heen en weer. Ten slotte geeft ze me de telefoon en glimlacht. 'Zijn achternaam is Diggs. Herman Diggs. Ze bellen nu naar zijn kamer.'

'Dank u.' Ik neem de telefoon over en hoor hem aan de andere kant overgaan.

Drie keer en er wordt niet opgenomen. De vierde keer, en dan: 'Hallo.'

Ik herken Hermans stem.

'Herman. Met Paul Madriani.'

'Shit, man, het werd tijd dat er iemand belde. Waar zit je? Ik heb overal gezocht. Ik ging slapen en toen ik wakker werd, was iedereen weg. Ik begon het gevoel te krijgen dat iemand een nieuwe tactiek had afgekondigd en dat ik het had gemist. Ik kan Julio niet vinden, en de rest van onze mensen ook niet. En een of andere receptionist beneden zegt dat jouw collega is neergeschoten. Iets met vliegtuigen.'

'Herman!' Ik moet mijn stem verheffen om een eind aan zijn woordenstroom te maken.

'Wat?'

'Ga Adam Tolt zoeken. Ik probeerde hem een paar minuten geleden te bellen, maar de politie hield me tegen.'

'O ja? Nou, Tolt is weg.'

'Wat bedoel je, hij is weg?'

'Verdwenen, vertrokken, weg, foetsie. Ik ben in zijn kamer geweest. Alles is overhoopgehaald. De politie is nu bezig alles netjes in te pakken, alsof de kerstdagen eraan komen. Er zit gele tape voor zijn deuren. Het waren Ibarra en zijn trawanten. Ze hebben Tolt onder onze neus vandaan gehaald. Vanmorgen, toen hun luchtmacht schietoefeningen hield boven het zwembad.'

'Hoe weet jij dat?'

'Omdat die kerels Tolts kamer helemaal overhoop hebben gehaald. Ze zochten iets. Toen ze het niet vonden, namen ze Tolt mee en lieten ze een briefje voor mij achter. Ze willen een ontmoeting, morgenochtend in alle vroegte. Bij een of andere ruïne. Cobá, heet het. Een of andere tempel. Wacht even, dan pak ik het.' Hij loopt bij de telefoon vandaan om het briefje te pakken en komt dan weer aan de lijn.

'Hier heb ik het. Het heet de Toegang tot de Tempel van de Inscripties. Ik heb op de kaart gekeken. Cobá ligt midden in de jungle, verdomme. Ze houden Tolt in gijzeling voor die Rosen-shit, wat dat ook is. Dus ik hoop dat je er wat van hebt. Anders sturen ze je vriend in stukjes terug.'

'Heeft de politie het briefje?'

'Nee. Het is in het begin van de middag onder mijn deur door geschoven. De politie weet alleen dat Tolt weg is en dat zijn kamer overhoop is gehaald.'

Nu ben ik even stil.

'Hé? Ben je daar nog?'

'Ik ben er nog, Herman.'

'Waar ben je precies?' vraagt hij.

'Aan de overkant van de straat, in het winkelcentrum.'

'Wat doe je daar nou weer?'

'Ik heb geen tijd om het uit te leggen. Kun je het hotel uitkomen zonder dat de politie je ziet?'

'Ja hoor, een zwarte van een meter vijfennegentig en honderdveertig kilo? Ja, ik glip wel even ongemerkt door de hal.'

'Er moet een uitweg zijn.'

'Ja. Dat lukt me wel. Al is het niet makkelijk. Maar vertel me eerst waarom.'

'Ik heb je hulp nodig.'

'Ik moet me eerst even aankleden,' zegt hij. 'Ik sta in mijn onderbroek.'

'Ik heb slecht nieuws,' zeg ik tegen hem.

'Wat dan?'

'Julio is dood.'

Stilte nu van zijn kant. 'Waar heb je het over? Ik geloof je niet. Je lult uit je nek.'

'Ik heb hem net gezien. Hij zit achter het stuur van een van de Suburbans in de garage, en zijn halve hoofd is weg. Weet je waar de rest van jullie mensen is?'

Ik hoor alleen zijn ademhaling.

'Herman?'

'Wat?'

'Waar is de rest van jullie mensen?'

Hij aarzelt even. 'Weet ik niet. Ik heb vier of vijf keer naar het appartement gebeld. Er neemt niemand op.'

'Dan moeten we aannemen dat ze zijn omgekocht of dood zijn. En een van de auto's is ook weg. Weet je waar die is?'

'Nee.'

'Heb je de sleutels van de andere twee?'

'Ik heb sleutels van alle drie.'

Ik zeg dat we elkaar over een half uur op het trottoir achter het winkelcentrum ontmoeten. Dan hang ik op.

Ik ga naar een van de herenkledingzaken in het winkelcentrum en koop een broek, twee overhemden, wat onderbroeken en sokken, en ga naar het herentoilet. Daar was ik het bloed van mijn hals en verwijder ik ook een deel van de bloedkorstjes op mijn oor, waarbij ik er goed op let dat ik de wond niet opnieuw openhaal. Vervolgens trek ik een van de nieuwe overhemden aan.

In het winkelcentrum wacht ik binnen tot ik Herman door de glazen deuren zie komen waardoor ik veertig minuten geleden zelf ook ben binnengekomen. Enkele seconden later zie ik hem het trottoir opkomen en in mijn richting lopen. Hij draagt hoge zwarte schoenen, een zwarte katoenen broek. Zijn dijen puilen uit en zijn T-shirt wordt in alle richtingen uitgerekt. Om zijn middel heeft hij een grote heuptas aan een dikke riem van webbing, die het gewicht van de .45 en de munitieclips draagt.

Ik pak de draagtassen met mijn kleren op en loop hem op straat tegemoet.

'Niet te geloven, man. Dit is toch niet het moment om te gaan winkelen?' zegt hij.

'Mijn kleren zaten onder het bloed.'

'O. Dat is wat anders,' zegt hij.

'Alles wat ik heb meegebracht, ligt op de kamer, ook mijn paspoort.'

'Het ziet ernaar uit dat je met de politie moet praten voordat je naar huis gaat,' zegt hij.

We beginnen de helling af te gaan.

Vijf minuten later staan we in de garage onder het appartementengebouw. Herman heeft de rits van de leren tas aan zijn rechterzij open. Zijn rechterhand zit onder de flap.

De Suburbans staan op de plaats waar ik ze heb achtergelaten. De geur van de uitlaatgassen hangt nog in de lucht.

'In welke zit Julio?'

'De rechtse.'

'Blijf hier.'

'Herman.'

'Wat?'

'Laat hem zitten. Raak hem niet aan.'

'We kunnen hem niet zomaar achterlaten,' zegt hij. 'Trouwens, mijn vingerafdrukken zitten toch al overal op die auto.'

'Vingerafdrukken zijn niet het enige,' zeg ik. 'We kunnen niets doen. Zodra we de andere auto hebben en hier weg zijn, kunnen we ergens bij een telefooncel stoppen en de politie bellen. We vertellen ze dat kinderen een lijk in een auto in de garage hebben gezien. We geven ze het adres en hangen op. Dan regelen zij het verder wel.'

'Ik wil hem in ieder geval zien,' zegt hij.

'Dat begrijp ik. Kijken, niet aankomen.'

Herman gaat erheen en kijkt door het zijraampje naar Julio. 'De rotzak die dit gedaan heeft, is dood,' zegt hij. 'Nu moet ik het zijn vrouw en kinderen vertellen.'

'Hij was getrouwd?'

'Ja. Zijn vrouw heet Maria. Leuke vrouw. Drie kinderen. Twee jongens en een meisje.'

'Het is vreselijk.'

'Ja. Dat vind ik ook.'

'We moeten hier weg,' zeg ik dan. 'Heb je de sleutels van de andere auto?'

'Ja.'

'Dan moeten we gaan.'

'Nog niet.' Hij draait zich om en loopt de andere kant op, langs mij heen.

'Waar ga je naartoe?'

Hij geeft geen antwoord.

'Herman!'

'Als jij weg wilt, ga je maar,' zegt hij.

'Dit is krankzinnig.' Ik volg hem.

Hij leidt me door een deur en twee trappen op – een man met een missie. Herman moet een sleutel uit zijn zak gebruiken om boven de deur open te maken. Eenmaal binnen, loopt hij een gang door, langs een aantal deuren. Hij geeft me een teken dat ik moet blijven staan, maakt de sluiting van de holster aan zijn heupgordel los en haalt het roestvrijstalen pistool tevoorschijn. Hij houdt het wapen bij zijn rechteroor, met de loop naar het plafond.

Hij blijft voor een van de deuren staan en houdt zijn oor bij het hout, luistert even, en steekt dan een sleutel in het slot. Geeft mij een teken dat ik op de gang moet blijven. Even later is hij in de kamer.

Ik wacht en luister. Niets. Enkele ogenblikken later zwaait Herman de deur open. 'Ze zijn weg. En al hun spullen ook. Zo te zien waren ze niet van plan om terug te komen. Hun tassen, alles.'

'Waarom?'

'Ik denk dat ze zich hebben laten omkopen. Als Ibarra's mensen ze hadden gedood, zou hun bagage er nog zijn. Zo gaat dat hier,' zegt hij. 'Ze kopen je om of ze schieten een kogel door je hoofd. Er is geen tussenweg.'

Als we bij de auto terug zijn, haalt Herman de sleutel uit zijn zak. Hij loopt naar het zijraampje aan de passagierskant en kijkt, zonder het portier open te maken, naar de bestuurderskant.

'Wat doe je?'

'Vingerafdrukken zijn niet het enige,' zegt hij. 'En kogels zijn ook niet het enige.' Dan maakt hij het portier open, drukt op de knop om de andere portieren te openen, gaat naar de bestuurderskant en trekt aan de hendel om de motorkap open te maken. Nadat hij een minuut of zo rondom het motorblok heeft gekeken, en daarna nog even onder de auto heeft gelegen, is hij tevreden.

'Waar wou je heen?' vraagt hij.

'De glazen piramide.'

'Met papa Ibarra praten?' zegt hij.

Ik knik. 'Ik denk dat hij de enige is die ons kan vertellen wat dat Mejicano Rosen is, de enige die ons kan helpen Adam te vinden.'

'En ook degene te vinden die Julio heeft vermoord.' Herman loopt naar de achterkant van de auto en maakt de kofferbak open. Hij neemt een van de sleutels die hij aan zijn ring heeft, steekt hem in een slot in de vloer en draait hem om. De complete vloer, met vloerbedekking en al, komt naar boven. Daaronder bevindt zich een rek met drie lange geweren en iets wat zo te zien een kort machinepistool is.

'Kun je schieten?'

'Ik heb wel eens met een pistool geschoten.'

'Dat vroeg ik niet. Kun je schieten?'

'Ik weet het niet.'

'Hier, neem het geweer.' Hij geeft het aan mij. 'Elke keer dat je hebt geschoten, schuif je dit naar voren. Kijk, zo. En dan schiet je opnieuw. Dit kleine dingetje is de veiligheidspal. Hou hem eraf als je schiet. Denk je dat je dat kunt?'

'Ja.'

'Als je dat ding maar niet op mij richt.' Hij pakt een doos patronen en geeft hem aan mij. 'Ik zal je laten zien hoe je hem moet laden.' Dan neemt hij het kleine machinepistool uit het rek en pakt hij ook een aantal magazijnen met munitie, elk met een glanzende ronde koperen kogel die uit het open eind steekt.

'Je wou daar toch niet met deze wapens naartoe gaan?'

'O nee?'

30

In de auto haal ik een lange broek uit de draagtas die ik achterin heb liggen en trek sokken aan, terwijl Herman rijdt. Een blok van de glazen piramide vandaan stoppen we bij een restaurant en gebruik ik de munttelefoon om de politie te vertellen waar Julio's lijk ligt. Dan hang ik op.

Herman wil er niet over praten. Doelbewust slaat hij de privé-weg in die naar de glazen piramide leidt. Er staan palmen in de tien meter brede middenberm.

We volgen de bochtige weg naar het hotel. Hij parkeert aan de voorkant.

'Ga naar binnen en regel een kamer voor ons, ergens hoog. Zo dicht mogelijk bij de bovenste verdieping.'

'Waarom?'

'Doe het nou maar. Kom hier terug met de sleutel.'

Enkele minuten later ben ik weer in de auto. 'Zevende verdieping. Is dat hoog genoeg voor jou?'

'Het moet maar.'

'Wat nu?'

'Rustig blijven zitten.' Hij gaat achteruit de parkeerplek af en rijdt om het hotel heen. Het gebouw bestaat uit tien verdiepingen met schuine ruiten van rookglas, en weerspiegelt het zonlicht als een collector van zonne-energie.

Herman rijdt over het parkeerterrein en zoekt zich een weg om het gebouw heen, tot hij vindt wat hij zoekt: vuilcontainers en beselwagens, een klein elektrisch wagentje met canvas zakken vol vuil linnengoed.

'Hier.' Hij parkeert de auto.

'Wat nu?'

'Blijf maar even zitten.' Hij stapt uit en loopt naar het wagentje. Met zijn handen in de zakken staat hij ernaar te kijken, het summum van discretie, gewoon een zwarte reus. Dan pakt hij een opgevouwen canvas zak uit het wagentje en komt naar de auto terug. Ditmaal stapt hij achterin.

'Wat doe je?'

'Ik zei toch: gewoon blijven zitten.' Hij buigt zich over de achterbank naar de kofferruimte, pakt de wapens, het geweer en het kleine machinepistool met korte loop, controleert of ze geladen zijn, of de magazijnen op hun plaats zitten en de veiligheidspal erop zit.

'Nou. Over een minuut ga ik daarheen.' Terwijl hij dat zegt, controleert hij nog steeds de wapens. 'Zie je die deur?' Hij knikt in die richting.

'Ja. Ik zie hem.'

'Straks ga ik daarheen. Ik wil dat je hier gewoon blijft zitten tot je me vanuit die deuropening ziet zwaaien.' Hij stopt de extra munitie in de zak, doet de webbingriem af en laat de heuptas met de .45 er ook in vallen.

'Ik wil dat je dan uit de auto komt en daarheen loopt. Niet rennen, lopen. En breng dit mee.'

Hij geeft me vijftien kilo canvas met overal scherpe randen. 'Begrepen?'

'Begrepen.'

Hij kijkt naar mijn gezicht en ziet de twijfel.

'Hé, die verrekte Tolt is jouw vriend. Mij kan het niet schelen of ze zijn oren, neus en ballen afsnijden en ze aan een bedelarmband hangen. Maar die man hierboven, die Pablo Ibarra. Wat jou en mij betreft, is hij een soort tovenaar van Oz. De man met alle antwoorden. Nou, we kunnen met hem gaan praten of we kunnen naar huis gaan. Ik weet niet hoe het met jou is, maar ik ga niet naar huis voordat ik het antwoord op minstens één vraag heb. Wie heeft Julio doodgeschoten? Dus doe je mee of doe je niet mee?'

'Ik doe mee.'

'Goed. Dat dacht ik al. Laten we het dan doen.' Herman glimlacht, zodat ik zijn afgebrokkelde tand zie. Dan maakt hij de deur open en even later verdwijnt hij in de dienstingang aan de achterkant van het hotel.

Nadat Saldado zijn vaardigheden als slachter op mijn arm heeft kunnen uitproberen, en ik als schietschijf voor de Ibarriaanse luchtmacht heb gefungeerd, voel ik me niet geroepen om Hermans oordeel in twijfel te trekken. Wat hij op dat punt tekortkomt, maakt hij goed met loyaliteit. Het verschil tussen ons is dat hij met minder omhaal te werk gaat.

Voor ik er erg in heb, is hij terug en geeft hij me een teken dat ik moet komen.

Ik stap met de zak over mijn schouder uit de auto, de kerstman met een wapenarsenaal. Ik loop vlug naar de deur. Als ik daar ben, neemt Herman de zak van me over en trekt hij me als een lappenpop naar binnen. Ik volg hem door een kort gangetje. Ik heb niet veel keus; hij heeft me bij mijn riem vast en trekt me mee. Ik zie een man in witte kleren en met een koksmus voor ons langs lopen, op weg van de keuken naar een ander vertrek. Hij ziet ons niet.

Herman maakt een deur open, duwt me een donkere onderhoudskast in en doet de deur achter ons dicht.

'Waar is dat verrekte licht?' zegt hij.

We staan een paar seconden in het donker, en dan hoor ik een klikgeluid, en meteen daarop brandt de lamp boven ons hoofd. Herman heeft aan het koordje getrokken.

'Hier. Doe dit aan.' Hij geeft me een wit linnen jasje, zoals obers in dure restaurants dragen.

'Wil je me vertellen wat we aan het doen zijn? Of is dat een verrassing?'

'Waarschijnlijk is het beter als je het niet precies weet. Dan ben je vrij. Weet je wat ik bedoel? Pas je bij de omstandigheden aan. Zoals mijn *tai chi*-man zegt: Wat je niet weet, kan je niet gek maken.'

'Ondoorgrondelijk.'

'Wat zeg je?'

'Niets.'

Ik doe het jasje aan en maak de knoopjes dicht tot aan de uniformkraag.

Intussen zoekt Herman in een zak met vuile jasjes om er een te vinden die groot genoeg is. Ten slotte kiest hij er een uit. Hij moet de drie bovenste knopen open laten. Het ding zit als rubber om hem heen en de onderkant komt amper tot zijn riem.

'Geeft niet. Die man is niet in de stemming om op de nieuwste mode te letten. Als hij in de loop van je geweer kijkt, denkt hij nergens anders meer aan.'

'We schieten hem niet overhoop?'

Hij kijkt me niet aan.

'Herman.'

'Dat hangt ervan af wat hij te zeggen heeft. Als hij zegt dat hij iemand heeft gestuurd om Julio dood te schieten, kun je erop rekenen dat er kleine stukjes van hem in de gaten komen te zitten die ik met mijn machinepistool in zijn muren ga maken.'

'Nee. Ik denk van niet.'

'Denk wat je wilt. Maar dat denk je dan wel in het donker, en in je eentje, en in ongeveer tien seconden.' Hij pakt de zak met de wapens, trekt aan het lichtkoordje en zet dan de deur op een kier en tuurt naar buiten.

'Het is zover,' zegt hij, en hij stapt met die linnen zak over zijn schouder de gang op. Ik zie hem een roestvrijstalen wagentje pakken dat tegen de muur staat.

Er ligt een linnen tafellaken op dat karretje, met daaronder een warmhoudapparaat. Hij kijkt even of niets brandends in het apparaat zit en stopt dan de wapenzak erin, waarna hij het roestvrijstalen deurtje sluit.

Ik kijk op mijn horloge. Het is tien voor vier. Adam en ik hebben onze afspraak met Ibarra pas om half zeven.

'Ga je mee?' Herman kijkt me aan.

'Misschien is hij er niet eens.'

'Dan ploffen we in zijn mooie meubeltjes neer en wachten op hem.'

Ik stap de gang op. 'Laten we hopen dat de man ons alleen maar goede dingen te vertellen heeft,' zeg ik.

'Goed. Zo mag ik het horen. Positief denken,' zegt hij.

We nemen de dienstlift. Die stopt onderweg drie keer; om een kamermeisje op de vierde op te pikken en op de zesde af te zetten, en dan op de zevende verdieping.

Een onderhoudsman met een emmer in zijn hand staat in de deuropening naar ons te kijken.

'*Abajo*?' zegt hij.

Herman houdt hem zijn vuist voor, met de duim omhoog.

De man haalt zijn schouders op en wil toch doorlopen.

Herman posteert zijn lichaamsmassa in de deuropening. 'De lift komt zo terug, jongen.'

De man kijkt naar hem op. Ik geloof niet dat hij een woord verstaat van wat Herman zegt, maar hij begrijpt de lichaamstaal. Hij blijft waar hij is, en de deuren gaan dicht.

We gaan de laatste twee verdiepingen ongestoord omhoog. Als de deuren weer opengaan, bevinden we ons in een kleine keuken, met borden op planken aan de muur tegenover ons, en kristallen glazen, handdoeken en linnen servetten, alles keurig geordend. Links is er een deur die naar een gang leidt. Rechts is alleen maar een muur. Er is daar een grote dubbele inbouwkoelkast met eigen ventilatiesysteem, met aan weerskanten bestek en serveergerei op planken en aan haken.

Herman drukt met zijn duim op de knop waarmee je de deur kunt openen en houdt hem erop gedrukt. Hij buigt zich uit de lift, kijkt de gang in en geeft me dan met een hoofdknikje te kennen dat de kust veilig is.

Ik duw het wagentje het keukentje in en Herman stapt uit de lift. De deuren gaan achter ons dicht; nu kunnen we niet meer terug. Dit is Pablo Ibarra's persoonlijke domein. Kantoren en woonruimte, en als Hermans plan niet goed uitpakt, heeft hij hier ook zijn eigen privéleger.

Ik ga voor het wagentje staan en kijk om de deur naar de gang. Ik trek mijn hoofd vlug terug, want de man die zeven meter van me vandaan op een stoel zit draait zich net om en kijkt deze kant op.

Hermans grote donkere ogen kijken me aan als twee stippen onder vraagtekens.

Ik steek mijn vinger op en wijs naar de gang. Dan maak ik een teken, een cirkel met mijn duim en vinger. Ik kijk daardoorheen en doe alsof ik aan een slinger draai. Dan wijs ik naar het plafond.

Herman knikt. Hij draait zich om en kijkt naar de muur achter hem. Voorzichtig neemt hij een grote soeplepel van een haak aan de muur en pakt een handdoek van de plank. Hij slaat de handdoek strak om de soeplepel heen, met de steel naar het uiteinde van het wagentje bij zijn hand.

Dan gaat hij naar de koelkast en maakt de deur open. Hij kijkt erin zonder iets aan te raken en vindt dan wat hij zoekt. Als hij zich omdraait, heeft hij een spuitbus met slagroom in zijn hand.

Ik kijk hem vragend aan: wat ga je doen, hem op slagroom trakteren?

Hij negeert me en knikt naar de deur. We moeten nu gaan.

Voordat ik zelfs maar kan nadenken, duwt hij het wagentje met mij ervoor de gang in. Ik draai me om en pak mijn kant vast alsof ik het wagentje met me mee trek, met mijn rug naar de bewaker toe.

Ik kijk over mijn schouder en kan hem nu goed zien. Hij draagt een pak van blauwe serge en zit op een rechte stoel tegen de muur de krant te lezen, zijn benen over elkaar. Achter hem zie ik een dubbele deur van glanzend teakhout.

Hij hoort het kletteren van het wagentje, dat langzaam over de dikke vloerbedekking naar hem toe komt, en kijkt onze kant op. Smal gezicht, donkere ogen, weinig blijdschap. Hij kijkt even naar ons en buigt zich dan weer over zijn krant.

'Zoals ik al zei: de kok zegt dat er geen saus bij moet,' zegt Herman. Ik kijk hem aan in de trant van: misschien verwachten ze hier dat je Spaans spreekt.

Hij gaat gewoon door. 'Saus is uit. De Fransen, ja, die kunnen sauzen maken. Maar de Italianen kunnen pas koken. En die doen nergens saus op. Als je niet kunt koken, heb je saus nodig.' Herman duwt het wagentje met een hand en praat met de andere hand.

Als we dichterbij komen, legt de man in de stoel zijn krant op de vloer en staat op. Hij buigt een beetje voorover en kijkt naar het wagentje, eerst naar de ene en dan naar de andere kant. Herman duwt tegen het wagentje tot ik bijna met mijn rug tegen de man op kom. De bewaker probeert om me heen te kijken naar de kant met het warmhoudapparaat.

'Zoals ik al zei, als je echt wilt leren koken... Waarom ga je niet even voor die man opzij, dan kan hij zijn werk doen?'

Ik ga naar de andere kant van het wagentje.

'Zoals ik al zei, als je parfum wilt kopen, moet je bij de Fransen wezen.'

De bewaker buigt zich nog verder naar het wagentje.

'Als je wilt koken...'

Hij grijpt naar de roestvrijstalen deur van het warmhoudapparaat.

'Dan moet je bij de...' Herman slaat hem met het zware uiteinde van de soeplepel, een backhandslag tegen de zijkant van zijn hoofd, zonder zelfs maar te kijken. '... Italianen wezen.'

De man slaat als een zak cement tegen de vloer.

Herman pakt de spuitbus met slagroom van het wagentje en rent naar het andere eind van de gang. Als hij daar aankomt, heeft hij de dop al van de spuitbus. Hij reikt omhoog en spuit slagroom over de lens van de bewakingscamera, die hij helemaal met wit schuim bedekt, totdat er iets van op de vloer druipt.

Ik maak het warmhoudapparaat open en haal de zak eruit.

Herman komt snel terug, rolt de bewaker om en fouilleert hem op de vloer. Hij vindt twee vuurwapens, een pistool in een schouderholster en een kleine revolver achter een riempje om zijn kuit. 'Doe ze in de tas.' Hij gooit ze me toe.

'We moeten verder voordat die troep smelt.' Hij heeft het over de slagroom. 'Daarna zien ze ons, al zijn we dan twee witten. Trouwens, ze kunnen elk moment een monteur sturen.'

'Dat wil zeggen, als ze niet naar het scherm keken toen jij hem neersloeg.'

'In dat geval,' zegt Herman, 'hebben ze wat anders bij zich dan een gereedschapskist.'

Ik pak het geweer uit de zak, controleer de veiligheidspal en houd mijn vinger aan de buitenkant van de trekkerbeugel.

Herman haalt de riem uit de broek van de bewaker, trekt zijn handen en voeten naar achteren en maakt ze met de riem aan elkaar vast. De man kan geen kant meer op.

Dan pakt hij de zak met het pistool uit de grotere zak en hangt hem aan zijn webbingriem. Hij kijkt vlug naar het machinegeweer, trekt aan de grendel om een patroon in de kamer te krijgen en kijkt nog eens naar de veiligheidspal.

Hij geeft me de zak met de extra munitie. 'Als je positief denkt, moet je ervan uitgaan dat we dat spul niet nodig hebben,' zegt hij. 'Hebben we het wel nodig, dan wil dat zeggen dat we midden in een Mexicaans kogelfeest terecht zijn gekomen.'

Hij probeert de deurkruk. 'Shit. Die zit op slot.' We staan in een doodlopende gang, bewapend als terroristen en zonder te weten of Ibarra op datzelfde moment al een eenheid met de lift naar boven stuurt om ons te overmeesteren. Het enige waarachter we dekking kunnen zoeken, is een serveerwagentje dat half zo groot is als Hermans reet.

Ik doorzoek de broekzakken van de bewaker die op de vloer ligt en vindt alleen maar kleingeld en een zakmes. Ik voel een bult in de zak van zijn jasje, grijp daarin en vind een grote ring met één sleutel.

Herman neemt hem van me over. De sleutel past moeiteloos in het slot en laat zich ronddraaien. Hij kijkt me aan en haalt diep adem. Dan duwt hij de deur voorzichtig open en kijkt naar binnen. 'We kunnen verder.'

Zachtjes maakt hij de deur open, en dan tilt hij het wagentje op om te voorkomen dat de wielen geluid maken. Hij gebruikt het wagentje ook om de deur open te houden. Dan grijpen we samen de bewaker vast en sleuren hem onder zijn oksels naar binnen. We doen de deur achter ons dicht.

We bevinden ons in een soort halletje, met een scheidingswand recht tegenover de deur. In het midden van die wand hangt een grote ovale spiegel, met daaronder een tafeltje waarop wat boeken en een plant staan.

De scheidingswand is drie of vier meter hoog. Het plafond is van glas en loopt schuin op naar de top van de piramide. Aan beide uiteinden is de scheidingswand open.

Herman gaat naar rechts. Ik naar links. Als ik om het hoekje van de wand kijk, zie ik een grote kamer met aan de andere kant een schuine glaswand die naar boven toe het plafond wordt.

In het midden van de kamer staat een groot bureau op een vloer van Mexicaanse plavuizen. Een man zit met zijn rug naar ons toe achter dat bureau. Hij typt met twee vingers op een computertoetsenbord.

Ik kijk langs de scheidingswand en zie het voorhoofd van Herman, die ook naar de man kijkt.

Aan Hermans kant leidt een deur naar een andere kamer. Aan mijn kant is alleen maar glas. Op dit moment is die andere deur dicht.

We trekken ons hoofd in, gaan met de rug naar de scheidingswand staan en kijken elkaar aan. Herman heeft een vreemde uitdrukking op zijn gezicht. Hij schudt zijn hoofd en haalt zijn schouders op. Wat zeg je me daarvan, een drugsbaron achter het toetsenbord? Eigenlijk willen we geen van beiden de eerste zijn die dat rustige tafereel verstoort. Een man die in zijn eigen gedachten verdiept is.

Maar de tijd dringt. We komen op hetzelfde moment achter de scheidingswand vandaan. Herman schraapt zijn keel.

De man houdt op met typen, kijkt op en draait zich om. Als hij onze wapens ziet, zet hij grote ogen op. Hij steekt zijn hand uit naar het bureau.

Herman laat zijn loop naar hem zakken. 'Alleen als je al die mooie ramen achter je wilt vervangen.' De man leunt in zijn stoel achterover en brengt zijn handen boven zijn schouders. Het is niet duidelijk of hij Herman of diens wapen heeft begrepen.

'*Se habla inglés?*' zegt Herman.

De man geeft geen antwoord.

'Shit,' zegt Herman. 'Hoe goed is jouw Spaans?'

'Slechter dan het jouwe.'

De man achter het bureau is klein en tenger, niet meer dan een meter vijfenzestig. Zijn zwarte haar is grijs bij de slapen; ik zou zeggen dat hij midden zestig is. Zijn donkere ogen zijn op dit moment erg groot. Ze nemen Herman en het machinepistool in zich op.

'Luister eens, lul, je kunt beter gauw iets zeggen wat ik kan verstaan of ik knal je overhoop,' zegt Herman.

'Ik spreek Engels,' zegt hij.

'Goed zo. Ik had geen zin om er een tolk bij te halen. Waar gaat die deur heen?' Herman wijst met de loop van zijn kanon naar de gesloten deur.

'Naar het appartement.'

'Wie is daar?'

'Niemand.'

'Je neemt me toch niet in de maling?'

'Misschien een dienstmeisje. Ik weet het niet.'

'Is er een kans dat iemand daardoor binnenkomt?'

Hij schudt zijn hoofd. 'Ik heb gezegd dat ik niet gestoord wil worden.'

'Goed, want als er onverwachts iemand door die deur naar binnen komt, krijgt die de schrik van zijn leven. En je muur wordt er ook niet beter van. Jij bent Pablo Ibarra?'

Hij geeft geen antwoord, kijkt alleen heen en weer tussen Herman en mij. Ik hou mijn geweer op de vloer gericht.

'Wie heeft jullie gestuurd?'

'Hoezo, verwacht je iemand?' zegt Herman.

Hij geeft geen antwoord.

'Ik weet eigenlijk niet wie mijn vriend hierheen heeft gestuurd. Maar je zou kunnen zeggen dat ik door de god van de wraak gestuurd ben.'

'Herman.'

Hij kijkt me aan. 'Wat?'

'Laat de man praten.'

'Dat probeer ik, maar die lul stelt steeds vragen,' zegt Herman. 'Waar ik vandaan kom en zo. Degene die het geweer vasthoudt, mag de vragen stellen. De klootzak die in de loop kijkt, moet antwoord geven.'

De Mexicaan in de stoel kijkt intussen naar ons beiden en vraagt zich waarschijnlijk af of we high zijn van het een of ander.

'Wat willen jullie weten?' zegt hij.

'Om te beginnen je naam. Dan komt die tenminste goed op je grafsteen te staan,' zegt Herman.

De man aarzelt.

Herman haalt de veiligheidspal van zijn machinepistool over.

'Herman. Zo is het genoeg.'

'Als we hem nou eens naar buiten brengen. Dan kan hij de ruiten wassen,' stelt Herman voor.

'Ik ben Pablo Ibarra,' zegt de man. Hij doet zijn ogen dicht alsof hij op de inslag van de kogels wacht.

'De vader van die twee klootzakken in die bouwkeet in Tulum?' vraagt Herman.

Hij doet ze weer open. 'Dat zijn mijn zoons. Hebben zij jullie gestuurd?'

Herman kijkt me aan. 'Dat moet een leuke familie zijn. Ik kan bijna niet wachten tot ik de moeder van je kinderen ontmoet.'

'Mijn vrouw is dood,' zegt hij.

'O. Sorry. Een natuurlijke dood of heeft een van de kinderen haar doodgeschoten?'

'Kanker,' antwoordt hij.

'Jammer, maar dat is niet de dood waarvoor ik kom. Waarom heb je Julio vermoord?'

'Wie?'

'Kijk me niet aan als een stomme Mexicaanse uil. Je weet best over wie ik het heb. Julio Paloma. Grote kerel. Had vroeger een voorhoofd zonder gat erin.'

'Ik ken die man niet.'

'Misschien heb je hem niet ontmoet, maar je hebt hem wel laten doodschieten.'

'Waarom zou ik dat doen?'

Herman kijkt me aan. Rolt met zijn ogen. 'Zie je wel? Hij stelt steeds weer van die stomme vragen.' Hij heeft zijn vinger om de trekker.

'Ik heb nooit van die man gehoord.' Ibarra kijkt mij aan. 'Alsjeblieft. Ik weet niet wie jullie denken dat ik ben. Maar ik heb nooit iemand laten doden. Ik ben zakenman.'

'Wil jij hem naar die Rosen-shit vragen voordat ik hem overhoopschiet?'

'Rustig blijven, Herman.'

'Blijf jij maar rustig. Ik vraag me op dit moment vooral af hoeveel sleutels er in omloop zijn van die deur achter ons.'

'Meneer Ibarra, mijn naam is Paul Madriani.'

'Ja.' Hij kijkt me aan alsof ik zijn leven ga redden.

'Het was de bedoeling dat ik u vanavond om half zeven zou spreken. Samen met een zekere Adam Tolt.'

'We zijn een beetje eerder gekomen,' zegt Herman.

'We hebben gisteren met een van uw zoons gesproken. Met Arturo.'

'Ja?'

'Vanmorgen is meneer Tolt uit zijn hotelkamer ontvoerd. Er is een briefje achtergelaten. Daar staat in dat als ik morgenvroeg niet in Cobá verschijn, met iets wat Mejicano Rosen heet, Tolt gedood zal worden.'

'Waarom vertelt u mij dit? Waarom gaat u niet naar de politie?'

'Omdat ik denk dat u weet wat Mejicano Rosen is.'

Ibarra kijkt eerst Herman en dan mij aan.

'Genoeg geluld.' Herman grijpt Ibarra bij zijn kraag en tilt hem bijna uit zijn stoel.

'Wat doe je?' vraag ik.

'Nee,' zegt Ibarra. 'Ik zal het vertellen.'

'Nou en of je dat gaat doen. En jij,' zegt Herman tegen mij. 'Geen wonder dat advocaten je altijd handenvol geld kosten. Ze doen er al een eeuwigheid over om een paar vragen te stellen. Ik had die klojo kunnen doodschieten, dan waren we hier al lang weg geweest. Maar nee. Jij wilt praten. Nou, wil je praten? De vergaderkamer is deze kant op,' zegt hij.

31

Terwijl zijn .45 een kuiltje in Ibarra's rug prikt, en met de lange geweren in de linnen zak, loopt Herman met Ibarra naar de dienstlift en drukt op het knopje voor de zevende verdieping.

We gaan drie verdiepingen omlaag. Herman kijkt vlug naar buiten. Als we vanuit de dienstlift over de eigenlijke hotelverdieping lopen, komen we een kamermeisje tegen.

Elke verdieping heeft een open terras, een soort hangende tuin van Babylon, met uitzicht op een enorm atrium dat het binnenste van de piramide vormt.

Op de gang komt een jong stel uitbundig een kamer uit.

Ibarra ziet de open deur. Zijn gedachte is bijna tastbaar, en een ogenblik verstijf ik, want ik ben bang dat hij naar die kamer zal rennen en dat Herman hem dan zal doodschieten.

Herman port hem aan met het pistool. 'Dénk er niet eens aan.' Hij heeft een handdoek over het pistool. Die handdoek hangt over zijn arm alsof hij een vingerkommetje in zijn andere hand zou moeten dragen.

Zodra we het stel voorbij zijn en buiten gehoorsafstand zijn gekomen, praat hij vanuit zijn mondhoek tegen mij. 'Het zou makkelijker zijn om die klootzak gewoon over de balustrade te gooien. Dan kan hij een snoekduik maken in die lelievijver daarbeneden.'

'Herman, we weten niet zeker dat hij Julio heeft laten vermoorden. En ook als hij dat heeft gedaan, is het een zaak voor de politie.'

'Ik heb dat niet gedaan.' Ibarra loopt met het pistool in zijn rug voor ons uit.

'Als je je bek niet houdt, loop je straks met je reet op je schouders,' zegt Herman.

Een paar deuren verder vind ik het nummer dat overeenkomt met wat ik op het envelopje met de sleutelkaart heb staan dat ik kreeg toen ik me beneden inschreef.

Ik steek het kaartje in het slot en hoor het klikken.

Eenmaal binnen, kijkt Herman in de badkamer en de kast. Dan trekt hij de gordijnen dicht en duwt Ibarra ruggelings op het bed. 'Nu wil ik je horen praten.'

'Jullie hebben mijn zoons ontmoet?' zegt hij.

'Eentje maar. Arturo. De andere heet Jaime, nietwaar? Die was er niet.'

'Dan hebben jullie waarschijnlijk geluk gehad. Jaime is erg driftig. Ze doen dingen waar ik me voor schaam.'

'En dat deden ze zeker helemaal op eigen gelegenheid?' zegt Herman.

'Ik geef toe dat ik soms ook dingen heb gedaan waar ik niet trots op ben. Maar ik wilde niet dat mijn zoons zo opgroeiden. Ik heb alles gedaan om ze tegen te houden. Ik ben zelfs naar de autoriteiten gegaan. Maar je weet hoe Cancún kan zijn.'

'Daar gaan we dan,' zegt Herman. 'Er zijn wat foutjes gemaakt. Straks gaat hij ons nog vertellen dat hij gelovig is geworden op het moment dat hij het licht uit het kleine gaatje aan het eind van mijn pistool zag komen.'

'Geloof me. Ik heb geprobeerd mijn zoons tegen te houden, maar ze wilden niet luisteren. Het enige dat ze wilden, was mijn geld om hun plannen te financieren. Toen ik weigerde, vonden ze andere geldbronnen.'

'Drugs?' vraag ik.

'Een tijdje. Maar daar kwam een eind aan. Ik kon bepaalde mensen beïnvloeden.'

'Je kinderen pakten je je winst af?'

'Ik handel niet in drugs. Ik laat niet eens drugs in mijn hotel toe.'

'Je hebt een brief aan een advocaat in San Diego geschreven, een zekere Nicholas Rush. Waar ging dat over?'

Ibarra kijkt me verbaasd aan. 'Hoe weet...'

'Dat doet er niet toe. Wat had Rush met je zoons te maken? En wie of wat is Mejicano Rosen?'

'Dus jullie weten ervan?'

'Waarvan?' zegt Herman.

'Je spreekt het uit als Roseton. Niet Rosen.'

'Wat is het?'

'Roseton is Spaans voor Rosette. Toen de Fransen onder Napoleon die steen vonden, noemden ze hem de steen van Rosette, naar de naam van het dorp in Egypte waar ze hem hadden gevonden.'

'Wat is dat voor gezeik?' zegt Herman.

'De steen van Rosette,' zeg ik. 'Dat is een stuk rots dat door Napoleons troepen is gevonden toen ze Egypte binnenvielen. Er stonden Egyptische hiërogliefen op, en ook een Griekse vertaling. Door die steen konden archeologen voor het eerst de taal van de farao's begrijpen.'

Herman kijkt alsof hij het niet helemaal begrijpt. 'Wacht eens even. Nu kan ik het niet volgen. Het gaat om een stuk steen uit Egypte?'

'Nee,' zegt Ibarra. 'De Mejicano Roseton is in feite de Mexicaanse steen van Rosette. Het is de laatst overgebleven sleutel tot de eeuwenoude hiërogliefen van de Maya.'

'Hebt u hem?' vraag ik.

'Helaas niet.'

'Waar is hij?'

'Dat weet ik niet zeker, maar ik weet wel dat hij bestaat en dat hij van onschatbare waarde is. Mijn zoons hebben geprobeerd hem te pakken te krijgen.'

'Zat Nick Rush daarachteraan?'

Hij knikt. 'Hij had zakengedaan via een andere man.'

'Gerald Metz?'

'Hoe weet u dat?'

'Doet er niet toe. Gaat u verder.'

'Die Metz had al eerder zakengedaan met mijn zoons.'

'Wat voor zaken?' vraagt Herman.

'Mijn jongens plunderden archeologische vindplaatsen. Eerst kochten ze alleen maar wat snuisterijen van indianen die dingen in de jungle hadden gevonden, beeldjes van jade, soms dingen van zilver of goud. Mijn zoons verkochten dat spul aan handelaren in uw land of in Europa. Waar ze maar het meeste geld konden krijgen. Soms vonden ze zelf iets waardevols. Toen gingen Arturo en Jaime op zoek naar archeologische vindplaatsen die nog met jungle waren begroeid. Die zijn gemakkelijk te vinden, als je weet wat je zoekt. In de Yucatán is de junglebodem vlak. Een verhoging, een heuveltje, iets wat op een heuvel lijkt, is vaak een restant van een Mayabouwwerk, maar dan overwoekerd met bomen en struiken. Ze leerden hoe ze die plaatsen konden vinden. Ze namen arbeiders in dienst en vernietigden de vindplaatsen, op zoek naar schatten.'

'Heeft uw regering niet geprobeerd ze tegen te houden?'

'Ze hebben het geprobeerd. Maar het is onmogelijk. Er zijn te veel plaatsen en te weinig bewakers. Uw regering eist dat we de stroom van drugs door ons land een halt toeroepen. Dat heeft de hoogste prioriteit. Er is veel te verdienen met illegaal opgegraven voorwerpen uit de oudheid. Elk jaar worden in Mexico en Guatemala duizenden voorwerpen opgegraven en op de zwarte markt verkocht. Sommige van die mensen zijn drugshandelaren. Ze verdienen meer aan die archeologische voorwerpen dan aan drugs, en er is minder risico aan verbonden. Je krijgt geen levenslang voor het stelen van Mayavoorwerpen.'

'Wie kopen die dingen?' vraag ik.

'Er zijn mensen die erin handelen. Ze verkopen de voorwerpen aan rijke Amerikanen. Die laten bijvoorbeeld kleine beeldjes tot oorhangers voor hun vrouw vermaken en vertellen dan aan hun vrienden waar ze vandaan kwamen. Bij de grotere, duurdere voorwerpen ligt het anders.'

'Dat hebben we in die bouwkeet gezien,' zeg ik tegen Herman.

'Wat?' zegt Ibarra.

'Het zag eruit als een grote plak steen, als een grafsteen, maar dan langer. We konden het niet erg goed zien. Ze hadden er een laken overheen gelegd.'

'En zat er witte verf op?'

'Op een hoek, onder het laken. Het leek op witkalk.'

'Een stèle,' zegt hij.

'Wat voor stel?' zegt Herman.

'Een stèle. Dat is een stenen teken dat de Maya voor historische of religieuze doeleinden gebruikten. Ze brachten een witte kalkstenen bepleistering op de steen aan. En dan kerfden ze hun hiërogliefen in dat zachtere materiaal. Er zijn er dertig of veertig van bekend, en de meeste daarvan zijn niet te lezen. Het vocht in de jungle heeft de hiërogliefen vernietigd. Ik had gehoord dat mijn zoons er een hadden gevonden.'

'Dus die willen ze verkopen?' zegt Herman.

'Ja.'

'Hoeveel krijgen ze ervoor?'

'Als je er een hebt die leesbaar is, tienduizenden Amerikaanse dollars, misschien wel honderdduizend. Als het belangrijk is wat erop staat, als de stèle onbekende informatie over Mayaheersers en hun beschaving bevat, zou hij nog veel meer waard kunnen zijn.'

'En dat is niet dat Rosetteding waar u het over had?'

Ibarra schudt zijn hoofd.

'Dat zou veel meer waard zijn, nietwaar?'

'De Mejicano Roseton is van onschatbare waarde.'

'Vertelt u ons er iets over,' zeg ik.

'Ik neem aan dat u nog nooit een afbeelding van de codices van de Maya hebt gezien?'

'Eh... ah...' Herman kijkt hem aan.

'Dat zijn boeken van boomschors die zijn platgedrukt en met een kalkpasta zijn bedekt, net als de stèle. De bladen zijn opgevouwen als een accordeon en met felgekleurde hiërogliefen beschilderd. Er zijn er maar vier van bekend. Die bevinden zich in verschillende musea op de wereld: Dresden, Madrid, Parijs. Er is er ook een in handen van een particuliere verzamelaar. Het zijn de enige overgebleven Mayakronieken die door de oorspronkelijke klerken zijn geschreven. Alle andere zijn door Spaanse missionarissen vernietigd. De Spanjaarden dachten namelijk dat die boeken het gereedschap van de duivel waren. Een franciscaner missionaris, Diego de Landa, heeft in 1562 in een grote autodafe honderden Mayaboeken verbrand.'

'Wat is een autodafay nou weer?' zegt Herman.

'De inquisitie. De Spanjaarden verbrandden die boeken – en ook de Mayaklerken die ze schreven – opdat ze niet gereproduceerd konden worden.'

'Wat heeft dat met dat Rosettading te maken?'

'Daar kom ik nog op. Zo'n veertig jaar voordat De Landa alle Mayaboeken verbrandde, leed een groep Spanjaarden schipbreuk op de kust van wat nu Mexico is. Ze spoelden aan op een strand van de Yucatán, niet ver hiervandaan, en ze werden gevangengenomen door de Maya. Ze werden allemaal ter dood gebracht, behalve twee van hen. Een zekere Gonzalo Guerrero en een schepeling die Jerónimo de Aguilar heette. Die twee overleefden het. Ze leefden acht jaar in gevangenschap bij de Maya, totdat de conquistador Hernán Cortéz, de man die de Azteken onderwierp, van hen hoorde en hen vrijkocht.

De Aguilar ging terug en werd de tolk van Cortéz. Hij speelde een erg belangrijke rol bij de onderwerping van de Maya. Die andere man, Guerrero, ging niet terug. Hij was met een dochter van een Mayaheerser getrouwd en werd een krijgsheer van de Maya.'

'Hij integreerde,' zegt Herman.

'Ja. En hij leerde de Maya de krijgstactieken van de Spanjaarden. Als bevelhebber van een Mayaleger versloeg hij de Spanjaarden bij Kaap Catoche. Toen de Spanjaarden daarvan hoorden, wilden ze hem dood hebben.'

'Maar wat heeft dit met de Rosette te maken?'

'Die Guerrero vocht twintig jaar tegen de Spanjaarden, tot ze hem in 1536 doodden. Ze schoten hem neer met een haakbus, een soort primitieve musket. Guerrero wist dat de Spanjaarden hem vroeg of laat zouden doden. Hij wist ook dat ze de Mayabeschaving zoals hij die kende zouden vernietigen. En dus liet hij de klerken een geheime codex opstellen. Een groot Mayaboek met hiërogliefen. Dat boek vertelde niet alleen hun geschiedenis, gaf niet alleen een lijst van hun heersers, maar beschreef ook de verschillende stadstaten die bestonden voordat de Spanjaarden kwamen, en de onderlinge betrekkingen van die steden. Maar het belangrijkste, iets wat niemand ooit eerder had gedaan – want niemand kon het – was dat Guerrero de hiërogliefen in het Spaans vertaalde. Hij voegde die vertaling aan de codex toe.'

'De Mexicaanse steen van Rosette,' zeg ik.

'Ja. Onderzoekers hebben de meeste hiërogliefen inmiddels ontcijferd, maar ze weten nooit absoluut zeker dat ze het goed hebben. En twintig tot dertig procent van de hiërogliefen is nog steeds een mysterie. Dat zijn de gecompliceerde, belangrijke hiërogliefen. Die vertellen misschien dingen over de Maya die verloren zijn gegaan en die al eeuwen vergeten zijn.'

'U weet daar veel van,' zegt Herman. 'Waarom?'

'Ik probeer al drie jaar de Mejicano Roseton te kopen. Zonder succes. Ik heb veel geld verdiend in de bouw en met zaken. Ik wilde dat de Mejicano Roseton in dit land bleef. Die maakt deel uit van ons nationale erfgoed.'

'Wie heeft hem?' vraag ik.

Hij schudt zijn hoofd. 'Jarenlang werd aangenomen dat hij in het bezit van indianen in Chiapas was. De Mexicaanse overheid heeft daar al een hele tijd te kampen met indiaanse onafhankelijkheidsstrijders. Zo'n tien maanden geleden hoorde ik dat hij was verkocht om geld voor wapens en voedsel te krijgen. Het Mexicaanse leger had de indianen bijna in de tang. Ze wilden niet dat het boek in handen van de overheid viel, want die zou het tentoonstellen in Mexico-Stad. Daarom verkochten ze het.'

'En u weet niet wie het kocht?' vraag ik.

'Nee. Maar ik geloof dat mijn zoons het hebben.'

'Dat snap ik niet,' zegt Herman. 'Waarom dan dat briefje dat we het moeten meebrengen?'

'Herman, laat hem uitspreken.'

'Welk briefje?' zegt Ibarra.

'Laat maar. Ga verder.'

'Ik ontdekte dat mijn zoons met die Metz onderhandelden over de verkoop van de Mejicano Roseton aan een Amerikaanse koper. Volgens de informatie waarover ik beschikte, werd die koper vertegenwoordigd door meneer Rush.'

'Daarom schreef u die brief?'

'Ja. Ik wilde hem laten weten dat ik wist wat er gebeurde. En dat ik van plan was het tegen te houden.'

Nick had alleen via Dana in contact gestaan met de wereld van kunst en verzamelobjecten. En de enige die zij kende die genoeg connecties had om iets op het niveau van die Rosette te verhandelen, was Nathan Fittipaldi.

'Maar iets op het niveau van die Rosette zou je nooit in een museum kunnen tentoonstellen. Zelfs een particuliere verzamelaar zou het moeten verbergen,' merk ik op.

'Particuliere verzamelaars, mensen met zoveel geld, hebben vaak privé-verzamelingen. Die laten ze aan een paar vertrouwde vrienden zien, en verder houden ze alles geheim. Er zijn mensen die geduld willen oefenen, die zo'n voorwerp vasthouden en afwachten. Misschien wil een museum het aankopen.'

'Ze zouden het nooit tentoon kunnen stellen. Dan kregen ze meteen de Mexicaanse overheid over zich heen.'

'Waarschijnlijk wel. Maar dan zou het een juridische strijd worden,' vertelt Ibarra. 'Het museum zou waarschijnlijk zeggen dat de Rosette al tientallen jaren in een kist heeft gelegen. Ik heb van zulke dingen gehoord. Zo'n kostbaarheid staat dan opeens als een vaag omschreven voorwerp op een oude vrachtbrief, bijvoorbeeld uit de jaren twintig.'

'Ze doen dan alsof het voorwerp door een expeditie uit het verleden is gevonden?'

'Precies. Musea hebben pakhuizen vol met zulke dingen. Het kan tientallen jaren duren voordat ze die catalogiseren. Wie kan bewijzen dat zo'n voorwerp er niet al die tijd geweest is? Ze beweren gewoon dat ze niet beseften hoe belangrijk het was, tot ze de kist openmaakten en de inhoud bekeken. Natuurlijk zou mijn regering de teruggave van het voorwerp eisen, maar dat zou waarschijnlijk niet lukken. De indianen van Chiapas zouden zeggen dat het verhaal niet klopt en dat ze het nog maar een paar maanden geleden hadden verkocht, maar wie zou ze geloven?'

'Dus u denkt dat uw zoons het hebben?' zegt Herman.

Ibarra haalt zijn schouders op. 'Het lijkt me mogelijk.'

'Misschien moeten we het ze gaan vragen.' Herman kijkt me aan.

'De vorige keer dat we daarheen gingen, hadden we drie auto's en zes gewapende mannen. Nu zijn we met zijn tweeën,' zeg ik.

'Ja, maar de vorige keer was ik niet gemotiveerd,' zegt Herman. 'Trouwens, die kerels in die bouwkeet zagen eruit alsof ze net uit lemen hutten zijn gekropen. Je zou ze bijna geen vuurwapen toevertrouwen. Hun wapens waren waarschijnlijk allemaal dichtgeroest.'

'Ik weet het niet. Dat wapen dat ze op jouw achterhoofd richtten, zag er vrij goed uit.' Ik kijk Ibarra weer aan. 'Wat weet u van een plaats die Cobá heet?'

'Het is een archeologische vindplaats. Erg groot, meer dan zeventig vierkante kilometer, geloof ik. Zo'n twee uur ten zuiden van hier, in de jungle. Hoezo?'

'Trekt die plaats veel mensen, veel toeristen?' vraag ik.

'Nee. Erg weinig zelfs. Het meeste van wat daar is, moet nog worden opgegraven. Het is overwoekerd door jungle. Ze denken dat het misschien nog wel vijftig jaar duurt voordat alles is gevonden.'

'Daarom hebben ze die plaats uitgekozen,' zegt Herman.

'Wie?'

'Uw zoons, als we ze moeten geloven,' zegt Herman.

'Bent u ooit in Cobá geweest?'

'Ja. Twee of drie keer.'

'Weet u van een plaats daar die de Toegang tot de Tempel van de Inscripties wordt genoemd?'

Hij denkt daar even over na. 'In de reisgidsen geven ze allerlei namen aan die ruïnes om de toeristen enthousiast te maken. U weet wel, als ze aan mannen met zwepen en gleufhoeden in leren jasjes denken, gaan ze er kijken.'

'Wat stond er nog meer in dat briefje?' Ik kijk Herman aan.

'Die plaats had beschilderde muren of zoiets.'

'O, u bedoelt Las Pinturas. Ja, ik weet waar dat is. Een stenen bouwwerk met een klein kamertje bovenin. In dat kamertje staan zuilen met geschilderde hiërogliefen en staan op de muren inscripties. Er is nog steeds iets over van de verf die de Maya hebben gebruikt.'

'Kunt u ons daarheen brengen?'

'Ja, ik denk van wel.' Hij kijkt naar Herman. Waarschijnlijk denkt hij dat een trip naar Cobá beter is dan een kogel in zijn hoofd.

'Hebt u mensen die ons kunnen helpen?' zegt Herman.

'Wat, om mijn zoons te doden?'

'Nee, nee. Als die zich laten zien, doe ik het wel. Tenzij u wilt helpen. Nee, ik denk aan chauffeurs, uitkijkposten. Ik bedoel mensen die niet de hele middag naar de beelden van een camera vol slagroom blijven kijken.'

'Ik heb mensen,' zegt Ibarra.

'Ja. Die heb ik gezien.' Herman stopt zijn pistool weer in de heuptas en laat die in de zak vallen. 'Toch lijkt het me beter als we weer naar boven gaan en Soeplepel wakker maken. Eens kijken of hij de gesp van zijn riem al open heeft gekregen.'

32

Even na vier uur in de ochtend, bijna twee uur voor zonsopgang, rijden we het parkeerterrein bij de glazen piramide af.

Herman zit ineengedoken op een bank die over de hele lengte van de passagiersafdeling van Ibarra's langgerekte limousine loopt.

We hebben de zwarte Suburban op een privé-gedeelte van de ondergrondse hotelgarage laten staan. De politie van Cancún en waarschijnlijk ook de federale gerechtelijke politie van Mexico kijken natuurlijk uit naar twee Suburbans die verdwenen zijn van de plaats waar Julio is vermoord. De bewoners van de appartementen hebben die drie auto's vast en zeker bij elkaar zien staan.

Voorin zitten Ibarra's chauffeur en nog een man, die net iets kleiner is dan Herman, een man met brede schouders en staalharde ogen.

Achter ons rijdt een auto met vier beveiligingsmannen. Drie andere auto's zijn een half uur eerder dan wij van het hotel vertrokken. We zullen elkaar ergens langs de weg ontmoeten, en dan zal ik in een andere auto overstappen en in mijn eentje naar het parkeerterrein van Cobá rijden.

Herman, Ibarra en zijn mensen zullen de archeologische plaats vanuit een andere richting naderen, over kleine weggetjes. Wanneer alles volgens plan verloopt, zullen ze hun positie rond het gebouw dat de oude man Las Pinturas noemt al hebben ingenomen wanneer ik daar aankom. Sommige van zijn mannen zijn uitgerust met zware geweren en laservizieren om de lichaamswarmte op te pikken van mensen die zich in de jungle schuilhouden. Ibarra heeft me verzekerd dat het erg goede scherpschutters zijn.

We kunnen niet naar de politie gaan, want Ibarra acht het mogelijk dat sommige plaatselijke autoriteiten door zijn zoons zijn omgekocht. En ook als dat niet het geval is, zou de politie mij waarschijnlijk willen ondervragen. Die ondervragingen zouden vast nog niet afgerond zijn op het tijdstip dat in het briefje werd genoemd, en in dat geval zou Adam door Ibarra's zoons worden gedood.

Pablo Ibarra, die naast me zit, vertelt me iets over het terrein en wat ik daar zal aantreffen. Ik kan merken dat hij zich zorgen maakt. Een vader die op het punt staat een gewelddadige confrontatie met zijn zoons aan te gaan, beleeft geen plezier aan wat hem te doen staat.

'Ik hoop en bid dat ze er niet zijn,' zegt hij. Maar ik kan ook merken dat het briefje dat onder Hermans hoteldeur door is geschoven, het briefje waarin ik opdracht krijg de Rosette naar Cobá te brengen, hem weinig twijfel laat.

'Ik begrijp niet waarom ze denken dat u hem hebt,' zegt hij.

'Ik ook niet.'

'Of het moet uw connectie met die Rush zijn. Wisten mijn zoons daarvan?'

'Ik heb het ze niet verteld.'

'Ik begrijp niets van dit alles.'

Toen ik hem over de luchtaanval op het Casa Turquesa vertelde, keek Ibarra in de ochtendedities van de plaatselijke kranten. Hij zocht naar de namen van de twee mannen in het vliegtuigje; misschien kende hij ze. De broers gebruikten ook zulke vliegtuigjes om in de jungle naar ruïnes te zoeken. De twee lichamen zijn tegen het eind van gistermiddag uit het water gehaald. Maar Ibarra kende geen van beide namen.

Hij heeft een pakje gemaakt waar met touw een doek omheen is gebonden. Zolang het niet is uitgepakt, kan het voor het eeuwenoude boek van de Maya's doorgaan, tenzij je precies weet welke afmetingen dat heeft, iets wat wij niet weten. Maar zodra de verpakking eraf is, zou zelfs een leek zich niet door de twee triplex plankjes met papier ertussen laten misleiden.

We rijden over de grote weg van Cancún naar Merida, de oude Spaanse koloniale hoofdstad, en ik probeer wat slaap te krijgen.

Ik dommel in. Het lijkt alsof er maar een paar minuten zijn verstreken wanneer ik een bult op de weg voel en wakker word. We rijden langzaam, zo'n dertig kilometer per uur, door een dorp.

'Wat is er?'

'Niets,' zegt Ibarra. '*Topetóns*. Verkeersdrempels. Die hebben ze hier aan het begin van de dorpen om automobilisten te dwingen langzamer te rijden.'

We komen bij nog zo'n drempel, die je bijna een heuvel mag noemen. De langgerekte limousine moet bijna stoppen om te voorkomen dat het achtereind over de weg schuurt of zijn ophanging verliest. Herman slaapt door dat alles heen. Ik kijk op mijn horloge. Ik heb twintig minuten geslapen.

De weg naar Merida heeft twee banen, een in elke richting. Zelfs op dit vroege uur, voor vijf uur 's morgens, zie je al mensen in de kleine dorpen langs de weg. In sommige huisjes van sintelblokken, met daken van golfijzer, brandt licht. Ik heb op de eilanden in de Caribische Zee ook vaak zulke huisjes gezien. Ze zijn zo gebouwd dat ze wervelstormen en vloedgolven kunnen doorstaan. De muren houden stand. Je dak vind je later wel terug, of je neemt dat van iemand anders.

Afgezien van de gedeelten die voor menselijke bewoning zijn uitgehakt, bestrijkt de lage jungle alles wat je ziet. Het gelijkmatige, groene baldakijn wordt alleen onderbroken door een enkele banyanboom die zich door het bladerdak heen naar de hemel strekt, en ook door de onverzettelijke zendmasten waarvan we de rode lichtjes in de verte zien knipperen. In het oosten tekenen de contouren van de wolken zich al af in het vage schijnsel van de dageraad.

'Hebt u kinderen?' vraagt Ibarra.

'Eén. Een dochter. Ze is vijftien.'

'Het valt niet mee.'

'Nee.' Ik heb aan Sarah gedacht en me afgevraagd wat ze over een paar uur zal doen. Ik heb me vooral afgevraagd of ik haar ooit zal terugzien.

Het was arrogant van me om te denken dat ik zou kunnen ontdekken waarom Nick is gedood. En het was ongelooflijk stom om de veiligheid op het spel te zetten van het enige familielid dat Sarah nog over heeft. Als ik was gescheiden, lag het misschien anders, maar dat ben ik niet. Ik ben weduwnaar.

Harry had gelijk. Een alleenstaande ouder zou zulke dingen niet moeten doen. En nu is het te laat. Met mijn daden heb ik anderen in gevaar gebracht. Harry ligt in het ziekenhuis en Adam is nu in handen van Ibarra's zoons. Er is geen weg terug.

We verlaten de grote weg in een plaats die Nuevo Xcan heet en rijden het dichte tropenwoud in. De weg wordt hier steeds smaller. Aan beide kanten van het asfalt dringt de begroeiing op. De weg loopt als een lint door de jungle, die met elke kilometer dichter en hoger wordt.

Het groene gebladerte is ondoordringbaar. Het verheft zich aan beide kanten van de auto als een golf in een zee van duisternis. We vliegen met een snelheid van honderdtien kilometer per uur over de weg. Telkens wanneer we over een hoger gedeelte van de weg heen zijn, zien we dat zich nog meer weg voor ons uitstrekt. Het lijkt een eindeloze weg naar nergens.

De schokdempers van de limousine tillen ons over een heuveltje heen. In de verte zie ik de achterlichten van twee auto's die de weg blokkeren.

'Niets aan de hand.' Ibarra buigt zich naar voren. 'Het zijn mijn mensen.'

De limousine komt snel tot stilstand, onmiddellijk gevolgd door de auto met beveiligingsmannen. Herman schuift naar voren op de bank en wordt nu eindelijk wakker.

'Wat is er?'

'Tijd om van auto te wisselen,' zeg ik tegen hem.

'Shit, zijn we er al?'

'Niet helemaal. Hoe ver is het nog?' vraag ik Ibarra.

'Een paar kilometer. U moet rechtsaf. Het kan niet missen. Er moet daar een bord staan voor de archeologische zone.'

De limousine rijdt tot aan de twee andere auto's en we stappen uit. De auto met beveiligingsmannen die ons volgt, stopt achter ons, en twee mannen in camouflagekleding stappen uit en blijven naast de open portieren staan. Ze turen naar de weg die achter hen ligt en kijken soms ook in de jungle naast de weg. Een van hen heeft een geweer.

Verderop staan Ibarra's mensen op de weg. Twee van hen kijken naar een kaart die op de motorkap van een van de auto's ligt uitgevouwen. De autoportieren staan open, en een paar van de mannen wagen het erop een laatste sigaret te roken voordat ze vertrekken. Ze dragen kogelvrije vesten, en twee van hen hebben een geweer met een vizier.

Herman loopt naast me. 'Aan geweren heb je niet veel in de jungle,' zegt hij. 'Of je moet al een open plek vinden. Ik wist wel dat ik niet naar die mensen had moeten luisteren. Ik had de MP-5 mee moeten nemen.'

'Het komt vast wel goed. Ze zien eruit alsof ze weten wat ze doen.'

'Ja.'

Ibarra geeft me een teken dat ik naar voren kan gaan, naar een van de auto's met een open portier.

Ik begin te lopen.

'Hé.'

Ik draai me om en zie Herman naar me kijken.

'Ga je zonder afscheid te nemen?' zegt hij.

'Ik wou dat je met me mee kon komen.'

'Ik kan op de achterbank gaan liggen,' zegt hij.

'Ja. Ze zouden je nooit zien. Trouwens, ik moet een heel eind lopen. Hun mensen zouden je al zien voordat je tien meter had afgelegd.'

'Waarschijnlijk wel. Hier. Trek dit maar aan.' Hij heeft een lichtgewicht groen jasje in zijn hand.

'Ik heb het niet koud.'

'Dat weet ik. Doe nou maar wat ik zeg. Trek het aan. Met zo'n wit overhemd als jij aanhebt geef je daar in de jungle licht als een fakkel.'

Ik neem het jasje van hem over en trek het aan.

Herman trekt de rits dicht, waarbij hij me bijna van de grond tilt. Hij trekt de kraag recht en klopt me af als een beer. 'Je moet ze geen doelwit op je borst geven.'

'Nee.'

'Er zit iets voor je in de zak,' zegt hij.

Ik voel.

'Andere kant.'

Ik haal het tevoorschijn. Het is een klein grijsblauw semi-automatisch pistool.

'Mijn reservewapen. Misschien heb jij het harder nodig dan ik. Een Walther PPK .380. Zes schoten, dus hou je een beetje in. En schiet niet op iets wat meer dan drie of vier meter van je vandaan is. Dat is tijdverspilling, en trouwens, je vestigt alleen maar de aandacht op jezelf. Als je op dat kleine knopje aan de zijkant drukt, wordt het rood. Dan kun je schieten.'

Hij neemt het pistool van me over, controleert de clip en slaat met de kolf tegen zijn hand om er zeker van te zijn dat de kogels goed op hun plaats zitten.

'En als ze me fouilleren?'

'Dat doen ze niet.'

'Hoe kun je daar zeker van zijn?'

'Ze laten je niet zo dichtbij komen. Ze willen alleen maar hebben wat je bij je hebt. Dat boek. Ze schieten je dood en ze pakken het boek.'

'Waarom?'

'Geloof me. Je vriend is waarschijnlijk al dood.'

'Dat weten we niet.'

'Nee. Maar ik heb het gevoel dat het niet goed zit. Neem dit nou maar.' Hij geeft het pistool aan me terug. 'Gebruik het, als het moet.'

Ik stop het weer in de zak van het jasje. Dan hoor ik Ibarra naar me roepen. 'Ze wachten. Je moet gaan.' Ik steek mijn hand uit om die van Herman te schudden.

'Shit, dat wil ik niet.' In plaats daarvan pakt hij me bij mijn schouders en omhelst me als een grizzlybeer.

'Pas goed op jezelf,' zegt hij. 'Zorg dat je heelhuids terugkomt. Begrepen?'

'Ik zal mijn best doen.'

'Shit, dat is niet goed genoeg,' zegt hij.

We lachen allebei.

'Tot kijk.'

'Hou je haaks,' antwoord ik.

Ik draai me om en loop naar de auto.

Als ik daar aankom, heeft Ibarra de nep-Rosette onder zijn arm. Hij legt hem op de passagiersstoel.

De sleutels zitten in het contact.

'Nog één ding,' zegt hij. 'Hebt u een stukje papier, iets kleins, iets om op te schrijven?' Hij heeft een pen in zijn hand.

Ik vis in mijn broekzak en vind twee verkreukelde stukjes roze papier. Ik geef er een aan Ibarra.

Hij strijkt het glad op de motorkap, draait het om naar de lege kant en begint dunne lijntjes te tekenen. 'Als u komt aanrijden, komt u langs het restaurant. Een wit gebouw met een plat dak. U gaat linksaf het parkeerterrein op. De bezoekersingang is hier.' Hij zet een kruisje op de kaart. 'Daar staan wat grote bomen. Waarschijnlijk is daar een touw gespannen. Daar gaat u gewoon onderdoor. Eenmaal binnen, moet u uitkijken dat u niet verdwaalt. Het is net een doolhof. Er zijn veel paden en sommige daarvan gaan de jungle in.'

Hij vestigt mijn aandacht weer op de tekening. 'Vanaf de ingang loopt u zo'n honderd meter en dan gaat het pad naar rechts. Blijf het volgen,' zegt hij. 'Een eindje verder staan wat ruïnes die La Iglésia worden genoemd. Dat betekent "kerk".' Hij geeft het aan op de kaart. 'Voor de kerk ziet u stenen platforms op verschillende hoogten, en een trap die naar boven gaat. U gaat over het voorterrein. Overal om u heen zijn de heuvels van ruïnes die nog niet zijn opgegraven. Hier gaat u naar links, vijftien of twintig meter, en dan ziet u rechts de opening naar het speelveld. Dat is een vlak en open terrein, lang en smal met schuine muren aan weerskanten. Uit een van die muren steekt een stenen ring. U gaat over het speelveld en komt dan op een terrein waar fietsen geparkeerd staan.' Hij omcirkelt het op het kaartje. 'Toeristen huren fietsen om over de paden te rijden. Doe dat niet. Gewoon doorlopen, anders bent u er te vlug. Dan zijn wij er nog niet. Als u bij de fietsen bent, gaan er paden in verschillende richtingen. Drie, misschien vier.' Hij tekent er drie. 'U moet het pad nemen dat naar rechts gaat.' Hij wijst het met de punt van de pen aan. 'Dat pad leidt naar Las Pinturas. Het is drie- of vierhonderd meter. U ziet de ruïnes, een kleine piramide met een vierkant stenen gebouwtje op de top. Er zijn palmbladeren boven het dak van dat gebouwtje. U kunt het niet missen. Begrijpt u het?'

'Ik geloof van wel.'

'Hier, neem dit mee.' Hij geeft me het stukje papier en ik ga achter het stuur van de auto zitten en draai het raampje omlaag.

'Hoe laat hebt u het?' vraagt hij.

We zetten onze horloges gelijk.

'U hebt tijd genoeg,' zegt hij. 'Geef ons minstens tien minuten voorsprong voordat u hiervandaan gaat.'

'Begrepen.'

'We zullen er zijn,' zegt hij. 'Veel succes.' Dan draait hij zich om en rent naar de andere auto's terug.

Autoportieren slaan een voor een dicht. Dan knarsen de banden van de twee sedans en de limousine over de steentjes. Met grote snelheid rijden ze me voorbij. Ze nemen de weg naar het oosten.

Binnen enkele seconden zijn hun achterlichten om een bocht verdwenen.

Ik zit met het raampje open naar de ochtendgeluiden van de jungle te luisteren, het schetteren en krijsen van een dier in de verte, de gonzende vleugels en het geklik van insecten.

Ik kijk nog eens naar het kaartje op het roze papier, vouw het in tweeën en stop het in de zak van mijn jasje. Voor alle zekerheid geef ik ze twaalf minuten voorsprong.

Vijf kilometer verder zie ik het bord dat naar een afslag wijst, witte letters op een blauwe ondergrond: Villas Arqueologicas Cobá.

Ik ga rechtsaf. Na een paar kilometer wordt de weg onverhard, en even later zie ik het restaurant, een gebouw van twee verdiepingen met een plat dak en een balkon op de bovenverdieping. Vanaf dat balkon strekt zich een afdak van palmbladeren uit. Daaronder staan terrastafels en -stoelen.

Recht voor me uit zie ik een groot wateroppervlak, een muur, met hoog gras langs de randen. Ibarra heeft me gewaarschuwd dat ik, als ik de jungle in moet vluchten, moet proberen uit de moerassen te blijven. Mexicaanse krokodillen mogen dan een bedreigde diersoort zijn, het zou niet de eerste keer wezen dat ze honden en kleine kinderen en een enkele keer ook toeristen opaten.

De weg buigt af en gaat links voor het hotel langs, en zo'n honderd meter verder rij ik het parkeerterrein op. Daar staan ook een paar kleine gebouwen, meest gestuukt, kleine souvenirwinkels en daarnaast een klein vierkant gebouw met een dak van palmbladeren en een kaartjesloket bij de ingang.

Daarachter leidt een pad naar de archeologische vindplaats. Het gaat tussen twee grote bomen door. De schors van die bomen hangt krullend aan knoestige stammen die eruitzien alsof ze daar al stonden toen de laatste Mayaheerser over dat pad liep. Er hangt een touw tussen.

Ik parkeer aan de voorkant, zet de motor af en kijk op mijn horloge. Ik heb twintig minuten om bij Las Pinturas te komen. Inmiddels moeten Ibarra en zijn mensen daar dicht in de buurt zijn. Ze proberen na te gaan waar Arturo's mannen zich in de struiken verschuilen en houden ze in het vizier.

Ik neem het pakje van de stoel, stap uit, loop naar de ingang, glip vlug onder het touw door en begin over het pad te lopen.

Het pad is niet zo goed begaanbaar. Er zitten geulen in de zandbodem, doorkruist door ribbels van ondiepe boomwortels. Ik moet goed kijken waar ik loop. Het beetje licht dat er op dit vroege uur is, wordt ook nog gefilterd door het gebladerte boven me.

Ik kom langs een informatiebord onder een dakje van palmbladeren en beklim een kleine heuvel. Dan gaat het pad weer naar beneden, een flauwe helling, en naar rechts. Aan weerskanten van het pad verheffen zich symmetrische heuvels, lichte verhogingen waaruit kleine, onvolgroeide bomen steken, als de haren op een beest. Die bomen produceren nog meer ondiepe boomwortels, en sommige daarvan kronkelen zich als slangen in de spleten van de rotsen.

Onder de bomen, en tegen de heuvels aan, is de grond bezaaid met stenen. Hun randen zijn gerond door erosie en hun vorm is te symmetrisch om het werk van de natuur te kunnen zijn. Overal waar ik kijk, zie ik kleine heuvels, bulten in de jungle: Mayaruïnes die nog niet zijn opgegraven.

Tien meter verder kom ik bij een open plek, het voorterrein van La Iglésia, zoals Ibarra het noemde. Het is een grote piramide met terrasgewijs een aantal plateaus aan de voorkant en steile, afgebrokkelde treden die naar de top leiden. Zo'n toeristenattractie zou in de Verenigde Staten een goudmijn voor advocaten zijn.

Ik loop over het voorterrein en ga linksaf. Plotseling ben ik verdwaald.

Ik blijf staan, vind het roze papiertje met de tekening in mijn zak en tuur er in het schemerige licht naar. Ibarra heeft in kleine lettertjes het woord 'speelveld' geschreven.

Ik draai me langzaam om, een pirouette van driehonderdzestig graden. Dan tekent zich, afstekend tegen de scherpe randen van de rotsen, in de verte het silhouet van een gebogen vorm af. Het is een stenen ring op de schuine muur van het speelveld.

Ik kijk op mijn horloge, verhoog het tempo en loop op een drafje over het speelveld, een amfitheater met gladde steen aan alle kanten.

Als ik weer zestig meter door de schemering heb afgelegd, wordt het pad vlak en komt het uit op een open terrein aan de voet van wat grotere bomen. Ik zie hier minstens twintig fietsen staan. Sommige staan tegen de bomen, andere liggen op hun kant, en een paar staan op hun standaard.

Tot nu toe kloppen alle details van Ibarra's tekeningetje. Ik loop door en verplaats het pakje onder mijn arm naar de andere kant. Terwijl ik dat doe, wrijf ik over mijn jaszak en voel daar de harde contouren van het pistool.

Ik hoop het niet nodig te hebben. Toch geeft het metaal dat ik in mijn zak heb me het gevoel dat ik me zo nodig kan verdedigen.

'*Señor.*'

33

Zodra ik die stem achter me hoor, blijf ik staan. Mijn hart bonkt; als hij me niet doodschiet, ben ik evengoed de helft van mijn levensjaren kwijt.

In het schemerige licht draai ik me om. Ik heb geen tijd om naar het pistool in mijn zak te grijpen. Half verborgen in de schaduw achter een boom zit een tengere man op iets wat zo te zien een grote driewielerfiets is. De fiets heeft twee wielen aan de voorkant, met een zitplaats daarboven, en een enkel wiel aan de achterkant.

Hij fietst de schaduw uit. Zijn ogen zijn niet zozeer op mij gericht als wel op het in een doek gewikkelde pakje dat ik onder mijn arm draag. Hij wijst met zijn hand naar de zitplaats voor hem, een uitnodiging om op de fiets te stappen.

Ik schud mijn hoofd. Nee dank je. Ik begin me om te draaien.

'*Señor*.' Ditmaal zegt hij het met meer klem. De boodschap is duidelijk. Er is een reden waarom hij hier op dit vroege uur is. Hij is gestuurd om mij op te halen.

Hij draagt een dun katoenen overhemd en een spijkerbroek, versleten sportschoenen, en geen sokken, want ik zie zijn bruine enkel boven de voet die op een van de pedalen steunt.

Misschien is hij gewapend, maar dat heeft hij dan niet laten zien en ik zie geen bulten onder zijn kleren. Ibarra heeft me gewaarschuwd om niet per fiets naar de ontmoetingsplaats te gaan. Maar inmiddels moeten hij en zijn mannen genoeg tijd hebben gehad om hun posities in te nemen.

Ik zou het erop kunnen wagen: me omdraaien en gewoon weglopen. Maar als ik op de blik in zijn ogen kan afgaan, zou hij me volgen en zou iedereen in de jungle aan het gekletter van zijn fiets kunnen horen waar ik was. Ze hebben hem natuurlijk voor de rit betaald, waarschijnlijk meer dan hij in een week verdient met toeristen door de jungle vervoeren. Nu voelt hij zich gedwongen de dienst te leveren.

'Waarom niet?' Ik loop naar het gevaarte toe.

Hij knikt, glimlacht en wijst naar de zitplaats. Ik klim op de fiets en ga zitten.

Terwijl ik het pakje op mijn schoot hou, fietst hij over de open plek. We gaan wat harder doordat het terrein enigszins afhelt, en dan neemt hij een van de paden naar rechts en gaat rechtop staan, en nu begint hij serieus te trappen.

We hobbelen over het pad, dat zo vlak is als een tafelblad maar lang niet zo egaal. De luchtbanden knerpen over het verkruimelde kalksteen. De driewieler dendert door een plas en een van de banden plenst modderig water op de zitting. Ik probeer het met mijn arm af te schermen maar ben te laat.

Hij lacht en zegt iets in het Spaans, maar ik versta hem niet.

'Een ogenblik. Wacht even.'

Hij houdt op met fietsen.

'Stop.' Wat is het woord? '*Pare*.'

'*Qué*?'

'*Pare*.'

'*Sí*.'

Langzaam brengt hij de fiets tot stilstand. Ik voel in de zak van mijn jas en vind het stukje papier met Ibarra's tekening. Ik vouw het open en probeer in het schemerlicht enigszins wijs te worden uit de krabbels en lijnen. Dan zie ik de woorden 'het pad naar rechts'.

'We zijn de verkeerde kant op gegaan.'

'*Qué*?'

'We hebben het verkeerde pad genomen. Daar achter.' Ik wijs met mijn arm over mijn schouder. 'We hadden naar rechts moeten gaan. Naar rechts.' Ik praat harder om te compenseren dat ik de verkeerde taal spreek. Ik draai me helemaal om op de fiets en wijs nog eens over mijn schouder. 'De andere kant op,' zeg ik.

'*Donde*?'

'Daar.'

'*No*,' zegt hij. '*Por aquí*.' En hij wijst naar het pad dat voor ons ligt.

'De Toegang tot de Tempel van de Inscripties is die kant op,' zeg ik tegen hem.

'Nee.' Hij schudt zijn hoofd, gaat staan en begint weer te fietsen. '*Por aquí*.'

'Stop.'

Hij doet alsof hij me niet hoort.

Ik probeer van de fiets af te komen, maar hij gaat harder fietsen, zodat een van mijn voeten over de grond sleept.

'*Señor.*' Zijn stem klinkt nu hard, kwaad.

Ik kijk over mijn schouder en hij schudt met zijn hoofd naar me. '*Por aquí.*' Hij knikt naar voren.

Ik begrijp wat hij bedoelt. Hij zegt dat het die kant op is. Degene die hem heeft gestuurd, heeft hem exacte instructies gegeven. Ik kan met mijn beide voeten over de grond gaan slepen om de fiets tot stilstand te brengen en af te stappen. Zo nodig kan ik het pistool gebruiken om van hem af te komen. Maar dan zou ik Adam nooit vinden. Ze zouden hem doden, als ze dat nog niet hebben gedaan. Natuurlijk zullen ze ons beiden doden zodra ze het pakket openmaken en zien wat erin zit. Ibarra was niet van plan hen zo dicht bij me te laten komen. Het was de bedoeling dat ik Adam zou zien. Dan zou ik eisen dat ze hem in het open veld brachten. Een van hun schutters zou degene die hem vasthield uitschakelen, en op datzelfde moment zou ik het pakje in de struiken gooien en erachteraan duiken.

In de verwarring zouden Ibarra's mannen, die kogelvrije vesten dragen, Adam vastgrijpen en hem in dekking trekken.

Knarsetandend laat ik me over het pad rijden. Het enige dat me nu nog kan beschermen, is die kleine Walther in mijn zak. Elke keer dat de wielen ronddraaien, kom ik verder van Pablo Ibarra's mannen vandaan. Herman had gelijk. Degene die dit heeft gepland, wist wat hij deed.

Ik kijk naar het roze papiertje in mijn hand. Het is een van de telefoonbriefjes die Harry van kantoor heeft meegebracht. Op de voorkant staat de boodschap. Ik herken Marta's handschrift.

Het is vreemd dat in momenten van crisis zulke vertrouwde dingen je het gevoel kunnen geven dat het goed komt.

Ik rij op een driewielerfiets door de jungle, met op de pedalen een gekke Mexicaan die me waarschijnlijk naar mijn dood brengt, en het enige waaraan ik kan denken, is Joyce Swartz, de naam op het briefje. Ik hoor Joyces schorre stem door de telefoon, haar woordenstroom, de sigaret die aan haar lippen bungelt als ze praat.

Ik kijk verdoofd naar het briefje en lees de woorden maar kan de boodschap niet ontcijferen, daarvoor trilt de fiets te veel.

Plotseling begint het ritme van de wielen te vertragen. Hij beweegt de pedalen niet meer in het rond maar freewheelt. Ik kijk op en we komen ergens midden in het niets tot stilstand. De witte kalkstenen bodem van het pad versmalt ergens voor ons uit en verdwijnt dan om een bocht. Hij heeft minstens twee kilometer afgelegd, misschien nog wel meer, vanaf de plaats waar de fietsen geparkeerd stonden. Nu maakt hij me met een gebaar duidelijk dat ik moet afstappen.

'Waar? *Donde*?'

'*Aquí*.'

'Waar moet ik heen?'

'*Aquí*.'

'Hier. Wil je dat ik hier blijf?'

'*Aquí*.' Dan wijst hij met zijn arm naar het pad, alsof hij me uitzwaait.

Ik neem het pakje en stap van de fiets.

Hij keert met een wijde boog en begint terug te fietsen.

Ik sta hem midden op het pad na te kijken tot ik het gerammel van de fiets niet meer kan horen. De fiets verdwijnt in de verte, opgeslokt door de jungle waarin het pad lijkt te verdwijnen.

Ik draai me om en kijk de andere kant op. In beide richtingen is er alleen een smalle witte streep, als een enkele witte draad die door een groene doek loopt. De man op de fiets wees in die richting, en dus loop ik die kant op. Ik blijf langs de rand van het pad lopen, dicht langs de struiken, om een zo klein mogelijk doelwit te vormen.

Onder mijn arm heb ik het pakje. Plotseling blijf ik staan en kijk om me heen. Alle struiken en bomen langs het pad lijken op elkaar. Toch is het beter dan een pakje met ijdele hoop afleveren bij mannen met geweren.

Ik breek een tak van een van de struiken los om de plek te markeren en leg het pakje achter wat stenen, een meter of zo van het pad vandaan. Als ik het pakje niet bij me heb maar wel weet waar het ligt, heb ik iets om mee te onderhandelen – al zou ik er alleen maar tijd mee winnen, tijd waarin ik misschien een kans kan benutten. Als ze het pakje niet zien en ze zijn slim, dan schieten ze me niet neer voordat ik met ze heb gesproken.

Ik ga het pad weer op, nog steeds met dat stukje papier in mijn hand. Het is niet te zien hoe ver het is naar de plaats waar Pablo Ibarra's mannen wachten, want ik weet niet wat de schaal van het getekende kaartje is. Trouwens, omdat we op die fiets zoveel bochten zijn omgegaan, ben ik mijn gevoel voor richting kwijt.

Ik wil net een prop van het papiertje maken en het de jungle in gooien, als ik iets op de andere kant zie staan. Het woord 'Capri'. Nu ik niet meer op die trillende fiets zit, kan ik de cryptische boodschap lezen die Marta heeft geschreven en aan Harry heeft meegegeven, samen met andere boodschappen in een envelop.

'Joyce zegt dat Jamaile één stuk grond bezat. De grond onder het oude Capri Hotel.'

Ik sta daar een ogenblik naar het stukje papier te staren, doodmoe, niet in staat me te concentreren. Ik begin langzaam door te lopen en denk aan Nick, die eigenaar van Jamaile was, en Jamaile was eigenaar van het Capri, die vieze cafetaria in de binnenstad waar we die ochtend koffie hebben gedronken.

Ik kijk op en ga een beetje dichter bij de struiken aan mijn kant van het pad lopen. Wat betekent dat? Er is geen touw aan vast te knopen. Als Nick een stuk grond in de binnenstad had, waarom wist Dana daar dan niet van, of Margaret, toen ze gingen scheiden? Nick was blut. Waarom keek hij naar leegstaande kantoren in San Francisco en New York, waarom deed hij zaken met Metz en de broers Ibarra om een stukje geschiedenis te verhandelen dat miljoenen waard was? Zeker, hij zou daarvoor worden betaald, maar...

Plotseling blijf ik staan. Mijn hart slaat een slag over. Ik draai me om en begin vlug in de andere richting te lopen. Een paar stappen en ik begin te rennen. Onder het lopen kijk ik over mijn schouder.

De gebroken tak bij het pakje komt al in zicht, als hij aan de andere kant van het pad, drie meter voor me, uit de jungle stapt. Adam houdt een pistool op me gericht.

'Waar ga jij zo vlug naartoe?'

Ik blijf staan. Ik kijk hem hijgend aan, buk me dan en zet mijn handen op mijn knieën om op adem te komen.

'En dan dacht ik nog wel dat je me kwam redden,' zegt hij.

'Jij hebt ze vermoord. Nick, Metz, Espinoza, Julio.'

'Nee. Nee. Nu trek je weer allemaal voorbarige conclusies. Ik had niets met Espinoza te maken. Ik wist niet eens dat hij bestond, totdat jij het me vertelde. Er zijn zoveel dingen die ik niet weet, dat ik er soms versteld van sta.

En wat Nick en Metz betreft: ik heb de trekker niet overgehaald, voorzover dat iets uitmaakt. Al kun je wel zeggen dat ik de zaak in beweging heb gezet. Het waren mensen uit Tijuana. De wereld is verschrikkelijk geworden. Als je maar genoeg betaalt, willen ze niet eens meer weten wie je bent. Ik moet zeggen dat ze het beter hebben gedaan dan die twee idioten in dat vliegtuigje. Het hele idee stond me niet aan, maar ze wilden het absoluut op die manier doen. O ja, als ik het mag vragen: hoe is het met Harry?'

'Het komt wel goed met hem.'

'O. Dat zou een probleem kunnen worden. Omdat ik niet wist hoeveel hij wist, leek het me maar beter om hem ook uit te nodigen naar Mexico te komen. Jij kwam hierheen met het idee dat je de twee broers zou ontmoeten. Ik moet zeggen dat ik in korte tijd veel werk heb verzet. Wat vind je van mijn outfit?' Zijn kleren zijn vuil, zijn ene knie is uit zijn broek gescheurd en er zit een blauwe plek op de zijkant van zijn gezicht.

'Dat hoort allemaal bij de voorbereidingen,' zegt hij. 'Je kunt je wel voorstellen dat ik in paniek raakte toen Harry onder het eten over Nicks palmtop begon. Als ik dat niet had gehoord, zouden we nu waarschijnlijk allemaal in het vliegtuig naar San Diego zitten.'

'Waarom?'

'Als jij je nou eens omdraait en op je knieën gaat zitten? Nu meteen,' zegt hij.

Ik doe het.

'Goed. En zet nu je handen voor je op de grond en ga liggen. Spreid je armen en benen en verroer je niet. Zo is het goed.'

Adam komt naar voren, drukt de loop van het pistool onder in mijn rug en begint me te fouilleren.

'Ik kon natuurlijk niet weten wat Nick in dat computertje had staan. En jij hield nog steeds dingen voor me geheim.'

Hij betast mijn zij, mijn rug, en dan de andere kant. 'God mag weten wat jij allemaal weet en ik niet. Het zou niet goed zijn als we allemaal naar huis gingen en de politie vond plotseling iets wat door Nick was achtergelaten, iets wat met een magnetische naald in mijn richting wees.'

Hij betast mijn beide benen en zet dan een stap terug. 'Je mag nu opstaan.'

Ik kom overeind.

'Zeg, is dat het? Die Mejicano Rosen. Ik zag je het pakje achter die rotsen leggen en die tak afbreken. Ik wilde je volgen, maar toen hoorde ik je terugkomen.'

'Waarom ga je niet kijken?'

'Liever niet. Jij wilt dat een beetje te graag. Wat is het, traangas? Iets wat degene die het openmaakt ogenblikkelijk verdooft? Je gaat me toch niet vertellen dat Pablo Ibarra dat ding echt had?'

'Nee.'

'Ik wil het erg graag weten. Wat is het? Ik bedoel niet dat pakje. Ik bedoel dat Rosen-ding?'

'Je weet het niet?'

'Ik heb geen flauw idee.'

'Waarom schreef je dan dat briefje dat ik het moest meebrengen?'

'Ik moest een reden hebben om je hier te krijgen. Ik bedoel, het zou een beetje vreemd zijn overgekomen als ik een briefje, zogenaamd afkomstig van de twee broers, had gestuurd om je te zeggen dat je hierheen moest komen om meneer Tolt op te pikken. Maar ik moet zeggen dat ik erg nieuwsgierig ben. Zullen we alvast die kant op lopen?' stelt hij voor. 'Het is niet ver. Trouwens, het maakt de afstand wat groter tussen jou en iemand die je kunt hebben meegebracht. Heb je iemand meegebracht?'

Ik geef daar geen antwoord op. We beginnen over het pad te lopen. Adam loopt, aan zijn stem te horen, een meter of twee achter me en houdt het pistool op me gericht.

'Dus dat Rosen-ding. Iets wat Nick wilde hebben?'

'Daar ziet het naar uit.'

'Wat is het?'

'Een eeuwenoude tekst in de Mayataal.'

Hij lacht. 'Dat meen je niet. Nick? Wat wou hij ermee doen, het verkopen?'

'Hij wilde het ruilen.'

'Waarvoor?'

'Voor een vergunning om hoger te mogen bouwen op een stuk grond dat hij bezat.'

'Waar heb je het over?'

'Het is een lang verhaal.'

'Ja, en ik ben bang dat jij niet zoveel tijd hebt.'

We lopen een aantal minuten en komen dan bij een open plek die wordt gedomineerd door een enorme berg van steen, een piramide die aan de randen is uitgesleten door de tijd en de elementen. Tegenover ons bevindt zich een steile trap die helemaal tot aan de top gaat, en op de top staat een stenen gebouwtje.

'Ik hoop dat je je klimschoenen hebt meegebracht. Vooruit.'

We steken de open plek over en ik begin de treden op te gaan. Ze zijn steil en erg moeilijk begaanbaar. Sommige zijn bijna een halve meter hoog en vormen smalle richels. Het enige waaraan je je kunt vasthouden, zijn de treden erboven.

Voorovergebogen, klimmen we omhoog, hand over hand. Ik heb mijn handen steeds twee of drie treden hoger dan mijn voeten. Adam slaagt erin zijn hand met het pistool vrij te houden, met de loop op mij gericht. Voor iemand van in de zestig is hij verrassend behendig.

Nu de zon wat hoger aan de hemel staat, begint het vocht op de junglebodem te verdampen. Het is nu licht, en al klimmend kijk ik van boven op de jungle neer. Het is of zich een groene deken over de jungle uitstrekt, met zachtpaarse toppen die er op een aantal plaatsen doorheen steken, de resten van Mayabouwkunst die bovenin geen junglebegroeiing hebben.

'Nou, wat wordt het, een kogel in mijn achterhoofd, zoals bij Julio, of wordt het deze keer een ongeluk?'

'Daarover wou ik beslissen als we op de top zijn.'

'Dat is een beetje lastig, nietwaar? Als ze mijn lichaam vinden, met een kogel erin of op de bodem terwijl jij op de top bent. Misschien hebben de Mexicaanse autoriteiten je dan nogal wat vragen te stellen.'

'Natuurlijk hebben ze dat. En dan zal ik alle antwoorden hebben. Dat de gebroeders Ibarra me gijzelden, zonder eten en drinken. Wat vind je van mijn kostuum? Dat ze me sloegen, dat ze wilden weten waar dat Rosen-ding is. En dat ik daar niets van wist. Toen ze jou hadden doodgeschoten, of over de rand hadden geduwd, dat ligt er maar aan hoe je het wilt – je ziet, ik ben flexibel – raakten de broers, of waarschijnlijker nog hun huurmoordenaars, in paniek en lieten ze me daarboven achter. Het is een hartverscheurend verhaal,' zegt hij. 'Natuurlijk was ik geblinddoekt en kon ik helemaal niets zien. Ik heb mezelf bevrijd. De blinddoek zit in mijn zak, samen met een beetje isolatietape voor mijn handen en voeten. Ik hoef niet eens knopen te leggen, alleen een beetje vuil over de tape wrijven en een beetje met mijn polsen draaien alsof ik moest worstelen om vrij te komen. Ik denk dat ze daar wel genoegen mee nemen.'

Adam heeft het allemaal uitgedacht.

'Wist je dat dit de hoogste Mayapiramide op het schiereiland Yucatán is?'

'Ik voel me vereerd.'

'Kijk daar eens.' Hij wijst met het pistool. 'Net naast de trap, rechts van je, dat is een echte afgrond.'

'Dat zie ik.'

'Dit leek me wel een geschikte plaats voor ons. Ze noemen dit de Nohoch Mul. De grote heuvel. Volgens de reisgids is hij meer dan veertig meter hoog. Twaalf verdiepingen. Honderdtwintig treden.'

'Misschien kunnen we opnieuw beginnen, dan kan ik ze tellen.'

'Geen goed idee. Loop maar gewoon door.'

Tolt bewaart afstand. Hij is altijd twee of drie grote stenen treden op me achter, net buiten schopafstand.

'Je hebt zeker hulp nodig? Laat me eens raden. Herman?'

Ik knik.

Hij lacht. 'Die man is een lastpak. Altijd maar grijnzen met die afgebrokkelde tand van hem. Al moet ik toegeven dat hij mij op het idee bracht dat ik Julio moest ontwapenen.'

'Herman zit daar erg mee.'

'Ja, ik geloof dat ze goede vrienden waren.'

'Waarom moest je hem ombrengen?'

'Ik moest iets doen om te laten zien hoe gewelddadig die mensen waren en hoe graag ze zaken met je wilden doen.'

'Was die schietpartij in het zwembad van het hotel niet genoeg?'

'Nou, het zou toch niet geloofwaardig zijn als ze mij gewoon meenamen en de lijfwachten achterlieten?'

'Wat heb je met de rest van Julio's mensen gedaan?'

'Ik heb een directiebesluit genomen. Ik belde Julio die ochtend, voordat jij en Harry opstonden, en zei tegen hem dat hij naar het appartement moest gaan en daar moest blijven tot ik kwam. Toen ik later op de ochtend bij het zwembad wegging om mijn dringende telefoontje te plegen, ging ik naar mijn mannetje in de hal en namen we samen een taxi naar het appartement. Ik had mijn kamer al overhoopgehaald voordat ik naar beneden ging. In het appartement zei ik tegen Julio dat hij de rest van zijn mannen naar Mexico-Stad terug moest sturen, dat we ze niet meer nodig hadden. Natuurlijk wilde hij dat maar al te graag. Hij dacht dat de klus geklaard was.'

Hij blijft even staan en veegt met de onderkant van zijn overhemd over zijn voorhoofd. 'Het wordt warm. Nou, Julio's mensen pakten hun spullen en waren binnen tien minuten weg. Ik zei tegen Julio dat hij me naar het hotel moest terugbrengen. Hij ging voorin zitten. Ik ging op de achterbank zitten en vroeg hem om zijn wapen.'

'Zomaar?'

'Nee. Ik zei tegen hem dat ik niet meer van die toestanden wilde als de vorige dag, toen Herman veel te vroeg zijn pistool had getrokken. Dat had onze dood kunnen worden. Het was oerstom van hem om zijn pistool te trekken. Julio was het daarmee eens. Hij was natuurlijk nog niet helemaal bekomen van de uitbrander die ik hem de vorige dag had gegeven. Hij gaf het pistool gewoon aan mij. Dat is het mooie van gezag. De meeste mensen trekken het nooit in twijfel.'

'Behalve mensen als Nick, nietwaar?'

'Nou, ik ben niet dertig jaar bezig geweest de firma op te bouwen om Nick Rush alles kapot te laten maken. Hij praatte met andere leden van de maatschap, deed voorstellen, zei dat hij over het geld zou beschikken om een nieuwe firma met kantoren in alle grote steden op te bouwen. Wat zou jij doen?'

'Ik zou hem niet hebben vermoord.'

'Nou, jij bent jonger dan ik. Jij hebt nog wat jaren voor de boeg. Ik had er geen zin in om een eenmanspraktijk te beginnen of ergens in een schommelstoel op een veranda te zitten. Ik had een naam, een reputatie. Ik had iets opgebouwd. Mensen in de politiek, de showbusiness, het bedrijfsleven, de mensen die tellen – die kennen de naam Adam Tolt.'

'Is dat het? Je naam liep gevaar?'

'Zo is het. Want uiteindelijk is dat toch alles wat we hebben?'

Adams leven was de firma. Als hij de firma niet had, zouden mensen zijn telefoontjes niet beantwoorden, zouden prestigieuze commissies hem niet vragen lid te worden, zouden politici zich niet een weg door een volle zaal banen om zijn hand te schudden. En voor Adam waren dat de dingen die het leven de moeite waard maakten, dat en de privé-jet en het luxe hoekkantoor met uitzicht op de baai. Er zijn wel moorden gepleegd voor heel wat minder.

'Wie zijn er nog meer meegekomen, behalve Herman?' vraagt hij nu. 'Je gaat me toch niet vertellen dat jullie met zijn tweeën zijn?'

'Een paar anderen.'

'Ik wist wel dat je ondersteuning zou meebrengen.' We zijn nu bijna bij de top. Hij blijft even staan om op adem te komen, en ik blijf ook staan. 'Nee, nee, loop jij maar door. Ik ben vlak achter je.'

Hij zet zijn hoed af en veegt met de rand over zijn voorhoofd. 'Natuurlijk sluipen die nu allemaal een kleine kilometer hiervandaan door de bosjes. Daar ergens, denk ik.' Hij kijkt naar links maar houdt het pistool op mij gericht.

'Ja, als je wilt, kun je het zien. Ga nog maar wat hoger, dan kun je ernaar kijken. Daar is het.' Hij schuifelt naar rechts, zodat hij mij kan blijven zien als hij over zijn linkerschouder kijkt.

'Zie je dat gebouwtje dat daar uit al dat groen van de jungle steekt? Hoe heet het ook weer, iets met een deur?'

'De Toegang tot de Tempel van de Inscripties.'

'Ja, dat is het, geloof ik. Van daaruit kun je hier alleen te voet komen. Ze zouden er minstens tien tot vijftien minuten over doen. Tegen die tijd ben ik al lang weg. Ik wed dat ze je alles over het terrein hebben verteld. Je kent waarschijnlijk elk kiezeltje dat op de grond ligt.'

Ik zeg niets.

'Toen ik Julio had doodgeschoten, moest ik een tijdje in een boekwinkel rondneuzen voordat ik een kaart van dit terrein vond, met namen van de ruïnes, zodat ik wist waar ik ze heen moest sturen terwijl ik met jou afrekende.'

'Dat was een slim plan, Adam.'

'Dat vond ik ook.' We gaan verder met klimmen. 'Eén ding moet ik nog weten,' zegt hij. 'Waar is Nicks palmtop precies?'

'Dacht je dat ik je dat ging vertellen?'

'Ik kan er natuurlijk zelf naar gaan zoeken. De vorige keer dat we elkaar spraken, zei je dat hij in jouw kantoor was. Dat doet me eraan denken: hoeveel weet Harry van dit alles?'

'Niets. Harry weet hier niets van.'

'Je weet wel beter. Hij wist van de palmtop. Ik wou dat ik je kon geloven, maar je stelt me steeds weer teleur. Dit begint allemaal veel te gewelddadig te worden. Maar ja, mensen sterven ook aan infecties en ongelukjes in het ziekenhuis.'

Ik bereik de top van de piramide.

Adam blijft op de richel onder me staan.

Mijn lichaam is helemaal bezweet. De lucht die ik door mijn mond en keel inadem, is droog. De zon brandt nu vanuit de oostelijke hemel op onze huid en begint de stenen te verhitten. De stralen kaatsen tegen de rotsen om ons heen. Door het baldakijn van de jungle komen wolken van damp omhoog, als omgekeerde rookpluimen.

Voor me, midden op het bovenste platform, staat een rechthoekig stenen gebouw met één deur. Vanbinnen is het donker. Aan de buitenkant zijn dicht bij de bovenste hoekstenen, net onder het dak, twee menselijke figuren uitgehakt. Ze hangen ondersteboven.

'Ga daar eens staan.'

Ik kijk Adam aan. Hij wijst met het pistool naar links van mij. Hij haalt moeizaam adem. Het zweet druipt van zijn kin en zijn overhemd is drijfnat.

Op zo'n vier meter afstand verdwijnt de trap. Het is een loodrechte afgrond, met alleen een kleine richel ongeveer op de helft.

Ik loop erheen.

Adam komt naar me toe. Hij houdt zijn blik op mij gericht, evenals het pistool, en kijkt intussen ook over de rand om te zien of de afgrond diep genoeg is. Dan kijkt hij glimlachend naar me terug. Blijkbaar is hij tevreden.

'Nou, als je even die kant op wilt gaan.'

'Je dacht toch niet dat ik zomaar naar beneden sprong?'

'Maak je geen zorgen. Ik zal je helpen.'

Zodra die woorden hem over de lippen zijn gekomen, komt er van diep beneden ons een blikkerig geluid van rammelend metaal. Adam doet vlug een stap opzij, zodat ik tussen hem en het geluid kom te staan.

Ik zie een fiets over het onregelmatige terrein hobbelen. De fiets heeft net de open plek bereikt. Het lijkt wel of de berijder bij elke pedaalslag met zijn knieën tegen zijn kin stoot.

Hij blijft midden op het open terrein staan, zet zijn voeten aan weerskanten neer en blijft op de fiets zitten. De fiets lijkt heel erg klein onder hem. Dan kijkt hij op naar de top van de piramide.

'Ben jij dat, Adam Tolt?' Herman houdt zijn hand boven zijn ogen. 'Ik wist wel dat je een schoft was. Maar je hebt jezelf overtroffen. En opdat je het weet: Julio moest ook niet veel van je hebben. En hij had groot gelijk, want je schoot hem in zijn achterhoofd.'

'Als je hier probeert te komen, vermoord ik hem.' Adam richt het pistool op mijn hoofd.

'Weet je,' roept Herman. Hij zit nog steeds op de fiets, met zijn handen nu op zijn heupen. 'Met dat ding doe je helemaal niks tegen mij hierbeneden. Ik weet namelijk dat Julio's Glock een wapen van niks is. Als jij meer dan een halve meter van hem vandaan staat, kun je zijn hoofd nog niet eens raken. Ik heb vaak tegen hem gezegd dat hij het ding moest laten repareren.'

'Nou, ik zal meneer Madriani hier niet gauw missen.'

'Ja, maar ik heb een vraag voor je. Als je hem hebt doodgeschoten, hoe wou je dan naar beneden komen zonder met mij te maken te krijgen? Mijn .45 schiet een beetje beter dan dat rotding van jou, en mijn kogels zijn ook nog groter.'

'Hij schijnt niet veel waarde aan jouw leven te hechten,' zegt Adam.

'Ik heb je gewaarschuwd dat hij kwaad is omdat je Julio hebt vermoord.'

'Nou, wat gaan we aan dat probleem doen?'

'Het is niet mijn probleem,' zeg ik.

'Niet als je dood bent. Zeg tegen hem dat hij moet weggaan, anders schiet ik je dood.'

'Hij zegt dat je moet weggaan, anders schiet hij me dood,' roep ik.

'Dat verandert niks aan de situatie. Over een paar minuten zijn Ibarra's mensen hier met geweren. Dan gaan ze schijfschieten op die rotsen daarboven. En het begint verrekte heet te worden. Jullie hebben zeker geen water bij je?'

'Nee, daar hebben we niet aan gedacht.'

Adam drukt het pistool tegen mijn hoofd. 'Hou je bek.'

'Zo te horen ben jij nu aan zet.'

'Laat me nadenken.'

'Je kunt me laten gaan.'

'Die schoft is gek genoeg om evengoed te proberen me te doden. Dat heb je zelf gezegd. Hij is erg kwaad om Julio. Ik had beter hém overhoop kunnen schieten.'

'Ach, we maken allemaal onze fouten. En ik moet je waarschuwen. Hermans vertrouwen in het Mexicaanse rechtsstelsel is maar een klein beetje groter dan zijn respect voor de moderne Amerikaanse versie.'

'Wat bedoel je daarmee?'

'Hij gaat je waarschijnlijk doodschieten.'

'Ik ben het zat om hier te staan wachten. Wil je dat ik een paar kogels je kant op schiet? Misschien heb ik geluk,' roept Herman. 'En als Ibarra die schoten hoort, komt hij des te sneller. Of misschien ga ik gewoon naar boven en sla ik je verrot en gooi ik je naar beneden.' Herman stapt van de fiets, laat hem op de grond vallen en begint onze kant op te lopen.

'Wat doet hij?' zegt Adam.

'Ik weet het niet.'

'Zeg tegen hem dat hij blijft staan, of anders schiet ik je ter plekke neer.'

'Herman. Daar blijven. Niet boven komen.'

Herman luistert niet. Hij loopt gewoon door, pratend, mompelend in zichzelf. Ik hoor dat hij bij de onderste tree is aangekomen. Hij begint te klimmen en neemt de treden van bijna een halve meter hoog alsof ze speciaal voor hem zijn uitgehakt.

'Herman, blijf staan!'

Hij blijft naar boven lopen.

'De idioot,' zegt Adam. Hij richt het pistool op hem en mikt.

Ik stoot met mijn schouder tegen zijn arm op het moment dat hij de trekker overhaalt. De knal van het schot, de explosie vlak bij mijn oor, jaagt een galmende trilling door mijn hoofd.

Duizend vogels stijgen op uit de jungle, fladderende zwarte vlekjes. Als insecten op een autovoorruit vullen ze de hele hemel op.

Herman blijft op de trap staan en kijkt omhoog. 'Nou ben je toch echt te ver gegaan.' Hij neemt zijn pistool uit de holster. De zon glinstert op het gladde staal.

Adam probeert me over de rand te duwen. Ik duw terug en de rubberzolen van mijn schoenen zuigen zich aan de steen vast, met mijn tenen vlak bij de rand. Hij draait zich opzij om gebruik te maken van het hefboomeffect, met zijn arm om mijn hals. We worstelen op de rand van de afgrond.

Ik weet uit zijn greep los te komen en plof op mijn kont op het harde stenen platform achter hem neer.

Adam richt het pistool op mij en ziet dan vanuit zijn ooghoek dat Herman nog steeds de trap opkomt. Adam draait zich om en richt, ditmaal met zijn beide handen om de Glock. Hij mikt zorgvuldig op Hermans lichaamsmassa, die nu nog maar tien of twaalf treden van de top verwijderd is. Hij vuurt, en ik hoor dat de kogel zich in vlees boort.

Herman blijft staan, kijkt omlaag, brengt zijn hand naar zijn borst en wankelt. Dan kijkt hij naar Adam en begint de trap weer op te komen.

Ik grijp naar het pistool in mijn zak en het blijft achter mijn jasje haken.

Adam richt en vuurt opnieuw. Ik hoor dezelfde plof wanneer de kogel doel treft. Ditmaal zakt Herman op zijn knie. Hij laat zijn pistool vallen en het klettert een aantal treden omlaag. Ik zie dat Hermans gezicht is volgepompt met bloed en dat de aderen uitpuilen in zijn hals. Hij houdt zijn hand tegen zijn zij.

De kleine Walther is uit mijn zak. Ik haal het schuifje over om een patroon in de kamer te krijgen, mik op Adam en haal de trekker over. Niets.

De veiligheidspal zit erop. Ik haal hem over, frommel aan het kleine knopje, klik, en het wordt rood.

Adam houdt de Glock omhoog en mikt zorgvuldig op de rug van Herman, die nu pogingen doet om de treden af te gaan en zijn pistool terug te pakken.

Ik haal de trekker over. De kleine Walther springt op in mijn hand en de kogel treft Adam in zijn arm, zodat er een schok door zijn lichaam gaat op het moment dat hij de trekker overhaalt. Zijn schot gaat ver naast.

Hij draait zich om en kijkt me aan met ogen zo groot als spiegeleieren. Hij zal zich wel afvragen waar ik dat pistool vandaan heb. Het is Adam ontgaan toen hij me fouilleerde. Het kleine pistooltje lag onder me, in de zak van mijn jasje toen ik op de grond lag. Hij vergat de voorkant te fouilleren toen ik opstond.

Hij heeft de Glock langs zijn zij laten zakken, de loop omlaag gericht. Verbijsterd staart hij naar het pistool in mijn hand.

Adam weet dat ik opnieuw op hem zal schieten als hij de Glock opheft. In plaats daarvan kijkt hij naar me, glimlacht en schudt zijn hoofd alsof hij me tart om het te doen. Dan draait hij zich om naar de treden.

Herman grijpt naar het pistool.

Adam mikt.

Ditmaal beweegt de Walther nauwelijks in mijn hand als ik schiet. Tolts hoofd klapt opzij en er zit nu een klein rood stipje op zijn slaap. Meteen daarop spuit er bloed uit, alsof iemand een vat heeft aangeslagen. Zijn knieën knikken. Zijn kont ploft op de steen neer. Een ogenblik blijft zijn romp nog rechtop zitten. Dan trekt de zwaartekracht hem opzij. Ik knipper even met mijn ogen en dan is hij weg, over de rand van het platform.

Epiloog

Harry is uit het ziekenhuis, gezond naar lichaam en geest, en Herman ligt erin.

De chirurgen hebben een kogel verwijderd die hoog in Hermans borstspier was blijven zitten, dicht bij zijn sleutelbeen. De andere kogel ging door zijn zij en doorboorde wat Herman zijn autobandjes noemt. Hij denkt erover om het kogelgat met een diamanten knopje te versieren, dan heeft hij weer iets wat hij de dames kan showen als hij over het strand loopt.

En Adam? Een Mexicaanse patholoog-anatoom heeft met een spons stukjes van hem van de rotswand verwijderd, vijf verdiepingen onder de top van de Nohoch Mul. Je zou kunnen zeggen dat Adam het slachtoffer is geworden van zijn eigen managementstijl.

Adam had Nicks ego veel dieper gekwetst dan hij waarschijnlijk ooit zou kunnen begrijpen. Sommige advocaten die ontevreden zijn over hun positie bij een firma, nemen op weg naar buiten een paar cliënten mee, als snoep van een schaal. Maar Nick niet. Hij wilde alles, tot en met de gouden asbakken en de Perzische tapijten.

Nick had een grootscheepse aanval ingezet. Hij probeerde advocaten mee te pikken als een aap die fruit uit een boom plukt. Hij was niet alleen van plan om de beste talenten van RD&D mee te nemen, maar ook zoveel belangrijke cliënten van de firma als hij maar kon krijgen. Al schuddend aan de boom, verzamelde hij alles wat hij nodig had voor een nieuwe firma met zijn eigen naam in de bovenste regel van het briefhoofd.

Zoals elke paleiscoup kon ook deze een verwoestend effect hebben op de carrière van degenen die op heterdaad betrapt werden. De andere betrokkenen, belangrijke leden van de maatschap, sleutelfiguren in de andere vestigingen, bleven op de achtergrond, terwijl Nick de explosieven aanbracht om Rocker Duscha zichzelf te laten vernietigen.

Adams obsessie voor zijn imperium, zijn constante territoriumuitbreiding, met steeds meer kantoren, ging ten koste van het inkomen van de maatschapleden. Van die ontevredenheid maakte Nick gebruik. Hij plantte het eeuwenoude zaadje van elke revolutie: Nick bood de mensen iets beters aan.

Toen hij omkwam in wat een ongeluk leek, een moordaanslag op een cliënt, kwam er nattigheid op de vloerbedekking van menig kantoor in de firma – en niet van het huilen. De mensen die bij zijn coup betrokken waren, vroegen zich natuurlijk af of Nick in zijn slordigheid notities had achtergelaten.

Hij was degene die alle risico's nam. Natuurlijk had hij niets te verliezen en alles te winnen, het soort gok waar Nick van hield. Als het lukte, stond hij meteen aan het hoofd van een van de grootste firma's in de staat Californië. Zulke spanningen zouden ook een normaal persoon een maagzweer bezorgen. Voor Nick was dit alles het etszuur van de onafhankelijkheid, een nieuw begin. Revolutie in een bananenrepubliek.

Om het voor elkaar te krijgen had hij een geldbron nodig. Maatschapleden in een prestigieuze advocatenfirma springen niet massaal over naar een ander schip als er niet iemand met een dikke portefeuille klaarstaat om de nieuwe onderneming te financieren. Misschien vind je het niet zo'n probleem om naar een nieuw kantoor te verhuizen, maar je Lexus geef je niet zomaar op.

Waar moest Nick zoveel geld vandaan halen? Eigenlijk heeft hij het me zelf verteld, die ochtend bij de koffie, maar ik luisterde niet. Dat was een van Nicks karakterfouten, jammer genoeg niet zijn ergste: de onweerstaanbare aandrang om te kraaien over – of op zijn minst te zinspelen op – overwinningen voordat hij ze had behaald.

Het geld zou van het oude Capri Hotel komen, met in het naargeestige souterrain de cafetaria waar Nick altijd zijn koffie dronk en waar hij en ik ons laatste gesprek hadden.

De inderhaast opgerichte en inmiddels blijkbaar ter ziele gegane firma Jamaile Enterprises had maar één bezit. De firma bezat de grond waarop het hotel stond.

Alle stukjes pasten als in een puzzel in elkaar. Nick had de aankoop van het hotel voor elkaar gekregen door een hypotheek van vele miljoenen af te sluiten. Hij zou die op korte termijn hebben afgelost. Hij was niet van plan het stuk grond lang in bezit te houden. Daar ging al Nicks geld naartoe, de hoge honoraria die hij bij de firma verdiende, het geld dat Dana niet meer kreeg om voor het huis en de auto te betalen, om haar het leven te laten leiden waaraan ze gewend was geraakt. Nick ploegde al dat geld in de hypotheek op dat vervallen hotel. Als een burgermannetje betaalde hij elke maand zijn aflossing en rente, en intussen beraamde hij een revolutie.

Hoe haal je het meeste uit zo'n investering? Nick heeft dat ook verteld. Maar ook toen luisterde ik niet goed.

Het was gemakkelijk. Eerst koop je de grond. Dan zorg je dat je vergunning krijgt om boven de maximaal toegestane hoogte te bouwen. Plotseling is de grond drie of vier keer zoveel waard als wat je ervoor hebt betaald. Nick had het allemaal uitgedacht. Niets weerhield hem ervan om hoger te gaan, behalve de grillen van het gemeentebestuur.

En wie hadden de macht om zo'n vergunning te verlenen? Het college van wethouders, het orgaan dat zeggenschap had over de meeste bedrijfspanden in de binnenstad – de wereld van bouwvergunningen en bestemmingsplannen, met als hoogste baas Zane Tresler.

Daarom nam Nicks naam zo'n prominente plaats in op de lijst van Treslers campagnedonateurs. Niet omdat Nick dacht dat hij de man kon omkopen. Tresler was niet te koop, tenminste niet voor geld. Daar had Adam gelijk in. Nick deed zijn royale donatie om maar één reden: Treslers aandacht trekken, toegang tot hem krijgen. De vruchten van dat alles zou hij later plukken, nadat de Mexicanen, de gebroeders Ibarra, hun toezeggingen waren nagekomen.

Op dat moment haalde hij Metz erbij. Metz' naam op de oprichtingspapieren van de firma Jamaile, in combinatie met de hypotheek op het hotel dat eigendom van Jamaile was, vormde een essentieel onderdeel van Nicks plan, een onderdeel dat hem vast niet helemaal geruststelde maar waarop hij weinig invloed kon uitoefenen.

Ik begreep niet hoe een gewiekste advocaat als Nick zo dom kon zijn om op papier zaken te doen met een cliënt die zich met criminele activiteiten inliet. Wat ik niet besefte, was dat Metz' naam op de papieren de extra garantie vormde die de Mexicanen eisten voordat ze met Nick in zee gingen.

De gebroeders Ibarra hadden al eerder zaken met Metz gedaan. Ze vertrouwden hem. Tien jaar lang hadden ze archeologische vindplaatsen in Yucatán, Guatemala en het zuiden van Mexico geplunderd. Ze hadden hun vondsten aan rijke *gringos* en dure galerieën in Europa en de Verenigde Staten verkocht.

Daarvoor hadden ze de gestolen grenspasjes nodig die de politie in Espinoza's kast had gevonden toen ze zijn appartement doorzochten. Die gebruikten ze om ladingen archeologische voorwerpen over de grens te brengen.

Metz leverde met zijn bouwbedrijf ook een nuttige dekmantel. Bovendien bood hij de mogelijkheid om geld wit te wassen. Daar was de politie achter gekomen, al dacht die toen nog dat het om drugs ging. Het plunderen van archeologische vindplaatsen leverde zo langzamerhand meer op dan drugs, en er zat minder risico aan vast. Zelfs wanneer je werd gepakt, werd het stelen van iemands culturele erfgoed meestal niet met levenslang bestraft.

Nicks plan hield in dat Metz een deel van de winst op het Capriperceel zou krijgen zodra de vergunning was afgekomen en het stuk grond aan een of andere projectontwikkelaar was verkocht. Daarna zou Metz de gebroeders Ibarra betalen.

Daarom probeerde Nick om Metz op mij af te schuiven en mij de voorgeleiding te laten doen. Omdat hij zaken met de man deed, zou het niet goed voor hem zijn als hij naast hem op de rechtbank verscheen. Nick ging ervan uit dat de politie Metz van drugshandel verdacht, maar dat ze op een gegeven moment zouden ontdekken dat ze daar niet verder mee kwamen en dan genoegen zouden nemen met een boete om de kosten van hun werkuren te dekken. Die boete zouden ze kunnen opleggen omdat Metz op illegale wijze geld het land in had gebracht. Ze zouden hem een tik op zijn vingers geven. Zo'n transactie zou een gemakkelijke zaak zijn, zelfs voor Nicks vriend Paul, die geen drugszaken wilde doen.

Iedereen zou tevreden zijn. Metz zou meer geld hebben dan hij ooit bij elkaar had gezien. En Nick zou het geld hebben om zijn coup uit te voeren en een eigen grote advocatenfirma op te richten, Rush & Company, ongetwijfeld met een luxe nieuw hoekkantoor voor hemzelf, met uitzicht op de baai en het blauw van de Stille Oceaan.

En hoe zou Nick aan die vergunning komen? Wat geef je iemand die alles al heeft? Welk geschenk geef je een man als Zane Tresler als je iets van hem gedaan wilt krijgen? Nick had daar ook een antwoord op. Je geeft hem iets wat een ereplaats kan innemen in die witte vitrinekast van vloer tot plafond, onder al dat glas in zijn kantoor. Je geeft hem de sleutel tot een verloren gegane taal. Je geeft hem de Rosette van Mexico.

Maar Nick is nooit zover gekomen. Hij zag de dreigende schaduw niet die voor hem opdoemde: de strenge gestalte van Adam Tolt. Adam was er de man niet naar om zijn advocatenkantoor, dat zijn levenswerk was, zomaar door Nick te laten afpakken.

Hun onderlinge verstandhouding werd beheerst door noodzaak en, vermoed ik, ook door een erg slecht karma. Uiteindelijk kon het niet anders of Adam zag Nick als zijn grootste bedreiging.

In het begin was Adam blij dat Nick van RD&D een firma had gemaakt die alle diensten kon leveren. De discrete strafzaken die Nick binnenhaalde, maakten de firma compleet. Adam vond het ook prettig dat Nick geld voor de firma verdiende en was blij met de adviezen die Nick over andere zaken gaf. Maar hij hield vooral van de muur die Nick rond de respectabiliteit van de firma had opgetrokken. Nick zorgde ervoor dat alles netjes en onbesmet bleef. Wanneer zakelijke cliënten zich op het slechte pad hadden begeven of daar door ongelukkige omstandigheden op verzeild waren geraakt, kon Adam ze met een vriendschappelijke tik op hun achterste naar beneden sturen zonder dat de revenuen die zulke cliënten opleverden naar een ander kantoor gingen. Op die manier hoefden de meest gewaardeerde cliënten van de firma – degenen die hun aandelentransacties niet voor een onderzoeksjury hoefden bloot te leggen – niet met hun rug tegen de dure lambrisering van Adams gangen te gaan staan om het contact met de onaanraakbare cliënten van hun strafpleiter te vermijden.

Nick was voor RD&D gaan werken omdat de firma op het punt leek te staan veel groter te worden en dus enorm goede vooruitzichten te bieden had.

Ik zeg 'leek', want ik denk dat Nick al binnen een jaar besefte dat het allemaal een illusie was. Zijn positie bij RD&D leidde tot niets. Ze hadden hem niet zonder reden op een lagere verdieping gezet. Ze wilden niet dat zijn cliënten de hoogverheven atmosfeer van de echte firma bezoedelden. Ongetwijfeld was Adam van plan Nick naar een nog lagere verdieping te verbannen wanneer RD&D genoeg was uitgebreid om het hele gebouw in gebruik te nemen. Nick had dan misschien zijn persoonlijke hel gekregen, naast de stookketel in het souterrain, waar zijn cliënten vrijstelling konden krijgen omdat ze al enige tijd in het vagevuur hadden doorgebracht. Adam maakte dat goed duidelijk. Hij wilde niet dat Nick iets anders deed dan strafzaken. Alle andere wegen waren geblokkeerd.

Zelfs iemand als Nick, met een griezelig goed inzicht in de menselijke natuur, kon niet lang voorkomen dat er Tolt geruchten ter ore kwamen. Met een firma vol nerveuze advocaten was er altijd wel iemand die er rekening mee hield dat Nick het niet voor elkaar zou krijgen en die zich dus aan beide kanten wilde indekken.

Ik kan me alleen maar een voorstelling maken van Adams geestestoestand toen hij lont begon te ruiken – een man die dichter bij het eind van zijn carrière stond dan bij het begin, zonder veilige uitwijkplaats, geconfronteerd met een aanval uit een hoek die hij nooit had verwacht: de onderste regionen van zijn kantoor. In het begin zal hij hebben gedacht dat Nick gek geworden was. Ergens in Adams koortsachtige hersenen zal de gedachte zijn opgekomen dat ze dat vroeger ook van Hitler en Stalin dachten. Dat was geen geruststellend idee, want die mannen hadden al snel succes behaald en daarna een bloedbad aangericht. Als hij nadacht over de verschillende mogelijkheden die voor hem openstonden, moet hij het somber hebben ingezien.

Hij was een man met een Rolodex vol gewichtige telefoonnummers, met boven aan de lijst ongetwijfeld het privé-nummer van het Witte Huis, een man die de top had bereikt van een carrière waar de meeste mensen hem om zouden benijden, maar het enige dat Adam zag, was de duizelingwekkende hoogte waar hij van af zou kunnen vallen. Zeker, hij had een naam, een solide reputatie, gebaseerd op alles wat hij in vroegere decennia had gepresteerd. Zolang hij aan het hoofd van RD&D stond, zouden prominente mensen hem te woord staan wanneer hij ze belde.

Zoals elke dictator die lang aan de macht is zal bevestigen, is het bij de eerste tekenen van een opstand vooral zaak de leider op te hangen. Adam moet nachtenlang zijn opgebleven, op zoek naar een manier om Nick uit de firma te verdrijven. Maar hij zat met een probleem. Het ontbrak hem aan essentiële informatie. Hij wist niet hoe lang Nicks opstand al aan de gang was en hoeveel leden van de maatschap al voor Nick hadden gekozen. En hij kon Nick ook niet op het matje roepen en hem ontslaan, want dan werd hij de volgende morgen misschien uit de firma weggestemd.

Plan B werkte ook niet. Adam kon niet zomaar de telefoon pakken en leden van de maatschap gaan bellen om uit te zoeken of ze achter zijn rug met Nick hadden gepraat en van plan waren Adams keel door te snijden. Als hij dat deed, zou hij toegeven dat hij de firma al niet meer onder controle had. Of Nick nu won of verloor, de maatschapleden zouden bloed ruiken. Adam zou zijn weggestemd, tot emerituslid zijn benoemd, met een bezemkast als kantoor en een puzzelboek om wat te doen te hebben.

Hij had kunnen wachten tot de opstand uitbrak en Nick en zijn rebellen voor de rechter kunnen slepen. Maar zoals elk advocatenkantoor weet, wordt iedere cliënt meteen kopschuw als hij hoort dat zijn advocaten tegen elkaar aan het procederen zijn. De cliënten zouden als sneeuw voor de zon verdwijnen, en dat besefte Adam heel goed. Wat heeft het voor zin om een stier te zijn en een eigen veld te hebben als je daar geen koeien en geen gras hebt?

Adam mocht dan op leeftijd zijn, hij was niet seniel. Het duurde niet lang of hij zag de realiteit onder ogen. Hij was advocaat. Nick was een kamikazepiloot. Zo nodig was Nick bereid om brandend neer te storten, boven op Adams smetteloze, glanzende dek. Als je aan een gevecht met iemand in Nicks situatie denkt, zie je meteen een heleboel bloed voor je, grotendeels je eigen bloed.

Het is niet moeilijk om je de wanhoop voor te stellen die iemand als Adam onder zulke omstandigheden tot buitensporige daden kan drijven. Tolt dacht dat er een manier moest zijn, een directe actie met een snel en zeker resultaat, iets wat hij zou kunnen ondernemen en afmaken voordat de leden van zijn maatschap de firma uitrenden. Zelfs voor mensen met een minder subtiele gedachtewereld dan Adam is weinig in het leven definitiever dan de dood.

De riskante aard van Nicks praktijk stelde hem in de gelegenheid. Nick had nogal wat louche drugscliënten, en die hadden allemaal degene kunnen zijn die op die ochtend naast hem stond.

Ik beschik niet over alle gegevens, maar ik vermoed dat Adam een reden had om Metz uit te kiezen. Mijn advocatenintuïtie geeft me in dat Margaret, Nicks ex, tegen me loog toen ik bij Susan met haar praatte. Ze had van Jamaile Enterprises geweten. Ten tijde van de scheiding moeten haar advocaten die firma binnenstebuiten hebben gekeerd, op zoek naar bezit dat Nick verborgen probeerde te houden. Maar het was nog te vroeg geweest. Nick had geluk. Hij was nog bezig met zijn hypotheekaanvraag om het hotel te kunnen kopen.

Adam had Margaret ingepalmd om informatie over Nicks zonden, desnoods oude zonden, uit haar los te krijgen. Ze bleek een rijke bron te zijn. Ze vertelde hem over Jamaile en Metz.

Adam moet hebben gedacht dat hij de heilige graal had gevonden. Met niets kon je de politie meer verblijden dan met de tip dat een strafpleiter op het slechte pad was geraakt en zakendeed met een van zijn eigen drugscliënten. Dat was de natte droom van iedere officier van justitie. Adam ging ervan uit dat ze zich niet te veel in andere theorieën zouden verdiepen en ook niet erg hun best zouden doen om de daders op te sporen.

Tolt wist niet wat Jamaile werkelijk was of wat Nick en Metz in Mexico uitspookten. Het is maar een vermoeden van me, maar ik denk dat Adam echt geloofde dat Nick in de drugshandel zat. Dat zal hem gesterkt hebben in zijn overtuiging dat hij in zijn recht stond, dat hij een gerechtvaardigde strijd leverde. Het zal hem ook het gevoel hebben gegeven dat hoe duister zijn daad ook was, hij het allemaal voor de firma deed, dat hij de firma voor de duivel behoedde. Als hij grondiger naar Jamaile had gekeken, had hij misschien iemand anders dan Metz als slachtoffer uitgekozen. Als hij dat had gedaan, zou waarschijnlijk niemand de juiste verbanden hebben gelegd en zou Adam nooit zijn ontmaskerd. Er zouden net zoveel stukjes van de puzzel hebben ontbroken als in de hiërogliefteksten van de oude Maya.

En zo verliet Nick de firma in horizontale staat. Adams gok pakte bijna goed uit. Omdat er geen generaal meer was om de strijd aan te voeren, vielen de troepen uiteen. De coup stierf tegelijk met Nick, en toen ik begon rond te neuzen, was dat allemaal al verleden tijd. Waarom zou iemand zijn carrière in mijn handen leggen door me toe te vertrouwen dat hij had deelgenomen aan een revolutie die niet van de grond gekomen was? Daarom wilde Dolson niet praten toen ik hem in San Francisco opzocht, en daarom stond het kantoorgebouw op het adres in Nicks palmtop te huur. Nick was op zoek naar kantoorruimte. Daar had je behoefte aan als je een firma oprichtte.

Zelfs wanneer sommige van Adams collega's op het idee waren gekomen dat Nicks couppoging het motief voor een moord zou kunnen zijn, hadden ze geen enkele reden om Adam met de schietpartij in verband te brengen. Per slot van rekening zocht de politie in heel andere hoeken, want die dacht, net als ik, dat Metz het doelwit was geweest.

Alsof dat nog niet genoeg was, kwam er het keiharde bewijs dat Nicks dood een ongeluk was. Dat bewijs werd gestaafd door een verzekeringsuitkering van tegen de vier miljoen dollar. Ik zal nooit weten hoeveel mensen op het hoofdkantoor van de verzekeringsmaatschappij door Adam onder druk zijn gezet. Ik weet wel dat hij elke gelegenheid gebruikte om over mijn overwinning op te scheppen, vooral binnen de firma. Dat ging zelfs zover dat hij dat stukje van hem in de maandelijkse nieuwsbrief van de firma zette en ervoor zorgde dat die nieuwsbrief op het bureau van ieder lid van de maatschap kwam te liggen.

Dat had me aan het denken gezet. Waarom deed Tolt dat? Het was niets voor hem om een verzekeringsmaatschappij zo in haar hemd te zetten, zeker niet nadat die akkoord was gegaan met een regeling die in ieders ogen erg royaal was. Adam had zich ook persoonlijk verzet toen ze wilden dat het uitgekeerde bedrag geheim bleef, zoals in zulke gevallen gebruikelijk is. Ik begreep niet waarom hij dat bedrag in de openbaarheid wilde hebben. Maar nu begrijp ik het wel. Hoe zou hij zijn sporen beter kunnen uitwissen? Een verzekeringsmaatschappij keert zo'n bedrag niet uit als ze niet zeker weet dat het een ongeluk was. Adams collega's zouden dat weten. Het zou een eind maken aan de eventuele achterdocht die ze nog koesterden.

Nu ik vanmorgen in mijn stoel achteroverleun en de krant lees, met mijn schoenen op het bureau, moet ik onwillekeurig glimlachen om het verhaal dat Harry op pagina drie heeft omcirkeld. Niet omdat het nieuw voor me is. Ik hoorde het gisteravond al op de autoradio toen ik op weg naar huis was.

Het is bijzonder ironisch, en zelfs Nick had dit, hoe berekenend hij ook was, nooit kunnen voorzien.

De federale overheid heeft zijn spierballen laten zien en haar macht uitgeoefend. Ze heeft beslag gelegd op een leeg perceel met een groot gat, het perceel waarop ooit het oude Capri Hotel had gestaan.

Gisteren heeft de overheid aangekondigd dat op die plaats een nieuw federaal gerechtsgebouw zal worden gebouwd.

Ik laat de krant zakken, doe mijn ogen dicht en hou mijn adem in. Terwijl ik daar roerloos zit, spits ik mijn oren en kan ik het horen. Zo vaag als het geluid van tinkelende klokjes heel ver weg, hangt het in de lucht, net op de rand van het menselijk gehoorvermogen. De vertrouwde klanken vormden het slotakkoord van duizend verhalen over rechtbankoorlogen. Ergens voorbij mijn sterfelijke horizon hoor ik Nick, en hij lacht.

20

À six heures dix, Clément Fisette fut réveillé par son voisin de chambre qui s'était mis, semblait-il, à expectorer ses poumons par petits morceaux. Après un long moment passé à courir après son souffle, ledit voisin sauta de son lit en faisant vibrer une partie de l'étage et se rendit à la salle de bains. Un robinet gémit et l'eau circula dans les tuyaux en poussant une plainte déchirante. Tout en continuant de tousser avec une grande énergie, le voisin se brossa les dents, cracha, se racla la gorge, déposa avec force son verre sur le lavabo, puis il voulut se gargariser, mais une quinte de toux particulièrement violente le surprit au moment où il s'envoyait au fond de la gorge un demi-verre de gargarisme, et Clément Fisette crut qu'il allait rendre l'âme. Au bout de quelques minutes cependant, les choses finirent par se tasser ; le voisin retourna à son lit et alluma la radio en prenant soin de régler le volume très bas, geste louable en soi mais qui, dans les circonstances, avait perdu beaucoup de son utilité.

Appuyé au rebord de la fenêtre, le photographe contemplait depuis un moment le parcours capricieux d'une fissure dans le mur de plâtre en face de lui ; la fissure lui rappelait étrangement la tête d'une orignale vue de profil. Il consulta sa montre et trouva que la quinte de toux de son voisin ne pouvait s'être produite à un meilleur moment. Grâce à elle, il aurait le temps de s'habiller tranquillement, de déjeuner en toute quiétude, puis d'aller faire un tour en ville pour repérer un photographe capable de développer son film durant l'avant-midi, et tout cela pendant que Livernoche et sa maîtresse, tournant et se retournant dans leur lit avec force soupirs, tenteraient sans doute d'allonger

— Oui, il y a environ une heure. Pour me dire qu'il venait de vous envoyer une enveloppe par messager et que si vous n'étiez pas chez vous, il avait donné l'instruction qu'on vienne me la porter.

— Est-ce qu'il vous a dit ce qu'elle contenait ?

— Non. Il avait l'air pressé. Il a tout simplement ajouté qu'il vous rappellerait en fin de journée.

— Bon. J'arrive tout de suite.

— Ce n'est pas tout.

— Quoi encore ?

— Le dentiste Ménard est de retour. Il est venu frapper à ma porte tout à l'heure. Je ne sais pas ce qui lui est arrivé. Ses cheveux ont grisonné, on entend à peine sa voix : c'est presque un petit vieux. Il est venu se reposer quelques semaines.

— Se reposer de quoi ?

— Ah ça... En tout cas, je doute qu'il se repose beaucoup aujourd'hui, avec tous ces poux... Il se grattait en me parlant. Je n'ai pas osé lui parler de notre problème. Il avait l'air trop crevé.

Juliette raccrocha.

— Allons, pensa-t-elle en se dirigeant vers son auto, je ne risque pas de mourir d'ennui de sitôt.

Dix minutes plus tard, elle arrivait à Longueuil et enfilait la rue Saint-Alexandre. La fourgonnette d'une messagerie était stationnée en face de chez elle.

— Attendez ! cria-t-elle au messager qui grimpait chez Martinek. C'est pour moi.

L'employé redescendit en faisant claquer ses talons contre les marches et lui tendit une grande enveloppe jaune.

— Des photos ? se dit Juliette en la palpant.

Elle signait l'accusé de réception lorsque la porte d'Elvina s'ouvrit brusquement :

— Tu vas le payer cher, glapit la vieille fille, hors d'elle-même. Je sais que vous cherchez tous à me faire partir. Mais c'est *vous* qui partirez, je vous le jure !

— Allons, va te faire couler un bain d'eau tiède, répondit Juliette, la plume à la main, sans la regarder, et verses-y une bonne tasse de bicarbonate de soude, ça soulage les démangeaisons. Je m'occupe du reste.

— Ha ! je m'en suis déjà occupée, du reste, figure-toi donc, siffla l'autre, écarlate.

Le messager, un jeune bellâtre à peau jaune et fine moustache, la fixait d'un œil étonné, les bras ballants. Juliette sourit :

— Alors tant mieux, je te remercie. J'ai bien d'autres chats à fouetter.

— Fouetter, fouetter, oui, c'est ça ! bégaya Elvina, la bouche tordue de colère, et elle claqua sa porte.

— Merci, monsieur, fit la comptable en tendant un pourboire au jeune homme, qui souriait, un peu ahuri.

Elle entra précipitamment chez elle, referma la porte d'un coup de fessier, déchira l'enveloppe et poussa un cri. Ses doigts ne l'avaient pas trompée. Il s'agissait bien de photos. Il y en avait une demi-douzaine. Le regard vissé sur la première, elle s'avança vers le salon, prit place sur le canapé et les passa en revue, la main tremblante, le visage livide. Soudain, elles glissèrent sur ses genoux puis le long de sa jambe et atterrirent sur le tapis dans un léger bruissement ; les mains crispées sur son visage, elle pleurait.

Malgré des conditions difficiles, Fisette s'était bien acquitté de sa tâche. L'obscurité, la distance, la vitre qui le séparait de son sujet et le faible éclairage de la pièce n'empêchaient pas de voir les traits d'Adèle Joannette avec une remarquable netteté. Des traits un peu flétris et empâtés, qui n'avaient conservé que bien peu de leur radieuse beauté d'autrefois. Et ce restant de beauté était amoindri par l'angoisse qui dilatait les yeux et tirait les commissures des lèvres vers le bas, donnant au visage une expression

traquée, un peu stupide, devant laquelle on ne pouvait ressentir que de la pitié et une certaine répulsion.

d'une heure ou deux leur mauvaise nuit — car il était sûr qu'elle avait été mauvaise.

Tandis que la radio de son voisin laissait filtrer des bribes d'une déclaration du président Reagan où ce dernier proclamait encore une fois la nécessité absolue de deux cents nouveaux missiles *Peacemaker* pour assurer la paix mondiale, il s'habilla, quitta l'hôtel et se rendit au restaurant où Juliette et lui-même avaient pris une bouchée la veille.

À huit heures, il avait avalé ses deux œufs, son bacon et ses rôties, parcouru le *Courrier de Saint-Hyacinthe*, repéré trois photographes et monté son plan d'attaque jusque dans les moindres détails.

— Je gagerais la moitié de mes dents que *La Bonne Affaire* n'ouvrira pas de l'avant-midi, et peut-être même de toute la journée. Il n'a sûrement pas eu le temps hier soir de trouver une autre cage pour sa poule.

Il quitta le restaurant, traversa la rue des Cascades et, nez au vent, se mit à parcourir l'entrecroisement de petites rues sur l'espèce de pointe formée par un coude de la rivière entre le pont Barsalou et le pont Bouchard, cherchant à tuer le temps jusqu'à l'ouverture des commerces. Un ciel gris chargé de nuages en déroute laissait tomber une lumière blafarde. Il arriva ainsi à une promenade qui longeait l'escarpement de la rivière. L'endroit était désert et parcouru par un vent humide et froid. Les narines de Fisette se dilatèrent et pendant une seconde son visage prit un air franchement porcin ; respirant avec volupté, il se mit à déambuler sur la promenade, l'œil tourné vers la rivière où des goélands méditaient sur de grosses roches plates au milieu de longues traînées verdâtres qui flottaient parmi des glaçons. Il arriva bientôt à une sorte de parapet de béton construit du côté opposé à la rivière. À l'aide d'un atomiseur à peinture, quelqu'un y avait étalé ses frustrations en grandes lettres jaunes :

PEUT-ON VIVRE HONNÊTEMENT EN 1988 ? NON. UNNE 2IEME POLOGNE BIENTO. À BAS LE MAIRE FRENETTE. NOUS LAVRONTS NETOIRONS LES ÉCURIES DE LA MAFIA DE ST-HYACINTHE. BIENVENU FIDEL CASTRO, FLQ.

Par une bizarre association mentale, le mot « écurie » amena à sa pensée l'image du *Motel Champfleury*. Norbert et Momone s'y trouvaient peut-être encore. Pourquoi ne pas aller voir ? Il se dirigea aussitôt vers la rue des Cascades pour trouver un taxi.

À deux pas de *La Bonne Affaire*, il aperçut tout à coup Livernoche, en train de verrouiller la porte de sa librairie. Il se précipita dans une petite cour en retrait de la rue, à la grande surprise d'une jeune femme qui s'en venait derrière lui avec ses trois enfants.

— Pourquoi il se cache, le monsieur ? demanda le plus jeune. C'est-tu un bandit ?

— Tais-toi donc, nigaud. Allons, venez-vous-en, fit-elle en entraînant les enfants qui, la tête tournée, le fixaient avec des yeux remplis d'une crainte admirative.

Quand il se risqua enfin à jeter un coup d'œil dans la rue, Livernoche était parti. Un morceau de carton venait d'être fixé à la porte vitrée, mais d'où il se trouvait, Fisette ne parvenait pas à déchiffrer l'inscription et n'osait pas s'approcher.

— Allons, il va falloir que je cesse de me promener dans la ville comme si j'étais dans ma salle de bains, se dit-il en revenant sur ses pas. Il est sur le sentier de la guerre, le salaud. Neuf heures moins vingt... où est-ce que je pourrais bien me cacher jusqu'à neuf heures ?

La vue du libraire avait gelé ses pulsions libidineuses. Il quitta la rue de la Concorde, trop large et trop passante, enfila une rue transversale, tourna à gauche, puis à droite, cherchant à s'éloigner du cœur de la ville, et arriva devant un minuscule casse-croûte. À travers la vitrine légèrement embuée, on apercevait le patron en train d'essuyer des tasses derrière le comptoir. Il entra, prit place sur un tabouret et commanda un café.

— Connaîtriez-vous un photographe dans le coin? demanda-t-il au bout d'un moment.

Il ne se sentait aucune envie de retourner au centre-ville, où se trouvaient les deux studios qu'il avait repérés dans le *Courrier*.

— Un photographe? Eh bien oui, à deux maisons d'ici sur votre gauche, au *Bonheur en images*. Mais je ne suis pas sûr que vous allez le trouver là-bas ce matin : il devait se rendre à l'hospice pour une cliente.

Mais ce matin-là, Roger Lalonde, un grand jeune homme fébrile au visage plein de tics sous une immense boule de cheveux crépus, n'avait pas de photos à faire. Il semblait même plutôt inoccupé. Aussi, quand Fisette se présenta avec son rouleau de film en disant qu'il s'agissait d'une commande urgente et qu'il était prêt à payer un supplément pour avoir ses photos le matin même, l'autre lui répondit qu'il essayerait de trouver un trou dans son horaire et que ses films seraient sans doute prêts vers dix heures.

— Parfait, se dit Fisette. Cela me donne le temps de faire mes courses.

L'œil aux aguets, il remonta la rue Sainte-Marie vers des Cascades, puis, arrivé près de l'intersection, il jeta un coup d'œil prudent sur la librairie à travers la vitrine qui formait le coin. *La Bonne Affaire* était toujours fermée. L'affichette fixée dans la porte l'intriguait fort. N'y tenant plus, il traversa la rue, le regard en éventail, le cœur comme un ressort, une crampe aux fesses, s'attendant à voir surgir d'une seconde à l'autre le libraire massif et fulminant, puis se planta devant la boutique et lut : « De retour à 1 h », hâtivement écrit au crayon-feutre.

— Paniqué, hein, mon gros ? murmura-t-il avec un sourire satisfait en s'éloignant d'un pas rapide. Tu en perds ta belle écriture...

Prenant un chemin détourné, il se rendit à un *Woolco* qu'il avait aperçu plus tôt durant sa promenade matinale et s'y acheta :

1 – un gros chandail rose malade (vendu en solde),
2 – une lampe de poche,
3 – un petit coussin,
4 – un exemplaire légèrement défraîchi de *La Fosse d'aisances*, roman de mœurs de Réjean Chrétien (en solde également),
5 – deux tablettes de chocolat suisse (dont il prit soin de défaire l'emballage),
6 – un berlingot de lait,
7 – une douzaine de piles électriques.

Puis il retourna au *Bonheur en images*.

— Détective ? fit Lalonde en lui remettant une enveloppe d'un air complice.

Fisette se mit à rire :

— Moi ? Oh non ! Photographe de plateau, tout simplement. Tu connais le réalisateur Zola Dekobra ?

— Euh... oui, il me semble, répondit l'autre sans conviction.

— Tu as sûrement vu de ses films : *Zipaga*, *Le scorpion espion*, *Je m'en foutaise*, etc. Je fais partie de son équipe depuis un mois. Il tourne un policier à Montréal ; on est en train de terminer une séquence de campagne près d'ici et j'avais oublié de faire développer un film.

Roger Lalonde vint le reconduire jusqu'à la porte et, pendant une semaine, chercha à savoir où pouvait bien tourner Zola Dekobra, allant jusqu'à téléphoner au poste de radio local et devenant quelque peu lassant pour ses amis et connaissances.

Fisette se rendit au coin de la rue, ouvrit l'enveloppe, examina les photos. Puis il reprit sa marche en sifflotant, tout fier de son exploit. Avisant une cabine téléphonique, il fit quelques appels et se rendit en taxi de l'autre côté de la rivière sur la rue Cayouette, où se trouvait une succursale des messageries *Vitex*.

— Oui, oui, je vous le promets, lui assura une jeune femme en agitant d'énormes pendants d'oreilles en forme de serpents tordus qui touchaient presque ses épaules. Votre enveloppe sera à Longueuil au plus tard à treize heures.

Le taxi le ramena au centre-ville rue Calixa-Lavallée.

— Bon, fit-il en marchant d'un pas hésitant, l'œil aux aguets, la minute M est arrivée. Laisse ton biberon, Petit Jésus, et surveille-moi du bout de ta lorgnette. Arrange-toi, je t'en prie, pour que ce gros tas de marde ne me tombe pas dessus au prochain coin de rue...

Une dame d'âge mûr passait près de lui, serrée dans un manteau rose qui essayait en vain de la ramener à ses vingt ans ; elle lui jeta un regard réprobateur et ses pensées, concentrées jusque-là sur l'achat d'un saladier, prirent une teinte grise et morose ; elle soupira à trois reprises, et laissa échapper des commentaires rigoristes sur les changements sociaux intervenus depuis les années 60.

Fisette était parvenu au coin de la rue Sainte-Marie. Il tenait à la main un sac de polythène contenant ses achats et avait enfilé son horrible chandail rose sous son coupe-vent. Il obliqua à gauche et se dirigea vers la librairie. Sa nervosité augmentait de seconde en seconde. Parvenu au coin de la rue des Cascades, il s'arrêta un instant, le cœur au bord de la gorge, puis, rassemblant tout son courage, s'avança à découvert sur le trottoir et jeta un coup d'œil sur la porte de la librairie. L'affichette s'y trouvait encore. Livernoche n'était donc pas de retour. Il revint sur ses pas et fila discrètement vers la cour intérieure qu'il avait explorée la nuit précédente.

Une idée bizarre avait germé dans son esprit. En examinant le soupirail qui s'ouvrait dans le soubassement de l’édifice où logeait *La Bonne Affaire*, il s’était aperçu que le morceau de contreplaqué à demi pourri qui l’obstruait s’enlevait facilement. Il avait passé la tête par l’ouverture et tâtonné dans l’obscurité pour découvrir qu’il se trouvait devant un vide sanitaire. L’endroit, humide et plein de relents de moisissures, semblait avoir un mètre de profondeur. Il se vit alors en train d’espionner Livernoche, étendu dans l’obscurité juste sous ses pieds. La bizarrerie de l’entreprise, les dangers qu’elle pouvait présenter et jusqu’à l’inconfort de l’endroit l’excitaient prodigieusement. Peut-être était-ce dû à son aventure manquée de la veille où sa couardise lui avait donné l’impression d’être une petite chose insignifiante arrivant tout juste à exister ? Ce matin, il s’était réveillé avec le besoin irrésistible d’être un héros, même à rebours, comme le sont les membres de cette espèce grise et terreuse où l’on retrouve les espions, les faussaires, les tueurs à gages et les politiciens véreux. Son besoin de se dépasser était tel qu’il ne souffrait aucune attente. La femme qu’il avait photographiée la veille aurait pu ne pas être Adèle Joannette (mais il savait que c’était bien elle), cela ne comptait pas tellement. Le plaisir apeurant de nuire sournoisement à ce gros homme désagréable demeurait entier.

Il pénétra dans la cour sans issue et jeta un coup d’œil circulaire. Trois portes y donnaient et on pouvait avoir vue sur elle par une douzaine de fenêtres. Les trois portes étaient fermées. Il examina les fenêtres. Quatre d’entre elles luisaient vivement au soleil — qui venait de percer victorieusement les nuages — et il était impossible de voir si quelqu’un se trouvait derrière. Personne n’apparaissait aux autres.

Il prit une grande inspiration, marcha rapidement vers le soupirail, retira le morceau de contreplaqué, se glissa par l’ouverture et remit le morceau en place derrière lui. Pendant une minute, il se tint immobile dans l’obscurité, accroupi sur la terre froide, incapable de bouger. La ville semblait avoir reculé brusquement de plusieurs kilomètres. De temps à autre, le cri lointain d'un klaxon parvenait à ses oreilles, mais fondu et dilué dans le souffle de sa respiration et les bruits infimes qui l'entouraient. Il alluma sa lampe de poche et promena le faisceau lumineux autour de lui. L'endroit présentait l'aspect un peu sinistre de ceux où personne ne vient jamais. Des fondations de pierre, sans doute plus anciennes que l'édifice actuel, délimitaient un rectangle de dix mètres sur quinze dont la surface grisâtre et un peu raboteuse était parsemée de petites masses noires qui semblaient des crottes séchées. À gauche, dans un enfoncement de béton, se dressait une chaudière à mazout couverte de taches sombres, qui maintenait une certaine tiédeur dans les lieux. Il leva le regard : des poutres massives, des planches de bois grossier traversées ici et là de pointes de clous rouillés, des fils électriques dans leur gaine bleu marine légèrement craquelée, des tuyaux de fer peints en noir surmontés d'une épaisse couche de poussière donnaient à l'ensemble la vague apparence d'un cachot qui aurait commencé à se refermer lentement sur son prisonnier.

Il s'efforça de repérer mentalement la caisse et le comptoir au-dessus de sa tête et se mit à ramper, sa torche braquée sur le sol, évitant soigneusement les crottes de rats. Il s'arrêta, leva de nouveau les yeux, se déplaça d'un demi-mètre et commença à s'installer, fébrile, angoissé, mais extraordinairement satisfait. Il sortit du sac de polythène le coussin, le livre, les deux tablettes de chocolat et le berlingot de lait. Sa montre marquait midi vingt-cinq. Il s'étendit sur le flanc, un coussin sous le coude, et entama sa tablette de chocolat.

Quelques minutes passèrent. Un bruit très léger, à peine perceptible, attira son attention. Cela semblait provenir du côté de la chaudière. C'était comme si quelqu'un fouillait très doucement dans un tas de foin sec. Il pointa sa torche vers la chaudière, puis, se remettant à quatre pattes, avança de quelques mètres et fit le tour de l'appareil. Il n'y avait de foin nulle part. Le bruit avait cessé. L'odeur de l'huile, lourde et pénétrante, lui tira une grimace. Il revint à sa place et vérifia tout de suite si son chocolat était intact.

— J'espère que je ne serai pas obligé de faire le tête-à-tête avec un rat d'égout, se dit-il, écœuré. Celui d'en haut me suffit amplement.

Il n'avait pas fini sa phrase qu'un cliquetis de serrure se faisait entendre au rez-de-chaussée. Une porte s'ouvrit avec un tintement de sonnette, puis se referma bruyamment, et un pas pesant martela le plancher pour s'arrêter au-dessus de lui. Quelqu'un soupira, puis se moucha avec force. Fisette regarda sa montre : elle marquait une heure moins vingt.

— Déjà au poste ? s'étonna-t-il. Est-ce que sa caisse enregistreuse aurait un creux à l'estomac ?

Le cadran d'un téléphone ronronna. Fisette, ravi, constata que le moindre bruit lui parvenait avec une précision étonnante ; il entendait même la respiration du libraire. Ses dents s'enfoncèrent de nouveau dans le chocolat :

— Qu'on me laisse une heure ou deux et je pourrai même lire dans tes pensées, cher sac de crottes !

— Oui, c'est Livernoche, de *La Bonne affaire*, au 1146 des Cascades, fit le libraire d'une voix maussade et impérieuse. Je voudrais une pizza moyenne, tomate, fromage, champignons et anchois. Sans pepperoni. Je dis bien : *sans* pepperoni. La dernière fois, j'ai dû la retourner. Quand pouvez-vous la livrer ? Dans une demi-heure ? C'est un peu long. Pas plus tard, hein? Merci. Ah ! j'oubliais. Deux cafés. Crème et sucre. Bonjour.

— Il attend quelqu'un, se dit Fisette, et une légère bouffée de chaleur lui monta aux joues.

Livernoche arpentait sa librairie d'un pas rapide et saccadé, coupé d'arrêts subits.

— Deux cent quinze dollars, lança-t-il tout à coup, furieux. Deux cent quinze dollars ! Je les étriperais ! Et elle ! Et elle qui recommence à me chanter sa chanson ! Ah !

La sonnette de la porte retentit et un client s'avança :

— Bonjour, monsieur Livernoche, fit une timide voix de jeune homme. Avez-vous reçu le dernier McBain en Folio Carré noir, *Les cadavres conduisent trop vite* ?

Et Fisette assista aux efforts mercantiles du libraire qui, n'ayant pas lesdits *Cadavres*, tentait de refiler au jeune homme le seul McBain qu'il possédait : l'édition originale d'un roman publié en 1968 et intitulé *Bloody Tulip*. Toussotant et visiblement mal à l'aise, le jeune homme répondit qu'il avait déjà lu ce policier en traduction et l'avait trouvé plutôt ennuyeux.

— Ah bon, je vois que vous ne lisez pas l'anglais. Un peu ? Eh bien, ce n'est pas moi qui vais vous apprendre, n'est-ce pas, que l'original est toujours supérieur à la traduction. En fait, ça ne se compare même pas. *Traduttore traditore*, n'est-ce pas ? Prenez-le. Ce sera pour vous comme un nouveau livre — et infiniment meilleur que l'autre, je vous le garantis. Et puis, rassurez-vous : tous ces policiers sont écrits en *basic English*, c'est-à-dire dans une langue très simple, à la portée d'absolument tout le monde. Vous vous amuserez, je vous le promets, tout en améliorant votre bilinguisme.

Comme son client ne cessait de bafouiller que même le *basic English* était hors de sa portée, Livernoche lui mit de force le livre dans les mains en murmurant : « Je vous le fais à deux dollars. Profitez de ma bonne humeur », et l'amena devant la section des romans policiers d'occasion en lui assurant que chaque titre de sa sélection était un petit chef-d'œuvre — ou du moins une réussite exceptionnelle — que l'amateur le moindrement sérieux se devait absolument de posséder. Le jeune homme, qui sentait l'appel de plus en plus impérieux de la rue, réussit à s'en aller au bout de dix minutes, emportant avec lui son *Bloody Tulip* et un exemplaire de *Police en jupons*, du très célèbre Rémi Boyaux.

Quelques minutes plus tard, un livreur s'amenait avec la pizza. Livernoche avait sans doute commandé les deux cafés pour lui-même, car personne ne se présenta pour partager son repas. L'après-midi s'écoula lentement. De longs intervalles de silence s'étiraient entre chaque apparition de clients, interrompus par les ronflements intermittents de la chaudière. De temps à autre, le photographe entendait un vague bredouillage, un raclement de gorge, le glissement d'une boîte sur le plancher. À quatre heures, il était venu huit personnes. Fisette grelottait, les hanches et les coudes endoloris, le pantalon humide et terreux, étouffant à grand-peine ses bâillements. Son roman acheté en solde n'avait rien fait pour les réprimer. *La Fosse d'aisances* exhalait un ennui si mortel que certains lecteurs fragiles avaient dû tomber en état cataleptique au bout de quelques pages. À plusieurs reprises, il avait cru voir deux petits yeux brillants qui l'observaient dans l'ombre près de la chaudière.

Vers cinq heures, le libraire poussa un long soupir, fit sa caisse et s'en alla. Le photographe attendit un peu, rampa jusqu'au soupirail et déplaça doucement le morceau de contreplaqué. La cour était déserte ; on ne voyait personne aux fenêtres d'en face.

— Une brosse, il m'aurait fallu une brosse, se dit-il en époussetant de son mieux ses vêtements. Prochain achat.

Il se glissa dehors, fila dans la ruelle, l'air innocent, termina sa toilette un peu plus loin, puis, remontant la rue Sainte-Anne vers le nord, s'arrêta dans un restaurant pour téléphoner à Juliette Pomerleau.

Après une journée dans un sous-sol humide, il eut droit à une séance de larmes.

— Oui, oui, c'est bien elle, fit Juliette avec des sanglots dans la voix. C'est elle... et ce n'est plus elle ! Mon Dieu ! Clément, qu'est-ce qui a bien pu lui arriver ?

— Vous la trouvez si changée ?

— Méconnaissable, méconnaissable ! Cet air de condamnée à mort... ces yeux flétris, ce regard usé, vidé...

C'est la drogue, Clément, je suis sûre que c'est la drogue... ou plutôt, c'est cet affreux libraire qui la vide de son sang, goutte à goutte.

— Vous n'en mettez pas un peu trop, non? Je la trouve encore très regardable, moi.

— Taisez-vous. Vous ne pouvez pas savoir. Si vous l'aviez vue il y a dix ans!

Elle se moucha avec énergie, se gratta une cuisse, puis :

— Je me revois avec elle une après-midi d'été de 1977 en train de magasiner sur la rue Sainte-Catherine... Elle faisait crochir tous les yeux, ceux des femmes y compris...

— Hé... que voulez-vous? le temps passe, tout le monde vieillit... 1977, ce n'est pas avant-hier...

— Vous ne réalisez pas... C'était une femme superbe! une beauté exceptionnelle! Je n'arriverai jamais à vous faire voir... Même les photos... Clément, il faut avertir la police. Je suis sûre qu'il s'est passé des choses épouvantables.

— La police ira chez lui pour rien. Elle a quitté la maison la nuit dernière. Et ce n'est pas lui qu'elle fuit. C'est nous.

Il lui raconta sa soirée de la veille (en omettant, bien sûr, l'épisode de la fourgonnette) et la journée qui avait suivi.

— J'avais pensé qu'en me cachant dans le sous-sol de sa librairie, juste sous ses pieds, je pourrais surprendre ses paroles et découvrir ainsi... Mais je n'ai rien appris. Sauf qu'il déteste le pepperoni et qu'il est prêt à toutes les bassesses pour mettre la patte sur un deux dollars.

Juliette, qui s'était un peu calmée, garda le silence un moment. Fisette l'entendait renifler au bout du fil.

— Ça ne servirait à rien, évidemment, de le filer de nouveau, reprit-elle enfin. Il n'est pas assez fou pour aller la retrouver tout de suite à sa nouvelle cachette.

— C'est ce que je pense.

— Que comptez-vous faire, Clément ?

Il eut un petit ricanement :

— Retourner à mon travail demain.

— Non, non, il ne faut pas ! Vous touchez au but. Je suis sûre que demain, vous saurez tout.

— Ce que je risque de savoir, c'est le nom de mon remplaçant ! Quand j'ai quitté le studio, jeudi, monsieur Allaire voulait me transformer en viande hachée.

— Je lui téléphonerai. Je lui dirai que vous êtes malade et que vous avez besoin de vacances. S'il demande un billet du médecin, j'en trouverai un.

— Allons donc ! vous ne pourrez jamais...

— J'ajouterai que vous comprenez parfaitement tous les problèmes que votre absence lui cause et que vous offrez de payer le salaire d'un remplaçant pour tout le temps que...

— Ça ne tient pas debout. Ça ne se fait pas.

— Alors, j'irai moi-même chercher ma nièce toute seule, éclata Juliette. Je monte vous rejoindre ce soir.

Ce fut au tour de Fisette de garder le silence.

— Je ne veux pas vous voir ici, dit-il enfin. Sauf votre respect, vous ne feriez que me nuire. Je téléphonerai à monsieur Allaire lundi matin. Mais je vous préviens : je tiens plus à mon emploi qu'à votre nièce. S'il me lance un ultimatum, je quitte Saint-Hyacinthe.

— Je suis sûre que vous saurez tout arranger, répondit Juliette, soulagée. D'autant plus, ajouta-t-elle avec une pointe de raillerie, que vous avez une raison supplémentaire de rester où vous êtes.

— Ah oui ?

— Je fais désinfecter l'immeuble, mon cher. De la cave au grenier. Figurez-vous, monsieur l'ornithologue, que nous sommes infestés de poux d'oiseau. Un cadeau de votre merle. Si je ne fais rien tout de suite, on n'aura bientôt plus de peau à se gratter. Personne n'y échappe.

J'ai rencontré ma sœur tout à l'heure. Elle m'intente une poursuite.

— Des poux d'oiseau... Je suis désolé, s'excusa Fisette, piteux. Je ne savais pas qu'il existait des poux d'oiseau. Et ça se propage ?

— Comme un raz de marée. Je vous parle en me grattant. Et je me gratte partout.

— Je... je vous promets de convaincre mon patron lundi matin. Et, bien sûr, je vous dédom...

— Vous le faites déjà, et bien au-delà. Merci du fond du cœur. Vous savez, Clément, malgré ces poux, je... je vous aime beaucoup.

— Oui, oui... l'amour des ordures, se dit le photographe en pensant à l'épisode de la fourgonnette. Comme c'est touchant.

Ils causèrent encore quelques minutes. Fisette lui fit part de son intention de retourner le lendemain soir — samedi — au domicile de Livernoche afin de vérifier si par hasard Adèle n'était pas revenue ; mais cela demandait une auto.

— Louez-en une. Je paye tout. Ça coûtera ce que ça coûtera, je m'en fiche. Je veux ma nièce, ici, devant moi, loin de cet homme horrible. Et le plus tôt sera le mieux. Bonne chance. Rappelez-moi dès qu'il y aura du nouveau, et à n'importe quelle heure. Allons, se dit-elle en raccrochant, tandis qu'il se démène là-bas, je vais pouvoir brasser d'autres chaudrons ici.

* * *

Après avoir contemplé les photos de sa nièce et longuement pleuré, Juliette avait téléphoné à Marcel Vlaminck pour lui annoncer qu'un empêchement de dernière minute l'obligeait à reporter sa visite en début de soirée, si cela était possible.

— Mais bien sûr, répondit ce dernier d'un ton curieusement conciliant. Ou demain, si vous voulez. Ou après-demain.

— Non, non, non. Je serai chez vous ce soir à huit heures pile. Si nous devons conclure un marché, aussi bien le faire le plus tôt possible. Allons, ronchonna-t-elle en ouvrant le tiroir du vaisselier, serait-il en train de me préparer un coup fourré, celui-là ? On dirait quasiment qu'il ne veut plus me voir.

Elle s'empara des pages jaunes, s'assit à la grande table de noyer art nouveau, seul souvenir qu'elle possédait de ses parents, puis, reculant d'un coup de talon, se gratta le genou gauche, puis la cuisse, puis le mollet droit, et essaya sans succès d'atteindre son dos. La porte s'ouvrit silencieusement et Denis apparut, son sac d'écolier à la main.

— Finie l'école, je suis en vacances, annonça-t-il joyeusement.

Il la contempla quelques secondes :

— Qu'est-ce que tu as ?

— Reste dehors, mon pauvre enfant, tu vas être infesté toi aussi. Ou plutôt, viens me gratter le dos. Je n'en peux plus, je vais devenir folle.

L'enfant s'avança avec un sourire étonné :

— Infesté de quoi ?

— Des poux de ton satané merle ! L'édifice en est plein. Je cherche un exterminateur. C'est ça, plus fort, plus fort encore... Un peu plus bas... Sueur de coq, quelles délices ! Continue, pendant que je fouille dans le bottin.

— Et mon merle, où est-il ? demanda craintivement Denis.

— Oh ! lui, son problème est réglé... Allons, ne fais pas cet air-là et continue de me gratter. Monsieur Martinek est allé le porter chez un vétérinaire au début de l'après-midi. Tu peux arrêter, merci. Ah ! les mollets, maintenant ! Non, laisse-moi faire.

Ses ongles sillonnèrent sa jambe pendant une bonne minute, puis elle se leva et décrocha le téléphone. L'enfant la regardait, penaud. Il porta la main à sa joue droite et commença à se gratter lui aussi.

Quelqu'un frappa à la porte.

— Va ouvrir, veux-tu ? ordonna Juliette en train de composer un numéro. Et puis ensuite, va jouer dehors en attendant qu'on débarrasse la maison de ces poux. Ou plutôt non, reste ici : avec cette folle qui rôde dans le quartier, on ne sait jamais. Ah ! la la ! quelle vie ! Oui, *Extermination Michon* ?

— Bonjour, mon ami, fit Martinek à Denis, qui fixait, étonné, son visage zébré d'égratignures. Est-ce que les poux se sont attaqués à toi aussi ? Je vois, je vois.

Il se gratta férocement une épaule, puis soupira :

— Quelle histoire ! C'est intenable. Je suis en train d'user mes ongles. Tout à l'heure, j'en ai vu sortir un entre deux notes de piano. Est-ce que ta tante a appelé un... comment appelles-tu ?

— Un exterminateur, compléta Rachel en apparaissant derrière lui.

— Elle est en train de le faire, répondit Denis avec une moue piteuse.

— Pauvre femme, murmura Rachel en se dirigeant vers la salle à manger où Juliette venait de terminer son appel. Comme si elle avait besoin de se battre en plus contre les poux...

— C'est intenable, madame, répéta Martinek sur un ton dramatique qui fit sourire Denis.

La comptable haussa les épaules :

— Que voulez-vous ? Il y a des gens au cœur si sensible qu'ils sont prêts à mettre le monde sens dessus dessous pour un merle à une patte. Demain, on va peut-être m'arriver avec un cheval aveugle ou une vache épileptique, sait-on jamais ?

Elle tapota la tête de Denis, qui fondait de confusion, puis :

— Je viens d'appeler un exterminateur. Il m'a promis d'être ici dans vingt minutes.

Le téléphone sonna. Denis approcha le combiné de son oreille et s'immobilisa pendant qu'une voix suraiguë faisait crépiter l'écouteur. Un moment passa. Tous les regards s'étaient tournés vers lui. Il raccrocha sans avoir ouvert la bouche, puis, s'adressant à Juliette :

— C'est ma tante Elvina. Elle menace d'appeler la police si tu ne la débarrasses pas de ces poux dans dix minutes.

Des grattements d'ongles meublèrent le silence un peu lugubre qui suivit.

— Comme elle me déteste, murmura Juliette, pensive. Si le meurtre était légal, il y a longtemps que je pensionnerais au cimetière. Que diriez-vous d'un bon café ? Ça nous remontera le moral.

— Je m'en occupe, offrit la violoniste.

Elle se dirigea vers la cuisine, puis, s'arrêtant tout à coup, se tourna vers Juliette :

— Nous venons de passer chez le dentiste. Il était couché. Dieu ! qu'il a changé !

— Méconnaissable, ajouta Martinek.

— Vieilli, en tout cas. On ne s'est dit que deux mots sur le pas de la porte. Il souffre de surmenage. Il y a de quoi : voilà plus de trois semaines qu'il travaillait seize heures par jour !

— Il travaillait à quoi ? demanda Denis.

Le téléphone sonna de nouveau. L'enfant regarda l'appareil, mais ne bougea pas.

— Allons, lève-toi, je t'en prie, grommela Juliette, penchée en avant, la main tendue, essayant péniblement de rejoindre son mollet.

— C'est encore ma tante Elvina, annonça-t-il.

Il tendit le combiné à Juliette. Celle-ci se dressa avec une prestesse étonnante et saisit l'appareil :

— Allons, calme-toi, veux-tu ? Je me gratte autant que toi... Un complot ? C'est ça, je complote contre toi. Je travaille pour le compte de l'Union soviétique qui a décidé de s'emparer de ton mobilier de salon... Tu délires, ma pauvre, tu dois voir des couleuvres sur les murs et des araignées dans ton café... Eh bien, envoie-moi ton avocat : ça me donnera peut-être l'occasion de parler à quelqu'un de sensé... Bonjour. Avez-vous compris ? poursuivit-elle en s'adressant à ses compagnons. Cuisse de puce ! elle a viré folle !

— Elle ne s'est jamais remise de sa défaite de l'été dernier, soupira Rachel. Depuis ce temps, on ne la voit plus. Elle ne sort de chez elle que pour faire ses courses et promener son chien à la sauvette, elle ne reçoit plus personne et passe la journée derrière ses volets à épier tout un chacun. À vivre encabanée comme ça avec ses rancunes, la tête va finir par lui sauter, ma foi. Je crains, ma pauvre madame Pomerleau, que vous ne soyez pas au bout de vos peines.

Juliette se leva en se grattant frénétiquement les fesses :

— Sueur de coq ! je vais mordre quelqu'un ! Rachel, je t'en prie, va faire le café. Et toi, Denis, gratte-moi les reins, veux-tu ? Oui, là, là, et un peu plus haut aussi, près de l'omoplate. Merci.

Puis, s'avançant vers Martinek :

— Avec un peu de chance, mon problème de cohabitation sera réglé ce soir.

Et elle lui raconta la conversation téléphonique qu'elle avait eue dans la matinée avec Vlaminck et le dîner en tête à tête qui avait suivi. Denis la fixait avec une sombre intensité en se grattant machinalement l'épaule.

— Eh bien, si vous partez, nous partons ! s'écria Martinek. Je suis compositeur, moi, pas éleveur de dragons.

Rachel apparut dans l'embrasure :

— Avez-vous eu des nouvelles de Clément ?

Juliette secoua la tête et lui fit un signe discret en montrant son petit-neveu du coin de l'œil. La conversation se poursuivit sur des riens, Rachel servit le café, puis demanda à l'enfant :

— Dis donc, bobichon, serais-tu assez gentil de monter chez moi chercher un pot de vaseline dans la pharmacie ? À force de me gratter, je me suis mis un genou à vif.

— Mais madame Pomerleau, fit Martinek, a sûrement de la...

La violoniste lui donna un coup de coude :

— Ces choses-là ne se prêtent pas, cher. C'est comme une brosse à dents. Où as-tu la tête, naïf ? s'esclaffa-t-elle quand ils entendirent les pas de Denis dans l'escalier. Ne comprenais-tu pas que j'essayais de l'éloigner ?

Juliette attendit encore un moment, puis, posant les mains à plat sur la table :

— Eh bien, mes amis : voilà dix minutes que je me meurs de vous l'annoncer... Nous l'avons enfin trouvée !

Et elle éclata en sanglots. Le temps que prit Denis pour sa commission lui suffit tout juste à sécher ses larmes, attraper son sac à main et leur montrer les photos prises par Fisette.

— Quand allons-nous la voir ? demanda Rachel.

— Dieu seul le sait : hier soir, elle est allée se cacher ailleurs, chuchota l'obèse en lorgnant la porte d'entrée. Elle me fuit. Pourquoi ? Je n'en sais rien. Clément va rester sur place encore deux ou trois jours pour tenter de la retrouver, mais ensuite... Chut ! le voilà.

Ils entendirent soudain des voix d'hommes dans le corridor. La porte s'ouvrit et Denis apparut dans la pièce, suivi d'Hector Michon et de son assistant qui trimbalait deux grosses bouteilles nickelées. L'aspect de ce dernier avait beaucoup frappé l'enfant. C'était un homme au corps en fuseau, avec un visage long, triste et osseux, la mâchoire inférieure étrangement déviée vers la gauche. Il déposa les bouteilles sur le plancher ; en s'entrechoquant, elles émirent une note grave et profonde, un peu lugubre (— *Si* bémol, se dit Martinek. Quelle belle sonorité !), et il sembla à Denis qu'il y avait un rapport mystérieux entre la vibration et la mâchoire déformée. Michon s'avança, costaud, souriant, personnification même de l'énergie bienfaisante dans sa grosse chemise à carreaux :

— Bonjour, mesdames, bonjour, messieurs. Problèmes de poux ? Terrible, ça. Vous savez que si un poux était gros comme un chat, il mangerait un bœuf en dedans d'une heure, les cornes avec ? Pas de blague, je l'ai lu dans un livre. Avez-vous une feuille de papier blanc ? Merci. Maintenant, voulez-vous éteindre les lumières une minute ? Merrrci.

Il posa la feuille sur le plancher et s'agenouilla devant ; son assistant sortit une lampe de poche de son coupe-vent et braqua le faisceau lumineux sur le papier. Un silence religieux régnait dans la pièce.

— Misère à corde ! s'écria Michon, vous êtes envahis, c'est le cas de le dire ! Je viens d'en compter sept, ici, juste sur le coin de ma feuille ! Et je pense que vous avez raison : ça m'a l'air d'être des poux d'oiseaux, la pire vermine qui soit. Si vous les voyiez au microscope ! Sont bâtis comme des crocodiles ! Vous pouvez rallumer, merrrci. C'est vous, madame Pomerleau ?

— C'est moi, fit Juliette.

— Eh bien, ma chère madame, il va falloir que je jette tout le monde dehors pour la nuit — et peut-être même un peu plus longtemps. Mais je vous promets que vous fêterez Noël chez vous. Ce genre de vermine, ça se travaille au gaz — un gaz très toxique — et, après avoir gazé, il faut garder toutes les ouvertures fermées pendant six heures et ensuite aérer les pièces pendant au moins trois heures, sinon les poumons vont vous sécher comme de la vieille gazette, c'est moi qui vous le dis. Vous feriez mieux d'aller passer la nuit à l'hôtel ou chez des amis. Aussitôt rendus là-bas — écoutez-moi bien, c'est très important — il faut enlever tout votre linge — sous-vêtements y compris — et le traiter avec un vaporisateur que je vais vous fournir. Combien êtes-vous dans la bâtisse ?

— Sept.

— Lorenzo, va me chercher trois vaporisateurs dans le camion... Une fois le linge traité, vous le glissez dans un sac de polythène et vous le laissez là deux bonnes heures. Pendant ce temps, vous aurez pris une douche et vous vous serez lavé la tête avec un shampoing spécial que je vais vous fournir... Lorenzo, cria-t-il, apporte aussi deux bouteilles de T-27... Et n'ayez pas peur d'en mettre : ça sent un peu le caoutchouc brûlé, mais au bout d'une journée, l'odeur s'en va.

Rachel s'avança vers Juliette :

— Je connais un excellent petit hôtel à Montréal, rue Sherbrooke Ouest, le *Château Versailles*. Si vous voulez, je m'occupe des réservations.

— C'est gentil. J'ai justement rendez-vous dans le coin avec mon ami Vlaminck.

Elle se tourna vers son petit-neveu :

— Viens-tu avec moi... ou préfères-tu rester avec Rachel ?

— Avec Rachel, répondit Denis en rougissant légèrement.

Le téléphone sonna encore une fois. L'enfant saisit l'appareil :

— C'est pour toi, ma tante. Une madame.

— Dis-lui que je la... Allons, donne, se ravisa-t-elle.

— Madame Pomerleau ? fit une voix placide et raisonnable. Excusez-moi de vous déranger. Ici dame veuve

Lemire, de la rue Bernard à Outremont. Vous êtes venue chez moi il y a quelque temps au sujet de votre...

— Oui, oui, je me rappelle fort bien, coupa Juliette. Comment allez-vous, madame?

— Oh, assez bien, je vous remercie, répondit-elle d'un ton qui démentait ses paroles. En fait, à bien y repenser, je n'aurais peut-être pas dû vous téléphoner. Je... je me demandais si vous aviez eu des nouvelles de votre nièce...

Pendant une seconde, la comptable eut envie de lui raconter les derniers événements. Mais elle eut pitié de la vieille femme:

— Non, hélas. Et je dois même vous avouer que... j'ai décidé d'abandonner les recherches. Ça ne mènerait qu'à de la chicane.

— Ah bon. Vous avez sans doute bien fait. Vous avez sûrement bien fait, reprit-elle, sans conviction. Qu'est-ce que ça aurait donné? De la chicane, c'est vrai. Il y en a déjà assez comme ça, mon Dieu. Bonjour, madame. Excusez-moi encore une fois.

— Est-ce que j'aurais dû? se demanda Juliette en raccrochant sous l'œil intrigué de ses compagnons. Bah! pourquoi la tourmenter?

Jetant un regard à la ronde:

— On y va?

Elle remit un passe-partout à Hector Michon, chacun enfila son manteau et ils quittèrent l'appartement tandis que les deux hommes se lançaient dans l'ouvrage. Juliette fit quelques pas dans le hall, puis s'arrêta devant la porte de sa sœur, hésitante. Martinek lui mit la main sur l'épaule:

— Je m'occupe d'elle. Allez, bonne chance.

— Et moi, je vais aller avertir monsieur Ménard, lança Denis.

— Qu'est-ce que je ferais sans eux? se dit Juliette en tournant la clef d'allumage.

Et ses yeux se remplirent de larmes.

21

Sa visite chez les époux Vlaminck dura moins longtemps que prévu. Elle parcourut rapidement le rez-de-chaussée, qui avait été peu modifié, mais s'arrêta longuement au milieu de la cuisine, fixant le plancher, la mine recueillie, le cœur battant.

— C'est ici même que ma tante Joséphine a brûlé vive, expliqua-t-elle enfin à ses hôtes qui l'observaient, étonnés. En enlevant le linoléum, on découvrirait sûrement des traces.

Et elle leur raconta brièvement l'histoire.

— Quel malheur, fit Marcel Vlaminck avec un soupir de commande.

Il échangea un regard avec sa femme qui, les mains derrière le dos, se tripotait nerveusement les doigts :

— Est-ce que vous êtes prête à visiter les autres étages ?

Juliette, luttant contre une envie féroce de se gratter les fesses, prit une longue inspiration, puis :

— Si vous n'y voyez pas d'inconvénients, je préférerais descendre d'abord à la cave. Un de mes oncles disait que lorsqu'une maison tombe malade, neuf fois sur dix le mal se trouve dans la tête ou les fondements. Remarquez que je ne connais pas grand-chose en construction. C'est mon architecte qui jugera.

Vlaminck eut un sourire narquois :

— J'espère que vous ne projetez pas une promenade sur le toit...

Sa femme lui lança un regard désapprobateur. Il ouvrit une porte donnant sur un escalier de bois brut qui s'enfonçait dans l'obscurité, avança la main, et une lueur pâlotte apparut en bas. Ils arrivaient dans la cave lorsque la sonnerie du téléphone se fit entendre au-dessus.

— J'y vais, s'offrit madame Vlaminck en faisant demi-tour. C'est pour toi, Marcel, lança-t-elle au bout d'un moment. C'est le monsieur de cette après-midi.

Vlaminck posa sa main sur le bras de Juliette :

— Je vous laisse fouiner à votre guise. Je n'en ai que pour une minute, ajouta-t-il en remontant à toute vitesse.

Il buta contre une marche, faillit piquer du nez, poussa un grognement et poursuivit sa montée.

Dix minutes plus tard, la comptable avait terminé son examen des lieux. La cave était poussiéreuse et encombrée à l'extrême, mais lui parut en bon état, les fondations, sans fissures apparentes, les poutres, sèches et saines et ce qu'elle pouvait voir de la tuyauterie et du câblage électrique, relativement neuf et convenablement installé. Mais après quatre-vingts hivers de dur travail, la chaudière à charbon convertie au mazout venait de flancher : les joints des sections de fonte laissaient filer de longues traînées de rouille, signe de dégénérescence incurable. Juliette la caressa, indifférente à la saleté :

— Pauvre vieille, l'heure de la ferraille est arrivée. Elle nous attend tous. Mais qu'est-ce qu'ils sont en train de mijoter, sueur de coq ! grommela-t-elle en levant la tête.

Traversant la cave, elle gravit l'escalier. Madame Vlaminck apparut dans l'embrasure :

— Chère madame, excusez-nous : mon mari est retenu au téléphone, mais en attendant qu'il se libère nous pourrions, si vous le voulez bien, commencer la visite des étages supérieurs.

— Allons-y, haleta Juliette. Mon Dieu, quel petit air sucré elle a, s'étonna-t-elle. Un peu plus et elle s'offrirait de me masser les pieds.

La porte de la pièce où se trouvait Vlaminck était fermée et ne laissait filtrer qu'un murmure étouffé. Sa femme s'occupa avec tact de replacer des bibelots sur une étagère pour laisser à Juliette le temps de reprendre haleine, puis, passant dans le hall, se dirigea vers un monumental escalier de chêne ouvragé.

— Comme vous êtes à même de le constater, remarqua-t-elle en s'effaçant devant Juliette, ce magnifique morceau d'ébénisterie est dans un état impeccable. Nous en avons toujours pris le plus grand soin. Deux fois par mois, je l'astique moi-même de haut en bas à l'huile de citron, sans omettre un centimètre carré ! Pourvu qu'elle ne me crève pas entre les mains, se dit-elle en grimpant pas à pas derrière sa compagne qui haletait de plus en plus. Mais qu'est-ce qu'elle a à se gratter comme une guenon ?

Ils arrivèrent enfin au palier, où l'obèse se reposa un instant.

— Qu'est-ce... que c'est ? demanda-t-elle en pointant le doigt vers une pile de valises et de boîtes de carton qui se dressait derrière la rampe du premier étage.

— Oh ça ? ce sont les effets de monsieur Robichaud.

Elle se pencha à l'oreille de Juliette :

— C'est notre plus ancien locataire. En apprenant la vente de la maison, il a décidé de partir.

Sa voix devint un souffle :

— C'est un caractère un peu spécial. Avec lui, il faut enfiler gants blancs sur gants blancs... Heureusement, il vient de sortir pour aller s'acheter une valise. Mademoiselle Pigeotte est également partie, et monsieur Turnovsky travaille toute la soirée.

Juliette reprit sa montée. Il lui restait douze marches ; elle les comptait tout bas.

Une télévision jouait faiblement dans une chambre du fond. Ailleurs, quelqu'un se gargarisait. L'escalier débouchait au milieu d'un passage rectangulaire, assez vaste, recouvert d'une moquette fleurie dans un état de décrépitude étonnant. Le plafond, haut de quatre mètres, était orné d'une magnifique corniche à motif de feuilles d'acanthe, brisée à quelques endroits par le passage de tuyaux. Des portes s'ouvraient sur trois côtés ; le quatrième, percé d'une grande fenêtre en ogive, donnait sur le boulevard René-Lévesque et assurait une lumière abondante. On avait subdivisé les pièces les plus vastes, portant leur nombre à dix.

— Que voulez-vous ? Il nous fallait rentabiliser la maison, expliqua la logeuse avec un soupir. Autrement, nous aurions été forcés de louer les chambres à des prix inabordables pour notre genre de clientèle.

Juliette tendit la main vers la fenêtre :

— Je revois encore ma tante, là-bas, assise devant son métier à broder. L'hiver, elle pouvait y passer des journées entières. « Il n'y a pas de plus belle lumière dans toute la maison », disait-elle souvent. Ma chambre de jeune fille se trouvait au fond, là-bas, et elle indiqua une porte à gauche.

Soudain, la porte s'entrebâilla et un bout de dialogue de *La petite maison dans la prairie* leur parvint :

— *Six heures déjà* ! s'étonna une voix de jeune femme. *Je suis surprise que grand-père ne soit pas rentré.*

— *Peut-être s'est-il arrêté chez les MacPherson*, répondit un jeune homme d'une voix tellement inexpressive qu'on avait l'impression qu'il lui était égal que grand-père soit au fond d'un puits ou président des États-Unis.

Madame Vlaminck s'avança, tandis que la comptable en profitait pour se gratter discrètement une cuisse :

— Mademoiselle Lalancette, auriez-vous l'obligeance de nous laisser jeter un petit coup d'œil ? Nous avons une dame ici qui a déjà habité la maison il y a très longtemps. Elle occupait précisément votre chambre.

La porte s'ouvrit lentement et une femme apparut, vêtue d'une robe de laine brun foncé, avec une longue chevelure noire qui lui tombait dans le dos et un visage défraîchi et rébarbatif. Elle recula et leur fit signe d'entrer. Juliette s'avança, un peu mal à l'aise, suivie de la propriétaire, et s'excusa.

— Y'a pas de quoi, répondit l'autre d'une voix enrouée en la fixant, impassible.

— Comme vous pouvez le constater, fit remarquer la logeuse, nous avons dû diviser la chambre en deux, chose facile, car la plupart des pièces possèdent deux fenêtres.

— Vous avez fait installer un lavabo, fit Juliette machinalement, l'esprit ailleurs.

— Pour la commodité de nos locataires. Il n'y a qu'une salle de bains par étage.

La pièce, peinte d'un beige pisseux, mesurait cinq mètres sur six. Un petit lit s'allongeait au fond entre deux commodes ; à droite, rangée contre le mur, se dressait une table qui supportait une télévision cernée par un régiment de flacons de remèdes ; en face de l'appareil, un joli fauteuil vieux rose capitonné, recouvert de velours côtelé, jurait avec le reste. Debout toute droite dans sa robe mal coupée qui la vieillissait, mademoiselle Lalancette, les bras croisés, s'était tournée vers le petit écran et semblait avoir oublié la présence des visiteuses. Juliette jeta un bref coup d'œil par la fenêtre, puis s'approcha de la femme :

— Merci beaucoup, fit-elle en souriant. Excusez-moi encore une fois.

Elle quittait la pièce lorsque la locataire posa la main sur son bras :

— Est-ce que vous allez acheter la maison ? demanda-t-elle avec effort de sa voix enrouée.

— Je... je ne sais pas encore... tout dépend.

— Quand faut-il que je parte ?

— Je... voyez-vous... tout dépend si...

— Je travaille à trois rues d'ici. Les chambres sont rares dans le coin. Enfin, faites comme vous voulez, soupira-t-elle et, se laissant glisser dans son fauteuil, elle s'absorba de nouveau dans son émission.

Madame Vlaminck referma doucement la porte.

— Elle ne va pas très bien depuis quelque temps, confia-t-elle à voix basse en s'avançant dans le corridor.

Son fiancé vient de la quitter... pour la cinquième fois ! Je vous fais voir les autres pièces ?

— Non, non. Pour ce soir, ce n'est pas nécessaire. Je voulais seulement me faire une idée de l'état des lieux. Nous pouvons monter au deuxième ?

— Bien sûr.

Juliette s'engagea de nouveau dans l'escalier ; mais cette fois-ci, elle s'arrêtait à toutes les deux marches.

— Il n'y a que trois chambres de louées en haut, annonça madame Vlaminck. Comme nous projetons de vendre, je ne cours plus après les locataires, vous comprenez. Et puis, pour être franche, je commence à trouver ces deux escaliers tuants.

Elles arrivaient au deuxième lorsqu'une porte s'ouvrit à leur droite. Un jeune homme se pencha, déposa sur le plancher un paquet de vieux journaux ficelés, puis, levant la tête, posa sur les deux femmes un regard perçant.

— Ça va, monsieur Thornhill ? s'enquit la logeuse avec une cordialité un peu forcée.

— Oui, répondit l'autre et il referma la porte.

Juliette reprit son souffle, s'épongea le front avec sa manche, puis :

— J'espère que votre mari n'est pas retenu par une affaire fâcheuse ?

— Non, pas du tout, répondit vivement la Belge en se troublant quelque peu. Il discute avec un ami. Comme vous pouvez le constater, nous n'avons fait que très peu de modifications à cet étage. Les chambres étant déjà assez petites, nous n'avons pas cru bon de les subdiviser. Le seul ajout de quelque importance est la toilette, ici, au fond, que nous avons installée — en rognant un peu sur la chambre voisine — dans un grand placard aux murs couverts de jolis dessins d'enfants (les vôtres, peut-être ?), que j'ai eu beaucoup de chagrin à faire disparaître.

— Trop gentille et jacasseuse, pensa l'obèse. Tu me caches quelque chose, ma belle. Et l'autre qui reste pendu au téléphone...

Le passage avait les mêmes dimensions qu'au premier, mais l'état des lieux frôlait le délabrement.

— Je vous montre quelques chambres? proposa madame Vlaminck en se dirigeant vers le fond. Celle-ci est libre.

Elle fouilla dans sa poche, sortit un trousseau, déverrouilla une porte, alluma. Juliette la suivait, inquiète, l'esprit ailleurs, mais en entrant dans la pièce, elle ouvrit soudain la bouche et une flambée de napalm s'éleva en elle. La vue du lit de cuivre et des meubles de rotin rose venait de la ramener trente-cinq années en arrière.

C'était dans cette même chambre, pareillement meublée, qu'elle s'était réfugiée une après-midi, sur le conseil de sa tante Joséphine, pour échapper aux poursuites de son fiancé, avec qui elle venait de rompre pour la deuxième fois. Ils ne se fréquentaient que depuis un an et leurs relations n'étaient qu'une suite de querelles, nées la plupart du temps des motifs les plus saugrenus. Elle avait toujours rêvé d'un mari paisible et affectueux, qui lui donnerait beaucoup d'enfants, et se voyait condamnée à unir son destin à celui d'un homme inquiet et capricieux, rongé par un besoin maladif de se disputer avec tout le monde, comme pour affirmer sa force et son indépendance d'esprit.

— Ça suffit, Rosaire, lui avait-elle dit la veille, après une scène ridicule dans un *Woolworth* au sujet d'une paire de bas. On n'est pas faits pour vivre ensemble. Prends ton chemin, je prends le mien.

Elle était retournée en larmes chez sa tante (car, stupidement, elle aimait ce grand maigre irascible et malheureux, à la voix grave et voluptueuse) ; Joséphine l'avait confirmée dans le bien-fondé de sa décision. Le lendemain, cette dernière avait aperçu par la fenêtre l'ex-fiancé qui s'avançait dans l'allée, tout endimanché, confus, repentant, prêt à une vie nouvelle :

— Juliette ! le revoilà ! Va te cacher au deuxième, je m'en occupe.

Elle avait tenté de le convaincre d'aller faire le bonheur d'une autre fille plus stoïque et résistante, mais Rosaire Chaput, qui pouvait en s'échauffant atteindre à des sommets d'éloquence, avait fini par l'ébranler. La larme à l'œil, la poitrine pleine de soupirs, il s'était mis à chercher Juliette à travers toute la maison et l'avait retrouvée dans cette chambre. Il y resta deux heures, sans arrêter de parler.

— Je n'ai jamais vu personne avoir comme lui la parole en bouche, avait commenté plus tard Juliette. En deux heures — et Dieu sait pourtant si je le connaissais ! — il a réussi à me convaincre qu'il avait changé, car il venait de découvrir les causes de son mauvais caractère et s'occupait déjà à les détruire. Pendant trois mois, il a été adorable. J'ai fini par croire à un miracle. En avril, nous annoncions notre mariage, qui fut célébré en juillet 53. Six mois plus tard, je faisais une fausse couche. À partir de ce moment, je me suis mise à grossir, et cela ne s'est jamais arrêté. Naturellement, il était redevenu comme avant. Chaque jour amenait des engueulades. J'avais parfois envie de me jeter sous un tramway. Mais, à la longue, je me suis construit un système de défense : une vie presque entièrement autonome, le silence, un œil de lynx pour voir venir les sujets de dispute et leur faire prendre le dalot. J'avais des amies, je m'occupais de bonnes œuvres, je fréquentais Joséphine. À dix heures, mon ménage était fait, mes repas préparés et je quittais la maison pour ne revenir souvent que tard dans la soirée. On ne mangeait pas ensemble trois fois par semaine. Et quand la télévision est arrivée, notre isolement est devenu quasi parfait. C'est ainsi que, jour après jour, j'ai bêtement gâché quinze ans de ma vie, jusqu'à sa mort.

Elle contemplait, bouleversée, ces lieux où elle avait commis sa plus grande bévue. Mais soudain, un autre souvenir apparut et lui amena un sourire. C'était là également qu'à seize ans elle avait surpris sans le vouloir un de ses cousins, de deux ou trois ans son cadet, en train de se masturber à l'huile d'arachide, la bouteille déposée à ses pieds sur un vieux journal.

Madame Vlaminck, les mains jointes sur le ventre, l'observait, étonnée. Des pas se firent entendre dans l'escalier.

— Ah bon, vous êtes ici, fit son mari en entrant. Je vous cherchais partout. Je suis confus, madame, de vous avoir faussé compagnie si longtemps. Alors ? Satisfaite de l'état des lieux ? Bon ! Si nous retournions en bas, maintenant, proposa-t-il en jetant un regard oblique à sa femme.

Ils descendirent l'escalier en silence.

— Qu'est-ce qu'il peut bien mijoter ? se demandait Juliette, reprise par ses démangeaisons. Il ne veut plus vendre. C'est ça. Ou plutôt il veut vendre, *mais à un autre*.

Ils pénétrèrent dans l'ancienne salle à manger. Vlaminck se rendit vitement à un fauteuil, qu'il débarrassa d'un monceau de paperasses et l'offrit à la visiteuse. Lui-même et sa femme s'approchèrent de la table, où traînaient les restes du souper, et s'assirent face à Juliette. Il lui sourit :

— Café ?

— Non merci.

Il lui sourit de nouveau, puis poussa un soupir et, l'œil baissé, se mit à gratter une petite tache sur la manche de son veston :

— Madame Pomerleau, fit-il d'une voix pleine de componction, je n'ai pas une très bonne nouvelle à vous annoncer. Je ne vends plus.

— Allons, je n'en crois rien.

— Puisque je vous le dis.

— Combien vous offre-t-il ?

— Qui ?

— L'autre acheteur, c't'affaire ! Allons ! ne me prenez pas pour une innocente. Juste à votre air, je vois bien qu'on vient de vous faire une offre inespérée, et que vous ne savez plus trop comment vous débarrasser de moi. Eh bien ! je vous préviens : ce ne sera pas facile. Je ne partirai pas d'ici avant de savoir *combien* on vous offre et *qui* vous l'offre.

Un pli de contrariété divisa en deux le front bombé de Marcel Vlaminck et son visage lisse et grassouillet, qui avait conservé jusque-là une expression avenante et officielle, prit un air buté :

— À ce que je sache, madame, je n'ai pas encore signé de promesse de vente avec vous. Mes affaires me regardent et je suis libre de vendre à qui je veux.

— L'entendez-vous ! Mais c'est à faire sécher les oreilles !

Les mains de Juliette se crispaient aux bras du fauteuil et son visage, qui virait à l'écarlate, commençait à intimider ses interlocuteurs :

— Vous me tirez de chez moi, poursuivit-elle, où j'ai cinquante problèmes à régler, et pendant que je m'arrache le cœur dans vos escaliers, vous en profitez pour prendre des arrangements dans mon dos avec un inconnu. À moins qu'il ne s'agisse d'une petite ruse, ricana-t-elle, pour faire monter le prix, et que l'inconnu n'existe que sur le bout de votre langue...

Il sourit et contempla de nouveau la petite tache qui déparait la manche de son veston ; il donnait l'impression de vouloir la faire disparaître par le seul effet de son sourire, un sourire très particulier, à la fois cruel, amusé et un peu honteux.

— C'est vrai, vous avez raison : je ne me suis pas comporté correctement avec vous et je m'en excuse du fond du cœur. Mais mettez-vous à ma place ! dit-il en posant sur elle un regard suppliant. Il serait trop long d'entrer dans les détails, mais figurez-vous, madame, qu'on m'offre *trois cent quatre-vingt mille dollars*! Payables immédiatement!

— Et qui vous les offre? Allons, ne faites pas tant de manières, monsieur. Après le procédé que vous avez utilisé avec moi, c'est la moindre des choses, il me semble, de...

— Eh bien, madame, il s'agit de quelqu'un dont vous avez sûrement entendu parler: il s'agit de... de monsieur Alphonse Pagé, président-directeur général de la fondation *Rebâtir Montréal.*

La comptable le fixa un instant, le souffle coupé, tandis que madame Vlaminck lançait à son mari un regard courroucé.

— Alphonse Pagé? répéta Juliette à voix basse.

— Nul autre que lui. Et, pour ne rien vous cacher, il semble tenir beaucoup à cette maison, beaucoup!

— Comment l'emporter contre un homme si riche? lança-t-elle avec désespoir. Je vous en supplie, fit-elle en se levant tout à coup dans un mouvement de chair qui sembla faire sur les deux Belges l'effet d'un raz de marée, vendez-moi votre maison! Je suis prête à vous offrir trois cent quatre-vingt mille dollars, moi aussi. Mais je ne peux pas aller plus haut... L'argent de mes vieux jours va tout y passer! Il me faut cette maison, monsieur Vlaminck! Les meilleures années de ma vie se trouvent ici. Chacune de ces pièces est pleine de souvenirs qui me font du bien. Je suis une vieille femme malade, monsieur. Il y a deux mois, les médecins me déclaraient perdue. De grâce, laissez-moi faire une bonne fin.

Vlaminck eut une moue embarrassée:

— C'est que j'ai donné ma parole, madame... De quoi aurais-je l'air si...

— Et de quoi avez-vous l'air maintenant, vous l'êtes-vous demandé? s'écria Juliette, furieuse.

Il pencha la tête, un peu penaud, et fixa le bout de ses souliers, marqué par un point d'usure grisâtre; il semblait regretter réellement la tournure des événements.

— Écoutez, dit-il en levant vers elle un visage torturé, non seulement j'ai engagé ma parole, mais... je viens de contresigner une offre d'achat qu'il m'a fait parvenir tout à l'heure par messager. En somme, je suis lié. Allez le trouver. Expliquez-lui vos motifs. C'est un monsieur très bien, vous savez. Je suis sûr qu'il comprendra. Tenez, offrez-lui de racheter son offre d'achat. Cela ne vous coûterait peut-être que deux ou trois mille dollars, sait-on jamais ? Dans le fond, tout bien pesé, je ne demanderais pas mieux que de... J'ai agi d'une façon un peu étourdie, j'en conviens... Vous me voyez désolé.

Juliette le regarda un instant :

— Bon. Je vais penser à tout ça, répondit-elle d'un ton sec.

Elle s'avança et lui prit les mains :

— Mais il faut me promettre, monsieur, de ne rien faire sans m'avertir... pour que je puisse avoir une chance, moi aussi... Me le promettez-vous ? demanda-t-elle d'une voix tremblante. Vous ne pouvez savoir ce que représente pour moi cette...

Elle ne put achever.

— Allons, allons, fit l'autre, gagné lui aussi par l'émotion, je vous le promets... Promesse solennelle et officielle ! Vous pouvez dormir sur vos deux oreilles.

Madame Vlaminck quitta la pièce et revint avec le manteau de son hôte. Quand elle voulut l'aider à l'enfiler, celle-ci refusa et se dirigea rapidement vers la sortie.

— Mais enfin, pourquoi lui donner le nom de ton acheteur ? maugréa la patronne de *L'Oasis* après le départ de Juliette. La vente était presque conclue et voilà que tu risques de tout foutre en l'air en lui envoyant cette femme dans les pattes.

— Je ne risque rien du tout ! Ou plutôt je risque, folle comme elle est, qu'elle aille le trouver et qu'ils s'excitent l'un l'autre pour le plus grand bien de notre gousset.

Dix minutes plus tard, la comptable arrivait en vue du *Château Versailles*, rue Sherbrooke Ouest. L'établissement qui portait courageusement ce nom était constitué de deux anciennes maisons de notables construites à la fin du siècle et qu'un homme d'affaires avait transformées avec goût en un confortable petit hôtel dans le style de ceux qui abondent en Europe. Rachel y avait loué trois chambres, toutes au rez-de-chaussée. Ce fut elle qui ouvrit à Juliette :

— Et alors, quelles nouvelles ? Allez-vous acheter ?

Elle portait une robe de chambre de ratine blanche, de même que Martinek, enfoncé dans un fauteuil, un journal à la main, et Denis, étendu sur un lit devant la télévision.

— Je n'en sais trop rien, soupira l'autre. En fait, les choses vont plutôt mal. Le cochon m'a faussé parole : il s'est trouvé un autre acheteur, figure-toi, et sa maison renchérit. Apporte-moi un verre d'eau, veux-tu ? J'ai l'impression d'avoir du sable dans la gorge.

Rachel lui tendit un verre :

— Je viens de traiter nos vêtements dans la salle de bains avec le produit de votre exterminateur. L'hôtel nous a fourni des robes de chambre. À vous aussi, ajouta-t-elle avec un léger malaise, mais je crains qu'elle soit un peu petite.

Juliette alla s'asseoir près de Denis ; le lit se creusa si profondément que ce dernier glissa vers elle ; puis, d'une voix rongée par la fatigue, elle raconta sa visite aux époux Vlaminck.

— Trois cent quatre-vingt mille ! s'exclama Martinek. Avez-vous cet argent ?

— Comme ça, au bout de l'ongle ? Bien sûr que non, vous pensez bien. Il faudrait que j'emprunte. Et ce n'est que le début de la chanson. Personne n'en connaît la fin.

— Tu le vois bien qu'il faut rester à Longueuil, lança Denis en se redressant. Je suis sûr que ma tante Elvina va finir par se défâcher.

Rachel eut une moue sceptique. Elle avait vite compris qu'il ne servait à rien d'essayer de dissuader Juliette, que cela ne ferait que l'irriter et la fatiguer inutilement.

— Allons, fit-elle, je vois que les poux ne vous ont pas lâchée... Qu'est-ce que vous pourriez bien mettre pendant que je traite vos vêtements ?

— Un drap, suggéra Denis.

Juliette demanda à ses compagnons de la laisser seule quelques instants, se déshabilla et se glissa dans le lit.

— Vous pouvez entrer, fit-elle en tirant les couvertures à son menton.

Denis la contempla, déçu. Il s'attendait à voir sa tante drapée de blanc, debout au milieu de la pièce, majestueuse et souriante. La veille, son professeur avait parlé de ces statues colossales que les Romains et les Grecs érigeaient dans les temples et sur les places publiques pour honorer leurs dieux et leurs empereurs.

— Monsieur Ménard aimerait vous parler, annonça la violoniste en ramassant les vêtements. Il se trouve dans la chambre voisine. Je vous le répète : vous allez le trouver changé. Il a perdu près de dix kilos.

— Oh ! je crois bien que je suis couchée pour la nuit, ma fille. Mes jambes ne me soutiennent plus. Ça ira à demain.

Rachel s'enferma dans la salle de bains tandis que Martinek racontait à la comptable l'accueil furieux que lui avait réservé Elvina, qui l'avait envoyé au diable en lui disant qu'elle voyait à travers leurs manigances comme si c'était de l'eau claire et qu'elle n'allait sûrement pas quitter son appartement pour permettre à un de leurs complices d'y fouiner en son absence.

Juliette se retrouva bientôt seule dans la chambre avec Denis qui s'entêta à regarder son film jusqu'à ce que le sommeil l'emporte. Quand elle se fut bien assurée qu'il dormait à poings fermés, elle se leva doucement, drapée tant bien que mal dans une couverture qui n'arrivait pas à masquer certaines parties grotesques de son anatomie, ferma la lumière, prit son bain et se recoucha, épuisée, fébrile et morose, passant et repassant dans son esprit sa discussion avec Vlaminck pour tenter d'établir une stratégie. Lorsqu'elle voulut dormir, il était trop tard : son cerveau s'était divisé en deux parties ; l'une aspirait au repos, l'autre, à l'action, les deux luttant à armes égales. Elle se mit à regarder à tous moments le cadran lumineux de sa montre-bracelet ; les aiguilles se déplaçaient avec une lenteur sadique. À onze heures moins vingt, on frappa à la porte.

— Qui est là ?

— C'est Adrien Ménard, madame. Je... je ne vous réveille pas, au moins ?

— Je suis au lit, monsieur Ménard, mais si vous voulez bien attendre que...

— Oh ! non, non, non, bafouilla le dentiste. Excusez-moi. Bonne nuit, madame. À demain.

Et il s'éloigna.

Elle continua de ruminer quelques minutes, puis se leva :

— Aussi bien aller lui parler que d'écarquiller les yeux dans le noir comme une idiote. Il a peut-être besoin d'aide.

Elle pénétra dans la salle de bains, huma ses vêtements. L'insecticide n'exhalait plus qu'une faible odeur épicée, plutôt agréable. Elle s'habilla, jeta un coup d'œil à Denis, qui dormait toujours, puis quitta la chambre.

Le dentiste Ménard vint ouvrir ; il portait un complet noir et une chemise sport à motif de fougères qui lui donnait l'allure d'un clergyman en vacances sur une île exotique. Mais l'effet légèrement cocasse de sa tenue était annulé par sa maigreur étonnante. Les tendons décharnés qui s'étiraient sous son menton lui faisaient une gorge de vieillard.

—Cuisse de puce ! s'écria Juliette. Qu'est-ce qui vous arrive ? Sortez-vous de Sibérie ?

— Ah ! madame, je suis désolé, désolé de vous avoir réveillée. Je ne sais comment m'excuser.

— Allons, allons, ce n'est rien. De toute façon, je n'arrivais pas à dormir.

— Donnez-vous la peine d'entrer, je vous prie.

— Dieu ! qu'il fait chaud ici ! Est-ce qu'on ne pourrait pas ouvrir une fenêtre ? Non, non, prenez le fauteuil, je m'assoirai plutôt sur votre lit. Jamais je n'arriverais à m'extirper d'un engin pareil.

Elle repoussa de la main un exemplaire de *La Presse* où s'étalait en grosses lettres :

« LA *PERESTROÏKA* EN DANGER », AFFIRME SAKHAROV.

— Je suis contente de vous revoir. Où diable étiez-vous allé ? Et que faisiez-vous ? Est-ce que vous avez vu un médecin ? Sauf votre respect, on dirait que vous avez pris un bain d'acide nitrique !

Le dentiste eut un sourire embarrassé et détourna le regard :

— C'est du surmenage, tout simplement. Je suis en train d'abattre une tâche *herculéenne*. (Juliette retint à grand-peine un sourire.) J'avais besoin d'un peu de repos, c'est tout. Mais je vous regarde, madame, et je vous trouve à vous, au contraire, une mine florissante. Vous êtes définitivement guérie !

— Oh ! je survis assez bien... Il faut croire que les soucis n'arrivent pas à m'entamer. Et puis, la musique de monsieur Martinek continue d'agir sur moi comme l'eau miraculeuse de Lourdes. C'est à n'y rien comprendre. Mon cas va sûrement aboutir un jour dans l'*Encyclopédie médicale* ! Mais la santé a ramené l'embonpoint, hélas : toute la graisse que j'avais perdue est revenue se glisser sous ma peau comme un fainéant sous une douillette. Parlons plutôt de vous, monsieur Ménard. Allez-vous bien finir un jour par me dire ce que vous êtes en train de fricoter, sueur de coq ? Vous aviez promis de me livrer votre secret sur mon lit de mort. Mais à vous voir la mine, mon cher, vous risquez d'occuper ce lit avant moi !

Le dentiste se rembrunit :

— Je ne suis pas encore prêt à parler. Un jour, quand tout sera fini, je vous montrerai... Cela vous semblera peut-être un peu fou, mais en fait, je travaille pour... *l'avenir de l'humanité*.

Juliette le fixa, étonnée :

— Eh bien... voilà une occupation... honorable, si je puis dire.

Curieusement, la présence de cet homme si triste et austère avait chassé toutes ses idées noires. Elle se mit à le taquiner doucement pour essayer d'en savoir plus long, mais rien n'y fit. Ménard avait voulu la rencontrer non pour se confier, mais pour lui demander si elle connaissait une voisine qui pourrait s'occuper de son appartement et préparer les repas pendant son repos forcé. La comptable lui promit de faire des recherches dès le lendemain et le quitta bientôt, car il défaillait de fatigue dans son fauteuil.

En réintégrant leurs appartements le lendemain, Juliette et ses amis constatèrent avec soulagement que les poux semblaient avoir été vaincus par l'offensive Michon, qui avait laissé dans chaque pièce, malgré les fenêtres ouvertes, une curieuse odeur de camphre et d'orange pourrie et une multitude de petites taches vertes sur les tapis, les rideaux et les fauteuils, que seul le temps réussit à faire disparaître. Aussitôt arrivée chez elle, la comptable essaya de joindre Alphonse Pagé à la fondation *Rebâtir Montréal*, mais comme on était samedi, veille de Noël, les bureaux, naturellement, étaient fermés.

— Pourvu qu'il ne soit pas parti en vacances jusqu'après le jour de l'An. Je rappellerai lundi matin. Il faut que je lui arrache cette maison à tout prix.

Puis elle téléphona à Marcel Prévost fils pour lui demander de venir battre les tapis ; ils semblaient imprégnés d'une poudre qui avait sur ses muqueuses l'effet combiné du poivre rouge, de la poussière et du vinaigre pharmaceutique.

— Tout de suite, madame Pomerleau, répondit-il.

Cinq minutes plus tard, il s'amenait et commençait son travail dans la cour. Un nuage grisâtre se mit à flotter au-dessus de la neige à demi fondue. Martinek apparut au coin de la maison, un tapis roulé sur l'épaule. Il s'arrêta et l'écouta un instant ;

— Mais tu siffles diablement bien, mon Marcel ! C'est *Une nuit sur le Mont Chauve*, ça ? As-tu fréquenté le conservatoire ? plaisanta-t-il.

— Bonjour, monsieur Martinek. Non, je siffle par oreille, comme tout le monde. Ça ne vous dérange pas, au moins ?

— Au contraire, au contraire, continue. C'est très joli.

* * *

Juliette allait se faire couler un bain lorsque sa promesse à Ménard lui revint à l'esprit.

— La petite Beaudin accepterait peut-être, se dit-elle en retournant au téléphone.

Elle posa la main dessus. Il se mit à sonner.

— Madame Pomerleau ? demanda une voix timide. C'est votre pot de colle, Alexandre Portelance.

Le mollet tremblant et l'estomac plein de gargouillis, le persévérant spécialiste en aspirateurs lui rappela gentiment qu'il avait attendu son coup de fil toute la soirée de la veille :

— J'ai supposé que vous aviez eu un empêchement.

— Un empêchement ? Une cascade d'empêchements, mon cher monsieur ! Mais je suis impardonnable : j'aurais dû vous avertir. Excusez-moi. Je n'avais tout simplement plus ma tête.

Une bonde s'ouvrit en elle soudain et le vendeur eut droit au récit détaillé de tous ses déboires.

— Misère à poil ! s'exclamait-il de temps à autre, ravi par ce flot de confidences qui semblait augurer fort bien pour lui. Écoutez, fit-il lorsqu'elle eut terminé, ne pensez-vous pas que vous auriez besoin de vous changer un peu les idées ? Si vous marinez trop dans les soucis, ma chère madame, votre foie risque de bloquer encore, n'importe quel médecin vous le dira. Ou alors ça peut causer des éruptions sur tout le corps ou des coliques durant la nuit ou le mal de cœur juste à voir de la viande ou n'importe quoi, je ne sais pas trop... Vous avez sûrement entendu parler de ces fameuses maladies *psycho-automatiques* qui viennent des idées noires... Il n'y a pas de remèdes contre ça, sauf les distractions. C'est prouvé depuis longtemps.

Il aspira un peu d'air et, la gorge affreusement contractée :

— Je n'oserais pas mettre mon nez dans votre journée de Noël, mais pourquoi ne viendriez-vous pas souper avec moi dans un bon petit restaurant tranquille, lundi ou mardi, vers les cinq heures, cinq heures et demie ? On pourrait ensuite aller au *Ouimetoscope*, voir *Autant en emporte le vent*, ou alors *Les Bons Débarras*, que ma nièce — elle étudie à l'université — a beaucoup aimé l'année dernière. C'est exactement le type de films qu'il vous faut : c'est amusant, palpitant et, en même temps, ça élève les idées, comme qui dirait ; il y a une sorte de philosophie dans ces films-là, une manière de façon de voir les choses avec un autre angle, si on veut, enfin, ça fait du bien à tous les genres de personnalités, vous verrez.

Bien que son envie de passer la soirée avec un vendeur d'aspirateurs fût tout ce qu'il y avait de modéré, les efforts pathétiques d'Alexandre Portelance portèrent fruits et Juliette se laissa fléchir. Il fut convenu que le représentant viendrait la prendre chez elle mardi le 27 à quatre heures trente.

Quelques minutes plus tard, Juliette réussissait à dénicher une cuisinière-femme de ménage pour le dentiste Ménard qui, frissonnant dans son lit sous une épaisseur géologique de couvertures, se demandait avec angoisse si ce n'était pas maintenant au tour de son propre foie de faire la grève :

— Tout à l'heure, je demanderai à madame Pomerleau de m'apporter une de ses cassettes, se promit-il en claquant des dents.

22

Ce jour-là, Clément Fisette s'était levé à sept heures, prêt à déplacer la Grande Muraille de Chine pour dénicher Adèle ; il avait pris un solide déjeuner au *Géant Timothée*, à deux pas de *La Bonne Affaire* (une façon pour lui de narguer Livernoche et la malchance), puis s'était amené dans la petite cour intérieure de la rue Sainte-Marie... pour constater que des ouvriers procédaient à l'installation de fenêtres thermos à l'arrière d'un édifice.

— Journée foutue, soupira-t-il en tournant le dos.

Il alla se louer une *Aries K* jaune citrouille, roula un peu ici et là de par la ville, fit une promenade à pied le long de la rivière sur la Terrasse Louis-Côté et s'assit enfin sur la balustrade de pierre, en proie à un écœurement si profond qu'on aurait pu le dépouiller de son manteau et de ses bottes sans qu'il lève le petit doigt.

Il retourna à l'hôtel, s'amusa à déchirer en menus morceaux *La Fosse d'aisances* et jeta le roman à la toilette, passant près de causer une inondation. Puis il dormit. Au bout d'une heure, il se leva, se brossa les dents, alla dîner, puis retourna à l'hôtel.

— Dépêche-toi de te coucher, maudit soleil, que j'aille l'espionner, ce gros sacripant.

Il entrait dans sa chambre quand le téléphone sonna. C'était Juliette. Remplie de remords à l'idée de le voir passer Noël tout seul dans une ville étrangère, elle l'invitait à réveillonner avec Denis, Rachel et Bohu ; le dentiste Ménard se joindrait peut-être à eux, s'il en trouvait la force.

— Je n'aurai pas grand-chose à vous offrir et la maison sent le diable, mais au moins nous serons ensemble.

Rachel a fait du gâteau aux fruits et j'ai trois bouteilles de Saint-Émilion qui ne sont pas mauvaises du tout.

Il refusa.

— Je veux absolument vérifier si votre nièce est de retour chez son dictateur. Je serais bien surpris qu'ils passent Noël chacun dans leur coin.

— Et qu'est-ce que ça vous donnera ? C'est moi qui dois lui parler, pas vous !

— Quand je me fixe un but, il faut que je l'atteigne, se contenta-t-il de répondre.

Juliette essaya en vain de le faire changer d'idée. Il raccrocha et descendit au bar prendre une bière. À trois heures, il en avait pris six. Il remonta alors à sa chambre et s'endormit. À son réveil, le soleil s'était enfin couché. Il contempla un moment la fenêtre obscure, puis les fendillements du linoléum près de son lit, et décida soudain d'aller réveillonner chez la comptable. À huit heures, il arrivait à Longueuil et s'arrêtait prendre une bouchée au *Café Suprême*. Une fine neige s'était mise à tomber, mais le temps semblait s'adoucir.

— Eh bien ! j'ai finalement réussi à vous convaincre ! s'écria Juliette, ravie, en le voyant apparaître chez elle vers minuit. Allons, venez m'aider à éplucher les patates. Si vous travaillez bien, je vous servirai un verre de rhum.

Des fumets de tourtières à la sarriette et au clou de girofle parvenaient presque à neutraliser les émanations Michon. Denis se présenta, un tablier noué à la taille.

— Viens voir notre sapin, Clément. Bohu l'a acheté cette après-midi.

Ils se rendirent au salon contempler l'arbre un peu maigrichon, chargé de boules et d'ampoules multicolores.

L'enfant sourit à Fisette :

— J'ai un petit cadeau pour toi, tu sais.

— Moi, je n'ai rien pour personne, répondit le photographe, piteux.

* * *

Le réveillon fut un peu morne. Tout le monde s'efforçait d'être joyeux, mais le cœur n'y était pas. Au moment de la remise des cadeaux, Denis ne put cacher sa déception devant l'absence de son livre sur le *Titanic*, que Juliette n'avait pas eu le temps d'acheter, mais la base spatiale *Galaxie 14* lui tira des exclamations de joie. Il présenta une boîte à Clément ; elle contenait une cravate à pois rouges. Son geste toucha le photographe, même si ce dernier n'avait pas porté de cravate depuis sa première communion. Juliette reçut une boîte de poudre de riz, Martinek, une cassette de sonates pour piano et violon de Beethoven et Rachel, une biographie de Jascha Heifetz, achetée d'occasion mais presque à l'état neuf.

Assis dans un coin, silencieux et songeur, Fisette semblait regretter d'avoir quitté Saint-Hyacinthe. Malgré toutes les questions qu'on lui posait, il se montrait fort peu loquace sur ses recherches, si bien que Rachel, agacée, lui demanda abruptement s'il se prenait parfois pour un membre du KGB ou de la Gestapo.

On se mit à table. L'obèse critiqua sa tourtière, qu'elle trouvait trop grasse. Ménard fit une brève apparition au moment du dessert, prit deux gorgées de sherry, se sentit mal et retourna se coucher. Après le repas, Martinek s'installa au piano et se mit à jouer des polkas, mais Denis lui fit observer que la musique risquait de déranger le dentiste et le musicien s'arrêta. Vers trois heures, il apparut clairement que Juliette tombait de fatigue et que Fisette avait trop bu. On se sépara.

Le photographe se réveilla le lendemain midi et téléphona à son amie Mariette, la vieillissante secrétaire de l'agence de voyages *Extraloisirs*, établie à deux portes du

Studio Allaire, qu'il invitait au cinéma de temps à autre (cela se terminait parfois dans une chambre d'hôtel, mais jamais aussi souvent qu'il l'aurait voulu, l'appétit sexuel de Mariette frôlant l'anorexie). Il partit pour Montréal et ne revint qu'en fin de soirée, plutôt morose. En passant devant l'appartement de Juliette, il entendit de la musique et frappa à sa porte.

— Je pars pour Saint-Hyacinthe, annonça-t-il à la comptable.

— Hein ? Mais *La Bonne Affaire* sera sans doute fermée demain, mon pauvre ami. Vous allez encore perdre une journée.

— Peut-être pas. Je vous donnerai des nouvelles. Bonne nuit.

— Pas si vite. Attendez-moi une seconde.

Elle revint avec un sac :

— Tenez, emportez ça. Je vous ai mis du gâteau aux fruits, des mille-feuilles et les biscuits aux brisures de chocolat que vous aimez tant.

Il soupesa le sac :

— Hum... Merci. Mais je ne suis pas sûr de pouvoir me glisser par le soupirail si j'avale tout ça !

— Alors donnez-en une partie à notre libraire. Je ne vous chicanerai pas si vous y mettez un peu de cyanure.

Deux heures plus tard, il pénétrait dans sa chambre de l'*Hôtel Maskouta*. La somnolence qui l'avait engourdi tout au long de la route s'était brusquement évaporée à son arrivée à Saint-Hyacinthe, comme dans le cas de ces jeunes recrues abruties par un voyage interminable qui, à l'approche du front, entendent tout à coup le bruit lointain des canons et se dévisagent en grimaçant, l'œil écarquillé. Il s'assit sur le lit, mangea un morceau de gâteau, puis descendit au bar et regarda un film policier jusqu'à deux heures du matin, prenant soin de limiter ses libations, car son foie commençait à maugréer.

Le lendemain, à huit heures, un écriteau lui apprenait que *La Bonne Affaire* était fermée.

Il passa une journée de ver de terre dans sa chambre à feuilleter de vieux numéros de *La Pure Vérité* trouvés dans un tiroir parmi une quantité phénoménale de capsules de bouteilles de bière.

À cinq heures, il enfila deux chandails, mit son manteau et glissa dans la poche intérieure un flacon de cognac qui l'aiderait à supporter le froid et le prémunirait — du moins l'espérait-il — contre un brusque affaissement de vaillance. Malgré les frissons qui le traversaient, il ne pouvait s'empêcher de sourire et de siffloter. Après un lundi aussi soporifique, une expédition risquée lui faisait l'effet d'un délassement.

À sa sortie de l'hôtel, une bruine glaciale tombait sur la ville, remplissant les rues d'une vapeur morose.

— Je vais aller me mettre quelque chose de chaud dans l'estomac. On dit que c'est bon pour le cran.

Après avoir avalé un bol de soupe et des craquelins dans un petit casse-croûte, il se dirigea vers l'extérieur de la ville. Des sonneries de cloches résonnèrent soudain tout autour de lui ; l'air chargé d'humidité leur donnait un accent lugubre et oppressé. La pensée que c'était peut-être la dernière fois qu'il entendait des cloches et contemplait un paysage terrestre lui traversa l'esprit. Il pressa le bouton de la radio et tomba sur une conférence de presse du président Reagan. Ce dernier défendait avec fougue son projet d'augmenter le nombre des missiles *Peacemaker*. « Comment assurer la paix mondiale sans moyen pour la protéger ? demandait le président. Est-ce qu'un gérant de banque peut se payer le luxe de congédier son agent de sécurité en se fiant aveuglément à l'honnêteté des gens ? »

Il donna un nouveau coup de pouce et atterrit dans une chanson de Charlebois.

— Allons, grommela-t-il, je viens d'attraper encore une fois les bleus. Et pourquoi ? Tout simplement parce que, depuis hier soir, je suis seul comme une girafe au pôle Sud.

Une heure plus tard, après s'être trompé de chemin deux ou trois fois, il arrivait aux abords de la maison de Fernand Livernoche. La nuit s'épaississait. Il stationna son auto dans un petit chemin abandonné à demi envahi par la forêt, puis, s'assoyant sur le capot, enfila une longue gorgée de cognac. La maison du libraire se trouvait à un kilomètre environ. Il revint sur la route et se mit à marcher, fouillant l'ombre de son œil écarquillé, figeant sur place au moindre bruit suspect. Soudain, une lueur apparut au sommet d'une côte. Il plongea dans un buisson et, insensible aux égratignures, alla se cacher derrière un arbre. Une auto blanche (ou bleu pâle?) passa lentement devant lui, les glaces à demi baissées, enveloppée dans le battement forcené d'une musique disco qui enterrait presque le ronflement du moteur, puis disparut. Il avait cru distinguer la fameuse *Maverick*.

— Pourvu qu'ils n'aient pas sacré le camp juste au moment où j'arrive, grommela-t-il en traversant le buisson. Quoique je l'imagine mal en amateur de disco...

Il parcourut encore une centaine de mètres, puis pénétra de nouveau dans la forêt. Au bout de quelques instants, le bas de son pantalon fut trempé. Le temps s'était passablement refroidi. Ses dents se mirent à claquer. Il s'arrêta, avala deux gorgées de cognac, gonfla ses poumons d'air, puis reprit sa marche et aperçut bientôt la grosse pierre plate sur laquelle avait atterri quatre jours plus tôt sa trousse de photographe. Il se rappela que le bois s'interrompait non loin pour faire place à un champ bordé par un talus en haut duquel s'élevait la maison du libraire. Il marcha encore un peu, puis s'arrêta à la lisière de la forêt et scruta la rangée d'érables à Giguère qui masquait la maison, essayant de distinguer une lueur. Un bruit sourd se fit entendre à sa gauche, suivi d'une sorte de frémissement.

Puis le silence régna de nouveau. Il sentait dans l'air comme une odeur de guet-apens.

Entre la lisière du bois et la ligne d'arbres en haut du talus s'étendait une distance d'environ cent mètres. Pendant la traversée de cet espace découvert, il deviendrait aussi vulnérable qu'un lièvre au bout de la ligne de mire d'un chasseur. Il glissa la main dans sa poche, sortit le flacon de cognac et prit une autre gorgée, puis rampa à toute vitesse vers la maison. Malgré la peur qui lui remuait les entrailles, il ressentait une furieuse envie de rire à la pensée de l'aspect loufoque qu'il devait présenter, grand scout attardé s'amusant à un jeu solitaire et puéril.

Il atteignit la ligne d'érables sans encombre et aperçut la maison à travers le rideau de broussailles et de rejetons. Une fenêtre du rez-de-chaussée brillait à sa gauche. Il s'immobilisa, écouta un moment. Le faîte des arbres bougeait doucement au-dessus de lui. Très loin, un chien lâcha trois jappements brefs. Il se glissa parmi les branches, s'arrêtant à tout moment pour écouter. Ses claquements de dents avaient cessé. Une tiédeur bienfaisante amollissait son corps. Ce qui lui était apparu tout à l'heure comme une expédition risquée devenait un divertissement où allaient triompher sa débrouillardise et son imagination. Il avança un peu la tête et aperçut à sa droite l'auto de Livernoche stationnée sous un arbre.

— Bon. Il est chez lui. Ou dans les alentours ? À nous deux, mon gros...

Il quitta les broussailles, rampa vers l'arbre où il avait failli s'évanouir de peur deux jours plus tôt et se redressa lentement. Par la fenêtre, il aperçut le rectangle lumineux d'un téléviseur. Puis, quelques mètres plus loin, dans la pénombre de la pièce, un grand corps massif allongé dans un fauteuil, les jambes étendues en V, les bras croisés. La lueur de l'écran augmenta tout à coup et le visage de Livernoche apparut de trois quarts, morne, maussade, un peu affaissé. Le libraire porta la main à sa bouche, qui s'étira dans un grand bâillement. Fisette sourit :

— Tu t'ennuies, mon coco ? Mais ce qui m'intéresse est de savoir si tu t'ennuies seul ou avec quelqu'un.

Il se déplaça de côté de façon à pouvoir embrasser toute la pièce du regard. Mais, ce faisant, il se mettait dans le champ de vision du libraire.

Il semblait que ce dernier fût seul dans la pièce. Sa compagne pouvait évidemment se trouver ailleurs dans la maison. Comment vérifier ?

Fisette s'accroupit de nouveau par terre et, l'œil braqué sur la fenêtre, se dirigea vers le fond du terrain jusqu'à un gros baril de métal derrière lequel il se cacha. La maison lui apparut alors, avec ses quatre fenêtres, deux au rez-de-chaussée, deux à l'étage, toutes obscures. Entre celles du rez-de-chaussée s'ouvrait la porte de la cuisine, précédée d'une véranda qui faisait la moitié de la maison. Une des fenêtres de l'étage donnait sur le toit de cette véranda et le photographe remarqua qu'elle était entrouverte.

— Chambre à coucher, pensa-t-il. Aération pour la nuit...

L'impression d'être un détective de grand calibre grandissait peu à peu en lui, enivrante. Il promena lentement son regard dans la cour ; la lune, voilée de vapeurs, l'éclairait d'une lumière diffuse et mouillée ; une longue échelle de bois était appuyée contre la remise. Il la fixa un moment, toujours à croupetons derrière le baril, porta la main à la poche intérieure de son veston, sortit de nouveau le cognac et prit deux gorgées. Puis il se leva, marcha droit à l'échelle, la souleva, la transporta jusqu'à la véranda, l'appuya contre la corniche et grimpa sur le toit. Il rampa sans bruit vers la fenêtre, risqua un coup d'œil à l'intérieur et recula précipitamment. Une forme était étendue sur un lit.

— C'est elle, murmura-t-il tandis que son cœur se mettait à battre avec violence, donnant l'impression de doubler de volume et de pousser des ramifications dans sa gorge et jusque dans ses oreilles. Comment lui parler sans qu'elle se mette à crier ?

Il se pencha de nouveau... et constata que le lit était vide. Ce qu'il avait pris pour une forme humaine n'était qu'un amoncellement de couvertures. Il examina la chambre. Une commode à six tiroirs, un lit, un fauteuil, une coiffeuse, un tapis. Au fond, une porte ouverte donnant sur un escalier qui faisait un coude à mi-chemin. Une faible lueur en provenait. La fenêtre était à guillotine. Il appuya le bout des doigts contre le châssis de bois et le fit bouger facilement dans ses rainures. Glissant alors la paume des mains sous le châssis, il le souleva lentement, réussit à le coincer et passa la tête. En bas, Richard Garneau décrivait une partie de hockey d'une voix chaude et vibrante. Une odeur de graillon et de café flottait dans l'air. Il se courba, enjamba l'allège et demeura debout un moment au milieu de la pièce obscure, ébloui et terrifié par son audace.

La commode luisait faiblement avec ses tiroirs ventrus. Il eut comme l'impression qu'elle lui lançait des appels mystérieux. Il s'en approcha, posa la main sur la poignée d'un tiroir, puis, se ravisant, alla jeter un coup d'œil à la tête de l'escalier. Mal lui en prit ! La pénombre l'empêcha d'apercevoir une assiette de cuivre ouvragé suspendue au mur à quelques centimètres de son épaule. Au bout d'un moment, il entendit Livernoche bâiller dans le salon. Rassuré, il tourna sur lui-même et heurta légèrement l'assiette. Le clou qui la soutenait tant bien que mal s'arracha et elle bondit de marche en marche dans un vacarme de fin du monde tandis que Livernoche se levait de son fauteuil comme si toutes les flammes de l'enfer rugissaient autour de lui.

23

Le lendemain, quand Juliette se leva, Denis avait dressé le couvert, préparé le café et il finissait d'avaler une rôtie.

— C'est gentil d'avoir fait le déjeuner, fit-elle en lui caressant les cheveux.

— Oh, c'est parce que ça me tentait, répondit l'enfant d'un air faussement détaché.

Il but un grand verre de lait au chocolat et jeta un rapide coup d'œil sur le journal :

NOUVEL ESSAI NUCLÉAIRE EN SIBÉRIE

titrait *Le Devoir* en première page.

Puis il se dirigea vers la sortie :

— Le vétérinaire a téléphoné hier soir pour dire que le merle était prêt, lança-t-il, mine de rien.

— Ah bon, répondit Juliette, impassible. Où t'en vas-tu ?

— Rejoindre Vinh. Clément va m'accompagner. Est-ce que je peux dîner chez lui, s'il m'invite ?

— Si sa mère est d'accord, moi, je veux bien.

Elle s'approcha pour l'embrasser, gratta une petite tache sur la manche de son coupe-vent.

Il mit la main sur le bouton de la porte et s'immobilisa, le dos tourné :

— Ma tante ?

Elle le regardait, l'œil ironique. Cette serviabilité si matinale faisait partie d'une stratégie.

— Ma tante, pour Sifflet, là, est-ce que...

— Je vais d'abord parler au vétérinaire, si tu permets.

Aussitôt qu'il fut parti, elle téléphona à Saint-Hyacinthe. Fisette avait quitté l'hôtel au petit matin sans laisser de message. Il était neuf heures et quart.

— Occupons-nous alors de Sa Grandeur Alphonse Pagé, décida-t-elle, farouche. Pourvu qu'il ne soit pas en train de se grilller la bedaine en Martinique !

À *Rebâtir Montréal*, on lui répondit que monsieur Pagé ne pouvait lui parler, car il était en réunion pour la journée.

— Mais il faut absolument que je le voie aujourd'hui même, insista Juliette. C'est très urgent.

Et elle tenta d'expliquer le motif de son appel.

— Je regrette, coupa la secrétaire, mais j'ai reçu l'ordre formel de ne pas le déranger.

— Demandez-lui au moins qu'il m'appelle, supplia la comptable.

— Très bien. Mais je ne peux vous promettre qu'il le fera.

Elle raccrocha, réfléchit un moment, puis se rendit à la penderie et enfila son manteau :

— Eh bien, s'il veut jouer à l'évêque, je vais faire le pape, moi. J'en ai assez de me faire piétiner le système nerveux par Joe, Baptiste et leurs cousins !

Elle sortit et se dirigea vers son auto d'un pas qui, malgré sa corpulence, était presque majestueux. En déverrouillant la portière, elle aperçut le dentiste Ménard, loin devant elle sur le trottoir, qui s'en allait, un peu voûté, la démarche incertaine.

— Qu'est-ce qui a bien pu le mettre dans un pareil état... Il devrait être au lit, le pauvre, au lieu de traîner sa misère aux quatre vents.

Vingt minutes plus tard, elle s'arrêtait, rue des Sœurs Grises, devant un grand édifice de pierre aux allures d'entrepôt, qu'on semblait tout juste avoir rénové. Entretemps, quelques moments de réflexion lui avaient permis de réaliser que taper du pied dans le bureau d'Alphonse

Pagé risquait de donner les mêmes résultats que de secouer un lion par la crinière. Ses prétentions sur la maison de sa tante avaient la solidité de la gélatine et le marché était sans doute déjà conclu entre Vlaminck et le président de *Rebâtir Montréal*, qui jouissait d'une écrasante supériorité financière. Alphonse Pagé n'avait qu'à lui donner une pichenotte et l'affaire était close. Il fallait tirer sur d'autres fils, exciter sa pitié, par exemple, et tout d'abord arriver jusqu'à lui.

Elle entra dans l'édifice et se retrouva dans un vaste hall aux murs de pierre nus, aux dalles de grès rose, dont le plafond, très élevé, était supporté par de grosses poutres grossièrement équarries. Une immense tapisserie de laine multicolore, à motifs abstraits, ornait le mur du fond où l'on apercevait un ascenseur et un tableau indicateur. Les bureaux de *Rebâtir Montréal* se trouvaient au quatrième étage. La réceptionniste, jeune fille naïve et pleine de bonne volonté, remarquable par sa mesure en toutes choses, eut toutes les peines du monde à cacher sa stupeur en voyant apparaître cette femme colossale au manteau vert pomme qui faisait penser à un morceau de prairie en mouvement.

— Pourriez-vous m'indiquer le bureau de votre patron ? fit Juliette de sa voix la plus aimable en se plantant devant elle. Il m'a demandé de lui remettre un message en main propre.

— C'est la deuxième porte à gauche, répondit la jeune fille, de plus en plus ébahie, après un moment d'hésitation. Qui dois-je annoncer ?

— Je m'annoncerai moi-même, merci.

Elle frappa un coup et pénétra dans le bureau.

Alphonse Pagé était assis dans un grand fauteuil de cuir noir, l'index posé sur un plan étalé devant lui, le combiné coincé entre l'oreille et l'épaule. La vue de l'obèse fit apparaître cinq plis sur son front, transformant en tierce deux petits grains de beauté situés au-dessus de son nez.

— Un instant, dit-il à son interlocuteur en déposant le combiné.

La réceptionniste, alarmée, venait d'apparaître derrière Juliette.

— Qu'est-ce qui se passe ? fit-il en se levant.

Juliette s'avança :

— Je vous prie de m'excuser, monsieur, mais il faut absolument que je vous parle, et tout de suite.

— Qui est cette dame, mademoiselle Therrien ?

— Mais je ne sais pas, moi, je ne sais pas du tout. Elle a passé devant moi comme un boulet de canon en me disant que vous l'attendiez.

— Je m'appelle Juliette Pomerleau, monsieur. Je suis comptable, honnête et lucide et je n'ai pas l'habitude de m'introduire chez les gens sans invitation. Si j'ai forcé votre porte, c'est que ça presse et je m'en excuse. J'ai habité plus de vingt ans dans une maison que vous êtes sur le point d'acheter — si ce n'est déjà fait — et je veux absolument vous...

Alphonse Pagé, sourit, leva la main pour l'interrompre, puis, reprenant le combiné :

— Je vous rappelle, monsieur Vieira. Excusez-moi.

Il fit signe à la réceptionniste de se retirer.

— Assoyez-vous, madame Pomerleau. Mais je vous préviens : je n'ai pas beaucoup de temps à vous consacrer. Racontez-moi votre histoire, mais un peu plus calmement, je vous prie, que je m'y retrouve un peu.

Juliette, de plus en plus volubile et nullement calmée, exposa le motif de sa visite, puis, des larmes dans la voix, se mit à parler de sa tante Joséphine, de la profonde affection qu'elle lui avait toujours portée et qui s'était comme transférée sur sa maison, qu'elle voulait à tout prix, afin d'y finir ses jours entourée des siens.

Pagé l'écoutait, renversé dans son fauteuil à bascule, les mains croisées sur l'abdomen, l'œil narquois, vêtu d'un horrible complet vert olive qui lui donnait l'aspect d'un livreur de mazout. C'était un homme trapu, au début de la cinquantaine, les cheveux en brosse, le crâne à demi dégarni, avec quelque chose de paysan malgré son expression ouverte et pleine d'assurance. La vivacité de son regard, son élocution précise, rapide et hachée donnaient l'impression d'une énergie sans limites. Il était originaire du Lac Saint-Jean et s'était enrichi dans la fabrication de gants de caoutchouc (pour usage domestique, industriel et médical). Cinq ans plus tôt, la revue *Newsweek*, dans un article qui lui était consacré, l'avait surnommé « *l'homme aux dix milliards de doigts* ».

— Hum, se contenta-t-il d'émettre quand la comptable eut terminé.

Un moment passa.

— Votre tante avait une bien belle maison, ajouta-t-il en se tapotant les genoux, l'œil fixé sur Juliette, comme pour essayer de s'en faire une opinion.

Un peu mal à l'aise, elle tenta de changer de position dans son fauteuil, mais les appuie-bras la coinçaient.

— Oui, c'était une maison magnifique, dit-elle enfin. Un peu défraîchie aujourd'hui, mais heureusement, on ne l'a pas trop défigurée.

— Est-ce que vous savez qui je suis ? demanda-t-il tout de go.

Elle ne put s'empêcher de sourire :

— Bien sûr. Tout le monde vous connaît. Vous êtes Alphonse Pagé, président de *Rebâtir Montréal*.

— Êtes-vous au courant des buts de notre corporation ?

Elle hésita une seconde :

— Vous êtes dans l'immobilier ancien. J'ai lu des articles sur vous à quelques reprises... et je vous ai vu aussi deux ou trois fois à la télé. On dit que vous faites des affaires d'or... et que vous aimez les vieilles maisons. C'est d'ailleurs pourquoi je...

Il leva la main une seconde fois pour l'interrompre, appuya sur le bouton de l'interphone :

— Mademoiselle Therrien, voulez-vous dire à Gilles de m'attendre une quinzaine de minutes ? Les buts que poursuit *Rebâtir Montréal* sont très particuliers, madame Pomerleau, reprit-il en posant les coudes sur son bureau. Le préfixe « re » est très important dans *Rebâtir Montréal*. Il indique que nous cherchons à réparer une partie des gaffes du maire Drapeau et de ses devanciers, et sauver ce qui peut l'être encore — et qui le mérite, naturellement. Savez-vous que Montréal est la seule ville d'importance en Amérique du Nord à ne pas s'être dotée d'un plan d'urbanisme ? Ç'aurait été mauvais pour les affaires, paraît-il... En fait, depuis les années 50, la planification urbaine se fait ici à coups d'incendies criminels et de décisions prises à l'extérieur.

— Ma foi, se dit Juliette, il est lancé pour la journée.

— Résultat : Montréal qui, jusqu'en 1930, figurait parmi les plus belles villes d'Amérique, est en passe de devenir une des plus laides. Improvisation, laideur et béton, telle est notre devise. Mais j'arrête ici mon petit sermon, qui risque de vous ennuyer. Je me propose, comme vous l'avez dit, d'acheter la maison du 2302, René-Lévesque pour la sauver et la mettre en valeur. Vous vous êtes sans doute aperçue qu'elle se trouve dans une zone de spéculation intense, où il est de plus en plus difficile de faire de vieux os. Évidemment, vous vous doutez bien que je ne suis pas le bon Samaritain de l'Évangile, mais un homme d'affaires qui cherche à réaliser des profits. J'ai fondé *Rebâtir Montréal* il y a trois ans. C'est une entreprise de rénovation et de construction immobilières, comme il y en a tant, mais qui obéit à une certaine vision, si vous me permettez l'expression.

— Qu'est-ce que c'est que toute cette salade ? se demandait Juliette. Est-ce qu'il se prépare à me dire oui ou non ?

— Pour l'instant, continua Pagé, nous en sommes à la phase du sauvetage des vieux édifices intéressants, que nous transformons en habitations ou en bureaux avec le plus grand souci de respecter leur architecture d'origine ; mais j'ai fini par mettre la main il y a six mois sur une douzaine de stationnements dans le Vieux-Montréal. J'en tire pas mal d'argent, mais un de ces beaux matins, je me déciderai peut-être à remettre dessus les beaux édifices qui s'y trouvaient autrefois et qu'on a stupidement démolis.

— Et ma maison? demanda Juliette, qui regretta aussitôt son mouvement d'impatience.

L'homme d'affaires se mit à rire :

— Ah ça, il faudrait que j'y réfléchisse un peu, madame... Votre attachement à la maison de votre tante est bien sympathique, mais en même temps, vous me demandez de retirer de ma bouche un bonbon que je m'apprêtais à croquer... Nous nous trouvons, je ne vous le cache pas, devant une occasion superbe. J'ai visité les lieux vendredi dernier. Ils sont en excellent état, et ce bon monsieur Vlaminck, chose étrange, ne se doute absolument pas de leur valeur réelle. À l'époque, cette maison se dressait, comme vous le savez, dans un coin magnifique. Les Anglais appelaient l'endroit le *Golden Square Mile*. On le considérait comme un des plus beaux quartiers résidentiels de l'Empire britannique. Il n'en reste pas dix pour cent. La propriété qui vous intéresse constitue un de ces précieux vestiges. Il faut absolument stopper, voyez-vous, cette folie de spéculer n'importe comment avec l'espace urbain, sinon dans vingt ans, les touristes croiront que Montréal a été fondé en 1950 !

— Voilà plus de dix minutes qu'il me parle, se dit Juliette. Bon signe, ça.

Elle s'éclaircit la voix, tira à deux ou trois reprises sur le bord de sa robe, puis :

— Je... j'admire beaucoup votre travail, monsieur Pagé... Si tous les hommes d'affaires avaient votre... élévation d'esprit..., les villes seraient bien plus... enfin, disons, citadines, en quelque sorte. Eh bien, moi aussi, c'est justement pour préserver quelque chose de beau et d'ancien que je rêve d'acheter cette... Quel prix vous demande-t-il, monsieur ? fit-elle avec une intonation suppliante.

Alphonse Pagé se figea une seconde, puis pouffa de rire devant l'embarras de la comptable :

— Hum... voilà une question bien indiscrète, madame. Seul un bonasse y répondrait.

Il se renversa de nouveau dans son fauteuil :

— Trois cent soixante-dix mille dollars — ce qui est très raisonnable, soit dit entre nous. Alors, vous voudriez que je vous cède ma place ? Pour vos beaux yeux... ou ma belle jambe, peut-être ? Très bizarre, tout ça... Quelle est votre situation financière, madame Pomerleau ?

L'entretien se poursuivit quelques minutes, puis le téléphone sonna trois fois, coup sur coup. Quelques secondes plus tard, la porte s'entrebâilla et la tête d'un jeune homme à barbiche apparut :

— *Ils* nous attendent, monsieur Pagé.

— Bon, fit ce dernier en se levant, il faut se quitter.

Il tendit la main à Juliette :

— Je vais dormir sur votre problème et je vous rappelle demain. Laissez votre numéro de téléphone à ma secrétaire. Bonne journée, madame.

— Est-ce que je peux espérer...

Pour la première fois depuis le début de leur rencontre, une expression d'agacement traversa le visage de l'homme d'affaires. Il agita la main droite, comme pour chasser une mouche, et se dirigea rapidement vers la sortie. Juliette bafouilla une excuse et le suivit.

En arrivant à la maison, elle monta tout droit chez Martinek et lui raconta son entretien. Ce dernier venait de recevoir une commande urgente pour les arrangements musicaux du nouveau spectacle de Céline Dion. Cela l'obligeait d'abandonner ses travaux — ce qui le plongeait toujours dans un état de profond pessimisme. Il déclara d'un air pensif :

— Ma pauvre madame, à notre époque les sentiments triomphent rarement de l'argent. J'ai bien peur que votre maison ne vous file entre les doigts.

* * *

Juliette passa l'après-midi à de menues occupations. Alexandre Portelance devait se présenter chez elle vers quatre heures trente. Elle prépara du sucre à la crème pour Denis, qui en réclamait depuis deux jours, mais se garda bien d'y goûter elle-même, reprise subitement par un profond désir de perdre du poids. Elle mit ensuite de l'ordre dans sa paperasse, prit longuement son bain et, devenue soudain coquette mais n'osant pas s'en avouer la cause, passa près d'une heure à se bichonner et se choisir une robe. À quatre heures trente, ponctuel comme un train français, Alexandre Portelance appuyait son index moite sur la sonnette.

* * *

Il ramena Juliette aux alentours de minuit. S'il ne s'était retenu, il aurait chanté à tue-tête *Feu, feu, joli feu* ou *Capri, c'est fini*, les deux seules chansons qu'il connaissait par cœur et qu'il ne chantait que dans les moments de grande euphorie, se contentant à l'ordinaire de fredonner de vagues mélodies d'une tonalité plutôt élastique.

Le souper à *L'Armoricain* avait été une sorte de petit chef-d'œuvre, auquel avait collaboré sans trop le savoir le personnel du restaurant. Malgré l'affluence, on avait réussi à leur dénicher un coin à l'écart ; le cuisinier — qui venait d'avoir une fille — s'était surpassé ; quelqu'un avait fait jouer trois fois de suite en sourdine les *Sylphides* de

Chopin, musique qui avait la propriété de rendre Juliette comme une couventine à sa première amourette ; le *Suprême de poulet de grain aux truffes* et la *Surprise au pamplemousse rose* avaient amené sur ses lèvres les commentaires les plus élogieux et elle avait même fait demander le patron, monsieur Loiseleux, pour lui présenter ses compliments.

Dans les jours qui avaient précédé son invitation, Alexandre Portelance avait élaboré une stratégie de conversation qui donna les résultats les plus heureux. Celle-ci comportait trois points. Éviter les sujets sérieux en début de repas. Ils figent et font parfois flotter au-dessus de la nappe des nuages de malaise qu'il est ensuite très difficile de faire lever. S'en tenir à des choses impersonnelles, banales s'il le faut, et truffer le tout de badineries. Et puis, écouter, écouter, écouter. Un auditeur attentif augmente chez son interlocuteur l'estime de soi-même, et c'est là le plaisir le plus délicieux qu'on peut procurer à quelqu'un. Ne pas insister pour prendre du vin ; au cours des premières rencontres, cela effarouche parfois les femmes d'âge mûr. Mais si l'invitée accepte, y aller gaillardement, sans lésiner sur le prix.

Après des préliminaires prudents et quelque peu embarrassés et trois ou quatre questions innocemment insidieuses pour se faire une idée sur l'homme qui se trouvait en face d'elle, Juliette tomba peu à peu sous le charme de sa bonhomie souriante et goguenarde ; son deuxième verre de vin n'était pas encore vidé qu'elle s'était mise à lui raconter sa vie, flattée par son intérêt et ravie par la pertinence discrète de ses questions.

Il voulut commander une seconde demi-bouteille. Elle refusa. Ils se mirent d'accord sur un verre chacun. Et c'est tout étourdie par le vin, en proie à des bouffées de chaleur quelque peu incommodantes, mais remplie d'une allégresse qui ne l'avait pas soulevée depuis longtemps, qu'elle se fit raconter la vie simple et unie de son soupirant.

Il était né en 1932 de parents hôteliers à Saint-Georges-de-Beauce, y avait fait de brillantes études primaires, suivies d'un cours classique remarquablement moche au Séminaire de Québec, où il avait laissé sa rhétorique en panne à l'âge de dix-sept ans ; puis, après quelques années de joyeuse fainéantise et de pittoresques tribulations, il s'était enrôlé dans l'armée, malgré l'opposition de sa famille, pour se retrouver six mois plus tard en Allemagne, où le mal du pays lui avait fait perdre quinze kilos. Au bout de trois ans, il avait quitté l'uniforme et pris l'avion pour Montréal, qu'il avait toujours habitée par la suite. En trente-trois ans, il avait exercé deux métiers : celui de responsable de la sécurité aux magasins *Ogilvy* dans l'ouest de Montréal (poste qu'il avait dû abandonner presque aussitôt à la suite d'un vol à main armée qui l'avait surpris en pleine pause-café à l'extérieur des magasins) ; puis celui de représentant du célébrissime fabricant d'aspirateurs *Electrolux*, où il œuvrait depuis 1955. C'est là, disait-il, qu'il avait pris toute son envergure, battant des records de ventes deux ans sur trois, et son enthousiasme pour sa marchandise était aussi brûlant qu'au premier jour.

Vers sept heures, il avait délicatement fait remarquer à Juliette que la dernière représentation d'*Autant en emporte le vent* commençait bientôt et qu'ils avaient tout juste le temps de s'y rendre. Le film la charma. À part quelques minutes de torpeur au début de la deuxième partie (attribuable à un léger excès de vin), Juliette vibra constamment au destin tumultueux de Scarlett O'Hara et remercia vivement son compagnon à la fin de la séance pour la soirée agréable qu'elle venait de passer.

Vers minuit donc, au moment de le quitter, la comptable se sentit obligée, malgré sa fatigue, d'inviter le représentant à « venir prendre une tasse de café », mais ce dernier, voyant son œil battu et son visage un peu affaissé, eut la finesse de décliner, lui souhaita bonne nuit et s'en alla sans la moindre allusion à la possibilité d'un rendez-vous prochain.

— Un homme bien sympathique... et délicat en plus, pensa-t-elle en se dirigeant vers la maison, flapie, les jambes engourdies, la tête pleine comme d'un brassement de vaisselle.

Un rideau de mousseline bougea légèrement tandis qu'elle s'avançait dans l'allée.

— Vieille dévergondée, siffla Elvina, penchée à la fenêtre. Ce n'était pas assez de me tourmenter. Voilà maintenant que tu te mets à courir les hommes, grosse et laide comme tu es...

Elle croisa les bras et ses ongles sillonnèrent frénétiquement sa peau rougie, couverte ici et là de squames. Étaient-ce les poux du merle des Indes ? Ou l'effet des gaz Michon ? Depuis la veille, elle souffrait de furieuses démangeaisons aux coudes.

Tous les traitements du monde n'y feraient rien. Ses coudes la tourmenteraient jusqu'à son dernier souffle. Et sa haine contre sa sœur, les amis de sa sœur et l'humanité en général, malgré qu'elle ait atteint des sommets de férocité, ne cesserait, chose inouïe, d'aller en augmentant.

24

Livernoche essaya d'avaler sa salive par deux fois, mais sans succès. Au bout d'un moment, sa respiration reprit.

Il s'avança dans la pièce, livide, le corps glacé ; son œil dilaté roulant de tous côtés semblait vouloir jaillir de son orbite. Après s'être arrêté sur le seuil, il se risqua dans le corridor, où donnait l'escalier, allumant l'un après l'autre les commutateurs sur son passage. L'assiette de cuivre gisait au milieu de la place. L'écran de télévision allumait sur elle des lueurs mouvantes qui semblaient la faire frémir.

Il se précipita dans le salon, éteignit l'appareil, écouta un long moment, puis revint dans le corridor et commença à gravir l'escalier.

— Imbécile, marmonna-t-il en s'arrêtant.

Il redescendit, entra précautionneusement dans la cuisine et revint avec un énorme couteau de boucherie dans sa main tremblante.

Après avoir visité la maison de fond en comble, jeté un coup d'œil à toutes les fenêtres (il lui sembla que celle de la chambre à coucher était plus entrouverte que d'habitude et qu'une étrange fraîcheur régnait dans la pièce), force lui fut de conclure que la cause de son effroi n'était qu'un clou mal enfoncé.

— Idiote ! lança-t-il furieusement à l'intention d'Adèle. Trente-deux ans et ne pas savoir comment planter un clou dans un mur ! Conne ! Trois fois conne ! D'ailleurs, il fallait mettre un crochet et non un clou !

Caché derrière le garage, Fisette ne se sentait guère mieux que le libraire. En sautant du toit de la galerie, il avait atterri sur les mains et ses poignets élançaient cruellement. Peut-être étaient-ils fracturés ? Malgré la douleur et l'affolement, il avait eu la présence d'esprit de retirer l'échelle, mais il n'avait pas eu le temps de la replacer contre la remise, la laissant adossée à la véranda. Un examen le moindrement attentif des lieux attirerait l'attention du libraire sur ce détail. Il grelottait, couché à plat ventre sur la terre froide. La vue de cette échelle compromettante le navrait et le retenait sur les lieux.

Livernoche n'avait pas encore montré le bout de son nez dehors.

— Doit être en train de changer de pantalon, ricana le photographe. En tout cas, je sais maintenant que sa chère Adèle ne se trouve pas ici. Avec tout le vacarme que je viens de faire, elle aurait crié...

Un vrombissement s'éleva à droite de la maison. Fisette rampa dans l'ombre et arriva à temps pour apercevoir l'auto du libraire qui s'éloignait dans l'allée bordée de cèdres.

— Ah ! la frousse l'a fait partir ! se dit-il avec un sourire béat.

Et, sans plus attendre, il s'approcha de la maison, saisit l'échelle et, grimaçant de douleur, alla la déposer contre la remise.

— Il s'en va rejoindre sa blonde, fit-il en s'arrêtant au milieu de la cour. Torvisse ! si je n'étais pas stationné si loin, j'aurais pu le filer !

Et, de dépit, il vida son flacon de cognac.

Pendant une seconde, il eut envie de profiter de l'absence du libraire pour fouiner dans la maison à la recherche d'un indice sur la cachette d'Adèle, mais l'incident de l'assiette de cuivre avait mis ses nerfs à rude épreuve et, après avoir erré un moment dans la cour, il franchit le rideau d'arbres et se dirigea vers son auto.

À vingt heures dix, hébété de fatigue et à demi soûl, il montait d'un pas incertain le grand escalier de chêne de l'*Hôtel Maskouta* sous l'œil narquois de la jeune réceptionniste ; en vingt-quatre heures, elle en était à sa dix-neuvième hypothèse sur les raisons du séjour à Saint-Hyacinthe de ce grand type au sourire fadasse qui allait et venait sans dire un mot, tantôt sale, tantôt soigné, l'allure furtive et toujours pressé. Au début de la soirée, elle avait fait une visite discrète dans sa chambre, soulevant même les draps de son lit, sans trouver de réponses à ses questions.

Quelques instants plus tard, Fisette se glissait dans lesdits draps, l'aisselle odorante, le pied douteux, tous deux se livrant une âpre concurrence pour attirer l'attention de son nez, rempli des vapeurs du cognac. Malgré son épuisement, il n'arrivait pas à dormir, car ses poignets élançaient trop.

— Les chevilles, et maintenant les poignets, grommelait-il en se retournant dans son lit. Demain, ce sera quoi ?

Il se leva plusieurs fois durant la nuit pour les passer tantôt à l'eau chaude, tantôt à l'eau froide, allumant la lumière pour observer l'enflure, jusqu'à ce qu'un vigoureux coup de poing dans le mur l'incite à souffrir plus discrètement. Il s'endormit vers quatre heures et se retrouva aussitôt devant monsieur Allaire, son patron, vêtu d'une robe de chambre mauve malgré qu'on fût au studio.

— Est-ce que... est-ce que je pourrais prendre congé jusqu'à jeudi, patron ? demanda Fisette en rougissant. Je... souffre de varicelle aux pommettes.

Monsieur Allaire eut un sourire ineffable :

— Mais bien sûr, bien sûr, mon cher Clément, répondit-il en se levant de son fauteuil avec une promptitude inouïe. Toute la semaine, si tu veux...

Et il se mit à le gifler à tour de bras, riant aux éclats :

— Ceci, c'est pour le fauteuil vert ! cela, pour le fauteuil blanc ! ceci, pour le fauteuil rouge ! cela...

— Quels fauteuils ? Mais quels fauteuils ? criait Fisette en essayant de parer les coups.

Il se réveilla à huit heures avec une boule d'acier qui lui tournait dans la tête mais les poignets raisonnablement souples. Sa première pensée fut d'appeler son patron pour lui annoncer la prolongation forcée de son absence. Une petite promenade autour de l'hôtel et trois cafés noirs firent diminuer un peu le volume de la boule et lui permirent d'amasser un peu de courage pour son appel.

Au moment précis où Juliette faisait irruption dans le bureau d'Alphonse Pagé, monsieur Robert Allaire, propriétaire des *Studios d'art Allaire* de la rue Mont-Royal, qui fournissait depuis 1954 à ses nombreux clients les photographies les plus susceptibles de les réconcilier avec le charme parfois limité de leur physionomie, s'emparait du combiné que venait de lui tendre une employée avec un « C'est Clément » sarcastique ; avant même que le photographe puisse articuler une syllabe, son patron lui susurrait d'une voix suave :

— Alors quoi, mon Clément ? T'es-tu fait amputer un bras ? crever un œil ? enlever la moitié de l'estomac ? T'as attrapé le sida ? la grippe espagnole ? la maladie du légionnaire ? Raconte tout ça à ton vieux patron chéri qui depuis jeudi dernier se tape des journées de quinze heures, saute ses repas et marche à l'aspirine en espérant que son gentil Clément lui fasse la faveur un jour de venir travailler une petite demi-heure par-ci par-là, sans trop se fatiguer.

Un léger halètement se fit entendre à l'autre bout du fil, puis :

— Écoutez, monsieur Allaire.. je ne pourrai pas venir travailler avant mercredi ou jeudi... je... je me suis foulé les poignets...

Une plaisanterie obscène traversa l'esprit de monsieur Allaire, mais il la garda derrière ses dents, un peu inhibé par la présence de sa jeune employée, mais surtout par la nouvelle image qu'il se faisait de lui-même depuis sa récente nomination comme vice-président de l'*Association des commerçants de la rue Mont-Royal*.

— Ça ne marche pas, Clément. Ça ne peut pas marcher. Je n'engage pas des employés pour travailler à leur place mais pour qu'ils travaillent à la mienne. Foulure pas foulure, il faut que tu sois ici demain matin à neuf heures pile, sinon...

— Je ne peux pas, monsieur Allaire, je ne peux vraiment pas, répondit Clément d'une voix désespérée. Au moment où je vous parle, j'ai de la misère à tenir le téléphone. Mes doigts ne veulent plus bouger ! Vous auriez beau m'enfermer toute la journée dans une chambre noire, je ne pourrais pas vous tirer une seule photo.

— Je suis sûr qu'il y a une histoire de femme derrière ça, déclara l'autre d'une voix déjà un peu moins ferme.

Fisette l'assura que, dans l'état où il était, on aurait plus de chances de trouver chez lui une escadrille d'hélicoptères qu'une femme, puis, jugeant que la meilleure façon de mentir était de s'appuyer sur la vérité, il raconta l'accident qui lui avait valu ces maudites foulures.

Cela donna un récit un peu confus mais assez convaincant où il était question d'un libraire peureux qui vivait seul à la campagne aux environs de Saint-Hyacinthe, d'une plaisanterie que Fisette et des amis avaient voulu lui jouer, d'une assiette de cuivre dévalant un escalier, puis d'une chute en bas d'un toit, le tout se terminant par une bonne brouille avec ledit libraire, suivie d'un séjour de quatre heures à l'urgence de l'hôpital Honoré-Mercier.

— Vraiment, mon cher Clément, s'écria monsieur Allaire, presque égayé, je ne te croyais pas aussi enfant. Tu aurais pu te casser le cou. Y as-tu pensé ?

Et, croyant agir par grandeur d'âme, alors qu'il obéissait plutôt aux lois du réalisme qui le poussaient à supporter l'absence d'un bon photographe mal payé plutôt que de se mettre à la recherche d'un remplaçant moins talentueux et plus cher, il fit subitement volte-face et enjoignit Fisette « de prendre tout le temps nécessaire pour se soigner, quitte à ne revenir que le lundi suivant ».

— Mais ensuite, ne rouspète pas si je te demande de travailler durant les fins de semaine, hein ?

Fisette le remercia avec effusion et raccrocha ; puis il regarda l'heure et fronça les sourcils : serait-il possible de s'introduire en plein milieu de l'avant-midi dans le sous-sol de la librairie sans attirer l'attention ?

La première chose à faire, bien sûr, était de vérifier si Livernoche se trouvait sur les lieux. Il consulta le bottin et téléphona.

— *La Bonne Affaire*, fit une voix bien connue.

— Passez-moi donc Jean-Paul, demanda Fisette en contrefaisant sa voix.

— Mauvais numéro, répondit le libraire d'un ton sec, et il lui ferma la ligne au nez.

— Eh bien, le tigre est dans sa tanière, se dit Fisette. Il ne reste plus qu'à se glisser sous sa moustache.

Mais auparavant, il sentit le besoin d'un autre café, car le cognac de la veille maintenait sa pensée dans un état plutôt vaporeux.

Il sortit de l'hôtel, longea le vieux marché et enfila la rue des Cascades en direction du petit restaurant où, quelques jours plus tôt, il avait mangé avec Juliette. Cela l'éloignait de *La Bonne Affaire* et d'une rencontre inopportune avec Livernoche. En arrivant au coin de la rue de l'Hôtel-Dieu, il aperçut la vitrine d'une minuscule papeterie-librairie et cela lui rappela que *La fosse d'aisances* de Réjean Chrétien n'avait pas été un achat des plus heureux.

Il entra dans l'établissement et se dirigea vers le fond, où se dressaient des rayonnages à demi dégarnis. Des affichettes portant le mot SOLDE en grosses lettres rouges étaient fixées ici et là sur les murs, les tablettes, les comptoirs vitrés. On ne vendait que du livre d'occasion. Il tomba sur un exemplaire tout amoché d'*Une ténébreuse affaire* de Balzac, en vente pour deux fois rien, et trouva que le titre décrivait fort bien les circonstances où il se débattait. Au regard que posa sur lui le patron tandis qu'il se dirigeait vers la caisse, il comprit que l'apparition d'un client était devenue aussi rare qu'un tremblement de terre.

— Bonjour, fit-il en déposant le livre sur le comptoir. Le temps s'est réchauffé un peu... Personne ne va s'en plaindre, je pense... Les affaires vont bien ?

— Hm hm, marmonna l'autre, penché au-dessus de sa caisse.

Sa lassitude frappa Fisette. C'était un homme dans la soixantaine, au crâne luisant marqué de taches rouges, aux sourcils grisonnants et broussailleux, qui portait une chemise fripée dont la poche, gonflée d'un hérissement de stylos, commençait à se découdre.

— Vous avez un beau choix de livres, poursuivit aimablement Fisette. Ça fait longtemps que vous tenez librairie ?

— Trente-sept ans, répondit l'autre en glissant le roman dans un sac.

— On m'a dit qu'une nouvelle librairie s'était ouverte sur des Cascades, près de la rue Sainte-Marie ?

— Oui, monsieur. Je ne vous conseille pas d'y aller.

— Ah non ? Pourquoi ?

— C'est un *sale*, monsieur. Un voleur de grands chemins.

— Ah bon.

— En fait, il y avait une autre librairie là-bas avant lui : *Le Grimoire*. Elle a fait faillite au milieu de l'été. Il l'a achetée pour la moitié d'un clin d'œil.

— Qui, « il » ?

— Un nommé Livernoche. Un gars de Trois-Rivières, paraît-il. Devrait y retourner.

— Si je comprends bien, vous auriez préféré que sa librairie n'ouvre pas.

— Du tout. C'est pas ce que j'ai voulu dire... J'aurais préféré qu'il se comporte avec moi en *monsieur*. Il s'est comporté en *sale*. Et je pèse mes mots. Du temps du *Grimoire*, tout allait bien. Monsieur Proulx et moi, on se partageait le marché. Il faisait dans le livre neuf, moi dans le livre d'occasion. Personne ne se nuisait. S'il a fait faillite, c'est à cause de problèmes personnels, monsieur, pas à cause de moi. Mais l'autre, en mettant le pied à Saint-Hyacinthe, il a décidé de me frapper en plein cœur pour prendre tout le marché. Le jour même de son arrivée, il s'amenait ici en se faisant passer pour un client. Il m'a acheté une dizaine de livres avec des sourires larges comme la rue et s'est mis à me faire parler sur la ville, ma clientèle, mes habitués, qui achetait quoi et pourquoi et à quel moment, mes relations avec le cégep, la bibliothèque municipale, la commission scolaire, les curés, les organisations paroissiales, la chambre de commerce, tout y a passé, et moi, grand niaiseux, je vidais mon sac sans voir son jeu. Et puis, une fois qu'il a su tout ce qu'il voulait savoir, il est allé ouvrir sa maudite librairie et s'est mis à vendre du livre d'occasion, du neuf et de la papeterie et à me tirer dans les jambes chaque fois qu'il le pouvait. Sa mère a dû se faire nettoyer le ventre à l'eau de Javel après l'avoir mis au monde, celui-là.

Fisette compatit à ses malheurs du mieux qu'il put, puis, mine de rien, lui demanda si son adversaire avait des employés. Ou peut-être était-il marié et sa femme travaillait-elle à la librairie ?

— On n'a jamais vu d'employés là-dedans, et avec le caractère qu'il a, je serais bien surpris qu'une femme ait jamais voulu de lui. Dites donc, s'interrompit-il tout à coup en dardant sur Fisette un regard méfiant, il vous intéresse donc, ce bonhomme...

Le photographe sourit, lança quelques blagues, puis acheta un calepin et une gomme à effacer, salua le libraire et s'en alla.

— Il cachait Adèle, il la cachait vraiment, murmura-t-il en pénétrant dans le restaurant, quelques portes plus loin. Ah ! quelle histoire merveilleuse !

Il s'installa à une banquette :

— C'est comme si elle avait commis un crime... C'est ça ! elle a commis un crime... Mais lequel ?

Il commanda des rôties et un café et se mit à taper doucement du pied en se demandant où avait bien pu aller se nicher cette fameuse Adèle-au-crime. La serveuse déposa devant lui un napperon de papier orné d'un immense BIENVENUE WELCOME en caractères fleuris, puis revint avec le café et les rôties imbibées de beurre. Il voulut griffonner des notes sur le napperon, mais sa douleur au poignet l'arrêta. Adèle s'était probablement terrée quelque part en ville ; Livernoche la ramènerait sans doute chez lui quelques jours plus tard, le temps de bien s'assurer que Juliette et son compagnon ne rôdaient plus à Saint-Hyacinthe. Ignorant les visites nocturnes de Fisette et croyant sans doute avoir lancé ses poursuivants sur une fausse piste, le libraire n'endurerait pas longtemps sa solitude forcée. S'il avait pu aller rejoindre sa maîtresse la veille — en admettant qu'il y fût allé — pour se retrouver ensuite à neuf heures derrière le comptoir de sa librairie, c'est qu'elle ne se cachait pas loin. Et sûrement dans une ville plutôt qu'un village, où il aurait été difficile de trouver un gîte à une heure tardive et, encore plus, de passer inaperçu. Adèle se trouvait donc à Saint-Hyacinthe, selon toute probabilité, ou peut-être à Montréal, Sorel, Drummondville... ou même Granby. Elle s'était sans doute retirée chez des amis (quoique, avec la vie claustrée qu'elle semblait mener depuis des années, il avait peine à lui en imaginer) mais, plus probablement, elle se terrait toute seule, avec sa trouille et son secret, sans doute à deux pas de lui, dans un de ces meublés qu'on peut louer au mois ou à la semaine, le visage tendu, tirant nerveusement des bouffées de cigarette devant la télévision et se faisant apporter ses provisions par des livreurs. Il se pouvait enfin, tant les gens sont bizarres et irrationnels, qu'elle fût en train de se promener toute tremblante sur la rue des Cascades, redoutant une rencontre fatale, mais incapable de rester enfermée trois jours de suite. Ou alors, en sortant du restaurant, il arriverait nez à nez avec elle et une courte explication s'ensuivrait ; l'histoire policière qu'il était en train d'échafauder s'écroulerait avec fracas, le laissant déçu, englué encore une fois dans l'incurable insignifiance de la vie.

Un vague écœurement le remplit ; il termina son café en deux gorgées, paya, sortit, s'éloigna dans la rue, puis s'arrêta, perplexe.

Il avait l'impression d'aller narguer le sort en s'introduisant une deuxième fois dans le sous-sol de la librairie. C'est par miracle qu'il avait pu se tirer sans encombre de sa mésaventure de la veille. Chaque homme avait son heure noire qui l'attendait. La sienne était peut-être sur le point de sonner.

Grelottant de peur, il se dirigea vers la rue Sainte-Marie en balançant le sac de polythène qui contenait sa torche électrique, ses livres et son coussin, et pénétra dans la cour. Après avoir jeté un long regard circulaire sur les édifices, il déplaça le morceau de contreplaqué et se glissa dans le vide sanitaire comme dans une tombe. Quelques minutes s'écoulèrent ; son intrusion semblait avoir passé inaperçue ; il put alors concentrer son attention sur ce qui se déroulait au-dessus de sa tête. *La Bonne Affaire* semblait connaître une avant-midi particulièrement achalandée ; à entendre la voix doucereuse de Livernoche, ses plaisanteries éculées et ses lieux communs sur la température, personne n'aurait pu deviner qu'il avait sans doute connu, quelques heures auparavant, la plus grande peur de sa vie.

Vers dix heures trente, Fisette entendit une sorte de grattement près de la chaudière à mazout. Allumant sa torche, il inspecta le coin. Le grattement cessa. Au bout de quelques instants, comme le bruit n'avait pas recommencé et qu'au-dessus de sa tête la conversation du libraire avec un amateur de quilles avait atteint une insignifiance presque sublime, il se lança dans la lecture d'*Une ténébreuse affaire*. À la page 37, au moment où le régisseur Michu, posant sa large main sur la bouche de sa femme pour l'empêcher de crier, lui ordonne de se glisser par une brèche de la douve et d'aller avertir la jeune comtesse du danger qui la menace, Fisette cligna plusieurs fois des yeux, massa son coude engourdi et réalisa avec désespoir qu'il était en train de perdre son temps dans un trou poussiéreux, en l'auguste compagnie d'un rat que la lumière de la torche n'intimidait même plus et qui trottinait au fond de la cave, toujours invisible. Le photographe frissonna, puis consulta sa montre : elle marquait midi dix. Le silence s'établit bientôt dans la boutique. Fisette entendit le libraire aller et venir en chantonnant, puis il y eut un bruit de chasse d'eau et Livernoche, revenant derrière le comptoir, s'écria tout à coup :

— Ce remède bat tous les autres ! Je peux enfin penser à autre chose qu'à mon derrière, bon sang !

Il y eut un déclic, puis une sorte de bourdonnement, et la voix du libraire s'éleva à nouveau, pleine de cette fausse douceur typique des hommes dominateurs en mal d'amour :

— Comment ça va, mon minou? Qu'est-ce que tu faisais ? Ah bon... tu as réussi à te trouver du fil noir... Je te sens toute triste, tit-minou... Je te jure que tu t'inquiètes beaucoup trop... Au moment où on se parle, ils doivent être occupés à patrouiller les rues de San Francisco... Si je te garde là, c'est juste au cas où, tu comprends ? Après tout, on ne sait jamais... Elle m'avait l'air bien obstinée, ta tante, et son grand blond filasse aussi, avec ses narines de cochon (Fisette grimaça) et ses longues mains molles... Je lui serrerais bien la gorge une minute ou deux, à ce fond de poubelle... Dans deux ou trois jours, j'irai te chercher... Ce n'est pas l'envie qui me manque, tu sais...

La conversation prit alors une tournure de plus en plus intime, et Fisette apprit qu'un certain déshabillé lilas excitait le libraire au plus haut point et qu'Adèle venait justement de le laver et se disposait à l'étendre sur une corde à linge. Livernoche, baissant soudain la voix, se mit à roucouler des propos lascifs, mais Fisette n'arriva pas à en attraper trois mots. Le tintement de la sonnette suivi d'un « Avez-vous *Cent façons de bâtir des clôtures* par un nommé Blanchette ? », lancé d'une voix à faire s'écrouler les rayonnages, écourtèrent brutalement les effusions de Livernoche.

— Il faut que je repère ce déshabillé, se dit le photographe, galvanisé, en rampant à toute vitesse vers le soupirail tandis que Livernoche essayait de masquer sa contrariété et proposait des manuels de bricolage à son tonitruant client.

Il jaillit du soupirail, au grand effroi d'un vieil emphysémateux à lunettes épaisses qui grillait une cigarette dans un coin d'ombre, loin des yeux de sa femme.

— Jamais je ne pourrai revenir ici, déplora Fisette en se glissant vitement hors de la cour après un petit signe de tête au fumeur qui le contemplait, hagard, la cigarette pendue au bord des lèvres.

Il s'élança dans la rue Sainte-Marie, tourna sur Calixa-Lavallée et se réfugia entre deux maisons pour épousseter ses vêtements.

— J'espère que ce vieux chnoque n'ira pas alerter toute la ville... Un déshabillé, ça sèche en combien de temps ? Avec ce vent, une heure tout au plus. Est-ce que je devrais prendre mon auto ? Hum... difficile de conduire, l'œil sur des cordes à linge. Mieux vaut un taxi. De toute façon, ce n'est pas moi qui paye.

Il revint dans la rue, aperçut un taxi et lui fit signe d'arrêter.

— Un autre de ces crottés à court de drogue, je suppose ? pensa Victor Plamondon en freinant. Je me demande ce qui se passe depuis six mois : la ville en est pleine, tabarnouche.

Fisette monta à l'arrière et, se penchant vers le chauffeur qui gardait la tête droite, imperturbable et méprisant :

— Je... j'ai... j'ai perdu mon chien tout à l'heure, fit-il en essayant de prendre un ton dégagé. Un lévrier chinois brun pâle, très haut sur pattes... Je... je voudrais que vous parcouriez les rues de la ville à petite vitesse ; il faut absolument que je le retrouve : il m'a coûté une fortune.

Le chauffeur se retourna vers lui avec un air de stupéfaction joyeuse :

— Moi, ça me fait rien, monsieur, mais ça risque de vous mettre le portefeuille à sec !

— Je vais perdre encore bien plus si je ne retrouve pas mon chien.

— On commence par quel coin ? demanda l'autre en démarrant.

— Il s'est échappé près d'ici, sur de Vaudreuil.

L'auto se rendit au bout de la rue, tourna sur de Vaudreuil qu'elle suivit jusqu'à son extrémité sud, puis se mit à sillonner le quartier. Les deux hommes gardaient le silence. Fisette, penché en avant, virevoltait de la tête, scrutant les cordes à linge d'un œil vorace.

— Pas trop vite, monsieur, demanda-t-il au bout d'un moment. Je rate des bouts de rue.

De plus en plus intrigué, Victor Plamondon ralentit, puis, ajustant son rétroviseur, examina discrètement son client. De longues traînées grisâtres maculaient le haut de son pantalon fripé. Par son coupe-vent largement ouvert, dont le velours côtelé vert bouteille avait pris par endroit un aspect vaguement terreux, il apercevait un chandail rose gomme balloune si lamentablement avachi qu'on aurait dit que son propriétaire s'en servait pour dormir la tête en bas à la manière des chauves-souris.

— Doit passer les nuits en dessous des ponts à s'envoyer de la mescaline, se dit le chauffeur avec une grimace de mépris.

L'œil dilaté, l'individu n'arrêtait pas de se tortiller sur la banquette en se mordillant les lèvres ; sa nervosité allait croissant. Soudain, Plamondon eut un sourire étonné :

— Dis donc, chose, tu regardes donc haut pour ton chien? Est-ce qu'il a l'habitude de se promener sur les toitures ou quoi?

— Vous trouvez que je regarde en l'air? C'est que je fais du strabisme, répondit le photographe avec un aplomb parfait.

L'homme eut un petit soupir, et le sentiment d'être dépassé par quelque chose de bizarre et d'incompréhensible l'écrasa; il haussa les épaules et se mit à jeter de temps à autre un coup d'œil au compteur, qui affichait des données de plus en plus réjouissantes. Mais la peur de ne pas être payé l'assaillit tout à coup.

— Est-ce qu'on va rouler comme ça encore longtemps?

— Continuez, continuez.

— Est-ce que t'es un peu argenté, au moins? Ç'arrête pas de grimper là-dedans, et j'ai pas envie de me faire payer avec des soupirs d'anges, moi.

— Soyez tranquille, j'ai tout l'argent qu'il faut, monsieur, répondit le photographe, offensé.

— Il a peut-être filé de l'autre côté de la rivière, ton chien.

— Est-ce qu'on a terminé avec ce coin-ci?

— S'il y a des maisons que t'as pas vues, c'est qu'on les a pas encore bâties.

— Alors, traversez la rivière.

— Par le pont Barsalou?

— Par le pont que vous voudrez. Il y a un quartier résidentiel, de ce côté-là?

— Oui, monsieur.

Il regarda de nouveau le compteur:

— 13,75$... Je peux me faire facilement 60$ si ce grand gnochon se décourage pas trop vite.

Le taxi fila sur le pont Barsalou, à l'aspect si maussade avec ses hauts parapets de béton massif, puis suivit la rue

Bourdages, dépassa la maison mère des Sœurs de la Charité, et arriva devant la *Résidence des gens heureux*.

— On tourne ? demanda le chauffeur. Plus loin, c'est la campagne.

Il rebroussa chemin et se mit à parcourir les rues avoisinantes.

— As-tu objection si j'allume la radio ?

Le photographe, tous yeux dehors, ne répondit rien. Il ne semblait pas avoir entendu. Victor Plamondon eut une moue de dépit. Ses réflexions se portèrent sur la génération montante et prirent une couleur boueuse ; il voyait le genre humain arrivant au bout d'un tunnel, et le tunnel donnait sur le vide.

— Lilas ! s'écria tout à coup Fisette en abattant sa main sur l'épaule du chauffeur. Arrêtez ! Combien je vous dois ? Ou plutôt, attendez-moi, je reviens tout de suite.

Il bondit sur le trottoir et s'élança vers un gros duplex au coin de la rue. Plamondon qui, sous l'impact simultané du cri et de la claque, éprouvait certaines difficultés à expulser de sa trachée-artère un peu de salive qui venait d'y pénétrer malencontreusement, ne put retrouver la voix assez vite pour exiger de son client qu'il le paye illico. Toussant et sifflant, il s'élança du taxi à son tour à la poursuite du photographe, mais ce dernier arrivait déjà en haut de l'escalier qui donnait accès à l'appartement du premier. Il fit un petit signe apaisant au chauffeur, puis appuya son doigt sur la sonnette.

Plamondon, perplexe, se dandinait sur le trottoir en s'éclaircissant la voix ; puis il se déplaça de quelques mètres afin de surveiller l'arrière de l'édifice, d'où il craignait que son client prenne la sauvette.

— Où est-ce qu'il l'a vu, son maudit chien ? se demanda-t-il en promenant son regard dans la cour. Lilas ! ça prend un drogué pour donner un nom pareil à un animal.

Pendant ce temps, Fisette, tout frémissant, louchait discrètement vers une grande fenêtre rectangulaire, essayant de percer le tissu translucide des rideaux de nylon vert pâle. Soudain la porte s'ouvrit et une jeune femme apparut.

— Merde ! ce n'est pas elle, grogna intérieurement le photographe.

La jeune femme, surprise, lui fixa les mains, regarda à ses pieds, puis, levant la tête, aperçut une fourgonnette stationnée en face :

— Vous n'avez rien apporté avec vous ? s'étonna-t-elle.

— Euh... non, bafouilla Fisette.

— Suivez-moi, fit-elle après une seconde d'hésitation. C'est au bout du corridor.

De plus en plus ébahi, Fisette referma la porte et lui emboîta le pas, cherchant à comprendre ce qui se passait. Ils traversèrent une cuisine. Assis au milieu du plancher, un bébé en salopette mauve suçait un petit camion de bois verni. Un filet de bave s'étirait du jouet jusqu'au plancher.

La femme poussa une porte, fit de la lumière et, s'approchant d'une baignoire sur pattes, pointa les robinets :

— C'est là. Il y a un tuyau qui coule.

Elle glissa la main entre le mur et le rebord émaillé :

— L'eau froide. Ça s'est mis à dégoutter cette nuit. Une grande flaque sur le plancher en me levant ce matin. J'ai mis un plat, mais il faut que je le vide à chaque demi-heure.

Fisette la regarda une seconde en clignotant des yeux d'un air stupide, puis s'avança d'un pas lourd et empêtré, glissa sa main contre le tuyau :

— Je reviens tout de suite, balbutia-t-il.

Il enfila le corridor, sortit et croisa dans l'escalier un gros homme à casquette grise portant un coffre à outils.

— Vite ! ordonna le photographe à Plamondon. Je me suis trompé. Ce n'est pas mon chien.

L'auto démarra. À deux heures moins dix, le compteur indiquait 68,50 $. Fisette y jetait des regards de plus en plus soucieux. Est-ce que ses efforts allaient s'avérer inutiles ?

Au même instant, trois rues plus loin, une femme apparut sur une galerie ; jetant un regard effarouché aux alentours, elle se mit à dégarnir rapidement une corde à linge. Un déshabillé lilas ondulait au vent à quelques pieds de la rampe. Quand Fisette passa devant l'immeuble, le vêtement avait été jeté sur le dossier d'une chaise et la jeune femme, assise, une cigarette à la main, poussait des bouffées de fumée en le fixant d'un regard vide.

À deux heures, le photographe décida d'arrêter ses recherches et demanda au chauffeur de le conduire à l'*Hôtel Maskouta*. Il lui remit 70 $, n'ajouta pas un sou de pourboire, et monta à sa chambre, de fort mauvaise humeur. En entrant, il vit la fissure en forme de tête d'orignale qui ornait le mur de sa chambre. L'animal avait une expression si triste et si lamentable qu'il referma aussitôt la porte, incapable d'en supporter la vue, et demeura dans le corridor, les bras ballants, horrifié à l'idée de rester cinq minutes dans cette pièce qui suait tellement la misère de vivre qu'elle donnait envie de mettre le feu aux rideaux. Il fit quelques pas dans le corridor, les épaules affaissées, les jambes molles et s'appuya contre un extincteur accroché dans une encoignure et sur lequel une main vengeresse avait gravé un FUCK GISELE en lettres de cinq centimètres.

— Ouais... qu'est-ce que je vais faire du reste de ma journée ? soupira-t-il, accablé.

Après sa rencontre avec le vieux fumeur, il n'avait guère envie de retourner au sous-sol de la librairie. D'ailleurs, il doutait de plus en plus que ce stratagème lui permette jamais de connaître la cachette d'Adèle Joannette. Il se dirigea vers l'escalier et descendit lentement les marches.

— Y'a une femme qui a téléphoné pour vous tout à l'heure, annonça la jeune réceptionniste en levant la tête d'un magazine. Elle n'a pas voulu laisser son nom.

Fisette s'approcha du comptoir et se pencha vers l'adolescente. Une énorme chique de gomme à mâcher couleur lilas ornait le bout de son index gauche.

— Jeune ou vieille ? demanda-t-il, frôlé par un étrange pressentiment.

La réceptionniste le regarda une seconde, tout en mastiquant avec énergie une seconde chique qui lui parut tout aussi énorme que la première, et du même lilas.

— Oh, elle ne semblait pas bien vieille. Trente ou quarante ans, peut-être. Elle avait l'air pas mal énervée...

Le dos du photographe se couvrit de sueur et simultanément ses deux gros orteils se mirent à piquer :

— Est-ce qu'elle va rappeler ? fit-il d'une voix légèrement haletante.

— Sais pas, répondit l'autre en se replongeant dans son magazine.

Et elle oublia totalement sa présence. Fisette poussa la porte du bar-salon, se retrouva dans une espèce de vestibule et aperçut un téléphone public. Il composa le numéro de Juliette, mais personne ne répondit. La sonnerie continuait à retentir au bout du fil et il demeurait là, planté devant l'appareil, le combiné coincé entre l'oreille et l'épaule, ignorant la présence d'un homme debout derrière lui et qui attendait.

— Je gagerais ma paye d'un an que c'était Adèle, se dit-il en raccrochant.

Il se retourna et sursauta à la vue de l'homme.

— Excusez-moi, bafouilla-t-il en poussant la porte.

Il traversa le hall, sortit et marcha dans la rue.

— Mais comment pouvait-elle savoir que je loge ici ? se demanda-t-il subitement. Est-ce qu'on me surveillerait ?

Il se retourna. L'inconnu du vestibule venait de sortir à son tour et se dirigeait vers lui en le fixant. Parvenu presque à sa hauteur, il grimaça d'une façon étrange, obliqua à droite et s'éloigna vers la place du marché.

Fisette se mit à errer dans le centre-ville, prenant soin d'éviter le voisinage de *La Bonne Affaire*, puis entra dans un restaurant-dépanneur de la rue de la Concorde. Il s'installa au comptoir, commanda des beignes et du café et parcourut *La Presse*. L'envie de jeter bas les armes et de retourner à Longueuil grandissait en lui, mollement combattue par le dépit de voir avorter si vite sa carrière de détective amateur.

Au troisième beigne, la petite femme vive et surmenée qui le servait lui fit remarquer en plaisantant qu'il était en train de « casser son souper ».

— Quand je n'aurai que ça de cassé, murmura-t-il en haussant les épaules.

Puis il se leva et se rendit à un téléphone public au fond de la salle. Juliette ne répondait toujours pas.

La nuit tombait quand il sortit, laissant derrière lui le souvenir ambigu d'un individu habillé comme la chienne à Jacques, mais « distingué » et grand donneur de pourboires. Il se dirigea vers l'hôtel, mais passa outre, ne se sentant toujours pas la force de terminer la soirée avec une orignale si déprimante. Puis, se ravisant, il rebroussa chemin.

— Elle vient tout juste de vous rappeler, monsieur, lui annonça la réceptionniste avec un grand sourire. Mais elle n'a toujours pas voulu laisser son nom.

— Merde, grommela-t-il, j'aurais dû rester à ma chambre.

Mais, contre toute logique, il sortit de nouveau, sous l'œil moqueur et intrigué de la jeune fille, et se lança dans une promenade sans but.

Vingt minutes plus tard, il franchissait le pont Barsalou et pénétrait dans le quartier qu'il avait sillonné en taxi quelques heures auparavant. Il erra ainsi un long moment, de plus en plus triste et maussade, puis entra chez un dépanneur et essaya encore une fois d'atteindre la comptable.

— Ah bon, c'est vous, Clément ? Je suis contente que vous m'appeliez. Je vous ai téléphoné deux fois aujourd'hui.

— Ah bon, c'était vous, fit l'autre, déçu.

— Comment ça va ? reprit Juliette d'une voix pleine de jubilation. Est-ce qu'il y a du neuf ?

— Je tourne en rond. Hier soir, je suis allé encore une fois chez Livernoche et j'ai même réussi à y entrer pour vérifier si votre nièce n'était pas revenue. Mais cela a failli mal tourner.

Il lui raconta l'incident, puis ajouta :

— Je vous avoue que je suis un peu tanné de jouer au rat de cave. Ce matin, j'avais cru trouver une piste, mais ça n'a pas marché, et vous écopez d'une note de taxi de 70 $.

— Mais pourquoi un taxi ? Vous n'avez pas loué d'auto ?

— Eh oui. Mais il me fallait un taxi.

Il lui expliqua pourquoi et termina en disant :

— À présent, j'ai plutôt l'impression qu'elle est allée se cacher à Montréal... et j'ai quasiment envie de revenir chez moi.

— Je vous en prie, mon cher Clément, donnez-moi encore deux jours. Vous avez eu une idée de génie : c'est dans cette cave, j'en suis sûre, que vous allez apprendre où elle se trouve. Il finira par lâcher un indice, vous verrez bien ! Je suis désolée de vous voir languir comme ça, mais le vent peut tourner, vous savez. C'est ce qui vient de m'arriver aujourd'hui.

Et elle lui raconta sa rencontre avec Alphonse Pagé. Celui-ci l'avait rappelée en début d'après-midi pour lui annoncer qu'il acceptait de renoncer à la maison en sa faveur. Mais il y mettait une condition : elle s'engagerait par une clause de droit de premier refus à lui revendre la maison advenant le cas où elle déciderait de s'en départir à son tour, et ce, au prix d'achat initial, ajusté à l'inflation. Juliette trouvait cela tout à fait raisonnable. Pagé avait même pris la peine de téléphoner à Vlaminck pour lui expliquer la situation et, en véritable gentilhomme, avait refusé de spéculer comme intermédiaire.

En début d'après-midi, elle s'était rendue à *L'Oasis* avec Martinek et l'architecte Michael Fish, un ami de Longueuil qui avait accepté avec gentillesse d'interrompre ses vacances pour inspecter sa maison avant qu'elle présente une offre d'achat à Vlaminck. C'est alors que se produisit un incident qui aurait pu avoir de graves conséquences. Vers la fin de leur visite, elle descendait l'escalier du premier lorsqu'une des marches, sans doute affaiblie par l'usure, céda sous son poids et s'enfonça de quelques centimètres. Juliette perdit l'équilibre, voulut s'accrocher à la rampe, mais sa main glissa. Et n'eût été de Martinek, qui la précédait dans l'escalier et s'arc-bouta contre elle de toutes ses forces pour l'empêcher de dégringoler, elle aurait pu se blesser grièvement.

— Il faudra faire inspecter les escaliers dès demain, dit-elle d'une voix tremblante, tandis que Vlaminck lui présentait une chaise. Je n'oserai pas remettre les pieds ici tant que ça n'aura pas été fait. Sainte Éternité ! j'ai pensé que ma dernière heure était venue.

Le musicien avait été tellement séduit par la maison qu'il la supplia de le prendre comme locataire. Elle accepta, comme elle acceptait également de loger Fisette, s'il désirait s'éloigner de la venimeuse Elvina. Les dimensions des lieux lui permettaient, en effet, d'aménager des appartements fort spacieux aux premier et deuxième étages, le rez-de-chaussée leur suffisant à elle et à son petit-neveu.

Aussitôt revenue chez elle, Juliette était allée trouver le dentiste Ménard — qui prenait lentement du mieux — pour lui annoncer la mise en vente de sa conciergerie. Il lui avait demandé, lui aussi, de le prendre comme locataire, mais la chose n'était pas sûre, car l'espace risquait de manquer. En quittant le dentiste, elle avait aussitôt téléphoné à un agent immobilier ; il devait arriver d'une minute à l'autre. La vente de sa propriété de Longueuil ne serait pas chose facile, car la curieuse enclave que constituait l'appartement d'Elvina déplairait sans doute à beaucoup d'acheteurs éventuels, qui craindraient des tas de complications... et ils auraient bien raison ! Mais comme l'édifice était en excellent état, d'un bon rapport et très bien situé, elle espérait pouvoir en obtenir 350 000 $.

— Je vous en supplie, Clément, tenez bon encore deux jours, le temps que je règle mes affaires, et je cours vous rejoindre à Saint-Hyacinthe. Je suis sûre que nous sommes sur le point de mettre la patte sur ma nièce. J'ai assez vécu, mon cher, pour être capable de sentir le moment où la chance arrête de nous bouder et se tourne vers nous avec un clin d'œil. Le malheur arrive en chapelet de saucisses, mais le bonheur aussi !

Il ne put s'empêcher de sourire en entendant sa voix joyeuse et vibrante d'enthousiasme, qui avait retrouvé son timbre de jeune fille. Son cafard fondit d'un coup et il lui promit de l'attendre jusqu'au vendredi, mais pas un jour de plus, sinon il risquait de se retrouver chômeur !

— Voulez-vous que je lui téléphone, à votre patron ? offrit Juliette dans un élan de gratitude. Je saurai trouver les mots pour...

— Non non non, je vous remercie, n'en faites rien. Je lui ai monté ce matin une histoire qui l'a calmé pour quelques jours.

Ils se quittèrent sur ces mots. Fisette sortit dans la rue. Elle était longue, vaste et déserte, bordée de grandes maisons carrées auxquelles la lumière chiche des lampadaires donnait un petit air souffreteux. Il eut tout à coup le sentiment d'avoir sous les yeux l'image même de sa vie de jeune vieux garçon solitaire, passant le plus clair de son temps à fixer pour la postérité des binettes dont elle n'avait nul besoin, à immortaliser des mariages dont une bonne part, au bout de quinze jours, avaient sombré dans l'insignifiance, encore chanceux, deux ans plus tard, s'ils n'avaient pas crevé dans la chicane. Et le soir, faute de femmes, il passait des heures dans sa chambre noire à tripoter des négatifs pour tenter d'allonger sa liste de troisièmes prix et de mentions honorables qui ne lui procuraient qu'une gloire confidentielle.

Il déboucha dans la rue Fontaine. À sa gauche, au bout de la rue, *Les Loisirs de la Providence* occupaient un gros édifice carré construit sur le coin d'un parc d'où soufflait un vent glacial. Un frisson lui grimpa dans les jambes et alla s'épanouir dans son dos. Il ressentit une envie irrépressible de se retrouver dans un lit sous une masse de couvertures et de se laisser couler dans le sommeil. Pivotant sur ses talons, il se mit en marche vers l'hôtel.

En arrivant au coin de la rue Crevier, il aperçut soudain une *Maverick* blanche au flanc droit légèrement cabossé, qui ne pouvait être que celle de Livernoche. Il s'arrêta pile et promena son regard autour de lui avec la sensation désagréable d'être observé par quelqu'un d'invisible. Une auto déboucha dans la rue déserte et passa lentement près de lui ; le conducteur, un petit homme ratatiné à cheveux blancs, comme écrasé sous son feutre, lui jeta un regard intrigué.

— Imbécile ! se lança intérieurement Fisette, ne reste pas planté là au milieu de la place comme un cactus, tu attires l'attention.

Il continua vers la *Maverick*, mais sa peur grandissante lui raidissait les jambes et ralentissait son pas. Il traversa la rue, jetant un regard en biais sur la conciergerie devant laquelle était stationnée l'auto, et se hâta vers l'édifice opposé. À son arrivée dans le vestibule, une douce tiédeur l'enveloppa ; ses yeux s'humectèrent, les muscles de son visage se détendirent. Il se blottit dans un coin ; un lierre en pot suspendu par trois chaînes dorées le cachait à demi. Par la porte vitrée, il apercevait la *Maverick* et une partie de la conciergerie. C'était un édifice imposant, à façade de pierres artificielles, qui portait le numéro civique 15 748. Une grande baie vitrée s'élevait au-dessus de l'entrée principale et permettait de voir les volées de l'escalier d'un étage à l'autre. Son cœur battait si fort qu'il toussa à quelques reprises :

— Allons, allons, qu'est-ce qui se passe ? s'étonna-t-il. Je ne te reconnais plus. Hier, tu te faufilais dans sa maison pour l'espionner et maintenant, juste à voir son vieux bazou, tu pisses quasiment dans tes culottes ? *Calma, calma*... À l'heure qu'il est, il doit être évaché devant la télévision, en train de ronfler en pied de bas... Réfléchissons un peu... Tel que je le connais, il n'est sûrement pas allé stationner bêtement devant la cachette de son amie. Tout ce que je peux conclure, c'est qu'il se trouve quelque part dans le coin. Mais j'ai le sentiment qu'elle n'est pas loin... sauf que ça ne m'avance pas d'un pouce. Elle doit se claquemurer dans son appartement. Je ne vais quand même pas faire du porte à porte jusqu'au moment de tomber dessus.

Le souffle lui revenait peu à peu. Et tandis que, traversé de frissons, il envisageait de passer la nuit en faction pour surprendre le départ de Livernoche, son regard se posait de temps à autre sur une fenêtre du deuxième étage. En y jetant un coup d'œil, il aurait aperçu une chambre à coucher pleine de pénombre et, jeté sur le lit, le déshabillé lilas qu'il avait tant cherché. Une légère odeur de transpiration et d'humeurs intimes flottait dans la pièce. Le lit frémissait par à-coups de plus en plus rapides et des halètements exténués se mêlaient aux gémissements d'une femme.

— *Judicamus* ! poussa soudain le libraire d'une voix agonisante, et il s'affaissa sur sa compagne, qui tourna la tête de côté. Elle prenait un étrange et honteux plaisir à se laisser écraser par son partenaire massif et haletant dont elle sentait, avec un curieux mélange de déception et de triomphe, la verge amollir peu à peu en elle.

Au bout d'un moment, Livernoche bredouilla quelques mots, se retira, roula sur le dos et poussa deux longs soupirs en écartant largement les jambes.

— Tu peux aller fumer une cigarette si ça te tente, minou, murmura-t-il, assoupi.

Elle lui fit une rapide caresse sur l'avant-bras, resta étendue un moment, puis saisit un papier-mouchoir sur la table de nuit et s'essuya doucement la vulve. Son compagnon se mit à ronfler. À chaque inspiration, sa lèvre supérieure se retroussait légèrement et une de ses dents luisait, l'espace d'une seconde. Adèle écoutait les ronflements, s'amusant à leur fixer des hauteurs sonores différentes de façon à reconstituer au ralenti l'air de *Hey Jude*, mais elle s'embrouilla bientôt dans la mélodie et se glissa avec précaution en dehors du lit. Les ronflements s'interrompirent un instant, puis reprirent de plus belle.

Elle attrapa son peignoir et se rendit au salon fermer la télé. Puis elle passa à la cuisine, s'empara d'un paquet de cigarettes et frotta une allumette (les rides de son front et la bouffissure de ses yeux surgirent de l'obscurité, amplifiées par la lumière tremblotante, puis disparurent). Elle prit une longue inspiration, toussa, puis s'assit, les jambes allongées, un coude appuyé sur la table, en se mordillant nerveusement les lèvres. Elle fuma coup sur coup trois cigarettes tout en sirotant un verre de bière tiède oublié sur la table, puis retourna dans la chambre à coucher. Le libraire ronflait toujours aussi énergiquement, couché sur le dos, le ventre affaissé, avec une curieuse expression de dignité préoccupée. Elle le contemplait, immobile, les bras pendants, d'un air qui l'aurait fait sursauter s'il avait ouvert les yeux.

Elle détourna brusquement le regard, revint au salon et se planta devant la fenêtre. Sous la lumière blafarde et jaunâtre des lampadaires, les rangées d'autos semblaient figées pour l'éternité et le tronc des arbres dépouillés avait pris une apparence de béton. Elle aperçut tout à coup dans le vestibule de l'édifice d'en face un homme immobile dans un coin, à demi caché par une plante suspendue, et qui semblait attendre. Intriguée, elle s'approcha de la vitre en écarquillant les yeux. L'individu sortit lentement une main de sa poche, la leva vers son visage et sembla consulter sa montre ; mais la pénombre ne devait pas lui rendre la tâche facile. Soudain, il s'avança, ouvrit la porte et demeura un instant sur le seuil en se tripotant le nez, comme indécis. Il était blond, mince, plutôt grand. La distance ne permettait pas de distinguer ses traits avec précision, mais une violente crispation saisit tout à coup Adèle au ventre et elle recula précipitamment en portant les mains à sa bouche.

25

Ce mercredi 28 décembre, vers dix heures du matin, comme il avait passé une nuit pleine de cauchemars et que Juliette lui avait trouvé au déjeuner un petit air fiévreux et misérable, Denis avait dû avaler deux gélules de fortifiant et se trouvait dans son bain, de l'eau jusqu'au nombril, en train de lire un album d'*Astérix* qui n'arrivait pas à l'amuser. Refermant son livre, il le laissa tomber sur le plancher et se mit à contempler une craquelure en forme d'étoile dans l'émail de la baignoire, à quelques centimètres de son gros orteil droit ; il s'y était formé un peu de rouille. Il imagina que la baignoire était vide, qu'il avait pris la taille d'un microbe et venait de pénétrer dans la craquelure. Il avançait dans un immense canyon, au relief bouleversé, qui s'ouvrait sur une multitude de gorges étroites. Le ciel au-dessus de sa tête était d'un beau vert pomme, car c'était la couleur des murs et du plafond de la salle de bains. Il progressait avec peine, trébuchant à tout instant sur des pierres brunes et friables aux arêtes pointues. Accrochées ici et là à la paroi rocheuse, de curieuses plantes à feuilles vertes et mauves s'agitaient avec des sifflements menaçants. Il était chaussé de souliers d'alpiniste, mais ses semelles s'échiffaient de minute en minute et il se verrait bientôt forcé de marcher pieds nus dans cette matière brunâtre et un peu dégoûtante.

En contournant un gros rocher qui le surplombait d'une façon inquiétante, il vit une vaste étendue de ces effroyables plantes. Elles fouettaient sauvagement l'air de leurs longues feuilles pointues, puis, s'immobilisant soudain par groupes compacts, elles vibraient quelques secondes, toutes droites, et repartaient de plus belle. Il s'était arrêté et les fixait avec des yeux apeurés. Soudain, un bras surgit au milieu de cette nappe de végétation hystérique, demeura tendu un instant, les doigts recroquevillés, puis retomba. Il savait que c'était le bras de sa mère.

Il secoua la tête, saisit un pain de savon et se frotta vigoureusement les épaules et la poitrine. Sa rêverie l'avait effrayé. Il avait envie de quitter la pièce. La voix de Juliette s'éleva alors dans le salon, quelque peu maussade :

— Denis, ton merle est arrivé. Bohu veut te voir.

Il sortit prestement du bain, enchanté de cette diversion, et s'essuya à toute vitesse. Depuis quelque temps, la vie lui paraissait chaque jour un peu plus triste et compliquée. Il sentait que, depuis son voyage à Saint-Hyacinthe, sa tante lui cachait des choses. L'absence de Clément Fisette l'intriguait au plus haut point ; il avait pris l'habitude de monter chez le photographe après le souper pour bavarder et ses soirées lui paraissaient maintenant un peu vides. Juliette lui avait expliqué qu'il était en vacances dans un hôtel de Pointe-au-Pic, mais son air contraint l'avait trahie.

Depuis qu'elle s'était mis en tête de retrouver Adèle, Juliette était distraite, soucieuse et s'occupait moins de lui. Il avait l'impression que la recherche de sa vraie mère était en train de lui enlever la seule qu'il ait jamais eue. L'obstination de sa tante l'agaçait et l'ennuyait mais, en même temps, elle avait éveillé sa curiosité pour cette femme qui l'avait abandonné tout petit. Il pensait souvent à elle depuis quelque temps, se demandant quel motif l'avait poussée à un acte aussi étrange et cruel. Il avait imaginé des tas de scénarios qui, tous, le jetaient dans une profonde affliction : elle aurait voulu le garder, mais son mari l'avait forcée à s'en départir ; ou alors, prise dans des difficultés inextricables, elle l'avait confié à sa tante avec l'intention de le reprendre, mais une mort affreuse l'avait emportée. Et ainsi de suite.

Cent fois il avait voulu questionner Juliette à son sujet, convaincu qu'elle ne lui avait pas tout dit, mais une honte inexplicable l'en empêchait, comme si c'était une mystérieuse tare en lui-même qui avait forcé sa mère à agir comme elle l'avait fait. Il se consolait en se disant que, de toute façon, sa tante lui aurait répondu n'importe quoi.

Et puis, pour le troubler encore un peu plus, était apparue cette bizarre Adèle Joannette II qui prétendait être sa mère et allait même jusqu'à lui apporter des cadeaux. Malgré les véhémentes dénégations de sa tante, il lui venait parfois à l'esprit que cette femme était peut-être saine d'esprit (quoique un peu étrange, bien sûr), qu'elle disait la vérité et que c'était à la suite d'une ténébreuse chicane entre elle et Juliette qu'on l'avait arraché à sa mère. D'ailleurs, cette grosse quinquagénaire qui l'avait recueilli chez elle et se disait sa tante l'était-elle vraiment ? Malgré tout son amour pour lui, n'était-elle pas au fond sa pire ennemie ?

Il vivait ainsi, tourmenté par une confusion d'idées accablantes. Juliette avait remarqué, sans prendre le temps de s'y arrêter, qu'il jouait de moins en moins dehors et ne fréquentait presque plus ses amis Yoyo et Vinh Nguyen, passant le plus clair de son temps libre devant la télévision ou sur son lit à lire des bandes dessinées ou des romans d'aventures ; il négligeait même son piano et tournait des heures chaque soir dans son lit avant de s'endormir, se rongeant les ongles et se tripotant les lèvres dans l'obscurité de sa chambre.

Mais le retour de Sifflet chassait comme d'un coup de vent les miasmes qui flottaient dans sa tête. Il avait hâte de voir si l'oiseau avait retenu ses leçons de musique.

— Ma tante, dis à Bohu que j'arrive tout de suite, fit-il en s'élançant vers sa chambre, les jambes dégoulinantes.

— Il est déjà monté chez lui, grommela Juliette et elle glissa une photo sous son tablier au passage de l'enfant.

Elle regardait les photos de sa nièce dix fois par jour, consternée à la vue de son visage vieilli et malheureux et se reprochant chaque fois avec un peu plus d'âpreté de laisser le photographe se débattre tout seul à Saint-Hyacinthe, tandis qu'elle s'occupait d'une vieille maison à Montréal.

Denis grimpa l'escalier quatre à quatre jusque chez Martinek, son gilet de coton collé au dos par une grande tache d'humidité, et frappa à la porte.

— Entre, lança une voix.

L'enfant pénétra dans le studio, jetant des regards de tous côtés :

— Comment va-t-il ?

Le compositeur, penché au-dessus d'une table, fouillait dans des partitions ; sans se retourner, il pointa du doigt la porte entrouverte d'un placard :

— Heu... pas si mal... Il a besoin d'un peu de calme... et peut-être aussi d'un peu de piano. Non, n'approche pas tout de suite. Il est allé se percher sur le tuyau de la penderie. Laisse-le se reprendre en main.

Denis s'avança quand même sur la pointe des pieds, tendit le cou et aperçut l'oiseau sur l'épaule d'un manteau, frémissant, effaré, le plumage ébouriffé et terni.

— Est-ce que sa patte lui fait mal ?

— Sa prothèse ? Je ne crois pas. Il faudra que je l'examine. Mais il vaut mieux le laisser tranquille une heure ou deux. De toute façon, je dois partir pour ma répétition.

Tout à l'oiseau, l'enfant ne l'écoutait pas.

— Mon pauvre petit Sifflet, murmurait-il, apitoyé, j'espère qu'ils ne t'ont pas fait trop souffrir à ton hôpital d'oiseaux... Tu as l'air si misérable...

Le merle le fixait. Denis eut l'impression qu'il essayait de retrouver dans sa tête de vieux souvenirs.

— Je voudrais tellement te caresser, ajouta-t-il en faisant un pas.

L'oiseau s'échappa du placard dans un battement d'ailes frénétique, alla se percher sur le haut d'une armoire, puis donna un grand coup de bec sur sa prothèse.

— Il ne me reconnaît plus, s'écria Denis, consterné.

— Allons, allons, monsieur l'ornithologue, vous vous faites de la bile pour rien. Tout va se replacer. Donne-lui un jour ou deux. Notre cher Sifflet est comme un ancien prisonnier qui réapprend à déambuler sur les trottoirs. Je voulais te le montrer pour que vous refassiez connaissance et puis te demander si tu ne pourrais pas venir lui jeter un coup d'œil de temps à autre durant la journée, car je vais m'absenter jusqu'à ce soir.

— Mais oui, je veux bien.

— Parfait. Maintenant, il faut que je te mette à la porte, mon vieux, sinon je vais être en retard à ma répétition et Rachel va gueuler.

Denis ouvrit les yeux :

— Quelle répétition ?

— On ne t'a pas parlé de ce concert qu'on donne au mois de mars à la salle Claude-Champagne ? fit le musicien d'un air faussement détaché.

— Tu donnes des concerts, maintenant ? Des concerts de ta musique ?

— Oh, de petites choses, pour s'amuser entre amis... un concerto de chambre pour violon, le trio que j'ai composé pour ta tante durant sa maladie... des pastilles de menthe, quoi...

— Tu ne composes pas des pastilles de menthe, Bohu, répondit gravement Denis.

Il jeta un dernier coup d'œil au merle, fit un salut de la main à Martinek et quitta l'appartement.

Quelques minutes plus tard, après avoir enfilé, sur l'ordre de sa tante, un gros tricot sous son parka — car la radio annonçait un froid intense — et lui avoir promis de ne pas s'agiter, Denis partait chez son ami Vinh, immobilisé pour quelques jours par une entorse qu'il s'était faite dans les douches du centre sportif ; ce dernier lui avait téléphoné la veille que son grand frère Duk venait de lui donner son monumental ensemble de la *Guerre des étoiles*, jugé soudainement par lui comme « quétaine » et « niaiseux ». Il descendit la rue Saint-Alexandre jusqu'à la rue Guillaume et acheta au *Dépanneur Françoise* une tablette de chocolat *Zéro* (sa marque préférée), qu'il partagerait avec son ami. Il sortit du magasin en chantonnant (le retour de Sifflet avait opéré des merveilles), glissa amoureusement la tablette dans sa poche, tourna le coin de la rue Saint-Jacques en direction nord et arriva face à face avec une jeune femme vêtue d'un manteau beige, debout au milieu du trottoir et qui semblait attendre quelqu'un.

— Bonjour, Denis, fit la femme avec un sourire. Je voulais justement te parler.

L'enfant s'arrêta, interdit.

— Tu ne me reconnais pas ? poursuivit la femme d'un ton enjoué. Moi, je te reconnais, pourtant. Tu t'appelles Denis Joannette et moi...

Elle promena autour d'elle un regard circonspect. Il n'y avait d'autre passant qu'un vieux monsieur en train d'examiner l'enseigne d'un barbier sur la rue Guillaume à une trentaine de mètres à leur gauche.

— Et moi, reprit-elle tendrement, je suis ta mère...

Denis pâlit légèrement, recula d'un pas, puis, d'un air de bravade :

— Ma tante m'a dit que ce n'était pas vrai.

— Bien sûr qu'elle te l'a dit. Elle te le dira toujours. Mais si tu veux, nous pourrions parler tranquillement de tout ça en allant à la *Pâtisserie Rolland*. Tu connais la *Pâtisserie Rolland*, sur la rue Saint-Charles ? Eh bien, j'avais justement envie d'aller t'acheter de ces petits gâteaux à glaçage vert, en forme de grenouille, tu sais...

— Je ne les aime pas beaucoup, répondit Denis.

Mais sa méfiance commençait déjà à sombrer dans les masses de pâtisseries colorées qui affluaient à son esprit.

— Ah bon, fit l'autre, déconcertée. C'est que j'avais *vraiment* envie de t'acheter ces petites grenouilles.

Et elle le fixa, silencieuse.

— J'aime mieux les éclairs au chocolat, confia l'enfant, qui se détendait peu à peu.

Perdue dans ses pensées, elle n'entendit pas sa remarque, puis lui demanda doucement :

— Est-ce que tu viens ?

— Ma tante va être fâchée, pensa Denis. Il faudrait avertir la police.

Mais il se mit à marcher docilement à ses côtés. Ils longèrent l'énorme cube de brique du relais téléphonique de *Bell Canada* qui écrasait tout le quartier de sa laideur, puis traversèrent la rue Saint-Laurent, bordée au nord par une belle rangée de maisons du début du siècle. La jeune femme pencha vers Denis son visage mince et jaunâtre, aux yeux immenses où tremblotait une lueur bizarre, et lui sourit :

— Je suis contente de pouvoir te parler, tu sais. Je rêve de te parler depuis des années.

— Alors pourquoi vous êtes pas venue me voir avant ?

— Je ne pouvais pas, je ne pouvais pas, répondit-elle d'un petit ton allègre et chantonnant, comme pour elle-même.

Son visage se rembrunit :

— D'ailleurs, ta tante n'aurait pas voulu. Et elle veut moins que jamais. Tu sais, Denis, il y a plusieurs années, elle s'est montrée très méchante avec moi. Mais je continue de l'aimer. Nous voici presque arrivés à la pâtisserie. Attends-moi devant la banque, veux-tu ?

Elle s'éloigna, puis, revenant sur ses pas :

— Tu ne veux vraiment pas de grenouilles ?

— Non merci.

Il se reprit aussitôt :

— Je... je peux en partager une avec vous, si vous voulez, offrit-il, conciliant.

Elle sourit de nouveau, lui caressa la joue :

— Merci... Tu étais gros comme trois puces et déjà je savais que tu serais un bon garçon... Tu vas me rendre heureuse, heureuse... Écoute, je vais t'acheter aussi des éclairs au chocolat, puisque tu les aimes tant. Je reviens dans une minute.

Denis attendit tranquillement, le dos appuyé au mur de la *Banque canadienne impériale de commerce*. Il observait la circulation sur la rue Saint-Charles, se disant qu'il ne pourrait pas causer très longtemps avec *cette femme* (une obscure envie le travaillait de l'appeler *sa mère*, mais il n'osait y succomber), car Vinh risquait de s'impatienter.

Elle revint bientôt, tenant une petite boîte de carton ficelée.

— Que dirais-tu si on allait manger nos pâtisseries dans un grand parc que j'ai vu là-bas, proposa-t-elle en pointant le doigt vers l'est.

— C'est que je n'ai pas beaucoup de temps, répondit Denis, embarrassé. J'ai rendez-vous avec un ami. Et puis, il fait très froid, vous ne trouvez pas ?

Elle le fixa, étonnée :

— Tu permets que je te prenne la main ? J'ai tellement hâte de te prendre la main. Enlève ta mitaine.

Denis hésita une seconde, puis s'exécuta.

— Ah ! merci, s'écria-t-elle en l'entraînant. Comme elle est douce et chaude, ta petite main ! Ta chaleur monte dans mon bras, c'est bon... Tu verras, tout va se passer très vite... Deux ou trois pâtisseries, et tu seras bientôt chez ton ami. Tout va tellement vite ! On a à peine le temps d'ouvrir les yeux et c'est déjà fini...

Denis lui jeta un coup d'œil à la dérobée :

— Elle est vraiment beaucoup bizarre, se dit l'enfant. Pourquoi ma tante ne vous aime pas ? lui demanda-t-il au bout d'un moment.

Elle marchait à grandes enjambées, un vague sourire aux lèvres, perdue dans ses pensées.

— Est-ce que tu voudrais me tutoyer, Denis, s'il te plaît ? Chaque fois que tu me dis « vous », je sens quelque chose qui se serre dans ma tête et ça me fait mal.

— D'accord, fit l'autre, surpris.

— J'ai hâte de goûter à ces pâtisseries, murmura-t-elle en lui faisant un clin d'œil.

Elle lui serra fortement la main :

— À tout hasard, je t'ai acheté deux grenouilles.

— Merci, répondit poliment Denis.

— Tu me demandais pourquoi ta tante ne m'aimait pas et pourquoi tu vis avec elle plutôt qu'avec moi ? Pour te répondre, il faudrait que je te montre des choses, que je n'ai pas avec moi. Des choses que je conserve depuis longtemps longtemps dans une petite valise.

— Ah bon.

Ils étaient parvenus au coin de la rue Grant. La cathédrale se dressait devant eux à leur droite, grise, énorme et un peu triste, malgré ses statues dorées et son clocher d'argent. Un taxi apparut sur le chemin de Chambly, venant du sud, tourna le coin et se dirigea lentement vers eux. Il était libre. Elle le fixa, esquissa un geste pour l'arrêter, mais se ravisa et regarda Denis qui marchait à ses côtés, pensif et un peu troublé.

— Allons, il faut se dépêcher, le temps file, lança-t-elle joyeusement. Est-ce qu'on t'aurait mis par hasard du sang de tortue dans les veines ? le taquina-t-elle.

— Je marche aussi vite qu'elle, se dit l'enfant. Château ! je pense qu'elle est vraiment un peu folle.

Ils passèrent devant la cathédrale et s'apprêtaient à traverser le chemin de Chambly pour se rendre au parc, lorsque le feu devint rouge. Une auto-patrouille s'arrêta à leur gauche le long du trottoir. Le conducteur, un grand jeune homme blond au visage anguleux qui semblait éprouver un plaisir indicible à tenir le volant, se tourna machinalement vers eux et son regard rencontra celui de la jeune femme, qui le fixait d'un air effrayé. Il sourit et se pencha vers son compagnon. Adèle Joannette entraîna vivement Denis ; ils longèrent la cathédrale jusqu'à la rue

Sainte-Élisabeth, puis elle s'arrêta et l'embrassa rapidement :

— Il faut que je parte tout de suite, mon chou, chuchota-t-elle en lui tendant la boîte de pâtisseries. Sois sage. On se reverra bientôt.

Et, s'éloignant à pas pressés, elle disparut au premier coin de rue. L'enfant, interdit, demeura immobile quelques instants au milieu du trottoir, puis, revenant sur ses pas, il se rendit jusqu'à la rue Grant, où demeurait Vinh.

En apprenant que son ami apportait des pâtisseries, ce dernier poussa un *Wahou* ! retentissant, l'entraîna vivement dans sa chambre et referma la porte derrière eux, car l'heure du dîner approchait, les forçant à la plus grande discrétion. Une déception attendait Denis : la boîte ne contenait que des gâteaux-grenouilles.

À son retour chez lui pour le dîner, il ne souffla mot de son étrange rencontre à Juliette, qu'il trouva fort agitée. Et pour cause, car elle avait subi ce matin-là une avalanche de contrariétés.

Vers dix heures, après lui avoir fait visiter l'édifice, elle discutait dans le hall avec Réal Roch, son agent d'immeubles, lorsque la porte d'Elvina s'ouvrit ; la vieille fille apparut en robe de chambre, les lunettes de travers, l'œil exorbité, le sourire méchant :

— Je ne sais pas si monsieur est venu louer un appartement, fit-elle en s'adressant à sa sœur, mais il sera peut-être intéressé d'apprendre que l'édifice est infesté de vermine de la cave au grenier. Voilà deux fois que l'exterminateur vient nous empester, et les poux d'oiseau m'empêchent toujours de dormir.

Et sur ces mots elle disparut. Réal Roch adressa à Juliette un sourire légèrement ahuri.

— Allons chez moi, proposa-t-elle en le prenant par le bras.

Elle l'amena au salon, lui raconta la mésaventure du merle des Indes, l'assura que l'exterminateur n'était venu qu'une fois, que les poux avaient complètement disparu, et réussit tant bien que mal à le rassurer.

— Bon, bon. Si c'est comme ça, pourquoi s'en faire ? répétait ce dernier en tortillant nerveusement une mèche de cheveux qui s'avançait sur son crâne dégarni comme un bout de corde dans une assiette.

Mais en quittant sa cliente, il tint quand même à lui faire remarquer qu'elle était garante vis-à-vis de l'acheteur de la salubrité de l'édifice et qu'un problème de ce genre risquait de compromettre la vente.

— Hum... il ne tremble pas d'enthousiasme, c'est le moins qu'on puisse dire, grommela Juliette en refermant la porte.

Elle brandit son poing vers l'appartement d'Elvina :

— Salope ! Triple monstre ! Ah ! que j'ai hâte de mettre le fleuve entre nous deux !

Comme si cela ne suffisait pas, vers onze heures le facteur lui remettait une lettre recommandée ; un avocat mandaté par sa sœur lui annonçait qu'elle était tenue conjointement responsable avec les *Entreprises Michon* d'une longue série de dommages matériels, physiques et moraux subis par dame Elvina Pomerleau durant et après la fumigation de l'immeuble habité par cette dernière ; on lui réclamait un dédommagement de dix mille dollars, somme devant être versée dans un délai maximum de trente jours, sous peine de poursuites.

Et, pour couronner le tout, un inspecteur municipal du service d'hygiène sonnait à la porte quelques minutes plus tard et demandait à voir le merle des Indes. En l'absence de Martinek, parti pour sa répétition, Juliette dut se hisser jusqu'à l'appartement du musicien avec l'inspecteur, mécontent lui-même d'avoir à monter deux étages, car il souffrait d'une hernie.

Après avoir longuement observé l'oiseau qui, toujours perché sur son armoire, l'observait lui-même d'un œil pensif et mélancolique, Jules-Auguste Robineau croisa les bras devant Juliette et exigea qu'elle lui fournisse dans les quarante-huit heures une lettre du vétérinaire certifiant que le merle avait été *définitivement* débarrassé de ses poux.

— Comment voulez-vous qu'il garantisse une pareille chose ? répliqua l'obèse. Il faudrait la signature des poux eux-mêmes !

Les sourcils de Jules-Auguste Robineau se soulevèrent, il plissa les lèvres et son sillon naso-labial, bordé de chaque côté d'une fine moustache blanche, se creusa et devint d'un joli rose vif :

— Ma chère madame, rétorqua-t-il, ce n'est pas mon problème. Si dans quarante-huit heures je n'ai pas cette lettre, vous, vous n'aurez plus de merle.

— Bon, bon, je verrai ce que je peux faire, grommela Juliette avec un haussement d'épaules.

Et, faisant gémir bruyamment les lames du parquet, elle sortit de la pièce d'un pas qu'elle aurait voulu martial, mais qui rappelait plutôt la démarche d'un éléphant pris de morosité.

Ils descendirent l'escalier en silence.

— Alors, nous nous sommes bien compris, n'est-ce pas ? insista Robineau en mettant le pied dans le hall.

Il la fixait avec l'expression sévère et affligée d'un mari demandant justice pour sa femme que des voyous auraient rouée de coups de bâtons. Un toussotement se fit entendre derrière la porte d'Elvina. L'inspecteur eut un petit salut sec et sortit.

— Seigneur ! s'exclama la comptable en pénétrant chez elle. Onze heures vingt, je n'ai rien de prêt pour dîner et monsieur Pagé m'attend à son bureau à une heure moins quart ! Eh bien ! nous mangerons des restants de réveillon.

— Ah bon ! s'écria cordialement Alphonse Pagé, vous avez amené votre petit-fils avec vous ?

— Il s'agit de mon petit-neveu, plutôt. Je vous présente Denis.

— Eh bien, mon cher Denis, fit le président de *Rebâtir Montréal* en lui serrant la main, je ne pense pas que les discussions de contrat intéressent même un grand garçon de ton âge. Que dirais-tu d'aller feuilleter des albums dans la bibliothèque à côté ? Je suis sûr que tu vas y trouver des choses intéressantes.

— Vraiment, pensa Denis en retenant un haussement d'épaules, il me parle comme si je faisais encore pipi dans mes culottes.

Ils sortirent du bureau et s'engagèrent dans un corridor.

— Voici mes archives iconographiques, dit Alphonse Pagé en ouvrant la porte d'une immense pièce encombrée de rayonnages et de classeurs, dont le centre était occupé par deux grandes tables et un lecteur de microfilms. Presque tout le Montréal d'avant 1930 s'y trouve, et beaucoup plus !

Une jeune fille en jean et blouse à manches bouffantes surgit entre deux classeurs. Alphonse Pagé sourit et se pencha vers Juliette :

— Mademoiselle Beaudry, ma conservatrice.

Il s'avança :

— Jacinthe, il y a ici un jeune homme très curieux qui aimerait consulter des albums. Vous avez une demi-heure pour en faire un savant.

Puis il pria Juliette de le suivre.

— Voici le texte d'une petite entente que je vous propose en toute amitié, fit-il après avoir pris place à son bureau.

Il lui tendit des feuilles :

— Si vous y consentez, je consentirai, en retour, à vous laisser acheter la maison qui vous tient tant à cœur. Sinon, bien sûr, je me prévaudrai de mes droits... et tout sera dit. Lisez-moi ça tranquillement pendant que je termine la lecture d'un rapport qui traîne sur mon bureau depuis deux jours. Non non, n'allez pas vous installer dans ce coin-là, vous allez vous arracher les yeux ; assoyez-vous plutôt ici en face de moi. Vous ne me dérangez absolument pas. Prenez tout votre temps et scrutez chaque mot : une fois signés, les contrats ont la vie dure !

Dix minutes plus tard, Juliette déposait les feuilles sur ses genoux :

— J'accepte vos conditions ; elles sont tout à fait raisonnables. Je vous remercie de me permettre d'acquérir cette maison. J'étais prête à payer quasiment n'importe quel prix, lança-t-elle, emportée par l'émotion.

— Tut tut tut... il ne faut jamais dire cela... C'est siffler la faillite. Alors, ça vous va ? Vous avez bien noté que mon notaire a spécifié « pour une somme *équivalente* à celle du prix d'achat initial » et non *égale*, car, avec l'inflation et la dévaluation du dollar, si vous étiez forcée dans dix ans de me revendre la maison au prix que vous l'avez payée, hum ! vous y perdriez des plumes, et peut-être même pas mal de peau. Ça m'est égal de laisser passer cette occasion, votre visage me plaît et je sens que nous aimons les mêmes choses. Et puis, j'ai une bonne année derrière moi et la prochaine s'annonce plutôt bien. Je sais, je sais, je suis bon garçon, continua-t-il en la faisant taire d'un geste, mais pas toujours, madame, pas toujours, je vous assure... On ne s'enrichit pas en s'usant les genoux sur les prie-Dieu... Le vieil Alphonse a les doigts musclés et parfois, quand il serre, on crie *ayoye* !

— Je... je vous assure, bafouilla Juliette en se levant de son fauteuil, toute rouge, que vous pouvez compter sur mon entière loyauté. Je n'ai jamais eu aucun projet de spéculation. Il s'agit pour moi d'un souvenir de famille que je voulais...

— Oui, oui, je sais tout cela, autrement je ne vous aurais pas laissée acheter, vous pensez bien. Ce qui compte, après tout, c'est que Montréal retrouve un peu de son ancienne beauté, peu importe qui possède quoi, n'est-ce pas ? Voilà pourquoi *Rebâtir Montréal* existe.

Il se gratta une joue, puis :

— Je ne peux vous obliger, évidemment, à remettre la maison dans son état initial, car cela irait contre votre droit de propriété, mais la clause 14, si vous l'avez bien lue, en vous obligeant au moment d'une revente éventuelle à remettre les lieux dans un état *raisonnablement semblable* à celui où vous les avez trouvés lors de l'achat, vous empêche de modifier l'intérieur du tout au tout. Nous nous entendons bien sur ce point, n'est-ce pas ?

Juliette fit un grand signe de tête. Pagé fronça le nez, renifla bruyamment, puis :

— Voulez-vous consulter un avocat avant d'apposer votre griffe ?

— Non, monsieur. Je me sens en confiance.

Il sourit, lui tendit une plume. Elle se pencha au-dessus du bureau et, l'œil humide, voulut signer. Mais deux fois la plume glissa dans sa main trop moite. Pagé signa à son tour, puis, relevant la tête :

— Eh bien, la coutume voudrait qu'on boive maintenant un petit verre de porto, mais malheureusement...

— Je vous ai déjà pris trop de temps, coupa Juliette en prenant la copie qu'il lui présentait et la glissant dans son sac à main. Merci beaucoup. Du fond du cœur, merci.

Elle lui tendit la main. Il se leva :

— J'ai quand même le temps de vous reconduire jusqu'à la bibliothèque et de dire bonjour à votre petit-neveu.

Ils quittèrent de nouveau le bureau.

— Et ainsi, vos affaires vont bien ? demanda Juliette pour meubler la conversation.

— Oh ! depuis deux ans, je n'ai pas à me plaindre, je n'ai pas à me plaindre du tout, répondit son compagnon avec une moue satisfaite. Connaissez-vous l'*Hôtel de France*, place Jacques-Cartier ?

— Cette vieille maison de pierre devant l'hôtel de ville qu'on a reconstruite l'an dernier à la place de l'ancien stationnement municipal ?

— Justement, celle-là.

Il s'arrêta dans le corridor, enchanté d'avoir sous la main une interlocutrice qui lui permettait de parler de son dada :

— Saviez-vous qu'il s'agit de l'ancienne maison Beaubien qui s'élevait sur le Champ-de-Mars et qu'on avait démolie en 1965 ? La ville avait conservé les pierres. Je les ai achetées ; après dix-huit mois d'efforts, nous avons réussi à convaincre l'administration municipale d'éliminer son horrible stationnement — et j'y ai fait reconstruire le vieil *Hôtel de France*, autrefois la meilleure table de Montréal. Cela m'a coûté pas mal d'argent, mais j'ai pu bénéficier de certaines subventions et aujourd'hui, lança-t-il avec émotion, l'*Hôtel de France* a retrouvé ses bonnes fourchettes, la place Jacques-Cartier s'est embellie, et mon comptable, qui levait les bras en l'air il y a deux ans, me parle avec respect maintenant de mon restaurant.

Ils entrèrent dans la bibliothèque. Denis, absorbé dans sa lecture, ne les entendit pas venir. Alphonse Pagé sourit :

— Eh bien ! il n'a pas l'air de s'embêter, celui-là.

L'enfant releva brusquement la tête, ferma le livre, repoussa sa chaise et vint trouver sa tante, qu'il prit par la main. Juliette, encore tout impressionnée par la signature de son contrat et l'histoire de l'*Hôtel de France*, se tourna vers l'homme d'affaires :

— Je comprends maintenant pourquoi vous vous êtes montré si généreux envers moi. Vous êtes un philanthrope ! lança-t-elle avec un enthousiasme naïf.

— Un philanthrope qui n'oublie pas ses intérêts, ma chère madame. Tenez ! je viens de m'associer avec l'architecte Phyllis Lambert dans un projet assez surprenant à la Pointe-à-Callières, rue de la Commune. Avec un peu de chance, nous prévoyons récupérer notre mise de fonds en deux ans. Je m'en vais justement sur le chantier. Venez-vous avec moi ? Allons, je vous comprends, reprit-il avec un sourire malicieux devant l'hésitation de Juliette, vous avez hâte d'aller visiter votre maison. Nous nous reprendrons. Bonne chance. Et donnez-moi de vos nouvelles.

Il quitta la pièce d'un pas pressé. L'obèse fit un salut à mademoiselle Beaudry, qui avait suivi discrètement la conversation derrière son bureau, et se dirigea à son tour vers la sortie :

— Eh bien, mon bobichon, j'ai l'impression que ma tante Joséphine doit dire de bonnes choses à mon sujet au petit Jésus...

— Je m'en fiche, de ta Joséphine, répondit mentalement Denis en bougeant doucement les lèvres.

26

Le matin de cette même journée, après beaucoup d'hésitations, Clément Fisette se glissa en tremblant par le soupirail qui donnait sous *La Bonne Affaire* pour une ultime opération d'espionnage souterrain.

Il était sept heures trente. Au-dessus de sa tête, une horloge égrenait ses tic tac imperturbables ; de temps à autre une planche craquait ; on entendait un robinet gémir aux étages supérieurs. Un quart d'heure plus tard, malgré chandail et coupe-vent, toute l'humidité de la cave semblait s'être réfugiée dans ses os et il se mit à claquer des dents. Il déboucha un thermos de café qu'il venait d'acheter à la *Beignerie Dunkin* avec des pâtisseries, déposa un caillou terreux en guise de signet sur la page 78 d'*Une ténébreuse affaire* et commença à déjeuner.

À neuf heures cinq, la porte de la librairie s'ouvrit avec fracas et le pas lourd et martelé de Fernand Livernoche ébranla le plancher. Fisette y porta à peine attention, plongé qu'il était dans son roman.

À onze heures moins dix, alors qu'il arrivait au milieu de la page 125, Fernand Livernoche, sans tambour ni trompette, lui fournit involontairement l'adresse de sa chère Adèle. Profitant d'une pause entre deux clients, le libraire téléphona à sa maîtresse pour prendre de ses nouvelles et lui exprimer tout le plaisir qu'il avait eu à passer la nuit avec elle. Fisette ferma son livre à contrecœur et apprit presque aussitôt que le mets favori d'Adèle Joannette était la pizza (garnie d'olives noires et d'anchois avec double portion de mozzarella). Or elle éprouvait justement ce jour-là une fringale de pizza. Livernoche causa avec elle un quart d'heure, lui recommandant par trois fois de ne mettre le nez dehors sous aucun prétexte, puis raccrocha. Fisette l'entendit se promener en marmonnant, puis le cadran du téléphone ronronna de nouveau.

— Oui, ici Livernoche, de *La Bonne Affaire*, lança-t-il de sa voix bourrue. Oui, la librairie, évidemment. Dites-moi : je voudrais faire livrer une pizza rue Fontaine (— Rue Fontaine ! s'exclama intérieurement Fisette) *au plus tard* dans une demi-heure. Est-ce que ça vous est possible ? Oui ? Vous êtes sûr ? Ne me racontez pas d'histoires, hein ? La commande n'est pas pour moi mais pour une amie et à *midi moins quart* cette personne aura dîné et votre pizza sera de trop. Bon, puisque vous le dites, je prends votre parole. Hein ? médium, avec olives et anchois et double portion de fromage — je dis bien : *double portion de fromage*. L'adresse : 15 748, rue Fontaine, coin Crevier, appartement sept. (— Mais j'étais juste en face ! s'étonna le photographe. Il avait stationné en face. Quel imbécile !) Dites au livreur de venir se faire payer à la librairie. N'oubliez pas. À la librairie. Vous me promettez la livraison pour onze heures trente au plus tard, hein ? Merci.

Fisette rangea ses effets dans un sac et rampa vers le soupirail. Par prudence, il attendit l'arrivée d'un client pour déplacer le morceau de contreplaqué. Les choses faillirent alors se gâter. Il glissait la tête dehors lorsqu'un frémissement courut le long de sa jambe droite et qu'une douleur aiguë le saisit au mollet. Du coup, sa nuque alla heurter violemment le dormant du soupirail et il bondit dehors, le visage convulsé, replaça vitement le contreplaqué, puis s'enfuit de la cour en boitillant, terrifié à l'idée du tapage qu'il venait de faire. Il franchit deux coins de rue, se réfugia à l'arrière d'un entrepôt et souleva son pantalon : un filet de sang large comme le doigt lui partait d'une entaille à mi-jambe et allait se perdre dans son soulier, dont l'intérieur devenait de plus en plus poisseux.

— Ah ! le salaud ! rugit Fisette. Je vais l'écrabouiller à coups de brique !

Son compagnon à longue queue venait sans doute de réaliser qu'après lui avoir mangé au nez durant trois jours sans lui laisser une miette, le photographe le quittait pour de bon et que c'était le moment ou jamais de lui manifester son humeur.

Fisette se rendit aussitôt à la pharmacie *Jean Coutu*, rue des Cascades, pour acheter un flacon de désinfectant et des pansements. Le pharmacien, un grand homme chauve, l'œil clignotant et l'air malheureux comme s'il venait de casser une pièce de porcelaine, l'écouta patiemment raconter sa mésaventure — modifiée pour l'occasion.

— Vous devriez vous faire donner une injection antipesteuse, suggéra-t-il d'une voix étouffée, en lui tendant un flacon de chlorhexydine. On ne joue pas avec les bacilles de Yersin.

— Les bacilles de Yersin... qu'est-ce qu'il lui prend, à cet idiot ? marmonnait Fisette en se dirigeant vers son auto, stationnée près de l'hôtel. Il veut se rendre intéressant, ou quoi ?

Il monta dans l'*Aries K* et s'occupa de sa blessure, qui ne paraissait pas très profonde. Aussitôt le pansement appliqué, la douleur se mit à décroître et l'image d'Adèle reprit toute la place dans son esprit.

— Rue Fontaine maintenant, fit-il en tournant la clef d'allumage.

Pendant une seconde, il eut envie d'abandonner l'affaire, de téléphoner à Juliette pour lui donner l'adresse d'Adèle et de les laisser se débattre toutes seules. Mais quelque chose s'agitait obscurément en lui, une sorte de curiosité malicieuse et cruelle, le désir de montrer à la fuyarde qu'au terme d'une chasse extravagante, il avait bel et bien réussi à l'attraper et qu'elle se trouvait maintenant à sa merci.

En arrivant rue Fontaine, il aperçut l'auto de la *Pizzeria Soleil* qui démarrait.

— Je vais l'attraper la bouche pleine, fit-il avec un petit sourire en se frottant le mollet.

Il pénétra dans le hall, puis s'arrêta au pied de l'escalier.

— Qu'est-ce que je vais lui dire ? se demanda-t-il en portant les mains à ses joues, soudain brûlantes.

Le plaisir d'avoir enfin mis la patte sur sa proie commençait à se désagréger sous l'effet du trac. Il gravit lentement l'escalier. Son mollet tirait et brûlait, mais la douleur restait supportable. Par contre, la moiteur visqueuse de la plante de son pied droit l'écœurait de plus en plus.

Parvenu au premier étage, il eut un sursaut et son visage s'éclaira :

— J'ai trouvé.

L'étage était divisé dans toute sa longueur par un corridor étroit et sombre qui s'allongeait parallèlement à la rue. Il fit quelques pas et un gros 7 de métal chromé surgit de la pénombre à sa droite, luisant sur une porte zébrée d'éraflures. Il s'approcha et frappa trois coups. Un moment passa.

— Qui est-ce ? demanda une voix de femme méfiante.

— C'est la *Pizzeria Soleil*, madame. Je m'excuse, il y a eu une erreur. Il faut que je reprenne votre pizza. J'espère que vous n'avez pas ouvert la boîte.

— Bien sûr que je l'ai ouverte. J'étais en train de dîner.

Le verrou cliqueta et il constata avec ravissement qu'elle commettait l'impardonnable erreur de ne pas poser la chaîne de sécurité. Avant même de voir sa figure, il se força un passage d'un coup d'épaule, puis, un doigt sur les lèvres, referma la porte derrière lui.

— Excusez-moi, souffla-t-il d'une voix tremblante, je ne vous veux pas de mal : seulement vous parler. Gardez votre calme et tout va bien aller.

Elle avait poussé un cri et se tenait devant lui, appuyée contre un mur, sidérée, défaillante, dans le fameux déshabillé lilas qu'il avait tant cherché sur les cordes à linge de Saint-Hyacinthe.

— Il ne faut pas avoir peur, ajouta-t-il doucement. Je suis détective (quelle caverie ! elle va se méfier encore plus). C'est votre tante qui m'envoie. J'ai des choses intéressantes à vous dire.

Se glissant contre le mur, elle recula de quelques pas, toujours silencieuse, et sa main droite se mit à trembler. Son effroi remplissait Fisette d'une joie sauvage, inconnue, pleine de délices troubles. Il se revit soudain dans la fourgonnette avec le couple de fêtards, la main agrippée au dossier de vinyle vert foncé, à quelques centimètres de la nuque lisse et rose de Momone ; elle se tourna vers lui en bougeant des lèvres lubriques, puis un tourbillon noirâtre emporta la vision.

— Est-ce qu'on peut s'asseoir un moment pour jaser ? demanda-t-il à voix basse.

Une expression de résignation accablée s'étendit sur le visage d'Adèle ; penchant un peu la tête, elle s'éloigna dans le corridor. Ils pénétrèrent dans une grande cuisine aux murs nus, éclairée par une fenêtre rectangulaire qui déversait une lumière grise et morose. La lueur fadasse d'un plafonnier ne faisait qu'accentuer la triste laideur de la pièce. Elle s'approcha d'une table où la pizza refroidissait dans son emballage à demi éventré, tira une chaise, s'affala dessus et le fixa d'un regard vide, sans même l'inviter à s'asseoir.

— Permettez ? fit l'autre en prenant place devant elle.

Elle lui répondit par un sourire tordu et arrangea les plis de son déshabillé, qui lui dénudait un peu trop les jambes :

— Eh bien, bravo, dit-elle à voix basse. Vous m'avez eue, enfin. Je vous reconnais. Vous étiez avec ma tante le jour où elle a relancé Fernand jusque chez lui.

Les mains sur les cuisses, Fisette la détaillait à petits coups d'œil furtifs. Son visage, un peu flétri et empâté, avait conservé des restes d'une beauté remarquable et racée, qui contrastait avec sa voix rauque et traînante, à l'accent un peu commun.

— Eh bien, je vous ai déjà vue moi aussi, figurez-vous. Et j'ai même eu la chance de pouvoir vous photographier il y a quatre ou cinq jours par la fenêtre de votre cuisine.

Elle sursauta.

— Oui, le soir où vous avez quitté la maison de monsieur Livernoche. J'ai cru bon d'envoyer les photos à madame Pomerleau.

Et, tout en lui parlant, il abaissait de temps à autre son regard sur ses pieds nus, aux ongles peints en mauve, glissés dans des sandales très ouvertes. Elle les avait petits, étroits, fort bien faits. On avait envie de les prendre dans ses mains et de les embrasser.

Elle l'observa un instant, immobile, le visage inexpressif, s'alluma une cigarette d'un geste mal assuré, prit une courte inspiration, puis l'écrasa brusquement dans un cendrier. En se cassant, le tube de papier émit un petit craquement.

— Qu'est-ce que vous me voulez, à la fin ? Pourquoi ma tante me court-elle après comme ça ? Je ne veux plus la voir. J'ai changé de vie. J'ai changé d'amis. Je n'ai plus rien à lui dire. Dites-lui de me laisser tranquille. Je ne fais de mal à personne. J'ai droit à ma vie. Je veux la paix. La paix.

Il sourit légèrement (son effroi lui faisait de plus en plus plaisir, comme s'il y voyait un bon présage ou la possibilité d'une sorte de revanche), se renversa un peu en arrière, puis :

— Vous savez, votre tante a été très malade il y a trois mois. Une hépatite virale. Elle a failli mourir. Ça va beaucoup mieux maintenant, mais ce n'est peut-être qu'une rémission. La mort l'obsède. Et elle se fait beaucoup de soucis pour l'avenir de votre petit garçon.

À ces mots, Adèle Joannette pâlit affreusement. Sa mâchoire inférieure sembla se décrocher. L'œil égaré, elle se leva en poussant un son inarticulé, pivota sur elle-même et marcha vers le fond de la cuisine d'un pas incertain, puis se planta devant l'évier :

— Quel garçon ? Je n'ai pas de garçon, balbutia-t-elle. Je n'en ai jamais eu.

Elle se retourna brusquement :

— Combien voulez-vous ? Je vous donnerai ce que vous voulez. Laissez-moi juste un peu de temps.

Il la regardait, ébahi, cherchant à comprendre ses paroles. Puis un sourire gouailleur étira lentement ses lèvres. La joie cruelle qui l'habitait depuis son irruption dans l'appartement nc ccssait de grandir.

— Je ne veux rien, finit-il par répondre, l'œil à demi fermé, lançant chaque mot comme des petits cailloux dans un buisson où se cacherait un animal qu'on chercherait à faire lever. Enfin, tout ce que je veux, c'est... clarifier un peu la situation, voilà. Votre tante m'a payé pour cela. Mettez-vous à ma place. Je...

Il se tut. Les idées venaient de lui manquer. Il contemplait Adèle Joannette dans son déshabillé lilas, les jambes légèrement écartées, ses jolis pieds nus glissés dans des sandales découpées d'une façon délicieusement provocante ; ses ongles d'orteils lançaient de douces lueurs mauves, et pendant ce temps des fragments de son aventure ratée avec Momone et Norbert se bousculaient de nouveau dans sa tête, mêlés à un sentiment d'humiliation insupportable.

Adèle Joannette leva la tête et vit son trouble. Elle revint à la table, saisit son paquet de cigarettes, l'ouvrit avec des doigts fébriles et frotta une allumette ; la flamme orange s'allongea en tremblotant et, tandis que sa pointe s'enfonçait comme un dard dans le tabac noirci d'où s'élevait un mince filet de fumée bleue, elle observa de nouveau le photographe. Les sourcils froncés, elle tira deux ou trois bouffées, poussa un grand soupir et se rassit. Son affolement commença à lâcher prise.

— Ma tante gaspille son argent. Je n'ai rien à me reprocher, déclara-t-elle en le fixant, cherchant à deviner ses pensées.

Fisette se laissait examiner avec un sourire équivoque et quelque peu déplaisant.

— Alors dans ce cas, détendez-vous, ricana-t-il. Tout va bien.

Il croisa les jambes, frotta ses chevilles l'une contre l'autre, puis :

— Savez-vous que j'ai cherché ce déshabillé sur toutes les cordes à linge de la ville, hier ?

Elle porta la cigarette à ses lèvres, pencha légèrement la tête en arrière et quelque chose de ferme et de subtilement méprisant dans le pli de ses lèvres indiqua qu'elle venait de prendre une décision :

— Écoutez, je veux qu'on me fiche la paix, comprenez-vous ? J'y tiens à mort. Je suis prête à vous donner ce que vous voulez, répéta-t-elle d'une voix adoucie, avec un léger clignement d'œil. Ce que vous voulez.

Une longue volute de fumée s'échappa de ses lèvres et elle sourit au photographe. Un délire de joie s'éleva en Fisette. Il comprit que le moment était venu, s'accroupit devant elle et, dans un geste à la fois touchant et ridicule, blottit sa tête contre son ventre et se mit à lui caresser les cuisses. Elle déposa sa cigarette dans le cendrier et, les traits encore tirés par l'angoisse, promena les doigts dans ses cheveux avec un sourire vaguement écœuré :

— Je te fais de l'effet, mon minou ? souffla-t-elle avec un petit rire.

Il leva un œil chaviré, puis glissa les mains entre les pans de son déshabillé et embrassa fougueusement son ventre et ses seins. Elle se releva lentement, l'attira vers elle ; il aplatit ses lèvres contre sa bouche, la respiration de plus en plus saccadée, et se mit à lui malaxer les fesses en pressant son ventre contre le sien. Sa frénésie ne cessait de grandir. Elle jugea qu'il fallait l'exciter davantage. Tirant prestement sur la fermeture éclair de sa braguette, elle extirpa du slip son sexe raidi et violacé où perlait une grosse goutte translucide et se mit à le masturber, répondant par des soupirs aux caresses agitées que son compagnon prodiguait maintenant à sa vulve.

— Non, non, pas tout de suite, lança-t-il d'une voix étouffée en se dégageant.

Elle sourit :

— Comme tu veux.

D'un geste vif, elle lui enleva son coupe-vent et déboutonna sa chemise. Il se laissait faire, ravi, intimidé, les bras ballants, fixant ses lèvres, puis dans un mouvement d'impatience, il arracha ses vêtements, retroussa le déshabillé de sa compagne et se pressa contre elle en ondulant des reins.

— Nous sommes un peu trop à la vue, tu ne trouves pas ? susurra-t-elle à son oreille en lui montrant la fenêtre sans rideau qui donnait, vingt mètres plus loin, sur une autre fenêtre, masquée par un store vénitien. Tiens ! qu'est-ce que tu t'es fait à la jambe ?

— Un petit accident. Rien de grave.

Elle le prit par la main et le conduisit à la chambre à coucher. En apercevant le lit où Livernoche avait dormi quelques heures plus tôt, Fisette plissa les yeux et sa joie s'enrichit du plaisir piquant de dindonner un ennemi. Il saisit Adèle par les épaules, la tourna vers lui et, tandis que son vêtement glissait sur le plancher, il se mit à lui couvrir les épaules et les seins de baisers, la ployant peu à peu par en arrière, dans un effort exalté pour imiter les scènes érotiques qu'il avait vues tant de fois au cinéma.

— Ouille... tu me fais mal au dos, dit-elle en se dégageant doucement.

Elle rampa sur le lit, se coucha et lui fit signe de venir la rejoindre. Il promenait ses mains et ses lèvres partout sur son corps, extasié, frénétique, tandis que sa partenaire, un peu inquiète de tant d'agitation, simulait une passion modérée (c'était le mieux qu'elle pouvait faire). Elle s'avisa bientôt que, malgré toutes les caresses qu'on lui prodiguait, sa vulve demeurait sèche, porta la main à sa bouche puis à son sexe et l'enduisit discrètement de salive.

— Viens, viens tout de suite, murmura-t-elle, le regard savamment égaré.

Il la pénétra lentement et laborieusement, s'agita quelques instants sur elle en soufflant bruyamment par le nez (un objet caché sous le drap lui faisait un peu mal au genou gauche), puis éjacula en trois spasmes courts. Son plaisir atteint, il vit aussitôt l'étendue de sa bêtise. Un écœurement graisseux l'envahit, mais cela n'alla pas jusqu'au regret. Il resta en elle quelques moments, l'embrassant et la caressant avec une ardeur fléchissante. Ils gardaient le silence, n'ayant rien à se dire, impatients de se quitter. Il sentit que son poids l'incommodait, se retira et roula à ses côtés. Elle posa la main sur son ventre, lui fit deux ou trois caresses mécaniques, puis se mit à chantonner.

— *Love me tender* ? fit-il en tournant la tête.

Elle fit signe que oui et reprit ses caresses, jouant avec les poils de son pubis.

— Elvis, c'est mon homme, dit-elle au bout d'un moment. Je sais presque toutes ses chansons par cœur.

Et elle lui raconta la vie brillante et malheureuse du chanteur de Memphis, torturé par l'angoisse et la solitude et essayant de se tirer d'affaires à coups de calmants, de *Cadillac* roses et de parties de billard électrique. Deux ou trois fois, il essaya de parler de Juliette, mais elle se troublait et détournait aussitôt la conversation.

Il se redressa soudain sur un coude et la regarda droit dans les yeux :

— Ce n'est pas facile, tu sais, pour une femme de son âge, et malade en plus, d'élever un enfant de dix ans.

— Un enfant de dix ans ? balbutia-t-elle avec un étonnement rempli d'effroi. Quel enfant ?

Elle se leva, enfila son déshabillé, puis :

— Tu ferais peut-être mieux de partir, fit-elle. À cette heure, *il* pourrait arriver n'importe quand. Je vais aller chercher ton linge.

Sa réaction médusait le photographe.

— Est-ce que la fausse Adèle serait la vraie? se demanda-t-il en enfilant son pantalon. Je n'y comprends plus rien.

Il avait envie de la bombarder de questions jusqu'à ce que la vérité éclate, mais la répugnance de plus en plus profonde que lui inspirait sa propre conduite et surtout la menace de l'arrivée de Livernoche — bien qu'il fût conscient qu'il s'agissait sans doute d'une ruse pour le faire déguerpir — lui avaient enlevé le goût de s'attarder. Il la rejoignit à la cuisine.

Elle était assise, un verre à la main :

— Veux-tu partager ma bière? C'est la dernière bouteille.

— Merci. Je vais filer.

Elle s'approcha de lui et l'enlaça :

— Je te trouve chouette, tu sais. Et pas méchant du tout comme amant, ajouta-t-elle avec un petit rire. Ça me repose de mon gros libraire qui me fait l'amour comme un bœuf.

Elle se mit à le bécoter :

— Veux-tu revenir ce soir? Je dirai à Fernand que je me sens mal, que je n'ai pas le cœur à voir personne.

— Elle veut que je me ferme la gueule, se dit-il, le temps de faire ses valises et de sacrer le camp.

Il fit signe que oui et essaya de sourire, mais ses lèvres ne lui obéissaient pas. Adèle le regardait, se demandant s'il était assez naïf pour tomber dans son piège ou s'il jouait un jeu lui aussi.

Ils se dirigèrent vers la sortie

— Tu reviens ce soir? Promis? Sois tranquille, il ne se pointera pas, je m'en charge. Veux-tu venir souper? Tu pourrais apporter de la bière, tiens.

Il allait ouvrir la porte lorsqu'elle se pencha à son oreille :

— Pas un mot à ma tante, hein ? souffla-t-elle d'une voix câline et suppliante. Ça me rendrait tellement malheureuse...

— Promis, fit-il en l'embrassant sur la joue.

Il n'était pas encore parvenu au rez-de-chaussée qu'Adèle téléphonait à Livernoche pour lui annoncer que l'ami de sa tante rôdait devant l'immeuble et qu'il n'était pas question d'y rester une heure de plus. Puis elle se précipita vers la chambre à coucher. Deux grosses valises s'entre-choquèrent sur le lit avec un bruit sourd.

— Je suis un écœurant... et un imbécile, se disait tristement Fisette en traînant les pieds sur le trottoir. Pauvre madame Pomerleau... elle n'est pas près de revoir sa nièce... ni moi non plus.

L'idée lui vint d'aller se tapir dans un coin pour assister à sa fuite. Il inspecta la rue du regard, puis, haussant les épaules avec un soupir de lassitude, poursuivit son chemin vers l'hôtel. C'est là qu'il déciderait s'il annoncerait ou non à Juliette qu'en retrouvant sa nièce, il l'avait sans doute perdue à tout jamais.

27

La vente de la maison du boulevard René-Lévesque devait se conclure à l'étude des notaires Fortin, Smith, Vanasse & Roberge au 1281, rue de la Montagne ; Juliette avait convenu avec Vlaminck — peu porté aux plaisirs du volant et n'ayant jamais possédé d'auto — de le prendre vers deux heures. Sa montre marquait deux heures dix ; il n'y avait pas de temps à perdre. Elle roulait sur Saint-Antoine, la lippe soucieuse. Un problème difficile lui faisait chauffer les méninges. Aussitôt le contrat signé, elle voulait filer à Saint-Hyacinthe voir ce qu'y fricotait Fisette, dont elle était sans nouvelle depuis deux jours. Mais, qu'allait-elle faire de son petit-neveu ? Il était hors de question de le confier à Martinek et Rachel, qui préparaient fébrilement leur concert, non plus que de l'amener là-bas en risquant de l'exposer à des scènes pénibles et peut-être traumatisantes.

— Je meurs de soif, ma tante, soupira Denis et il appuya ses talons contre la boîte à gants.

— Tu boiras chez le notaire, mon pauvre agneau, je n'ai pas le temps de m'arrêter, nous sommes en retard de vingt minutes. Enlève tes pieds, bobichon. Tu vas tout crotter.

— C'est plate, aller chez le notaire, gémit l'autre en obéissant.

— Que veux-tu, mon pauvre, il faut que j'y aille, c'est important. Autant pour toi que pour moi. Ça te plairait beaucoup de continuer à vivre près de ta tante ?

— Je vais perdre tous mes amis, bougonna-t-il.

— Je t'ai juré, mon cher Denis — et je te le jure encore une fois — que tu pourras les voir chaque fin de semaine, si tu le désires. Je me charge de te voiturer. Et puis, de toute façon, tu vas continuer d'aller à l'école de Normandie jusqu'au mois de juin, non ?

Denis se tripotait le nez, la mine boudeuse. L'auto tourna sur René-Lévesque et se dirigea vers l'ouest. Ils arrivaient chez Vlaminck. La comptable l'aperçut en train d'arpenter le trottoir devant la maison. Il reconnut Juliette et agita la main. Soudain, le visage de l'enfant s'éclaircit :

— Tu sais, fit-il, une lueur cruelle dans l'œil, après s'être assuré que la présence du Belge empêcherait toute conversation sur le sujet, j'ai rencontré ce matin la femme qui se prend pour ma mère. Elle m'a acheté des pâtisseries.

Juliette braqua vers lui un de ces visages rubiconds aux joues gonflées que les Anciens dessinaient sur leurs cartes géographiques pour figurer la Tempête, mais ne put dire un mot : penché au-dessus de la glace d'une portière, Marcel Vlaminck lui souriait. Elle ordonna à Denis de prendre place sur la banquette arrière et le Belge, malgré ses protestations polies (« Mais non, mais non ! ne dérangez pas ce pauvre enfant, j'aurais pu très bien m'asseoir derrière vous ! Ces petites japonaises sont si confortables, etc. ») s'assit aux côtés de l'obèse.

— Et alors, c'est le grand jour ? lança-t-il, joyeux.

Mais le ton sonnait faux. Juliette l'observa à la dérobée, sourit, lui jeta un second regard et fit une légère grimace.

— Pour ne rien vous cacher, reprit-il au bout d'un moment, j'éprouve un grand chagrin à me départir de cette maison. Mon cœur va rester emprisonné entre ses murs.

— C'est bien dommage, répondit la comptable, de plus en plus sur ses gardes.

Vlaminck toussota, plia et déplia ses jambes, joignit les mains, les fit glisser vers ses genoux, jeta deux ou trois coups d'œil furtifs à sa compagne, toussota de nouveau.

— Qu'est-ce qu'il mijote, l'animal ? se demandait Juliette. Je sens venir quelque chose. Cuisse de puce ! que la vie est compliquée !

Elle tourna un coin de rue, évita de justesse un automobiliste qui venait de se ranger à droite sans avertir, et reprit de la vitesse.

— Madame Pomerleau, prononça Vlaminck d'une voix grave et solennelle.

Puis il s'arrêta.

— Oui, monsieur Vlaminck ? dit-elle enfin. Vous semblez soucieux.

— Madame Pomerleau... je vous rachète la maison. Je n'arrive pas à me décider à la vendre. Ma femme pleure sans arrêt depuis deux jours.

— Il n'en est pas question, monsieur. L'offre d'achat est signée. Vous devez respecter votre engagement.

— Mais je m'y conforme, madame. Voilà pourquoi je suis prêt à vous offrir en dédommagement trois mille dollars. Payables immédiatement.

Juliette secoua la tête, butée :

— Vous vendez. J'achète. On a assez niaisé.

Vlaminck se rencogna dans son siège avec un soupir et fixa le bout de ses doigts.

— Cinq mille, lança-t-il tout à coup.

Le menton appuyé au dossier de la banquette avant, Denis, frémissant d'espoir, suivait la conversation avec de grands yeux. Juliette se mit à rire :

— Cinq mille, dix mille ou vingt mille, offrez-moi jusqu'à votre chemise si le cœur vous en dit, vous perdez votre temps, mon cher monsieur. J'ai *besoin* de cette maison.

— Pensez-y, madame... Cinq mille dollars tombés tout chauds comme ça dans le creux de la main en échange d'un petit oui de rien du tout... On ne rencontre pas pareille aubaine à tous les coins de rue. Et puis, les belles maisons abondent dans cette ville... Je suis sûr qu'avec un peu de patience vous pourriez trouver mieux, et à moins cher...

La *Subaru* déboucha sur la rue de la Montagne.

— Vous ne retournez plus en Belgique? demanda Juliette, railleuse. La savonnerie familiale vient de disparaître dans la broue?

— Je... nous avons changé d'idée, mon épouse et moi.

— Dites plutôt que vous avez reçu une meilleure offre. À combien s'élève-t-elle? À quatre cent mille? À quatre cent vingt mille? Trop tard. J'achète.

— Arrêtez-vous ici, fit-il avec une rage contenue. Nous sommes rendus.

— Est-ce que ça va être long, ma tante? s'informa Denis d'un petit ton larmoyant et dépité.

Juliette lui planta son regard dans les yeux. Il ouvrit promptement la portière et la suivit.

Vers quatre heures, les formalités terminées, Vlaminck et son acheteuse se serraient poliment la main, le regard fuyant, puis l'ex-propriétaire partait en vitesse, après avoir sèchement décliné l'offre que lui faisait Juliette de le reconduire chez lui.

— Le firmament intérieur de ce monsieur semble obstrué par de gros nuages, remarqua flegmatiquement maître Fortin en tirant sur les pointes de sa moustache.

— Oui, monsieur. Mais quant à moi, la lumière me sort par les oreilles.

Elle le salua, triomphante, prit Denis par la main et quitta le bureau.

Une partie du rêve obsédant qui avait hanté sa longue maladie venait de se réaliser. La vieille maison de son enfance allait enfin retrouver un ange gardien. En la prenant sous sa gouverne, c'était un peu comme si elle volait au secours de sa tante elle-même, malade et abandonnée. Du coup, l'espèce de lourdeur qui accablait son esprit depuis tant de mois disparut presque, et elle eut l'impression que des flots d'énergie envahissaient son corps massif, assouplissant les articulations, affermissant les muscles, dissolvant les points de douleur. Un bien-être délicieux la remplit.

— Adèle maintenant, murmura-t-elle sourdement, sous le regard étonné de son petit-neveu. Il faut que je parle à cette fille d'ici deux jours.

Elle venait de faire un premier versement de vingt mille dollars. Vlaminck s'était engagé aux termes de l'offre d'achat à être créancier hypothécaire durant six mois pour le solde du prix de vente, afin de laisser à Juliette le temps de vendre sa propriété de Longueuil ; mais, à la dernière minute, il avait voulu se désister et il avait fallu toute l'éloquence scandalisée de maître Fortin pour le ramener à la raison. Juliette, par crainte des tracas, décida de se départir au plus vite de sa conciergerie, quitte à rabattre une partie du prix.

— Ah ! mais toi, tu es un drôle de petit écervelé ! s'écria-t-elle tout à coup en saisissant Denis par le bras au moment où il s'apprêtait à monter dans la *Subaru*. C'est vrai que tu as rencontré cette folle ? Et au lieu de m'avertir au plus vite pour que je la fasse arrêter, tu manges ses pâtisseries ? Non mais, te rends-tu compte, mon pauvre enfant ? C'est une tête que tu as sur les épaules ou une bulle de savon ? Cette femme est dangereuse ! Qu'est-ce que tu attends pour me croire ? Qu'elle te coupe en morceaux dans le fond d'un garage ? Tu ne trouves pas que j'ai assez de soucis comme ça ? Tu veux que je retombe malade, ou que je devienne folle à mon tour, peut-être ? Moi qui n'ai personne d'autre que toi sur la terre ! Ah ! chenapan ! si je ne me retenais pas, je te chaufferais les fesses !

Denis pleurnicha un peu, lui raconta son aventure par le menu et promit de ne plus circuler seul dans la ville tant qu'on n'aurait pas mis le grappin sur sa timbrée de fausse mère.

— Tant pis, je l'emmène avec moi, décida la comptable en démarrant. De toute façon, est-ce que j'ai le choix ? J'aime autant le voir perturbé que sur une table de morgue.

Elle se tourna vers lui :

— Je t'emmène à Saint-Hyacinthe, mon garçon. Après ce qui vient de se passer, je veux t'avoir à l'œil.

— Qu'est-ce que tu t'en vas faire là-bas ? Chercher ma mère ? Je le sais pourquoi tu la cherches : t'es tannée de moi. Tu veux seulement t'occuper de ta vieille maudite maison mal foutue que je déteste à mort.

— Oh la la ! mais c'est la grande colère, s'écria-t-elle, touchée par le désarroi de l'enfant. Allons, où as-tu pêché ça ? Tu le sais bien, monstre à mille pattes, que tu seras toujours mon petit bobichon d'amour et qu'il n'est pas question que tu vives ailleurs que chez moi. Mais il faut quand même que je la retrouve, ta mère. Écoute-moi bien. Le moment est venu que je te livre un secret.

Et elle lui parla de la promesse qu'elle avait faite à Joséphine mourante et de sa longue négligence à la respecter :

— Alors, j'ai décidé d'agir, même avec douze ans de retard. Je ne veux pas m'installer dans la maison de ma tante avant d'avoir retrouvé ta mère pour lui offrir mon aide — si elle en a besoin. Autrement, j'ai l'impression que je vais y étouffer. Et puis, il faut bien le répéter, mon pauvre enfant : je ne suis pas éternelle. Tout le monde s'en est bien rendu compte ! Si jamais je venais à partir, il faudrait bien quelqu'un pour s'occuper de toi. Naturellement, ta mère aurait son mot à dire à ce sujet. Je ne sais pas si ça l'intéresse, mais je dois absolument la consulter.

— Bohu et Rachel pourraient me prendre avec eux, proposa l'enfant d'une voix hésitante.

— Oui... bien sûr... Mais je veux d'abord voir ta mère, reprit-elle d'un air buté en enfilant la première courbe du pont Jacques-Cartier. Parce que c'est *ta mère*, comprends-tu ? Cela dit, j'espère pouvoir vivre jusqu'à cent ans, ajouta-t-elle en allongeant le bras pour lui tapoter le genou.

Une vieille Coccinelle jaune citron les dépassa lentement en lâchant des pétarades . Le conducteur aperçut Juliette et pouffa de rire.

— Moi, je préfère Bohu et Rachel, reprit l'enfant, boudeur, qui n'avait rien vu.

— Moi aussi, cher. Mais il faut d'abord que je voie Adèle. La loi m'y oblige... et aussi ma conscience, conclut-elle gravement.

La tête tournée, Denis regardait les poutres du pont qui défilaient à toute vitesse. L'auto passa bientôt sous un viaduc, puis emprunta la rue Saint-Laurent et se dirigea vers l'est. Les lèvres serrées, l'enfant promenait un œil éperdu sur cette ville qu'on s'apprêtait à lui arracher pour des raisons incompréhensibles.

En pénétrant dans le vestibule, Juliette prit son courrier et entra chez elle. Ses sourcils se froncèrent : l'une des enveloppes, chose rare, était adressée à Denis. Elle la lui tendit.

— Encore cette folle ? grommela-t-elle tandis que l'enfant, surpris, l'ouvrait prestement.

Deux rectangles de carton tombèrent sur le plancher. Il les ramassa :

— Wow ! des billets pour le match Canadiens-Nordiques au Forum.

Un bout de papier plié en quatre les accompagnait. Juliette le prit.

Cher Denis,

On s'est jamais parlé, mais je t'ai aperçu avec ta tante quand elle est venue me rencontrer à Sherbrooke chez Transport Inter-Cités *au début du mois. J'espère que tu aimes le hockey. J'ai pensé que ça te ferait plaisir d'aller voir le match Canadiens-Nordiques avec un ami au Forum vendredi le 30. J'espère que ta tante voudra. Si tu peux pas, donne les billets à des amis, ça fait rien. Bon succès à l'école,*

Un ami,

Roger Simoneau

— Eh ben ! qui lui a demandé de se montrer le nez, à celui-là ? se dit l'obèse. Cette histoire est en train de virer en soupe à la colle, ma foi. Tout le monde s'en mêle : d'abord une fausse mère, et puis maintenant un aspirant père ! On ne s'y retrouvera plus bientôt.

Denis s'empara de la lettre, puis, tout étonné, questionna sa tante sur Roger Simoneau, dont il se souvenait à peine. Elle lui répondit évasivement, se gardant bien de lui faire part des soupçons que lui inspirait cet intérêt soudain d'un camionneur pour un enfant qu'il n'avait pas vu dix minutes.

— Allons, ordonna-t-elle, va vite préparer tes bagages. Il faut partir, et auparavant aller au poste de police, mon cher, que tu leur racontes ta jasette de ce matin avec notre craquée.

Le téléphone sonna.

— Madame Pomerleau, s'il vous plaît, fit une voix grave et sonore, qui fit apparaître dans l'esprit de Juliette l'image d'une poutre d'acier. Réal Roch, de l'*Immobilière du Québec*. Vous allez bien ? Oui, je vais très bien moi-même, merci. Madame Pomerleau, j'ai un client ici devant moi qui serait intéressé à visiter votre immeuble de Longueuil. Quelqu'un de sérieux et de réfléchi. Serez-vous à la maison ce soir ?

Il s'interrompit :

— Un instant... Excusez-moi.

Quelques secondes passèrent.

— Madame Pomerleau ? Serait-il possible de nous recevoir plutôt demain matin vers dix heures ? Mon client vient de se rappeler qu'il doit aller à Terrebonne ce soir pour... Ça marche ? Parfait. Au plaisir.

— Ah ! ça tombe mal, pensa Juliette, contrariée, en raccrochant. J'avais le goût d'être ce soir à Saint-Hyacinthe, moi. Je ne comprends pas que Clément ne m'ait pas encore appelée.

Elle composa le numéro de l'*Hôtel Maskouta.* On lui répondit que le photographe était sorti vers le milieu de l'après-midi et n'avait pas reparu.

Juliette se rendit à sa chambre, fit ses bagages en un tournemain, puis revint dans la salle à manger. Elle s'assit, appuya son coude sur la table et se mit à jongler, l'air incertain. Denis traversa la pièce en lui jetant un coup d'œil à la dérobée, puis repassa devant elle une pairc de pantoufles à la main, agitant de l'autre ses deux billets de hockey ; sa bonne humeur était revenue.

— Il faut absolument que je retourne aujourd'hui à Saint-Hyacinthe, se dit Juliette, l'œil dans le vague. Si je demandais... Mais non. Qu'est-ce qu'il penserait de moi ? Quoique en lui expliquant...

Elle pianotait sur la table, de plus en plus perplexe. Ses lèvres palpitèrent à deux ou trois reprises. Elle fut sur le point de se lever, puis se ravisa.

— Tant pis, lança-t-elle tout à coup en se dressant d'un bloc. Il pensera de moi ce qu'il voudra. Je n'ai pas le choix.

Elle s'approcha du téléphone, saisit son sac à main posé près de l'appareil, en sortit un petit calepin noir et le consulta. Puis, levant la tête, elle poussa un grand soupir, reprise par son indécision. Cela tournait à la torture. Elle regarda sa montre :

— Il n'est sans doute pas chez lui, murmura-t-elle pour se donner courage.

Et elle composa rapidement le numéro d'Alexandre Portelance.

— Allô ? fit la voix gutturale du vendeur. Madame Pomerleau ?

Et il s'arrêta, le souffle coupé, gaga de ravissement.

Suante, écarlate et bredouillante, Juliette réussit à lui expliquer qu'une affaire pressante l'appelait à Saint-Hyacinthe, où elle serait peut-être forcée de rester quelques jours. Mais en même temps, la mise en vente de sa propriété de Longueuil l'obligeait à rester sur place. Alors, dans un mouvement d'audace — ou c'était peut-être de l'effronterie ? — elle lui téléphonait. Tablant sur l'amitié qu'il semblait avoir pour elle, et après de longues hésitations, elle s'adressait à lui à tout hasard — sachant que cela lui serait sans doute impossible, elle le comprenait d'avance — pour lui demander un grand service. C'était de se trouver chez elle le lendemain matin vers neuf heures trente — en formulant sa demande, elle avait honte de son sans-gêne et le priait de l'excuser — afin de recevoir en son absence un courtier en immeubles et son client et leur faire visiter la maison.

— Mais cela me fait *le plus grand plaisir*, madame, rugit Portelance dans un transport de joie qui ressemblait à de la fureur. Cessez de vous faire du mauvais sang, sainte culotte de gros drap ! On vient justement de m'annuler deux rendez-vous pour demain avant-midi. J'aurais perdu mon temps au bureau à tripoter de la paperasse en regardant par la fenêtre toutes les trente secondes. Demain matin à neuf heures trente je serai chez vous comme un seul homme, tonna-t-il joyeusement. Je prendrai votre courtier et son client chacun par-dessous le bras et nous visiterons votre maison de la cave jusqu'au bout de la cheminée autant de fois qu'ils le voudront, et même le double si ça leur chante. Mais il me faut une clef. Voulez-vous que j'aille la chercher ?

Juliette lui répondit qu'elle s'en voudrait beaucoup de l'obliger à se déplacer deux fois pour une pareille affaire et qu'il suffirait de convenir d'une cachette. D'ailleurs, elle devait quitter la ville sur-le-champ.

Ils choisirent très classiquement le paillasson de la porte avant, et la quinquagénaire, émue par le bon cœur et la jovialité du représentant, se confondait en remerciements lorsque Portelance l'interrompit :

— Mais votre petit-neveu ? Qu'est-ce que vous en faites ?

— Je l'emmène avec moi, répondit la comptable, embarrassée.

— Il va manquer son école ?

— Il est en vacances, monsieur. Jusqu'au 4 janvier.

— Ah bon. Excusez-moi. Je ne me mêle pas de mes affaires... Mais... écoutez... Si ça vous avait accommodée, j'aurais pu... Vous savez, je n'ai jamais eu d'enfants, mais il n'y a rien qui me fait davantage plaisir que...

— Non non non, répondit précipitamment Juliette, je l'emmène avec moi. Ça serait dépasser toutes les bornes que de vous demander en plus de vous en occuper... Et puis, il est tellement sauvage et renfermé, si vous saviez... Il serait malheureux chez vous comme un poisson dans une théière.

— Oh ! mais j'ai le tour, moi, avec les enfants, ma chère madame ! insista le vendeur qui s'évertuait à faire surgir des montagnes de gratitude chez son interlocutrice. Je l'emmènerais avec moi chez les clients. On dînerait au restaurant. Il aurait sa chambre à lui, sa table de travail, et même sa télévision, tiens.

Mais trop de zèle produit parfois les mêmes effets que pas assez. Devant une serviabilité aussi envahissante, Juliette, soudain méfiante, se referma et annonça d'un petit ton pincé qu'elle devait le quitter. Alexandre Portelance s'arrêta en plein milieu d'une phrase, bafouilla un mélange d'au revoir et d'excuses, puis se flanqua un formidable coup de poing punitif sur la cuisse gauche.

— Grosse enclume ! tête de lard ! ce n'est pas en lui marchant sur les pieds avec des souliers à crampons que tu vas lui donner le goût de danser, espèce d'épais ! Contrôle tes émotions, bon sang ! Tu vas la faire fuir au pôle Sud !

— Denis, lança Juliette en se dirigeant vers sa chambre, es-tu prêt ? On part.

Elle entendit un claquement de porte dans le hall et reconnut le pas de Rachel. Malgré sa corpulence, elle se précipita dans le corridor :

— Ah ! Rachel, s'écria la comptable en ouvrant la porte, je voulais te dire... le contrat est signé... La maison m'appartient !

La violoniste s'arrêta dans l'escalier (son visage fatigué frappa Juliette) :

— Ah oui ? bravo ! Vous l'avez bien méritée ! Bohu va être aux petits oiseaux. Il n'arrête pas de me parler de cette maison. Pour lui, c'est un palais ! J'ai hâte de la voir. Il a même choisi la place de son piano. Mais je bavarde comme si j'avais le temps dans mes poches. Je sors d'une répétition et il faut maintenant que je coure à celle de Bohu. Il a trouvé le moyen d'oublier la partie solo de son concerto de violon à l'appartement.

— Tu ne peux pas prendre un café ? On ne se voit plus, soupira Juliette.

— Impossible, hélas... Ah ! et puis, soufflons un peu, je suis complètement crevée, se ravisa-t-elle en redescendant les marches. On a passé toute l'avant-midi à travailler des pianissimos dans le *Cygne de Tuonela*. J'en avais des crampes jusque dans la nuque.

Elles se rendirent à la cuisine. Rachel se laissa tomber sur une chaise.

— Salut, toi, fit-elle en voyant apparaître Denis, un sac de voyage à la main.

— Bonjour, Rachel, répondit l'enfant à voix basse, le regard posé involontairement sur sa poitrine, et il détourna aussitôt la tête.

— Est-ce que vous saviez que notre dentiste vient de repartir ? poursuivit la violoniste en manipulant distraitement une série de feuilles brochées qui traînaient sur la table, tandis que le moulin à café se mettait à rager. Je l'ai rencontré dans l'escalier ce matin ; il ressemblait à un haricot jaune. La question m'est sortie de la bouche malgré moi : je lui ai demandé s'il allait chez le médecin. « Non, qu'il m'a répondu, je retourne à mon travail. Encore un mois ou deux et je pourrai enfin me reposer. » « Comment ? Vous abandonnez le métier ? », lui ai-je dit. « Non, il ne s'agit pas de ça, il ne s'agit pas de ça du tout », et il a filé comme si le plafond allait lui tomber sur la tête.

— Que Dieu lui vienne en aide, fit Juliette avec une ferveur ironique en s'affairant devant le comptoir.

Rachel se pencha au-dessus des feuilles :

— C'est votre contrat avec monsieur Vlaminck ? Excusez-moi, se reprit-elle aussitôt, je fourre mon nez partout.

— Lis, lis, ma fille, si le cœur t'en dit. Je n'ai pas de secrets pour toi. Il ne s'agit pas de ce que tu penses, mais d'une entente que j'ai signée aujourd'hui avec monsieur Pagé — le président de *Rebâtir Montréal*, tu sais, qui m'a si gentiment laissée acheter la maison.

La violoniste fronça les sourcils :

— Une entente à quel sujet ?

— Oh, c'est tout simple. Si je décidais un jour de me départir de cette maison, je m'engage à la lui offrir en priorité.

— Ah bon. Il y tient vraiment.

Et tandis que Juliette préparait le café en chantonnant, Rachel se mit à lire l'entente. Denis se rendit à la dépense et revint avec un sac de biscuits aux amandes.

— Dites donc, s'écria la violoniste, vous vous êtes fait avoir, vous !

— Ah oui ?

— À la clause 5, vous — ou vos héritiers — vous engagez à lui revendre la maison pour une somme *équivalente* à celle du prix d'achat.

— Eh quoi, c'est normal. Il faut bien tenir compte de l'inflation. Trois cent soixante-dix mille dollars d'aujourd'hui n'en vaudront peut-être plus que trois cent mille dans dix ans. Tout le monde sait ça. Voilà encore une preuve de sa générosité !

— Générosité ? Faites-moi rire ! Vous perdez toute la plus-value ! Une maison que vous achetez trois cent mille dollars aujourd'hui en vaudra peut-être *six cent mille* dans dix ans ! Or, vous vous engagez à la revendre — et je répète — *pour une somme équivalente à sa valeur d'aujourd'hui.* Vous vous êtes fait avoir, madame Pomerleau ! Il se montre gentil, mais sa gentillesse vous coûte cher en diable !

Juliette posa sur la violoniste un regard un peu vexé :

— Ma fille, je n'ai pas acheté cette maison pour spéculer, mais pour l'habiter.

Denis écouta un moment leur discussion en croquant ses biscuits, puis se mit à suivre la trajectoire affolée d'une mouche dans la cuisine. La mouche se frappa deux ou trois fois contre une vitre, puis atterrit sur le sac de biscuits entrouvert dont elle tâta les dentelures avec ses pattes de devant, se demandant sans doute s'il était prudent de pénétrer dans l'ouverture, qui laissait voir des choses affriolantes.

— Est-ce que les mouches ont des soucis comme nous ? s'interrogeait l'enfant. Est-ce qu'elles ont parfois de la misère à dormir ?

Quelques moments plus tard, Rachel finissait par convaincre sa vieille amie de faire modifier la fameuse clause 5.

— Allez-y, téléphonez-lui tout de suite, à ce philanthrope au cœur sec. Pourquoi empocherait-il tout cet argent à votre place ?

Juliette hésita, puis saisit l'appareil.

— Il vient de quitter le bureau, annonça-t-elle en raccrochant. Ne sera pas là avant demain matin.

— Alors, il faut aller le trouver à la première heure et lui expliquer qu'une des meilleures façons de se montrer gentil avec les gens, c'est de ne pas les escroquer.

— Ça ne m'arrange pas du tout, moi, grommela la comptable. Je dois partir cette après-midi pour Saint-Hyacinthe. Et j'emmène ce petit monsieur avec moi (Rachel prit un air étonné). Eh oui, figure-toi donc, ma chère, fit-elle en posant les mains sur les hanches, que la fausse Adèle a encore fait des siennes ce matin.

L'enfant rougit et quitta aussitôt la cuisine. Juliette raconta l'incident à la violoniste, puis :

— Je l'emmène, et sans trop savoir ce qui nous attend. Il en pâtira peut-être, le pauvre. Mais que veux-tu que j'y fasse ? S'il avait eu un brin de jugeote, cette folle serait sans doute derrière les barreaux.

Rachel se leva :

— Il faut que je parte. Ils vont vouloir me pendre. Je suis désolée de ne pouvoir m'occuper de votre bobichon, madame Pomerleau, mais le temps passe et il n'y a pas encore une pièce qui soit en place. Nous avons dû ajouter trois répétitions. Bonne chance. Tenez-nous au courant.

— Quand je serai grand, se promit Denis en la regardant s'éloigner par la porte de sa chambre, j'aurai une femme aussi gentille qu'elle. Et aussi belle.

Malgré les protestations de l'enfant, Juliette et Denis se rendirent au poste de police, où le détective Labrie consigna sa déclaration, enveloppé dans un nuage de fumée de cigare qui le forçait à se frotter les yeux à tous les dix mots. La comptable ne cacha pas son mécontentement devant l'inertie de la police. Fallait-il attendre que l'histoire tourne en rapt ou en meurtre pour qu'ils prennent l'affaire au sérieux ?

— Les nerfs, les nerfs, madame, coupa le détective. Arrachez-vous pas les cheveux devant moi, la femme de ménage passe seulement dans deux jours. Si vous croyez que c'est si facile d'arrêter des têtes fêlées, arrêtez-en vous-même !

Il grommela quelques questions à l'intention de Denis, griffonna deux ou trois mots dans un calepin et promit qu'avec un peu de chance il aurait bientôt la fausse Adèle devant lui.

— À moins, bien sûr, que sa lubie lui passe, ce qui ne serait pas une catastrophe, après tout. Je peux arrêter un fou en crise, mais s'il se met à aller mieux avant que je l'attrape, que voulez-vous que je fasse ? Je ne suis tout de même pas pour le rendre dingo à distance !

— Toujours en train de se trouver des excuses pour rester dans leurs pantoufles, bougonna Juliette en quittant le poste.

Denis la suivait, morose, se demandant si sa tante avec l'âge n'allait pas virer en dragon comme l'affreuse Elvina.

28

Juliette se réveilla plusieurs fois cette nuit-là. Et chaque fois, les remarques de Rachel sur la clause 5 lui paraissaient plus pertinentes.

— J'espère que je ne suis pas tombée sur un de ces bons samaritains qui vous scient bras et jambes en invoquant le bon Dieu et s'en vont les vendre au boucher pour se faire un peu d'argent de poche, se dit-elle en allongeant le bras vers la table de nuit pour boire son troisième verre d'eau.

À neuf heures pile, elle arrivait sur la rue des Sœurs-Grises, son contrat en main.

— Voilà monsieur Pagé, s'écria Denis, pointant le doigt vers un homme en complet vert bouteille qui s'éloignait d'un pas vif sur le trottoir.

Juliette donna un léger coup d'accélérateur et vint s'arrêter près de lui.

— Eh bien ! madame Pomerleau, s'exclama-t-il, étonné, en s'arrêtant. Qu'est-ce qui se passe ? Avez-vous d'autres problèmes ?

— J'ai à vous parler, répondit Juliette, intimidée.

— Écoutez, il faut que je me rende tout de suite sur un chantier à la place Royale, puis de là sur la rue de Brésoles. Voulez-vous venir avec moi ? Nous pourrons causer en route.

— Est-ce que c'est loin d'ici ?

— C'est à deux pas. Mais vous préférez peut-être y aller en auto ?

— Du tout. Je suis encore bonne marcheuse malgré ma corpulence. Je vais stationner ici.

— Elle a du chien, ma tante, pensa Denis avec fierté.

Ils firent une centaine de mètres, puis tournèrent à gauche sur d'Youville. Un petit vent frisquet balayait la rue, luttant contre les bouffées de chaleur et les montées de transpiration qui assaillaient Juliette dès qu'elle décidait d'oublier son poids.

— Je vais attendre un peu avant de tomber dans le vif du sujet, décida-t-elle. Vous avez aussi un chantier rue de Brésoles ? Mais vous êtes *réellement* en train de rebâtir Montréal !

— Vous plaisantez ! Il y aurait du travail pour cent ans.

— Vous ne deviez pas beaucoup aimer le maire Drapeau...

— Hmm... est-ce que c'était réellement un maire ? Je le vois plutôt comme une sorte de contracteur spécialisé dans le cubage. Mais fin politicien : un vrai virtuose en relations publiques. Et puis, il faut admettre que son métro est une excellente idée : il est très beau et diablement pratique, sans compter que dans l'état actuel de la ville, on a plutôt envie de circuler sous terre !

— Mon Dieu qu'il a l'air sévère, s'étonna Denis. On dirait qu'il a mal à la tête.

— Si Montréal avait perdu d'un seul coup dans un bombardement tous les édifices qu'on a démolis sous son règne, poursuivit Pagé, on en parlerait encore avec des frissons. Des quartiers complets ont été rasés, et non les moindres ! Montréal a perdu une bonne partie de sa beauté... et de sa mémoire. Mais il ne faut pas tout lui mettre sur le dos, le pauvre homme : nous sommes en Amérique. Depuis soixante ans, l'Amérique vomit son héritage européen. C'est ça le progrès, paraît-il. Nous commençons tout juste à comprendre qu'il est important d'avoir un passé, si nous voulons que l'avenir ait du sens.

Il s'arrêta, renifla d'une façon un peu disgracieuse, puis :

— Excusez-moi. Vous n'êtes certainement pas venue me trouver ce matin pour entendre un sermon. Qu'est-ce que je peux faire pour vous ?

La gorge de Juliette se serra et ses idées se volatilisèrent, laissant un vide affolant. Elle secoua la tête et les idées revinrent :

— Je... c'est que... en relisant hier l'entente que nous venons de signer, j'ai... j'ai buté sur une des clauses... la clause 5, en fait, que je ne suis pas sûre de très bien comprendre.

Et elle lui rapporta, en les prenant à son compte, les objections de Rachel. Une subtile expression de contrariété durcit le visage de l'homme d'affaires. Quand elle eut terminé, il se pressa le bout du nez entre le pouce et l'index, le regard posé sur sa main, puis :

— Vous avez bien lu, madame. Il s'agit bien d'une somme *équivalente* au prix de la transaction. Et si jamais dans dix ans vous décidiez de vous départir de la maison en ma faveur, ce serait comme si on reculait de dix ans ; la transaction que vous venez de conclure avec monsieur Vlaminck se referait *telle quelle* entre vous et moi, compte tenu de l'inflation, bien sûr. Il faut bien comprendre le marché que nous avons passé, madame : en vous cédant la maison par gentillesse, je perdais une bonne affaire, une très bonne affaire. *Rebâtir Montréal* n'est pas un organisme de charité. Nous poursuivons deux buts aussi importants l'un que l'autre : refaire Montréal... et réaliser des profits. Je ne suis pas un petit oiseau qui attend sa nourriture du bon Dieu. Je m'occupe moi-même de mon garde-manger, et je l'aime bien garni ! En d'autres mots, madame, je suis bien prêt à vous rendre service, mais pas à mon détriment. Je n'ai pas l'intention, en vous rachetant la maison, de vous verser les profits que j'aurais pu faire moi-même en la revendant à quelqu'un d'autre ! Vous m'en demandez trop, madame, beaucoup trop.

— Mais alors, répondit Juliette, désolée, c'est comme si le placement que j'ai fait en l'acquérant ne me rapportait pas un sou...

— Eh oui... mais c'était le prix à payer pour mettre la main dessus, ajouta-t-il d'un ton déjà moins ferme, car c'était *cette maison* que vous vouliez absolument.

Ils reprirent leur marche.

— Enfin, je comprends votre point de vue, ajouta-t-il tout à coup. Laissez-moi mijoter ça un peu. On s'en reparlera.

Ils arrivaient à l'intersection des rues d'Youville et de la Commune, qui se touchaient en formant une pointe au bout de laquelle s'étendait la place Royale. Juliette jetait des coups d'œil furtifs à son compagnon qui avançait, pensif, les mains derrière le dos.

— Suivez-moi jusqu'au fond de la place, fit Pagé en prenant Denis par la main, nous aurons plus de recul.

— C'est vous qui faites construire ça ? s'exclama la comptable en se retournant deux ou trois fois.

— Est-ce que c'est un château ? demanda Denis, tout rose d'excitation.

— Non, mon garçon, c'est un vulgaire édifice à bureaux. Je suis en train de reconstruire le siège social de la *Royal Insurance Company*, érigé en 1857 et démoli vers 1947. Ça redonne de la gueule à tout l'ensemble, vous ne trouvez pas ?

Ils contemplèrent l'élégant édifice Renaissance en pierres de taille, surmonté d'une tour d'horloge dont on était en train de terminer le campanile, et qui formait près du fleuve un vaste triangle bordé à droite par la rue de la Commune et à gauche par d'Youville. Des échafaudages masquaient partiellement le côté droit et on avait bloqué toutes les ouvertures par des feuilles de polythène qui claquaient au vent. Alphonse Pagé glissa la main à l'intérieur de son veston et en sortit une photo en noir et blanc qu'il tendit à Juliette :

— Voilà à quoi ressemblait la place Royale en 1870.

— Mais c'est affreux, murmura-t-elle. On a tout détruit. Comme c'est devenu insignifiant... et triste ! Est-ce que je me trompe ? C'est comme si on avait remblayé toute cette partie de la rive.

— Forcément : il y avait deux rampes d'accès au quai, une juste ici, et l'autre un peu plus loin, là-bas.

Juliette posa sur lui un regard ébahi :

— Et vous avez décidé de remettre la place dans son état original ?

Il s'esclaffa :

— Dieu m'en garde ! J'y laisserais la peau de mes fesses ! Je vais me contenter de terminer d'abord cet édifice, qui fait vraiment bel effet. On verra pour le reste. Tout dépendra de l'aide du gouvernement. J'ai des seuils de rentabilité à atteindre, moi ! D'ailleurs, tout ce projet aurait été suicidaire il y a cinq ans. Mais la réfection du Vieux Port a remis à la mode ce coin de Montréal, et cela réagit sur les loyers. Excellente réaction ! C'est ce qui me permet de me faire plaisir tout en réalisant des profits.

Denis examinait gravement l'édifice en se mordillant les lèvres, tiraillé par sa timidité et l'envie de poser une question. À la fin, n'y tenant plus :

— Est-ce qu'on peut aller visiter l'intérieur, monsieur ?

— Tu ne verras pas grand-chose, mon garçon, à part du béton et des poutres d'acier. Et puis, je ne suis pas sûr que mes assurances me permettent de t'amener.

— Allez-vous reconstituer aussi l'intérieur ? demanda Juliette.

— Le rez-de-chaussée, en tout cas, répondit Pagé en s'approchant. Il y avait un hall magnifique. Pour le reste, nous manquons de données. Une bonne partie des plans et des dessins d'architecte est disparue. Et puis, tout cela coûte très cher, hélas. Enfin, l'essentiel y sera, je suppose. Nos descendants n'auront qu'à compléter.

Ils arrivaient à l'entrée principale, à demi obstruée par un amoncellement de terre surmonté d'une pile de madriers. Alphonse Pagé examina la façade avec un air de profonde satisfaction, puis, ébouriffant les cheveux de Denis :

— Si on travaille très fort et sans relâche, lança-t-il joyeusement, quand ce petit monsieur aura une moustache et des bouts de choux qui l'appelleront papa, il y aura plusieurs coins de Montréal qu'on aura le goût de traverser non pas en métro mais à pied. Allons, il faut que je vous quitte. Mon entrepreneur m'attend. Bonne chance dans vos projets, fit-il en tendant la main à Juliette, puis à Denis, qui présenta gauchement la sienne, flatté.

— Merci encore une fois, répondit la comptable sans trop savoir de quoi elle le remerciait et ayant manifestement oublié la clause 5.

Elle le regarda grimper le monticule, étonnée par cet homme et ses curieux projets.

— Est-ce que vous avez d'autres chantiers en marche ? demanda-t-elle.

Il se retourna en souriant :

— Oh, différentes choses, ici et là. Par exemple, je suis en train de refaire le dernier étage de la maison McTavish, rue Saint-Jean-Baptiste, dont on avait supprimé le toit à deux versants. Mais mon plus gros chantier se trouve ici.

Il continua de grimper, enjamba un madrier, puis se retourna de nouveau :

— Dites donc, si votre fameuse clause 5 se lisait à peu près comme ceci : « *pour une somme équivalente à sa valeur d'aujourd'hui, plus un pourcentage de la plus-value de la maison,* heu... *telle qu'estimé par un expert... par un expert choisi par les deux parties* », est-ce que ça vous irait ?

— Oh ! tout à fait, monsieur.

* * *

Vingt minutes plus tard, Juliette et Denis revenaient chez eux pour terminer leurs bagages. L'obèse brûlait de se trouver à l'*Hôtel Maskouta* pour écouter Fisette leur raconter les derniers développements de l'enquête (car développements il y avait eu, elle en était sûre, et le curieux silence du photographe depuis deux jours l'angoissait de plus en plus).

Juliette fouilla dans son sac à main, tendit une enveloppe à son petit-neveu et lui demanda de la glisser sous la porte d'Elvina. Puis, triste et soucieuse, elle déposa les valises dans son auto et fit monter l'enfant.

Pendant qu'elle filait sur la 132 et que le doux ronron de la *Subaru* la calmait peu à peu, Elvina Pomerleau, assise sur le bord de son lit de jeune fille, froissait sauvagement la lettre de sa sœur qui lui annonçait sa décision de vendre la maison. Elle ouvrit la main droite et considéra un moment la feuille, devenue une petite boule grisâtre, puis la jeta sur le plancher et la piétina en lançant d'une voix saccadée :

— Ah ! la vipère ! la vicieuse ! sans m'en parler ! sans m'en parler ! comme une hypocrite ! Ah ! je la vois venir ! Elle va se trouver un acheteur qui va travailler jour et nuit à me jeter dehors !

Puis elle s'avisa que la lettre pourrait être utile, la défroissa soigneusement sur son couvre-pied et la relut en se rongeant les ongles. Quand elle eut une bonne demi-douzaine de rognures, elle les rassembla entre le pouce et l'index, défit le pommeau de cuivre d'un montant de son lit et les laissa tomber dedans, l'air grave et solennel. Depuis une cinquantaine d'années, elle accumulait ainsi ses rognures et avait déjà rempli les deux montants du pied. C'était une des rares et modestes joies de son existence solitaire que de se figurer en esprit de temps à autre la masse qu'elles formeraient si on les rassemblait dans un seau. Le pommeau remis en place, elle fit les cent pas en méditant, les mains derrière le dos, le torse projeté en avant dans une posture farouche. Puis elle décida subitement de se lancer dans le grand ménage des armoires de la cuisine.

Vers trois heures, un fait en apparence anodin attira son attention. Depuis le début de l'après-midi, le téléphone de Juliette s'était mis à sonner avec une régularité qui finit par l'intriguer. Obstination étrange. Elle quitta la cuisine et s'avança dans le corridor, passant près de sa chienne endormie qui poussa un soupir de bien-être ; elle se colla l'oreille contre la porte, puis l'entrebâilla légèrement. Le téléphone se fit entendre de nouveau, pour la vingt-cinq ou trentième fois ! Qui donc cherchait à l'atteindre avec tant d'acharnement ? Un acheteur ? Son courtier ? À moins qu'il ne s'agisse de cet infect représentant qui empestait le hall de son parfum bon marché à chacune de ses visites, et dont le seul but était de débaucher sa sœur (c'était sans doute chose faite). Peut-être voulait-il aussi acheter l'immeuble ? À cette pensée, elle recula, livide, et posa le talon sur une patte de sa chienne, qui poussa un hurlement.

— Excuse-moi, pauvre Noirette !

L'animal se leva à toute vitesse et se réfugia sous la table de la cuisine.

Debout au milieu du corridor, Elvina se grattait doucement les coudes, tandis que des squames blanches neigeaient sur le tapis et le bout de ses pantoufles.

Le téléphone se tut alors un long moment. Puis, vers six heures, il recommença de plus belle. Dans l'appartement désert, envahi par la nuit tombante, les sonneries avaient un accent lugubre. La solitude des lieux, l'inertie impuissante des objets avaient pris un caractère poignant et désolé. Un message énigmatique cherchait à se faire entendre et ne rencontrait que le vide. Elvina demeurait derrière la porte, faisant mille suppositions ; elle finit par se lasser et s'en alla.

Une demi-heure plus tard, attablée devant la télévision, elle attaquait une omelette aux tomates et à l'estragon lorsque, mue tout à coup par un pressentiment, elle se rendit au salon, écarta doucement les rideaux et aperçut une grosse auto noire qui s'arrêtait devant la maison. Le conducteur jeta un long regard sur l'immeuble, puis resta immobile, les mains sur le volant, songeur. Il était coiffé d'un feutre brun, portait la moustache et semblait plutôt jeune. Elvina écarquillait les yeux, le cœur battant, pénétrée de la certitude qu'il y avait un lien entre cet homme et les sonneries. Il sortit de l'auto et se dirigea vers la maison. Elle courut à la porte d'entrée de son appartement et posa l'œil contre le judas. Un pas ferme et sec se fit entendre et l'homme apparut, la mine soucieuse et contrariée, vêtu d'un paletot noir largement ouvert qui laissait voir un complet gris à rayures ; il s'approcha de la porte de Juliette et frappa. Au bout d'un moment, n'obtenant pas de réponse, il se tourna un peu de côté, glissa les mains dans ses poches et se mit à fixer le plancher, perplexe, se mordillant l'intérieur de la bouche. Puis, relevant la tête, il s'avança vers la porte d'Elvina. Elle recula, les mains dressées devant elle comme pour se protéger. L'homme frappa trois fois. Il y eut un court silence. Il toussa bruyamment, puis recommença, un peu plus fort :

— Il y a quelqu'un ?

La voix était rêche, pleine d'assurance, quelque peu désagréable.

— Décidément, c'est pas mon jour de chance, bougonna-t-il.

Il frappa encore deux coups, sans conviction. Un moment passa, puis la vieille fille l'entendit s'éloigner lentement vers la sortie. Elle avait la vague impression que l'arrivée de cet homme augurait mal pour Juliette. La peur de laisser filer une occasion de lui nuire l'emporta sur celle de se trouver face à face avec un inconnu. Elle s'avança et, d'une voix mal assurée :

— Qui est là ?

— Ah bon ! s'exclama joyeusement ce dernier en revenant sur ses pas. Maître Alcide Racette, madame, répondit-il, planté devant la porte. Je désire voir madame Pomerleau pour une affaire pressante. Est-ce que vous savez où elle se trouve ?

Elvina installa la chaîne de sécurité et entrebâilla la porte :

— Pour quelle affaire, monsieur ?

— Pour une affaire personnelle, madame, répondit-il avec un sourire quelque peu insolent.

Il avait environ trente ans, des cheveux noirs plaqués sur les tempes, le visage légèrement empâté, un regard dur et perçant, et il ne semblait pas considérer la courtoisie comme une chose très importante.

Elvina resta interdite, puis, essayant de maîtriser le tremblement qui la gagnait :

— Est-ce qu'il s'agirait de la vente d'un immeuble ?

Ce fut au tour de l'homme de perdre son aplomb, mais cela ne dura qu'une seconde. L'œil méfiant de la vieille femme le fixait par l'entrebâillement, cillant à toute vitesse.

Il sentit qu'elle ne dirait rien s'il ne lâchait pas quelques bribes.

— En effet, madame, il s'agit d'une affaire immobilière.

— Est-ce que vous venez pour acheter cet immeuble-ci ?

Il eut encore le même sourire vaguement insolent et deux rangées de petites dents très blanches apparurent, qui donnaient l'impression de pouvoir broyer les choses les plus coriaces :

— Du tout, madame, du tout. Je ne savais même pas que l'immeuble lui appartenait.

De plus en plus tremblante, Elvina essayait de réfléchir et le sentiment que sa sœur ne prendrait aucun plaisir à converser avec cet homme s'affermissait en elle.

— Madame Pomerleau est partie tout à l'heure à Saint-Hyacinthe, dit-elle enfin.

— Ah bon. Pour longtemps?

— Je ne sais pas. Pour quelques jours peut-être.

— Où est-ce que je peux l'atteindre?

— Elle loge à l'hôtel. L'*Hôtel Maskouta*, je crois.

— Merci, madame, fit l'avocat qui griffonnait dans un calepin. Bien aimable à vous. Bonne soirée.

La vieille fille referma doucement la porte et, le souffle suspendu, écouta ses pas décroître. Puis elle se dirigea vers le salon pour observer son départ. Un léger sourire venait d'éclairer sa figure maussade. Elle n'arrivait pas à discerner les raisons de son contentement, mais une petite voix acide susurrait en elle que les renseignements donnés à l'inconnu lui apporteraient un jour beaucoup de joie.

* * *

Il était près de midi lorsque Juliette arriva à l'*Hôtel Maskouta*. Elle fit sonner à la chambre de Fisette, mais personne ne répondit.

— Je ne l'ai pas vu depuis hier après-midi, affirma la jeune réceptionniste, la bouche embarrassée par une chique de gomme qui lui donnait un accent espagnol. Il est monté à sa chambre vers deux heures. Il a dû ressortir dans la soirée. J'ai quitté le travail à sept heures, hier soir.

L'idée que le photographe avait filé en douce effleura l'esprit de Juliette, mais elle la rejeta aussitôt : qu'aurait-il trouvé à lui dire, une fois revenu à Longueuil?

— J'ai faim, ma tante, soupira Denis. Quand est-ce qu'on dîne?

Visiblement contrariée, elle réfléchissait, debout au milieu du hall, en balançant son sac à main. Écrasée devant la télé, les genoux presque à la hauteur des yeux, la réceptionniste regardait avec un flegme de glacier un reportage sur la guerre chimique en Afghanistan :

— Mademoiselle, fit la comptable sans grand espoir, est-ce que vous me permettriez d'aller porter une enveloppe à la chambre de monsieur Fisette ?

— Vous pouvez la laisser ici, il la prendra en passant, suggéra la jeune fille.

— Je... préférerais aller la porter moi-même. Il s'agit d'une petite surprise.

La réceptionniste eut un haussement d'épaules comme pour laisser entendre que cela l'intéressait autant qu'une collision de microbes, puis se leva nonchalamment, s'approcha du tableau des clefs et, à la grande surprise de l'obèse, lui tendit celle de Fisette, l'œil toujours fixé sur le petit écran.

— Tu ne devrais pas monter ces escaliers, ma tante, conseilla Denis lorsqu'ils arrivèrent au premier palier, ça te fatigue beaucoup trop. Pourquoi veux-tu aller à sa chambre, puisqu'il n'est pas là ?

Juliette s'arrêta un instant pour reprendre haleine, appuyée au pilastre de l'escalier, tapota gentiment l'épaule de l'enfant, puis poursuivit sa montée.

— Veux-tu que j'aille voir ? s'offrit l'enfant, de plus en plus inquiet des sifflements qui s'échappaient des narines de sa tante.

Le deuxième étage fut conquis, puis enfin le troisième.

— Pas question de prendre une chambre ici, déclara Juliette dès qu'elle fut en état de parler, on ira dans un motel, nous. Ah ! mes jambes... on dirait que les mollets vont m'éclater.

Fisette logeait à la chambre 307. Après avoir longuement tripatouillé la serrure, qui semblait avoir été martyrisée par toutes sortes d'objets, depuis l'épingle de sûreté jusqu'au cure-pipe, Juliette réussit enfin à la faire jouer et poussa la porte d'un vigoureux coup d'avant-bras.

— Sueur de coq ! s'écria-t-elle, stupéfaite.

Denis réussit à se glisser la tête dans l'embrasure,

obstruée par les hanches massives de la comptable, et renifla comme un lapin apeuré.

* * *

La veille, vers deux heures de l'après-midi, Clément Fisette gravissait lentement l'escalier qui menait à sa chambre, en proie à d'accablantes réflexions. Devait-il ou non annoncer sa découverte à madame Pomerleau ? Et s'il le faisait, comment s'assurer qu'elle n'apprenne jamais sa turpitude ? Une évidence s'imposait : la meilleure façon de la cacher, c'était de faire en sorte que Juliette ne rencontre jamais sa nièce. Et donc de lui mentir en annonçant que ses recherches n'avaient rien donné et qu'il les abandonnait. Tant d'efforts pour arriver à un résultat aussi pitoyable ! Il se sentait comme un vieux mégot flottant dans un urinoir.

Il entra dans sa chambre et contempla alternativement son lit défait et l'armoire à glace qui lui renvoyait une image décourageante. Soudain une immense fatigue fondit sur lui. Ses genoux se liquéfièrent, sa tête devint comme une boîte de carton vide où les idées, dérisoires, s'agitaient comme des grains de poussière ; il fit deux ou trois pas et se laissa tomber sur le lit. Un mal aussi bizarre qu'atroce l'oppressait : l'envie de se vomir par sa propre bouche jusqu'à ce qu'il ne reste plus que le dessin de ses lèvres flottant au milieu de la chambre et que ce dernier se dissolve enfin dans la lumière jaunâtre de la fenêtre, comme le sourire du chat d'Alice.

— Pulsions de suicide, bafouilla-t-il en passant la main sur son visage moite. Ah ! Seigneur ! où est-ce que je m'en vais ?

Il allongea le bras vers la table de nuit, ouvrit un tiroir et s'empara d'un flacon de cognac.

— Dormir... il faut dormir... ensuite ça ira mieux, se dit-il en déchirant d'une main fébrile le sceau du bouchon.

Ce dernier alla rouler sous le lit tandis que, la tête renversée en arrière, il ingurgitait le liquide à grandes goulées. Une violente quinte de toux le plia soudain en deux et la porte de sa chambre fut aspergée d'un nuage de gouttelettes. Il la fixa, hébété, en reprenant peu à peu son souffle, déposa le flacon presque vide sur la table de nuit, puis se coucha et s'endormit sans avoir eu la force d'enlever ses souliers.

— Qu'est-ce que tu penses de la nouvelle poudre à puces, chose ? lui demanda avec un sourire malicieux une vieille femme décharnée qui agitait au-dessus de lui sa tignasse blanche bizarrement ornée de plumes orange.

La question lui parut d'une telle importance qu'il ouvrit les yeux, le cœur battant, essayant de trouver une réponse pertinente, tandis que son rêve s'évaporait. Son regard tomba sur sa montre-bracelet. Elle marquait six heures et quart. La lumière bleuâtre du petit matin commençait à envahir la chambre. Il entendit alors quelqu'un marcher doucement dans le corridor. Le pas s'approchait, inégal, un peu hésitant, et finit par s'arrêter devant sa porte. Un homme marmonna quelques mots, puis frappa deux coups. Fisette sut tout de suite qu'il s'agissait de Livernoche et que ce dernier n'était pas précisément venu lui offrir un pichet de limonade ou un recueil de gravures licencieuses. Un moment passa. Avec d'infinies précautions, le photographe se coula derrière son lit, du côté opposé à la porte. Bien lui en prit, car, presque aussitôt, il entendit comme un soupir d'effort et le plancher du corridor craqua légèrement. Livernoche venait de s'accroupir pour jeter un coup d'œil par le trou de la serrure.

— Chien sale, tu ne m'échapperas pas, maugréa le libraire au bout de quelques instants. Je vais revenir.

Fisette l'entendit s'éloigner vers l'escalier. Au bout d'une minute, il quitta sa cachette. Son sang s'était comme changé en eau.

— La salope, murmura-t-il d'une voix éteinte. Elle lui a tout dit. Il faut que je sacre le camp d'ici.

Il s'approcha de la fenêtre. À l'extérieur, un assemblage de pièces métalliques parvenu au dernier degré de la corrosion faisait office d'escalier de sauvetage. Il essaya de soulever le châssis à guillotine. Mais ce dernier, sans doute gonflé par l'humidité, refusa de bouger.

— Pas question de circuler dans l'hôtel, pensa Fisette en tournant sur lui-même, désemparé. Il s'est peut-être embusqué.

Son regard affolé se promenait partout, cherchant avec désespoir l'issue magique qui communiquait directement avec son appartement de Longueuil, où il se voyait dans un bon bain chaud, un café à portée de la main, plongé dans les péripéties inoffensives d'un roman policier. La gorge sèche et contractée, luttant contre une petite toux sèche qui risquait de signaler sa présence, il s'approcha doucement de la porte et y appuya l'oreille. Le silence le plus complet régnait dans le corridor. Un silence sans visage, promettant le meilleur et le pire.

Son regard tomba sur l'orignale ; elle semblait le supplier de partir.

— Tant pis, pensa-t-il, les oreilles bourdonnantes, le dos parcouru de frissons, je n'ai pas le choix. On lui a sans doute dit que je n'ai pas quitté l'hôtel. Il est peut-être descendu à la réception pour vérifier le numéro de ma chambre. Dans trente secondes, il sera trop tard pour m'échapper.

Il se trompait. Avec les intentions qu'il nourrissait à son égard, Livernoche ne tenait aucunement à se faire voir. Il avait téléphoné pour obtenir ses informations et pénétré dans l'établissement par une porte de service. Si le bourdonnement de ses oreilles n'avait été si intense, Fisette l'aurait peut-être entendu circuler lentement à l'étage du dessous, l'œil aux aguets, cherchant à vérifier s'il n'avait pas confondu 307 et 207.

Avec des précautions infinies, le bout des doigts luisant de sueur, Fisette tourna le bouton du verrou de sûreté installé au-dessus de l'ancienne serrure, ouvrit imperceptiblement la porte, risqua le nez, puis un œil, et avança enfin la tête, en proie à une terreur qui le rendait presque myope.

Il ne vit personne. Le corridor, en forme de L, faisait un angle droit près de sa porte. À un bout, il y avait l'escalier, que venait d'emprunter Livernoche. Fisette se demandait si l'autre extrémité se terminait en cul-de-sac, lorsque le pas inégal et pesant du libraire résonna de nouveau, remontant les marches !

Le photographe, éperdu, s'éloigna de sa chambre et aperçut devant lui l'indicateur lumineux d'une sortie de secours. Il tenta d'ouvrir la porte. On l'aurait dite clouée. Livernoche arrivait à l'étage.

— Mon Dieu ! qu'est-ce que je vais faire ? gémit tout bas Fisette.

Il piétinait, affolé. Soudain, il s'élança vers une autre porte. Elle s'ouvrit. Un garçon et une fille assis flambant nus dans un lit se tournèrent vers lui, stupéfaits, puis se jetèrent pudiquement à plat ventre. Fisette referma doucement la porte derrière lui, un doigt sur les lèvres, en les implorant du regard, tandis que la fille enfonçait sa tête dans un oreiller. Une sorte de rugissement éclata soudain dans le corridor. Livernoche venait d'apercevoir la porte de la 307 entrebâillée. On entendit des pas précipités, puis un coup formidable fit trembler tout l'étage. Après un moment de silence, le libraire s'éloigna et redescendit posément l'escalier.

— Il voulait me tuer, expliqua Fisette avec un sourire confus à la ravissante rousse qui le fixait en tremblant, recroquevillée sous le drap que son partenaire s'était enfin décidé à ramener sur eux.

— Crisse-moi le camp d'ici, on veut rien savoir de tes affaires, réussit enfin à dire le garçon.

Fisette eut une grimace suppliante :

— S'il vous plaît, une toute petite minute encore...

Il contempla le bout de ses souliers, le visage parcouru de tics, puis, glissant la main dans sa poche, sortit son portefeuille, déposa un billet de vingt dollars sur le plancher et quitta la pièce après avoir fait un salut reconnaissant à ses sauveteurs involontaires.

S'éloignant à pas de loup jusqu'à l'angle du corridor, il risqua la tête et aperçut la porte de sa chambre, toujours entrouverte. De l'autre côté de la cloison, le couple chuchotait avec animation. Il n'y avait qu'une issue possible : celle qu'avait empruntée le libraire. Il avança une jambe, puis la ramena aussitôt, l'estomac rapetissé de moitié. À la troisième tentative, il réussit à se mettre en marche et passa devant sa chambre, sans oser y jeter un regard. Il avançait avec des mouvements bizarres et saccadés, comme si de légères décharges électriques parcouraient ses membres. Un toussotement l'arrêta. Le garçon, pieds nus, vêtu d'un simple pantalon, le regardait sans aménité. Fisette reprit sa marche. La peur l'empêchait de réaliser pleinement ce qu'il faisait et lui enlevait toute idée de ce qu'il fallait faire. Son corps, rigide et comme encombrant, devenait alternativement brûlant puis glacé, et il avait l'absurde impression de sentir sur ses cuisses et ses épaules le frottement des murs et des portes. À tous moments, un Livernoche translucide se dressait devant lui, le bras levé, la bouche distendue par un cri terrible. Il arriva au pilastre de l'escalier et s'arrêta, hagard.

Au bout d'un moment, il se mit à descendre, toujours vide d'idées, et arriva au premier étage.

— Pas question de sortir tout de suite, décida-t-il enfin après un pénible effort. Et pas question de retourner à ma chambre.

À sa gauche, dans un enfoncement obscur, une porte entrouverte laissait voir une sorte de réduit encombré d'escabeaux, de vadrouilles et de seaux crasseux rassemblés autour d'une cuve. Après avoir inspecté les alentours, il s'y glissa. Un relent d'eau de Javel et de vomissure lui tira une grimace de dégoût. Il aperçut un placard à droite de la cuve. Enjambant avec des précautions infinies un escabeau et deux vadrouilles appuyés de guingois contre un mur, il voulut l'ouvrir... et faillit pousser un juron : son pied gauche s'était glissé dans un seau apparemment vide, mais où venaient de l'accueillir dix centimètres d'eau graisseuse. Il secoua son soulier, tordit sa chaussette et pénétra dans le placard, à demi rempli d'un amoncellement de guenilles poussiéreuses — sans doute d'anciens draps de lit. Alors, sans réaliser le ridicule pitoyable de son geste, il referma la porte derrière lui, s'assit sur les guenilles et passa l'avant-midi dans les ténèbres, sursautant au moindre bruit, luttant contre l'éternuement et essayant de retrouver son sang-froid. D'un œil désespéré, il fixait un rai de lumière grise qui s'allongeait à ses pieds, venu d'un monde dont il était maintenant exclu.

— Trois jours de sous-sol, et maintenant un placard, soupirait-il. Ça va en rapetissant. Je me dirige vers mon cercueil. Il faut que je sorte. Je vais suffoquer.

Il entendit soudain des pas au-dessus de sa tête et crut reconnaître ceux de Livernoche. Les muscles de son dos se contractèrent affreusement et il eut la sensation que deux crochets d'acier le saisissaient sous les omoplates et tentaient de le soulever. Il bondit sur ses pieds :

— C'est le temps ou jamais. J'ai trente secondes pour filer.

Sa main glacée se posa sur le loquet de la porte, qui s'ouvrit avec un tendre miaulement. Les pas continuaient de résonner. Il voulut prendre une inspiration, mais l'air refusait de pénétrer dans ses poumons.

* * *

Juliette fixa la commode, puis, s'approchant, effleura du bout de l'index l'énorme couteau de boucherie planté dans le meuble et qui avait fait éclater le bois sur plusieurs centimètres.

— Sueur de coq ! s'écria-t-elle une seconde fois. Qu'est-ce qui s'est passé ici ?

Elle se rendit à l'armoire à glace et l'ouvrit brusquement tandis que Denis reculait vers la sortie.

— Pfiou ! fit-elle avec soulagement. Pendant une seconde, j'ai pensé y trouver ce pauvre Clément coupé en petits morceaux... Mais où est-ce qu'il est allé se cacher, l'animal ?

— Ma tante, émit Denis d'une voix tremblante, il y a quelqu'un qui monte l'escalier.

— Allons, allons, calme-toi, ronchonna Juliette en pâlissant. Ce n'est pas la fin du monde.

— Mon Dieu, c'est elle, oui, j'avais bien reconnu sa voix, c'est elle enfin, murmura Fisette en accélérant le pas. Il n'osera pas s'attaquer à nous deux en même temps.

Il courut dans le corridor, les yeux embués de larmes :

— Madame Pomerleau ! madame Pomerleau ! Ah ! que je suis content de vous voir ! Mais il ne faut pas rester ici ! Il va revenir ! balbutiait-il en lui serrant convulsivement les mains, échevelé, la chemise sortie du pantalon, se rendant à peine compte de la présence de l'enfant qui l'observait en silence, bouleversé.

— Mais laissez-moi, bon Dieu ! s'emporta soudain Juliette en se dégageant. De qui parlez-vous ?

— De Livernoche. Il est sûrement...

— Mais laissez-moi, je vous dis. C'est ridicule, à la fin ! Vous allez d'abord me faire le plaisir de raconter ce qui s'est passé.

— Non, madame, pas ici, je...

Il s'arrêta, sidéré, en apercevant le couteau planté dans la commode.

— C'est bien ce que je pensais, il est devenu fou, bredouilla-t-il en entraînant l'obèse vers l'escalier. Il veut m'assassiner... Vite, vite ! il faut ficher le camp d'ici au plus sacrant. Chaque minute compte. Tout est de ma faute, tout est de ma faute, répétait-il en soutenant Juliette qui, accrochée à la rampe, descendait aussi vite qu'elle le pouvait.

Ils traversèrent le hall sous le regard blasé de la réceptionniste, sortirent et montèrent dans l'auto de Juliette. L'instant d'après, ils filaient sur la rue Girouard en direction de la 116.

— Bon, bon, bon ! je ne comprends rien à votre galimatias, éclata de nouveau la comptable en actionnant les freins.

Elle stationna le long du trottoir, éteignit le moteur et ouvrit la portière :

— Une petite marche va nous faire du bien à tous, décida-t-elle. Respirez à fond, pauvre vous. Un, deux ! un, deux ! allez, allez ! Vous ne possédez plus vos moyens, c'en est une vraie pitié : on dirait un enfant de cinq ans chez le dentiste.

Ils firent quelques pas, puis tournèrent sur la rue de la Bruère. C'était une rue étroite bordée à gauche par un long bâtiment de brique sans étage précédé d'une cour et, à droite, par une haie qui longeait le terrain de l'école secondaire Saint-Joseph. L'endroit était désert. Ils marchèrent quelques instants sans mot dire, puis s'arrêtèrent près du bâtiment.

— Alors, reprit Juliette, répétez-moi tout ça, que j'essaye de m'y retrouver un peu.

Fisette s'arrêta et, d'une voix lugubre :

— J'ai tout gâché. Vous ne reverrez jamais plus votre nièce.

— Et comment ? Expliquez-moi.

Alors il craqua. Sous le regard stupéfait de ses compagnons, son visage se mit à ruisseler de larmes, tandis qu'appuyé contre un mur, s'épongeant avec sa manche, la voix hoquetante, il faisait le récit décousu de sa rencontre avec Adèle, n'épargnant aucun détail, se complaisant avec une joie cruelle dans l'aveu de sa bêtise et cherchant désespérément à diminuer le poids de ses remords par les insultes qu'il s'adressait. Juliette l'écouta un moment, la respiration suspendue, puis, d'un geste vif, lui plaqua la main contre la bouche ; la tête du photographe heurta le mur ; il poussa un gémissement.

— Taisez-vous, imbécile ! Il y a un enfant ici, ne le voyez-vous pas ? Ce n'est pas le temps de vider vos poubelles. Allons-nous-en d'ici. Et plus un mot sur cette affaire tant que je ne vous l'aurai pas demandé, compris ? Je suggère fortement que nous allions prendre un café, le temps de nous remettre un peu de nos émotions. Comment se fait-il, s'étonnait-elle, que je ne lui aie pas planté mon poing dans le visage ? C'est un déchet et je n'arrive pas à lui en vouloir. Mon Dieu, ce doit être l'âge. Je n'ai plus la force de défendre mes principes.

Arrivé à l'auto, Denis leva les yeux vers elle. La comptable eut un serrement de cœur à la vue de l'enfant, puis ressentit une vague pitié en portant son regard sur Clément Fisette qui se tenait derrière elle, penaud, regrettant déjà ses aveux et comptant le nombre de minutes qui le séparaient de l'instant où il se retrouverait enfin seul dans un autobus, en route vers Longueuil.

29

Après s'être abandonné à son geste insensé en constatant la disparition de sa proie, Livernoche sortit de l'espèce d'éblouissement de rage qui s'était emparé de lui au récit qu'Adèle lui avait fait de l'irruption de Fisette chez elle et de sa tentative de séduction (c'était sa prudente version des faits, qu'elle regretta aussitôt, d'ailleurs, en voyant la réaction du libraire).

— Mon Dieu ! qu'est-ce qui m'a pris ? bafouilla-t-il en tournant sur lui-même au milieu de la pièce, rempli d'un soulagement infini de ne pas avoir trouvé le photographe.

Il quitta l'hôtel en catimini et s'en alla à *La Bonne Affaire*. Mais vers onze heures, poussé par une envie irrésistible, il quitta la librairie, après avoir pris soin cependant de laisser sur le comptoir un petit canif qu'il traînait toujours dans sa poche (la confiance qu'il avait dans son sang-froid en avait pris un sérieux coup !) et alla se poster dans un coin d'ombre près de la rue Saint-Simon, sous l'auvent du vieux marché, d'où on avait vue sur l'*Hôtel Maskouta*. Appuyé contre un mur, il faisait mine de lire le *Courrier de Saint-Hyacinthe* en croquant une pomme. Les bouchées descendaient comme de petits cailloux rugueux dans sa gorge contractée, puis devenaient des roches en arrivant au fond de son estomac.

— Qu'est-ce qui m'arrive ? se demanda-t-il lugubrement. Est-ce que je suis en train de devenir fou ? Est-ce que la belle petite vie tranquille que j'avais réussi à m'organiser va éclater en morceaux ? Ah ! si je pouvais me débarrasser une fois pour toutes de cette baleine et de son maquereau ! Qu'est-ce que c'est que cette folie subite de revoir sa nièce à tout prix ? À cause de l'enfant ? Elle s'en est accommodée pendant dix ans, elle pourrait bien s'en accommoder pendant dix autres...

Soudain Denis apparut à la porte de l'hôtel, suivi de sa tante, puis de Clément Fisette. Ils paraissaient fort émus et pris d'une grande hâte de quitter les lieux. En les apercevant, le libraire pâlit, plissa légèrement les yeux et un petit tourbillon se forma dans sa tête :

— Ah non ! c'en est trop ! Elle a amené l'enfant ici ! C'est la catastrophe.

Le tourbillon grossissait, il allait envahir tout son crâne. Livernoche se blottit dans un coin, serra les poings et prit de grandes inspirations en répétant à voix basse :

— Attention, gros bêta ! tiens bien le volant ! tiens bien le volant !

Et le tourbillon finit par se dissiper.

Après avoir jeté des coups d'œil effarés tout autour, Juliette et ses compagnons s'engouffrèrent dans la *Subaru* qui s'ébranla avec un léger crissement de pneus, filant devant le libraire en direction de la rue des Cascades. Livernoche ne put retenir une grimace de haine à la vue de Denis, assis gravement aux côtés de sa tante. Dès que l'auto fut disparue, il sortit de sa cachette et se dirigea vers des Cascades aussi vite que le lui permettaient la présence des passants et son statut de principal libraire de la ville. Il arriva à temps pour voir l'auto enfiler la rue Saint-Denis vers le nord.

— Partis pour Longueuil, marmonna-t-il. Bon débarras !

Mais il se rendit quand même jusqu'à Saint-Denis et arriva au coin de Girouard.

— Oh oh ! fit-il en se reculant.

L'auto de Juliette était stationnée cent mètres à sa gauche.

— En train de comploter ? grommela-t-il avec un méchant sourire. Complotez tout votre soûl, mes beaux amis, mais attention à mon coup de dents: je mords comme un rat.

Il se dandina sur place quelques instants, les mains dans les poches, faisant mine d'attendre quelqu'un, mais les regards intrigués de deux adolescents de l'autre côté de la rue lui firent comprendre que son attitude paraissait étrange. Il revint sur ses pas, sans idée précise, partagé entre la colère et l'écœurement, puis reprit la rue des Cascades en direction de sa librairie. Une scène apparut tout à coup dans sa tête avec une telle netteté qu'il dut s'arrêter devant la vitrine d'une mercerie, incapable de marcher.

Il se revoyait à l'âge de neuf ans (sa corpulence avait déjà commencé à lui attirer des moqueries), assis en plein soleil au-dessus de la rivière Ouareau sur une des traverses du pont ferroviaire, enveloppé d'une pénétrante odeur de goudron. Le petit Georges Vidal était assis à côté de lui, balançant les jambes, excité par leur position dangereuse et le bruissement de la rivière en dessous d'eux. Il se tourna vers lui :

— Hey, Fernand ! la connais-tu, celle-là ?

Et il se mit à fredonner une chanson obscène. Livernoche le fixait en silence, les lèvres serrées, les yeux à demi fermés sous l'éclat rageur du soleil. Sa main droite se souleva lentement et vint s'appuyer contre le dos de son compagnon.

Il revint à lui tout à coup, cligna vivement les yeux, essuya ses mains moites contre son pantalon. Il secoua plusieurs fois la tête et la scène du pont finit par s'envoler de son esprit. Un vieil homme le salua, puis un jeune étudiant affublé d'une drôle de casquette jaune l'arrêta pour lui demander s'il avait des grammaires *Grevisse* d'occasion ; le libraire venait à peine de lui répondre que l'étudiant aperçut un camarade de l'autre côté de la rue et s'élança vers ce dernier, passant près de se faire écrabouiller par un taxi. Tout en poursuivant sa route, Livernoche se mit à examiner ses souliers et décida de les soumettre à un cirage de tous les diables, car ils faisaient pitié. Un soulagement délicieux s'installait en lui à mesure qu'il s'éloignait de ses ennemis.

À quelques mètres de sa librairie, une jeune employée de la pharmacie *Ravenelle* l'aborda avec un timide sourire et lui demanda s'il possédait des livres sur l'allaitement maternel. Comme il s'agissait d'une bonne cliente (elle lui achetait deux ou trois romans par semaine, et souvent des livres chers), il dissimula son impatience, la fit pénétrer dans la boutique et finit par trouver ce qu'elle cherchait. La jeune femme partie, il verrouilla aussitôt la librairie, sortit par l'arrière et se dirigea vers son auto stationnée dans la rue Calixa-Lavallée.

Quelques minutes plus tard, il s'engageait sur la 137 en direction de Saint-Denis-sur-le-Richelieu. Après avoir traversé le village de Saint-Thomas-d'Aquin, il ralentit, puis tourna à droite sur le rang du Point-du-jour, un petit chemin asphalté qui filait tout droit à travers champs. Il roula à bonne vitesse pendant une dizaine de minutes, puis pénétra dans une érablière. Un chemin envahi d'herbe se présenta à sa droite. Il s'y aventura avec précaution. À tous moments, des ventres-de-bœuf et de grosses roches surgies du sol faisaient tanguer l'auto. Par trois fois, le réservoir d'essence émit un bruit sourd et menaçant. Le libraire jurait à voix basse et redoublait de précautions. Après avoir franchi ainsi plusieurs centaines de mètres, il éteignit le moteur, descendit de l'auto et inspecta les lieux, cherchant à s'orienter, puis il avança à travers les broussailles et la neige avec les mouvements dégoûtés d'un chat obligé de traverser une flaque d'eau. Il n'eut pas à marcher bien longtemps. Des craquements se firent entendre tout près.

— C'est toi, Fernand ? demanda une voix inquiète.

— Oui, c'est moi.

Adèle apparut entre deux arbres ; elle s'avançait en trébuchant, une valise à chaque main. Elle les posa par terre et se massa un mollet :

— Tu en as mis du temps... J'étais en train de geler comme une crotte dans ta cabane à sucre, moi. Eh bien, où est-ce qu'on va, maintenant ?

Il eut un haussement d'épaules et posa sur elle un regard si sombre qu'elle n'osa pas répéter sa question.

30

À *L'Oiseau bleu*, les décisions concernant la poursuite de l'évanescente Adèle se prirent à une vitesse rappelant l'invasion d'une fromagerie par une colonie de mulots soumis à un jeûne de dix jours. Devant le piteux état de Fisette, son manque de fiabilité et l'aversion prononcée qu'il manifestait pour une prolongation de séjour à Saint-Hyacinthe, Juliette décida de prendre en main les opérations. La tournure violente des événements lui commandait d'expédier Denis à Longueuil en compagnie du photographe. Ce dernier, Martinek, Rachel et, s'il le fallait, Alexandre Portelance, se relayeraient pendant quelques jours pour assurer sa surveillance.

— Quelle histoire, soupira-t-elle. Ici un fou qui se promène avec un couteau de boucherie et là-bas une kidnappeuse qui travaille à coups de pâtisseries. Dieu ! que j'ai hâte que tout cela fasse partie de mes souvenirs.

— Et si on avertissait la police ? proposa timidement le photographe, mais sa bassesse de la veille lui fit regretter aussitôt d'avoir parlé.

— On verra, répondit froidement Juliette.

Il termina son café, puis se leva :

— Il faut que je rende mon auto. Je vous reverrai à Longueuil.

— Laissez-la-moi plutôt et prenez la mienne pour retourner. Ainsi, je risquerai moins de me faire repérer par notre amateur de couteaux. Mais auparavant, reprit-elle en saisissant le bras de son compagnon, vous allez me conduire à l'appartement de ma nièce. Je le veux !

Son regard s'était planté dans celui du photographe. Il grimaça d'effroi, avala sa salive et ne répondit rien.

— Je veux simplement le voir de loin, compléta Juliette d'une voix adoucie. Je ne descendrai pas de l'auto.

— Mais elle est partie... partie depuis longtemps, bafouilla l'autre.

— Je le sais. Caprice de vieille femme. C'est comme ça.

Quelques minutes plus tard, ils s'arrêtaient devant le 15 748 de la rue Fontaine. Juliette contempla la conciergerie un moment, puis se tourna vers le photographe.

— C'est au premier, appartement numéro 7, murmura-t-il d'une voix à peine audible. Je ne vois pas de lumière aux fenêtres.

Et il se recroquevilla sur lui-même.

— Quel être visqueux, pensa Juliette avec un frisson. Heureusement que je ne l'ai pas comme ennemi. Il serait capable de vendre mon dernier soupir.

Le sentiment de pitié méprisante qu'elle éprouvait à son égard se transforma tout à coup en colère. Un besoin de vengeance s'empara d'elle. Passant outre à sa promesse, elle descendit de l'auto et se dirigea vers la conciergerie, faisant mine de ne pas entendre les protestations de Fisette qui s'agitait sur son siège. Par précaution, elle avait emporté la clef de l'auto. Le photographe, fulminant, verrouilla les portières tandis que Denis, apeuré, regardait sa tante. Il n'avait pas compris grand-chose à la confession embrouillée du photographe, sinon que ce dernier avait finalement rencontré sa mère et s'était mal comporté avec elle. Le profond mécontentement de Juliette semblait indiquer que ses torts étaient graves. Cette recherche interminable d'une mère dont il n'avait nul besoin lui avait toujours déplu. Maintenant, elle l'effrayait. Voilà que des couteaux sortaient de l'ombre pour s'enfoncer dans des commodes et que deux êtres qu'il adorait allaient se brouiller. La banquette arrière lui sembla soudain immense et froide. Il se pencha vers Clément Fisette pour le questionner. Mais par quel bout commencer ?

Le photographe, abattu, contemplait ses mains jointes.

— Quand tu seras grand, tu comprendras quelle crapule je suis, fit-il tout à coup sans se retourner.

C'est une opinion à peu près semblable qu'avait de lui-même — mais sans se l'avouer — le petit homme maigre à la peau rose qui venait d'ouvrir sa porte à Juliette. En trois ans, il avait perdu son emploi de comptable, s'était chicané avec ses quatre enfants pour une question d'héritage, puis avec son meilleur ami après l'avoir entraîné dans une combine de voitures d'occasion. Finalement, le fisc l'avait coincé, ses économies et celles de sa femme y avaient passé ; il s'était retrouvé concierge dans un édifice quelconque et sa femme, autrefois si snob et si pincée, employée dans une buanderie. Elle avait fini par craquer sous tant d'épreuves et, après une série de démarches harassantes, il venait de la placer dans une clinique psychiatrique. Et tout cela à cause de sa passion incontrôlée de l'argent. Une passion maniaque, qui lui faisait accumuler sottises sur sottises, et l'avait poussé la semaine d'avant à tricher le laitier de soixante-quinze sous.

— Oui, madame ? fit-il sans parvenir à réprimer un sursaut devant l'ampleur de la visiteuse, debout devant lui avec son sourire le plus engageant.

— Je m'excuse de vous déranger, monsieur. Mon nom est Juliette Pomerleau. Pourriez-vous me dire où je pourrais atteindre votre locataire du numéro sept ? J'ai téléphoné à plusieurs reprises et on ne répond jamais.

— L'appartement s'est vidé hier, madame.

Juliette feignit la surprise la plus profonde :

— Que me dites-vous là ? Mais il faut absolument que je lui parle ! On devait se rencontrer ce soir. Il s'agit de ma nièce, monsieur, expliqua-t-elle avec un sourire plus engageant que jamais. D'une de mes nièces, en fait, car j'en ai cinq, toutes adorables. Mais celle-là, c'est la plus distraite ! Est-ce que vous avez une idée où elle se trouve ?

— Pas la moindre. Nos appartements se louent au mois, et ce n'est pas dans nos habitudes de...

— Elle ne vous a pas laissé de message pour moi ? Incroyable ! Qu'est-ce qui a bien pu se passer ? Mon Dieu, je me demande si...

Elle s'arrêta et ils se regardèrent en silence. La chevelure de l'homme, blonde et amincie, faisait comme un halo autour de son crâne, lui donnant l'air d'une sorte de vieux chérubin. Il soupira et son œil glissa malgré lui sur le sac à main dodu de l'obèse, puis il fit un pas en arrière et posa la main sur le cadre de la porte.

— Il faut absolument que je voie cet appartement, se disait Juliette, qui avait remarqué avec déplaisir l'intérêt du concierge pour son sac à main (voilà qu'il le fixait une seconde fois). Sait-on jamais ? J'y trouverai peut-être un indice qui m'aidera à comprendre pourquoi cette pauvre fille me fuit comme si j'avais le choléra.

Elle prit un ton câlin :

— Est-ce que je peux aller jeter un petit coup d'œil à l'appartement, monsieur ? Il y a sûrement un message pour moi là-haut. Elle aura oublié de vous le remettre.

L'homme eut un sourire sceptique et légèrement agacé :

— Vous croyez ? Ça me surprendrait.

Et son regard glissa pour la troisième fois sur le sac à main.

— Écoutez, poursuivit-elle en s'efforçant de cacher son malaise, je vois bien que je vous dérange et j'en suis désolée, croyez-moi. Aussi, vous me permettrez tout à l'heure de vous offrir un petit quelque chose pour votre peine. Oui, oui ! j'insiste ! C'est de la plus suprême importance que je parle à ma nièce et...

— Je vais aller chercher la clef, coupa le concierge en disparaissant dans son appartement.

Il crut bon d'arrêter au milieu de l'escalier pour permettre à Juliette de reprendre haleine.

— Je le redoute, lui, avec ses regards en tapinois, se disait-elle, appuyée sur la rampe.

Ils arrivèrent enfin à l'étage.

— C'est juste ici, à gauche, indiqua le concierge.

Il devait lutter contre une envie presque incoercible de regarder encore une fois le sac à main.

— Alors, c'est votre nièce ? reprit-il en avançant dans le corridor, le regard braqué sur le visage de Juliette. Un beau brin de femme... Mais pas très parlante !

Il déverrouilla la porte, fit de la lumière. La comptable, fortement émue, allait d'une pièce à l'autre. L'endroit donnait tous les signes d'un départ en panique. Le frigidaire et la dépense contenaient encore des provisions, les armoires, de la vaisselle et des ustensiles. Un emballage à pizza déchiré reposait près d'une assiette sur la table maculée de sauce tomate. Dans la salle de bains, on avait oublié de vider la pharmacie ; deux débarbouillettes finissaient de sécher sur le rebord du lavabo taché de mascara. Un cendrier plein de mégots avait été renversé au milieu du salon, où finissait de noircir une banane oubliée près d'un radiateur. Adèle Joannette semblait s'accommoder mieux que bien d'autres d'un certain degré de malpropreté. Le concierge faisait de petites grimaces, mais son mécontentement devant l'obligation de faire un grand ménage était fortement atténué par la perspective d'une bonne récolte en biens de toutes sortes.

— Qu'est-ce qui a pu se passer dans la tête de cette pauvre fille ? se demandait Juliette, immobile au milieu du salon.

Elle leva les yeux sur le concierge debout dans l'embrasure.

— Et qu'est-ce qui se passe dans la tête de ce beau monsieur à face de fouine ? poursuivit-elle avec un léger frisson. Je n'aime pas du tout sa façon de lorgner mon sac à main. Va-t-il me sauter dessus ?

— Eh bien, jusqu'ici, ma chère madame, fit-il en s'avançant avec un étrange sourire, je ne vois pas de messages nulle part.

— Ça y est, il va m'attaquer, pensa Juliette.

Elle serra son sac à main contre sa poitrine et se dirigea droit sur lui, le regard farouche. Il s'arrêta, étonné, et se rangea pour la laisser passer :

— Vous partez déjà ? Et la chambre à coucher ? On ne l'a pas encore vue.

— C'est vrai, j'oubliais, répondit-elle, confuse, en revenant sur ses pas.

La chambre à coucher d'Adèle Joannette témoignait avec plus d'éloquence encore de l'affolement qui avait accompagné sa fuite. Les tiroirs de la commode et de la table de nuit béaient. L'un deux gisait sur le plancher. Il contenait deux emballages intacts de bas de nylon. La literie — qui n'était pas fournie par le locateur — avait été littéralement arrachée du lit, dont le matelas reposait de travers sur le sommier. On avait bouchonné le couvre-pied dans un coin. Un exemplaire de *Châtelaine* traînait sur l'appui d'une fenêtre, servant d'assiette à une poignée de croûtons au fromage. Juliette s'approcha de la garde-robe et l'ouvrit. Un fouillis de cintres recouvrait le plancher. Elle se tourna vers le concierge, debout près du lit, les mains derrière le dos, se mordillant l'intérieur des joues :

— J'aperçois un sac en haut, au fond de la tablette. Seriez-vous assez gentil d'aller me le chercher ?

L'homme, qui avait aperçu le sac lui aussi mais souhaitait qu'il échappe à l'attention de la visiteuse, s'avança et, dressé sur la pointe des pieds, réussit à l'attraper et le remit à Juliette. Elle en retira un gros coffret de satin rose sur lequel on lisait en lettres dorées :

THE COMPLETE ELVIS

— Hum... ça doit bien valoir cent dollars, ça, fit-il avec une nuance de regret dans la voix.

Juliette ouvrit le coffret, examina le livret d'accompagnement, compta les disques :

— Plus, beaucoup plus... Il y a vingt disques. Elle ne sera pas très contente en s'apercevant de son oubli.

— Je vais l'emporter chez moi, proposa le concierge. Elle va sûrement téléphoner.

La comptable le regarda droit dans les yeux :

— Si vous n'avez pas d'objection, je vais le lui remettre moi-même. Elle m'a sans doute déjà appelée à l'hôtel.

Ils descendirent en silence. L'homme, de plus en plus morose, la regardait peiner dans l'escalier, l'esprit traversé par des images fugitives de déboulades. Juliette le dérida un peu en lui présentant un billet de dix dollars. Elle sortit, pensive, le coffret sous le bras, et se dirigea lentement vers l'auto où Fisette la fixait avec de grands yeux angoissés ; puis, se ravisant tout à coup, elle retourna à la conciergerie après avoir fait signe à ses compagnons qu'elle n'en avait que pour une minute. Le vieux chérubin apparut de nouveau à sa porte, les épaules courbées, l'air plus avide et insatisfait que jamais. Juliette eut comme un mouvement de répulsion et sourit de toutes ses forces :

— Excusez-moi de vous déranger encore une fois, mon cher monsieur, mais je viens de penser que... À propos, vous êtes monsieur... ?

— Robidoux.

— Écoutez, monsieur Robidoux, j'aurais un petit service à vous demander... ou plutôt deux. Rien de compliqué, rassurez-vous... À bien y penser, vous allez probablement revoir ma nièce avant moi. Est-ce que je peux tout d'abord vous demander de ne pas lui parler de ma visite ?

Robidoux inclina légèrement la tête :

— Entendu, madame.

— Merci. Je ne veux pas entrer dans des détails inutiles : disons qu'il s'agit d'une petite chicane de famille

— rien de grave, soyez sans crainte — où, comme il arrive souvent, les torts sont partagés. J'essaye depuis quelques jours de réconcilier mes gens. Mais pour cela, héhé, il faut pouvoir leur parler... et j'essaye de parler à ma nièce. Voilà, c'est tout.

— Je vois, fit l'autre avec un sourire ambigu (il lorgnait maintenant le coffret rose).

— Bon. Deuxième point : si ma nièce se présente chez vous — et mon petit doigt me dit qu'elle va le faire — j'aimerais que vous trouviez un prétexte pour la retenir dix ou quinze minutes, le temps de me joindre au téléphone et que je m'amène ici en vitesse...

— Hum... je n'aime pas beaucoup ce genre d'histoires... De quoi je vais avoir l'air, moi ?

— Je vous offre cent dollars pour votre peine, monsieur Robidoux. Aussitôt que j'arrive, vous vous déguisez en courant d'air et le tour est joué. C'est de l'argent vite fait.

Il la regarda un moment, renifla à deux reprises, puis :

— D'accord.

— Merveilleux. Vous me rendez un fier service. Ne craignez rien, tout va baigner dans l'huile.

— Où est-ce que je vous appelle ?

— À l'hôtel... ou plutôt non, je préférerais... Quel est le motel le plus près d'ici ?

— Hum... c'est l'*Auberge des Seigneurs*, je crois, rue Johnson, dans le nord de la ville.

— Va pour l'*Auberge*. J'y vais tout de suite. Je vous appellerai pour vous donner mon numéro de chambre. Alors, ça va ? Je peux compter sur vous ? Aussitôt que vous apprenez l'arrivée de ma nièce, vous me téléphonez, la nuit comme le jour, et j'arrive en vitesse.

Il fit une petite courbette :

— Comptez sur moi, madame, promit-il, enchanté par cette curieuse diversion qui arrivait en plein milieu d'un match de football télévisé plutôt soporifique.

— Mais que faisiez-vous donc, bon sang ? éclata Fisette quand elle se glissa enfin dans l'auto.

— J'organisais une petite partie de pêche à la ligne, mon cher, répondit joyeusement l'obèse. Une chance sur cent d'attraper un poisson, mais n'importe quoi, n'est-ce pas, plutôt que de rester les bras croisés à regarder passer les nuages.

Et elle lui décrivit son stratagème pour attirer Adèle.

— Ma mère aime Elvis Presley ? s'étonna Denis en prenant le coffret.

Elle reconduisit Fisette à son auto, embrassa son petit-neveu :

— Sois prudent, hein, bobichon ? Défense absolue de circuler seul dans la rue ! Je suis sûre que notre folle n'attend que ça pour te sauter dessus. Je vais téléphoner à Rachel tantôt pour lui demander de tout organiser.

Elle dressa l'index :

— Et puis, interdiction solennelle, mon garçon, de dormir seul chez nous, m'entends-tu ? Vous me promettez de le surveiller, Clément ?

— Je vous le promets, murmura le photographe, contrit. Promesse de crapule, ajouta-t-il intérieurement. Je ne suis qu'une crapule.

— Quelle folie, pensa-t-elle en regardant s'éloigner l'auto, de confier un enfant de dix ans à cette espèce de moineau. Je vais demander à Rachel de s'arranger pour qu'ils se voient le moins possible.

Elle se dirigea vers l'*Aries K*, puis s'arrêta brusquement :

— Tête de lune que je suis ! J'ai oublié de leur dire où je logeais. Je téléphonerai ce soir.

En arrivant à l'*Auberge des Seigneurs*, elle décida par prudence de s'enregistrer sous le nom de Chaput (malgré le déplaisir que lui inspirait le souvenir de son époux) et de troquer très catholiquement Juliette contre Marie.

— Tiens ! comme c'est drôle, remarqua le préposé. Je viens justement de recevoir un message pour une dame Pomerleau de Longueuil qui doit arriver d'une minute à l'autre. Serait-elle avec vous ?

— C'est ma voisine de palier, répondit Juliette le plus naturellement qu'elle put, tandis qu'une bouffée de chaleur lui montait au visage. Elle devait m'accompagner, en effet, mais un empêchement l'a retenue. Donnez-moi le message, je vais le lui remettre.

L'employé, intrigué, la regarda s'éloigner avec son coffret, son sac à main et sa valise, puis haussa les épaules et reprit son journal.

Aussitôt hors de sa vue, elle déplia le billet. Un certain Alcide Racette, avocat, lui demandait la faveur d'une courte entrevue le lendemain matin pour discuter avec elle d'une affaire extrêmement importante ; il lui laissait ses numéros de téléphone pour confirmer le rendez-vous.

— Qu'est-ce que c'est que cette histoire ? se demanda-t-elle. Comment a-t-il su que je viendrais ici ? Je ne le savais pas moi-même il y a vingt minutes ! Le concierge... il l'a appris par le concierge ! Allons, ça promet... Je viens de m'associer à un coquin.

Aussitôt dans sa chambre, elle jeta valise et coffret sur le lit et décrocha le téléphone.

— Alcide Racette ? Un avocat ? fit Robidoux, ébahi. Jamais entendu parler d'un nom de même. Je vous le jure, madame !

— Bon, n'en parlons plus. Je prends votre parole. Mais si jamais on vous demandait où je loge, vous n'en savez rien, n'est-ce pas ? J'aime avoir la paix — chez moi ou ailleurs.

— Entendu, madame. J'avais compris.

— Ah oui, j'oubliais, fit Juliette en se troublant quelque peu. Je me suis inscrite à l'auberge sous mon nom de fille, Marie Chaput. Comme je suis veuve depuis plusieurs années, je l'utilise souvent.

— Marie Chaput ? Parfait, madame. Je demanderai Marie Chaput. Et je vous répète que je n'ai jamais parlé à ce...

— Ça va, je vous crois, monsieur. Au revoir. C'est qu'il a l'air sincère, l'animal, murmura-t-elle en s'assoyant sur le lit. Mais, diable, qui a bien pu...

Elle appela chez Martinek ; personne ne répondit. Alors, elle se déshabilla pour prendre un bain. Hélas, comme souvent, la baignoire était trop petite. Elle voulut y faire au moins quelques ablutions ; mais en posant le pied dedans, la tôle rendit un si curieux son de cloche qu'elle se résigna à se laver à la débarbouillette.

Le message de ce mystérieux Alcide Racette continuait de la chicoter. Elle avait beau se creuser la tête, seule la connivence du concierge expliquait que l'avocat ait pu l'atteindre si facilement.

— À moins que... à moins qu'il ait laissé le même message partout, s'exclama-t-elle soudain.

Un appel à l'*Hôtel Maskouta*, puis un autre au *Motel Saint-Hyacinthe* confirmèrent son hypothèse.

— Bon. Voilà mon homme lavé de ses péchés... Mais qui aurait donc pu... Eh ben oui, évidemment, mon écornifleuse de sœur... J'aurais dû y penser...

Elle téléphona chez maître Racette ; il était absent, mais elle laissa un message.

— J'ai hâte de lui voir le museau, à celui-là. Gageons qu'il vient enrichir ma collection de tuiles... Ah ! doux Seigneur Jésus, je me sens morte, tout à coup.

Elle se rendit à son lit, chancelante. Une sensation de lourdeur écrasante la saisit brusquement au côté droit. Des souvenirs lugubres l'envahirent. Son corps se couvrit de sueur et elle se mit à trembler. La chambre semblait s'être remplie d'une odeur de mazout brûlé.

— Ah ! mon Dieu, non, pas encore... Ce n'est pas le temps de flancher...

D'une main fébrile, elle saisit son sac à main sur la table de nuit, en sortit le baladeur, y inséra une cassette au hasard, coiffa le casque d'écoute, puis se laissa tomber sur l'oreiller. Le déroulement de l'amorce lui parut interminable. Des accords de piano jaillirent enfin, pleins d'une assurance sereine, puis la voix douce et lumineuse d'un violon se joignit à eux. La troisième sonate venait de commencer. Juliette se sentit enveloppée d'une compassion bienfaisante qui la pénétrait peu à peu, diluant son angoisse, répandant en elle la douce et simple joie d'exister. La musique lui disait des choses mystérieuses et poignantes, chargées d'un fourmillement de messages énigmatiques dont elle devinait l'importance essentielle, adressés à une partie ombreuse d'elle-même, qui s'en nourrissait avec une avidité jalouse, se gardant bien de les exposer à la lumière investigatrice de son esprit. Elle ferma les yeux, vaincue par la fatigue ou par la musique, les deux semblant s'être confondues dans un abandon paisible qui ne cessait de grandir et noyait peu à peu ses malaises.

Le sentiment d'une obligation urgente la réveilla tout à coup. Le baladeur s'était arrêté et le casque avait glissé sur ses joues. Sa montre indiquait une heure du matin. La terrible lourdeur à son côté droit avait un peu diminué.

— Continuons la cure, murmura-t-elle en posant la main sur l'appareil. S'il faut y passer la nuit, je le ferai. Pas question de retourner dans cet affreux marécage.

Elle tourna la cassette, actionna le poussoir, et le troisième mouvement de la sonate commença, celui qui l'avait plongée dans un tel ravissement durant cette nuit de juin humide et pesante, étrange nuit à deux visages, transfigurée par la musique, puis gâtée par l'appel de ce camionneur pompette à la recherche d'une ancienne maîtresse et qui l'avait embarquée sans le savoir dans une aventure insensée.

Et soudain, Juliette éprouva le besoin impérieux de parler à Martinek, malgré l'heure tardive, comme si le son de sa voix allait compléter magiquement l'effet de sa musique. Après avoir tenté de se raisonner quelques minutes, elle décrocha le combiné et téléphona à Longueuil.

— Oui, j'écoute, bafouilla une voix éraillée après la sixième sonnerie.

— Mon pauvre Bohu, c'est moi, fit la comptable, confuse. Je m'excuse de vous téléphoner à une heure pareille, mais... je n'ai pu m'en empêcher.

— Oh ! ce n'est rien, madame Pomerleau, je ne dormais pas, mentit l'autre poliment. Est-ce que tout va bien ? ajouta-t-il avec une précipitation inquiète.

— Mieux, beaucoup mieux, et grâce à vous, mon ami. Tout à l'heure, en me couchant, j'ai ressenti un malaise terrible et, sur le coup, j'ai cru que mon hépatite me reprenait. J'en ai presque paniqué. Alors, j'ai sorti mon baladeur, j'ai coiffé mon casque et votre fameuse sonate s'est mise tout doucement à me ramener. Je vais écouter une autre cassette en vous quittant. Il n'y a vraiment que votre musique pour... Bohu, fit-elle en s'interrompant soudain.

— Oui, madame Pomerleau ?

— Où est Denis ?

— Il dort dans le salon. Clément nous l'a amené vers deux heures. Il n'en menait pas large, notre cher photographe. Gai comme un pendu ! Il nous a annoncé que les choses se corsaient à Saint-Hyacinthe, que sa mission était finie et qu'il ne se sentait pas capable, dans son état, de s'occuper d'un enfant.

— Il est plus sensé que je ne pensais, se dit Juliette.

— J'ai eu beau le questionner, il n'a pas voulu ajouter un mot. Mais Denis nous a parlé, lui. J'ai aussitôt tenté de vous joindre à l'*Hôtel Maskouta*. Où êtes-vous donc ?

— À l'*Auberge des Seigneurs*.

— Madame Pomerleau, que se passe-t-il, grands dieux ? Pour être franc, Rachel et moi, nous sommes très inquiets.

— Bah ! vous vous inquiétez en pure perte, je vous assure, répondit négligemment Juliette.

— Vous croyez ? Mais cette histoire de couteau de boucherie, c'est épouvantable ! Clément aurait pu se faire débiter en morceaux. Que s'est-il donc passé entre lui et votre nièce ?

— Une engueulade.

— Avez-vous appelé la police ?

— Je vais le faire, promit l'autre sans conviction.

— Madame Pomerleau, je vous rejoins demain à Saint-Hyacinthe. L'idée même de vous savoir seule là-bas en compagnie de...

— N'en faites rien, Bohu, je vous en conjure. Je suis en parfaite sécurité ici. Je... travaille par personne interposée.

Et elle lui décrivit son entente avec le concierge.

— Si j'ai besoin d'aide, vous le saurez dans la minute qui suit. En quoi cela nous avancerait-il, dites-moi donc, de nous morfondre à deux dans un motel ?

— Il ne s'agit pas de se.... Enfin, puisque vous croyez... Mais il faut me promettre de téléphoner régulièrement, matin, midi et soir.

— Je vous promets tout, lança la comptable en riant. Mais de grâce, cessez de vous cuire les sangs, sueur de coq ! Je n'ai plus cinq ans ! Regardez comment je me suis débrouillée jusqu'ici ! J'en ai traversé, Seigneur, et des dures !

— C'est vrai, convint Martinek. En tant qu'artiste, je suis peut-être un peu trop anxieux, quoique...

Il chercha la suite de son idée, mais elle lui échappait. Un moment de silence se fit.

— Bohu, reprit doucement Juliette, vous ne pouvez savoir combien je suis contente de vous connaître. Et pas seulement parce que votre musique me tient en vie. Je vous aime beaucoup, vous savez.

— Moi aussi, madame, répondit l'autre d'une voix que l'émotion rendait un peu gutturale. Mais, sans vouloir vous contredire, je crois que vous exagérez un peu beaucoup en ce qui concerne ma musique. C'est *vous-même* qui vous guérissez, grâce à votre sensibilité.

— Allons, allons, on aura toujours de la misère à vous convaincre que vous n'êtes pas un sac de papier vide. La vie ne vous a pas encore apporté le succès que vous méritez. Cela vous fait du tort. Vous êtes intoxiqué de modestie, mon cher.

Le musicien se mit à rire :

— Peut-être. Mais Rachel est en train de me faire subir toute une cure ! Vous savez... elle m'a annoncé tout à l'heure qu'il se pourrait fort bien que Charles Dutoit assiste à mon concert.

— Mais c'est tout à fait normal ! s'écria Juliette avec une exaltation comique. Si c'est un musicien le moindrement sérieux, il se *doit* d'y assister, ça crève les yeux. Et Agnès Grossmann aussi et tous les mélomanes intelligents !

L'intérêt que portait Juliette à la carrière du musicien n'était guère partagé par l'occupant de la chambre voisine, qui manifesta son indifférence par une sorte de beuglement préhistorique.

— Allez, je vous quitte, fit la comptable à voix basse, je parlais trop fort. C'est la révolte ici.

Elle éteignit et se recoucha. Son malaise avait beaucoup diminué. Mais, par prudence, elle remit le casque d'écoute et se fit jouer le trio *Juliette*.

Le sommeil s'empara d'elle presque aussitôt. Mais vers cinq heures, elle ouvrit brusquement les yeux. La lumière d'un lampadaire passant par une fente des rideaux, illuminait un coin du coffret rose posé sur la commode. Elle fixa le coffret un long moment ; il lui semblait que toute la vie tumultueuse de sa nièce venait d'y refluer et s'était mise à crier au secours.

— Pauvre, pauvre enfant, soupira-t-elle, frissonnante sous sa couverture trop mince.

* * *

Il arrive parfois que le hasard prenne l'apparence de la justice. Vers sept heures, Juliette, dont l'appel nocturne avait plongé Martinek dans une longue insomnie qui l'avait amené à sa table de travail où il avait réinstrumenté l'introduction de son concerto de chambre, se fit réveiller à son tour par le téléphone, perdant ainsi les deux heures de sommeil dont elle aurait eu besoin pour affronter la journée de pied ferme.

— Madame Pomerleau, s'il vous plaît, fit une voix d'homme un peu rêche, pleine d'assurance. Bonjour, madame. Je me présente : maître Alcide Racette. J'espère que je ne vous tire pas du lit ? Ah bon. J'en suis désolé, madame, mais il fallait absolument que je vous voie aujourd'hui ; je suis arrivé très tôt à Saint-Hyacinthe pour être sûr de ne pas vous rater et je dois repartir dans une heure. Non, non, il ne s'agit pas de votre sœur... Si vous n'avez pas d'objection, je préférerais qu'on se parle en tête à tête. Est-ce que je peux vous inviter à déjeuner? Je me trouve présentement au *Géant Timothée*, coin Mondor et Calixa-Lavallée, tout près d'un grand parc. Oui, oui, je comprends, prenez votre temps. À tout à l'heure, madame.

Assise sur le bord du lit, les cheveux en désordre, Juliette fixait le tapis avec stupeur.

— Qu'est-ce que cet énergumène ? se demanda-t-elle au bout d'un instant.

Elle se dressa lentement et se dirigea vers la toilette d'un pas lourd et incertain. Soudain, elle eut un sursaut :

— Adèle ! C'est Adèle qui m'envoie son avocat !

Et malgré un restant de nausée qui lui rendait toute précipitation fort pénible, elle fut prête en dix minutes.

31

Assis près de Fisette dans l'auto de sa tante qui filait vers Longueuil, Denis se sentit d'abord soulagé de quitter Saint-Hyacinthe. Il allongea les jambes, étira les bras, bâilla longuement et une délicieuse impression de liberté se répandit en lui. Quant à Fisette, les mains crispées au volant, les lèvres serrées, l'œil braqué sur l'asphalte, il avait l'air morne et lugubre d'un ouaouaron. Denis le regarda à la dérobée et comprit qu'il ne lui arracherait pas trois mots de tout le voyage. Mieux valait le laisser en paix. Il se mit à penser à Vinh et à Yoyo dont la présence lui manquait ; il brûlait de leur raconter l'épisode du couteau (sans parler de ce qui l'entourait, bien sûr). Puis son esprit se tourna vers *Les Enfants du capitaine Grant*, commencé l'avant-veille et oublié sur son oreiller dans la précipitation du départ.

— J'irai le chercher en arrivant.

Mais il se rappela soudain la défense que sa tante lui avait faite d'aller à l'appartement.

— Clément m'accompagnera, se dit-il. Peut-être qu'il voudra même dormir chez moi.

Et une seconde vague de contentement l'envahit, mais elle ne dura qu'un instant. De son cœur, plein de replis ombreux et compliqués comme ceux d'une feuille d'épinard, sortit une sorte de brume et les images qui s'agitaient en lui se ternirent peu à peu ; il se sentit tout à coup plein de remords de laisser sa vieille tante malade se débattre seule contre un bandit et comprit qu'il n'aurait de paix qu'une fois de retour à ses côtés.

Un peu de neige tombait quand ils arrivèrent rue Saint-Alexandre ; Denis invita le photographe à passer la nuit chez lui, mais ce dernier refusa net en expliquant qu'il ne se sentait pas bien et souhaitait être seul :

— Rachel et Bohu vont sûrement t'héberger, ajouta-t-il.

— Eh bien, viens avec moi, au moins, que j'aille chercher mon livre, répondit l'autre avec humeur.

Quelques minutes plus tard, Fisette, de plus en plus lugubre, frappait à la porte de Martinek, accompagné de l'enfant. Un beau moment de plaisir attendait ce dernier chez le compositeur.

— Salut, fit le photographe quand Martinek vint ouvrir. J'aurais un petit service à te demander.

Et, prenant son ami par le bras, il l'entraîna au fond du corridor.

Surpris par ces manières inhabituelles, Denis se glissa par la porte entrouverte ; on entendait Rachel chantonner dans la cuisine. En le voyant, le merle des Indes quitta l'étagère où il était perché, atterrit sur l'épaule de l'enfant stupéfait et se mit à siffler de la façon la plus étrange.

— Rachel ! Rachel ! Sifflet vient de se percher sur mon épaule ! Il m'aime ! il m'aime !

La violoniste apparut dans le studio, les mains enfarinées :

— Déjà revenu, bobichon ? Ça n'a pas été un long voyage. Ma foi, tu as raison : il est tombé amoureux de toi ! Ça ne lui arrive pas souvent de sortir ainsi ses grandes manières. Mais qu'est-ce qu'il a à chanter ainsi ?

— Chut, fit Martinek en refermant doucement la porte derrière lui.

Ils écoutèrent l'oiseau qui, le bec dressé en l'air comme un ange sonnant la trompette du Jugement dernier, sifflait à s'arracher le gosier.

Les yeux de Martinek s'embuèrent, sa voix chancela :

— Rachel, entends-tu ? *Si*, *fa* dièse, *ré*, *mi*, *do*. Mes amis, nous vivons un moment extraordinaire ! Cet oiseau est en train de chanter le thème principal du premier mouvement de mon concerto de chambre ! *Cet oiseau possède une mémoire musicale* !

— Ma foi, c'est vrai, s'étonna Rachel. Et il respecte les valeurs des notes !

Comme s'il était satisfait de l'effet obtenu, Sifflet s'arrêta. Martinek tendit le poing. Le merle vint se percher dessus et fixa Denis.

— Ce n'est pas un oiseau, murmura celui-ci, presque effrayé, c'est *quelqu'un* dans un oiseau.

— Mais nous sommes tous *quelqu'un*, corrigea Rachel, les oiseaux y compris.

Le musicien exultait :

— Maintenant, j'en suis sûr : mon concert va être un triomphe. Avec des signes pareils, on ne peut se tromper. Ah ! toi, toi, toi, s'écria-t-il en approchant ses lèvres de l'oiseau qui le becqueta, je me jetterais dans le feu pour toi. Tu assisteras à mon concert, je te le promets.

Rachel s'esclaffa :

— Deviens-tu fou, Bohu ? Comme si nous allons avoir la tête, ce soir-là, à nous occuper d'un merle...

— *Si*, *fa* dièse, *ré*, *mi*, *do*, reprit Martinek en se dirigeant vers la cuisine, l'oiseau sur l'épaule. Incroyable ! Je n'ai jamais été aussi flatté de ma vie.

Il se tourna vers Denis :

— Dis donc, qu'est-ce qu'il a, notre ami Fisette ? Est-ce qu'il se serait chicané avec ta tante ? Je n'ai rien compris à son histoire.

L'enfant se troubla :

— Je ne sais pas. Peut-être bien que oui. Je n'ai rien compris moi non plus.

— Juliette est en bas ? demanda Rachel.

— Non, elle est restée à Saint-Hyacinthe. Elle m'a renvoyé ici parce qu'elle craignait pour moi.

Et il raconta de son mieux les derniers événements.

— Hum... l'affaire est en train de se poivrer, murmura la violoniste. On ne peut tout de même pas la laisser seule là-bas avec son maniaque au couteau. Pourquoi n'avertit-elle pas la police ? Vouloir jouer à Colombo à son âge ! A-t-on jamais vu !

Elle se planta devant Martinek :

— Écoute, essaye de la joindre à l'hôtel. Moi, je vais aller voir Fisette pour tirer ça au clair.

Et elle sortit.

Comme s'il avait senti que sa présence était devenue inutile, Sifflet s'envola vers l'étagère. Le musicien regarda l'enfant, qui semblait abattu, et lui caressa les cheveux :

— Allons, ne t'inquiète pas, mon vieux, tout va s'arranger. Dis donc, Rachel vient de faire cuire deux superbes tartes à la citrouille. Tu veux y goûter ?

— Non merci, répondit-il d'une voix sourde, je n'ai pas faim.

Malgré sa grande envie, Martinek s'abstint de le questionner davantage et lui parla plutôt des préparatifs du concert.

— Mais j'y pense, bobichon ! dans le deuxième mouvement de mon concerto de chambre, il y a un passage au piano tout à fait facile, et très intéressant ! Est-ce que ça te tenterait de le jouer en concert ? Tu pourrais profiter de tes vacances pour le travailler à fond.

— Tu penses que je pourrais le jouer ?

— J'en suis tout à fait sûr ! Sept ou huit heures de travail et tu sauras ta partie sur le bout des doigts.

Tandis que le musicien exécutait le passage devant l'enfant, Rachel revint de chez Fisette, guère plus informée qu'avant et en proie à une vive inquiétude :

— J'ai eu beau le torturer de questions, il n'a rien voulu me dire, sauf qu'il est la dernière des crapules, qu'il ne mérite plus notre amitié et qu'il songe même à déménager parce que notre voisinage va lui être trop pénible. Tout ce que j'ai pu obtenir de lui, c'est qu'il retarde un peu sa décision. Jamais je ne l'ai vu dans un état pareil. C'est à se demander s'il a toute sa tête. Bohu, il s'est passé des choses graves aujourd'hui à Saint-Hyacinthe et il faut absolument en savoir davantage. Je me demande si on ne devrait pas avertir la police. As-tu appelé madame Pomerleau ?

— J'allais le faire.

— Laisse, je m'en occupe.

À l'*Hôtel Maskouta*, un vieux monsieur à la voix de contrebasse lui répondit qu'il n'y avait pas de Juliette Pomerleau parmi ses clients (malgré qu'on ait laissé un message à son intention durant l'après-midi). Oui, effectivement, confirma-t-il, étonné, quelqu'un avait fortement abîmé ce jour-là une commode au troisième étage. La maison faisait enquête. D'où tenait-elle son information ?

— Je ne peux le dire, répondit la violoniste.

— Ah non ? Trop aimable, fit l'homme, et il raccrocha.

— À ta place, suggéra Martinek, j'attendrais un peu avant d'alerter les flics. Madame Pomerleau n'appréciera peut-être pas qu'on s'occupe de ses affaires à son insu.

Rachel resta songeuse un instant, puis :

— Je patienterai jusqu'à demain midi. Mais pas plus tard, tu entends ? Cette histoire sent trop mauvais.

L'appel nocturne de Juliette les avait un peu rassurés. Mais ils décidèrent, chacun à part soi, de laisser là les répétitions et de filer à Saint-Hyacinthe si elle restait toute une journée sans donner de nouvelles.

* * *

— Décidément, cet enfant file un mauvais coton, se dit Rachel le lendemain matin en observant Denis pendant le déjeuner.

Elle trouva un prétexte pour entraîner Martinek dans la chambre à coucher :

— Écoute, essaye de le faire parler. Lui as-tu vu la mine ? Je suis sûre qu'il nous cache des choses. Je voudrais bien m'en occuper, mais j'ai du travail par-dessus la tête.

Nous commençons à répéter *Ma Vlast* ce matin, et j'ai à peine eu le temps de jeter un coup d'œil sur ma partie.

— Ne t'inquiète pas, j'en fais mon affaire. Dis donc, je lui ai proposé hier soir de me remplacer au piano dans le deuxième mouvement de notre concerto de chambre, et ça ne semble pas lui avoir déplu.

— Un enfant au piano ? Tu ne crains pas que ça fasse un peu salle paroissiale ? Il faut mettre toutes les chances de notre côté, Bohu. Je suis en train de te monter une brochette d'invités formidable. Après tout ce travail, il ne faudrait pas que tu rates ta percée.

Martinek lui prit doucement le bout du nez entre le pouce et l'index :

— Rachel-la-coriace, fit-il en souriant. Ne t'inquiète pas pour Denis, il sera très bien. Et il séduira tout le monde, tu verras.

Ils retournèrent à la cuisine. Elle avala un dernier morceau de rôtie et embrassa Denis :

— Bonne journée, bobichon. Je m'enferme pour travailler mon violon et ensuite je file à la Place des Arts. Nous nous retrouvons en fin d'après-midi à la répétition ?

— Je vais peut-être jouer avec vous, si c'est pas trop difficile, annonça l'enfant avec un timide sourire.

— Ah oui ? Dans le concerto, je suppose ? Bonne idée, ça. Je ne suis pas inquiète pour toi : en deux jours, tu auras maitrisé ta partie.

Elle lui fit un salut et sortit. On l'entendit bientôt exécuter des accords arpégés.

— Une petite répétition ? proposa Martinek.

Ils allaient se mettre au piano lorsqu'on frappa à la porte.

— Monsieur Martinet ? fit un gros homme à demi chauve que l'escalier avait mis en sueur.

Deux autres hommes se tenaient derrière lui, un peu en retrait.

— *Martinek*, corrigea le musicien.

— Ah bon, excusez-moi. Je n'ai jamais réussi à me casser tout à fait l'oreille aux noms étrangers. Je me présente : Alexandre Portelance. Je suis un ami de madame Pomerleau — et voici derrière moi — avancez, avancez, messieurs, je vous en prie, le plancher est solide — monsieur Réal Roch, courtier pour l'*Immobilière du Québec* et son client, monsieur Antoine Déry...

— *Désy*, corrigea ce dernier d'un air pincé en se recroquevillant frileusement dans son paletot de gabardine.

— C'est vrai, c'est vrai, excusez-moi. Sainte culotte de gros drap ! au train où ça va, je ne me rappellerai bientôt plus mon propre nom.

Il s'arrêta :

— Qui est-ce qui joue du violon comme ça ? On se croirait sur un nuage avec le petit Jésus !

— C'est mon amie, répondit Martinek. Elle est violoniste à l'OSM.

— Un beau talent, un beau talent, déclara Portelance en hochant la tête d'un air pénétré.

Puis il expliqua au musicien avec une luxuriance de détails inouïe que madame Pomerleau — qui avait dû s'absenter la veille pour une affaire personnelle (comme il le savait sans doute) — lui avait demandé de venir faire visiter la maison à monsieur Roch et à son client, monsieur Désy, qu'il croyait d'ailleurs avoir rencontré un an ou deux auparavant dans un hôtel de La Malbaie lors d'un congrès de philatélistes (le monde est si petit !). Ils en étaient à inspecter le deuxième étage — la visite s'étant déroulée d'une façon extrêmement agréable, si on ne tenait pas compte de ces fameux escaliers qui mettent la patate à rude épreuve quand on a dépassé la cinquantaine — et ils se demandaient si, par un pur effet de sa bonté, on ne pourrait pas lui prendre quelques minutes de son temps pour jeter un tout petit coup d'œil dans son appartement qui — soit dit en passant et d'après ce qu'il pouvait en voir de l'endroit où il se trouvait — lui paraissait très joli.

Denis s'était approché silencieusement. Appuyé contre un mur, il l'observait avec un sourire intrigué. Portelance l'aperçut et s'interrompit :

— Serais-tu le petit-neveu de madame Pomerleau, par hasard ?

— Oui.

— Comment ? tu n'es pas parti avec ta tante souffla-t-il, ébahi, tandis que Réal Roch et Antoine Désy levaient l'œil au plafond, excédés.

— Allons, au travail, maintenant, fit Martinek après le départ des visiteurs.

Ils venaient à peine de commencer qu'on frappa de nouveau à la porte. Il s'agissait encore une fois d'Alexandre Portelance et de ses compagnons, mais cette fois-ci Réal Roch avait décidé de prendre l'initiative :

— Excusez-nous de vous déranger une seconde fois, mon cher monsieur. J'ai oublié tout à l'heure de vous demander les coordonnées de madame Pomerleau. Il se pourrait que j'aie à lui parler ce soir.

Debout derrière les deux hommes, Alexandre Portelance fit une mimique au musicien pour lui signifier que l'affaire s'annonçait bien. Martinek les quitta et revint avec un bout de papier qu'il remit à l'agent ; puis il salua les visiteurs et s'apprêtait à fermer la porte lorsque Portelance s'avança :

— Vous permettez, une 'tite seconde ? Bien le bonjour, messieurs, et au plaisir, lança-t-il à ses compagnons qui se dirigeaient vers l'escalier.

Il se pencha à l'oreille du musicien :

— D'après moi, ils vont faire une offre ce soir.

Il recula d'un pas, sourit, puis, se troublant tout à coup :

— Vous... vous allez peut-être me trouver écornifleux, mais je... d'après ce que m'avait dit hier madame Pomerleau, j'avais cru comprendre qu'elle amenait son petit-neveu avec elle.

— Il est revenu, répondit Martinek.

— Ah bon, il est revenu, je vois, je vois... Et c'est vous qui vous en occupez?

— Comme vous voyez, fit l'autre, légèrement agacé. Est-ce qu'il y a quelque chose qui ne va pas?

— Oh non ! du tout ! du tout ! C'est juste que...

Et il eut un sourire si humble et bon enfant que Martinek sentit son impatience couler à pic et l'invita à entrer.

— Mais je dois partir dans la minute, prit-il soin d'ajouter, car j'ai une course urgente à faire.

Quelques instants plus tard, le musicien lui avait décrit son emploi du temps pour la journée, allant même jusqu'à souhaiter que l'absence de Juliette ne se prolonge pas trop, car il avait une semaine très chargée et cela compliquait singulièrement la garde de l'enfant.

— Ah ! mais c'est justement de ça que je voulais vous parler, mon cher monsieur ; figurez-vous donc, continua-t-il, poussé au mensonge par son bon cœur, que je n'ai presque rien à faire, moi, cette semaine. Les aspirateurs ne se vendent pas l'diable depuis un bout de temps ; je risque quasiment de me faire une entorse aux pouces. Hier, j'avais offert à madame Pomerleau de m'occuper de son petit gars, mais la gêne a dû la retenir ; elle a préféré l'emmener pour ne pas m'embarrasser. Et puis le revoilà, finalement !

— Eh oui.

— Écoutez, si vous êtes occupé à ce point-là, je peux le prendre chez moi pour quelques jours. Je vous promets d'y faire attention comme si c'était le dernier petit garçon qui nous restait sur terre.

Il s'approcha du musicien et, baissant la voix :

— Madame Pomerleau m'a parlé l'autre fois de cette espèce de folle qui se prend pour sa mère et qui tourne autour de lui depuis quelque temps. N'ayez crainte, je vais avoir l'œil ouvert.

Martinek le remercia quelque peu froidement, ajoutant qu'il fallait auparavant obtenir la permission de Juliette elle-même. De toute façon, Denis devait se rendre à une répétition à quatre heures.

— À une répétition ? s'étonna le vendeur.

L'autre hocha la tête en souriant.

— Est-ce que je peux vous demander sans indiscrétion de quelle répétition il s'agit ?

— Oh, je me suis laissé convaincre, répondit le musicien avec une négligence affectée, de donner en concert quelques-unes de mes œuvres. Il s'agit d'un événement tout à fait modeste, bien sûr, une sorte de petite fête intime, en quelque sorte. Et Denis a la gentillesse d'y participer.

— Ah bon, ah bon, fit Portelance, fort impressionné, un concert de vos propres œuvres... C'est très très bien, ça... Et Denis joue dedans... De quel instrument joue-t-il, s'il vous plaît ?

— Du piano, répondit Martinek, qui luttait contre une forte envie de rire.

— Ah bon... Il donne déjà des concerts à son âge... Ça promet ! ça promet ! Dites donc, vous m'avez piqué la curiosité, vous... Est-ce que ça serait trop vous demander de me laisser assister à votre répétition ? Entre-temps, vous aurez peut-être parlé à madame Pomerleau et... et puis ça me donnerait la chance d'écouter votre musique, ce qui serait un honneur pour moi, mon cher monsieur. Je m'intéresse beaucoup au classique, vous savez. Tiens ! revoilà mon mousse ! lança-t-il à l'adresse de Denis, debout dans l'embrasure et qui l'écoutait depuis un moment avec une expression ravie. N'est-ce pas que t'aurais le goût de passer deux ou trois jours avec moi ? On se régalerait au restaurant, je te louerais des cassettes vidéo, je pourrais t'emmener voir un atelier de réparation d'aspirateurs, et puis on irait faire des tours dans ma *Chrysler Le Baron* : elle a des sièges, tu sais, qu'on peut faire bouger juste en appuyant sur un bouton...

Après avoir convenu de le revoir à la salle Claude-Champagne vers la fin de l'après-midi, Martinek reconduisit le vendeur à la porte, un peu étourdi par sa faconde diluvienne, et alla retrouver Denis, assis devant le piano :

— Eh bien, mon vieux, tu viens de te faire là tout un ami ! Il irait te chercher à la nage au milieu de l'Atlantique, ma foi !

— Et en pleine tempête, ajouta Denis avec un sourire.

Il se mit à déchiffrer sa partie. Perché au sommet d'une armoire, Sifflet se dandinait, attentif et silencieux.

— Mais ça va tout seul ! s'exclama le compositeur, ravi.

Vingt minutes plus tard, le déblayage était fait. Martinek prit l'enfant par les épaules et le fit pivoter :

— Eh bien, mon cher monsieur Denis de la Bobichette, j'ai l'honneur de vous apprendre que vous allez participer à la grande première mondiale du concertino de chambre pour violon, octuor à vents, piano et timbale du compositeur bedonnant atteint d'un début de calvitie — mais en ce moment le plus optimiste des hommes — Bohuslav Martinek lui-même !

— Peut-être que oui, peut-être que non, répondit mentalement Denis. Si dans deux jours ma tante n'est pas revenue, je vais la rejoindre à Saint-Hyacinthe.

Il quitta son tabouret et alla chercher son manteau dans la penderie, tandis que Martinek fouillait dans une partition en sifflotant *La Marseillaise* :

— Pourrais-tu venir me reconduire chez Yoyo, Bohu ? Je te promets de ne pas sortir de la maison.

* * *

— J'ai préparé un dîner superbe, mon vieux, annonça Martinek en allant le chercher quelques heures plus tard. J'ai hâte que tu goûtes à mon dessert.

Appuyé contre le comptoir de la cuisine, Denis se rongeait les ongles, essayant d'imaginer les dangers que sa tante devait affronter, tandis qu'il s'apprêtait lui-même à déguster un potage au brocoli garni de croûtons à l'ail.

Deux étages plus bas, quelqu'un songeait également à Juliette. Mais au lieu de se ronger les ongles, on se grattait les coudes avec frénésie, une frénésie alimentée autant par la haine que par le prurit. Debout devant sa fenêtre, Elvina avait vu passer Réal Roch et son frêle client perdu dans un paletot crème qui avait une vague apparence de linceul. Par l'entrebâillement de sa porte, elle avait pu surprendre des bouts de conversation.

Son oreille, à qui l'habitude d'écouter à travers murs, portes et planchers avait donné une finesse extraordinaire, pouvait capter des conversations à voix basse malgré le son d'une radio, distinguer un rire jaune d'un rire franc, une claque sur une cuisse d'une claque sur une fesse, un raclement de gorge dû au rhume de celui provoqué par l'embarras, et arrivait même parfois à situer dans une réplique la place d'un clin d'œil ou d'une grimace. Cette virtuosité dans l'espionnage auriculaire avait, hélas, son mauvais côté. Curieusement, lorsqu'elle se trouvait en face d'un interlocuteur, la richesse et la précision des informations sonores et visuelles l'étourdissaient, elle n'arrivait pas à tout saisir, elle se troublait, baissait l'œil, sa tête se remplissait de fumée et, une heure plus tard, elle avait peine à se rappeler une conversation de deux minutes. Cette bizarre infirmité lui jouait parfois de vilains tours. On pouvait la berner assez facilement. Cela faisait d'elle un paradoxe étonnant : une paranoïaque naïve.

Ainsi, l'avant-veille, elle avait décidé de jeter à la poubelle le manteau de renard râpé qui la faisait grelotter chaque hiver depuis huit ans (l'esprit d'économie, la peur du lendemain et la pingrerie formaient chez elle un tout dont il était difficile de distinguer les éléments) et de s'acheter un manteau plus chaud. Elle s'était rendue chez un revendeur de fourrures, rue Prince-Arthur, dont elle avait entendu parler à la radio. Elle n'avait pas mis les pieds dans le coin depuis le jour de Noël 1957, lorsqu'elle était allée visiter avec Juliette un vieux cousin de sa mère, ancien chauffeur de chaudière, que l'arthrite avait condamné aux aspirines, à la télévision et au parchési. Depuis ce temps, la rue Prince-Arthur, entre le Carré Saint-Louis et la rue Saint-Laurent, avait bien changé ! Autrefois modeste et industrieuse, avec ses maisons d'ouvriers un peu vétustes, ses bandes d'enfants criards aux vêtements délavés, ses autos rongées par la rouille, son asphalte crevassé parsemé de taches d'huile, elle voyait depuis quelques années les promoteurs déloger ses locataires pour installer dans leurs maisons des restaurants à la mode et des boutiques chic ; les yuppies l'avaient adoptée, le snobisme la guettait et sa transformation en voie piétonnière aux jolis pavés beiges lui avait donné un petit air estival et européen, d'une élégance un peu apprêtée, qui jurait avec les quartiers avoisinants.

En débouchant dans la rue, Elvina ressentit un choc, comme une dame de l'Armée du Salut en train de demander l'aumône, la cloche à la main, à qui on tâterait une fesse. Elle faillit rebrousser chemin, mais l'espoir d'une aubaine finit par vaincre son appréhension. Elle s'avança parmi les bacs à fleurs et les bancs de béton, le pied mou, l'air un peu effaré, repéra enfin la boutique et poussa la porte, vulnérable comme une petite fille de six ans.

Jean-Denis Beaumont vit au premier coup d'œil le parti qu'il pouvait tirer de cette vieille femme à l'expression méfiante et sotte. S'approchant avec un sourire bonhomme, il revêtit ce qu'il appelait ses « manières de curé », attentif, onctueux, circonspect, multipliant les hochements de tête approbateurs, les airs entendus et les commentaires pénétrés sur la température, la cherté de la vie, la disparition des bonnes manières et, vingt minutes plus tard, il lui vendait pour quatre cent cinquante dollars un superbe manteau en

« peluche de vison de Paris », qui avait appartenu, affirmait-il, à Rose Caron, la femme du capitaine Bernier. Les contraires s'attirent souvent, lui avait fait remarquer le subtil fourreur. Le célèbre explorateur du pôle Nord avait épousé une femme tellement frileuse qu'elle avait passé douze hivers consécutifs sans mettre le nez dehors — sauf pour la messe dominicale, bien entendu — et c'est seulement grâce à ce manteau, acheté chez les importateurs Marleau, Blondin & Vavasseur (maison aujourd'hui disparue), que le capitaine était parvenu à donner à son épouse un peu de mobilité hivernale.

— C'est Yvonne, sa fille — à présent une vieille dame — qui me l'a vendu le mois dernier. Sa mère ne l'a porté que trois ans, car elle est morte en 1948 des suites d'une hernie stomacale. Par respect pour sa mémoire, personne ne l'a porté après elle ; il fut entreposé dans un sous-sol pendant près de quarante ans. La fraîcheur l'a gardé comme à l'état neuf. Tâtez la profondeur et la richesse du poil, madame, la souplesse de la peau, la solidité de l'assemblage. En France, on a cessé de produire de la peluche de vison de Paris vers 1950, car l'élevage de la bête est extrêmement difficile, m'a-t-on dit. C'est d'ailleurs une espèce en voie de disparition. Évidemment, je devrais vendre une pareille pièce beaucoup plus cher, mais, que voulez-vous ? un manteau de quarante ans, c'est un manteau de quarante ans. Si vous le portez cet hiver, madame, vous aurez l'impression d'avoir changé de pays.

Elvina revint chez elle en tenant amoureusement dans ses bras la boîte de carton bleu ciel dans laquelle Beaumont avait déposé le manteau comme s'il s'était agi de la tiare pontificale. Mais lorsqu'elle le rangea, la manche droite se décousit. Le fourreur lui rit au nez quand elle téléphona pour faire part de son malheur et lui conseilla de recoller ladite manche avec de la colle à gibier numéro 36, disponible chez tous les bons taxidermistes. Elle se mit à proférer des menaces ; Beaumont, qui semblait en avoir l'habitude, garda sa bonne humeur et lui suggéra de relire sa facture où figuraient des expressions comme « vente finale », « accepté tel quel » et autres précautions d'usage. Ses coudes se mirent à la démanger furieusement. Livide et marmonnante, elle se précipita vers son encyclopédie et apprit successivement que le vison de Paris n'existait pas (du moins sur notre planète) et que les liens entre la peluche et la peau de gibier étaient des plus ténus.

Il ne lui restait plus qu'à s'adresser à l'Office de protection des consommateurs, ce qu'elle se disposait à faire lorsque Alexandre Portelance, Réal Roch et son frêle client avaient pénétré dans la maison. En toute autre circonstance, voyant que rien ne pourrait empêcher la vente de la conciergerie, Elvina se serait contentée de piquer une colère noire, et puis voilà. Mais le coup du vison de Paris demandait une vengeance immédiate dont la privaient les délais d'application de la loi. Elle résolut donc, en guise de compensation, de se défouler sur sa sœur en faisant l'impossible pour bloquer son projet.

— Il me faut une injonction cette après-midi, se dit-elle en feuilletant fiévreusement les pages d'un petit carnet violet rempli de noms de notaires, d'avocats, d'huissiers et d'arpenteurs.

Vers trois heures, Denis pénétrait dans le vestibule, accompagné de Bohu, lorsqu'il s'arrêta net : Elvina sortait de chez elle, le menton pointu, les lèvres serrées, revêtue de son horrible manteau vert olive, le chapeau-cloche un peu de travers, et passa près d'eux sans leur jeter un regard.

— Hum... fit le musicien en la regardant s'éloigner, j'ai l'impression qu'elle vient de ressortir son scramasaxe...

Ils montèrent en silence.

— As-tu faim ? demanda Martinek en ouvrant la porte.

— Oui, un peu. Mais je peux attendre jusqu'au souper, Bohu, se reprit l'enfant aussitôt.

— Allons, pourquoi attendre ? J'ai de l'excellent camembert, belle frimousse. Veux-tu un sandwich ? Tiens, se dit-il, je vais faire jouer la cassette qu'il m'a donnée en cadeau à Noël. Ça va lui faire plaisir.

L'enfant s'était précipité à la fenêtre du studio. Sifflet vint se percher sur son épaule et battit légèrement des ailes en apercevant la vieille fille qui s'avançait à grandes enjambées sur le trottoir, fendant l'air de ses poings fermés. Elle disparut au coin de la rue Guillaume.

— Qu'est-ce que tu regardais ? demanda Martinek en s'approchant avec la collation.

— Ma tante. Elle s'en va sûrement chez un avocat ou quelque chose du genre.

Il mordit dans le sandwich. Le musicien se frotta la gorge :

— Qu'est-ce qu'elle nous prépare ? soupira-t-il. Je t'avoue que j'ai hâte de m'éloigner de ce porc-épic.

On frappa à la porte. Le musicien alla ouvrir.

— Je ne vous dérange pas trop, monsieur Martinek ? demanda Marcel Prévost fils.

Il avait un sac à la main.

— Du tout, du tout. Entre, Marcel. Je te sers un café ?

— Non merci, je viens d'en prendre un. Je vous rapporte justement votre moulin à café. Ce n'était qu'un fil de dessoudé. Je l'ai réparé en trois minutes.

— Ah bon. Tant mieux ! Combien je te dois ?

— Rien du tout. Ça m'a fait plaisir. C'est la *Sonate au printemps* qui joue, monsieur Martinek ?

— Eh bien oui, la *Sonate au printemps*, de Beethoven. Ma foi, tu connais la musique, toi !

— C'est que je l'aime beaucoup, cette sonate. Qui joue ?

— Arthur Grumiaux et Clara Haskil. Superbe, hein ? C'est un cadeau de Noël de mon ami Denis, que voici justement.

— Salut, Marcel, lança l'enfant, la bouche pleine.

— Dis donc, reprit Martinek, l'œil malicieux, toi qui siffles si bien, je serais curieux de t'entendre jouer le début du premier mouvement.

— Je peux toujours essayer.

— Ah oui ? Eh bien, je t'accompagne au piano. J'ai justement la partition ici, dit-il en s'emparant d'un cahier qui traînait sur une table.

Il arrêta le lecteur et prit place devant le clavier :

— On y va ?

— Un instant, fit Prévost en s'approchant.

Il se passa longuement la langue sur les lèvres, prit une ou deux inspirations, puis hocha la tête.

— Étonnant, s'écria le musicien au bout d'une vingtaine de mesures.

Il croisa les bras :

— Tu pourrais donner des concerts, ma parole. Tu siffles superbement bien. Je ne pensais pas qu'on pouvait siffler aussi bien.

— C'est que je l'aime beaucoup, cette sonate, répondit Prévost, essayant de cacher son plaisir sous une contenance modeste.

— Moi aussi ! Mais je serais incapable de faire le centième de ce que tu fais, je te prie de me croire.

— L'autre jour, confia Denis, je l'ai entendu siffler *La Moldau* pendant qu'il rangeait des choses dans la cave. C'était vraiment archi très beau, Bohu.

La pendule sonna.

— Eh bien c'est le temps de partir, mes amis, annonça Martinek en se levant. On va être en retard pour la répétition. Il faut compter trois bons quarts d'heure pour se rendre à la salle Claude-Champagne.

— Vous allez préparer votre concert ?

— Oui, mon vieux, et il faut absolument que tu viennes.

— Je viendrai, monsieur Martinek. Comptez sur moi.

— « Monsieur Martinek, monsieur Martinek » ! Appelle-moi Bohu, comme tout le monde. Tes « monsieur Martinek » me donnent des points dans le dos.

Denis et le musicien quittèrent le concierge devant la maison. Ils se rendirent à pied jusqu'à l'arrêt d'autobus de la rue Saint-Jean devant le centre commercial Véronneau et se mirent à guetter l'apparition du 75 qui les amènerait au métro. En face d'eux se dressait un modeste édifice dont le rez-de-chaussée abritait un casse-croûte. Assise sur une banquette près de la fenêtree, une jeune femme au teint jaunâtre et aux grands yeux huileux, la tête enveloppée d'un turban vert amande, fixait Denis d'un œil brûlant d'amour. Le grondement d'un autobus s'éleva au loin.

— Bientôt tu seras à moi, mon petit colimaçon, murmura-t-elle et elle croqua dans une branche de céleri sous le regard intrigué de la patronne, assise derrière le comptoir et qui l'observait depuis une demi-heure.

* * *

Par miracle, la répétition commença à l'heure prévue. La majorité des musiciens qui participaient bénévolement au concert Martinek appartenaient à l'Orchestre symphonique de Montréal. Particulièrement satisfait de la répétition de la matinée, Charles Dutoit avait décidé d'annuler celle de l'après-midi, chose qui ne s'était jamais vue. De sorte qu'avant de filer en taxi jusqu'à la salle Claude-Champagne, Rachel, le timbalier, les deux saxophones, le cor, le basson, la flûte et le piccolo purent longuement dîner au *Latini*, rue Jeanne-Mance, arrosant leur repas de quelques bonnes bouteilles (au déplaisir de Rachel qui craignait pour la qualité de leur travail), et se retrouvèrent à la salle de concert un peu avant l'heure. Comme à l'habitude, le clarinettiste Théodore Boissonneault et Maryse Millet, la jeune flûtiste dénichée par madame Turovsky, étaient déjà sur les lieux. L'atmosphère était à la bonne humeur, mais un tantinet solennelle. Chacun était conscient de l'importance de l'événement qu'on préparait. On s'attaqua d'abord au concertino de chambre, reportant à la fin le trio *Juliette*, ce qui permettait de libérer plus tôt une partie des musiciens.

L'appellation « concertino » témoignait de l'excessive modestie de Martinek : l'œuvre, qui demandait beaucoup de virtuosité et d'expression, durait plus de quarante minutes et son abondance thématique frôlait le gaspillage. Le premier mouvement, *allegro con spirito*, était à peu près en place, à part la coda, pleine de changements de mesures perfides. Le deuxième, un *adagio*, marchait très bien. Il ne suffisait plus que d'intégrer Denis à l'ensemble. Le troisième, un *scherzo*, était encore bien raboteux. Et on n'avait pas encore touché à l'*allegro* final, le mouvement le plus difficile. C'est Rachel plus que Martinek qui dirigeait les répétitions.

— Que diriez-vous si on commençait par l'*adagio*, proposa-t-elle, pour aider Denis à prendre sa place parmi nous ?

Jules Henripin, le timbalier, retint une grimace et s'approcha de son instrument. Il avait très à cœur le succès du concert et considérait la substitution de Denis à Martinek dans le deuxième mouvement comme un caprice imprudent. Les musiciens prirent place, adressant des sourires bienveillants à Denis qui se dirigeait vers le piano, tout rouge. Martinek, debout derrière l'enfant, lui tapota l'épaule :

— Ça va bien aller, tu verras, le rassura-t-il à voix basse.

Le mouvement commençait par une courte introduction du violon en solo ; puis les vents venaient graduellement le rejoindre pour le laisser un à un, sauf la flûte, qui dialoguait un court moment avec lui. Le piano entrait alors en accords arpégés à la mesure 54, appuyant la flûte dans un passage très animé. Denis trébucha, se rétablit aussitôt, puis se rendit sans encombre jusqu'à la fin.

— Très bien, très bien, lança Martinek, ravi, tu as tout compris, l'expression est très belle. Mais détache un peu plus les notes au début.

Rachel se tourna vers ses collègues :

— Je crois qu'avec un peu de travail à la maison, l'affaire est dans le sac. Qu'en pensez-vous ?

— Oui, oui, c'est déjà très bien, répondirent les musiciens en faisant des signes d'encouragement à Denis.

Le piano n'intervenait plus ensuite qu'à partir de la mesure 102 dans un long passage d'accords plaqués *pianissimo* qui se transformaient en triolets, puis en sextolets, produisant une espèce d'irisation accentuée par les vents, que venait assombrir tout à coup le martèlement de la timbale, tandis que le violon, reprenant le thème du début, le transformait en une sorte de mélopée lugubre d'un effet saisissant. Denis s'en tira encore mieux qu'au début. Les musiciens s'arrêtèrent et l'applaudirent. Jules Henripin avait retrouvé sa bonne humeur. L'enfant, assis très droit devant le clavier, les bras pendants, le visage écarlate, nageait dans le contentement. Il leva les yeux vers Martinek, toujours debout derrière lui :

— Tu sais, Bohu, elle est très belle, ta musique, dit-il à voix basse.

L'*adagio* se terminait par une sorte de récapitulation, où le piano ne jouait aucun rôle, et s'achevait en douceur avec le violon supporté par les vents.

On décida de passer tout de suite au troisième mouvement et Denis laissa sa place à Martinek. Deux heures plus tard, le *scherzo* n'était toujours pas au point et on n'avait pas encore touché à l'*allegro* final. Rachel laissait transparaître de plus en plus son impatience et, le mot bref, le visage durci et traversé de tics, faisait reprendre inlassablement les passages fautifs. Martinek, assis au piano, souriait béatement, inconscient de la fatigue et de la tension qui croissaient autour de lui. Enivré par le plaisir que lui procurait sa musique, il n'entendait pas les fausses notes, les couacs et les erreurs de mesure, transformant dans sa tête une répétition plutôt laborieuse en une sorte de concert céleste. Accroupi au fond de la scène, Denis bâillait discrètement et commençait à sentir un creux dans l'estomac. Une jeune fille apparut dans les coulisses et s'approcha sans bruit du compositeur :

— On vous appelle au téléphone, monsieur Martinek, lui souffla-t-elle respectueusement à l'oreille.

Il se leva et la suivit, tandis que Rachel faisait répéter pour la dixième fois à Théodore Boissonneault et à Maryse Millet un passage *staccato* en quadruples croches qui semblait convenir davantage au piano. Martinek revint juste au moment où Alexandre Portelance, qui avait eu du mal à se faire admettre dans les lieux, apparaissait au fond de la salle avec un sourire radieux, portant deux gros sacs de papier brun.

Son arrivée jeta le silence. Les musiciens échangèrent des regards surpris, tandis que le représentant s'avançait sur la pointe des pieds.

— Continuez, continuez, chuchota-t-il, intimidé, ne vous occupez pas de moi.

Et il adressa un grand salut à Martinek. Rachel regarda ce dernier avec l'air de dire :

— Tu ne trouves pas que les choses allaient assez mal comme ça, non ?

— Il est venu chercher Denis, expliqua le musicien.

— On reprend. Quatrième mesure après *F*, un, deux, trois, fit la violoniste en se tournant vers la clarinette et la flûte.

Martinek se rendit au bord de la scène pour accueillir Portelance.

— J'ai apporté des brioches et du café, chuchota le représentant. J'ai pensé que ça vous *sustentirait*, ajouta-t-il avec un serrement de gorge devant l'incorrection ridicule qui venait de lui échapper. Comme je ne savais pas combien vous étiez, j'en ai apporté pour quinze personnes.

Martinek arrondit l'œil, confus :

— Mon Dieu, ce n'était pas nécessaire !

— Allons ! une dernière fois encore, s'écria Rachel, vous l'avez presque ! On reprend à partir de *D*. Attention au changement de mesure. Bohu, on aurait besoin de toi au piano.

— Monsieur Portelance a eu la gentillesse de nous apporter des brioches et du café, annonça le musicien en se relevant.

À ces mots, un joyeux murmure s'éleva parmi les musiciens. On invita Portelance à monter sur la scène. Le timbalier le soulagea d'un sac, Denis de l'autre. Martinek présenta le vendeur à Rachel, qui avait retrouvé soudain sa bonne humeur, et lui fit faire le tour de ses compagnons. Portelance, un peu rouge, serrait les mains en s'inclinant d'un air cérémonieux ; il faisait penser à un vieux notaire de village plongé dans une réception officielle en pays étranger. Mais sa familiarité débonnaire reprit bientôt le dessus. On entendit son gros rire sonore, auquel d'autres répondirent ; il se mit à taquiner Denis sur son grand appétit puis, fouillant dans un sac, lui présenta un berlingot de lait qu'il avait acheté spécialement à son intention.

Rachel toucha Martinek du coude :

— Et alors ? qui t'a téléphoné ? Madame Pomerleau ?

Le compositeur, tout égayé par une plaisanterie de Portelance, fit signe que oui.

— Comment va-t-elle ?

— Je l'ai trouvée plutôt joyeuse. Son courtier vient de lui téléphoner. Elle a de bonnes chances de vendre. Il ne s'agit peut-être que de rabattre trois ou quatre mille dollars.

— Et là-bas ?

— Tout va bien. Enfin, rien ne va mal. Pas de nouvelles, en fait. Elle attend le coup de téléphone d'un concierge qu'elle a mis à l'affût quelque part pour surveiller l'apparition d'Adèle. Ah ! j'oubliais : il y a eu ce fameux message...

Et il lui raconta les efforts frénétiques qu'un certain Alcide Racette avait déployés la veille pour contacter Juliette et la rencontre qui avait eu lieu le matin même.

— Comment savait-il qu'elle se trouvait là-bas?

Martinek grimaça :

— Devine.

— Elvina? Incroyable... ce n'est pas une femme, ma foi du bon Dieu, c'est une pieuvre, avec des oreilles au bout de chaque bras. Un de ces jours, je la pousserai dans le fleuve. C'est sa place.

Martinek pouffa de rire à une repartie que le timbalier venait de lancer à Portelance.

— Et son libraire au couteau?

— Comme elle se tient terrée dans sa chambre, elle ne l'a pas vu, évidemment, et il ne connaît sûrement pas sa cachette.

Rachel pointa discrètement le vendeur de l'index :

— Et ce gros homme drôle? Qu'est-ce qu'il est venu faire ici?

— Il veut amener Denis chez lui pour nous libérer.

— Et madame Pomerleau accepte? s'étonna la violoniste.

— Au début, elle a hésité. Finalement elle a donné son accord pour une journée ou deux, à condition que nous restions en contact avec Denis pour nous assurer que tout va bien. À ta place, je ne m'inquiéterais pas. Il a l'air d'un brave type. C'est sa façon de lui faire la cour, quoi. Et elle ne semble pas trouver ça déplaisant, ajouta-t-il avec un fin sourire.

— Allons, au travail, fit soudain Rachel. Il faut absolument dompter ce *scherzo*.

Martinek la retint par le bras :

— Rachel?

— Quoi?

— En plus de veiller sur Denis, madame Pomerleau nous demande d'autres petits services.

— Lesquels ?

— Tout d'abord, faire vérifier les escaliers de sa nouvelle maison. Une marche a cédé l'autre jour, tu te rappelles, alors qu'elle me faisait visiter les lieux. Un peu plus et elle se cassait le cou.

— Et puis ?

— Aller... aller habiter là-bas pendant son absence, si cela nc nous dérange pas trop.

— Et pourquoi ?

— Pour surveiller les lieux.

— Surveiller les lieux ? Mais les lieux sont déjà assez bien surveillés comme ça : la maison loge une dizaine de chambreurs !

Martinek secoua la tête :

— Il n'en reste plus que deux, qui doivent partir d'ici quelques jours, et l'ancien proprio et sa femme veulent prendre une semaine de vacances avant de déménager... Madame Pomerleau redoute un mauvais coup de la part de ce nommé Racette, qui n'a pas l'air d'un buveur d'eau bénite...

— Quel mauvais coup ?

— Ah ça... elle n'a pas été plus claire. Par moments, j'avais quasiment l'impression qu'elle déparlait. La vie de motel ne semble pas lui réussir.

— Il fallait la questionner, cher ami. La prochaine fois, si tu le permets, c'est moi qui lui parlerai. Déménager dans une maison de chambres... Complètement loufoque.

— Elle m'a promis que notre appartement serait installé, cuisine, toilettes et salle de bains, au plus tard à la fin de janvier.

La violoniste haussa les épaules et alla rejoindre les musiciens. Il était près de six heures. On décida de considérer la collation comme un souper et de poursuivre la répétition jusqu'à neuf heures, et peut-être un peu plus tard. Martinek fut touché par tant d'ardeur. Il se mit à serrer les mains à tout le monde en bredouillant des remerciements. Portelance s'offrit d'amener l'enfant chez lui pour la nuit. Comme on ne retouchait pas à l'*adagio*, ils pouvaient partir tout de suite. Martinek et Rachel observaient Denis. Il ne paraissait pas du tout opposé à la proposition du vendeur, qui lui avait glissé quelques mots à l'oreille un instant plus tôt.

— Alors, à demain, Denis ? Tu as été très bien, tu sais, fit la jeune flûtiste en s'approchant de lui (elle avait une jolie bouche de poupée fardée de rose et un gros bouton sur la joue gauche ; l'une attirait, l'autre repoussait ; l'enfant en était comme désorienté).

— Et il sera encore bien mieux mercredi, ajouta le timbalier d'un ton que Denis trouva condescendant.

— Est-ce qu'on va chercher mes affaires à la maison ? demanda ce dernier en prenant place dans la *Chrysler Le Baron*.

— Tu n'aurais pas le goût auparavant de manger un bon gros spaghetti chez *Da Giovanni* ?

Ils se rendirent au restaurant. Après beaucoup d'hésitations, l'enfant opta pour une pizza. Sa timidité avait bien diminué quand il s'attaqua à la troisième pointe et disparut tout à fait lorsque Alexandre Portelance, au moment de commander le dessert (un gâteau Forêt noire plutôt quelconque), lui apprit qu'il s'était acheté trois ans plus tôt la série complète illustrée des *Voyages extraordinaires* de Jules Verne, en omettant d'ajouter que c'était surtout l'aspect décoratif de la reliure qui l'avait attiré et qu'il n'avait pas poussé son incursion dans l'œuvre du célèbre écrivain au-delà de la page quatorze de *Cinq semaines en ballon*, utilisé avec un succès éclatant contre un accès d'insomnie.

Ils passèrent à Longueuil chercher les effets de Denis. Tandis qu'Alexandre Portelance l'attendait sur le seuil, se délectant de la vue des lieux où se déroulait la vie de Juliette Pomerleau, l'enfant cherchait en vain sa robe de chambre et ses pantoufles, qu'il était sûr de ne pas avoir emportées la veille chez Martinek.

— J'ai tout ce qu'il faut chez moi, mon vieux, le rassura le vendeur. Ma nièce Odile, de Lac-au-Saumon, vient de temps à autre passer la fin de semaine avec ses deux garçons, et j'ai une chambre d'enfants complètement grèyée, avec pantoufles, pyjamas, bandes dessinées, fusils à eau et tout.

En quittant la maison, ils arrivèrent face à face avec Clément Fisette qui revenait de son travail, les traits tirés, la mine morose. Après avoir serré la main au vendeur, qui profita de l'occasion pour faire quelques remarques pertinentes sur les rigueurs de la saison et s'informer avec bienveillance des conditions de travail au *Studio Allaire*, Fisette se tourna vers l'enfant :

— As-tu des nouvelles de ta tante ?

Denis s'assombrit :

— Elle a téléphoné à Bohu cette après-midi pour lui annoncer qu'on déménagerait bientôt.

Et il fixa le sol avec une telle expression de dépit que Portelance sentit le besoin de pousser un profond soupir.

— Eh bien, à la prochaine, fit le photographe en les quittant.

Debout au milieu du hall, il les regarda s'éloigner dans l'allée, puis disparaître derrière la haie.

— Encore quelques mois, pensa-t-il avec tristesse, et on sera devenus quasiment des étrangers.

Il se dirigea vers l'escalier, puis s'arrêta, et un sourire malicieux tira sa bouche de travers. S'approchant à pas de loup de l'appartement d'Elvina, il appuya l'oreille contre le mur, chose qu'il faisait de temps à autre quand la maison était tout à fait calme, par pur plaisir d'espionnage. Un profond silence régnait chez la redoutable célibataire. Il allait repartir lorsqu'un bruit suspect lui parvint... mais de l'appartement de Juliette !

Cela ressemblait à la chute d'un objet sur un tapis. Au bout de quelques secondes, de légers glissements lui succédèrent. La fatigue et la morosité disparurent instantanément du visage de Clément Fisette, qui se mit à frissonner de peur et de plaisir. Personne n'aurait dû se trouver chez la comptable à ce moment-là. Qui donc avait pu s'y introduire ? Et pour quelles raisons ?

Il demeurait immobile, partagé entre l'appréhension d'un mauvais coup et le besoin torturant de savoir ce qui se passait de l'autre côté du mur. Et soudain une idée se présenta à son esprit qui dissipa ses flottements :

— Si je risque un peu ma peau pour Juliette, ça l'aidera peut-être à me pardonner.

Il glissa la main dans sa poche pour vérifier la présence de son canif, sortit sans bruit dehors et contourna la maison du côté opposé à l'appartement de la comptable de façon à parvenir à la porte arrière sans être vu.

Elvina se trouvait dans sa chambre à coucher, accroupie devant son lit où s'étalait une grande quantité de contrats, d'avis légaux, de certificats de localisation et de plans d'arpentage. Elle entendit un craquement dans le jardin. Sa chienne, assoupie dans un coin, dressa la tête avec un petit grognement. Fronçant les sourcils, la vieille fille s'approcha de la fenêtre, écarta doucement les rideaux et scruta la pénombre, l'œil mauvais et plein d'appréhension.

— Ça doit être un chat venu renifler les déchets, murmura-t-elle au bout d'un moment.

Et elle retourna à ses paperasses.

Fisette arrivait à la porte arrière, qui donnait sur la cuisine. On y accédait par un perron de trois marches, dont un coin était occupé par une grosse poubelle. La porte vitrée et la fenêtre qui s'ouvrait à sa gauche, toutes deux ornées de rideaux orange et bleu, ne laissaient voir aucun indice d'une présence dans la pièce. Il s'avança à quatre pattes sur le perron et posa la main sur le bouton de la porte. Quelqu'un l'avait déverrouillée ! Il ouvrit son canif. Son courage ne l'aurait sans doute pas poussé plus loin lorsque le buste d'une jeune femme à turban apparut tout à coup à la fenêtre. Elle tenait un colis dans ses bras et regardait calmement la cour. Soudain, leurs regards se croisèrent. Il bondit sur ses pieds et poussa la porte. Sa main chercha fébrilement l'interrupteur près du chambranle et la pièce s'illumina. Il se tenait devant l'intruse, le canif à la main, les jambes flageolantes, essayant de voir si elle avait une arme, avec le sentiment pénible d'offrir un spectacle ridicule.

L'inconnue avait déposé à ses pieds un gros sac de voyage en coton bleu marine, plein à craquer, et le fixait avec un sourire indéfinissable, les deux bras le long du corps.

— Ah bon ! c'est vous, la fausse Adèle, ricana-t-il.

— Je ne suis pas la fausse, répondit-elle d'une voix douce et feutrée. Je suis la vraie. Je suppose que vous allez me faire arrêter ?

— Qu'est-ce qu'il y a dans ce joli sac ? demanda-t-il sans daigner répondre à sa question.

— Un peu de ses affaires, pour qu'il ne se sente pas trop perdu quand il viendra vivre chez moi. Si jamais il vient, ajouta-t-elle avec un sourire amer. Vous allez appeler la police, hein ? Mes cartes m'ont trompée. Je ne comprends pas. C'est la première fois.

— Ouvrez le sac et videz-le devant moi. Tout de suite.

À mesure qu'il constatait la placidité de la voleuse, son ton devenait plus âpre et insolent. Elle s'exécuta aussitôt. Un monceau de vêtements, de livres, de jouets et de boîtes de conserve s'éleva sur le plancher.

— Beau butin ! De quoi élever un enfant jusqu'à ses dix-huit ans. Comme ça, tu t'es mis en tête que t'étais sa mère ? C'est venu peu à peu ou d'un coup sec ? Après une grosse fièvre, peut-être ? Ou un cap d'acide de trop ? Prends-tu beaucoup de drogue ?

— Je ne me suis rien mis en tête, répondit-elle en se frottant doucement les mains, et je ne prends pas de drogue. C'est très mauvais pour la santé. Je suis sa *vraie* mère. Je l'ai toujours été. J'en ai toutes les preuves dans un tiroir de ma commode. Je peux vous les montrer. Évidemment, vous ne voudrez pas les regarder, ajouta-t-elle avec une grimace de dépit. Je le savais. Les gens sont tous pareils. Allez, téléphonez à la police. Mais je vous préviens. Je ne vivrai pas en prison. J'ai besoin de mon enfant pour vivre. Je l'attends depuis trop longtemps déjà. Vient un temps où on peut à peine respirer. Quand je serai en prison, je me tuerai. J'attendrai le moment. Je suis très patiente. J'attendrai le moment et je me tuerai.

Elle souriait, fixant quelque chose au-delà de lui dans un monde imaginaire qui semblait la remplir d'une joie profonde, et son sourire lui parut tout à coup si pitoyable et si horrible qu'il referma son canif, le glissa dans sa poche et recula, pris d'un insurmontable dégoût pour elle et pour lui-même. Et soudain il se revit au lit avec *l'autre*, il revit ses jambes écartées, son regard indifférent et vaguement ennuyé, il entendit de nouveau ses soupirs appliqués et une violente colère s'empara de lui. Il se rendit à la porte, l'ouvrit toute grande :

— Va-t-en et crisse-nous la paix une fois pour toutes !

Elle inclina la tête, ajusta son turban, sortit d'un pas lent et posé et s'enfonça dans la nuit. Alors il s'élança sur le perron, ivre de rage :

— Et puis, va te faire soigner... *maudite folle* !

Il retourna dans la cuisine et s'affala sur une chaise :

— Bon sang, murmura-t-il, désemparé, pourquoi les femmes me font-elles toujours gaffer ?

Debout en robe de nuit sur son perron, Elvina — qui croyait que l'insulte lui avait été adressée — se tordait le cou, furieuse et stupéfaite, essayant de voir dans la cuisine de sa sœur.

32

Tandis que Juliette se dirigeait vers le *Géant Timothée*, sa peur de rencontrer un inconnu qui lui apparaissait comme un espion doublé d'un mufle céda le pas tout à coup à un autre souci : une couture de la robe gris argent qu'elle avait enfilée pour la circonstance venait de céder à la hauteur de sa hanche droite. À chaque mouvement, elle entendait des craquements inquiétants, signe que l'adaptation du tissu à son corps se poursuivait et risquait de se terminer dans la plus grande inconvenance. Il n'était pas question de rebrousser chemin : sa seule autre robe sentait tellement la sueur qu'il aurait fallu déjeuner dans une étable pour que l'odeur passe inaperçue.

La mauvaise humeur s'installa en elle. Son trac se transforma en hargne contre cet individu qui l'avait très effrontément tirée du lit à sept heures du matin sans daigner lui fournir la moindre explication sur la raison de leur rendez-vous ; cela lui fit le plus grand bien.

Elle arriva au coin des rues Mondor et Calixa-Lavallée devant un grand édifice orné d'une étrange corniche de cuivre art déco et qui semblait un ancien hôtel. *L'Auvergne* et *Le Géant Timothée* se voisinaient au rez-de-chaussée.

Elle sortit de son auto, gonflée d'un entrain massacrant, prête à braver n'importe qui et même à causer un petit scandale.

— S'il se montre impoli, je le gifle, décida-t-elle en traversant la rue.

L'éclairage discret du restaurant la calma un peu et davantage encore le regard ironique et froid que lui porta un homme encore jeune, en complet rayé bleu sombre, attablé devant une tasse de café et un journal. La bouche de cet homme était remarquable : ses lèvres, plutôt minces, étaient ourlées avec une régularité étrange, les commissures légèrement relevées, transformant un sourire que l'individu aurait voulu chaleureux en une grimace cruelle et insolente, qui jetait un jour indiscret sur le tréfonds de son âme.

— On dirait une cloche d'aluminium, se dit Racette à la vue de l'obèse et il se leva d'un mouvement souple et vif pour lui serrer la main. Madame Pomerleau ? Je m'excuse encore une fois de vous avoir réveillée si tôt.

Il lui présenta une chaise, mais Juliette trouva exagéré et presque insultant l'espace qu'il mit entre cette dernière et la table. La voix rêche et un peu traînante de son interlocuteur lui parut encore plus désagréable qu'au téléphone. Elle s'assit avec un petit grognement et son visage devint franchement maussade. Il prit place devant elle, la fixa une seconde et comprit tout de suite qu'il ne servait à rien d'y aller avec des gants blancs :

— Tant mieux, se dit-il.

Une serveuse s'approcha, cafetière à la main, remplit leurs tasses, prit leurs commandes et s'éloigna. Chose curieuse, l'image d'une cloche d'aluminium était apparue dans sa tête également. Quelques instants plus tard, par la porte battante de la cuisine, on entendit un homme rire aux éclats.

Racette sucra son café, y versa deux godets de crème, fit tourner sa cuillère (cela provoqua un petit cyclone qui fit rejaillir un peu de liquide dans la soucoupe), puis, levant les yeux sur l'obèse, avec ce sourire qui était son plus grand handicap :

— Madame, je veux acheter votre maison du boulevard René-Lévesque.

Juliette le regarda sans mot dire, étonnée.

— Nous avons appris dernièrement, poursuivit Racette, que vous veniez de faire l'acquisition d'une maison située au 2302 René-Lévesque Ouest ; cette maison nous intéresse.

Nous sommes prêts à vous en donner un bon prix, dans les limites du bon sens, évidemment.

— Je ne veux pas vendre, monsieur, répondit Juliette d'une voix glacée.

L'avocat sourit, prit une gorgée de café, déposa la tasse, puis, allongeant l'index, envoya brusquement son journal sur la banquette :

— Je représente un puissant groupe d'investisseurs étrangers, madame. Je pourrais vous donner des noms, mais cela ne vous dirait sans doute rien. Je vous répète que nous sommes prêts à vous faire une offre généreuse. Vous avez payé la maison trois cent soixante-dix mille dollars : je vous en offre trois cent quatre-vingts. Dix mille dollars pour avoir déjeuné de bon matin une fois avec un avocat, ce n'est pas une si mauvaise affaire.

— Et pourquoi vous intéressez-vous à ma maison, monsieur ? demanda doucement la comptable.

— Notre groupe s'est lancé il y a quelques années dans la rénovation de maisons anciennes.

Sa voix sonnait tellement faux que Juliette comprit aussitôt qu'il s'était informé auprès de Vlaminck des motifs de sa transaction et qu'il cherchait à lui faire le coup du petit hameçon dans le gros ver.

— Nous désirons l'acquérir pour un projet de copropriétés de luxe.

Au sourire de Juliette, il comprit aussitôt que sa ruse avait échoué et qu'il ne lui restait plus qu'un moyen de se tirer d'affaire.

— Écoutez, fit-il en essayant de sourire à son tour, nous sommes prêts à discuter avec vous. Nos moyens financiers ne sont pas infinis, mais nous étudierons avec plaisir toute proposition raisonnable.

Les doigts de l'obèse étaient glacés ; des frémissements parcouraient ses bras et ses jambes. Elle n'avait qu'un désir : quitter au plus vite le restaurant. Elle serra sa tasse de café et la chaleur de la porcelaine lui fit du bien.

— Comme vous le savez sans doute, monsieur Racette, répondit-elle sèchement, cette maison appartenait à une de mes tantes, qui m'a prise chez elle alors que j'étais toute petite. Je considère cette femme comme ma mère. Vous comprendrez alors que je tiens beaucoup à sa maison. Je l'ai achetée pour l'habiter et non pour spéculer. Mes héritiers en feront ce qu'ils voudront, mais moi, je la garde, monsieur, et j'espère bien y finir mes jours.

La serveuse s'approcha et déposa devant l'homme d'affaires une assiette contenant deux œufs au miroir, de longues tranches de bacon et des pommes de terre rissolées et une autre assiette, plus petite, où tiédissaient des rôties gorgées de beurre à côté d'un contenant de confitures aux fraises. Puis elle servit à Juliette un œuf poché assis sur une feuille de salade près d'une lamelle de tomate rose et d'une rôtie toute sèche. Le contraste de leurs assiettes lui causa un choc et accentua sa mauvaise humeur ; elle décida de ne pas émettre un son tant que son vis-à-vis ne lui aurait pas adressé la parole.

Racette fendit ses jaunes d'œufs d'un coup de fourchette, trempa un morceau de pain dedans et mangea avec appétit. Le refus de Juliette ne semblait pas l'avoir tellement affecté. Au bout de quelques instants, il releva la tête, saisit une serviette et essuya une petite coulée de jaune d'œuf sur ses lèvres :

— Ça me crève le cœur, ma chère madame, de vous voir manquer une si belle occasion, mais chacun mène sa vie comme il l'entend, n'est-ce pas ? À tout hasard, je vous donne ma carte, au cas où vous auriez des repentirs.

Le repas s'acheva dans une atmosphère de froide politesse. Alcide Racette insista pour régler l'addition, puis se leva et, tendant la main à son invitée :

— Je vous souhaite une bonne journée, madame. Est-ce que vous me permettez de vous téléphoner dans quelques jours pour vérifier si vous n'avez pas changé d'idée ?

— Comme vous voulez.

— Comptez-vous rester à Saint-Hyacinthe longtemps ?

— Heu... non, non, je vais sans doute partir demain. Je suis venue régler une affaire de famille. Grosse idiote, se gourmanda-t-elle en montant dans son auto, qu'avais-tu à lui raconter tes histoires? Il en sait déjà trop sur toi, ce fricoteur aux dents pointues.

Elle se hâta vers l'*Auberge des Seigneurs*, surprise et soulagée de s'être libérée aussi facilement de cet importun. En arrivant à sa chambre, elle téléphona à la réception. Aucun message ne l'attendait. Elle s'assit dans un fauteuil, considéra l'énorme lampe ventrue posée sur la table de nuit et qui lui semblait comme une silencieuse moquerie d'elle-même, puis son regard s'arrêta sur le coffret de satin rose. Elle se leva, l'ouvrit et feuilleta le livret d'accompagnement, cherchant un signe, une trace, un indice qui lui parlerait de sa nièce. Le livret et les disques étaient comme neufs. Et pourtant, certaines petites flétrissures aux pochettes indiquaient que les disques avaient souvent joué. Manifestement, Adèle en prenait le plus grand soin. Elle referma le couvercle, étouffa un bâillement et décida d'aller chercher des journaux. Elle revint avec *Le Devoir*, *Le Courrier de Saint-Hyacinthe* et une boîte de *Laura Secord* achetée dans un moment d'aveuglement glucidique. Elle déchira d'une main fébrile l'emballage de cellophane et se mit à dévorer les amandes enrobées de chocolat au lait, les croustillants aux arachides, les chocolats fourrés à la crème d'érable, de café, d'orange et d'abricot, envahie de remords et de volupté et songeant avec nostalgie *Aux délices du diabétique*, une confiserie spécialisée qu'un de ses cousins avait longtemps tenue sur la rue Masson et qui lui permettait de succomber de temps à autre à sa gourmandise en maintenant les dégâts au minimum.

Quand la boîte fut à demi vide, elle la repoussa avec une grimace de dégoût et parcourut les journaux. Mais elle n'arrivait pas à fixer son attention. Quelque chose dans le déroulement de sa rencontre avec Alcide Racette la chicotait.

La promptitude avec laquelle l'homme d'affaires avait abandonné la discussion lui semblait de plus en plus curieuse. Comme si son refus de vendre ne présentait qu'une importance secondaire. Après s'être donné tant de mal pour la rencontrer, comment pouvait-il changer de cap si vite ? Elle tournait et retournait la question dans sa tête et s'embrouillait de plus en plus. Ses jambes commençaient à s'engourdir. Elle jeta un coup d'œil à la fenêtre. Il n'y avait que deux autos dans le stationnement. Au fond, près du trottoir, une petite chienne jaune à poil ras, remarquablement laide, reniflait un morceau de carton rouge, sans doute un paquet de cigarettes vide. La chienne releva la tête, se mordilla le flanc avec une rage subite, puis s'éloigna en zigzaguant, le nez au sol, et disparut.

Une sorte d'inertie accablante semblait s'infiltrer dans toutes choses et figer le cours du temps. Elle se remit à ses journaux, fit les cent pas dans la chambre, écrivit une longue lettre à sa sœur, qu'elle déchira. Vers midi, elle se rendit à la salle à manger, dîna d'un bol de bouillon et d'une salade d'épinards, revint à sa chambre, écouta un peu de musique. Ses yeux se fermaient d'eux-mêmes. Elle s'étendit alors sur son lit et sombra dans un sommeil agité, rempli de visions funestes. L'une d'elles la troubla au plus haut point. Elle avançait péniblement au milieu d'épaisses broussailles, tenant dans ses bras le coffret de satin rose pour le remettre à sa nièce qui en avait le plus pressant besoin et l'appelait faiblement, cachée à quelques pas. Elle se frayait un chemin aussi vite qu'elle le pouvait, sans réussir, semblait-il, à s'approcher, haletante, toute en nage, les yeux brûlés par la sueur ; elle venait de s'arrêter pour reprendre haleine lorsqu'on lui assena un coup terrible au côté droit. Elle tomba et aperçut Alcide Racette qui s'enfuyait en ricanant avec le coffret.

— Horreur ! cria-t-elle (en fait, elle voulait dire « Voleur ! ») et ses yeux se remplirent de larmes.

Racette réapparut devant elle et lui tendit le coffret en trépignant curieusement.

— Surprise d'Hérode ! lança-t-il d'une voix moqueuse et il disparut de nouveau. La tête sanglante d'Adèle apparut soudain sur le couvercle.

— Attention à la maison, murmura la jeune femme d'une voix mourante.

Juliette se réveilla en sueur et s'assit dans le lit. Il était cinq heures trente. Quelques instants plus tard, elle atteignait Martinek en pleine répétition à la salle Claude-Champagne et lui demandait d'aller habiter, le jour même si c'était possible, sa maison du boulevard René-Lévesque afin d'en assurer la surveillance.

— La surveiller contre qui ? s'était étonné le musicien.

Elle lui avait raconté son déjeuner avec Racette, dont le comportement lui inspirait de plus en plus de méfiance.

L'appel terminé, elle communiqua avec la réception.

— Non, madame, lui répondit-on, toujours pas de message.

Alors elle essaya de joindre son concierge de la rue Fontaine, mais sans succès. Elle retourna à son fauteuil en soupirant, feuilleta le *Courrier*, puis, le lança tout à coup au fond de la pièce :

— Sueur de coq ! s'écria-t-elle, furieuse. Il va falloir qu'il se passe quelque chose ici bientôt ! Je me sens comme une enterrée vivante !

33

Trois jours passèrent ainsi. La comptable faisait la navette entre sa chambre et la salle à manger, se nourrissant de salades au saumon, d'œufs pochés et de café au lait écrémé pour expier sa débauche de chocolats.

Une demi-heure après qu'elle eut essayé en vain de joindre le concierge, c'est lui qui l'avait appelée pour lui apprendre qu'Adèle n'avait toujours pas donné signe de vie et surtout pour lui prouver qu'il prenait à cœur sa mission.

Il se mit à lui téléphoner ainsi chaque jour très ponctuellement, à onze heures et à vingt heures, lui annonçant immanquablement la même nouvelle décevante. Juliette en vint à souhaiter qu'il espace ses appels et douta de plus en plus du succès de sa manœuvre.

Elle n'avait pas reparlé à Fisette depuis son départ de Saint-Hyacinthe et n'en avait guère envie. Chaque fois qu'elle pensait à lui, l'épisode de la coucherie de la rue Fontaine faisait naître en elle un dégoût profond mêlé d'étonnement. Depuis toutes ces années que son corps ne lui paraissait plus qu'un obstacle au mouvement et une source de souffrances et d'humiliations, elle comprenait de moins en moins que tant d'hommes et de femmes, dont plusieurs n'auraient pu supporter la présence de leur partenaire plus d'une demi-journée, se donnent tout ce mal pour des frottements de peau. Le trouble que faisaient naître en elle les assiduités d'Alexandre Portelance tenait plus de la méfiance et de la vanité que du réveil des sens.

Martinek avait fini par convaincre Rachel de s'installer dans la maison du boulevard René-Lévesque. Deux heures après avoir emménagé, il commença à s'ennuyer de son piano. Juliette, qui donnait consciencieusement de ses nouvelles trois fois par jour, devina tout de suite sa misère et téléphona à son insu à Marcel Prévost, père et fils, pour leur demander de transporter l'instrument à Montréal. La sortie du piano par l'entrée principale causa une véritable commotion à Elvina, qui fut prise de palpitations et ne put manger de la journée. Elle avait l'impression que l'univers se défaisait sous ses yeux. Un tremblement de terre ou la chute de tous les arbres de Longueuil ne l'auraient pas autrement surprise. Elle fit venir un serrurier pour poser deux verrous supplémentaires à chacune de ses portes.

Martinek, que les répétitions avaient plongé dans un accès de frénésie créatrice, reçut son cher *Bösendorfer* les larmes aux yeux, sous le regard un peu narquois de Rachel. Le lendemain matin, à sept heures, il s'assoyait devant le clavier, à la grande colère des deux chambreurs qui pensionnaient encore dans la maison et partirent le surlendemain.

Rachel avait informé Juliette du séjour prolongé de Denis chez Alexandre Portelance.

— Je suis au courant de tout, ma chère. Ils ne cessent de me téléphoner. Le combiné est sur le point de se greffer à ma main droite.

Réal Roch, l'agent d'immeubles, zélé comme une marieuse professionnelle, avait parlé à Juliette une bonne demi-douzaine de fois pour essayer de la convaincre de rabattre neuf ou dix mille dollars du prix de vente initial, car son client, monsieur Désy, bien qu'intéressé, manifestait de la réticence à se porter acquéreur d'un immeuble affligé de l'enclave que l'appartement d'Elvina faisait au rez-de-chaussée, où se trouvaient les appartements du meilleur rapport.

— Ils seront tous comme lui, madame. Ce n'est pas facile, vous savez, de vendre un litre de lait entamé.

Juliette passa un jour de l'An solitaire et cafardeux à manger des croustilles et des bâtonnets au fromage devant la télévision. À huit heures, Denis l'appelait de chez Portelance pour lui présenter ses vœux et s'informer de la date de son retour. Elle ne put que l'exhorter à la patience.

— Alexandre veut te parler, annonça-t-il en la quittant.

— Il l'appelle par son prénom? s'étonna Juliette. C'est qu'il se sent bien chez lui.

Et une vague jalousie frétilla au fond d'elle-même.

— Bonne et heureuse année, ma chère madame Pomerleau, lança le représentant d'une voix vibrante. Un bon bout de ciel avant la fin de vos jours et quant au reste, le plus tard possible.

— Bonne et heureuse année à vous aussi, monsieur.

— Imaginez-vous donc que ce petit coyote voulait vous téléphoner à six heures ce matin ! J'ai dû quasiment cacher le téléphone dehors ! Vous allez recevoir un bon accueil à votre retour, ma chère madame, je vous en passe un papier !

Sa voix avait pris une inflexion moelleuse, comme pour laisser entendre que le bon accueil ne viendrait pas seulement de l'enfant. Juliette se mit à bredouiller, soudain vide d'idées, et coupa court à la conversation.

Denis la rappela au milieu de l'après-midi, mais de chez Martinek cette fois, où il avait voulu fêter le jour de l'An. On entendait derrière lui la voix de Rachel et celle, claironnante, de Portelance, un peu émoustillé par le sherry.

— Quand vas-tu revenir, ma tante ? murmura l'enfant d'une voix suppliante. Je m'ennuie de toi... Le soir, je n'arrive plus à m'endormir.

— Patience, mon bobichon, répondit Juliette, toute remuée. Ce n'est qu'une question de jours. Tu n'es pas bien chez monsieur Portelance ?

— Oui, je suis bien... mais tu n'es pas là. Et puis je m'inquiète beaucoup pour toi, tu sais.

* * *

Le lendemain, Juliette acceptait de ramener le prix de son immeuble à trois cent trente-cinq mille dollars et dans l'après-midi, Réal Roch lui annonçait qu'un accord était finalement intervenu et qu'on était prêt à passer devant le notaire.

— Cela pourrait-il se faire ce soir, madame ? demanda l'agent de sa voix cordiale et métallique.

— Je... euh, non. Malheureusement pas. Je suis retenue ici pour quelques jours.

— Bon, bon, bon... Alors voici ce que nous allons faire, madame, fit l'autre avec une cordialité accrue, presque démesurée. Je vous envoie par messager les copies de l'offre d'achat, que je vous demanderais de signer et de retourner aussitôt. Cela nous permettra d'attendre que vos affaires se règlent à Saint-Hyacinthe. Ça vous convient ? Parfait et au revoir.

Deux heures plus tard, on frappait à la porte de Juliette. Mais plutôt qu'un messager, c'est un facteur qu'elle trouva sur le seuil ; il lui tendit une enveloppe recommandée. Elle contenait une mise en demeure de dame Elvina Pomerleau enjoignant sa sœur Juliette de suspendre sur-le-champ toute démarche relative à la vente de l'édifice sis au 461, Saint-Alexandre à Longueuil pour cause d'atteinte aux droits de servitude et d'usufruit rattachés à la propriété de ladite dame Elvina Pomerleau, faute de quoi des procédures légales seraient immédiatement engagées.

Juliette, assise sur son lit, déposa lentement la lettre sur ses genoux, abasourdie et atterrée. L'image d'Alcide Racette surgit dans son esprit et elle acquit instantanément la certitude qu'il était de connivence avec Elvina. Sa situation lui apparut avec une cruelle netteté. Les procédures légales dans lesquelles sa sœur voulait se ruer retarderaient considérablement et pourraient même empêcher la vente. Or, elle avait besoin du produit de celle-ci pour rembourser au plus vite Marcel Vlaminck en qui elle voyait un créancier hypothécaire de mauvaise foi. Profitant de ses difficultés, ce dernier pourrait invoquer le non-respect par l'acheteuse des conditions de remboursement de son prêt et reprendre possession de l'immeuble du boulevard René-Lévesque. Les mobiles d'Elvina étaient multiples et faciles à deviner : le dépit, engendré par son échec de l'été précédent, le besoin de remplir avec quelque chose (fût-ce avec de l'angoisse et de l'agitation) une vie désespérément vide et solitaire, et puis la malveillance, une malveillance aveugle qui l'habitait depuis toujours. Les avantages que retirait Alcide Racette de la situation étaient fort évidents : en forçant Juliette à rendre sa propriété à Vlaminck, il pouvait espérer la racheter de ce dernier. Sans doute ces deux-là avaient-ils d'ailleurs conclu quelque accord secret.

— Mon Dieu, mon Dieu, murmura-t-elle en portant les mains à son visage, et elle se mit à pleurer.

On frappa de nouveau à sa porte. Elle ouvrit et se trouva cette fois devant un messager. Il s'agissait d'un ex-cégépien de dix-neuf ans qui avait décidé trois jours plus tôt de se lancer dans la vraie vie en louant ses forces bouillonnantes pour 4,75 $ l'heure. Bien des années après cette histoire, il parlerait encore de la stupéfaction qui l'avait saisi en voyant apparaître cette masse de chair recouverte de tissu argenté, surmontée d'un visage écarlate et larmoyant où le désespoir, la colère et la plus farouche détermination formaient un mélange effrayant.

Juliette saisit l'enveloppe qu'on lui tendait, la déchira, apposa une signature foudroyante sur les deux copies de l'offre d'achat, les glissa dans une seconde enveloppe et remit celle-ci au messager ahuri qui se tenait devant elle, la bouche entrouverte :

— Va me porter ça au plus sacrant à monsieur Roch, mon garçon, ordonna-t-elle en le vrillant d'un regard impérial, et ne te perds surtout pas en chemin.

D'avoir signé les formules venait de la fouetter pour le combat, mais elle n'avait pas encore la moindre idée des moyens qui lui permettraient de le gagner. Il était près d'une heure. Elle humecta son visage d'eau froide, puis se rendit à la salle à manger. Une serveuse lui apporta aussitôt un verre d'eau et des craquelins sans sel. Juliette commanda un bouillon de poulet, de la dinde froide et une salade de carottes.

— Et puis, donnez-moi toute l'eau que vous pourrez, Claudine, fit-elle avec un sourire souffreteux, l'estomac me criera moins.

— Pauvre elle, se dit l'autre en s'éloignant, on dirait que moins elle mange, plus le fondement lui élargit. Au train où elle va, je vais bientôt être obligée de la faire asseoir sur deux chaises. Elle doit s'empiffrer dans sa chambre.

Juliette se mit à mordiller un craquelin avec rage. Le biscuit devint Alcide Racette, puis Livernoche, puis Fisette, puis Elvina et enfin un grand homme sec et osseux assis vis-à-vis d'elle qui enfournait un énorme spaghetti aux palourdes en émettant de petits grognements de plaisir. Elle s'arrêta tout à coup, saisie par une idée subite : Fisette. Pourquoi n'y avait-elle pas pensé plus tôt ? C'est le fourbe et vicieux Fisette qu'il fallait lancer contre Elvina. Cette vieille mouche avait besoin d'une araignée. Il la haïssait et prendrait un plaisir fou à miner le sol sous ses pieds. Et puis, il avait des choses à se faire pardonner. Cela fouetterait son zèle et son imagination et, pendant qu'Elvina essayerait de se dépêtrer, elle-même pourrait s'occuper en paix de ses affaires à Saint-Hyacinthe. L'idée lui vint que son stratagème n'était pas inspiré par une charité excessive, mais cela fila comme une bouchée de craquelin dans sa gorge.

Claudine, qui lui apportait son bouillon maigre et un pichet d'eau, la vit se lever de table comme si le feu était pris à sa robe. Elle se glissa de peine et de misère dans la cabine téléphonique, posa une poignée de monnaie devant elle et composa le numéro du *Studio Allaire* à Montréal. Comme elle le craignait, Fisette était parti dîner. Mais on lui donna le nom de son restaurant habituel. Quelques minutes plus tard, elle revenait à table en fredonnant. Le photographe, que deux bouteilles de bière avaient plongé dans un état de doux lyrisme, avait accueilli sa demande avec enthousiasme. Et tandis que, l'œil mi-clos, il se recueillait au-dessus de son émincé de bœuf, faisant un tri soigneux parmi les machinations que son esprit s'était mis à produire à une vitesse folle, Juliette, soulagée, avalait son bouillon refroidi, presque réconciliée avec son régime.

— Apporte-moi donc un petit verre de vin blanc, chère, demanda-t-elle à la serveuse qui s'approchait avec sa dinde et ses carottes. Ça va finir de me remettre sur le piton.

Une autre journée passa. Adèle ne donnait toujours pas signe de vie. De crainte de rencontrer Livernoche, Juliette évitait de circuler dans la ville et décida même, par surcroît de prudence, de prendre ses repas dans sa chambre.

Ce jour-là, ce fut Claudine — avec qui elle était en train de se lier d'amitié — qui lui servit son dîner. Le séjour de Juliette au motel commençait à l'intriguer.

— Vous êtes en vacances ou en pénitence ? lui demanda-t-elle d'un air taquin au moment de la quitter.

— Les deux, ma chère, répondit Juliette. Mon cousin est en train de peinturer l'intérieur de ma maison, figure-toi donc, et comme je suis allergique à la peinture, j'ai décidé de m'installer ici. J'en ai encore pour quelques jours, sinon une semaine, car il est un peu traîne-la-patte, le pauvre, et le bras lui amollit vite quand on lui met un pinceau au bout ; mais c'est une façon pour moi de le tirer du chômage quelque temps... et de la taverne.

— Mais vous demeurez à Longueuil, non ? Pourquoi ne pas vous être installée plus près de chez vous ?

— Je... je, répondit Juliette, et les mots lui manquèrent. C'est que... j'ai besoin de tranquillité, vois-tu, reprit-elle en se retournant pour lisser les couvertures de son lit afin de cacher la rougeur qui envahissait son visage, et à mon goût, il n'y a que les petites villes... Écoute, pour te dire le fond de ma pensée, les motels de la région de Montréal me font peur. Toutes ces histoires de meurtres et de traite des blanches... Que veux-tu ? je vieillis... et j'ai peut-être trop lu de journaux à sensations.

— Je vous comprends, madame. Moi non plus, je ne me sens pas toujours faraude là-bas.

— Coupons là, se dit Juliette. Dis donc, connaîtrais-tu par hasard un gamin qui pourrait aller me chercher une provision de Simenon en ville pour m'aider à tuer le temps ? Avec mon embonpoint, soupira-t-elle, le moindre déplacement est un chemin de croix. Voilà pourquoi j'ai décidé de prendre mes repas dans ma chambre.

Claudine sourit avec compassion :

— Je peux y aller. Je termine à trois heures.

Craignant que la serveuse ne dévoile involontairement sa présence à Livernoche, Juliette lui demanda de ne pas aller à *La Bonne Affaire*, où elle trouvait les livres hors de prix et le choix plutôt maigre.

— Oh ! je connais monsieur Bernard qui tient une petite librairie sur des Cascades, pas très loin d'ici. Si ça ne vous fait rien d'acheter des livres d'occasion, j'irai là. Il tire de la patte, le pauvre homme, depuis que l'autre est venu s'installer chez nous.

Elle revint à la fin de l'après-midi avec treize Simenon dans un état à peu près passable, sauf un dont une immense tache de confitures aux bleuets rendait inaccessibles les pages 77 à 81. Juliette remercia la serveuse, s'étendit sur son lit et commença la lecture des *Inconnus dans la maison*.

Après avoir terminé le roman, puis avoir traversé successivement *Monsieur Gallet, décédé*, *La Veuve Couderc* et *Le Perroquet d'argent*, le tout entrecoupé des appels téléphoniques coutumiers, elle prit conscience tout à coup de la futilité de sa stratégie, referma *Le Perroquet* et se dirigea vers la fenêtre. C'était un mardi soir. Il était onze heures. Elle écarta légèrement les rideaux. Le stationnement et la rue qui le bordait au fond, recouverts depuis le matin d'une petite neige poudreuse que le vent soulevait en tourbillons, étaient toujours aussi mornes et déserts. Soudain, la chienne jaune, d'une laideur si pitoyable, qu'elle avait vue quelques jours auparavant, apparut près d'une auto et se dirigea en reniflant vers un vieux balai oublié dans un coin. Juliette soupira, laissa retomber les rideaux et se tourna vers la commode où se dressait la pile de Simenon près du coffret de satin rose.

— Non, vraiment, se dit-elle, accablée, je ne me sens pas le cœur à me replonger dans le crime...

Un grincement de freins se fit entendre. Juliette écarta de nouveau le rideau, puis se recula précipitamment. Elle avait cru reconnaître la *Maverick* blanche de Livernoche au fond du stationnement. Une portière claqua. Elle se tenait immobile au milieu de la chambre, les bras tendus en avant, la respiration suspendue. Quelques secondes passèrent.

— Intoxication aux romans policiers, marmonna-t-elle avec une grimace.

S'approchant de la commode, elle contempla les livres, indécise, puis s'empara du *Fou de Bergerac*. Elle souleva la couverture et vit sur la page de garde, imprimé en grosses lettres bleu foncé, LA BONNE AFFAIRE. Dans le coin supérieur droit on voyait inscrit à la mine de plomb, d'une écriture grossière et très appuyée : 2,25 $. Le prix avait été biffé au stylo et remplacé par un 75 ¢ un peu tremblé. *Le*

Fou de Bergerac, après avoir été revendu par Livernoche, s'était retrouvé chez son malheureux concurrent, suivant une spirale qui l'acheminait vers la poubelle. Les chiffres tracés à la mine s'enfonçaient dans le papier bon marché comme si le libraire, au moment de les écrire, avait été en proie à une violente colère et quelque chose de cette colère semblait encore en irradier. Un frisson de dégoût traversa Juliette, qui referma le livre.

Des coups résonnèrent à la porte. L'image d'un couteau de boucherie voletant autour d'elle comme un oiseau furieux la figea sur place ; elle sentit ses jambes faiblir et chercha du regard un point d'appui.

— Ma tante ! c'est moi Denis. Ouvre-nous, lança une petite voix inquiète.

Il lui fallut plusieurs secondes pour réagir. On frappa de nouveau. Elle se dirigea lentement vers la porte en respirant avec bruit, la déverrouilla, l'ouvrit.

— Ah ! ma tante, murmura Denis avec soulagement. Qu'est-ce que tu faisais ? Dormais-tu ?

Derrière lui, timide et un peu craintif, Alexandre Portelance se dandinait, une valise à la main :

— Bonsoir, madame, fit-il avec un sourire tendu. Excusez-nous de vous déranger. C'est ce p'tit vlimeux qui m'a traîné jusqu'ici. Il se rongeait les sangs pour vous, c'en était effrayant. Si je ne l'avais pas amené, il serait venu tout seul, ma foi !

34

Ce jour inusité où une commode s'était fait poignarder et un photographe avait passé six heures dans une armoire à balais, Livernoche revint à sa maison de campagne vers minuit. Il grimpa les marches de la galerie d'un pas vacillant de fatigue, déverrouilla la porte et, parvenu à sa chambre à coucher, se laissa tomber sur le lit avec le vague plaisir de constater que son épuisement abolissait presque la brûlure térébrante qui s'était réveillée dans son fondement au milieu de l'après-midi pour monter dans sa colonne vertébrale et s'épanouir dans son cervelet en flammes courtes et cruelles.

Il se réveilla au petit matin, tout courbaturé dans ses vêtements fripés, mais libéré de son mal habituel, et consulta sa montre : elle indiquait six heures et demie. Roulant avec précaution sur le côté (une seule maladresse pouvait raviver ses souffrances), il posa le pied sur le plancher, s'étira avec prudence et descendit au rez-de-chaussée. Un froid cru régnait dans la maison. Il ajusta le thermostat et pénétra dans la cuisine. Appuyé au rebord de l'évier, il se mit à réfléchir. Où pouvaient donc se trouver ses persécuteurs en ce moment ? Est-ce que sa stupide gaffe de la veille les avait chassés à tout jamais de la ville ou avait-elle au contraire déclenché une enquête de police ?

Il tourna tout à coup la tête, attiré par un bruit insolite. Une bourrasque venait de se lever et la branche cassée d'un jeune tilleul frottait contre un carreau avec un grincement désagréable.

Il remplit la bouilloire et la déposa sur la cuisinière. Les mains sur le récipient, il continuait de réfléchir en se mordillant les lèvres, ses traits habituellement énergiques et sévères encore amollis par le sommeil. L'élément chauffant se mit à rougeoyer, répandant sur ses mains une lueur blafarde qui semblait les grossir.

Il se dirigea alors vers un téléphone mural au fond de la pièce et décrocha le combiné. Quelques minutes plus tard, il griffonnait les numéros de téléphone de Juliette et de Clément. Puis il prépara le café, s'en versa une tasse, prit une ou deux gorgées et composa le numéro de Fisette.

Ce dernier soupirait et bâillait dans son lit à intervalles de plus en plus rapprochés, émergeant peu à peu à la surface de la journée avec une sensation de fatigue et d'oppression qui le tenait cloué sous ses couvertures, fragile et tiède refuge dont le réveille-matin s'apprêtait à le chasser. À la sonnerie du téléphone, il bondit sur ses pieds en grommelant et se précipita à la cuisine.

— Allô ? Quoi ? Non. Il n'y a pas de Robert Fisette ici... Non... Clément... De rien, ajouta-t-il d'un ton sec, et il raccrocha.

Ce n'est que revenu dans sa chambre et en train d'enfiler une chemise qu'il reconnut la voix de Livernoche ; ses mains devinrent de glace.

Le libraire, soulagé, venait d'essuyer les siennes sur les pans de son veston :

— Et d'un, fit-il. La baleine, maintenant.

Il s'appuya au mur et laissa sonner une dizaine de fois, se tripotant le nez puis le gland, remarquant à peine la différence de sensation.

La sonnerie résonnait lugubrement dans l'appartement désert de la rue Saint-Alexandre. Elle tira Elvina de son sommeil épuisant, plein de cris, d'engueulades et d'apparitions d'avocats moustachus et vociférants. Son dernier cauchemar, où elle avait dû lutter corps à corps contre des étrangers au visage lisse et sans traits qui essayaient de la vider de son appartement, l'avait exténuée.

Elle s'assit dans son lit, jeta un coup d'œil au réveille-matin et se mit à compter les sonneries. Sa chienne apparut dans la porte et vint poser son museau sur les couvertures en plongeant dans les yeux de sa maîtresse un regard implorant.

— Sept, dit-elle à voix haute et elle gratta machinalement le crâne de l'animal, qui poussa un soupir d'aise. Il a sonné au moins sept fois — et peut-être dix ou quinze, sait-on jamais ? Qu'est-ce qu'ils peuvent donc comploter à six heures trente du matin ? Ah ! ma pauvre fille, s'écria-t-elle en saisissant la tête de la chienne à pleines mains, je suis sûre qu'ils essaient de nous jeter dehors ! Mais ils vont se casser les dents ! Je te le promets.

Debout devant la cuisinière, Livernoche regardait fondre un gros morceau de beurre dans une poêle.

— Si elle n'est pas chez elle à six heures trente du matin, pensa-t-il, c'est qu'elle est à Saint-Hyacinthe. Or il faut qu'elle s'éloigne. À tout jamais. *Delenda Carthago*. Prenons des forces.

Il se prépara une omelette au rhum, des rôties et des grillades de lard salé, arrosant le tout d'une demi-cafetière. Puis il prit sa douche, s'habilla et, tout absorbé dans ses réflexions, se dirigea vers Saint-Hyacinthe, où il arriva vers huit heures. Il avait le temps de faire une petite tournée d'inspection pour tenter de repérer la *Subaru* de sa persécutrice. Il se rendit successivement à l'*Hôtel Maskouta*, à l'*Auberge des Seigneurs* et aux motels *Le Copain* et *Saint-Hyacinthe*, mais de *Subaru* bleue il n'y avait pas.

— Elle a sans doute changé d'auto pour éviter de se faire repérer, grommela-t-il en démarrant avec brusquerie. C'est que je ne suis pas un détective, moi, bout de baptême !

Il se rendit à *La Bonne Affaire* et arpenta la librairie, les mains derrière le dos, prenant soin de ne pas trop appuyer sur ses fesses.

— Eh bien ! il faut ce qu'il faut, soupira-t-il en passant derrière le comptoir.

Il feuilleta le bottin téléphonique et, dans les moments libres que lui laissaient les clients, fit le tour des établissements hôteliers de la ville à la recherche d'une dame Juliette Pomerleau.

— Peut-être s'est-elle inscrite sous son nom de fille, ajoutait-il, car je crois qu'elle est en instance de divorce. Il s'agit d'une dame dans la cinquantaine et très corpulente, vraiment très corpulente, vous savez.

Vers onze heures, la réceptionniste de l'*Auberge des Seigneurs*, après lui avoir répondu qu'aucune Juliette Pomerleau ne se trouvait chez elle, ajouta sèchement qu'une cliente arrivée la veille semblait correspondre à la description qu'il venait de faire ; mais elle refusa de lui donner son nom et le numéro de sa chambre (peut-être souffrait-elle d'obésité, elle aussi ?) :

— Laissez-moi vos coordonnées et la personne vous rappellera si elle le désire, monsieur.

Il raccrocha et, portant la main à son front couvert de sueur où, depuis la veille, bourgeonnait un furoncle :

— C'est elle, j'en suis sûr... Elle va me coller après jusqu'à la fin des temps, la démone.

Il la voyait assise dans sa chambre, calme, souriante et monumentale, attendant avec patience le moment propice pour lui porter un coup fatal. Et l'évidence que, malgré tous ses efforts, sa vie allait être saccagée, s'imposa à son esprit avec une clarté si terrible qu'il en demeura les bras ballants et la mâchoire pendante, accablé et comme stupide, sans voir ni entendre le petit monsieur sec et propret planté devant le comptoir et qui lui demandait pour la troisième fois s'il possédait un livre sur l'industrie forestière de la Mauricie.

— Euh... excusez-moi, je vais aller voir, bégaya-t-il enfin.

Il s'éloigna d'un pas chancelant sous le regard soupçonneux de son client convaincu d'être en présence d'un alcoolique.

— Malheureusement, nous n'avons rien pour l'instant sur le sujet, répondit-il d'une voix à peine audible en revenant quelques instants plus tard.

— Bien, fit l'autre avec un claquement de dents et il quitta la boutique, l'air outragé.

Livernoche s'assit avec précaution derrière son comptoir. Il ne cessait de s'éponger le front avec la manche de son veston. Le sentiment d'une catastrophe imminente l'avait placé comme sur un plateau désolé, dans une solitude et une liberté absolues. On le forçait à jouer sa vie. Aucune issue ne lui permettait d'éviter ce redoutable face à face.

Une voix douce et pénétrante lui susurra que puisqu'il risquait de tout perdre, il se devait de tout risquer. Il essaya de la faire taire et de penser à autre chose (Quel était le produit de ses ventes pour l'avant-midi ? Adèle faisait-elle la grasse matinée en ce moment ? Depuis quand s'était-elle mise à fumer comme une cheminée ? Dans trois jours, il se rendrait au *Colosse du livre* à Montréal acheter un lot de *J'ai lu* à 25 ¢), mais la voix revenait toujours, perfide et enjôleuse. Elle gagnait du terrain de minute en minute. Et il suait de plus en plus.

35

En apercevant Denis et Alexandre Portelance, Juliette fut à la fois ébahie, soulagée et mécontente. Elle resta quelques secondes à les regarder sans dire un mot, puis recula et leur fit signe d'entrer.

— Il est un peu tard pour des visites, remarqua-t-elle froidement tandis que son pouls ralentissait peu à peu et qu'une flambée de joie jaillissait en elle, lui amenant des larmes aux yeux (elle s'en trouva suprêmement ridicule).

— J'ai décidé de venir te trouver, déclara Denis, la mine sévère. Je trouve ça stupide que tu restes toute seule ici tandis qu'un fou peut venir t'attaquer n'importe quand. Je n'ai rien dit à Rachel et à Bohu, mais j'ai tout raconté à monsieur Portelance, parce qu'il fallait que quelqu'un le sache.

Il posa les mains sur les hanches :

— Vraiment, ma tante, je ne te trouve pas très raisonnable.

— Je vous jure, madame, que je ne lui ai pas tiré les vers du nez, assura Portelance en refermant la porte. Il m'a tout dit de lui-même.

Il joignit les mains derrière le dos et s'adossa contre un mur :

— D'ailleurs, ce n'est pas mon genre. Ce n'est pas mon genre du tout.

— Mon Dieu, s'exclama Juliette en riant (ce rire fit un plaisir immense à Denis, qui se détendit tout à coup), vous m'en faites toute une scène, vous deux ! L'un me chicane comme si j'étais une petite fille, tandis que l'autre a peur que je lui plante des aiguilles à tricoter dans les yeux. Approchez, approchez, monsieur Portelance, venez vous asseoir un moment, et toi, cesse de me faire des gros yeux et donne-moi un bec.

L'enfant se pressa contre elle et mit ses bras autour de son cou. Après avoir hésité un moment, le vendeur posa pudiquement le bout de ses fesses sur le bord du lit, laissant le fauteuil à son hôtesse, et fit un compte rendu gigantesque des quatre jours que Denis avait passés chez lui. Puis, baissant la voix, d'un air grave et mystérieux :

— Est-ce que je peux me permettre de vous demander s'il s'est produit des... développements ?

Denis braqua les yeux sur sa tante. Juliette secoua lentement la tête avec une moue dégoûtée :

— Mon cher monsieur, je poireaute dans cette chambre comme un agent d'assurances sur une île déserte et je me demande parfois si je n'y perds tout simplement pas mon temps.

Alexandre Portelance toussa une ou deux fois, puis :

— Évidemment, avança-t-il avec circonspection, rien ne nous garantit qu'*elle* tient assez à ce coffret pour venir le récupérer et risquer ainsi de...

— Je n'ai pas le choix des moyens, monsieur, répliqua Juliette. C'est tout ce qui me reste. Auriez-vous des suggestions ?

— Euh... non, reconnut-il, décontenancé. À vue de nez, comme ça, non.

Il se frotta machinalement les mains en fixant le tapis, cherchant quelque chose d'agréable à dire. Un moment passa. Il eut tout à coup l'impression que le silence était en train de dissoudre les liens encore si frêles entre lui et cette grosse femme bourrée de soucis qui lui plaisait tellement.

— Je vous invite au restaurant, lança-t-il tout à coup. Un bon *shortcake* aux fraises avec un verre de lait glacé ou une pizza garnie avec une petite bouteille de *Brio*, ça, ça va nous repartir la machine à idées. Allez, allez, je ne veux pas entendre de rechignements, suivez-moi. Il faut se faire plaisir un peu dans la vie, corne de démon ! On aura tout le temps de jeûner une fois six pieds sous terre.

Juliette hésita, invoquant l'heure tardive, sa fatigue, l'imprudence qu'il y avait pour elle de se montrer dans un endroit public, mais se laissa finalement gagner et ils se retrouvèrent dans la salle à manger du motel, presque déserte à cette heure.

La conversation commença plutôt mal. Aussitôt leur commande donnée, la comptable, que la présence de son petit-neveu à Saint-Hyacinthe ennuyait au plus haut point, lui demanda de retourner le soir même à Montréal. Les vacances de Noël venaient de finir et il était sûrement plus sage de s'occuper de ses études que de perdre son temps dans un motel. Denis répondit par un *Non!* farouche, les yeux pleins de larmes. Craignant une crise, elle décida de reporter la discussion au lendemain. Alexandre Portelance se mit à raconter ses mésaventures de représentant et réussit à la dérider, puis, profitant de son effet, il fit promettre à Juliette de l'appeler sans faute, le jour ou la nuit, si jamais elle avait besoin d'aide ou de conseils (ou tout simplement pour tromper son ennui) et lui laissa trois numéros de téléphone :

— Et puis, tenez, je vous donne également celui de mon beau-frère Léandre. J'ai coutume d'aller jouer au bridge chez lui le mardi soir. Je vous garantis d'être sur place à une heure d'avis *au maximum*. Ma *Chrysler Le Baron* a les tripes solides et quand je décide de lui faire fendre le vent, les mouches n'ont qu'à s'ôter de là, je vous en passe un papier !

Il jubilait devant le sourire reconnaissant et un peu embarrassé de sa compagne :

— Vous me le jurez, n'est-ce pas ? Dès que vous avez besoin d'aide, un signe et j'arrive. J'ai un téléphone cellulaire dans mon auto, le bureau peut me rejoindre partout.

— Vous avez ma parole, murmura la comptable en détournant le regard.

Il jugea bon alors de la quitter. Dix minutes de plus, et il aurait craint de l'importuner. Il demanda l'addition, reconduisit Juliette et Denis à leur chambre et monta dans son auto :

— Soirée mal partie mais mauditement bien terminée, conclut-il à voix haute en appuyant sur l'accélérateur. Alexandre, tes parts montent ! Je lui souhaite quasiment des ennuis. Ça me donnerait un beau rôle.

— Mon pauvre enfant, fit Juliette en s'allongeant péniblement dans le lit près de son petit-neveu, ça me réconforte en diable de te voir près de moi, mais je te préviens : tu vas t'ennuyer à mourir ici. On ne pourra même pas aller se dégourdir les pattes dans le stationnement, car il faut se faire invisibles comme des microbes. Sois gentil : retourne à Longueuil demain.

— Ne crains rien, ma tante. J'ai apporté quatre livres... et puis on pourra regarder la télévision. Quant à l'école, je peux sauter deux ou trois jours sans problèmes : cette semaine, Solange a décidé de faire une révision en français et en maths.

Il était couché tout au bord du lit, afin de lui laisser le plus d'espace possible et aussi parce qu'il éprouvait une gêne confuse à sentir la chaleur de son corps. Il tourna la tête vers elle et s'amusa un moment à imaginer qu'il était un explorateur étendu dans l'herbe au pied d'une montagne, puis s'endormit. Juliette le regardait, poussant de temps à autre un soupir et sursautant au moindre bruit. Sa peur de voir apparaître Livernoche venait de la reprendre.

* * *

La journée du lendemain s'écoula tout uniment. Denis se réveilla vers huit heures, enchanté de se trouver en vacances. Juliette, que la présence de son petit-neveu poussait à un surcroît de prudence, avait décidé de ne plus quitter la chambre pour quelque raison que ce fût. De plus en plus enchanté, l'enfant déjeuna donc au lit, tandis que sa tante se contentait de deux tasses de café noir pour compenser sa plantureuse collation de la veille.

Vers dix heures, elle fit ses appels quotidiens à Martinek et au concierge Robidoux.

— Toujours rien, répondit ce dernier d'un ton placide.

Elle prit place dans le fauteuil, s'empara d'un vieux numéro de *Décormag* déniché dans le tiroir de la commode et se perdit dans la contemplation d'une salle de bains en marbre rose où un bain à remous aurait pu servir aux ablutions d'un éléphanteau. Son petit-neveu, étendu sur le lit, était plongé dans *Le Château de Pontinès*. Il dévora quatre ou cinq chapitres, puis se tourna sur le dos et s'étira en bâillant. Après avoir longuement examiné le plafond, il se remit à sa lecture, mais une douleur dans les reins le força à se lever. Il se planta devant la fenêtre, écarta légèrement le rideau. Juliette sourit :

— Tu commences à t'ennuyer, hein ?

— Non, ma tante, répondit courageusement l'enfant.

Il contemplait le stationnement :

— Ma tante, on dirait qu'il va neiger.

Juliette se leva, inspecta le ciel, bâilla à son tour, puis revint s'asseoir et se mit à examiner la paume de ses mains. Denis se replongea dans son roman puis, levant la tête :

— Veux-tu que je te fasse la lecture, ma tante ?

— Je ne comprendrai pas grand-chose, bobichon : tu es rendu au milieu de l'histoire.

— Eh bien, je retournerai au début. C'est tellement bon que ça ne me fait rien de recommencer.

Touchée par les efforts de l'enfant pour s'accorder à une situation bizarre et ennuyeuse, Juliette hocha la tête. Denis ouvrit la première page et se lança, d'une voix d'abord hésitante puis de plus en plus assurée, dans les aventures de Gilles de Pontinès et de ses serviteurs Morvan et Marco en route, sous le règne du modérément aimé Louis XIII, vers l'antique et solitaire château familial où le jeune comte en disgrâce a reçu l'ordre royal d'aller discipliner son tempérament trop fougueux. Parvenu à l'épisode de l'*Auberge de la Perdrix rouge*, où de Pontinès, au milieu d'un plantureux dîner, s'aperçoit avec furie que le cuisinier de l'établissement est nul autre que son valet Marco, envoyé au-devant de lui trois jours plus tôt pour préparer son arrivée au château, Denis ressentit un petit creux dans l'estomac. Il demanda l'heure. Vingt minutes plus tard, Claudine leur apportait de la soupe au champignon, une salade verte, un poulet rôti et un gros morceau de renversé aux ananas (destiné à Denis).

— C'est votre petit-fils? demanda la serveuse en essayant de cacher sa surprise à la vue de l'enfant.

— Mon petit-neveu.

— Il est joli comme tout. Tu es venu tenir compagnie à ta tante? C'est gentil, ça. Mais tu n'as pas d'école?

Denis fit signe que non en rougissant.

— Bon cœur, pensa Juliette en refermant la porte, mais le nez trop long.

L'après-midi glissa doucement, partagée entre la lecture à haute voix (que suivait d'une oreille attentive dans la chambre voisine un vieil angineux assis contre le mur mitoyen, chapelet à la main), un peu de bavardage, la contemplation discrète du stationnement et une sieste qui les amena à l'heure du souper, la tête embrumée et l'humeur morose.

Sa dernière bouchée avalée, Denis se mit soudain à bombarder Juliette de questions sur ses parents. Séance éprouvante pour la comptable, qui ne possédait aucune certitude quant à l'identité du père et eut toutes les peines du monde à conserver un minimum de respectabilité à l'image de la mère.

— Je le connais, mon père, déclara soudain l'enfant. C'est le gars de Sherbrooke qui m'a envoyé des billets de hockey l'autre jour. C'est lui, hein, ma tante? Pourquoi il m'a donné un rouleau de *Life Savers* quand on est allés le voir ? C'est parce qu'il regrettait de ne pas s'être occupé de moi quand j'étais petit ?

— Écoute, Denis, cesse tes questions, pour l'amour, la tête va m'éclater. Je ne sais plus quoi te répondre. Tu t'informeras de toutes ces choses à ta mère quand tu la verras, mon pauvre enfant. Je t'ai dit tout ce que je savais.

— Si c'est lui, mon père, pourquoi il ne sait pas où elle se trouve ? Ils se sont chicanés ? Est-ce qu'elle a d'autres enfants, ma mère ?

Juliette se leva et lui appliqua la main sur la bouche :

— Silence ! Plus un mot... tu vas me rendre folle, espèce de moulin à paroles. Je te répète que je t'ai dit tout ce que je savais. Absolument tout ! (Pardonnez-moi, Doux Jésus, c'est pour son bien.) Si j'ajoute un mot de plus, je vais me mettre à inventer. Je cherche ta mère, justement, pour en savoir plus long.

L'enfant s'arracha de son étreinte et alla se planter devant la fenêtre, les bras croisés, la tête basse, fixant d'un œil morne le stationnement à demi vide. La chienne jaune, qui semblait faire partie des lieux, apparut près d'une vieille *Chevrolet*, aperçut Denis et s'approcha en agitant la queue, puis bifurqua tout à coup, attirée par autre chose.

Juliette eut envie de prendre son petit-neveu dans ses bras, mais elle savait trop bien que ce geste ne ferait qu'aviver sa colère. Elle alluma le téléviseur et prit place dans le fauteuil. Le bulletin de nouvelles commençait. Bernard Derome, imperturbable et correct, mais le regard subtilement accablé, annonçait la dernière bourde du président Reagan ; ce dernier apparut, le visage plus ratatiné que jamais sous sa chevelure abondante et juvénile. Derrière la voix impassible de l'interprète, on l'entendit nier avec force avoir jamais déclaré qu'un missile atomique lancé d'un destroyer ou d'un sous-marin pouvait être rappelé avant d'accomplir sa mission de mort. Puis un autre bout de film montra le président qui déclarait précisément ces choses et Bernard Derome, de plus en plus stoïque, passa à une autre nouvelle.

Juliette regarda Denis, toujours devant la fenêtre.

— Qu'est-ce qui lui prend ? se demanda-t-elle. Jusqu'ici, il s'intéressait autant à ses père et mère qu'à la queue d'un moineau et le voilà tout à coup avec des fourmis dans la tête à me tourmenter pour que je lui raconte leur vie minute par minute. Bien sûr, tu as gaffé, grosse folle, en le mettant au courant de cette affaire. Mon Dieu, comment sera-t-il dans deux jours si on se trouve encore ici ?

Elle continuait d'écouter le téléjournal, jetant un coup d'œil de temps à autre à l'enfant. Il était étendu sur le lit et, les yeux au plafond, laissait alternativement retomber ses jambes d'un air parfaitement dégoûté.

— Le dessert n'était même pas bon, ce soir, lança-t-il soudain. C'était pas du *Jell-O* mais du caoutchouc !

Puis au bout d'un moment, il ajouta :

— Ça sent la poussière ici. Le nez me pique. Il m'a piqué toute la nuit. J'ai *très* mal dormi.

La comptable se leva et but un verre d'eau. Son estomac, de nouveau forcé au carême, réclamait du travail.

— Je n'ai pas apporté assez de livres, déplora Denis en s'assoyant. J'en ai lu presque tout un aujourd'hui. Dans deux jours, je vais me tourner les pouces.

Juliette se planta devant lui et d'un ton sans réplique :

— Mets ton manteau et viens-t'en. On s'en va à Longueuil t'en chercher d'autres. Et une fois sur place, mon ami, ajouta-t-elle intérieurement, je te laisse chez Bohu.

Ils sortirent et se rendirent à l'arrière du motel, où la comptable avait stationné son *Ariès K* sur un terrain exigu et mal éclairé. Denis sautillait et balançait les bras, humant avec délices l'air humide et froid. Il s'approcha de Juliette :

— Je m'excuse pour tout à l'heure, ma tante. Je n'ai pas été gentil.

Elle déverrouilla la portière :

— Tu avais besoin de te dégourdir un peu, mon garçon. À ton âge, il faut de l'espace et du vent ; tu devais te sentir comme une souris dans une boîte d'allumettes.

— Toi aussi, ma tante, tu dois te sentir comme une souris dans une boîte d'allumettes. Est-ce que tu vas attendre encore longtemps que ma mère vienne chercher son coffret ?

— Encore deux ou trois jours, peut-être. Vite, monte, bobichon. J'ai hâte de quitter cet endroit.

— Pourquoi ? fit l'autre en bondissant dans l'auto. À cause de l'homme au couteau ?

— Non... Enfin... je n'ai jamais aimé l'obscurité, tu le sais bien. Dieu ! que je le trouve encombrant, se dit-elle en démarrant. Il m'épuise. Je me sens la tête comme dans un fourneau. Ça me rappelle les jours qui ont précédé ma maladie...

Elle se pencha, ouvrit son sac à main posé aux pieds de Denis et sentit avec soulagement la forme oblongue de son baladeur. L'enfant la regarda, puis regarda le sac à main, devina tout, mais ne dit rien. Il poussa un soupir et se mit à observer les maisons qui défilaient, se creusant la tête pour trouver une façon de dénicher sa mère et de ramener enfin sa tante à une vie normale.

— Qu'est-ce que tu dirais, fit-elle subitement, d'aller prendre un dessert dans un très bon restaurant pour oublier un peu ton *Jell-O* de ce soir ?

Il la regarda, surpris.

— On pourrait passer par Rougemont et s'arrêter au *Provençal*, poursuivit-elle, de plus en plus séduite par son idée, qui atténuait un peu les remords qu'elle ressentait à balancer aussi cavalièrement son petit-neveu. Tu te rappelles les profiteroles au chocolat qu'on t'a servies l'an dernier ? Ça te tente ?

Il hocha faiblement la tête.

— Eh bien, allons-y. Le patron est si gentil, je suis sûre qu'il ne se formalisera pas de nous voir arriver seulement pour un dessert. Mais auparavant, orientons-nous un peu.

Elle arrêta son auto le long du boulevard Laframboise et consulta une carte routière.

— Très simple. Nous y sommes dans une demi-heure. Et ça ne nous allonge pas pour la peine.

Elle reprit le boulevard vers le sud et tourna à droite sur la rue Casavant ; cette dernière décrivait une grande courbe irrégulière au pourtour de la ville pour rejoindre la 231 qui longeait la rivière Yamaska pendant quelques kilomètres, traversait le village de Saint-Damase et aboutissait à Rougemont.

Denis restait silencieux, l'œil dans le vague.

— Est-ce que le nez te pique un peu moins, mon garçon ? demanda Juliette, pince-sans-rire.

L'enfant hocha la tête avec une moue ironique et poursuivit ses réflexions, les sourcils froncés. De temps à autre, Juliette posait sur lui un regard attendri, la gorge serrée.

— Sacrée folle, se dit-elle. Dire que j'use mes forces à courir après une dévergondée qui l'aura peut-être oublié dix minutes après l'avoir vu.

Elle trouva tout à coup la tournure de ses réflexions bien sombre, secoua les épaules et alluma la radio. Un trompettiste susurrait langoureusement *Cerisiers roses et pommiers blancs*, accompagné par un orchestre à cordes vaselineux et des sons de cloche du plus curieux effet. L'auto monta une côte abrupte, s'engagea dans un tournant et déboucha sur un carrefour désert bordé par une forêt de sapins. Un feu rouge clignotait dans la nuit, sinistre, jetant par intermittence des lueurs sanglantes sur deux grands panneaux d'arrêt. L'endroit avait manifestement vu bien de la boucherie. Juliette freina, tourna la tête à gauche, puis à droite, et repartit. Des scènes atroces surgirent dans sa tête. Crissements de pneus, fracas, froissements de tôle, bris de vitre, éventrement sourd de la terre, puis le silence.

Un silence solide et plein, épouvantable, interrompu de temps à autre par un faible gémissement.

Une auto la dépassa en trombe et enfila si vite la courbe en avant d'eux que Juliette eut un sursaut. Denis la regarda :

— Fais attention, hein, ma tante? La route est dangereuse.

La comptable sourit, lui tapota le genou et allait lui poser une question lorsqu'un rock sauvage éclata à la radio.

— *I'll bust the world apart and dive in Hell,*

And drink all the blood out of Satan's well,

crachait une voix hystérique à demi enterrée sous les miaulements d'une guitare électrique.

— Tu permets ? fit-elle en tournant le bouton.

Elle tomba sur une tribune téléphonique. Un vieil homme racontait d'une voix molle et souffreteuse, qui inspirait aussitôt l'agacement, ses quarante-sept années de vie commune avec son frère, célibataire comme lui et aussi compréhensif qu'un marteau.

— Eh bien, qu'est-ce qui ne va pas? demanda l'animateur.

Ce qui n'allait pas ? Presque tout. Par exemple, il était frileux et son frère pas. En fait, ce dernier l'était peut-être, malgré ses dénégations, mais l'avarice lui faisait endurer le froid. Chaque hiver amenait la bataille du thermostat. Dès le début de novembre, le curseur de réglage partait dans un va-et-vient qui ne s'arrêtait qu'à la belle saison. Résultat ? Depuis quarante-sept ans, le pauvre homme souffrait de sinusite chronique et l'hiver était devenu pour lui une interminable succession de rhumes et de grippes.

— Vous n'avez jamais songé à installer une chaufferette dans votre chambre ? suggéra patiemment l'animateur.

Oh ! c'était fait depuis longtemps. Mais voilà : son frère lui réclamait un surplus mensuel pour la consommation d'électricité. Cette année, cela s'élevait à 12,50 $! Essayez d'imaginer, si vous le pouvez, un chèque de pension de vieillesse amputé chaque mois de 12,50 $! Et, par contre, l'autre mange comme trois (chaque matin : deux bananes, trois œufs et deux grands bols de soupane) mais s'obstine à répartir également les coûts de la nourriture.

— Vous n'avez jamais songé à déménager? s'étonna l'animateur d'une voix légèrement acide.

Impensable, répondit le vieil homme, ébahi par une proposition aussi bizarre. La maison qu'ils habitent leur a été léguée par leur mère qui avait bien spécifié dans son...

Juliette éteignit la radio et accéléra. L'auto venait de pénétrer dans une zone boisée, légèrement vallonnée, où la végétation tentait de s'accrocher à de gros rocs surgis de l'humus et jetés dans tous les sens, comme si un mastodonte s'était amusé autrefois à mettre le pays en désordre.

La lueur d'une auto apparut au loin. Le véhicule approchait rapidement.

— Mets tes feux de croisement, cochon, tu m'aveugles, grogna Juliette en actionnant les siens. Mais il ne comprend rien, l'abruti... Mais... veux-tu bien me dire... il est fou, sueur de coq !

Elle poussa un cri tandis que Denis s'agrippait à son bras. L'auto, qui filait à un train d'enfer, se dirigeait droit sur eux. Juliette essaya en vain de se libérer de son neveu, puis donna un coup de volant à droite et le temps s'amincit soudain comme une aile de mouche. Un bruit sourd, énorme et compact, produit comme par l'écroulement d'une montagne de ferraille, emplit l'intérieur de l'auto, tandis que Juliette, l'esprit paralysé, fixait d'un œil hagard la surface ondoyante d'une espèce de tunnel de brume qui venait d'avaler le véhicule, secoué par de formidables soubresauts. Une idée terrifiante éclata dans sa tête : elle arrivait au bord de la terre pour s'élancer dans le vide. Et soudain, tout s'arrêta. La vie semblait s'être figée. Cela dura un temps indéfini. Puis elle cligna lentement les yeux (un liquide visqueux l'empêchait de voir clairement) et s'aperçut que les essuie-glace allaient et venaient à toute allure. Elle les contemplait, hébétée, comme devant un problème insoluble, lorsqu'un bruit attira peu à peu son attention. Quelqu'un pleurait au loin. On aurait dit un bébé. Cela lui rappela un vague et lointain souvenir. Une pièce vide, violemment éclairée et, au fond, Denis, tout petit, qui secouait ses poings, les yeux plissés de rage. Oui, Denis.

Elle pivota brusquement, regarda l'enfant et se mit à le secouer par les épaules :

— Denis ! m'entends-tu ? Mon Dieu... m'entends-tu ? Dis-moi où tu as mal.

Ce dernier, l'œil entrouvert, continuait de gémir doucement, sans paraître se rendre compte de ce qui l'entourait. Elle le secoua encore un peu, puis se tourna vers la gauche (ses reins lui envoyèrent une flèche de feu qui lui monta jusqu'à la gorge) et réalisa que l'auto se trouvait fortement inclinée et que la seule façon d'en sortir était de soulever la portière du conducteur. Une forte odeur d'essence flottait dans l'air. Mais, curieusement, c'était le va-et-vient frénétique des essuie-glace qui l'ennuyait le plus. Elle prit le temps de les arrêter, déboucla sa ceinture, puis celle de Denis (la flèche de feu la traversa de nouveau, cuisante), regarda un instant la portière et, après un effort immense (« Tiens ! mes jambes bougent ! »), réussit à l'ouvrir et à la rabattre de côté.

Elle venait de hisser à grand-peine par l'ouverture son neveu toujours inconscient lorsqu'une ombre dévala le talus au pied duquel gisait l'auto.

— Minute ! minute ! je vais vous aider ! Êtes-vous blessé, monsieur..., pardon, madame ?

— Un peu... je ne sais pas... Dépêchez-vous, prenez l'enfant. Mon Dieu ! pourvu que...

L'inconnu saisit Denis par les aisselles, le déposa doucement sur un lit de cailloux, puis grimpa sur l'auto pour aider Juliette à s'extraire du véhicule et s'immobilisa, stupéfait par sa grosseur :

— Aïe ! aïe ! ça sent l'essence en tabarnac ici ! C'est pas le temps de bizouner. Donnez-moi vos mains. Allons-y ! un et... deux !

Il dut s'y prendre à plusieurs fois avant de réussir à l'extirper, tandis qu'elle ahanait, couverte d'une sueur glacée, le visage barbouillé de sang, laissant échapper de temps à autre un gémissement causé par cette espèce de brasier qui lui carbonisait les reins. Elle put enfin s'asseoir sur la portière rabattue, qui s'aplatit contre la carrosserie avec un grincement aigu. Sautant en bas de l'auto, il l'aida à mettre pied à terre. Denis, étendu sur le sol, reniflait bruyamment, répétant à voix basse :

— Ma tante... ma tante...

Juliette s'approcha en boitillant, s'agenouilla avec peine devant lui et, pressante, impérieuse :

— Dis-moi où tu as mal. Allons ! réponds-moi. Où as-tu mal ?

— Je ne sais pas, répondit-il faiblement.

L'inconnu les contemplait, les mains sur les hanches :

— J'ai tout vu. Vous avez été chanceux en Christ ! Il fonçait droit sur vous. Ça devait être un gars chaud. Il a pas dû s'apercevoir de rien. Un peu plus et je le recevais dans le portrait, le trou-de-cul. Il devait faire du cent quarante. On aurait dit que tous ses péchés couraient après lui. Regardez, fit-il soudain en pointant le doigt vers un gros bloc de granit qui se dressait dans l'ombre à deux mètres de l'auto. Si vous aviez frappé ça, c'était couic ! Congé six pieds sous terre jusqu'à ce que le petit Jésus vienne vous chatouiller les orteils.

— Peux-tu te lever, bobichon ? demandait Juliette sans l'écouter.

Elle se tourna vers l'automobiliste :

— Prenez-le dans vos bras, voulez-vous ? Je pense pouvoir grimper à quatre pattes.

Il s'accroupit devant Denis. L'enfant remua la main :

— Non... Ma tante... reste avec moi.

— Allons, doucement, doucement... je vais te suivre aussi vite que ma carcasse le pourra... Sueur de coq ! c'est que j'ai les reins en marmelade, moi.

L'homme déposa Denis sur l'accotement et redescendit le talus. Tendant la main à Juliette, avec un sourire légèrement moqueur :

— Ouais... votre maquillage fait un peu vampire, madame. J'espère que j'ai des papiers-mouchoirs. Je vais vous conduire à l'hôpital. J'ai tout mon temps. La soirée est jeune. Mon auto est à deux pas, de l'autre côté du chemin.

Juliette posa sur lui un regard instable :

— Où sommes-nous ?

— Environ à huit kilomètres de Saint-Hyacinthe. L'hôpital Honoré-Mercier est à dix minutes. Faudrait vous faire examiner. Secouée comme vous l'avez été, je ne vous conseille pas d'aller faire du patin de fantaisie.

La voix de Denis leur parvint, larmoyante :

— Ma tante... J'ai froid, ma tante.

Repoussant la main de son compagnon, Juliette s'agrippa furieusement aux touffes d'herbe séchées et aux roches couvertes de glace pour accélérer sa montée et aperçut avec un soulagement indicible son petit-neveu debout au bord de la route ; il marchait, le pas incertain, claquant des dents, le visage couvert de larmes, mais il marchait, Dieu merci, il marchait.

— Je meurs de froid, ma tante, souffla-t-il en s'avançant vers Juliette.

L'inconnu se dirigea vers une *Pinto* rouge stationnée à une dizaine de mètres :

— Je vais mettre la chaufferette au maximum. Il va tout de suite se sentir mieux. C'est normal, les frissons, après un accident pareil. On a la chair de poule jusque dans les boyaux.

Juliette prit l'enfant par la main et traversa la route en boitillant. Il leva la tête vers elle :

— Tu as le visage plein de sang, ma tante.

Elle porta la main au front :

— C'est rien, bobichon, seulement une coupure. J'ai dû me frapper contre le pare-brise. Le principal, c'est que nous ayons tous nos morceaux.

L'homme les aida à monter.

— Vous êtes gentil, le remercia-t-elle. Comment vous appelez-vous ?

— Alexis Robitaille. On m'appelle Robine.

Il s'installa au volant.

— Ah oui, fit-il en allongeant le bras vers la boîte à gants, j'oubliais les papiers-mouchoirs. Merde. Marielle a tout pris. J'ai hâte de voir votre vrai visage. Vous me donnez le frisson.

Et il démarra.

C'était un individu au début de la trentaine, les cheveux longs et tombants, un peu ébouriffés vers le bas. Il avait le front légèrement dégarni, une fine moustache, un collier avec barbiche, des lèvres bien dessinées au sourire un tantinet insolent, un nez droit, imposant mais bien proportionné, des yeux vifs, assez beaux, embusqués sous l'arcade sourcilière ; il faisait penser à un mousquetaire qui se serait trompé de siècle. Son teint jaune et les petites poches sous les yeux montraient qu'il appartenait à cette catégorie de personnes qui mettent régulièrement leur foie à rude épreuve. L'impression générale qui se dégageait de sa personne était celle d'un homme sympathique, joyeux viveur, généreux et peu fiable.

— Avez-vous eu le temps d'apercevoir l'auto qui a foncé sur nous ?

— Oui, madame, j'ai l'œil à ça. Mon père est garagiste. C'était une *Maverick* blanche ou jaune pâle, assez vieille, une dizaine d'années peut-être. On aurait vraiment dit qu'il voulait que vous vous cassiez le cou. D'ailleurs, un peu plus et ça y était ! Auriez-vous des ennemis ? lança-t-il à la blague.

Elle se mit soudain à pleurer, tandis qu'une évidence s'imposait à son esprit : le conducteur dément qui les avait forcés à quitter la route se nommait Livernoche.

— Oui.

— Ah !

Il lui jeta un regard bref et pénétrant et ne poursuivit pas.

Denis, qui grelottait de plus en plus, se pelotonna contre sa tante. Elle lui entoura les épaules, puis se mit à dodeliner de la tête, gagnée par un sommeil ouateux.

— Faut pas, faut pas, disait en elle une petite voix inquiète, à demi mangée par la torpeur. Choc à la tête. Tu ne te réveilleras pas.

— Eh, madame, lança Robine d'une voix assourdissante, vous êtes en train de figer, là. Faut pas ! faut pas ! Est-ce que vous pouvez vous étirer jusqu'en arrière ? Il y a une couverture de laine sur la banquette. Mettez-la donc sur votre petit gars. Il claque des dents à faire pitié.

Elle ne put retenir une plainte en ramenant la couverture vers elle, couvrit Denis du mieux qu'elle put et, vaincue par la fatigue, s'abandonna au sommeil. Il lui sembla qu'elle venait tout juste de s'endormir lorsqu'on la secoua violemment par les épaules. Elle ouvrit les yeux, aperçut une vague lueur, puis distingua des portes vitrées et, derrière l'une d'elles, un agent de sécurité, les bras croisés.

— Pfiou ! Vous commenciez à me faire peur, vous ! fit le mousquetaire, penché au-dessus d'elle. Ça fait deux minutes que je vous brasse ! J'allais appeler de l'aide. Gardez l'œil ouvert, madame, lui ordonna-t-il avec un froncement de sourcils.

Il mit pied à terre et contourna l'auto pour l'aider à descendre. Denis l'attendait dehors, enveloppé dans sa couverture, et regardait autour de lui en frissonnant.

— Oh oh oh ! gémit la comptable en allongeant une jambe, j'ai tout le corps brisé, sueur de coq ! Appelez quelqu'un, je n'y arriverai pas.

On accourait vers eux. Ils se retrouvèrent tous deux dans des chaises roulantes.

— Merci pour tout, lança Juliette au mousquetaire tandis qu'on la poussait vers l'urgence.

Elle trouva la force d'immobiliser une roue avec sa main droite et la chaise fit un léger demi-tour :

— Je ne vous reverrai peut-être jamais. Rappelez-moi votre nom, monsieur.

— Alexis Robitaille.

— Où demeurez-vous ?

— Ici, à Saint-Hyacinthe. Si la police veut me voir, je vais être au *Bar Clair de Lune* jusque vers une heure du matin et ensuite chez mon amie, au 45, rue Saint-Amant. Allez-vous retenir l'adresse ?

Il posa sa main sur l'épaule de l'infirmier, qui eut un léger mouvement de retrait :

— Retiens-la pour elle, veux-tu, mon vieux ? Elle a un peu trop de papillons dans la boîte à idées.

L'urgence étant quasi déserte, ils furent tout de suite reçus par un jeune interne vietnamien qui leur posa quelques brèves questions d'une voix saccadée, les ausculta minutieusement, tout en jetant d'abondantes notes sur une feuille, puis leur fit un petit signe de tête amical et les envoya passer des radiographies.

Juliette et Denis s'en tiraient avec quelques coupures et contusions et un léger choc nerveux. Par prudence, on décida de les garder en observation jusqu'au matin. Denis s'endormit aussitôt sur sa civière. Juliette le fixait en tremblant, incapable de fermer l'oeil.

— Ça ne va pas ? demanda une infirmière.

— Ce n'est rien, ma belle. Je suis en train de voir mon accident pour de vrai et ça me secoue un peu le système. Ne pourrais-tu pas me donner une pilule pour me calmer les nerfs ?

Une demi-heure passa. La comptable fixait le plafond en se rongeant les ongles, l'esprit traversé de scènes violentes. Soudain elle s'endormit. Un bruit de voix graves la réveilla. Elle ouvrit l'œil et aperçut, penché au-dessus de sa tête, un visage bouffi surmonté d'une casquette de policier et des doigts boudinés qui tortillaient la pointe d'une moustache ; des yeux décontenancés la fixaient en cillant.

— C'est tout un bétail, avait-elle cru entendre chuchoter.

Un deuxième agent se tenait en retrait, mince, blond, la casquette légèrement rejetée en arrière, le front lisse comme une boule de billard, avec l'air à la fois ébahi et comblé de celui qui se lance tout feu tout flammes dans la vie.

— Ah bon, constata Juliette d'une voix dépourvue d'amabilité. Vous êtes là, enfin.

— Vous avez eu un accident d'automobile, madame ? demanda le policier moustachu d'un ton insouciant et joyeux.

— Oui. On a voulu me tuer. Moi et mon petit-neveu.

Ce dernier observait la scène, pâle, l'œil brillant, les lèvres serrées.

— Non, non, restez couchée, restez couchée, madame, on est seulement venus pour une petite jasette.

— Je me lève, rétorqua l'obèse, et les deux policiers durent la soutenir pour empêcher la civière de basculer.

Les jambes flageolantes, regrettant déjà d'être debout, Juliette murmura le nom de son présumé agresseur et raconta l'histoire ahurissante qu'elle vivait.

— Vous l'avez reconnu ? demanda la casquette relevée.

— Comment aurais-je pu le reconnaître ? Il filait à cent quarante à l'heure.

— Et toi, fit l'autre en s'adressant à Denis, as-tu pu le reconnaître ?

L'enfant fit signe que non.

— Pouvez-vous au moins nous décrire l'auto ? poursuivit le jeune policier avec un sérieux extrême.

— Comme ci comme ça... tout s'est passé tellement vite.

— Oui, tout se passe tellement vite, répéta la moustache d'un ton narquois.

— Mais j'ai un témoin, mon cher monsieur, qui peut très bien le faire à ma place. C'est le jeune homme qui a eu l'obligeance de nous tirer de notre ferraille et de nous amener ici. Il vous dira que c'était une *Maverick* blanche ou jaune pâle — moi, je la vois plutôt blanche et...

— Vous, vous la voyez plutôt blanche, répéta le policier.

— ... d'un modèle ancien. Peut-être une dizaine d'années. Son auto, en fait. Je la connais bien.

— Où est-ce qu'on peut le rejoindre, votre témoin ? demanda-t-il en ajustant sa ceinture.

Et il sortit de la poche de son veston une tablette de chocolat qu'il se mit à croquer tandis que son jeune compagnon griffonnait dans un calepin.

Le petit matin se levait quand Juliette et son neveu arrivèrent en taxi devant l'*Auberge des Seigneurs*. Le sentiment délicieux d'être encore vivants leur faisait échanger des sourires béats, malgré la fatigue et les courbatures, et valut un pourboire étonnant au chauffeur qui venait de leur défiler le récit de tous ses accidents depuis 1954. Aussitôt dans la chambre, ils changèrent de vêtements et se lavèrent ; Juliette mit sa robe déchirée et souillée dans un sac de polythène qu'elle enfouit au fond de sa valise. Ils essayèrent ensuite de dormir, mais s'aperçurent bientôt que l'appétit leur venait plus vite que le sommeil. Alors ils se levèrent et se rendirent à la salle à manger — imprudence qui scandalisa Denis.

Un soulagement profond habitait la comptable. À la certitude que le coup de la veille était dû à Livernoche s'ajoutait maintenant celle que le libraire, effrayé par son geste dément, ne bougerait pas de sitôt, même après avoir appris l'échec de son agression. Cela permettrait à Juliette de manœuvrer en toute liberté pour un temps.

Sa bonne humeur se serait évaporée comme une goutte d'eau sur une poêle brûlante si elle avait su qu'au moment même où elle donnait sa commande à Claudine, Alcide Racette causait à voix basse dans une auto avec un homme au sourire mielleux, non loin de la maison qu'elle avait conquise au prix de tant d'efforts. La veille, l'avocat avait appris que Vlaminck et sa femme, leur déménagement à peine commencé, étaient partis en vacances, laissant la surveillance des lieux à Martinek et Rachel, qui venaient de disparaître au coin de la rue. Quelques minutes auparavant, Racette et son compagnon, discrètement rencognés dans l'auto, avaient vu un menuisier descendre d'une camionnette avec son coffre à outils et pousser la barrière de fonte, les traits fripés, la mine maussade, peu enchanté, semblait-il, par le travail qui l'attendait.

— Bonne chance, fit Racette en se tournant vers son compagnon tout endimanché. Et fais le faraud tant que tu peux.

— C'est ce que j'aime le plus, ricana l'autre.

Il s'avança sur le boulevard René-Lévesque, poussa la barrière à son tour, et sonna à la porte. Un moment passa. Les hurlements d'une scie circulaire lui parvenaient de l'intérieur, interrompus de temps à autre par des coups de marteau. Le menuisier semblait travailler au premier étage. L'homme voulut entrer, mais on avait verrouillé la porte.

— Pourvu que mes deux oiseaux ne me retontissent pas dans les pattes, se dit-il en jetant un regard inquiet vers le boulevard.

Le silence se fit tout à coup dans la maison. Il sonna de nouveau et vit enfin apparaître le menuisier dans l'escalier.

L'ouvrier descendait lentement, un peu courbé, les bras ballants, l'esprit ailleurs.

— Oui, monsieur ? fit-il d'une voix sourde.

— Bonjour. Je suis Joseph Dubuc, l'homme d'affaires de madame Pomerleau. Comment va le travail ? demanda-t-il en s'avançant.

L'autre recula :

— Bien. Je fais rien que de commencer.

— Je peux jeter un coup d'œil ?

— Si vous voulez.

Il lui tourna le dos et se mit à gravir l'escalier.

Ils montèrent au premier et s'arrêtèrent au pied de la volée de marches qui menait au deuxième. Trois d'entre elles avaient été arrachées et gisaient près du mur, hérissées de clous tordus.

— L'usure, expliqua l'ouvrier d'un ton respectueux. Les nez de marches étaient trop amincis. Avec une personne normale, ça serait sans doute pas arrivé, en tout cas pas avant un bon bout de temps, mais on m'a dit que c'était une femme assez forte et que...

— En avez-vous pour longtemps ? coupa le prétendu Joseph Dubuc en promenant un regard de maître autour de lui.

— Eh bien, je me suis dit que, tant qu'à faire, c'était peut-être bon de changer toutes celles qui étaient un peu maganées, vu qu'un accident pourrait aussi bien arriver à une place qu'à une autre. Faudrait en changer huit. Et un peu plus dans l'escalier du rez-de-chaussée.

— Eh bien, faites ce qu'il faut, mon ami.

Et d'un signe de la main il lui indiqua qu'il pouvait se remettre au travail. Après l'avoir observé un instant, Dubuc redescendit au rez-de-chaussée et se mit à fureter dans les pièces en sifflotant, manifestement enchanté par la tâche qui l'attendait. Il visita la cuisine, le salon, les trois chambres de l'arrière, occupées jusque-là par les Vlaminck, qui en louaient une parfois à un client de passage, puis l'ancienne salle à manger coupée en deux par une cloison. Les pièces, qu'on avait commencé à vider, avaient pris un aspect un peu misérable, avec leurs murs défraîchis et leurs planchers éraflés couverts de menus débris. Une chaise bancale gisait à la renverse dans un coin. Un sommier fatigué était appuyé contre une fenêtre. Un téléviseur couvert d'étiquettes à la louange du soleil de l'Espagne laissait pendre ses entrailles dans une garde-robe, d'où s'échappait une forte odeur de naphtaline. Les sifflotements de Joseph Dubuc, amplifiés par l'écho, avaient quelque chose de sinistre. Il revint dans la cuisine, ouvrit quelques portes d'armoires, puis celle d'un placard et laissa échapper un « Ah ! » de satisfaction.

Il se dirigea vers la sortie. Les hurlements de la scie circulaire emplissaient de nouveau la maison. Pour atteindre le vestibule, on avait le choix d'emprunter un corridor qui longeait l'escalier ou de passer par la salle à manger. Dubuc se dirigea vers cette dernière. Il quittait la pièce lorsqu'un détail attira son attention.

— Tiens tiens tiens, murmura-t-il en s'approchant, comme c'est curieux. Je dirais même que c'est joli. Joli à mort...

Il s'accroupit devant une plinthe et se mit à la caresser. La pièce de chêne, moulurée à l'ancienne, montrait un jeu de veinures étonnant, qui partait de deux nœuds lisses et foncés, situés à une vingtaine de centimètres l'un de l'autre. Les nœuds et les veinures formaient le dessin de deux oiseaux fantastiques, l'un en train de prendre son envol, l'autre essayant de le suivre en courant.

Dubuc contempla la plinthe un moment, puis sortit de la pièce et remonta l'escalier.

— J'aurais un petit service à vous demander, dit-il au menuisier, qui arrêta aussitôt son travail en le voyant apparaître. En fait, ce n'est pas pour moi, c'est pour madame Pomerleau. Un de ses neveux voudrait se faire fabriquer des copies de plinthes anciennes et il aurait besoin d'un échantillon. J'en ai repéré un bout dans une pièce au rez-de-chaussée ; on devrait pouvoir la déclouer assez facilement. Pouvez-vous me faire ça tout de suite ?

Le menuisier eut une moue contrariée, mais s'approcha de son coffre à outils et se mit à fouiller dedans :

— Difficile d'enlever ces plinthes-là sans les briser, grommela-t-il. C'est retenu par deux grands clous de finition à tous les dix pouces et le bois est tellement sec...

Dubuc lui tendit un billet de vingt dollars :

— Je suis sûr que vous allez me faire un travail impeccable.

— C'était pas nécessaire, balbutia l'homme.

Il glissa vitement l'argent dans sa poche et suivit Dubuc.

— On dirait deux espèces d'oiseaux, s'exclama-t-il en apercevant la plinthe.

— Tiens, c'est vrai, je n'avais pas remarqué... Vous avez une âme d'artiste, vous.

Vingt minutes plus tard, il quittait la maison avec sa plinthe sous le bras et se dirigeait vers l'auto de Racette.

— Taillé et encadré, juste au-dessus de mon foyer, ça va être superbe, pensa-t-il, tandis que le menuisier, songeur, l'observait par la fenêtre en s'épongeant le front avec un vieux mouchoir chiffonné qui sentait un peu le gros gin.

— Qu'est-ce que t'amènes là ? fit l'homme d'affaires en fronçant les sourcils.

Il saisit la plinthe et poussa un sifflement d'admiration :

— Très beau. On dirait deux oiseaux. Où as-tu pris ça ?

Son regard brillant de convoitise ne quittait pas la pièce de bois.

— Dans une pièce du rez-de-chaussée. Je l'ai fait enlever par le menuisier.

Racette fronça les sourcils :

— Ce n'est pas très brillant, ça, mon ami. La propriétaire va être furieuse. Elle va questionner l'ouvrier, tout le monde va se méfier, ça va compliquer ton travail. T'as souvent des idées comme ça ? J'aurais le goût de t'envoyer promener.

Il déposa la plinthe près de lui :

— Je la garde. Après tout, c'est comme si la maison m'appartenait déjà, non ?

L'autre restait penaud. L'avocat démarra :

— Il faudra procéder vite, hein ? Pas de tataouinage. Ce soir, si possible.

* * *

— Mon garçon, décida Juliette au milieu du déjeuner, on va d'abord se rendre au garage Simard louer une autre auto et leur annoncer, au cas où la police ne l'aurait pas fait, que la première est en train de prendre racine en bas d'un talus. Et ensuite... on fera ce qui te plaira. Veux-tu toujours aller chercher tes livres à Longueuil ?

Denis la regarda, puis, fronçant les sourcils :

— Je veux *retourner* à Longueuil. Et je veux que tu reviennes avec moi. J'ai peur, ma tante. Il va nous tuer, cet homme-là.

— Ce n'est pas mon avis. Le vent vient de tourner, mon cher. Au moment où on se parle, il doit tellement trembler dans ses culottes que les coutures ont dû lâcher. Mais tu as parfaitement raison de vouloir retourner à Longueuil. C'est le bon sens même. Tes études avant tout. Encore deux ou trois jours d'absence et tu risques de gâcher tes examens, mon garçon. Et puis, je dois t'avouer que je ne me sentais pas tellement brillante la nuit passée, couchée dans ma civière, en pensant aux dangers que je t'avais fait courir. Cette histoire a dû me déranger la cervelle. Je vais téléphoner à Bohu pour qu'il te reprenne chez lui. Oui, décidément, tu as raison : ce n'est pas ici la place d'un enfant.

Denis posa les mains sur la table :

— Ce n'est pas la place d'un enfant et ce n'est pas ta place non plus, ma tante. Je te l'ai déjà dit : je ne te trouve pas très raisonnable depuis quelque temps. Tu es bien trop vieille et malade pour jouer à la police. Il faudrait au moins que tu sois un homme.

— Hein ? sursauta Juliette.

— De toute façon, poursuivit l'autre du même souffle, moi, si j'avais ton âge et que je cherchais quelqu'un qui ne veut pas me rencontrer, j'irais tout raconter à la police ou bien j'engagerais un bon détective et je resterais chez moi pendant qu'il cherche à ma place.

Il s'arrêta, un peu intimidé par l'expression suffoquée de sa tante qui le fixait, immobile. Soudain, elle pouffa de rire :

— Eh bien, sueur de coq ! mon bobichon qui me fait la leçon, maintenant ! Et quels propos ! À faire tomber les oreilles ! Mon principal défaut, comme ça, c'est de ne pas être un homme ? Affreux ! Affreux ! Où es-tu allé chercher ça, macho ?

— Je m'excuse, fit l'autre de mauvaise grâce. Ce n'est pas ce que je voulais dire. Au fond, tu es presque aussi bien qu'un homme, ma tante... sauf que tu es trop vieille maintenant pour ce genre de choses. Il fallait bien que quelqu'un te le dise.

— Mon Dieu, mon Dieu, murmura-t-elle tout bas avec un accent de tendresse mélancolique, je suis en train de perdre mon petit garçon. Bientôt, il n'y en aura plus. Cela devait arriver et voilà que c'est presque fait, déjà, déjà... Tu es en train de me faire vieillir pour de vrai, toi, snoreau... Allons, viens-t'en, il faut aller au garage.

Une heure plus tard, Juliette revenait à l'auberge au volant d'une *Chevette* bleu ciel flambant neuve qu'on ne lui avait louée qu'au terme d'une longue et laborieuse discussion, qui avait même nécessité l'intervention téléphonique de la police.

Elle n'était pas sitôt apparue dans le hall que la réceptionniste agita la main dans sa direction :

— Un message pour vous, madame Chaput, lança-t-elle d'une voix fluette.

Juliette prit le billet et ne put retenir une exclamation. Elle saisit la main de Denis et l'entraîna vers sa chambre.

— Oui, madame, annonça le concierge Robidoux, tout excité, elle m'a téléphoné hier soir à dix heures et quart, en plein milieu du téléjournal. J'ai essayé de vous joindre, mais vous n'étiez pas à votre chambre. C'est comme vous l'aviez prévu : elle veut ravoir son coffret.

Sa voix prit une intonation doucereuse et un peu servile :

— J'ai fait exactement ce que vous m'aviez dit. Ça n'a pas été très plaisant. Les gros mots sont sortis. Si elle avait pu, elle m'aurait crevé les yeux.

— Et alors ? coupa Juliette en tortillant frénétiquement le cordon du combiné.

— Je lui ai dit, poursuivit le concierge, très soucieux d'étaler son zèle et les ressources de son imagination, que je n'avais pas le temps d'aller poster son colis, que mon auto était en réparation, que je devais finir de peinturer deux appartements d'ici vendredi, car j'avais des locataires qui emménageaient durant la fin de semaine — c'est de la frime, évidemment — et que s'il fallait que je fasse les commissions de tout un chacun, je n'aurais même pas le temps de changer de linge.

— Est-ce qu'elle s'en vient ? coupa de nouveau Juliette d'une voix éteinte.

— Alors, elle m'a offert de l'argent, continua Robidoux. Je peux même vous dire qu'il s'agissait de vingt dollars et que c'est monté jusqu'à trente-cinq.

— Mon Dieu, mon Dieu, pensait la comptable en étirant le cordon sous le regard alarmé de Denis, elle doit être en route. Elle est peut-être sur le point de frapper à sa porte.

— Mais j'ai tenu bon. Pour être franc avec vous, je sens que j'aurais pu la faire monter encore pas mal, mais une parole, c'est une parole, et je n'en ai qu'une. Elle m'a lancé encore deux ou trois bordées de bêtises, puis m'a annoncé qu'elle viendrait chez moi à onze heures ce matin. Mais je vous conseille de vous amener tout de suite. On ne sait jamais...

— J'arrive, répondit Juliette. Qu'est-ce que je vais faire de cet enfant ? se demanda-t-elle en raccrochant.

Denis se dirigea vers la porte :

— On y va ? fit-il en se retournant.

Il la regardait d'un air qui faisait de sa question un ordre.

— Je... je... bien sûr qu'on y va. Où veux-tu que je te mette ? Dans le coffre-fort du motel ? Mais promets-moi de m'obéir, ajouta-t-elle en le prenant par les épaules. On ne sait pas ce qui nous attend et je ne veux pas avoir à regretter que...

— Je te le promets, répondit-il gravement.

Ils quittaient la chambre lorsque le téléphone sonna.

— Madame Pomerleau ? fit Clément Fisette, tout joyeux. Bonne nouvelle ! Je crois, oui, je crois que j'ai trouvé une solution à votre problème.

— Ah oui ? Écoutez, Clément, est-ce que ça vous dérangerait de me rappeler ce soir ? Vous me prenez la main sur le bouton de la porte et...

— Mais je n'en ai que pour deux...

— À ce soir, voulez-vous ?

Elle faillit lui annoncer les derniers événements, mais changea d'idée et raccrocha.

Fisette se laissa tomber sur une chaise, dépité. Sa bonne idée ne lui paraissait plus aussi bonne.

— Ciboire qu'elle est bête, grommela-t-il. Fini le temps des belles façons.

Il arpenta la cuisine, les mains dans les poches, la mine basse :

— Et dire que je perds une amie à cause d'une mauvaise botte... Mords-toi les doigts, imbécile, mords-toi-les jusqu'au sang !

L'heure de partir pour son travail approchait.

— Bah ! fit-il, allons la voir quand même, tout est préparé. Sait-on jamais ? Ça me vaudra peut-être mon pardon.

Il prit une enveloppe, quitta l'appartement, descendit l'escalier d'un pas rapide et silencieux et alla frapper à la porte d'Elvina. Le plancher émit de légers craquements, puis une voix revêche et inquiète demanda :

— Qu'est-ce que vous voulez ?

— On m'a chargé de vous remettre un colis, mademoiselle Pomerleau, répondit le photographe en fixant le judas avec un sourire.

La chaîne de sécurité cliqueta, la porte s'entrebâilla, et quatre doigts se tendirent :

— Donnez.

Le photographe recula :

— C'est que... on m'a également chargé de vous fournir des explications au sujet du contenu. Et je préférerais le faire ailleurs qu'ici.

Un moment passa, puis la porte s'ouvrit toute grande et Elvina Pomerleau, soigneusement coiffée, apparut dans une élégante robe bleu pastel, portant des boucles d'oreilles et un collier d'argent. Elle paraissait rajeunie de dix ans.

— De quoi s'agit-il ? fit-elle en posant sur le photographe un regard farouche et haineux qui donnait à ses yeux gris la texture du béton.

— Je ne peux vraiment pas en parler ici, insista l'autre en joignant les mains derrière le dos.

Et il s'absorba dans la contemplation du bout de ses souliers.

— Alors entrez, dit enfin Elvina.

Fisette pénétra dans l'appartement tandis qu'elle refermait la porte, son œil méfiant braqué sur lui. Noirette s'approcha précautionneusement sur ses longues pattes fines et lui renifla les genoux.

— Couché ! ordonna Elvina d'une voix coupante.

Elle vint se planter devant lui :

— Qu'est-ce que vous avez à me dire ?

Fisette ouvrit l'enveloppe et en sortit une demi-douzaine de photos en noir et blanc :

— On m'a demandé de vous montrer ceci. Non, non, non, ne touchez pas s'il vous plaît, ajouta-t-il en retirant brusquement sa main.

Et il exhiba une à une les photos.

— Je me doutais bien qu'il s'agissait d'une autre de vos cochonneries, siffla la vieille fille, écarlate.

Elle figurait sur chacune ; toutes étaient remarquables. L'une d'elles la montrait en train de battre sa chienne avec un bâton ; une autre en train d'écouter à une porte ; dans une troisième, les mains sur les hanches, la bouche de travers, elle réprimandait Denis en larmes ; ailleurs, elle se curait le nez avec une grimace comique ; dans les deux dernières, Fisette l'avait surprise debout au milieu du salon, se grattant les coudes avec une expression saisissante de fureur concentrée.

Soudain, elle se jeta dessus et les déchira sauvagement, tandis que la chienne bondissait autour d'elle en aboyant.

Fisette la contemplait d'un air placide. Quand tout fut soigneusement déchiqueté, elle s'adossa au mur, haletante, l'œil égaré.

— Je suis content que vous vous soyez un peu soulagée, remarqua le photographe avec un sourire suave. Cela va nous permettre de discuter plus calmement.

— Allez-vous-en.

— Vous n'avez pas été sans remarquer, bien sûr, que je me suis bien gardé de vous présenter les négatifs et que ce sera un jeu d'enfant pour moi de tirer d'autres copies.

— Allez-vous-en ou j'appelle la police.

— Donnez-moi une ou deux minutes, s'il vous plaît, avant de l'appeler. Je suis sûr que vous êtes extrêmement curieuse de savoir ce que j'ai l'intention de faire avec ces photos.

— Crapule ! vaurien ! salaud ! vous n'avez pas le droit d'espionner les gens comme ça ! Vous violez ma vie privée ! Je vais vous faire jeter en prison !

— Pour ça, il faudrait déterminer qui est l'auteur des photos. J'ai bien peur que cela soit difficile.

— Sksssss ! lança-t-elle en se tournant vers la chienne. Saute sur lui ! Saute sur lui, que je te dis !

Mais l'animal ne fit qu'aboyer plus fort en continuant de sautiller à bonne distance du photographe. Ce dernier avait blêmi et s'était reculé vers la porte.

— Vous savez ce que j'ai l'intention de faire ? annonça-t-il d'une voix blanche. Si vous tentez quoi que ce soit pour empêcher la vente de la maison, ces photos qui vous déplaisent tellement vont se retrouver un peu partout dans le Vieux Longueuil et en particulier dans des commerces où vous allez régulièrement, comme l'épicerie *Métro*, la pharmacie *Bergeron* ou le dépanneur *Françoise*. Et ce n'est qu'un début. J'aurai peut-être d'autres idées. Et puis n'oubliez pas une chose : un bon photographe manipule toujours ses photos avec des gants de coton...

Elle se rua sur lui. Mais il avait déjà ouvert la porte et grimpait l'escalier quatre à quatre, poursuivi par la chienne, qui s'arrêta au premier palier et continua de japper furieusement.

— Allons, redescends, toi, grande flanc-mou ! hurla Elvina au milieu du hall.

Elle claqua la porte, se dirigea vers la cuisine, suivie de la chienne encore toute frémissante, puis pivota sur elle-même et décocha un violent coup de pied dans le poitrail de l'animal, qui poussa un gémissement et s'enfuit. Elle s'écrasa alors sur une chaise et se tourna brusquement vers la fenêtre, dans la crainte soudaine de voir Fisette en train de l'épier avec son appareil-photo. Mais son bourreau n'était pas au poste. Allongeant le bras, elle tira le store, saisit un linge à vaisselle qui traînait sur le comptoir, s'épongea le visage, puis fondit en larmes, les mains pendantes, les jambes écartées, une mèche de cheveux gris déroulée jusqu'au milieu du front. Quelques minutes passèrent.

— Noirette, lança-t-elle tout à coup d'une voix éraillée. Viens, ma belle chienne, viens voir ta maîtresse.

Elle l'appela à plusieurs reprises. L'animal apparut enfin, avançant pas à pas, l'échine basse, son œil craintif posé sur la vieille fille.

— Mon Dieu ! comme je suis malheureuse ! s'écria-t-elle, et son visage se mit de nouveau à ruisseler de larmes.

La chienne se laissa caresser un moment, toute raidie d'appréhension, puis, posant son museau sur le genou d'Elvina, poussa un long soupir.

36

Juliette cala son moteur deux fois en voulant démarrer, brûla un feu rouge, puis enfonça le coude dans le flanc de son petit-neveu en manipulant le levier de vitesse. Finalement, elle se ressaisit et décida que cette journée, qui s'annonçait capitale, serait remplie de calme, de bonne humeur et de fermeté. Tandis que Denis, stoïque, se massait les côtes en silence, elle essayait de se figurer le chemin le plus court jusqu'à la rue Fontaine, où elle voyait déjà sa nièce chez le concierge Robidoux en train de réclamer son coffret ; devant l'embarras de ce dernier, elle flairait un guet-apens et décampait.

L'auto roulait depuis quelques minutes sur le boulevard Wilfrid-Laurier. Parvenue au croisement du rang Saint-François, la comptable fut sur le point d'obliquer à droite pour franchir tout de suite la rivière et continuer sur l'autre rive, évitant ainsi le centre-ville, mais elle craignit de s'égarer et continua sur le boulevard, qui l'amenait dans un quartier plus familier. Quelques minutes plus tard, elle traversait le pont Barsalou et s'arrêtait sur la rue Bourdages pour demander son chemin à une vieille femme aux joues couvertes de poils blancs.

— Mais c'est juste ici, ma pauvre madame, répondit celle-ci d'un air courroucé en étendant le bras.

Juliette tourna le coin et s'arrêta bientôt devant la conciergerie. Malgré son angoisse, elle adressa un grand sourire à son petit-neveu, qui s'était précipité dehors et lui tendait la main pour l'aider à sortir, puis s'efforça de marcher posément jusqu'à l'immeuble.

— Je veux te prévenir d'une chose, bobichon : tu devras peut-être m'attendre dans l'auto durant la conversation que j'aurai avec ta mère.

— Je ferai ce que tu voudras, ma tante, répondit l'enfant à voix basse, les traits tirés par l'appréhension.

Ils pénétrèrent dans le vestibule et montèrent les cinq marches de terrazzo qui menaient au rez-de-chaussée. Juliette s'arrêta pour reprendre haleine, puis fit signe à Denis d'aller sonner à l'appartement numéro un. L'immeuble était plongé dans un profond silence. La porte du concierge s'ouvrit aussitôt et il apparut, fébrile, l'œil brillant, avec son visage rose et fané, qui déplaisait tant à Juliette, et son halo de cheveux blonds :

— Entrez, entrez vite... Non, elle n'est pas encore arrivée... Je l'attends d'une minute à l'autre, ajouta-t-il avec un petit ricanement. Venez vous asseoir dans la cuisine. Je viens justement de faire du café.

Il pointa un grand sac de polythène que Juliette tenait à la main :

— Je suppose que c'est... le coffret ? Bon. Très bien. Alors, il ne reste plus qu'à l'attendre.

Ils entrèrent dans une minuscule cuisine beige encombrée par une table à dessus de formica et quatre chaises recouvertes de vinyle imitation crocodile. Un téléphone rouge corail luisait au milieu de la table. Un percolateur poussait de bruyantes éructations sur le buffet. Le concierge sortit des tasses, versa le café :

— J'ai de l'*Orangina* pour toi, mon gars, si t'en veux.

Denis fit signe que non et s'appuya contre un mur, les mains derrière le dos, le regard vague et fermé. Juliette tira une chaise et réussit à prendre place sans trop de peine dans l'espace compris entre la table et le buffet. Robidoux déposa le lait, le sucre et les cuillères, s'assit à son tour, fit un sourire aimable à Denis, qui détourna les yeux, puis, s'adressant à Juliette :

— Elle devrait être à la veille d'arriver dans une heure au plus tard, déclara-t-il en réalisant aussitôt que sa phrase ne présentait aucun intérêt ni même beaucoup de sens ; mais la conception qu'il se faisait de l'hospitalité impliquait une lutte de tous les instants contre le silence et, à ce point de vue, cette phrase-là en valait une autre.

— Ne reste pas planté là comme un poteau, viens t'asseoir avec nous, lança Juliette à son petit-neveu.

Mais l'expression de l'enfant lui fit regretter aussitôt la rudesse de son ton.

— Allons, viens, mon bobichon, reprit-elle d'une voix adoucie, viens t'asseoir près de moi. Tu vas voir, tout va bien se passer. Voilà, c'est ça, près de moi.

Le concierge regarda l'enfant, puis sa tante, et devina tout à coup une partie de l'histoire. Il poussa un soupir accablé et hocha gravement la tête.

Le percolateur émit une dernière éructation et s'assoupit.

— Depuis une semaine, j'ai un genou qui m'élance chaque matin, confia Robidoux. Je me demande si c'est pas un début d'arthrite.

— M'avez-vous dit qu'elle avait téléphoné hier soir vers dix heures ? demanda la comptable sans paraître avoir entendu sa confidence.

— À dix heures et quart. J'étais en train d'écouter le téléjournal.

Il prit une gorgée de café, roula le liquide dans sa bouche, puis, introduisant délicatement le bout de sa cuillère dans le sucrier, il en retira la valeur d'une pincée et la fit neiger au-dessus de sa tasse.

— Elle avait l'air pas mal nerveuse, ajouta-t-il en brassant doucement le café. J'ai eu toutes les misères du monde à la convaincre de venir ici.

Il prit une autre gorgée, fit une moue de satisfaction, puis, penchant la tête en avant, le regard à ras de sourcils :

— C'est sa mère ? demanda-t-il à voix basse.

Juliette fit un geste évasif, serra les lèvres et détourna les yeux. Robidoux se leva brusquement :

— Ah ! mais j'y pense, mon garçon ! J'ai *La Presse* de samedi. Veux-tu regarder les bandes dessinées ?

Il quitta la cuisine d'un pas rapide et on entendit un froissement de papier dans la pièce voisine. Juliette posa sa main sur celle de l'enfant et lui fit une caresse ; Denis lui répondit par un sourire malheureux. Il allait lui glisser une question à l'oreille lorsque le téléphone sonna.

— Laissez-moi, laissez-moi répondre, s'écria Robidoux en faisant irruption dans la pièce. Allô ? Lui-même, fit-il d'une voix onctueuse.

Et, posant la main sur le récepteur, il souffla :

— C'est elle !

Juliette, de saisissement, ouvrit la bouche et voulut se lever, mais retomba assise sur sa chaise, les jambes en flanelle. Denis, tout pâle, lui prit la main.

— Oui, bien sûr, madame, je comprends tout à fait, poursuivit le concierge, de plus en plus doucereux.

— Imbécile, pesta intérieurement l'obèse, tu vas la mettre sur ses gardes avec ta voix de faux-prêtre.

— Ah ! moi aussi, j'ai des journées de fou, comme je vous le disais hier soir. Il faudrait pouvoir mettre un mois dans une semaine, mais personne n'a encore trouvé le secret... Oui, je vais faire tout en mon possible. Un instant, voulez-vous ? j'attrape un crayon.

Il revint, griffonna quelque chose, puis :

— Oui, oui, c'est entendu. Si je n'arrive pas à trouver personne, je téléphonerai. Je suis désolé de ne pouvoir aller vous le porter moi-même, mais... De rien, de rien, ça me fait plaisir, madame. Bonjour.

Il raccrocha :

— Elle ne viendra pas. Elle est en discussion quelque part en ville avec un agent d'assurances au sujet de je ne sais trop quel accident. C'est probablement de la frime. Il faut que je lui fasse porter son coffret avant midi à la

Cantine Windsor, rue Sainte-Anne. Elle a laissé de l'argent là-bas pour le messager.

Juliette se leva :

— Ah ! je savais bien qu'elle se doutait de quelque chose ! Doux bon Dieu de miséricorde ! voulez-vous bien me dire quand je vais pouvoir enfin lui parler entre quatre-z-yeux, à cette démone de cachottière qui me fait suer sang et eau depuis un mois et demi ?

Denis lui saisit de nouveau la main et, d'une voix à peine audible :

— Je vais y aller, moi, ma tante. Donne-moi le coffret.

Elle le regarda un moment, puis :

— Il n'en est pas question.

— Je veux y aller, ma tante, insista l'enfant, les lèvres légèrement crispées. Il faut que j'y aille.

— Mais tu ne la verras pas, pauvre toi. Elle va sûrement attendre que tu sois parti avant de s'amener pour...

L'hésitation la gagnait. Elle se gratta le cou, songeuse. Le concierge s'approcha :

— Est-ce qu'elle le connaît ? demanda-t-il d'un air grave et mystérieux.

Juliette fit signe que non.

— Alors pourquoi ne pas l'envoyer ?

Il lui toucha l'épaule en souriant d'un air finaud (un frisson de dégoût la traversa) :

— Je commence à comprendre des petits bouts de votre histoire, madame... Je ne veux pas me fourrer le nez dans vos affaires, mais, d'un autre côté, je ne vais quand même pas me couper la tête pour m'empêcher de penser, hein ? Et puis, quand il nous vient une bonne idée, pourquoi ne pas en faire profiter les autres ? Écoutez... Il vous suffirait de vous rendre avec lui en auto à deux ou trois coins de rue de la cantine et de l'envoyer à pied porter le coffret ; ensuite, vous allez vous stationner tout près et quand votre nièce arrive...

— Bon. Vous avez peut-être raison. Où est-ce qu'elle est, cette cantine ?

Il lui expliqua le chemin, mais voyant que l'énervement l'empêchait de saisir clairement ses indications, il lui dessina le trajet sur une feuille.

— Merci, merci infiniment, fit Juliette.

Elle contourna la table et prit son sac à main posé sur une chaise. Les yeux de l'homme cillèrent tandis qu'elle fouillait dans son portefeuille.

— Tenez, fit-elle en lui tendant un billet de cent dollars, est-ce que cela vous convient ? J'espère ne pas vous avoir trop achalé avec cette histoire.

L'homme se confondit en remerciements. Elle saisit l'épaule de son petit-neveu :

— Eh bien, mon garçon, puisque t'as le goût de jouer à l'espion, lançons-nous dans l'espionnage ! Ah ! je suis contente de le quitter, celui-là, dit-elle en avançant à pas saccadés vers l'auto. Juste à sentir son œil sur moi, j'avais l'impression que mon corps se couvrait de boutons.

Elle démarra et se dirigea vers le centre-ville, regardant de temps à autre le plan dressé par le concierge. Ils franchirent le pont Barsalou, prirent la rue Bourdages et tournèrent à droite sur Girouard. Quelques minutes plus tard, ils longeaient la place Léon-Ringuet, au fond de laquelle s'élevait le Palais de justice devant un grand parc bordé de vieilles maisons de notables. Juliette s'arrêta à l'arrière du Palais au coin des rues Sicotte et Sainte-Anne. La ville à cette hauteur était coupée en deux par la voie ferrée du *Canadian National* qui franchissait un viaduc à quelques dizaines de mètres. La rue Sainte-Anne débutait sous le viaduc au bas d'une pente et montait vers le nord. Juliette donna ses instructions à Denis. Il se rendrait à pied jusqu'à la cantine. Elle attendrait qu'il prenne un peu d'avance, puis partirait à sa suite pour aller stationner à un endroit qui lui permettrait d'avoir une vue discrète sur l'établissement. Si par hasard Denis trouvait Adèle sur place, il devait faire l'impossible pour la retenir (demander un pourboire, un reçu pour le colis, l'obliger à lui donner des preuves de son identité, etc.) afin que Juliette ait le temps de les rejoindre. Si elle n'y était pas, il devait remettre le coffret à la patronne et rejoindre aussitôt sa tante par un chemin détourné. À partir de là, on improviserait.

— Allez, fais ce que je te dis et sois prudent, murmura la comptable en lui caressant la joue (il détourna la tête avec une grimace). Et si jamais tu remarques quelque chose de bizarre ou de louche, reviens me trouver en courant. C'est promis ?

— Promis, répondit l'enfant.

Il sortit de l'auto et s'éloigna à grands pas sur le trottoir recouvert de plaques de glace.

Elle le regarda aller un moment, le souffle court, bourrelée de remords d'envoyer ainsi un enfant dans l'inconnu. Mais le désir de revoir sa nièce avait tout balayé.

Un moment s'écoula. Denis s'engagea sous le viaduc et disparut dans la descente. Elle compta jusqu'à cent, mit le contact et l'auto s'ébranla doucement. Bientôt l'enfant réapparut au loin. Il avait l'air si petit et vulnérable que ses yeux se mouillèrent. Elle ralentit un peu, alluma la radio puis l'éteignit, incapable de supporter une note de musique. Au bout d'un moment, elle aperçut l'enseigne de la cantine. Il s'agissait d'une modeste construction sans étage avec un toit plat en saillie et deux larges fenêtres surmontées d'auvents de toile bleus, qui s'élevait un peu en retrait de la rue derrière une bande asphaltée où on avait installé des tables à pique-nique, utilisées par les clients durant la belle saison. Elle obliqua à gauche et se glissa tant bien que mal entre un camion de livraison et une vieille *Chevrolet* rouge vin qui semblait avoir traversé une tempête d'acide nitrique. Denis venait d'entrer dans l'établissement. Il en ressortit presque aussitôt, sans colis, hésita une seconde devant la porte, puis, tournant les talons, disparut au coin de la rue.

— Évidemment, elle n'est pas là, grommela Juliette, il fallait s'y attendre. Pourvu que ce petit concierge tortueux ne lui ait pas tout raconté, de façon à recevoir de l'argent des deux côtés. Bah ! elle est sans doute de connivence avec les gens de la cantine et je perds mon temps à jouer au détective.

Elle croisa les mains sur son ventre et se mit à siffloter, le regard rivé sur la porte du restaurant. Cinq minutes passèrent. Le retard de Denis commençait à l'inquiéter. Elle jetait des coups d'œil de plus en plus fréquents dans le rétroviseur. Midi approchait. Trois jeunes filles apparurent face à la cantine au coin de la rue Wilfred-Nelson (en écarquillant les yeux et après beaucoup d'efforts, elle avait réussi à déchiffrer le nom) ; elles traversèrent la rue Sainte-Anne en causant avec animation et pénétrèrent dans l'établissement. Puis un quinquagénaire en salopette bleue, une boîte de carton à la main, entra à son tour. Il fut suivi de deux autres clients, plus jeunes, apparemment des employés de bureau.

— Sueur de coq ! s'écria tout à coup Juliette en agitant les pieds. Veux-tu bien me dire ce qu'il fait, ce traîne-la-patte ? Pourvu qu'il ne soit rien arrivé, Seigneur ! Jamais je ne me le pardonnerais !

L'homme à la salopette sortit de la cantine, tenant toujours sa boîte, et Juliette se demanda s'il ne s'agissait pas d'un stratagème, la boîte dissimulant le coffret et l'homme servant de commissionnaire à sa nièce cachée quelque part.

Presque aussitôt, elle aperçut Denis dans le rétroviseur. Abaissant la glace, elle lui fit un signe de la main. L'enfant s'élança vers elle, puis s'arrêta pile et se remit à marcher, s'efforçant de prendre un air nonchalant et dégagé.

— Et alors ? comment ça s'est passé ? demanda Juliette quand il ouvrit la portière.

— Bien.

— Et encore ?

— La madame a pris mon paquet et m'a dit qu'elle le remettrait à la personne.

— Est-ce qu'elle avait l'air surprise... ou bizarre ? Elle a bien dit : « la personne » ?

— Oui. Elle n'avait pas l'air surprise. Elle avait l'air ordinaire.

Il s'arrêta, plissa légèrement les yeux et, plongeant son regard dans celui de Juliette :

— Ma tante, j'ai beaucoup réfléchi et je pense que tu as vraiment besoin d'un très bon détective. Tu vas mourir de fatigue avant de pouvoir l'attraper, ma mère.

Juliette ne put s'empêcher de sourire et lui caressa la joue :

— Pauvre bobichon... tu ne peux savoir combien je regrette de t'avoir mêlé à cette histoire... Il fallait vraiment que je n'aie plus ma tête pour...

— Mais non, ma tante. C'est bien normal de s'occuper de sa mère, même quand on n'est qu'un enfant.

— Allons, fit-elle en lui ébouriffant les cheveux, le voilà qui essaie de me donner bonne conscience maintenant, ce petit bobichon d'amour. Tu as bon cœur, toi. Trop peut-être... méfie-toi, ça te jouera des tours.

Et elle fixa de nouveau la cantine, qu'elle n'avait quittée du regard que par courts intervalles.

Le silence s'établit dans l'auto. Immobile, les mains sur les cuisses, le menton légèrement relevé, Denis observait lui aussi le restaurant. À deux ou trois reprises, Juliette essaya d'engager la conversation, mais il n'avait manifestement pas envie de parler. Une dizaine de minutes passèrent ainsi. L'affluence du midi battait son plein. Les clients entraient et sortaient, joyeux, le verbe haut, impatients de se mettre quelque chose sous la dent ou repus et légèrement mélancoliques devant l'après-midi de travail qui les attendait. L'image de l'homme en salopette avec sa boîte de carton hantait la comptable.

— Je me suis peut-être fait passer un sapin, dit-elle à voix haute.

Denis la dévisagea, étonné. Elle allait lui expliquer ses craintes lorsqu'une exclamation lui échappa. Un enfant d'une douzaine d'années venait de sortir du restaurant, balançant au bout du doigt le sac de polythène vert pâle qui contenait le fameux coffret. Il fit quelques pas sur la rue Sainte-Anne vers le nord, puis disparut au coin de la rue Nelson.

Juliette mit le moteur en marche et se faufila dans la circulation. Ses mains moites glissaient sur le volant.

— Je vais peut-être avoir encore besoin de toi, Denis, annonça-t-elle d'une voix légèrement haletante. Si elle est en auto, je pourrai la suivre. Mais si elle est à pied, il faudra que tu me remplaces.

Elle tourna sur Nelson, puis ralentit afin de laisser le garçon prendre un peu d'avance. Une peur sourde venait de l'envahir à l'approche de ce moment si attendu, qui lui paraissait maintenant redoutable. Des bouffées de chaleur lui montaient au visage et elle avait l'impression que ses yeux séchaient comme des rôties dans un grille-pain. Ses jambes s'étaient comme alourdies et les positions respectives du frein, de l'accélérateur et de la pédale d'embrayage devenaient de plus en plus floues dans son esprit.

— Doux Seigneur Jésus, soupira-t-elle, il a raison : je suis devenue trop vieille pour ce genre de folies...

Denis lui tapota le genou :

— Calme-toi, ma tante, tout va bien aller, j'en suis sûr. Et puis, on est deux...

Ils franchirent ainsi une centaine de mètres. Le commissionnaire d'Adèle Joannette marchait d'un bon pas, mais sans manifester de hâte particulière, comme s'il avait le temps dans ses poches. À en juger par les balancements qu'il imprimait au sac, son humeur semblait particulièrement enjouée ; on lui avait sans doute promis un joli pourboire.

Il traversa la rue Moreau, filant toujours sur Nelson, prit à droite par le boulevard Laframboise (ce qui le ramenait sur ses pas) et disparut derrière une grosse maison jaune pâle. Juliette s'arrêta au coin, attendit une minute, puis s'engagea à son tour sur le boulevard. Il trottinait maintenant, sans doute excité par la remise imminente de sa récompense. Juliette le suivit ainsi un moment, puis :

— C'est insensé, s'exclama-t-elle tout à coup. Il va finir par nous remarquer. Je me sens comme un corbillard derrière une mouche.

Elle quitta le boulevard et alla stationner sur la rue Papineau devant un vieux manège militaire.

— Tu le laisses aller ? s'étonna Denis.

Elle éteignit le moteur et, perplexe, tiraillant la peau de son double menton, se tourna vers son petit-neveu. Elle se sentait à deux doigts du but et de plus en plus incertaine sur les moyens à prendre pour l'atteindre :

— Écoute, bobichon. Si je ne me trompe, le boulevard Laframboise bute contre la voie ferrée sous laquelle on est passés tout à l'heure. Tu vas suivre notre bonhomme en faisant semblant de te promener ou de chercher quelque chose et je te suivrai moi-même en auto par cette rue là-bas, parallèle au boulevard. À chaque coin de rue, tu n'auras qu'à tourner la tête pour m'apercevoir. Dès que tu verras Adèle, fais-moi signe. Ça va ?

— Ça va, répondit l'enfant avec une petite grimace d'appréhension.

Juliette le regarda s'éloigner, les mains dans les poches, la démarche tellement gauche et empruntée qu'elle sourit. Puis elle démarra, tourna sur la rue Bernier qui longeait le boulevard Laframboise à l'est, et alla se poster au coin de rue suivant.

Denis suivait son commissionnaire, qui avait un peu ralenti et tenait maintenant le colis serré contre sa poitrine. Il nota que le garçon avait les cheveux roux et portait un jean aux bords tout effilochés. Obéissant à la recommandation de sa tante, il s'accroupit soudain le long de la chaussée et feignit d'examiner une canette de boisson gazeuse aplatie par un pneu, comme s'il s'agissait d'une trouvaille archéologique. Puis ce fut un mégot, un fragment de brique, un bout de broche tordu ; il parvint ainsi au coin de la rue Morrison et aperçut avec soulagement la *Chevette* de sa tante dans la rue Bernier. En avant, le garçon s'était mis à chanter à tue-tête ; il se retourna soudain, fixa Denis (ce dernier se précipita vers un paquet de cigarettes vide tombé près d'une crotte de chien) et poursuivit sa marche. Denis tripota le paquet un moment malgré l'odeur nauséabonde, puis, relevant la tête, risqua un coup d'œil vers le rouquin. L'enfant continuait de chanter, sans se douter de rien. Denis reprit sa marche, le regard rivé au sol :

— C'est très difficile d'être un bon détective, songeait-il, préoccupé. Si j'étais un Indien, j'aurais peut-être moins de misère.

Juliette avait deviné juste : deux cents mètres plus loin, le boulevard Laframboise se terminait en cul-de-sac sur une petite place dominée par la tête dépouillée d'un immense bouleau et bornée au fond par le remblai du chemin de fer, que semblait traverser un tunnel piétonnier. À droite et à gauche s'élevaient de vieux bâtiments de brique un peu décrépits, apparemment désaffectés. L'un d'eux, assez imposant, était flanqué à un de ses angles d'une tour carrée à toit mansardé devant laquelle se promenait, cigarette aux lèvres, une femme vêtue d'un manteau vert et d'un pantalon beige. Le rouquin lui fit un léger signe de la main et se dirigea vers elle. Denis, le cœur battant à tout rompre, se rendit doucement jusqu'à la rue Delorme, puis, une fois à l'abri des regards, s'élança vers l'auto de sa tante qui l'attendait cent mètres plus loin :

— Elle est là, annonça-t-il en ouvrant la portière, et il sauta dans l'auto.

Juliette démarra :

— Seigneur, est-ce que c'est Dieu possible ? Je vais enfin pouvoir lui... Elle est en auto ?

— Je ne pense pas.

La *Chevette* tourna sur le boulevard Laframboise et fonça vers la place. La comptable poussa une exclamation de dépit : l'endroit était désert. Mais elle aperçut le commissionnaire qui revenait en sifflotant, les mains vides. Elle freina, baissa sa glace :

— Hey ! 'tit-gars ! où est-ce qu'elle est passée ?

L'enfant s'arrêta pile et la regarda, interloqué.

— Je veux parler de la dame à qui tu viens de remettre un paquet, reprit la comptable en souriant. Pourrais-tu me dire où elle est passée, mon garçon ?

Il hésita une seconde, tendit le bras :

— Par là-bas.

Il reprit sa marche, puis partit au galop et disparut derrière une clôture. Juliette donna un coup d'accélérateur et s'arrêta au milieu de la place, où flottait comme une paix campagnarde.

Denis s'élança de l'auto vers le tunnel piétonnier, suivi de sa tante. La jeune femme venait de le traverser et s'éloignait rapidement, son colis à la main.

— Sueur de coq ! c'est elle, murmura Juliette.

Elle saisit son petit-neveu par les épaules :

— Écoute, je n'arriverai jamais à la rejoindre à pied. Suis-la le plus discrètement possible tandis que je vais essayer de l'intercepter en auto ; pour cela il faut que je revienne sur mon chemin et que je repasse sous le viaduc. Si jamais elle file, attends-moi... attends-moi près du...

— ... près du Palais de justice, termina l'enfant.

Il partit en courant.

— Doucement, doucement, lança l'obèse, horrifiée. Ah ! quelle histoire de fou, soupira-t-elle en se hâtant vers son auto.

Elle remonta le boulevard jusqu'à la rue Morrison, tourna à gauche et se rendit jusqu'à la rue Sainte-Anne qu'elle descendit vers le sud, franchit le viaduc et emprunta la rue Sicotte qui longeait le remblai et menait à l'extrémité opposée du tunnel piétonnier. À demi folle d'impatience et d'angoisse, elle parvint au bout de la rue, obliqua à droite sur la rue Sainte-Marie, puis sur Girouard, et arriva enfin devant le grand parc qu'elle avait longé une heure plus tôt. Adèle et Denis n'étaient visibles nulle part. Elle se mit à enfiler les rues à l'aventure, des sanglots dans la gorge, changeant de vitesse à contretemps, débrayant au hasard, oubliant ses clignotants. Le moteur s'emballait et rugissait, la boîte de vitesses grinçait en se broyant les entrailles ; des passants la pointèrent du doigt. Un feu rouge la força de s'arrêter. À sa droite se dressait un bouquet d'arbres au milieu d'une pelouse. Un immense piaillement s'élevait parmi les branches. Elle pencha la tête et aperçut une masse frétillante de petits oiseaux noirs possédés d'une sorte d'hystérie. Il y avait quelque chose de monstrueux dans cette agitation innombrable. Elle crut y lire un mauvais présage. Un frisson lui courut dans le dos.

— Mais où sont-ils donc passés ? lança-t-elle d'une voix désespérée en redémarrant.

Elle se retrouva tout à coup sur la rue Calixa-Lavallée et aperçut Denis qui traînait les pieds, l'air dépité. Il vit l'auto et courut vers elle. Juliette ouvrit la portière, posa un pied sur le sol :

— Enfin, te voilà, toi ! Et alors ? où est-ce qu'elle est ?

— Je l'ai perdue, avoua l'enfant. Elle vient de prendre un autobus.

— Lequel ?

Il tendit l'index :

— Je l'ai vue entrer dans le terminus là-bas. J'ai attendu un moment au coin de la rue et quand je suis entré à mon tour, elle montait dans un autobus qui est parti presque aussitôt.

La comptable s'extirpa de la *Chevette* avec de petits gémissements et dut s'appuyer sur la portière pour retrouver l'équilibre ; elle était exténuée.

— Parti pour quel endroit ? demanda-t-elle dans un soupir.

— Je ne sais pas. J'ai oublié de regarder.

— Attends-moi ici.

Elle se dirigea vers un édifice recouvert de crépi blanc, dont le rez-de-chaussée s'ornait d'une grande vitrine ; au milieu de celle-ci une enseigne annonçait gravement en lettres noires et rouges :

Restaurant Terminal

Elle poussa la porte, ressortit au bout de quelques secondes et se dépêcha vers l'auto avec un dandinement qui fit pouffer de rire une passante.

— Montréal, lança Juliette, haletante, en se laissant tomber sur son siège, elle vient de prendre l'express pour Montréal. Il faut absolument arriver avant elle au terminus *Voyageur*, rue Berri. C'est notre seule chance de l'attraper.

Elle claqua la portière, tourna la clef d'allumage, donna un coup d'accélérateur et l'auto démarra dans un vrombissement qui réveilla un bébé, cinq maisons plus loin. L'enfant se mit à pleurer, rattrapa sa tétine du bout des lèvres et fixa le plafond d'un air étonné.

— Nous vois-tu en train de passer Montréal au peigne fin ? fit l'obèse en tournant brusquement un coin de rue. Ça nous mènerait à cent ans après la fin du monde !

Elle avait retrouvé son sang-froid. Cela s'exprima par un chapelet de manœuvres casse-cou dont la virtuosité démente ébahit ou indigna soixante-quinze Maskoutains. Cinq d'entre eux alertèrent la police, mais lorsque cette dernière décida de s'ébranler pour une opération punitive, la contrevenante avait quitté depuis longtemps le territoire soumis à leur aimable surveillance.

Denis feignait de dormir, car il n'avait pas envie de parler. Il avait entrevu quelques secondes le visage tendu et fatigué de cette femme qu'on disait sa mère ; il essaya de la faire réapparaître dans son esprit avec son manteau vert lime, son pantalon beige, ses cheveux bruns, coupés à l'épaule et légèrement ébouriffés, et surtout ce regard distrait et un peu effaré qu'elle avait posé sur lui au moment de monter dans l'autobus, car il sentait que c'était dans ce regard que se trouvaient les réponses à toute une série de questions concernant sa vie. Dans quel camp se rangerait-il au moment où on l'aurait cernée ? À deux ou trois reprises, il réussit à faire apparaître le regard dans sa tête et, chaque fois, il ressentit une impression mélangée d'attirance et d'écœurement, sans pouvoir obtenir de réponse plus précise. D'ailleurs l'exercice le fatiguait. Il orienta ses pensées vers des choses agréables (une caresse que Rachel lui avait faite sur la nuque en passant près de lui l'autre jour ; le samedi mémorable où Alexandre Portelance l'avait amené voir *Ma vie de chien* au cinéma *Berri* ; une plaisanterie loufoque de Vinh sur la façon dont les femmes ont des enfants), puis il finit par s'endormir.

Une pression sur son genou gauche le réveilla. Juliette tourna vers lui un visage blafard où la peau, ordinairement rose et pulpeuse comme l'intérieur d'une fraise, avait rétréci et durci, prenant une curieuse apparence de plastique :

— On arrive, mon bobichon, et je vais avoir encore besoin de toi, pauvre enfant.

Denis se frotta les yeux, bâilla, s'étira, puis, après avoir examiné Juliette :

— Te sens-tu bien, ma tante ?

— Ça va, ça va, murmura-t-elle d'une voix lézardée de fatigue. J'ai seulement hâte que cette histoire finisse. Tout à l'heure, quand j'ai dépassé l'autobus qu'a pris ta mère, j'ai pensé défaillir. Je sentais son regard planté dans mon dos comme un pieu. J'ai manqué de faire une fausse manœuvre.

Elle jeta un coup d'œil dans le rétroviseur, donna un léger coup de volant pour laisser passer un camion-remorque qui les noya dans son rugissement, puis :

— Pour être franche, je n'attends rien de bon de notre rencontre... surtout si je la trouve avec son affreux libraire. J'ai envie de demander à Bohu ou à monsieur Portelance de m'accompagner... si jamais on découvre où elle niche !

— Moi, ma tante, je pense qu'il faudrait qu'on soit plusieurs. Il va peut-être vouloir te battre... ou même te tuer. Tu devrais demander à Clément et à Rachel de venir aussi.

Ils roulaient maintenant le long du fleuve dont ils n'étaient séparés à leur droite que par un étroit remblai où vivotaient des arbustes et des buissons. Au loin, sur l'autre rive, se dressaient de vastes constructions grisâtres d'usines et d'entrepôts ; l'une d'elles, avec son fourmillement compliqué de tuyaux et de cheminées, ressemblait à un cargo échoué le long du fleuve, qui n'aurait pu recevoir sa coque géante. Puis la forme ronde et aplatie du stade olympique apparut avec son mât incliné. Entre eux s'étalait l'immense nappe d'eau ; sous le soleil de midi, qui avait commencé à pomper le brouillard chimique flottant sur l'est de Montréal, elle lançait de bizarres lueurs mauves qui lui donnaient une apparence vaguement sournoise. Une pancarte annonça Longueuil, puis une seconde, le pont Jacques-Cartier. Juliette prenait à tous moments de grandes inspirations, s'étirait le cou, tournait la tête à gauche et à droite, comme pour dégager ses voies respiratoires.

— Ça ne va pas, ma tante ?

— Non, pas tellement. C'est à cause de toi, ajouta-t-elle brusquement. Il va falloir que tu la files à partir du terminus *Voyageur* et ça m'inquiète... Si je demandais à Bohu ou à Clément de s'amener tout de suite... Impossible, reprit-elle aussitôt avec un soupir accablé, j'ai à peine cinq minutes d'avance sur l'autobus.

— Tu t'inquiètes pour rien, ma tante, fit Denis d'une voix mal assurée. Je sais comment faire.

Ils traversaient maintenant le pont Jacques-Cartier. Elle lui donna ses instructions, multipliant tellement les conseils de prudence que l'enfant manifesta des signes d'agacement.

— Mon Dieu, implora-t-elle intérieurement, faites qu'elle ne prenne pas le métro afin que je puisse la suivre moi-même. Je ne vous ai pas demandé grand-chose en vingt ans. Accordez-moi au moins cette petite gâterie, pour l'amour.

Il était une heure vingt quand ils arrivèrent en vue du terminus *Voyageur*; Juliette stationna sur le boulevard Maisonneuve près du restaurant *Beaulac* et entra aussitôt dans l'établissement pour tenter d'atteindre Portelance aux bureaux d'*Electrolux*. Mais il était absent.

Elle revint alors à l'auto, où l'attendait Denis, et, serrant avec force l'enfant dans ses bras (il fronça le nez sous les émanations de la sueur):

— Allons, bonne chance, bobichon, et sois méfiant comme vingt chats. Je me consolerais de ne jamais revoir ta mère. Mais jamais je ne me consolerais de te perdre.

Denis pénétra dans le terminus, frissonnant, les jambes raides, tout étourdi par le sentiment de son importance, tandis que Juliette prenait place au volant. Il devait courir la retrouver si Adèle se dirigeait vers la sortie. Si, au contraire, elle empruntait l'escalier intérieur qui menait au métro, il devait la suivre jusqu'à sa cachette, puis téléphoner à la secrétaire de Portelance (c'était le seul intermédiaire que Juliette avait réussi à dénicher en si peu de temps) pour lui indiquer où il se trouvait. Juliette devait communiquer à tous les quarts d'heure avec celle-ci (Portelance lui ayant fait de longs éloges de son amie, elle avait accepté volontiers de fournir son aide, prenant la chose comme un jeu).

Aussitôt avertie, Juliette le rejoindrait. Au moindre signe de danger, il devait se précipiter dans la première maison pour téléphoner à la police, puis à la secrétaire, et attendre l'arrivée de sa tante.

Un quart d'heure passa. De temps à autre, un autobus fonçait en rugissant sur la rue Berri et disparaissait au coin du terminus. Denis ne revenait pas.

— Eh bien, ça y est, soupira la comptable. Ce que je redoutais est arrivé : elle a pris le métro. Dieu sait où ils sont à présent.

Pour en avoir le cœur net, elle décida néanmoins de jeter un coup d'œil dans la salle d'attente. Un animateur bien connu de *Télé-Métropole*, sorti pour prendre l'air après quatre heures d'enregistrement, l'aperçut qui traversait la rue Saint-Hubert.

— Bouts de mitaine ! s'écria-t-il intérieurement, j'ai souvent vu des corsets à baleines, mais c'est la première fois que je vois une baleine en corset.

Son jeu de mots l'enchanta tellement qu'il décida de le placer dans sa prochaine émission.

Juliette inspecta longuement le terminus, puis se dirigea vers la rangée de téléphones brun chocolat qui servaient de guichets de renseignements.

— L'autobus de Saint-Hyacinthe est arrivé depuis dix minutes, madame, lui répondit une voix d'homme impersonnelle et subtilement dégoûtée.

— Non, madame Pomerleau, fit la secrétaire d'*Electrolux* vingt minutes plus tard, je n'ai toujours pas de nouvelles de votre petit-neveu. Ne vous gênez pas pour me rappeler.

Juliette raccrocha et dut serrer les mâchoires de toutes ses forces pour ne pas éclater en larmes.

— Maudite folle, murmura-t-elle, frémissante de rage, a-t-on idée d'envoyer un enfant jouer à l'espion en plein Montréal ? Si jamais il lui arrive...

Et l'image de sa propre chute du haut du pont Jacques-Cartier fit naître en elle un amer plaisir. Elle s'amusa un instant à imaginer des variantes de sa mort : engloutie dans l'eau glacée du fleuve ; écrabouillée au milieu de la rue Sainte-Catherine ; grandiosement empalée sur un manège de La Ronde. Puis, levant la tête, elle aperçut un jeune homme qui l'observait, intrigué, devant le kiosque à journaux. Alors elle décida d'aller tuer le temps au restaurant *Beaulac*.

Une serveuse lui apporta une infusion de tilleul. Juliette lui demanda un journal, car l'idée d'avoir à passer ne serait-ce que trois minutes devant une tasse sans rien pour occuper son esprit la plongeait dans le désespoir.

À deux heures trente, après un cinquième appel à la secrétaire, dont l'obligeance fondait à vue d'œil, elle était sur le point d'alerter la police. Un numéro du *Journal de Montréal* gisait tout froissé sur sa table, tandis que *Le Devoir* s'étalait en désordre sur une chaise à ses côtés. La jeune serveuse, pleine de compassion pour cette femme énorme à l'air soucieux qui gigotait pesamment en émettant des bruits de soufflet, s'apprêtait à lui apporter un vieux photo-roman malgré les gros yeux du patron qui trouvait sa cliente peu rentable, lorsque cette dernière se leva encore une fois pour aller au téléphone. Une exclamation de joie emplit le restaurant.

— Mademoiselle ! mademoiselle ! lança l'obèse en laissant tomber le combiné qui alla frapper le mur avec un bruit retentissant, passez-moi votre stylo, vite !

Elle griffonna fiévreusement quelques mots sur un morceau de journal en marmonnant des « Cuisse de puce, que ça me soulage ! », tapota la joue de la serveuse en lui glissant cinq dollars dans le creux de la main et quitta le restaurant à toute vitesse.

Quinze minutes plus tard, elle s'arrêtait devant un petit dépanneur du nord-est de la ville au coin des rues Drolet et Jarry. Elle poussa la porte et s'immobilisa sur le seuil, jetant partout des regards éperdus ; Denis n'était pas au rendez-vous. Il surgit tout à coup de derrière un tourniquet chargé de romans *Harlequin*. Elle s'élança vers lui sans un mot et le serra dans ses bras sous le regard étonné d'une grande adolescente au visage luisant de pommade. L'enfant, intimidé, réussit à se dégager :

— Elle est à deux pas d'ici, souffla-t-il.

— Seule ?

Il secoua la tête :

— Quelqu'un lui a ouvert la porte.

— Ç'aurait été trop beau, soupira l'autre. Rien ne sera jamais simple dans cette histoire. As-tu vu qui c'était ?

— Non.

Juliette se tourna vers le comptoir, derrière lequel la jeune fille, penchée au-dessus d'un journal, déployait des efforts surhumains pour ne pas avoir l'air d'écouter leurs chuchotements. Une odeur camphrée flottait dans l'air. Les joues de la vendeuse, couvertes de petits boutons, avaient l'air de cuire doucement sous la pommade.

— C'est que je n'ai pas tellement le goût de me trouver toute seule devant ce maniaque, murmura l'obèse comme pour elle-même. Dans l'humeur où je vais le trouver, il pourrait tout aussi bien m'ouvrir d'un coup de couteau et me vider dans sa cuisine, juste pour me donner une leçon.

Denis lui prit la main :

— Appelle la police, ma tante. Il ne faut pas y aller tout seuls, c'est trop dangereux.

Elle réfléchit, puis, s'adressant à la jeune fille :

— Est-ce qu'il y a un téléphone ici ?

— Juste en face de vous, madame, répondit l'autre avec un sourire quelque peu persifleur.

— Je vais essayer encore une fois de joindre monsieur Portelance, dit-elle en fouillant dans son sac à main. Je ne veux pas mêler la police à cette histoire avant d'avoir parlé à ta mère. Tu t'imagines le genre d'entrée en matière que ça me ferait ? Beau petit Jésus, faites qu'il soit là, implora-t-elle à voix basse en actionnant le cadran. Toi, va donc jeter un coup d'œil dehors pour voir si cette chère Adèle n'aurait pas eu envie par hasard de se déguiser en courant d'air.

Denis prit de nouveau sa main et, d'une voix un peu rauque :

— Appelle aussi Clément et Bohu et Rachel, ma tante. On sera jamais trop.

Vaincue par la curiosité, l'adolescente avait replié son journal et suivait la scène avec des yeux dont l'éclat rivalisait maintenant avec celui de ses joues.

Alexandre Portelance qui, dans l'exercice de son métier, avait toujours tablé sur son bagout, méprisant le soutien de l'imprimé et de l'audio-visuel, avait décidé par exception ce jour-là de changer de tactique et venait d'arriver au bureau pour prendre une série de brochures vantant la supériorité jupitérienne d'*Electrolux* sur tous ses concurrents. Il allait rencontrer un gérant d'hôtel qui lui avait fait miroiter l'achat d'une vingtaine d'aspirateurs, si leur prix savait s'enrober, bien entendu, d'un certain moelleux. Bien des années plus tard, il considérait toujours sa décision subite de recourir à des brochures comme l'une des plus heureuses de toute sa vie, la comparant à la résolution qu'il avait prise le 15 novembre 1956 de quitter l'armée.

— Eh bien, regardez-moi donc ça ! vous êtes de retour à Montréal ? s'écria-t-il, ravi, tandis que ses oreilles devenaient brûlantes. Avez-vous réussi finalement à mettre la main sur... Ah bon. Ah bon, je vois. Ne bougez pas d'où vous êtes. J'arrive dans cinq minutes.

— Bohu, maintenant, insista Denis en revenant auprès de sa tante. Bohu et Clément et Rachel.

Martinek venait d'arriver à la maison du boulevard René-Lévesque en compagnie du percussionniste Jules Henripin qui lui avait obligeamment fourni son automobile pour déménager des effets personnels restés à Longueuil. Rachel, qui ne se sentait aucune attirance pour les appartements à demi meublés et les nuits passées sur le plancher à regarder le ciel par des fenêtres sans rideaux, avait décidé quelques jours plus tôt de réintégrer son appartement de Côte-des-Neiges en attendant que Martinek termine son installation (ce que les répétitions et l'insouciance du musicien avaient empêché jusque-là). Ce dernier montait pesamment l'escalier, une grosse caisse de partitions dans les bras (Berlioz, Chabrier, Poulenc, Dallapiccola), lorsque Henripin l'appela.

— Madame Pomerleau, annonça-t-il en lui tendant le combiné. Elle n'a pas l'air bien.

— Ça y est, se dit Martinek avec une grimace de dépit, ma répétition vient de tomber.

Il s'empara de l'appareil. Son visage déçu s'anima soudain :

— Oui... bien sûr... pas du tout, je ne faisais absolument rien... c'est ça, à tout de suite. Vous ne bougez pas avant qu'on arrive, hein ?

Il raccrocha, puis annonça à son compagnon étonné que la répétition de cinq heures était annulée.

— Raison majeure, mon vieux. Je t'explique, après un petit coup de téléphone.

Il se mit à fouiller dans le bottin :

— Tu avertis les autres, hein ? Et puis, ça serait chic de ta part, ajouta-t-il en reprenant le combiné, si tu venais me reconduire en vitesse au 8400 de la rue Drolet. Monsieur Fisette, s'il vous plaît.

— Non, répondit Fisette en pâlissant, je ne peux vraiment pas. J'ai du travail par-dessus la tête. Bonne chance.

— Qu'est-ce qui lui arrive ? se demanda la jeune comptable du *Studio Allaire* en fixant le photographe. On dirait que quelqu'un vient de lui souffler de la farine en plein visage.

Elle fut tout heureuse de sa comparaison :

— Hé ! Clément ! lança-t-elle au photographe qui s'éloignait, qu'est-ce qui t'arrive ? Tu es pâle à faire peur. On dirait que quelqu'un t'a soufflé de la farine en plein visage. Je ne sais pas ce qui est arrivé à Clément, fit-elle en se tournant vers monsieur Allaire qui entrait dans la pièce. Il vient de recevoir un appel. Si vous l'aviez vu ! Il a perdu toutes ses couleurs. On dirait que quelqu'un lui a soufflé de la farine en plein visage.

— Bon bon bon, soupira Robert Allaire, le voilà embarqué dans une autre histoire.

— Évidemment, c'était à prévoir, pensait Fisette, debout dans sa chambre noire devant un bain de fixation. Depuis le temps qu'elle court après, il fallait bien qu'elle l'attrape un jour. Pas question pour moi, dans ce cas, de quitter mon appartement de Longueuil. Elle va sûrement vouloir l'amener vivre dans sa nouvelle maison. Belle compagnie que j'aurais là-bas !

Il se tripotait les narines, insensible à l'odeur piquante de l'acide acétique qui imprégnait le bout de ses doigts.

* * *

Juliette arpentait la boutique du dépanneur, consultant sa montre à toutes les trente secondes.

— Mon Dieu qu'ils prennent du temps, soupira-t-elle pour la dixième fois. Est-ce qu'ils s'en viennent à pied, cuisse de puce ? Tu ne vois toujours rien, toi ?

Planté devant la vitrine, Denis scrutait la rue :

— Non, ma tante.

Elle s'arrêta devant le comptoir. Adossée contre les tablettes chargées de conserves, la vendeuse l'observait en silence, l'œil à demi baissé, ses lèvres fines et pâles plissées en un sourire imperceptible et suprêmement irritant.

— Tenez, donnez-moi donc un *Mae West*, demanda Juliette. Je me sens l'estomac comme un bac d'acide.

Elle posa la monnaie sur le comptoir, déchira le sachet, prit une énorme bouchée et regarda l'adolescente d'un œil torve. Cette dernière saisit un chiffon, frotta le dessus du comptoir, puis disparut dans l'arrière-boutique. Juliette bouchonna l'emballage de la pâtisserie dans le creux de sa main, le jeta à la poubelle et se remit à faire les cent pas.

— Mais qu'est-ce qu'ils font ? murmura-t-elle au bout d'un moment. À vouloir être trop prudents, je gage qu'on va perdre l'oiseau.

Elle s'épongea le cou puis le front avec un mouchoir, dressa le menton en l'air, voulut prendre une grande inspiration, mais s'étouffa.

Denis l'observait ; un mouvement de pitié s'empara de lui soudain et il s'avança pour lui faire une caresse, mais la porte s'ouvrit à toute volée et Rachel apparut, son étui à violon sous le bras, le visage tendu et joyeux :

— Vous l'avez trouvée ? Où est-elle ? Où sont les autres ?

Juliette mit un doigt sur ses lèvres :

— Ferme la porte, ma fille. Je suis contente de te voir. Bohu a donc réussi à te joindre ?

— Je donnais une leçon, répondit-elle en baissant la voix à la vue de la fille pommadée que le bruit avait ramenée en vitesse. J'ai sauté dans un taxi et me voilà. Où est-elle ?

— À deux pas d'ici. J'attends d'avoir tout mon monde pour aller la trouver, car elle n'est pas seule, paraît-il. Notre cher...

Elle s'interrompit, s'épongea le visage :

— Je ne comprends pas que monsieur Portelance ne soit pas encore arrivé.

Elle n'avait pas achevé sa phrase que la porte s'ouvrait de nouveau et que le vendeur apparaissait, radieux, dans l'embrasure, qu'il emplit de sa corpulence :

— Et alors, ma chère madame Pomerleau, le grand moment est enfin arrivé ? Je serais venu plus vite, mais j'ai été poigné dans un maudit embouteillage, rue Saint-Hubert.

Il s'avança, presque aussitôt suivi de Martinek :

— Ah ! bonjour, mademoiselle, fit-il en inclinant la tête devant Rachel, intimidé par sa beauté. Quelle histoire, hein ? C'est toute une histoire !

Il aperçut Denis :

— Tiens ! salut, jeune homme. Alors, tu continues de tromper ta maîtresse d'école ?

— Où est-elle ? demanda Martinek en penchant sa taille un peu voûtée vers Juliette.

— À deux pas. Nous y allons.

— Comment vous sentez-vous ?

— Tout à fait bien. Mais le cœur m'a pompé, je vous en passe un papier. Imaginez : c'est mon petit Denis qui l'a filée en métro, du terminus *Voyageur* jusqu'à sa cachette ! Dépêchons-nous, voulez-vous ? Je me ronge les sangs à l'idée qu'elle se soit douté de quelque chose et qu'elle ait fiché le camp.

Ils quittèrent le dépanneur sous le regard incommensurablement ahuri de la jeune vendeuse qui, figée derrière son comptoir, les écoutait la bouche entrouverte, l'effet de l'étonnement s'étant conjugué à l'action de la pommade pour donner à son visage une rougeur apoplectique.

— Minute, lança tout à coup Alexandre Portelance en touchant l'épaule de Juliette qui avançait sur le trottoir.

Tout le monde s'arrêta. Le vendeur avait pris un air mystérieux et concentré, comme s'il se préparait à refaire l'assassinat de François-Ferdinand d'Autriche :

— Il faudrait peut-être s'entendre sur un plan d'attaque, non ? Où demeure-t-elle au juste, votre chère nièce ?

— Au 8426, Drolet, répondit Denis.

— À quel étage ?

— Deuxième.

— Eh bien, je proposerais qu'on se sépare en deux groupes. Le premier irait frapper à la porte d'en avant, l'autre à la porte d'en arrière. Mais faisons vite : je n'ai pas trop aimé la face de fouine qui assistait à notre petite réunion, cachée derrière ses sacs de bonbons.

— Rachel et Bohu, lança Juliette d'une voix pleine de trémolos, rendez-vous à l'arrière. Moi, j'irai sonner en avant avec Denis et monsieur Portelance.

Ils se remirent en marche. Le vendeur toucha de nouveau l'épaule de Juliette (il semblait y prendre plaisir) et pointa l'index vers le musicien et son amie, qui les précédaient d'un pas rapide :

— Il faudra leur laisser une minute ou deux, car ils doivent contourner le pâté de maisons en passant par la ruelle, là-bas.

Denis tira sa tante par la main :

— Reculons-nous, ma tante, on peut nous voir.

Ils revinrent jusqu'au dépanneur. Juliette jeta un coup d'œil par la vitrine :

— Tiens ! personne, murmura-t-elle, étonnée.

Alexandre Portelance contempla gravement une annonce de bas-culottes, puis, se tournant vers ses compagnons :

— En avant ! Advienne que pourra.

Ils s'arrêtèrent devant une maison de brique à deux étages, vieille d'une cinquantaine d'années, contiguë à d'autres maisons semblables et qui s'élevait un peu en retrait de la rue. On accédait aux logements du haut par ces escaliers extérieurs à marches de pin et limons de fer qui doivent sans doute à leurs longues et gracieuses courbes l'appellation d'« escaliers français ». Juliette, l'œil stoïque et la mâchoire durcie, agrippa la rampe et commença lentement son ascension. L'escalier se mit à vibrer et à résonner sourdement, tandis qu'ils s'approchaient peu à peu de la porte derrière laquelle avait disparu Adèle Joannette une heure plus tôt.

— Les coups du destin, pensa Denis qui, malgré son angoisse, s'amusa à serrer la rampe pour que les vibrations pénètrent mieux son bras.

Parvenue au palier, l'obèse, toute en nage, se tourna vers le vendeur pour chercher un peu de réconfort, puis enfonça vigoureusement le bouton de la sonnette.

— Denis, reste derrière monsieur Portelance, ordonna-t-elle à voix basse.

Par la porte à carreaux, on apercevait un vestibule aux murs turquoise et une deuxième porte, dont la vitre était masquée par un rideau fleuri. Le plancher de tuiles grises n'avait pas été nettoyé depuis belle lurette. Une paire de claques était posée sous un radiateur.

— Pointure dix ou dix et demi, murmura Juliette en fixant les claques. Le propriétaire est facile à deviner.

— Sonnez une deuxième fois, lui glissa Portelance à l'oreille.

Elle appuya de nouveau et crut voir le rideau bouger imperceptiblement.

— Il y a quelqu'un, murmura-t-elle entre ses dents (son aisselle gauche la démangeait furieusement). Et on ne veut pas nous répondre.

Elle essaya sans succès d'ouvrir la porte. Une colère subite la saisit devant ce dernier obstacle, alors qu'elle était si proche du but.

— Ce monstre ne me cachera pas ma nièce jusqu'à la fin des temps, se dit-elle.

Malgré sa répugnance à les utiliser, elle décida que l'heure des grands moyens était venue.

— Monsieur Portelance, articula-t-elle d'une voix éclatante, il va falloir défoncer ! C'est notre seule chance. Si vous avez du nerf, c'est le temps de le montrer.

Et, se glissant de côté, elle lui laissa le champ libre. Le quinquagénaire serra les mâchoires, prit une inspiration, ferma les yeux et s'élança. Au premier choc, les carreaux tintèrent, mais rien ne bougea. Au deuxième, il fit irruption en trébuchant dans le vestibule, tandis que la porte frappait violemment le mur ; un carreau vola en éclats. Juliette se glissa derrière le vendeur qui venait de pousser la deuxième porte.

— Qu'est-ce qui se passe ici ? hurla Livernoche en s'avançant dans le corridor.

Une immense vague d'indignation s'éleva en elle à la vue de cet homme massif aux traits grossiers, enlaidis par la colère, qui s'approchait en frappant le plancher du talon, son gros index tendu vers eux comme un pistolet. Pendant quelques secondes, elle éprouva l'étrange sensation d'échapper aux lois de la pesanteur et de flotter légèrement au-dessus du plancher. Elle écarta Portelance et se planta devant le libraire :

— Ma nièce se trouve ici, répondit-elle durement, et je veux la voir. Tout de suite.

Des coups résonnèrent dans le fond du logement. Martinek et Rachel, ayant sans doute entendu le tapage, essayaient de pénétrer à leur tour dans l'appartement. Livernoche se retourna, interdit, puis son regard revint sur Juliette et tomba enfin sur Denis, debout dans le vestibule, et qui le fixait d'un œil apeuré :

— Ah bon, un guet-apens, marmonna-t-il avec une curieuse grimace.

Sa colère était brusquement tombée ; de légers frémissements parcoururent son visage ; l'affolement le gagnait. Portelance élargit les épaules et s'avança, l'air désinvolte. Il ressentait une certaine crainte, mais l'homme ne paraissait pas armé et semblait peu bagarreur : le plaisir inespéré de se retrouver dans une scène de film policier l'emportait donc largement.

— Finies les cachotteries, mon vieux. Amène-nous auprès de sa nièce, et pas de niaisage, veux-tu ?

Des coups sourds continuaient de retentir à l'arrière. Une sorte de sanglot arriva à leurs oreilles.

— Adèle ! s'écria la comptable, frémissante, c'est moi, Juliette ! Sainte Miséricorde, je ne te veux pas de mal ! Où es-tu ?

Elle voulut s'avancer. Livernoche étendit les bras, appliquant fermement la paume de ses mains sur les murs du corridor :

— Vous ne passerez pas, dit-il sourdement. Elle ne veut pas vous voir.

Le reste de la scène se déroula très vite et d'une façon un peu démente. Juliette fit deux pas vers lui et le gifla avec une telle force qu'il faillit tomber à la renverse. Ensuite, prenant son élan, elle le jeta sur le plancher et l'enjamba avec une aisance étonnante, lui écrasant le sternum d'un coup de talon :

— Cette histoire de fou a assez duré, lança-t-elle d'une voix méconnaissable en se dirigeant vers la cuisine. Occupez-vous de lui, Alexandre, il faut l'avoir à l'œil. Et toi, Denis, viens-t'en.

Elle pénétra dans la cuisine au moment précis où Martinek, armé d'un vieux marteau rouillé, s'apprêtait à fracasser un carreau.

— Minute, minute ! j'arrive ! lança-t-elle.

Ce n'est que lorsqu'ils furent entrés que Juliette aperçut une forme humaine blottie dans un coin et secouée de sanglots. Elle fut un long moment sans pouvoir parler ni bouger ; puis ses jambes flageolèrent. Martinek lui présenta une chaise.

— Adèle, murmura-t-elle enfin, c'est moi, ta tante Juliette... Qu'est-ce qui se passe, pour l'amour de Dieu ?

Dans le corridor, on entendit Livernoche se soulever lourdement.

— Non non non non ! par ici, mon bonhomme, ordonna le vendeur sur un ton qui manquait d'assurance. Tu as une petite histoire à nous raconter, toi aussi, et tout le monde meurt d'envie de l'entendre.

— Entrée par effraction et voie de fait, répondit le libraire, maintenu par son compagnon. Je vais appeler la police.

Juliette se tourna vers lui :

— Excellente idée ! Appelez-la, appelez-la tout de suite, mon cher monsieur. J'avais justement l'intention de le faire moi-même. Je suis sûre que nous allons lui apprendre des tas de choses intéressantes.

— Je pense qu'elle arrive ! lança Denis en apparaissant dans la cuisine.

Livernoche poussa un gémissement désespéré tandis que Rachel et Martinek s'élançaient dans le corridor. Juliette se redressa et alla se camper devant le libraire, qui regardait devant lui, hagard ; sur sa joue gauche légèrement enflée apparaissait l'empreinte rougeâtre de quatre doigts.

— La conscience te fait mal, hein, mon cher ? T'as la chienne qu'on étale tes petits secrets malodorants ?

— Ce n'était qu'un voisin, annonça Rachel.

Juliette fit signe à ses compagnons de rester à l'écart et retourna à la cuisine. Quelques minutes passèrent. Debout sur la pointe des pieds, Martinek se tordait le cou pour tenter de suivre la scène. Il fit un pas, puis un autre. Ses compagnons le suivirent et s'arrêtèrent sur le seuil.

Juliette, agenouillée près de sa nièce, la main sur son épaule, murmurait quelque chose à son oreille d'une voix rauque et brisée, entrecoupée de reniflements qui rappelaient vaguement le bruit d'une pompe à vélo. Adèle Joannette eut un sursaut et tourna vers elle son visage défait :

— Mon garçon ? Quel garçon ?

Elle jeta un regard traqué sur le groupe immobile où Denis, caché derrière Martinek, l'observait sans sourciller, puis, revenant à Juliette, elle eut une grimace sardonique :

— Depuis le temps que vous me courez après, vous méritez bien de savoir ce qui lui est arrivé, à mon garçon... si vous n'avez pas deviné... Allez, appelez-la, la police. Je vais vider mon sac. De toute façon, j'allais l'appeler moi-même... Je suis rendue au bout du rouleau, moi, hostie, lança-t-elle dans un sanglot.

Juliette la regardait, éberluée, ne comprenant rien à ses propos. Elle haussa les épaules en signe d'impuissance et se pencha de nouveau vers la jeune femme, qui s'était recroquevillée dans son coin.

— Mais allez-y ! hurla celle-ci en la repoussant violemment. Appelez-la, votre maudite police ! Qu'ils viennent me coffrer et qu'on n'en parle plus !

La comptable avait failli perdre l'équilibre. Martinek se précipita pour l'aider à se redresser. Elle promena son regard alternativement sur Adèle et sur Livernoche qui la regardait avec un sourire désinvolte et pitoyable.

— Il y a quelque chose ici que je ne comprends pas, fulmina-t-elle soudain.

Le libraire souriait toujours. Elle se rassit, arrangea sa robe :

— Qu'est-ce à dire, ma fille ? De quel garçon parles-tu ? En aurais-tu un deuxième ? Et qu'est-ce que cette histoire de police et d'arrestation ? Il est ici, ton garçon, pauvre toi. Tu ne veux pas le voir ? Mon Dieu, se dit-elle, quelle scène affreuse pour un enfant !

Et, en même temps, elle faisait signe à Denis d'approcher. Comme il ne bougeait pas, Rachel le poussa doucement. Alexandre Portelance se tenait derrière Livernoche, l'œil posé sur sa nuque, les jambes écartées, ne comprenant rien à ce qui se passait, mais enivré par son rôle de garde-chiourme.

— Fichez-moi la paix ! lança tout à coup Adèle, sanglotante et furieuse. Si c'est une blague, je la trouve dégueulasse. Je n'en ai plus de garçon. Il est mort il y a longtemps... et par ma faute. Cessez de me torturer et appelez-la, votre hostie de police, qu'on en finisse une fois pour toutes.

— Comment, « il est mort il y a longtemps » ? aboya Juliette en dressant sa masse. Et cet enfant, qu'en fais-tu ?

C'est une potiche, peut-être, que j'élève depuis neuf ans? Ma fille, je pense qu'il est temps d'accorder nos violons. Cette conversation idiote a assez duré. Tu es en train de me mettre les nerfs en boule.

Toujours affalée dans son coin, Adèle Joannette darda sur sa tante un regard féroce :

— J'avais raison de vous fuir. J'aurais dû me finir au *Valium* ou me tirer une balle dans la tête. Vous êtes devenue méchante comme un vieux rat... et folle en plus. Je n'en ai plus, de garçon, que je vous répète ! Il est mort par ma faute le 6 avril 1979 au 1759, rue Sainte-Catherine Est, tout seul dans sa chambre à coucher. C'est ça que vous vouliez me faire dire? Voilà ! c'est fait ! Et je le répéterai devant qui vous voulez. Maintenant, laissez-moi tranquille.

Elle porta les mains à son visage, pencha la tête et demeura silencieuse. Pendant un moment, tout le monde resta figé. Puis les regards se portèrent sur Fernand Livernoche. Le libraire grimaça un sourire, s'avança et, après s'être massé la joue :

— Eh bien, si vous le permettez, dit-il à Juliette (sa voix tremblait), je vais partir afin de ne pas gêner vos retrouvailles. Inutile de...

— Minute, coupa la comptable. Qu'est-ce que cette histoire de bébé mort dans une chambre à coucher?

— Une histoire, justement, répondit l'autre, badin (mais sa voix tremblait de plus en plus et il évitait de regarder Adèle). Une petite plaisanterie, quoi.

— Je ne comprends pas, reprit Juliette, abasourdie. Quelle plaisanterie? Et à l'intention de qui?

— À l'intention de votre chère nièce, bien sûr, que je viens de perdre à tout jamais, grâce à votre ténacité admirable.

L'obèse jeta un regard sur Adèle, toujours immobile et qui ne semblait pas entendre. Profitant de son inattention, Livernoche assena un violent coup d'avant-bras à Portelance, qui fut projeté contre l'évier, et se rua vers la porte arrière, restée entrouverte. Martinek et le vendeur bondirent à sa poursuite.

— Laissez-le ! cria Adèle. Laissez-le, je vous dis !

Mais elle se retrouva seule dans la cuisine avec Juliette, tandis qu'une furieuse galopade ébranlait l'escalier qui donnait sur la ruelle. Denis ne s'était pas joint aux poursuivants mais se contentait d'observer la scène sur le palier, appuyé au garde-fou. Adèle Joannette s'adossa contre le mur, la tête droite, les mains entre ses jambes relevées, l'air apathique. Sa tante la contemplait, inquiète, ébahie, ne sachant quelle question poser et n'osant en poser aucune.

Quelques minutes s'écoulèrent. Des pas montèrent lentement l'escalier et Portelance apparut, hors d'haleine, la cravate de travers, suivi de Rachel et de Bohu :

— Il nous a échappé, le calvaire. Il faut appeler la police.

Adèle sembla se réveiller :

— Je veux pas voir de police ici, ordonna-t-elle d'une voix rauque. Tout est de ma faute. Laissez-le tranquille.

— Mais enfin ! vas-tu m'expliquer ? s'écria Juliette en se levant de nouveau.

Ses jambes fléchirent, l'air lui manqua, les murs tournaient. On la fit rasseoir, Denis alla chercher un verre d'eau, Portelance se mit à l'éventer avec un journal, Rachel lui massait la nuque.

— Laissez-moi, laissez-moi, occupez-vous d'elle, plutôt. Elle en a bien plus besoin que moi.

Adèle s'était allumée une cigarette d'une main tremblante et tirait de grandes bouffées. Denis ne lui accorda pas un seul regard.

37

Juliette passa les deux journées suivantes en tête à tête avec sa nièce. En apprenant que sa tante allait partager avec d'autres personnes sa maison du boulevard René-Lévesque, Adèle Joannette refusa de s'y installer, même temporairement.

— Y'a déjà assez de gens qui m'ont vue comme ça, répétait-elle en secouant la tête.

L'obèse devina qu'elle cherchait surtout à éviter la présence de son fils. Lui-même ne manifestait pas grand désir de la voir. Elle loua donc une chambre pour sa nièce au *Château Versailles*, rue Sherbrooke, en attendant de lui trouver un appartement près de chez elle ou de la faire revenir sur sa décision ; c'est là que, bribe par bribe, dans la fumée de cigarettes et l'odeur fade de la bière (sa nièce en buvait chaque jour une solide quantité), elle réussit peu à peu à se faire une idée de ce qu'avaient été les neufs ans d'Adèle avec son amant-geôlier.

Ce fameux 6 avril 1979 où Juliette avait dû recueillir Denis s'était avéré également décisif pour la mère. Voyant la honte et l'effroi qui remplissaient Adèle à l'idée de rencontrer sa tante pour lui abandonner l'enfant, le libraire avait conçu un plan ingénieux afin de s'attacher à demeure une maîtresse volage et capricieuse dont il désespérait de faire définitivement la conquête ; il l'avait d'abord convaincue d'écrire une lettre d'explications à Juliette et de quitter l'appartement un peu avant son arrivée, laissant le bébé seul, ce qui ne présentait, bien sûr, aucun danger. Lui-même s'offrait à rester dans les parages pour exercer une discrète surveillance jusqu'à ce que madame Pomerleau emporte l'enfant.

Puis, quand ce fut chose faite, il rejoignit Adèle et lui annonça qu'un malheur épouvantable venait de se produire. Quelques minutes avant l'arrivée de sa tante, il était allé jeter un dernier coup d'œil sur le bébé et l'avait trouvé mort, sans doute étouffé. Il s'était emparé du cadavre, l'avait glissé dans un sac et dissimulé dans une poubelle à plusieurs rues de là. Mais dans sa précipitation il avait oublié sa lettre.

Il fallut quelque temps à la malheureuse pour réaliser sa situation de dépendance vis-à-vis de Livernoche. Quelques jours après les événements, ce dernier lui laissa entendre, mine de rien, qu'elle pouvait être accusée de négligence criminelle pour la mort de son enfant et qu'il n'y avait que deux témoins de l'affaire : elle et lui. Quant à sa tante, qui possédait la lettre, il fallait s'en tenir éloignés à tout prix pour éviter des questions embarrassantes. Livernoche, bien sûr, assurait Adèle de son entière discrétion... si elle-même l'assurait de son amitié. Adèle comprit aussitôt que le libraire se montrerait impitoyable au moindre signe d'insoumission.

Ce chantage avait dévoré neuf ans de sa vie.

Chose étonnante, elle ne semblait pas avoir été aussi malheureuse qu'on aurait pu le croire. L'adoration dominatrice et monstrueuse du libraire pour sa victime n'avait pas que de mauvais côtés. Dans les limites de son ignoble tricherie, Livernoche avait été pour elle un assez bon compagnon, prévenant, serviable, ne manifestant que rarement son caractère violent et autoritaire. Mais certaines allusions laissaient deviner qu'il pouvait se montrer, par ailleurs, dans certains domaines, étrangement cruel et exigeant.

Adèle parla à sa tante avec une sorte d'indifférence accablée de la coupure de journal que le libraire conservait soigneusement dans son portefeuille, glissée dans une enveloppe de plastique, et qu'il lui montrait de temps à autre pour entretenir sa docilité. On y relatait la découverte macabre faite par un éboueur en avril 1979 du cadavre d'un bébé caché au fond d'une poubelle rue Lagauchetière. L'âge de l'enfant correspondait évidemment à celui de Denis.

Le lendemain, Juliette voulut joindre Livernoche à Saint-Hyacinthe. Mais, comme on pouvait s'y attendre, il avait déguerpi. Adèle supplia sa tante de ne pas contacter tout de suite la police, affirmant qu'elle ne se sentait pas la force de se soumettre aux procédures de la justice.

Le courtier en immeubles Réal Roch téléphona à la comptable l'après-midi du 8 janvier ; son client, monsieur Désy, était très impatient de régler la vente de la conciergerie.

— Je ne pourrai pas te voir demain, ma belle, annonça Juliette à sa nièce, car il faut que je m'occupe de mon déménagement. En cas de besoin, je te laisse mon numéro de téléphone et celui de Bohu. Du reste, tu peux dormir en paix : il n'y a que moi-même et mes amis qui savons où tu te trouves et je les ai avertis de se tenir la langue.

Le lendemain matin, avant de se rendre à Longueuil pour surveiller le travail des déménageurs, elle décida de faire une courte visite à sa nouvelle maison du boulevard René-Lévesque et ce fut l'occasion d'une de ses grandes colères. En traversant la salle à manger, elle constata la disparition de la plinthe aux deux oiseaux, à laquelle se rattachaient tant de souvenirs de son enfance.

— Qui m'a volé ma plinthe ? tonna-t-elle en assenant un coup de poing dans un mur qui fit apparaître un gros bleu en forme de poire sur sa main droite.

Elle réussit à joindre Marcel Vlaminck à Miami. Il lui répondit sèchement que sa femme et lui-même avaient peu de penchants pour le vandalisme. Qu'auraient-ils fait, d'ailleurs, d'un vieux bout de plinthe, avec oiseaux ou pas ?

Alors elle téléphona au menuisier qui avait effectué les réparations de l'escalier.

— C'est moi qui l'ai enlevée. J'ai suivi vos ordres, madame.

— Quels ordres, monsieur ?

— Les ordres que m'a donnés votre homme d'affaires, madame, ou votre agent ou ce que vous voulez. Il est venu me déranger en plein travail pour me demander de l'enlever. Apparemment vous vouliez la prêter à un de vos neveux pour qu'il s'en fasse des copies.

— Et si je vous disais que je n'ai pas d'homme d'affaires et que les deux seuls neveux que je me connaisse s'intéressent autant aux vieilles plinthes qu'à la queue de votre chien, que me répondriez-vous ?

— Je vous répondrais, ma chère madame, que votre plinthe, je m'en fiche autant qu'eux, sinon plus, et que, quant à moi, je la jetterais au feu. J'ai de la planche dans mon atelier pour m'en faire des milles et des milles, si je veux, et de la plus belle encore, et je ne me laisserai pas traiter de voleur par des insignifiantes de votre espèce qui ne sont pas capables de voir à leurs affaires et laissent tout un chacun entrer dans leur maison comme dans un moulin.

La riposte lui cloua le bec ; elle raccrocha et retourna dans la salle à manger.

— Qui a eu le culot de m'enlever mes beaux oiseaux ? marmonna-t-elle, en fixant la plaie poussiéreuse qui s'ouvrait dans le mur.

Elle laissa tomber les bras, accablée, et quitta la pièce. Les déménageurs devaient se présenter à son appartement de Longueuil dix minutes plus tard et elle avait rendez-vous chez le notaire avec messieurs Roch et Désy au début de l'après-midi.

À son arrivée sur la rue Saint-Alexandre, un camion-remorque était déjà stationné devant l'immeuble. Elle se hâtait sur le trottoir lorsqu'une voix d'homme la héla. De l'autre côté de la rue, Marcel Prévost fils lui envoyait la main :

— Vous déménagez aujourd'hui, madame Pomerleau ?

— Oui, aujourd'hui, Marcel. Il faut bien finir par finir, n'est-ce pas ?

— On va s'ennuyer de vous, madame, fit-il avec un accent de tristesse qui la surprit et la toucha. De vous et des autres. Monsieur Martinek va bien ?

— Oui, très bien. Écoute, Marcel, je suis un peu pressée, les déménageurs m'attendent ; viens à l'appartement : on pourra jaser un peu.

— Je peux vous donner un coup de main, si vous voulez, s'offrit-il en approchant.

— Je te remercie, cher, ce n'est pas la peine. J'ai toute l'aide qu'il me faut.

Ils entrèrent dans le hall où trois hommes empilaient des cartonnages. Elle déverrouillait sa porte, faisant mine de ne pas remarquer l'impertinence avec laquelle l'un d'eux la dévisageait, lorsque le téléphone sonna.

— Entre, Marcel, dit-elle en poussant la porte. Je suis à toi dans une minute.

— Madame Pomerleau ? demanda une voix un peu hésitante et embarrassée au bout du fil. C'est Roger Simoneau.

— Ah tiens ! bonjour, monsieur Simoneau, répondit la comptable en faisant signe à Prévost fils de s'asseoir. Vous tombez drôlement à pic ! Idiote, pensa-t-elle aussitôt, qu'est-ce que tu allais lui raconter ? Comme si Adèle avait besoin dans son état de voir un ancien amant !

— Ah oui ? Comment ça ?

— Euh... eh bien, figurez-vous... figurez-vous que Denis me parlait justement de vous, hier soir... Il me disait combien... combien il avait aimé sa partie de hockey au Forum l'autre fois. Oui, en fait, il l'a vraiment beaucoup aimée.

— Ça me fait plaisir, madame... Eh bien, je me trouve justement à Montréal aujourd'hui et je vous téléphonais pour savoir... si ça lui tenterait d'aller aux vues avec moi en fin d'après-midi... Il y a un bon film pour enfants au cinéma *Berri*... C'est vrai, reprit-il, qu'on est en pleine semaine et qu'il va à l'école... Mais je vous le ramènerais à huit heures au plus tard... Peut-être qu'il aurait le temps demain matin de se débarrasser de...

Et il s'arrêta.

— Écoutez, fit Juliette après une seconde d'hésitation, embarrassée par cette invitation d'un inconnu, je lui en parle dès qu'il arrive, monsieur Simoneau. Il... il devait sortir avec un de mes amis, mais nous trouverons sans doute moyen d'arranger ça, quitte à ce que l'autre vous accompagne. Je suis sûre que votre invitation va le rendre fou de joie. Excellent moyen, se dit-elle, de lui changer les idées après la scène d'hier. Vous êtes chanceux de m'atteindre, reprit-elle. Nous déménageons à Montréal aujourd'hui même !

Prévost fils se leva de sa chaise :

— Je reviendrai plus tard, chuchota-t-il.

Juliette eut beau lui faire signe de rester, il la salua de la tête, laissa passer deux déménageurs chargés d'un buffet et quitta la pièce. La comptable donna sa nouvelle adresse au camionneur, puis une impulsion subite la saisit :

— Monsieur Simoneau... est-ce que je peux vous poser une question indiscrète ?

Le camionneur garda le silence au bout du fil.

— Monsieur Simoneau... excusez mon effronterie, mais cela me chicote depuis si longtemps que je ne peux plus retenir ma langue... Dites-moi : est-ce que... est-ce que vous êtes le père de Denis ?

Le silence se prolongea encore un peu ; elle entendait la respiration saccadée du camionneur, qui semblait chercher ses idées. Puis une voix sourde, remplie d'un indicible embarras, répondit :

— Je ne sais pas, madame... C'est pas moi qui pourrais vous répondre là-dessus.

Un déménageur vint heureusement fournir un prétexte à Juliette pour raccrocher.

— Moi et mes gros sabots, se morigéna-t-elle à voix basse en suivant l'homme dans la cuisine. Il aurait fallu lui parler en tête-à-tête, avec cent trois mille précautions. Je gage qu'il ne se montrera pas le nez.

Elle téléphona néanmoins à Martinek et lui raconta sa conversation avec le camionneur.

— Il veut amener Denis au cinéma ! J'ai quasiment accepté, mais je le regrette. Après tout, cet homme est un pur inconnu. Dieu sait quelles idées il pourrait avoir derrière la tête. Faites-moi plaisir, Bohu, et accompagnez mon bobichon ce soir, je vous le demande les deux mains jointes.

— Mais avec plaisir, madame Pomerleau, répondit le musicien, un pli de contrariété au front. Justement, je n'avais pas grand-chose à faire, ajouta-t-il en promenant un regard dépité sur le fouillis de son studio.

L'appartement de Juliette se vidait peu à peu. Une vingtaine de boîtes s'empilaient déjà au fond de la remorque. À cause du va-et-vient constant, sa porte demeurait ouverte. Elle remarqua que celle de sa sœur était légèrement entrebâillée. Il lui vint une envie soudaine d'aller la trouver. Elle ne l'avait pas vue depuis deux semaines et risquait de ne jamais la revoir. Qui sait ? Son départ imminent amènerait peut-être un raccommodement ? Elle prit une grande inspiration et s'avança dans le hall. Mais elle n'avait pas fait trois pas que la porte d'Elvina se refermait avec un claquement sec.

— *Requiem æternam*, murmura l'obèse en tournant les talons.

Elle dîna d'un croûton de pain et d'une boîte de saumon, appuyée au comptoir de la cuisine presque vide, pendant que les déménageurs enlevaient la cuisinière et le lave-vaisselle. Alexandre Portelance, dont la serviabilité semblait posséder l'ampleur de l'océan Pacifique, avait promis de venir la remplacer pendant son rendez-vous chez le notaire. Elle entendit soudain sa grosse voix joviale dans le hall. Il plaisantait avec un déménageur.

— Et alors, ma chère Juliette, fit-il en entrant dans la cuisine (c'était la première fois qu'il prenait la liberté de l'appeler par son prénom), la tortue est en train de changer de carapace ? Je veux dire, se reprit-il aussitôt, prenant conscience de la maladresse de son image, je veux dire... ça va, le déménagement ?

Juliette s'avança pour lui serrer la main :

— Ça va, ça va, merci. C'est gentil à vous d'être venu. Mais je massacre toute votre après-midi.

— Aucunement, ma chère, j'ai une petite journée aujourd'hui, répondit-il en gardant sa main dans les siennes. Et puis, les aspirateurs peuvent bien attendre un peu, sac à papier ! Y'a pas que la poussière, dans la vie.

Ils se regardèrent et rougirent. Juliette retira sa main et, se tournant vers le comptoir, avec une gaieté un peu forcée :

— Voulez-vous prendre une bouchée avec moi ? Mais je vous préviens, c'est à la fortune du pot. Il ne me reste plus que des fonds d'armoires.

— Oh, de toute façon, je ne mange jamais beaucoup le midi, mentit-il avec allégresse. Un morceau de pain et deux lichettes de beurre, ça suffit à mon bonheur. Je... que diriez-vous si on se tutoyait, Juliette.

* * *

— Mon Dieu, qu'est-ce qui m'a pris ? murmura-t-elle, tout émotionnée, en quittant son appartement quelques instants plus tard. Se laisser aller à des caresses pareilles à mon âge... Où est-ce que je m'en vais ? Il se passe trop de choses à la fois, mon esprit s'égare, je risque de commettre les pires folies. Bonne Sainte Vierge, cessez de piétiner votre vieux serpent crevé et occupez-vous un peu de moi, sueur de coq !

Elle allait démarrer lorsqu'une auto-patrouille s'arrêta derrière son véhicule. Un policier lui fit signe d'attendre et mit pied sur le trottoir, une grande enveloppe à la main :

— Madame Pomerleau ? Vous êtes bien la tante de Denis Joannette ?

— Oui, oui, c'est moi, fit-elle en pâlissant. Miséricorde ! vous n'allez pas m'annoncer une mauvaise nouvelle, j'espère ?

Le policier lui tendit l'enveloppe :

— Bien au contraire, madame. On a réussi à mettre la main hier soir sur la femme qui tournaillait autour de lui depuis quelque temps. C'est un sérieux cas de chapeau. Saviez-vous qu'elle est entrée chez vous deux fois durant votre absence ?

— Évidemment, c'est moi qui vous en ai avertis, rétorqua Juliette.

— Ah oui ? On vient de retrouver chez elle du linge et des livres qu'elle avait piqués dans la chambre du petit gars. Elle nous a déballé toute son histoire ce matin... et ensuite elle a essayé de se pendre dans sa cellule. Il faudrait venir l'identifier au poste avant qu'on l'expédie à l'hôpital.

— Tout de suite ? C'est que je suis attendue, moi.

— Eh bien, on vous attendra un peu plus. Vous en avez pour dix minutes, maximum.

— Sueur de coq ! qu'est-ce qu'ils lui ont fait ? s'étonna-t-elle en approchant de la cellule.

Assise sur le bord d'un lit, le col de sa robe déchiré, les bras plaqués de bleus, la fausse Adèle regardait droit devant elle d'un air pensif, le teint plus jaunâtre que jamais, ses yeux immenses extraordinairement flétris et pochés, comme si elle n'avait pas dormi depuis des semaines. Son turban disparu (elle avait essayé de l'utiliser pour se pendre) laissait voir des cheveux noirs, lisses et très courts. Inconsciente apparemment qu'on observait, elle frottait son talon droit sur le plancher en chantonnant une sorte de berceuse. Juliette fit signe au sergent-détective qu'il s'agissait bien de la personne qu'elle avait rencontrée sur la rue Marmette trois semaines auparavant.

— Un sérieux cas de chapeau, affirma à son tour le sergent-détective d'un air pénétré (l'expression semblait avoir connu un succès bœuf au poste). On a eu droit à tout un spectacle. Ça m'a coûté une chemise et j'ai dû ramasser ma montre-bracelet avec un balai.

La fausse Adèle aperçut tout à coup Juliette :

— Je veux mon garçon, dit-elle doucement.

Elle s'approcha des barreaux et d'un ton alerte, détendu, presque gai :

— Vous savez, madame, que vous vous exposez à de sérieux ennuis en m'empêchant de vivre avec mon garçon. Heureusement que je suis patiente et d'une nature douce, sinon, imaginez ce qui pourrait...

Elle s'arrêta et se mit à fixer Juliette d'un air étonné, comme si elle venait tout juste de remarquer sa grosseur, puis une expression de profond accablement se répandit sur son visage. Elle pencha la tête et retourna s'asseoir en soupirant :

— Évidemment, on ne pouvait pas tout prévoir...

Juliette pénétra dans le bureau du sergent-détective, répondit à quelques questions, apposa sa signature au bas d'une feuille et quitta le poste.

Quand elle se présenta chez le notaire à deux heures moins dix, Antoine Désy s'était déjà levé cinq fois de son fauteuil pour aller boire à la fontaine de la salle d'attente et avait tellement tripoté un petit bouton sur le dessus de sa main droite qu'il avait taché de sang le poignet de sa chemise. Il salua Juliette avec une cordialité minimale tandis que Réal Roch et le notaire optaient pour une jovialité de circonstance à caractère modéré ; une demi-heure plus tard, le contrat était signé et parafé, Juliette et Réal Roch partaient, leur chèque en poche, et Antoine

Désy entreprenait, comme copropriétaire avec dame Elvina Pomerleau du 461 rue Saint-Alexandre, la période la plus tumultueuse de son existence.

Avant de retourner à Longueuil, où le déménagement se poursuivait sous la direction bienveillante d'Alexandre Portelance, elle décida de téléphoner à sa nièce pour prendre de ses nouvelles. Au *Château Versailles*, on lui répondit que cette dernière avait demandé qu'on ne lui transmette aucun appel avant six heures. Juliette resta songeuse quelques instants, puis se hâta vers son auto.

Alexandre Portelance arpentait les pièces vides, cigare au bec, inspectant recoins et placards pour s'assurer qu'on n'avait rien oublié.

— Ah ! te voilà, ma chère, lança-t-il en enveloppant Juliette d'un regard affectueux. Dis donc, est-ce qu'il y a quelqu'un à ta nouvelle maison pour recevoir les déménageurs ? Ils viennent tout juste de partir.

— Mon Dieu, non. Je n'aurais jamais cru que ça irait aussi rondement, s'étonna-t-elle en promenant son regard dans le salon, devenu immense.

Portelance rit :

— C'est qu'en me demandant de te remplacer, tu leur as fourni un fichu de bon contremaître.

— Qu'est-ce que je vais faire ? se questionna-t-elle, soucieuse. J'ai demandé à Denis de venir me rejoindre ici après l'école. J'aurais dû prévoir...

Il tendit la main :

— Donne-moi ta clef, je vais me rendre là-bas, chère. Non non non ! je ne veux pas de ces airs-là. De toute façon, j'avais décidé de prendre mon après-midi. Ça me fera comme des petites vacances. Je n'en ai pas pris depuis trois éternités.

Il glissa la clef dans sa poche et lui posa un bec retentissant sur la joue au moment précis où Antoine Désy entrait dans la pièce.

— Permettez ? susurra ce dernier avec un sourire ambigu. Je suis venu faire une petite visite dans ma maison.

— À tout à l'heure, lança le vendeur en s'esquivant. Avec un peu de chance, je vais arriver en même temps qu'eux.

Antoine Désy se mit à fureter dans l'appartement, les mains derrière le dos, poussant une variété de toussotements qui étonna Juliette, puis sortit dans le hall, monta jusqu'au deuxième étage et descendit enfin à la cave, où il resta un long moment à méditer. Le départ de Martinek l'enchantait au plus haut point, car cela lui permettait d'augmenter en douce le loyer sans risquer d'embêtements avec la Régie. Il aurait aimé qu'en fasse autant le dentiste-fantôme du premier, qui monopolisait deux appartements, et résolut de travailler à s'en débarrasser, aussitôt réglés ses problèmes de calculs rénaux. Puis il contempla le mur de béton qu'Elvina avait fait ériger sous son appartement. Une idée lui traversa l'esprit. Il monta au rez-de-chaussée et alla cogner à la porte de la vieille fille. Personne ne répondit. Après avoir frappé quatre ou cinq fois, il se dirigeait vers l'appartement de Juliette lorsqu'un individu costaud et un peu pataud, portant un jean aux genoux pâlis, apparut dans le vestibule. Antoine Désy n'aimait pas trop ce genre d'hommes ; il les considérait comme inférieurs aux gens de sa classe et souvent fourbes sous leurs allures bonasses. L'inconnu pénétra dans le hall et s'avança vers lui :

— Pardon, monsieur, madame Pomerleau, c'est bien ici ?

— Laquelle ?

— Euh... Juliette.

Désy pointa dédaigneusement la porte du menton :

— Ce n'est pas à louer, prévint-il.

— Je sais, je sais. Je viens simplement pour... la voir, répondit l'autre en frappant.

L'inconnu venait de pénétrer dans l'appartement, lorsque Désy entendit un éternuement derrière la porte d'Elvina. Il se retourna avec une expression d'étonnement blessé et l'image d'une volée de fléchettes empoisonnées s'abattant sur lui apparut tout à coup dans son esprit ; il recula d'un pas, en proie à une sourde peur. Un pressentiment lui vint que l'avenir lui réservait des tribulations en comparaison desquelles ses calculs rénaux lui paraîtraient comme de véritables divertissements ; sa bouche se remplit d'un liquide âcre et acide et son genou droit se mit à élancer. Il se rappela soudain que Juliette avait toujours ses clefs. Pivotant sur lui-même, il alla frapper à sa porte, retournant avec soulagement au train-train journalier.

C'est avec non moins de soulagement que Juliette vint lui ouvrir. Depuis qu'il était devant elle, Roger Simoneau, les oreilles rouges, le regard fuyant, n'avait pas dit trois mots, glissant à tous moments les mains dans ses poches pour les retirer aussitôt, et elle avait presque épuisé sa provision de lieux communs.

— J'apprécierais d'avoir vos clefs, madame, lui demanda Désy en se frottant la jambe. Merci infiniment. À propos, ajouta-t-il à voix basse, est-ce que je puis me permettre de vous demander si votre sœur est une personne... paisible et... de bonne entente ?

— Elle est ce qu'elle est, mon cher monsieur, avec ses qualités et ses défauts, comme nous tous, et puis... c'est ma sœur, vous comprenez ?

— Ah bon, je vois. Merci bien.

Elle se hâta de refermer la porte et revint au salon.

— Vous devez bien vous demander pourquoi je m'intéresse tant à votre petit gars ? demanda Simoneau d'un air embarrassé lorsque la comptable réapparut.

— Un peu, oui. Mais j'ai cru deviner que vous vous questionniez sur... ses liens de parenté avec vous.

Il regarda le plancher un moment, cherchant ses mots, puis :

— Y'a un peu de ça, oui... Mais je tenais aussi à vous dire... Je suis... normal, vous savez... Je veux dire... vous me comprenez ? Enfin, y'a que les femmes qui m'intéressent, si ça peut vous rassurer.

Juliette se mit à rire :

— Oh ! je n'en ai jamais douté un seul instant, mon cher monsieur. Mais tout de même, pensa-t-elle, ça fait plaisir de te l'entendre dire. J'aimerais bien, par contre, que vous me parliez un peu de vous-même, car après tout, je vous connais à peine. Je vous ai peut-être même accordé un peu vite la permission d'amener Denis en ville. Ah, pendant que j'y pense : mon ami, monsieur Martinek, a accepté de changer son programme et se joindra à vous ce soir. Vous n'y voyez pas d'inconvénients ?

— Du tout, répondit Simoneau, légèrement agacé.

— Vous savez, on a failli connaître tout un malheur il y a environ deux semaines à cause d'une malade mentale qui se prenait pour sa mère... et qui cherchait à l'enlever ! J'avais les nerfs comme du fil barbelé. Heureusement, la police a mis le grappin dessus hier soir.

Pour la première fois, Roger Simoneau la regarda droit dans les yeux :

— Eh bien, avec moi, vous pouvez dormir sur vos deux oreilles, madame... Si je suis venu vous demander la permission de l'amener aux vues ce soir, c'est que... d'abord, j'avais affaire à Montréal, à cause de mon père qui va se faire opérer demain matin à l'hôpital Maisonneuve pour le véhicule biliaire ... Et puis, j'ai... pour être franc avec vous, je n'ai pas été très correct dans le temps avec votre nièce... Elle avait le béguin pour moi, je crois, mais à l'époque, j'étais un jeune flo sans cervelle, je levais pas mal le coude et je prenais la vie pour un carnaval... Je n'avais pas du tout idée de fonder une famille. Alors, je l'ai niaisée, quoi... Elle a fini par se tanner et m'a sacré là... Des fois, on regrette ses bêtises quand il est trop tard pour les réparer.

Juliette fut à deux doigts de lui dire qu'il avait maintenant l'occasion d'en réparer une, mais la prudence la retint et elle se contenta de hocher la tête en souriant.

Le camionneur s'enhardit :

— Et puis — sait-on jamais ? — votre petit-neveu... c'est peut-être mon garçon, après tout... Quoique, pour en être sûr, il faudrait faire des calculs serrés, et — sans vouloir parler en mal de personne — ce n'est pas moi qui peux les faire. En tout cas, la première fois que je l'ai vu avec vous à Sherbrooke, ça m'a fait un quelque chose dans le fond des tripes et j'ai eu comme le goût de le connaître. C'est peut-être un signe ? demanda-t-il avec une trace d'angoisse dans la voix.

Juliette fit un vague geste de la main.

— Chose certaine, conclut-il, après que j'ai décidé de m'occuper un peu de lui — avec votre permission, bien entendu — je me suis senti mieux dans le fond de moi-même par rapport à elle.

— Vous avez une conscience qui vous honore, monsieur Simoneau, répondit Juliette, un tantinet ironique. Ma foi, se dit-elle, un peu plus et il va se mettre à pleurer... Je suis devant une armoire à glace sentimentale !

Elle s'approcha de la fenêtre :

— Tiens, le voilà justement.

Denis avançait dans l'allée, tête basse, l'esprit ailleurs. Au cours de la récréation, il avait annoncé à Vinh et à Yoyo son déménagement pour la fin de l'après-midi ou au plus tard le lendemain.

— Mais tu continues de venir à l'école jusqu'en juin ? avait demandé Yoyo.

— Oui, bien sûr. Et peut-être même que je vais continuer l'an prochain.

— Tu crois ? avait répondu Vinh, sceptique.

Ils s'étaient regardés sans parler, attristés tout à coup de sentir que leur amitié allait bientôt s'effriter.

Juliette vint à sa rencontre dans le hall :

— Il y a quelqu'un pour toi, lui annonça-t-elle tout bas en ouvrant la porte du vestibule.

Il ouvrit des yeux inquiets :

— C'est qui ?

— Monsieur Simoneau, tu sais, le camionneur qu'on était allés voir à Sherbrooke et qui t'a envoyé des billets de hockey.

— Qu'est-ce qu'il me veut ?

Et, sans attendre la réponse, il pénétra dans l'appartement et jeta un regard navré sur les pièces vides.

— Salut, fit le camionneur en lui tendant la main.

— Salut, répondit l'enfant du bout des lèvres.

— Ayoye ! ça s'annonce mal, lança Juliette intérieurement. Le pauvre, il va repartir tout seul avec sa gêne et ses bons sentiments.

Denis se tourna vers elle :

— Comme ça, c'est fini : on s'en va pour de bon ?

— Eh oui, mon pauvre enfant. Je sais que ça te fait de la peine. Mais, comme je te l'ai promis, tu vas terminer ton année à l'école de Normandie, le temps qu'on s'installe dans notre nouvelle maison et que je te déniche une école potable à Montréal.

Il fit la moue :

— Je ne veux pas changer d'école. Je vais perdre tous mes amis.

Et il se réfugia dans sa chambre. Debout devant la fenêtre, il contemplait le buisson de framboisiers d'où étaient sorties tant de bonnes tartes et de gâteaux renversés.

Simoneau fixa le mur en face de lui, puis consulta Juliette du regard, quêtant un conseil. Elle sourit et se contenta de pointer le doigt vers la porte par où Denis était disparu. Il hocha la tête à deux ou trois reprises et alla rejoindre l'enfant. Celui-ci fit mine de ne pas l'avoir entendu.

— Est-ce que tu me reconnais ? demanda le camionneur au bout d'un instant.

— Oui.

— Tu n'es pas content de déménager ?

— Non, fit l'autre en continuant de fixer la cour. Je vais perdre tous mes amis. Et puis, j'haïs Montréal. C'est une ville laide, et qui pue.

Le camionneur s'éclaircit la voix, mit ses mains dans ses poches, les retira, puis s'approcha de la fenêtre :

— Quand j'étais p'tit gars, je demeurais à Montréal sur la rue Christophe-Colomb au coin de Rachel. Un jour — j'avais dix ans — mes parents ont décidé de déménager à Pont-Viau, en plein mois de janvier. Cette année-là, j'ai doublé ma quatrième.

Denis posa sur lui des yeux brillants d'indignation :

— J'ai eu sept erreurs dans ma dictée cette après-midi. Si je redouble ma cinquième, ce sera de sa faute.

Mais en disant ces mots, il eut comme un début de sourire.

Simoneau sentit qu'un moment de grâce était arrivé :

— Est-ce que ça te tenterait d'aller voir *La Grenouille et la Baleine* au cinéma *Berri* ? Il paraît que c'est bon. Avant, on pourrait aller manger du chinois.

— Et mes devoirs ?

— Tu pourrais les faire demain matin en te levant un peu plus tôt ?

Denis réfléchit, fronçant le nez à plusieurs reprises, puis leva la tête vers Simoneau :

— D'accord. Ma tante, lança-t-il en sortant de la chambre, donne-moi ta nouvelle adresse : on s'en va au cinéma à Montréal.

Juliette prit l'enfant à part :

— Vous passerez prendre Bohu : il t'accompagne. Oui, il t'accompagne. C'est comme ça. Et pas de rouspétage, tu m'entends ?

Elle les reconduisit à la porte en leur faisant promettre de ne pas revenir plus tard que huit heures, puis retourna au salon et regarda la vieille *Dodge* de Simoneau s'éloigner dans un ronflement de silencieux crevé.

— Il a l'air d'un bon diable, se dit-elle. Et c'est sans doute son père... Seigneur ! que rien n'est simple dans cette histoire. J'ai hâte que tout retombe en place. Encore quelques semaines de ce régime et il ne restera plus une miette de bon sens dans la tête de ce pauvre enfant.

Le jour tombait ; elle contempla les taches laiteuses laissées sur les murs par les tableaux qu'on avait enlevés et qui semblaient comme leurs fantômes. Alors, pour la première fois depuis des mois, elle eut l'impression que le tourbillon dément qui avait emporté sa vie dans une spirale sans fin ralentissait un peu — et la douleur d'avoir à quitter ces lieux où elle avait vécu heureuse, somme toute, pendant vingt-deux ans la pénétra soudain comme une eau glacée.

Un aboiement assourdi parvint à ses oreilles ; il semblait provenir de l'appartement de sa sœur.

— Quel gâchis, quel gâchis, pensa-t-elle en secouant la tête.

Elle se mit à parcourir l'appartement, caressant au passage une boiserie, l'appui d'une fenêtre, un panneau de porte, prenant plaisir à écouter le gémissement familier d'une lame de parquet, humant une odeur déjà évanescente, promenant partout son œil affamé dans l'espoir futile de transformer chaque détail en image impérissable. Elle s'arrêtait de temps à autre, plongée dans le souvenir d'une scène qui venait de surgir dans son esprit avec un relief troublant : c'était ici, juste devant la porte de la salle de bains, que Denis, la couche pendante, avait fait ses premiers pas ; une meurtrissure dans la corniche de la salle à manger fit apparaître la scène terrible où elle avait tiré sur sa sœur avec un pistolet ; et là-bas, huit ans plus tôt, dans la pénombre du corridor, elle avait failli éconduire un grand homme voûté, à l'élocution hésitante, vêtu d'un habit un peu fripé, qui se cherchait un appartement et se déclarait musicien.

Elle réalisa soudain que ses jambes allaient flancher. Il ne restait plus une chaise, ni même une caisse où elle aurait pu s'asseoir.

— Allons, suffit pour la nostalgie, grogna-t-elle, allons voir un peu ce qui se passe à Montréal.

Elle sortit dans le hall et referma la porte ; le déclic du verrou sonna à ses oreilles avec quelque chose de lugubre et d'irrévocable. La chienne aboya de nouveau, d'une voix claire et distincte cette fois, et un léger glissement de pieds se fit entendre derrière la porte d'Elvina. Juliette s'avança :

— Adieu, ma sœur, lança-t-elle avec un léger trémolo, adieu, puisque tu souhaites sans doute ne plus jamais me revoir (elle se sentait ridicule, comme égarée sur la scène d'un opéra, en train de beugler un air dramatique devant un auditoire tordu de rire). De nous deux, c'est sans doute moi qui mourrai la première, car tu es sûrement la plus coriace. Sache que j'aurai regretté jusqu'à la fin la façon misérable dont notre histoire s'est terminée.

Elle resta un moment devant la porte muette, haussa les épaules, puis sortit. Le vent s'était levé, humide et glacial. Un frisson la secoua et Fernand Livernoche apparut dans son esprit, souriant, l'œil un peu hagard, son couteau à la main ; puis ce fut sa nièce, couchée dans la pénombre, fixant un rai de lumière en tirant de longues bouffées de cigarette. Le tourbillon qui avait semblé ralentir quelques minutes auparavant retrouva soudain toute sa violence.

Elle se glissa dans son auto et, jetant un dernier regard à l'appartement d'Elvina, vit un rideau frémir.

— Cinq heures moins quart... j'ai juste le temps de faire un saut à la maison pour voir si tout va bien et j'irai prendre ensuite des nouvelles de ma chère nièce.

Elle trouva Alexandre Portelance dans la cuisine en train de déballer de la vaisselle. Il l'amena dans la salle à manger et, l'air grave, lui montra le mur privé de sa plinthe.

— Eh oui, fit-elle avec une grimace. Il faut que j'arrive à savoir qui m'a fait cette saloperie.

Le désappointement du vendeur fut grand lorsqu'il apprit qu'elle ne pourrait l'accompagner au restaurant ce soir-là. Elle posa sur lui un regard ému :

— Ça me ferait bien plaisir, crois-moi, mais il faut absolument que j'aille trouver ma nièce. Je n'ai pas réussi à l'atteindre à l'hôtel tout à l'heure. Je ne sais pourquoi, mais j'ai peur qu'elle ait pris la poudre d'escampette.

— Alors demain soir, peut-être ? J'ai besoin de te voir, moi, ajouta-t-il en cachant sa déception sous une emphase bouffonne. Je n'en dors plus, je passe mes nuits à dire mon chapelet.

Elle sourit et posa timidement sa main sur son bras :

— Oui, demain, si tu veux, pourquoi pas ? Mais je te préviens : je vais être obligée sans doute d'amener Denis ; cela risque d'écourter pas mal le repas.

— Qu'il vienne, qu'il vienne, le p'tit vlimeux. Tout plutôt que le chapelet. Mais, à propos, où est-ce qu'il se cache, lui ? L'école est finie depuis longtemps.

Portelance se montra étonné et même un peu inquiet en apprenant que Denis passait la soirée avec un ex-amant de sa mère, possiblement son père, mais, somme toute, un pur inconnu. Il se rasséréna aussitôt en apprenant que Martinek l'accompagnait.

— Allons, se dit Juliette en se dirigeant vers le *Château Versailles*, si ce camionneur n'est pas un bon diable, c'est qu'il n'en reste plus sur terre... Pourvu que je ne l'aie pas vexé en lui imposant Bohu.

Elle trouva sa nièce levée, vêtue d'une jolie robe rose et en train de se maquiller (cela lui faisait le plus grand bien). Adèle accepta volontiers de souper au restaurant avec sa tante. Juliette proposa d'aller au *Caveau*, dont elle appréciait le calme et la bonne vieille cuisine bourgeoise.

N'eût été la piqûre qu'elle sentait parfois au creux de l'estomac à la pensée de Livernoche, l'obèse aurait passé un moment plutôt agréable. Sa nièce parlait peu, l'esprit souvent ailleurs, mais paraissait plus calme et faisait des efforts évidents pour se montrer gentille et de bonne compagnie. Juliette parla du libraire une seule fois, pour demander à sa nièce si elle avait une idée où pouvait se trouver le bonhomme. Mais sa question troubla tellement Adèle qu'elle n'osa pas insister. De tout le souper, la jeune femme ne posa pas une seule question sur son fils, et la comptable, d'abord un peu scandalisée, finit par comprendre qu'elle n'avait tout simplement pas la force de penser à lui.

— Laissons agir le temps, se dit-elle. Tout finira bien par s'arranger. Il y a quatre jours, il n'était pour elle qu'un petit tas d'ossements dans un cimetière. Et aujourd'hui, elle a devant elle un grand garçon de dix ans qui la zyeute par en dessous avec des airs d'enquêteur.

Il y avait un problème bien plus urgent à régler. Juliette prit une petite bouchée de gâteau à la noisette, repoussa loin d'elle le morceau tentateur, puis, après une dernière gorgée de café :

— Écoute, ma fille, je suis prête à t'aider aussi longtemps qu'il le faudra. Après tout, je ne me suis pas baraudée dans tout le Québec à ta recherche pour te planter ensuite au premier coin de rue. Mais il va falloir quitter ton hôtel et venir chez moi ; j'ai fait mes comptes hier soir : dans ma situation présente, avec une nouvelle maison à installer et pas d'emploi depuis six mois, je n'ai tout simplement pas les moyens de te garder au *Château Versailles*, ni ailleurs non plus.

À sa grande surprise, Adèle accepta tout de suite et de bon cœur, mais demanda à sa tante de la soustraire le plus possible à la fréquentation de ses amis, du moins pour un temps.

— Oui, oui, bien sûr. Du moins pour un temps, comme tu dis, ajouta-t-elle avec un petit rire. Il va bien falloir un jour que tu rechausses tes patins, ma fille : tu es trop jeune pour finir tes jours dans une chambre. Laisse ça aux vieilles comme moi.

Mais un incident allait survenir qui faillit renverser tous ses projets.

38

Depuis le jour où Martinek lui avait appris que Juliette Pomerleau avait enfin retrouvé sa nièce, Fisette se sentait comme un poisson dans un aquarium qu'un malin se serait amusé à remplir lentement de billes. Au *Studio Allaire*, il accumulait tellement les maladresses que son patron se mit à le soupçonner de s'adonner à la drogue.

— Si c'est le cas, je serai sans pitié ! lança-t-il un matin au déjeuner en agitant une rôtie recouverte de confitures.

— Tu viens de salir la nappe, remarqua sa femme d'une voix égale.

Fisette n'avait pas vu Juliette trois minutes durant les quelques jours qu'elle avait passés à Longueuil avant son déménagement. Toute à sa nièce et à sa nouvelle maison, elle n'arrivait chez elle qu'au milieu de la soirée, avec juste assez de force pour improviser un petit souper en jetant un œil distrait sur les travaux de Denis. À dix heures, elle dormait.

Il l'avait rencontrée deux fois dans le hall. Un insupportable sentiment de honte s'était alors emparé de lui et il avait cru remarquer un certain malaise chez Juliette également. Après avoir bredouillé quelques mots avec un sourire contraint, ils s'étaient quittés. Pourtant, la gratitude qu'elle lui avait témoignée le soir où il lui avait annoncé sa victoire sur Elvina, qui avait décidé, la rage au cœur, de ne pas s'opposer à la vente de la conciergerie, lui laissait espérer que tout n'était pas perdu. Peut-être pourrait-il un jour regagner son amitié. Mais par quels moyens ?

Martinek et Rachel, établis à Montréal depuis une semaine, lui téléphonaient de temps à autre, surpris et un peu inquiets par sa morosité et par l'espèce de détachement bougon qu'il leur manifestait.

Il passait ses soirées fin seul devant le téléviseur, les jambes écartées, l'air lugubre, supportant stoïquement l'avalanche des messages publicitaires. Il n'était pas question, bien sûr, d'aller jamais habiter dans la nouvelle maison du boulevard René-Lévesque (de quoi aurait-il l'air à se buter dix fois par jour à cette fameuse Adèle avec ses regards de violée, qui prendrait sans doute un malin plaisir à réduire en miettes ce qui lui restait de réputation ?).

Un soir, en arrivant de son travail, il vit les fenêtres de Juliette déshabillées de leurs rideaux et comprit qu'elle avait quitté les lieux à tout jamais. Dans un mouvement d'héroïsme, il alla frapper à sa porte pour la saluer, au cas où elle se serait encore trouvée sur place en train de rapailler quelques effets, mais ses coups résonnèrent si lugubrement dans l'appartement vidé qu'il tourna les talons et monta chez lui avec une vague envie de pleurer. Beaux voisins qu'il lui restait ! Une vieille fille anthropophage et un dentiste raide et compassé comme si on lui avait coulé du plomb dans les veines et qui, du reste, donnait l'impression de vivre plutôt en Argentine ou en Australie qu'à Longueuil, à moins que ce ne fût dans l'espace intersidéral.

Un sentiment de solitude tellement oppressant s'abattit sur lui qu'il fut incapable de souper. Il tourna quelque temps dans la cuisine, puis appela son amie Mariette, la vieillissante secrétaire de l'agence de voyages *Extraloisirs*.

— Partie pour la soirée, répondit sa mère d'une voix chevrotante, mais pleine encore d'une autorité souveraine.

— Eh ben, je pense que je n'ai pas le choix, soupira-t-il en raccrochant.

Et il s'enferma dans sa chambre noire. Mais vers huit heures, ployant sous le cafard, il décida de téléphoner à la nouvelle maison de Juliette. La sonnerie résonna une dizaine de fois et il allait raccrocher lorsque la voix de Rachel se fit entendre, tout essoufflée. Non, madame

Pomerleau n'était pas là, ni sa nièce. Elle n'arriverait que vers la fin de la soirée et peut-être irait-elle coucher à l'appartement de la violoniste, car la maison était sens dessus dessous et Alexandre Portelance était en train d'abattre la cloison qui divisait en deux la salle à manger.

— Eh bien, si vous le permettez, je vais aller faire un tour, annonça joyeusement Fisette. Je suis sûr que mes bras seront les bienvenus.

Il arriva au 2302 du boulevard René-Lévesque en même temps que Denis, Martinek et Roger Simoneau. En apercevant le photographe, l'enfant poussa un cri de joie qui lui alla droit au cœur et, tout excité, se mit à lui raconter *La Grenouille et la Baleine*. Fisette remarqua avec étonnement des traces de bégaiement dans son élocution. Debout derrière lui dans le vestibule, Simoneau, qui n'avait pas encore ouvert la bouche, l'écoutait avec de petits hochements de tête satisfaits. Puis, un peu embarrassé, il se présenta comme un ami de Juliette Pomerleau.

— Tiens tiens, en voilà un autre qui n'a pas la conscience tranquille, et je m'y connais ! pensa le photographe en lui serrant la main.

Ils entrèrent. Rachel, en jean et chemisier rose, les cheveux relevés au-dessus de la nuque par un ruban de même couleur, fit la plus grande impression sur les deux hommes et même sur l'enfant, qui voulut recommencer tout de suite à son intention le récit du film.

— Minute, bobichon, l'interrompit-elle en riant, il faut d'abord que j'aille porter cette égoïne à monsieur Portelance qui est en train de se crever après un madrier.

Des coups de marteau et des bruits d'arrachement parvenaient de la salle à manger, dont on avait fermé la porte. Martinek s'était aussitôt mis à l'ouvrage. Il transportait des caisses de livres à son studio. Ses larges épaules un peu voûtées et son front sphérique et dégarni, sous lequel bougeaient doucement de grands yeux humides au regard un peu absent, lui donnaient l'air d'un débardeur passionné d'histoire de l'art.

— Ces caisses me donnent mal au dos, soupira-t-il en pénétrant dans la salle à manger.

Denis le suivit, accompagné de Fisette et de Simoneau.

— Misère ! s'exclama le photographe, mais c'est un chantier, ici !

Alexandre Portelance se retourna, tout en sueur, couvert de poussière de plâtre, un arrache-clou à la main :

— On restaure, mon ami, on restaure ! Quand j'aurai fini, cette salle à manger va pouvoir servir à de *véritables* concerts.

L'enfant lui présenta le camionneur et deux minutes plus tard Roger Simoneau apprenait que Juliette avait retrouvé sa nièce. La nouvelle le troubla tellement qu'il en perdit la parole ; il écouta la conversation quelques instants, puis se retira, prétextant une grande fatigue et promettant à Denis de revenir le voir un de ces jours, ce que l'enfant accueillit sans déplaisir.

— Drôle de moineau, remarqua Fisette après son départ. On dirait quasiment qu'il se sent coupable de respirer.

Denis lui lança un regard désapprobateur, puis alla fouiner dans la maison, tout heureux que l'absence de Juliette lui permette de retarder l'heure de son coucher.

— Il faudrait m'enlever ces piles de boîtes, dit Portelance. Elles me gênent un peu.

Le musicien s'approcha :

— Elles m'appartiennent. Dans celle-ci, vous savez, il y a mes draperies de Berlioz, confia-t-il avec une intonation respectueuse. Mais ce fichu mal de dos m'empêche de travailler.

Rachel se tourna vers le photographe et lui fit une œillade.

— Ça va, ça va, j'ai compris. Mais dans une demi-heure, je veux qu'on me serve une bonne bière froide. Et ce gros sac, c'est à toi aussi, Bohu ?

— Oui, oui. Pose-le près du piano, veux-tu ?

Il allait monter sa cinquième caisse lorsque Juliette apparut dans la porte d'entrée.

— Diable ! lança-t-il intérieurement, je ne l'attendais pas si tôt.

Denis accourut vers elle.

— Où est ton ami ? demanda-t-elle.

— Parti.

— Bonsoir, Clément, fit la comptable en s'approchant. Vous êtes venu nous donner un coup de main ?

Le photographe eut un sourire forcé :

— C'est la moindre des choses.

Et il gravit l'escalier. Juliette envoya Denis se coucher dans la chambre de Martinek, puis alla rejoindre Portelance en train de se battre avec un poteau qui refusait d'abandonner sa fonction.

— Va-t'en, ma belle, je t'en prie, haleta-t-il. Il y a une poussière du verrat ici, tu vas salir ton beau linge.

Elle retourna dans le hall et se mit à causer avec Martinek et Rachel. Les répétitions allaient bon train, lui apprit-on et, la veille, on avait parlé du concert dans *Le Devoir*. De temps à autre, elle jetait un coup d'œil au photographe, qui faisait la navette entre les deux étages, silencieux, l'air un peu penaud. Elle l'appela et se retira avec lui dans la cuisine :

— Écoutez, mon cher Clément, je vous vois aller et venir avec votre mine d'enterré vivant et ça me fait mal au cœur. Clarifions un peu les choses : si vous pensez que je vous garde rancune pour... l'incident de l'autre fois, eh bien, vous vous rongez les sangs pour rien. J'ai tout oublié. Je sais ce que vaut ma nièce ; elle ne montera sûrement pas au ciel avec une gerbe de lys blancs dans les bras, et vous n'avez sans doute pas été obligé de lui forcer beaucoup la main pour... Bon. Voilà un point de réglé. Et puis, c'est grâce à vous, n'est-ce pas, que j'ai réussi à la retrouver, non ? Et je n'oublie pas non plus le petit service que vous m'avez rendu auprès de ma chère sœur, même si je sais que le pape aurait procédé autrement. Alors, à partir de maintenant, le torchon est passé, la table est propre ; si j'en avais, je jette mes arrière-pensées à la poubelle, vous pouvez venir chez moi aussi souvent que vous voulez et même, ajouta-t-elle après une seconde d'hésitation, me louer un morceau d'étage, si ça vous chante. Cependant, donnez-moi deux ou trois semaines pour remettre un peu ma nièce sur pied et l'habituer à l'idée qu'elle devra fréquenter le genre humain de temps à autre.

Clément Fisette la regarda un moment sans parler, puis ses yeux se mirent à briller d'une façon inhabituelle ; il les essuya brusquement avec sa manche et :

— Merci, madame Pomerleau, balbutia-t-il d'une voix rauque. J'aimerais bien avoir votre bon cœur. Mais elle ? se reprit-il aussitôt. En me voyant, est-ce qu'elle ne sera pas portée à...

Juliette lui posa la main sur l'épaule :

— Allons, ne me faites pas dire des choses trop crues. Je pense qu'elle accorde à cette histoire beaucoup moins d'importance que vous ne le faites. Maintenant, suffit. Il faut que j'aille préparer les lits. Je tombe de fatigue et bobichon a de l'école demain.

Alexandre Portelance avait bien monté les lits, mais la literie se trouvait perdue quelque part dans l'amoncellement de boîtes qui occupait encore la moitié de la salle à manger. Affalée dans un fauteuil, Juliette louchait de fatigue en regardant ses amis chercher ; son visage affaissé et grisâtre et sa voix soudain pâteuse avaient réveillé chez eux de sinistres souvenirs. Rachel vint la trouver :

— Écoutez, je vous invite à mon appartement de Côte-des-Neiges. Vous dormirez avec Denis dans mon lit, je prendrai le canapé du salon. Et demain, on déjeunera ensemble. Ce sera bien plus agréable qu'ici.

Martinek l'écoutait, déçu, mais n'émit aucun commentaire.

— Ah ! je n'en peux plus, murmura Juliette quelques instants plus tard en s'appuyant sur la *Subaru*.

Elle tendit les clefs à la violoniste :

— Ça te dérangerait de conduire à ma place ? Je ne fais plus la différence entre la rue et le trottoir.

— Vas-tu retomber malade, ma tante ? s'inquiéta Denis.

— Non, mon chou, je suis tout simplement vidée. Il y a des journées comme ça qui nous dévorent jusqu'à la moelle.

En cours de route, elle leur raconta l'incident de la plinthe volée.

— J'y tenais vraiment beaucoup. Il y a toute une partie de mon enfance là-dedans. Mais je n'ai pas dit mon dernier mot.

Elle se coucha dès son arrivée et Denis, qui s'était attardé quelques minutes dans la cuisine à croquer une pomme tout en causant avec Rachel, la trouva en train de ronfler.

Vers le milieu de la nuit, elle fit un cauchemar.

Elle est en train de se savonner dans un bain, la tête enveloppée d'un turban (étrange détail), lorsque la porte s'ouvre brusquement et que Livernoche apparaît, armé d'un couteau, les cheveux hirsutes, le visage convulsé de colère :

— À Marat... Maratte ! hurle-t-il en levant le bras dans un grand geste théâtral.

Une sensation de brûlure terrible se répand dans son dos. La lame pénètre maintenant l'épaule gauche, puis les reins, puis le dos encore une fois. Juliette, paralysée, le fixe avec terreur, incapable d'émettre un son. Le libraire s'arrête et la regarde en ricanant, tandis que le sang gicle dans le bain. L'eau rougit, devient opaque, horrible à voir.

— Disparais, salope ! lance-t-il en plongeant sa main dans le liquide, et il tire le bouchon.

Horrifiée, elle contemple son sang qui file par la bonde.

— Et maintenant, annonce Livernoche d'une voix assourdissante, je termine l'opération par un *étranglement* !

Il se jette sur elle, les doigts distendus, mais au moment où il va atteindre sa gorge, un sifflement assourdissant remplit la salle de bains et, tandis que serviettes, brosses à dents, pots de crème et pains de savon se mettent à tournoyer dans un nuage de poudre de riz, le bain se soulève lentement, comme poussé par des réacteurs, traverse le plafond avec fracas et Juliette se retrouve ruisselante dans son lit sous le regard apeuré de son petit-neveu, à genoux près d'elle en train de la secouer.

* * *

Au même moment se déroulaient à la maison du boulevard René-Lévesque des événements bien plus préoccupants.

Vers onze heures, Clément Fisette était retourné chez lui, le dos courbaturé et les jambes mortes, mais rempli d'une bonne humeur enfantine, et Martinek était resté seul. Il enfila sa robe de chambre, s'attabla dans la future cuisine et se mit à esquisser une série de variations pour quintette à vents sur le thème du *Danube bleu*, qui lui trottaient dans la tête depuis quelques jours. Les deux premières variations étaient déjà toutes notées dans son esprit. Perché sur le frigidaire, Sifflet l'observait. De temps à autre, le musicien croquait dans un biscuit au chocolat. Il était entendu entre lui et l'oiseau que les miettes allaient au merle.

L'intention première de Martinek était d'écrire un petit divertissement acidulé, plein de recherches rythmiques et de fantaisie. Mais à la quatrième variation, son inspiration dérapa et il se vit bientôt en train de composer une œuvre à caractère inquiet, qui l'entraînait irrésistiblement vers des profondeurs obscures. La forme du quintette le gêna de plus en plus et il décida de noter la musique sur deux portées seulement, se réservant de repenser plus tard à l'instrumentation. À deux heures vingt, il terminait la vingtième et dernière variation, *adagio lamentoso* et, en la rejouant dans sa tête, il sentit son estomac se resserrer douloureusement. Il griffonna sur la première page de la partition : « esquisse pour orchestre de chambre, incluant un cor anglais et deux clarinettes basses » et la repoussa au bout de la table, comme si le fait de l'éloigner pouvait diminuer le sentiment d'oppression qui s'était emparé de lui ; il resta assis un moment, la tête penchée en arrière, en proie à un accablement soudain qui lui enlevait jusqu'à la volonté de se lever et d'aller se coucher. Il finit par trouver la force d'allonger le bras et d'éteindre la lampe posée sur la table et resta ainsi dans l'obscurité à fixer sans les voir les branches dépouillées d'un peuplier qui bougeaient doucement devant la fenêtre. Après avoir picoré ses miettes de biscuit, Sifflet était retourné sur le frigidaire et dormait.

Au bout d'un laps de temps qu'il n'aurait su évaluer avec précision, il crut entendre un léger grincement quelque part au rez-de-chaussée. Il se redressa et tendit l'oreille. Les images les plus bizarres traversèrent son esprit. Il se dirigea vers l'escalier, descendit quelques marches, puis s'arrêta. Le silence de la maison n'était troublé que par les bruits intermittents de la rue.

— Ça devait venir de l'extérieur, se dit-il au bout d'un moment.

Mais, chose curieuse, son inquiétude persistait ; il décida d'aller faire le tour du rez-de-chaussée avant de se mettre au lit.

Il s'imagina en train de circuler de pièce en pièce, cherchant à tâtons les commutateurs. Craquement du plancher. Il se retourne. Trop tard. Une ombre devant lui, le bras levé. Choc foudroyant sur le crâne. Il s'écroule silencieusement dans le noir, fragile et dérisoire comme une coquille d'œuf.

Martinek remonta doucement l'escalier, pénétra dans la cuisine et en ressortit avec une casserole de fonte. L'œil aux aguets, la jambe raide, il redescendit et alluma le lustre du hall. Un peu de lumière pénétra dans le salon, dont la porte à sa gauche était demeurée entrebâillée, éclairant vaguement une empilade de manteaux qui semblèrent s'animer d'imperceptibles ondulations. Il savait que le commutateur de cette pièce se trouvait à droite en entrant. Il fit trois enjambées, sentit le bouton sous son doigt et l'actionna.

Dix minutes plus tard, et après mille tremblements, il avait fait le tour de chaque pièce, inspecté tous les recoins susceptibles de servir de cachette et conclu finalement que sa peur était sans fondement et qu'il devait l'imputer à l'état ridicule dans lequel l'avaient mis ses variations. Ses muscles se détendirent. Il sourit, haussa les épaules en s'aspergeant d'épithètes ironiques et monta se coucher. Bientôt, il dormait.

Dans un placard de la cuisine, appuyé contre de gros fils rugueux qui, deux mètres plus haut, aboutissaient au tableau de distribution électrique de la maison, se trouvait le numéro 8, volume II, 1980, de la revue trimestrielle *Le collectionneur*, tout poussiéreux et racorni, oublié là depuis des années. La couverture était illustrée par une reproduction en couleurs d'une huile sur toile de Joseph Légaré exécutée vers 1845 : *Incendie du quartier Saint-Jean à Québec.* Le tableau, dont le centre rougeâtre était bordé en haut et en bas par des zones sombres et confuses, montrait avec un détachement implacable les rangées de maisons de pierre dont les entrailles enflammées soufflaient d'immenses volutes de fumée rousse vers le ciel, qu'étoilaient lugubrement des milliers de tisons. Au premier plan, la foule, abasourdie, rassemblée entre deux avancées de remparts sur lesquels avaient été jetés pêle-mêle tous les objets qu'on avait pu soustraire à l'incendie, contemplait la destruction de la ville, tandis qu'au fond quelques citadins courageux s'agitaient dans la chaleur suffocante de la rue, cherchant à s'approcher des maisons encore intactes pour en retirer quelques possessions.

Le tableau, vaguement éclairé par une fenêtre, semblait frémir d'une vie secrète et fantomatique. Les volutes de fumée ondulaient imperceptiblement dans le ciel, les tisons s'allumaient et s'éteignaient, l'espace d'une seconde ; au bout de la rue principale, un personnage minuscule s'était arrêté près d'une maison, comme frappé de terreur. La scène de Légaré, à demi cachée par un seau à plancher crasseux, avait acquis une sorte de grandeur farouche. Soudain — magie de la peinture ? — l'air sembla s'épaissir autour de la reproduction ! Un filet de fumée mince comme une langue de chat passa devant la foule lilliputienne, qui frémit d'horreur. Puis un tison, parti du ciel de Québec, rougeoya soudain sous le tableau de distribution. Une petite flamme orange se mit à lécher la boîte, mais, n'y trouvant pas son compte, s'attaqua au mur de lattes recouvert d'une peinture grumeleuse et craquelée, qui bouillonna, puis noircit. Le placard s'était rempli d'une fumée grise et âcre qui se répandit peu à peu dans la cuisine. L'œuvre de Légaré semblait se détruire elle-même.

Martinek s'assit tout à coup dans son lit en toussant, tandis que le merle, affolé, voletait autour de lui. C'est le battement de ses ailes, ses cris et ses coups de bec qui l'avaient tiré du sommeil lourd et nauséabond où il était en train de s'enfoncer à tout jamais. Une barre de douleur lui coupait le front en deux. Il fut un moment avant de reprendre ses esprits, puis une peur animale l'envahit soudain ; bondissant sur ses pieds, il se rua vers l'escalier.

En dévalant les marches, il constata que l'incendie semblait avoir pris naissance dans la cuisine et qu'il avait tout le temps voulu pour sortir. Il ouvrit la porte, s'avança sur le perron... et songea soudain à Sifflet resté là-haut, puis à ses partitions. Revenant sur ses pas, il appela l'oiseau, sans succès, fut sur le point de remonter l'escalier, mais, se ravisant, pénétra dans le salon et fit de la lumière. L'air épaissi était encore respirable. Il passa dans la salle à manger et aperçut au fond de la cuisine une lueur qui s'agitait, face à la fenêtre.

— Sacripant ! murmura-t-il, le tableau électrique !

Secoué par une toux violente, il s'approcha du placard et resta une seconde devant les flammes crépitantes, partagé entre l'envie de s'enfuir à toutes jambes et celle de bloquer la marche au malheur. Soudain, il plongea le bras gauche dans le feu, la tête rejetée en arrière, les yeux aveuglés de larmes, réussit à déclencher le disjoncteur principal, puis referma la porte, se rappelant que le feu était un grand friand d'oxygène. Il se rua ensuite dans le salon, la respiration de plus en plus difficile, (— Pourvu que Sifflet tienne le coup, pourvu qu'il tienne le coup, bon sang !), buta contre une boîte de carton et faillit s'étaler sur le plancher. La boîte contenait du linge. Il en arracha le couvercle et revint à la course en traînant derrière lui une grande pièce de tissu. Rouvrant la porte du placard, il se jeta sur les flammes et tenta de les étouffer, en proie à une quinte de toux qui lui tirait de la gorge des sons de tuba. Il aperçut alors à ses pieds un seau de plastique rempli de guenilles. Il s'en empara et bondit vers l'évier, mais son pied s'accrocha dans le tissu et, cette fois, il s'étala de tout son long. Une idée subite l'horrifia :

— Mon Dieu ! la draperie de Berlioz !

Il se releva et la lança au milieu de la pièce, puis reprit le seau qui avait roulé dans un coin.

Dix minutes plus tard, l'incendie était maîtrisé. Il s'arrêta, titubant, hors d'haleine, et comprit qu'il venait de sauver la maison. Alors, tremblant de tous ses membres, il se rendit à la fenêtre, ouvrit les battants, pencha la tête et se mit à respirer à pleins poumons tandis que des tourbillons de fumée montaient en s'élargissant vers le ciel. Son bras gauche commençait à le faire souffrir. Au bout d'un moment, il s'approcha de la draperie et l'examina, désolé. Malgré la pénombre, il reconnaissait le tissu de velours bleu marine qui avait appartenu au compositeur français vers la fin de sa vie ; un grand trou bordé d'une frange carbonisée le défigurait en plein milieu.

Soudain des battements d'ailes frénétiques traversèrent la salle à manger.

— Sifflet ! s'écria-t-il. Ah ! Dieu merci ! tu es vivant !

Le merle affolé apparut dans la cuisine, voleta quelques secondes au-dessus de sa tête, heurtant deux ou trois fois le plafond, puis fila par la fenêtre grande ouverte et disparut.

Le musicien resta longtemps devant la fenêtre à l'appeler, scrutant en vain l'obscurité, mais la brûlure à son bras gauche, de plus en plus intense et profonde, sapait ses dernières forces. Il remonta la manche de son pyjama et contempla ses chairs rouges et enflées. Puis il traversa lentement la maison et alla s'asseoir sur le perron. Il claquait des dents, plongé dans un désarroi total et si fatigué qu'il avait peine à garder les yeux ouverts.

— Mon... mon concert... balbutia-t-il tout à coup en fixant son bras, atterré. Je ne pourrai pas jouer à mon concert...

Quelques minutes plus tard, une auto-patrouille, alertée par un appel, s'arrêtait devant la maison. Les policiers trouvèrent Martinek en train de sangloter sur le perron. Après l'avoir interrogé inutilement, ils jugèrent bon d'appeler une ambulance, car l'homme semblait sous l'effet d'un violent choc nerveux.

39

Ce jour-là, Juliette, dont l'accablement n'avait pas été sans inquiéter son entourage la veille, se montra admirablement à la hauteur des circonstances. À huit heures, Martinek, la voix défaillante et les idées embrouillées, téléphonait chez Rachel et leur apprenait l'incident de la nuit précédente et son hospitalisation à Saint-Luc pour choc nerveux et brûlures du deuxième degré à la main et au bras gauches. Juliette envoya Denis en taxi à son école de Longueuil, appela Portelance pour lui demander d'aller surveiller la maison, contacta son agent d'assurances et se hâta enfin vers l'hôpital Saint-Luc en compagnie de Rachel.

Martinek les reçut assis dans un fauteuil, le bras gauche bandé jusqu'au coude, la voix éteinte, le regard vide, nullement enivré par son exploit. Il ne parlait que de l'annulation de son concert et de la disparition de Sifflet, dont il se montrait inconsolable.

— Mais raconte-nous un peu comment c'est arrivé, Bohu, demanda Rachel. Où étais-tu ? Chez toi ? Au rez-de-chaussée ?

— Chez moi, chez moi. Tout a commencé par un grincement, un très léger grincement... vers deux heures du matin... j'étais fourbu... trois heures de travail sans interruption, tu comprends... après toute une journée à peinturer et transporter des boîtes... J'ai cru que le bruit venait de l'extérieur ou que mes nerfs me jouaient un tour... Je suis descendu quand même au rez-de-chaussée et j'ai inspecté chaque pièce, mais rien, rien de rien, je te dis, tout était normal. Alors, je suis monté me coucher et dix secondes plus tard, je dormais... Et je dormirais encore, et pour longtemps, si mon beau Sifflet...

Il s'arrêta, incapable de continuer. La violoniste lui fit boire un peu d'eau. Au bout d'un moment, il reprit son récit, mais la fatigue le gagnait à vue d'œil. Il était persuadé qu'il s'agissait d'un incendie criminel et qu'on récidiverait. Il supplia Juliette et Rachel de veiller sur la maison jour et nuit et de ratisser le quartier pour retrouver le merle des Indes, qu'il avait lâchement abandonné au milieu du péril alors qu'il lui devait la vie. Brusquement, ses yeux se remplirent de larmes. Rachel et Juliette tentèrent de le calmer, mais, n'y arrivant pas, demandèrent son médecin. L'infirmière, appelée sur les lieux, leur répondit que c'était impossible, que le docteur Gélinas était occupé à faire la tournée de ses patients, qu'il reviendrait voir monsieur Martinek le lendemain avant-midi, que ce dernier ne souffrait pas de brûlures trop graves et qu'avec un peu de patience et de bonne volonté, tout allait finir par se tasser. Juliette lui saisit le bras :

— Ma fille, savez-vous qui est votre patient ? Un compositeur de génie. Et, de plus, un homme qui m'a sauvé la vie par sa musique, oui, oui, tout à fait, je ne blague pas, les médecins ont été forcés d'en convenir. Et, par-dessus le marché, il vient de sauver ma maison d'un incendie, rien de moins. Pour son malheur, il est trop modeste et se fiche de tout et je comprends que son nom ne vous dise rien. Mais écoutez-moi bien : dans quelques semaines, on doit donner un concert de ses œuvres. C'est la chance de sa vie. Pour ce concert, il a besoin de sa main gauche et je veux qu'on me dise tout de suite s'il va l'avoir. Est-ce qu'il l'aura ? Répondez.

L'infirmière, un peu estomaquée, fronça les sourcils et se mit à expliquer d'une voix mal assurée que personne, bien sûr, ne pouvait prévoir au jour près le cours d'une guérison et que d'ailleurs...

— Vous ne pouvez pas le prévoir? coupa Juliette. C'est ce que je voulais entendre. Conduisez-moi auprès du docteur. Il en sait sûrement plus que vous, sauf votre respect. Et si vous ne voulez pas, Dieu vous bénisse, je le trouverai bien moi-même.

L'infirmière, excédée, lui fit signe de la suivre. Le docteur Gélinas se trouvait à trois chambres de là en train d'examiner un gérant d'hôtel qui souffrait d'une affection chronique de la peau après avoir reçu quelques années auparavant une louchée de beurre fondu en plein visage. C'était un homme bienveillant et débonnaire, qui consacrait tous ses temps libres à l'histoire du *Titanic*, dont il était devenu un spécialiste ; il eut droit à un numéro époustouflant. La rotondité de Juliette lui plut, ainsi que sa détermination. Il revint dans la chambre de Martinek et tenta de le rassurer en lui affirmant qu'aucun nerf ou tendon n'avait été touché, qu'il s'agissait d'une « belle brûlure » qui guérirait vite et bien, que la musique était une chose merveilleuse et les concerts, une activité irremplaçable, et qu'il pourrait bientôt s'y adonner autant qu'il le voudrait.

— Je vais vous prescrire un nouveau cicatrisant qu'on vient de mettre au point en Australie à partir de sperme de kangourou. On en dit des merveilles. Il paraît que cela permet de sauter des étapes de la guérison...

Il salua tout le monde, coulant un regard attendri sur la gorge de Juliette, et s'en alla, sans qu'on puisse savoir s'il plaisantait ou pas.

L'obèse s'assit en face de Martinek et, à force d'entrain, réussit à lui arracher un sourire.

— Allons, je suis sûre que tout va s'arranger. À votre retour, Sifflet va vous chanter un petit air du haut de son armoire et votre concert sera un triomphe. Jouez-vous un peu de votre musique dans la tête. Si elle a réussi à me rapiécer le foie, elle saura bien vous réparer la peau, sueur de coq !

Elle l'embrassa sur les deux joues et se rendit dans le corridor pour laisser à Rachel quelques moments d'entretien avec son ami, puis reconduisit la violoniste à la Place des Arts, où elle avait une répétition.

À son arrivée au 2302 du boulevard René-Lévesque, les enquêteurs du service des incendies et de la police municipale venaient de quitter les lieux en laissant à Portelance une note qui demandait à Juliette de communiquer avec eux. Elle venait à peine de franchir le vestibule que Fisette surgit derrière elle, tout essoufflé.

— C'est moi qui me suis permis de l'appeler, expliqua Portelance. Je sais qu'il a bon nez et c'est justement d'un maudit bon nez qu'on a besoin dans cette affaire, croyez-moi.

Et, l'air important, il les amena dans la cuisine. Ils contemplèrent en silence l'intérieur noirci du placard, les lattes à demi carbonisées, l'amas de guenilles gorgées d'eau et l'enveloppe — fondue sur une longueur d'un mètre — du fil qui avait déclenché l'incendie. Portelance se tourna vers ses compagnons, le sourcil levé, la paupière tombante, le regard doctoral, savourant à l'avance son effet :

— Tentative d'incendie criminel, mes amis. Les inspecteurs ont été obligés de se retenir à deux mains pour ne pas me le dire tout haut tout clair, mais leur visage jacassait malgré eux.

Juliette les regarda l'un après l'autre, puis ses lèvres se mirent à trembler :

— Mon Dieu, bredouilla-t-elle, c'en est trop à la fin... Ils vont finir par m'avoir...

— Allons, allons, ma chère, s'écria Portelance en la prenant par les épaules, tu me vires le système à l'envers quand tu parles comme ça. *Je suis là*, sacrament ! Tu n'es pas en train de parler à une souche ! Et puis, j'ai peut-être exagéré en parlant d'incendie criminel.

Juliette secoua la tête :

— Bohu a entendu des bruits étranges la nuit dernière au rez-de-chaussée, juste avant l'incendie.

— Livernoche, ricana Fisette, ça sent le Livernoche...

La comptable fixait la fenêtre par où s'était envolé Sifflet et resta un moment sans parler, tandis que le photographe tripotait les fils en fredonnant, la mine tellement réjouie que Portelance en fut agacé. Le vendeur s'approcha de son amie ; elle pleurait.

— Non, non, il ne faut pas, Juliette ! balbutia-t-il, effrayé. Je vais m'occuper tout de suite de...

— Nous allons vous aider, madame Pomerleau, assura Clément Fisette en s'approchant. Je m'installe ici dès ce soir et, dans deux jours, cette maison sera mieux protégée que le Kremlin et la Maison-Blanche ensemble.

— Un mouchoir, n'importe quoi, commanda-t-elle d'une voix brisée, la tête toujours tournée vers la fenêtre.

Elle s'épongea longuement les yeux, puis :

— Donnez-moi le numéro de téléphone de ces enquêteurs.

Puis, se dirigeant vers la salle à manger :

— Vous pouvez partir, Alexandre, et vous aussi, Clément. Je vous ai déjà trop retenus. De toute façon, j'ai ma petite idée.

Les deux hommes se regardèrent, étonnés, puis le photographe murmura :

— Il faut vraiment que je parte ; mon patron va m'empaler. Je lui ai dit que j'allais à la pharmacie chercher de l'aspirine.

Il jeta un dernier coup d'œil dans le placard et enfila son manteau.

— À ce soir, n'est-ce pas, Clément ? fit Juliette en interrompant sa conversation au téléphone.

— Oui, à ce soir, madame.

Alexandre Portelance arpentait la pièce, l'air malheureux, consultant sa montre à tout instant. Puis il pénétra à son tour dans la salle à manger. Juliette avait laissé l'enquêteur et discutait maintenant avec un électricien. Elle semblait avoir retrouvé son calme et lui adressa même un sourire du coin des lèvres. Il se pencha à son oreille :

— J'ai un rendez-vous. Je reviendrai cette après-midi.

Et il fit coïncider la fin de sa phrase avec un léger frôlement sur sa cuisse. Juliette le salua de la main, puis détourna la tête, sentant ses joues qui s'empourpraient. Quelques instants plus tard, elle réussissait à convaincre son interlocuteur de venir le jour même changer le tableau de distribution et vérifier le circuit électrique de la maison.

— J'ai ma petite idée, marmonna-t-elle, les dents serrées, en raccrochant.

Elle retourna à la cuisine, prit son sac à main et le vida prestement sur une table, malgré la suie qui recouvrait la surface. Ses mains larges et potelées fouillèrent nerveusement l'amas hétéroclite qui s'était formé et se saisirent enfin d'une carte professionnelle, à demi engagée dans le couvercle d'un vieux poudrier.

— 521-457... Non. Je vais plutôt y aller, décida-t-elle, et tout de suite !

Le bureau de maître Racette était situé au 1852, rue Sherbrooke Est, dans un édifice victorien à façade de pierre grise construit au début du siècle, mais défiguré quelques années plus tôt par un revêtement d'aluminium qui masquait les corniches ouvragées et le tour des lucarnes ; un porche de style pseudo-colonial, composé d'un perron de béton massif et de deux tubes d'acier peints en blanc, longs d'une dizaine de mètres, et supportant une sorte de fronton, faisait de pathétiques efforts pour donner à l'ensemble une allure grandiose. À droite de l'entrée luisait une grande plaque de cuivre :

CLIQUON, RACETTE, BLONDEAU & VAPORI

Juliette gravit pesamment le perron et entra. La réceptionniste leva vers elle des yeux fatigués et rougis :

— Maître Racette ne sera à son bureau que vers deux heures, lui annonça-t-elle dans un souffle.

La comptable la fixa une seconde, puis, mue par une inspiration soudaine :

— Vous avez l'air épuisée, ma fille, remarqua-t-elle avec compassion.

— Migraine, soupira l'autre en rangeant un paquet de feuilles. Tous les dix jours. Ou à peu près.

Le téléphone sonna. La réceptionniste achemina l'appel, puis leva de nouveau la tête vers Juliette, qui n'avait pas bougé et la considérait d'un œil attendri.

— Vous avez tout essayé, évidemment ? fit la comptable en s'appuyant sur une jambe, puis sur l'autre.

Une expression étonnée apparut sur le masque affaissé de la jeune femme.

— Tout.

— Même l'acupuncture ? Non ? Il faut essayer l'acupuncture. Je connais un excellent acupuncteur au coin de Berri et Cherrier. Le docteur Yong. Téléphonez-lui. En deux semaines, il a fait marcher la petite fille d'un de mes neveux...

Elle dressa l'index au-dessus de la réceptionniste de plus en plus étonnée :

— ... percluse d'arthrite *à l'âge de cinq ans*, ma chère, avec des genoux gros comme des pamplemousses et un régime à l'aspirine qui l'aurait menée à la tombe en criant lapin. Aujourd'hui, elle gambade dans la cour d'école. Yong. Le docteur Yong. Prends un crayon et note-le.

— Y-o-n-g ? épela la jeune femme, sans grande conviction.

— C'est ça. Coin Berri et Cherrier. Je t'en prie, va le voir, pauvre enfant, tu me tires les larmes des yeux. Écoute, poursuivit-elle sans transition, il faut absolument que je voie maître Racette tout de suite, pour une affaire personnelle et urgente. Sais-tu où il se trouve ?

La réceptionniste se frotta machinalement la nuque en grimaçant et secoua la tête.

— Bon, fit Juliette.

Elle se tripota les doigts un instant, puis :

— Pourrais-tu me donner une feuille, une enveloppe et un crayon ?

Penchée au-dessus du bureau, elle griffonna :

Désirerais vous voir le plus vite possible relativement à la vente de ma maison du 2302, boulevard René-Lévesque Ouest.

Juliette Pomerleau.

Elle plia la feuille, la glissa dans l'enveloppe et cacheta celle-ci.

— Non, non, ne te dérange pas, je vais aller la déposer moi-même sur son bureau. Où est-ce ?

Deux lignes sonnèrent simultanément. Penchée au-dessus de son standard, la jeune femme soupira et pointa une porte. Juliette pénétra dans la pièce, y jeta un long regard circulaire, déposa la lettre sur le bureau, sortit (— Pas de plinthe. Cela m'aurait étonnée, d'ailleurs.) et revint se planter devant l'employée, le souffle court, se préparant à faire son grand coup :

— N'oublie surtout pas d'aller voir le docteur Yong : ta vie sera transformée. Une dernière chose, ma belle enfant, et ensuite je te fiche la paix. J'aurais voulu voir ton patron maintenant, car je n'aurai plus une minute à moi jusqu'au milieu de la soirée. Sois gentille et donne-moi son adresse personnelle, veux-tu ? Je te promets d'être discrète.

Juliette s'approcha de son auto, satisfaite, un bout de papier à la main.

— Évidemment, il n'est pas chez lui à cette heure, se dit-elle en démarrant. Et pourtant... s'il y était ? Ça ne coûte rien d'aller voir.

Vingt minutes plus tard, elle stationnait devant un gros duplex cossu de la rue Monkland à Notre-Dame-de-Grâce.

— Il faut lui faucher les jambes en entrant, décida-t-elle en ouvrant la portière. Enlève tes gants blancs, ma vieille, et frappe dur. Tu as deux minutes pour lui faire une peur bleue, sinon ta visite n'aura servi à rien.

Elle examina la façade de pierre percée d'énormes fenêtres rectangulaires qui ressemblaient vaguement à des vitrines, puis sortit de son auto. Ses aisselles dégoulinaient, alimentant deux taches sombres sous ses manches.

Maître Alcide Racette demeurait au rez-de-chaussée. Un perron massif, bordé d'une sorte de parapet de béton à revêtement de pierres plates donnait accès à l'entrée principale. Juliette le gravit, faisant une courte pause à chaque marche pour ne pas se mettre hors d'haleine. Parvenue à la plate-forme, elle prit trois ou quatre inspirations, puis sonna. La porte s'ouvrit presque immédiatement, comme si on l'attendait, et maître Racette apparut, sans cravate ni veston, la chemise à demi déboutonnée.

— Eh ben ! bonjour, madame ! s'exclama-t-il en feignant du mieux qu'il put un étonnement joyeux (mais le résultat fut médiocre). Quel bon vent vous amène ?

— J'ai affaire à vous parler, répondit sèchement Juliette. Permettez ?

Et elle s'avança.

— Ah bon. Et comment allez-vous ? poursuivit l'autre en demeurant sur le seuil. Je suis content de vous voir. Mais j'allais justement partir. Je dois rencontrer un client à mon bureau dans dix minutes. Est-ce que nous ne pourrions pas nous voir là-bas, disons, vers trois heures ?

Les deux mains appuyées au chambranle, on aurait dit qu'il cherchait à lui bloquer l'entrée. Une vague intuition se fit jour dans l'esprit de la comptable.

— Si vous le permettez, je préférerais qu'on se parle tout de suite — et ici même, insista-t-elle en avançant de nouveau, pressant sur lui de tout son poids.

Il dut reculer, incapable de résister à cette masse.

— Mais qu'est-ce qui vous pr... Mais arrêtez-vous, bon sang ! s'exclama-t-il en essayant de la repousser. C'est de l'intrusion ! Vous allez me ficher le camp d'ici au plus vite, sinon...

Mais il était trop tard. Par une porte grande ouverte, Juliette venait d'apercevoir une longue pièce de bois verni au-dessus d'un foyer ; les veinures du bois y dessinaient deux oiseaux fantastiques, l'un courant, l'autre prenant son envol.

Elle le repoussa d'un violent coup d'avant-bras puis, pénétrant dans le salon, se rendit à la cheminée, arracha la plinthe de son clou et, le visage convulsé de colère, s'approcha de Racette ; debout au milieu de la pièce, les bras croisés, ce dernier la fixait avec un sourire insolent :

— Irruption dans le domicile d'autrui suivie d'un vol, et tout cela en trente secondes ! Vous vous dirigez vers le tribunal à belle vitesse !

— Enlevez-vous de mon chemin, vociféra-t-elle, ou je vous casse ma plinthe sur la tête.

Il continua de la regarder avec le même sourire insolent, mais fit un pas de côté. Elle le heurta de l'épaule, ouvrit la porte principale et, se retournant :

— Rat d'égout ! Je ne fais que reprendre mon bien. Vous pouvez bien parler d'irruption et de vol ! Qui vous a permis d'entrer chez moi et d'arracher ma plinthe ? Ne me prenez pas pour une citrouille, je vois clair dans votre petit jeu. Vous reluquiez mon terrain pour démolir ma maison et construire à la place une autre de ces boîtes de béton qui font la honte de notre ville, mais je n'ai pas voulu vendre. Alors, pour me donner une leçon et faire baisser le prix, vous faites sacrer le feu chez moi, en prenant bien soin auparavant d'emporter ce qui vous intéresse.

Il éclata de rire.

— Riez, riez, si ça peut vous faire du bien, continua Juliette dans un nuage de postillons. Mais j'ai des petites nouvelles pour vous, au cas où vous ne seriez pas au courant : ma maison *n'a pas brûlé*. Ma maison est aussi belle qu'avant, mais mieux protégée désormais contre les gens de votre espèce ! Et soyez sûr, mon cher monsieur, que si je peux trouver un moyen de vous mettre une fois pour toutes hors d'état de nuire, je le prendrai. Le bon Dieu est bien bon de vous avoir fait pousser des dents de rat dans la bouche : c'est un avertissement pour tout le monde de s'écarter de votre chemin.

— Ma chère madame, répondit Racette avec une moue dédaigneuse, je crains que l'âge ou la fatigue — ou les deux — vous fassent un peu déparler aujourd'hui. Vous pouvez bien partir avec mon morceau de bois — je suis trop galant pour vous en empêcher —, mais ne criez pas victoire trop vite : je saurai bien me faire remettre mon bien et vous ôter à jamais l'envie de venir m'importuner.

Il avait repris toute son assurance ; son regard débordait d'une cruauté si calme et implacable que Juliette sentit ses entrailles se recroqueviller.

Elle haussa les épaules et sortit.

— Il faut que je l'écrase tout de suite, se dit-elle en tournant la clef d'allumage, sinon je vais l'avoir après moi comme un nuage de guêpes. Mais comment faire ?

Tout en conduisant, elle jetait des coups d'œil attristés sur sa plinthe. Racette l'avait fait tailler, poncer et vernir, rendant impossible sa réinstallation. Mais les deux oiseaux étaient intacts. C'est ce qui importait. Sous l'effet des trépidations de la voiture, ils semblaient battre des ailes, affolés. Et soudain une idée toute simple lui vint à l'esprit, qui la rasséréna aussitôt. Elle regarda sa montre ; il était onze heures quinze.

— Adèle va s'impatienter, mais tant pis. Il faut que j'aille le trouver tout de suite, avant que l'autre ait le temps de bouger. Eh oui ! c'est la seule chose à faire ! J'aurais dû y penser plus tôt.

Et comme pour la récompenser de sa bonne idée, l'*allégro* de la sonate pour violon de Martinek se mit à chanter dans sa tête avec une telle précision — elle entendait le léger craquement des cordes du piano lorsque les marteaux s'abattaient sur elles et le frottement rugueux de l'archet sous la voix pleine et intense du violon — qu'elle en demeura toute saisie.

Un quart d'heure plus tard, elle se présentait aux bureaux de *Rebâtir Montréal*.

Vers dix heures ce matin-là, au moment d'entrer dans l'ascenseur, une petite fille, mécontente sans doute de venir en ces lieux, avait glissé son ourson de peluche entre la porte et la cabine et la porte s'était coincée, obligeant tout le monde à emprunter l'escalier. Quand la secrétaire d'Alphonse Pagé aperçut Juliette sur le seuil, elle crut tout d'abord que cette dernière venait de faire une attaque. Elle se leva avec un petit mouvement convulsif de la main gauche et une boîte de trombones s'éparpilla sur le tapis dans un bruissement soyeux ; puis, s'approchant de l'obèse appuyée contre le chambranle et en train de pomper tout l'air de la pièce :

— Monsieur Pagé ! cria-t-elle, affolée, venez tout de suite.

Juliette lui fit signe de garder son calme, puis trouva le moyen d'ajouter en deux syllabes espacées de cinq secondes :

— Ça... va.

Alphonse Pagé apparut, un plan à la main :

— Ah ! madame Pomerleau ! qu'est-ce qui se passe ? Vous vous sentez mal ?

— Faites... réparer... l'ascenseur... J'ai... failli rester... dans l'escalier...

Pagé lui présenta une chaise et demanda à la secrétaire d'aller chercher un verre d'eau. La main de Juliette tremblait tellement qu'elle aspergea sa robe :

— J'ai à vous... parler... C'est urgent... Pfiou... Ah ! mes amis... c'est comme si j'avais... traîné les étages avec moi... Monsieur Pagé, il faut que je vous parle seule à seul...

— Je suis à vous, madame. Êtes-vous en état de vous lever ?

Elle posa sur lui un regard qui manquait légèrement d'aménité, se leva et entra dans son bureau. Alphonse Pagé la suivit ; le dandinement lourd et affaissé de la comptable lui amena une grimace :

— Pourvu qu'elle ne me claque pas entre les mains, se dit-il. Je dois rencontrer le ministre Ricard dans une demi-heure au *Monument national.*

Il prit place dans son fauteuil :

— Eh bien ! qu'est-ce que je peux faire encore pour vous, madame ? demanda-t-il avec un grand sourire accompagné d'un coup d'œil à sa montre pour bien indiquer que sa bienveillance était minutée. Oh ! pendant que j'y pense : la nouvelle version de notre entente est prête. En quittant, demandez les deux copies à ma secrétaire et, si tout est à votre goût, vous n'aurez qu'à signer et à nous en retourner une par la poste.

— Merci, monsieur.

— Et alors ? êtes-vous satisfaite de votre maison ?

— Très. Mais un grand malheur a failli m'arriver la nuit passée.

Elle joignit brusquement les mains :

— Mon Dieu ! j'allais oublier. Ma nièce va se demander ce que je fiche. Me permettriez-vous de faire un appel tout de suite ? J'en ai pour une seconde.

— Restez assise, madame, fit Pagé en refoulant un soupir, je vais composer le numéro pour vous.

Il lui présenta le combiné.

— Mademoiselle Joannette vient de partir, madame, répondit la réceptionniste du *Château Versailles.* Non, il y a cinq minutes à peine. Un homme est venu la chercher. Plutôt grand, oui, mais je n'ai pas vraiment remarqué : on est un peu débordés ici en ce moment. Non, personne n'a réglé la note. Je n'y manquerai pas, madame. Au revoir.

— Seigneur du saint ciel, soupira Juliette en remettant le combiné à l'homme d'affaires, pourvu que...

— Et alors, madame ? quel est ce malheur qui a failli vous arriver ? Je n'ai malheureusement pas beaucoup de temps à vous accorder. Dans vingt minutes au plus tard, je dois être au centre-ville.

— Excusez-moi, bafouilla Juliette. Je suis désolée de vous achaler comme ça, alors que vous avez tant de...

Et, trébuchant sur les mots dans sa hâte d'en finir, elle lui raconta l'incendie de la veille et sa visite chez Alcide Racette. En entendant ce nom, Pagé eut un sourire goguenard :

— Tiens, tiens, je le retrouve encore dans mes pattes, celui-là ?

Il écoutait la comptable en se mordillant les lèvres avec d'étranges grimaces. De sa main droite, il saisissait de temps à autre une feuille de mémo près de son appareil téléphonique, la bouchonnait brusquement et l'envoyait rouler sur son bureau avec une pichenotte.

— Je connais très bien cet homme, dit-il quand Juliette eut terminé. Il travaille pour un groupe de spéculateurs suisses établi à Zurich. Je le soupçonne de servir d'homme de paille à d'autres intérêts également. On m'a parlé de lui l'autre jour dans l'affaire de l'incendie du quartier chinois. Je n'aime pas beaucoup ce monsieur. Voilà longtemps qu'il mérite une bonne leçon, mais personne ne s'en est jamais occupé. Ne pensez plus à lui, madame Pomerleau, j'en fais mon affaire. Le cœur me fend de voir un homme jeune et dynamique utiliser aussi mal son énergie. Je vais lui faire quelques suggestions.

— Et moi, dès aujourd'hui, je lui intente une poursuite pour vol et dommages à ma propriété.

— Très bien. Ces individus ont la couenne épaisse ; deux corrections valent mieux qu'une. Maintenant, ma chère madame, il faut que je vous mette à la porte, car les ministres n'aiment pas attendre et j'en ai un à rencontrer. Je m'occupe de votre problème dès cette après-midi et je vous promets d'y mettre de la poigne. N'oubliez pas votre contrat.

Juliette le remercia avec effusion et quitta précipitamment le bureau, toutes ses pensées tournées vers Adèle.

— Un homme plutôt grand... Je suis sûre qu'il est venu la chercher, pensa-t-elle en se hâtant dans le corridor. Je ne la reverrai plus jamais de ma vie. Et tout ça par ma faute ! Je n'aurais pas dû la quitter d'un pouce.

Elle appela l'ascenseur. Un technicien était venu le réparer quelques minutes plus tôt. Elle pénétra dans la cabine en même temps qu'un grand blond au visage fade et comme étiré, les poches bourrées de flacons de parfum (sa mallette arrondie et mal fermée exhalait une écœurante odeur de lavande) ; l'individu posa sur elle un long regard étonné. Pendant ce temps, Alphonse Pagé, debout devant son bureau, l'air indécis, se tripotait le menton en regardant sa montre.

— Tant pis, ils attendront, se dit-il enfin. J'ai trop hâte.

Il actionna l'interphone et demanda à sa secrétaire de le mettre en communication avec Alcide Racette :

— Et puis, demandez donc à Paul de m'apporter le dossier sur l'incendie du quartier chinois.

Le téléphone sonna presque aussitôt : l'avocat était au bout du fil.

— Ah ! bonjour, maître Racette, fit Pagé de sa voix joviale et sonore, remplie d'une bienveillance qui semblait s'étendre jusqu'au règne minéral. Je ne crois pas que nous

nous soyons jamais rencontrés, mais mon nom vous dit sans doute quelque chose. C'est ça, *Rebâtir Montréal.*

Un homme à demi chauve et d'apparence fragile, portant des lunettes à monture dorée, apparut dans le bureau, un épais dossier à la main. Pagé lui fit signe de s'asseoir.

— Oui, depuis sept ans déjà, poursuivit-il. Avec des hauts et des bas, bien sûr. Les affaires ne sont plus ce qu'elles étaient, comme vous le savez. Mais je me débrouille. Écoutez, maître, je sais que vous vous intéressez beaucoup à l'immobilier. J'aurais une proposition intéressante à vous présenter... Non, je préférerais qu'on se rencontre... Aujourd'hui, si c'est possible... Formidable. Trois heures ? Parfait. Non, non, ne vous déplacez pas, je vous en prie : j'irai à votre bureau. Je me rends tout à l'heure à quelques rues de là ; je n'aurai qu'à faire un saut. C'est ça, au plaisir.

Il raccrocha.

— Alcide Racette ? fit Paul avec un sourire étonné.

— Nul autre, mon cher. Son nom revient de plus en plus souvent, hein ? J'ai de bonnes raisons de croire qu'il a fait mettre le feu la nuit dernière à la belle maison de pierre au coin de René-Lévesque et de Lambert-Closse que j'ai failli acheter. Heureusement, quelqu'un a pu étouffer les flammes. Écoute, mon cher Paul : ça te dérangerait beaucoup de retarder un peu ton dîner ?

Il pointa le dossier que tenait son compagnon :

— J'aimerais que tu m'épluches ça très soigneuscment pour me ramasser le plus de renseignements possibles sur notre bonhomme. Tu pourras venir me trouver à deux heures à...

Il s'arrêta, cherchant à se souvenir.

— ... à la *Marée*, place Jacques-Cartier, compléta sa secrétaire en entrant. Vous allez être en retard, monsieur Pagé. Votre limousine vous attend depuis dix minutes.

L'homme d'affaires sourit comme si elle venait de lui annoncer une grossesse longuement espérée, prit sa serviette se planta devant Paul :

— Mon ami, fouille-moi ce dossier avec ton regard le plus pointu, hein ? Il faut que je sacre une bonne frousse à ce monsieur pour qu'il se tienne tranquille un bout de temps, au moins en ce qui regarde la maison du boulevard René-Lévesque. Elle me tient à cœur, comprends-tu ? Si tu me déniches quelque chose de croustillant, je te paye le cognac.

— Midi moins dix, monsieur Pagé, insista la secrétaire sur un ton de reproche de plus en plus appuyé.

— Ça va, ça va, je m'en vais.

— Et qu'est-ce que je fais de votre rendez-vous de cette après-midi avec monsieur Shanleypinkerfield ? demanda-t-elle en le suivant à grands pas.

— Demandez à François qu'il s'occupe de lui jusqu'à mon retour.

Ils avançaient dans le corridor.

— Mais François n'arrivera pas avant trois heures et demie.

— Alors demandez à l'entrepreneur qu'il lui fasse visiter tout de suite le chantier. J'irai les rejoindre.

Il actionna le bouton d'appel et lui fit un grand sourire :

— Je suis sûr qu'encore une fois, grâce à vous, tout ira comme sur des roulettes.

Et il disparut dans l'ascenseur. Julie haussa les épaules et retourna à son bureau. Dans le mouvement de flexion qu'elle fit pour s'asseoir, ses jambes devinrent tout à coup molles comme de la réglisse, et un début d'étourdissement la saisit. Elle allongea une main tremblante vers un cendrier, saisit sa cigarette et un épais nuage gris-brun prit la forme exacte de ses poumons. Elle ferma à demi les yeux. Une multitude de très fines titillations lui emplissaient délicieusement la poitrine. Elles montèrent dans sa gorge et vinrent s'épanouir à la base du cerveau. Ses idées redevinrent aussitôt vives et limpides :

— Il est en train d'acheter mon système nerveux à coups de sourires, se dit-elle, secouée par une petite toux sèche. Au train où vont les choses, il va bientôt falloir que je vienne travailler le dimanche.

Par la porte entrouverte, elle voyait Paul en train de compulser son volumineux dossier en sifflotant. Mais ses lèvres, contractées par l'appréhension d'un échec, ne pouvaient émettre que des sons lugubres et tremblotants.

Alphonse Pagé arriva au *Monument national* en retard et réussit presque aussitôt à dérider le ministre qui arpentait le hall depuis dix minutes, les mains dans les poches et l'expression de plus en plus sombre et nuageuse. Il était accompagné d'une dizaine de personnes : le comédien Jean-Louis Roux, directeur de l'*École nationale de théâtre*, établie dans les lieux, Joshua Wolfe, directeur d'*Héritage Montréal*, Dinu Bumbaru, président de *Sauvons Montréal*, ainsi que des fonctionnaires du ministère des Affaires culturelles et du service d'urbanisme. Monsieur Roux prit la tête du groupe et fit visiter les lieux, expliquant l'intérêt qu'il y aurait à rafraîchir toutes ces splendeurs fanées, menacées de destruction. De temps à autre, il lançait un regard entendu à Pagé. Ce dernier, l'œil pétillant, un mystérieux sourire aux lèvres, appuyait de temps à autre ses propos d'une courte remarque et, la main dans la poche de son pantalon, tripotait de plus en plus nerveusement son porte-clefs à mesure que la visite approchait de sa fin.

Ils revinrent dans le hall ; des exclamations jaillirent. Une table avait été dressée, où trônaient deux jéroboams de *Veuve Cliquot* entourés de coupes et de hors-d'œuvre ; derrière la table se tenait un vieux serveur au visage brunâtre et tout plissé, le crâne recouvert d'une perruque noire comme du jais. En face, portée par des tréteaux, s'étalait une immense maquette. Le ministre Ricard, étonné, se tourna vers Jean-Louis Roux :

— Est-ce que cette mise en scène est de vous, mon cher ?

— Non, monsieur le ministre, répondit l'autre en riant. Nous la devons plutôt à monsieur Pagé.

— J'ai toujours aimé le théâtre, expliqua Pagé. Et je me suis dit que le *Monument national* était l'endroit idéal pour faire mes premières armes.

— Premières armes ? répondit le ministre, narquois. Je pense au contraire que vous êtes un vieux routier.

Le groupe se pressa autour de la maquette. Elle représentait le côté est de la rue Saint-Laurent, plus le quadrilatère qui la bordait du côté ouest entre la rue Sainte-Catherine et le boulevard René-Lévesque. Mais il s'agissait d'une vision fort embellie des choses. Pagé déclara qu'il fallait sauver non seulement le *Monument national* mais aussi son environnement pittoresque — et fort délabré — qu'un projet d'envergure menaçait d'anéantir.

— Privé des façades dix-neuvième qui l'entourent, messieurs, le *Monument* perd tout son sens. Il aura l'air tombé de la lune. Un vieux cheveu sur la soupe, quoi ! Je vous le dis tout net : je n'ai jamais pratiqué le culte des vestiges. C'est une invention de promoteurs désireux d'avoir les mains libres. Au lieu de respecter l'histoire, ils lui font l'aumône comme à un quêteux pour se faire pardonner la dévastation de quartiers superbes. Connaissez-vous quelque chose de plus triste qu'une maison de pierre du Régime français flanquée de deux gratte-ciel ?

Et il décrivit son projet au groupe silencieux. Il s'agissait de restaurer les huit édifices bordant le côté ouest de la ruc Saint-Laurent qui encadraient le vieux théâtre — un promoteur les avait acquis pour les remplacer par des tours à bureau — , puis de reconstruire avec leurs façades originales ceux qu'on avait rasés quelques années auparavant du côté est, où s'étendait maintenant un immense stationnement.

— Mais je ne peux agir seul, bien sûr. J'ai besoin du soutien de la ville, et du vôtre aussi, monsieur le ministre. Soutien législatif — et financier.

Le ministre examinait la maquette, ébahi, admiratif et un peu inquiet :

— Ma foi, monsieur Pagé, on vous a transfusé du sang de pharaon, ou quoi ? Avez-vous une idée des coûts d'un pareil projet ?

— Ils seront élevés. Mais les Polonais affamés ont bien reconstruit le vieux Varsovie après la guerre, non ? Qu'est-ce que ce projet en comparaison ? Et puis, on aime Montréal ou on ne l'aime pas ! Voilà une bonne façon de le prouver. Si on suit mon plan, ce sera une affaire très lucrative, vous verrez ! Et je ne parle pas des avantages sociaux qu'apporte la restauration du tissu urbain.

Il jeta un coup d'œil à la ronde, puis :

— Je suggère tout d'abord que les rez-de-chaussée restent voués au commerce, avec préséance aux commerçants actuels, qui font pour la plupart de bonnes affaires. Il faut préserver l'animation de cette rue, qui fait une grande partie de son charme... et de sa santé commerciale. Quant aux autres étages, j'y vois des bureaux, de petites manufactures. Et, dans ce milieu bigarré, l'École nationale de théâtre, avec ses étudiants, ses décorateurs, son personnel de soutien : la vie, quoi ! Il ne faudra pas avoir peur de planter des arbres et de refaire cette façade insignifiante, qu'on a construite ici il y a douze ans et qui va déparer l'ensemble. Et puis là-bas, fit-il, le doigt tendu, je vois un hôtel de première classe — non, non, ne souriez pas : dans dix ans, je vous prédis que la rue Saint-Laurent sera devenue à la mode jusqu'à Jean-Talon et peut-être au-delà ; c'est déjà commencé, d'ailleurs. Que voulez-vous ? Après avoir saccagé nos vieux quartiers, on sent maintenant le besoin de les remplacer : je perds une main, je m'achète un crochet.

On le bombarda de questions et de taquineries jusqu'à *La Marée*, où il avait invité tout le monde à dîner. Il répondait avec une verve endiablée, soulevant les rires ou faisant naître des silences respectueux par la précision et la pertinence de ses réponses.

C'était un bon compagnon de table, mais peut-être un peu encombrant. Vers la fin du repas, après un long entretien avec le ministre et le directeur du service d'urbanisme, il devint distrait, comme si son projet, maintenant lancé, l'intéressait déjà moins. Il faisait de son mieux pour suivre les conversations, jetant des coups d'œil discrets à sa montre et sortant son calepin de temps à autre pour y griffonner de courtes notes. Puis il se tortilla sur sa chaise, toussota et, se levant avec un sourire embarrassé :

— Messieurs, je suis désolé, mais je dois vous fausser compagnie. Un rendez-vous que je ne peux remettre. Je suis enchanté d'avoir passé avec vous d'aussi agréables moments. Madame la présidente, monsieur le ministre, messieurs...

Il inclina la tête et sortit d'un pas rapide.

— Quel personnage ! s'exclama le ministre Ricard, enthousiasmé et quelque peu soulagé. Nous manquons de ce genre d'hommes... J'ai bien l'intention de l'aider... dans les limites du possible, bien sûr... J'espère, mes amis, que vous m'emboîterez le pas ?

Alphonse Pagé trouva Paul à l'entrée, une serviette à la main. Il le prit par le bras et sortit :

— Et alors ?

Paul tourna vers lui un visage aux traits un peu tirés, mais où se lisait une modeste satisfaction :

— Je crois avoir trouvé quelques-uns de ces petits morceaux croustillants, patron, ou — plus exactement — des promesses de morceaux. Mais il serait très utile auparavant que je téléphone à...

— Écoute, Paul, je ne me présente pas devant la Cour suprême ; je veux seulement donner une bonne trouille à cette crapule.

L'autre secoua la tête ; le soleil éclatant dévorait sa chevelure blonde et clairsemée.

— N'importe... j'aimerais bien contacter auparavant un certain Alfred Nikoly à Boston ; c'est un ancien journaliste qui semble connaître pas mal de choses sur votre homme et pourrait me confirmer des...

— Alors, allons prendre un café *Chez Daviron*, coupa Pagé en s'avançant à grands pas. Tu pourras lui téléphoner de là et me faire ensuite ton rapport, que j'irai déverser tout chaud sur les genoux de notre brûleur de maisons.

Ils montèrent dans la limousine, stationnée à quelques pas, et Paul commença à décrire les activités et antécédents du sieur Racette. La limousine les laissa devant le restaurant, puis se stationna une dizaine de mètres plus loin, où le chauffeur avait repéré un coin ensoleillé propice à la lecture de son photoroman.

Paul, tout à son enquête et la gorge un peu nouée, passa devant son patron en oubliant de s'excuser, pénétra dans le restaurant et se rendit à la cabine téléphonique. Il en ressortit quinze minutes plus tard avec un sourire de victoire mitigé. Alfred Nikoly en savait moins sur Racette que Paul ne l'avait souhaité — ou peut-être avait-il de bonnes raisons de garder sa science pour lui. Mais la piste s'avérait prometteuse et donnait déjà de petites choses tout à fait charmantes. Le journaliste avait cité en particulier un nom bien connu du monde interlope qui avait eu des rapports avec un gestionnaire de la Société canadienne d'hypothèque et de logement, lui même ex-associé et beau-frère d'Alcide Racette. Alphonse Pagé avait de nouveau sorti son calepin et griffonnait fiévreusement (il saisissait à demi-mot et ne faisait jamais répéter). Son sourire bon enfant, de plus en plus radieux, lui donnait l'air d'un vieil oncle en train de déballer des robots à piles devant des neveux trépignant de joie. Paul poursuivait son rapport ; son visage se détendait et sa voix devenait moins gutturale, plus aisée. Quand il fut arrivé au fond de sa besace, il s'arrêta, se lissa les cheveux du bout des doigts, puis :

— Si vous voulez, je prends le premier avion pour Boston et...

— Non, pas tout de suite. Tu viens de me fournir assez de savon pour faire monter un sacré paquet de mousse devant notre bonhomme. Son bureau va en être rempli. Il va avoir envie de sauter par la fenêtre. Mes compliments. Excellent travail. On se revoit au bureau en fin d'après-midi.

« Cessez de me regarder ainsi, s'écria Riccardo. Vous ne pouvez savoir jusqu'où peut me pousser la passion que je ressens pour vous. » « De grâce, retenez-vous, répondit Helena. Père doit arriver de la chasse d'un instant à l'autre. »

Le chauffeur allait tourner la page lorsqu'il reconnut le pas vif et sec de son patron. Il déposa son photoroman dans la boîte à gants et voulut sortir pour lui ouvrir la portière, mais Pagé l'avait prévenu et se glissait déjà sur la banquette :

— Ce n'est pas la peine, Adrien, je te le répète encore une fois, bougonna l'homme d'affaires. Je ne suis pas un cardinal de cent huit ans !

Il étendit les jambes, prit une profonde inspiration, comme s'il se préparait à fournir un effort, puis :

— 1852, rue Sherbrooke Est. J'en ai pour un petit quart d'heure.

— C'est-à-dire une heure et quart, corrigea mentalement Adrien. Et moi, je n'ai quasiment plus rien à lire.

Il tourna la tête vers son patron :

— Est-ce que j'aurais le temps de faire un saut chez ma belle-sœur, monsieur Pagé ? Elle demeure à trois portes.

— En manque de photoromans ? Si tu veux, mon vieux, mais ne me fais pas niaiser, hein ? Elle a de la jasette, ta belle-sœur, et toi-même, tu n'es pas tout à fait un sourd-muet. Quel massacre ! se dit-il en apercevant un peu plus tard l'édifice qui abritait les bureaux de messieurs Cliquon, Racette, Blondeau et Vapori. Ah ! que j'ai hâte d'avoir cette crapule devant les yeux !

Il grimpa le perron en deux bonds, entra et constata avec soulagement que les boiseries d'origine avaient été conservées. Le visage décomposé de la réceptionniste le frappa ; il allait demander qu'on l'annonce lorsqu'une porte s'ouvrit ; Alcide Racette s'avança vers lui avec un sourire obséquieux, mais l'œil perçant, et l'invita à passer dans son bureau.

Pendant les trois heures qui s'étaient écoulées depuis l'appel d'Alphonse Pagé, il avait longuement réfléchi aux motifs probables de la visite de l'homme d'affaires et il en avait dénombré une bonne dizaine, répartis en deux groupes inégaux : les tuiles et les occasions lucratives, avec prédominance des tuiles. Parmi ces dernières, des embêtements possibles relatifs à la tentative d'incendie avortée chez Juliette Pomerleau avaient particulièrement retenu son attention. Pour chacun des cas, il avait déjà prévu des réponses et des attitudes, mais la façon abrupte dont Alphonse Pagé entama l'entretien faillit le désarçonner.

L'homme d'affaires s'assit dans le fauteuil qu'on lui offrait, puis demanda un verre d'eau (avant une joute coriace, il aimait bien réduire un ennemi au rôle de serviteur). Après avoir bu lentement trois gorgées, il allongea les jambes et regarda Racette avec un bon sourire paternel. Un moment passa.

— Ma foi, il est timbré, se dit l'avocat en détournant les yeux. Qu'est-ce que je peux faire pour vous, mon cher monsieur ? demanda-t-il en essayant de rivaliser avec le sourire de son interlocuteur.

— Pas grand-chose. Mais moi, par contre, je peux faire beaucoup pour vous.

— Tuile, conclut aussitôt Racette. Ah oui ? Très intéressant. Je vous écoute.

— De quelle promotion êtes-vous, maître Racette ? demanda Pagé en posant son verre sur le bureau. Laissez-moi deviner... Vous avez le teint encore frais, ça ne doit pas faire trop longtemps... 1970, 1971, quelque part par là...

— 1973, précisa l'autre avec une politesse glaciale. Vous vous intéressez à ma carrière ? J'en suis très touché.

— Je vais vous toucher encore bien plus, vous allez voir. Oui, je m'intéresse à votre carrière. Je suis venu vous aider à la sauver.

— Ah bon. J'ignorais qu'elle fût en danger.

— On m'a dit que la démolition de Montréal vous passionne ; elle semble même votre délassement favori. Chacun les siens, pourquoi pas ? Quant à moi, j'en ai d'autres. Si je vous consacre un peu de mon temps cette après-midi, c'est pour vous aider à garder vos activités dans les limites d'une certaine légalité ; c'est parfois très utile en société. J'ai l'impression que, dans le feu de l'action, vous vous oubliez parfois. Est-ce que je me trompe ?

L'avocat, toujours souriant, se leva de son fauteuil :

— Je vous remercie pour tout le soin que vous prenez de moi. Mais on a dû mal vous renseigner, ce qui a stimulé votre charité inutilement. Je ne voudrais pas vous faire perdre votre temps, ni perdre le mien. J'ai une après-midi très chargée.

Alphonse Pagé le regarda en silence. Racette eut l'impression de l'avoir décontenancé. Il se dirigea vers la porte, l'ouvrit :

— À une prochaine fois, peut-être ?

Pagé se rejeta en arrière dans son fauteuil en se frottant doucement une cuisse :

— Il y a eu une tentative d'incendie la nuit dernière chez une dame Pomerleau, sur le boulevard René-Lévesque, poursuivit-il sur le même ton affable. Remarquez que je n'ai encore aucune preuve solide contre vous dans cette affaire, mais je suis certain comme d'avoir deux jambes et deux bras que je pourrais en obtenir assez facilement. Peut-être même demain. Vous savez, maître Racette, je m'intéresse à vos activités depuis quelque temps déjà, pour des raisons que vous comprenez sûrement. J'ai même amassé au cours des ans une petite poignée d'anecdotes sur vous. Certaines sont très piquantes. Vous devriez refermer la porte.

L'avocat retroussa le nez comme un chien qui va mordre :

— Vous commencez à me tomber un peu sur les nerfs, monsieur. Vous devriez partir.

— Pas avant de vous avoir parlé d'un certain Alfred Nikoly, que vous connaissez peut-être, et aussi d'un certain Réal Sabin, gestionnaire à la Société canadienne d'hypothèque et de logement et qui a des intérêts, semble-t-il, dans la *Elliott Development Corporation*, dont les bureaux se trouvent à deux pas du club *Desto-Rito*, rue Crescent, où vous allez parfois.

Alcide Racette eut un sourire qui simulait la stupéfaction avec un naturel étonnant, mais il ne réussit pas à exercer le même contrôle sur la couleur de son visage, qui pâlit un peu.

— Allons, qu'est-ce que c'est que ces folichonneries ? soupira-t-il en regardant Pagé avec compassion.

Mais il referma la porte d'un geste négligent et retourna s'asseoir. C'est alors qu'Alphonse Pagé, faisant des prodiges pour masquer les failles dans ses informations, lui livra quelques petits « échantillons » de ce qu'il savait sur ses activités et lui parla notamment d'Alfred Nikoly, ce journaliste américain qui avait habité Montréal une quinzaine d'années et s'en était épris. Nikoly, domicilié à Boston depuis quelques mois, avait été responsable pendant plusieurs années des affaires internationales à *The Gazette*.

Un soir qu'il se trouvait à la *Binerie*, rue Mont-Royal (il adorait les restaurants populaires, les gares, les terminus, les magasins à rayons, « où, disait-il, battait le vrai cœur de la ville »), son attention avait été éveillée par les plaisanteries ambiguës de deux hommes visiblement éméchés, attablés au comptoir devant une tasse de café. On parlait de « feu d'artifice », de « Chinois qui allaient changer de couleur » et d'une « cigarette spéciale » qui risquait de faire beaucoup de fumée. Les deux hommes se commandèrent un second café, plaisantèrent encore un moment, puis sortirent. Nikoly, de plus en plus intrigué et n'ayant rien à faire ce soir-là, décida de les suivre. Il se retrouva une demi-heure plus tard au club *Desto-Rito*, assis à une table derrière les buveurs et faisant mine de s'intéresser passionnément aux ondulations d'une jeune danseuse nue au regard vide, en train de mâcher de la gomme. Incommodés sans doute par l'effet du café, les compères s'étaient remis à boire. Un homme bedonnant, à la chevelure noire extraordinairement fournie et dont le visage présentait une ressemblance frappante avec celui de Staline, vint bientôt les rejoindre, et une discussion à voix basse commença. Le journaliste, la tête penchée de côté, le regard vissé sur la danseuse, essayait de percer le tapage de la musique ; il apprit les prénoms des trois hommes et le nom de famille de l'un d'eux et crut deviner qu'on manigançait un incendie dans le quartier chinois. Mais voyant qu'on le dévisageait de plus en plus souvent à la table voisine, il crut bon de quitter les lieux et retourna chez lui, tout songeur.

Dans la nuit, une immense conflagration rasait une bonne partie du quartier chinois ; son origine criminelle ne faisait pas de doute. Nikoly, très piqué par cette histoire, mena sa petite enquête, mettant un ou deux amis dans le secret, et découvrit des choses étonnantes. Une puissante société immobilière établie à Rome fit tout à coup surface :

la *Citado-Ruba*. Elle entretenait des contacts avec un avocat montréalais du nom d'Alcide Racette, œuvrant lui aussi dans l'immobilier et qui avait été associé quelque temps plus tôt à un important projet d'édifices à bureaux dans le centre-ville. Mais le départ du journaliste pour Boston l'obligea à laisser les choses en plan. Des filons prometteurs restaient à exploiter. Il songea un instant à passer quelques semaines à Montréal afin de poursuivre son enquête (le nombre d'incendies criminels non élucidés dans cette ville l'avait toujours indigné, et il comptait vendre un bon prix l'exclusivité de son reportage), mais d'autres occupations l'accaparèrent, et il abandonna finalement son projet.

— Nous sommes entrés en contact il y a quelque temps avec ce monsieur, poursuivit Pagé. Je ne vous ai servi que le petit-lait. J'ai aussi de la très bonne crème. Si vous continuez à faire le méchant garçon, vous risquez d'y goûter. Monsieur Nikoly a fait preuve d'un grand esprit de collaboration (c'était faux : le journaliste s'était d'abord montré des plus méfiants ; le nom de Pagé et de *Rebâtir Montréal* l'avaient à peine dégelé, et Paul avait dû finalement lui fournir des garanties). Évidemment, continua l'homme d'affaires en se frottant le bout du nez, il y a encore bien des choses que j'ignore sur vous. Mais ce n'est qu'une question de temps. Les moyens ne me manquent pas, et votre cas me captive au plus haut point. Pour l'instant, je vous conseille fortement de laisser tranquille cette dame Pomerleau et sa vieille maison. Aujourd'hui, je vous ai fait la bonté de venir à votre bureau. Je vous ai montré mon côté bon garçon, quoi. Mais j'en ai d'autres. Si jamais je me tanne de vous, je vous souffle de la carte, mon vieux. On ne saura jamais où vous êtes allé atterrir. Vous savez ce que je pense des charognards de votre espèce qui dépècent nos villes pour fournir de la surface aux marchands de béton. Vous allez contre mon dada et, en vieillissant, je supporte de plus en plus mal les contrariétés.

Il se dirigea vers la porte. Alcide Racette resta assis :

— Au plaisir, lança-t-il quand Pagé se retourna pour le saluer.

Mais son sourire était devenu une grimace.

40

Il dépassait un peu midi quand Juliette arriva au *Château Versailles*. En pénétrant dans le hall, elle aperçut Alexandre Portelance qui surgissait d'un corridor et apprit que c'était lui, l'homme « plutôt grand » qui avait quitté l'hôtel en compagnie de sa nièce un peu plus tôt. Ses nerfs lâchèrent :

— Tu n'aurais pas pu laisser ton nom ? J'ai pensé, moi, que c'était Livernoche qui venait de lui mettre la patte dessus encore une fois. La cervelle allait me sortir par les oreilles ! Où est-elle, à présent ? Qu'est-ce qu'elle fait ? Où êtes-vous allés ?

Bafouillant et confus, le vendeur répondit que, passant dans le coin, il avait cru bon d'aller faire une petite visite à mademoiselle Joannette, histoire de s'assurer que tout allait bien. Il l'avait trouvée fort agitée ; elle se reprochait les nombreux tracas qu'elle avait causés à sa tante, lui parla de son intention de se chercher du travail comme serveuse, de sa peur de voir réapparaître Livernoche, de l'impossibilité où elle se trouvait de faire face aux gens et de son étrange nostalgie des années paisibles qu'elle avait connues avec le libraire. Le représentant lui avait proposé de prendre une bouchée quelque part en attendant l'arrivée de Juliette, pensant que cela la calmerait un peu.

— En l'espace de vingt minutes, elle a vidé trois bouteilles de bière et fumé une demi-douzaine de cigarettes. Elle fume à noircir les plafonds, ma chère ! Elle doit avoir les poumons comme des sacs d'aspirateur. Aussitôt sa dernière bouteille finie, elle m'a demandé de la ramener à sa chambre et elle s'est couchée. Moi, je suis resté ici, au cas où...

Il s'arrêta, remonta la ceinture de son pantalon, se passa la langue sur les dents :

— J'ai l'impression, Juliette... qu'il faudrait lui faire voir un médecin. Elle tangue pas mal fort de la chaloupe.

Puis, posant timidement la main sur le bras de son amie :

— Je m'excuse pour la frousse que je t'ai donnée. Je ne suis qu'un gros bêta, avec mes souliers de béton.

La comptable sourit :

— Allons, allons, ce serait plutôt à moi de m'excuser. J'ai sauté comme une bouilloire. Mais si tu savais l'avant-midi que je viens de passer...

Et elle lui raconta sa visite chez Racette, puis son entrevue avec Alphonse Pagé. Portelance avait blêmi ; les yeux exorbités, la bouche ramassée en une moue d'indignation pétrifiée, il était à la fois comique et touchant :

— Mais... mais il faut crisser tout de suite cette canaille en prison... Donne-moi son adresse : je vais aller lui rendre visite, moi, dont il va se rappeler.

— Non non non, je t'en prie, n'en fais rien, répondit l'obèse en se dirigeant vers la chambre de sa nièce. Je suis sûre que monsieur Pagé saura s'occuper de lui mieux que nous deux. Écoute, j'aimerais avoir un tête-à-tête avec Adèle. Ce que tu m'as raconté à son sujet m'inquiète. Est-ce que nous nous revoyons ce soir à la maison ?

Le visage de Portelance s'éclaira :

— Oui, bien sûr. Il me reste du travail à faire dans la salle à manger.

— C'est qu'il a l'air de vraiment m'aimer, l'animal, pensa Juliette en s'éloignant dans le corridor. Et, finalement, je ne le déteste pas moi non plus. Mais qu'est-ce qu'il peut bien me trouver, pour l'amour ? se demanda-t-elle en posant un regard attristé sur sa poitrine énorme qui ballottait comme une poche de patates sur l'épaule d'un épicier. Allez donc comprendre les gens...

Elle frappa chez sa nièce :

— De toute façon, tant que je ne me serai pas dépêtrée de tous mes problèmes, je ne veux même pas y penser. C'est comme si je marchais dans un mètre de ouate.

Elle entendit un long soupir, puis une voix molle et assourdie demanda :

— Qui c'est ?

— Juliette, ma belle. Tu dormais ?

Un moment passa, puis la porte s'ouvrit et Adèle apparut, pieds nus, en jean et chemisier, la chevelure en désordre, l'air un peu hagard ; elle s'effaça devant sa tante.

— Je m'en viens te chercher, ma pitchounette (mon Dieu ! qu'elle pue la bière). As-tu toujours envie de dîner avec moi ? Je viens de rencontrer monsieur Portelance. Il m'a laissé comprendre que ça n'allait pas trop fort ?

— Pas trop, répondit l'autre en détournant les yeux. Donnez-moi deux minutes, je suis à vous.

Elle remonta le store, puis se retira dans la salle de bains, laissant la porte entrebâillée. Un bruit de miction se fit entendre. Juliette fronça les sourcils et se mit à examiner la pièce, plutôt agréable avec ses murs bleus, son plafond mouluré, son lit art nouveau et sa grande fenêtre qui donnait sur une petite cour intérieure. La chasse d'eau coula avec fracas. Puis ce fut le silence. Juliette contempla les deux grosses valises debout dans un coin, qui renfermaient apparemment tous les biens de sa nièce. Sur une table luisait doucement le coffret de satin rose qui avait servi d'appât. Le silence était si profond qu'elle eut tout à coup l'impression de se trouver seule.

— Tu vas te sentir mieux chez nous, tu verras, lança la comptable en essayant de prendre un ton jovial. La vie d'hôtel, ce n'est pas très gai... Au bout de deux jours, moi, je déprime comme si j'étais en prison...

Un moment passa.

— Ce n'est pas la vie d'hôtel qui me déprime, répondit enfin Adèle avec une élocution légèrement embarrassée, comme si elle était en train de s'appliquer du rouge à lèvres, c'est lui.

— Lui?

— Fernand. Il ne me laissera pas aller comme ça. Il va revenir.

— Je le lui souhaite bien! J'ai un petit plan dans ma tête qui va lui enlever le goût de nous achaler, je t'en passe un papier.

Le silence s'établit de nouveau.

— Ma tante, je ne veux pas que vous mêliez la police à ça, vous m'entendez?

La voix avait un curieux ton détaché, où Juliette crut déceler une sorte de menace voilée.

Adèle apparut dans la pièce, les cheveux retenus en arrière par un foulard et maquillée avec une application un peu voyante, qui accentuait les flétrissures légères de son visage:

— Vous m'entendez? Je ne veux pas.

— Il faudra bien ce qu'il faudra, ma fille, ronchonna Juliette en haussant les épaules. Il t'a séquestrée pendant près de dix ans. S'il s'avise en plus de...

— Que la police mette le nez une seule fois dans cette affaire, et je...

Elle s'arrêta. Sa figure avait pris une expression si pitoyable que Juliette s'avança et lui prit la main:

— Allons, allons, dit-elle sur un ton de gentille réprimande, dans le temps comme dans le temps, veux-tu? Attendons que la neige tombe avant de la pelleter. J'ai faim, moi. Est-ce qu'on va manger?

La comptable fit transporter les bagages à son auto, régla la note et se rendit avec sa nièce dans le quartier chinois. Vers deux heures, elles quittaient *Léo Foo* après un repas plantureux qu'Adèle avait avalé avec des sourires de petite fille. Juliette avait eu le temps de téléphoner à son assureur pour fixer un rendez-vous et voir à ce qu'une agence de nettoyage répare dès le lendemain les dégâts causés par l'incendie. Puis elle avait contacté son électricien pour lui rappeler de se trouver à la maison vers trois heures. Adèle la regardait avec un étonnement admiratif vider ses plats, se lever, quitter la salle et revenir, souriante, énergique et volubile.

Elles sortirent dans la rue, accueillies par un soleil vigoureux qui accentuait cruellement la dévastation subie par le quartier chinois. Juliette fit quelques pas puis se tourna vers sa nièce, les yeux pleins d'eau :

— Adèle, au risque de passer pour une grosse fleur bleue, je te dirai que voilà longtemps que j'attendais le moment d'entrer avec toi dans la maison de cette pauvre Joséphine... Je lui avais promis sur son lit de mort de m'occuper de toi, tu sais.

Adèle grimaça une sorte de sourire et baissa les yeux. Elle ne desserra pas les dents de tout le trajet. En apercevant la maison, elle eut un frémissement, puis :

— Est-ce que... mon garçon est là ? demanda-t-elle avec effort.

— Non, à cette heure il est à l'école, évidemment, répondit Juliette, feignant de ne pas remarquer le malaise de sa nièce. Je vais aller le chercher bientôt. Veux-tu venir avec moi ?

Elle ne répondit pas. Deux hommes fumaient sur le perron.

— Eh bien, voilà ce que j'appelle du service, s'écria Juliette à la vue de son assureur.

— Je n'ai pas le choix si je veux continuer de recevoir votre prime, répondit ce dernier avec un grand sourire qui découvrit ses dents jaunies.

— Moi, je suis l'électricien, fit l'autre en louchant vers la poitrine de la comptable.

La présence des deux hommes enleva à l'arrivée d'Adèle la touchante solennité que Juliette aurait souhaitée. La jeune femme suivit sa tante et les hommes dans la cuisine, écouta leur discussion un moment, puis s'éclipsa. Juliette entendit bientôt son pas léger au premier étage. Elle l'imagina, passant d'une pièce à l'autre, songeuse, tirant des bouffées de cigarette. L'électricien se mit au travail, tandis que Juliette descendait au sous-sol avec l'assureur. En le reconduisant à la porte, elle aperçut Adèle qui s'éloignait dans le corridor, un seau d'eau savonneuse à la main.

— Où vas-tu ?

— Nettoyer les chambres à coucher. J'aimerais que tu me montres la mienne.

Cette réponse, et surtout le ton libre et décidé qu'elle avait employé, comme pour marquer qu'une nouvelle étape commençait dans sa vie, lui firent tressauter le cœur de joie. Après le départ de l'agent, elle la rejoignit dans une pièce à l'arrière, qui donnait autrefois sur un grand jardin, dont le tiers était maintenant recouvert d'asphalte et le reste, occupé par une conciergerie de six étages aux balcons tachés de rouille.

— Choisis la chambre que tu veux, dit Juliette. Pourvu que ce soit au rez-de-chaussée, le reste m'est égal.

Adèle la regarda une seconde, impassible :

— Alors je vais prendre celle-ci. C'est la plus retirée. Mon oncle Honoré y a conservé un temps sa collection d'insectes, non ? Je l'ai déjà occupée moi-même deux ou trois semaines, quand j'avais quinze ans.

— Alors, reprends-la, elle t'appartient, répondit Juliette.

Adèle se remit à frotter. La comptable fut sur le point de lui dire qu'une équipe venait le lendemain nettoyer la maison de fond en comble, mais préféra se taire, tant elle avait plaisir à voir sa nièce au travail. Au bout d'un moment, elle se dirigea vers la porte, puis, posant la main sur le bouton :

— Tu ne viens pas avec moi à Longueuil ?

Adèle s'arrêta un instant, cillant des yeux dans la fumée de cigarette, secoua lentement la tête et replongea son torchon dans le seau.

41

Deux jours plus tard, la maison était nettoyée, le circuit électrique remis en état et l'emménagement du rez-de-chaussée allait bon train. Adèle s'était lancée dans l'ouvrage avec une ardeur étonnante. Elle avait tapissé sa chambre, verni le plancher, accroché de beaux rideaux de tulle à sa fenêtre et s'était acheté un lit, un canapé et un téléviseur d'occasion. Juliette lui avait fourni une commode, une table de nuit et un petit secrétaire :

— Il y a mieux, bien sûr. Quand tu travailleras, tu pourras t'acheter de plus beaux meubles.

La comptable téléphona à l'ancien propriétaire de Livernoche à Trois-Rivières et lui demanda s'il possédait toujours le vieux vaisselier qu'elle avait vu dans sa cave.

— Hum ! vous tombez à pic. J'allais m'en défaire.

— N'en faites rien, je vous l'achète.

Amédée Dubé accepta de le lui céder et de l'envoyer à Montréal contre une somme de trois cents dollars.

Le meuble arriva au bout de quelques jours et Juliette, profondément émue, le fit placer dans la salle à manger à l'endroit précis où elle l'avait toujours vu.

Adèle aidait sa tante dans la préparation des repas et l'accompagnait pour des courses, mais refusait de sortir seule. Elle semblait plus calme, parlait peu, se retirait souvent dans sa chambre pour fumer en regardant la télévision (sa tante ne supportait pas la cigarette) et s'y réfugiait immanquablement à l'apparition d'un visiteur. Rachel l'avait à peine entrevue depuis son arrivée. Elle ne semblait pas faire grand cas de son fils, lui souriait parfois d'un air un peu triste, le servait à table avec des gestes machinaux, l'esprit ailleurs, répondant en deux mots à ses rares questions, n'évitant ni ne recherchant sa compagnie.

Après avoir observé sa mère durant les premiers jours avec une curiosité pleine d'embarras, Denis semblait avoir pris son parti de la froideur de leurs relations. Mais certaines manifestations de tendresse subites et inaccoutumées qu'il avait parfois pour Juliette en présence d'Adèle laissaient peut-être deviner un secret dépit devant l'indifférence de sa mère. Juliette observait discrètement l'attitude de cette dernière vis-à-vis de son fils, et cela l'attristait et la tourmentait. L'instinct maternel de sa nièce lui faisait penser à un organe tellement meurtri et tuméfié qu'il ne pouvait plus exercer d'autre fonction que celle de souffrir.

Juliette songeait de plus en plus à retourner chez *Virilex* ; son départ remontait à plus de six mois maintenant, et ses économies fondaient. Elle avait téléphoné un matin à son ex-employeur, monsieur De Carufel. Il s'était réjoui bruyamment de la savoir de nouveau en santé (« Tabaslac ! à un moment donné, j'ai pensé que vous étiez morte, moi ! ») et l'avait assurée qu'elle pouvait reprendre son travail n'importe quand, à condition, bien sûr, de l'avertir deux semaines à l'avance et d'accepter le salaire qu'elle recevait au moment de son départ.

— Je n'aurai qu'à sacrer dehors la petite engourdie qui essaye de vous remplacer et, fling flong ! le tour sera joué, ma chère madame.

Mais différentes raisons lui faisaient retarder son retour au travail. Elle hésitait à laisser Adèle seule à la maison, craignant une apparition inopinée de Livernoche. Et puis, il y avait Alcide Racette... Pagé avait beau l'assurer que l'avocat se tiendrait désormais tranquille, elle n'arrivait pas à croire que sa maison ne courait plus de danger.

Enfin, l'état de Bohuslav Martinek commençait à l'inquiéter. Après deux jours à l'hôpital, il était venu poursuivre sa convalescence à la maison et une histoire qui aurait dû connaître une fin banale s'était mise à mal tourner. Le compositeur avait sombré dans une dépression molle et spongieuse qui avait pris l'apparence du détachement philosophique. L'infection s'était déclarée dans son avant-bras et retardait la guérison. On avait dû reporter le concert. Le bûcheur infatigable qui se cachait sous des airs indolents connaissait pour la première fois la maladie et l'inaction ; ne sachant comment y faire face, il avait décidé en quelque sorte d'arrêter de vivre, sans larmes ni cris, en restant tout simplement dans son lit à regarder le plafond ou dans son fauteuil à se gaver d'inepties à la télévision. Le tapage causé par les travaux à son appartement, où on terminait l'installation de la cuisine et de la salle de bains, n'arrivait même pas à lui tirer une grimace d'impatience.

Juliette se sentait une dette énorme envers lui et ne voulait pas le laisser seul. Et Rachel ne savait plus par quel bout le prendre. Il considérait ses blessures, disait-elle, et le report du concert qui en avait résulté comme une sorte de trahison de la vie, un signe du destin confirmant l'inutilité de ses efforts pour atteindre au succès. Martinek niait tout, secouant la tête avec un sourire amusé et répétant qu'il se sentait tout simplement « un peu fatigué » ; ses amis s'étonnaient qu'une si petite cause pût avoir de pareils effets. Chaque matin, avant de partir, la violoniste lui apportait ses carnets, pour qu'il y note des idées ; il ne les ouvrait pas et semblait avoir oublié jusqu'à l'existence de son piano. Il avait demandé un baladeur et des cassettes, mais n'écoutait jamais de musique.

— Réaction typique des grands brûlés, avait répondu le docteur Gélinas à Rachel.

— Grand brûlé ? Quel grand brûlé, docteur ?

L'autre avait souri, levé l'index et, d'un air mystérieux et quelque peu fat :

— Vous oubliez la peau de l'âme, mademoiselle. Votre ami se voit privé de l'usage d'une partie de son corps à laquelle il tient énormément et dont il tirait une de ses principales valorisations ; les mains, pour un pianiste, ce sont... ce sont les ailes pour un oiseau, oui, voilà. Et puis, les hommes sont des êtres si bizarres... On pense les contrôler en les bourrant de consignes et de médicaments, mais ils réussissent toujours à nous échapper, d'une façon ou d'une autre. Le meilleur médicament que je puisse lui conseiller dans les circonstances, c'est... lui-même.

— Espèce d'égaré, s'était dit Rachel. Avant de s'occuper de la peau des autres et de leur âme, il devrait mettre un peu d'ordre dans sa cervelle.

Et elle se promit, si l'état de Bohu ne s'améliorait pas dans les jours suivants, de changer de médecin.

Mais, chose bizarre, ce fut Marcel Prévost fils qui, sans le savoir, ramena le compositeur à la santé. Un matin qu'il passait non loin de chez Juliette, il s'arrêta pour la saluer. La comptable lui parla de l'incendie dont elle venait d'être victime et de l'héroïsme dont avait fait preuve Martinek à cette occasion, avec les conséquences que l'on sait.

— Est-ce qu'il va pouvoir rejouer du piano ? s'enquit aussitôt le jeune homme.

— Oh ! sa main gauche est maintenant presque guérie...

Elle posa l'index sur sa tempe :

— C'est ici, curieusement, que le feu a fait le plus de ravages. Je ne sais pas ce qui s'est passé, mais cette histoire l'a aplati. On a dû reporter le concert à Dieu sait quand. Il ne vit plus ; il existe à peine. Il n'a même pas la force d'être malheureux. Il flotte dans une bulle, les bras croisés, et trouve l'univers joli.

— Est-ce que je peux aller le voir une minute ? demanda Prévost fils à voix basse.

— Bien sûr, ça va lui faire plaisir ; il est juste au-dessus de vous, dans la première pièce à gauche de l'escalier.

Il se leva :

— Je devrais être à Longueuil en train d'aider mon père à creuser une cave, mais il peut bien m'attendre un peu. Monsieur Martinek est un homme tellement important.

— Ne partez pas si vite ! fit Juliette en riant. Venez au moins jeter un coup d'œil à mon appartement.

Marcel Prévost secoua gravement la tête devant les beautés de la maison. Le plafond mouluré de l'immense salon, la porte d'arche à colonnes de marbre qui le séparait de la salle à manger et le mascaron de la cheminée l'impressionnèrent vivement. Mais en même temps, il avait l'esprit ailleurs et devait faire un effort constant pour éviter de regarder sa montre-bracelet. Juliette devina sa hâte de voir Martinek et le poussa amicalement vers l'escalier :

— Allez faire votre bonne œuvre, mon garçon. Vous lui sifflerez un de vos petits airs. Il a toujours aimé vous entendre. Vous savez qu'il estime beaucoup votre talent. Il nous parle souvent de vous. Il paraît que vous vous êtes inscrit à une société de siffleurs ou quelque chose du genre ?

— Je... j'ai reçu une formule d'adhésion le mois dernier, répondit l'autre avec un sourire embarrassé. J'irai peut-être à un de leurs concours.

— Vous devriez, vous devriez.

Il lui serra la main, grimpa l'escalier et frappa à la porte de Martinek. Le musicien somnolait, les paupières entrouvertes, fixant le lavabo, qui lui apparaissait tantôt comme un nuage, tantôt comme un lapin recroquevillé sur lui-même. Un journal s'étalait en désordre sur les draps ; on distinguait le début d'une manchette :

NOUVEL ESSAI NUCLÉAIRE EN SIB...

— Entrez. Ah ! bonjour ! fit-il en ouvrant de grands yeux.

Il se redressa :

— Voilà une belle surprise... C'est gentil d'être venu... Ne regardez pas mes cheveux, je ne me suis pas peigné depuis une semaine...

— Mon Dieu, il n'a presque plus de voix, pensa l'autre en s'approchant.

Il lui serra la main ; le sentiment qu'il voyait le compositeur pour la dernière fois l'empêcha de parler un instant.

— Qu'est-ce qui vous arrive, monsieur Martinek ? demanda-t-il enfin (rien ne lui venait à l'esprit que cette question inutile). Paraîtrait que vous vous êtes brûlé en éteignant un feu dans la maison ?

— Oh ! ce n'est rien de grave, répondit le musicien avec un entrain forcé. Je suis presque guéri. Regardez : mes doigts bougent presque normalement à présent.

Et il lui raconta son exploit, mais en y mettant une telle modestie que le récit prenait l'ampleur héroïque d'une course au dépanneur du coin.

— Le vrai malheur, soupira-t-il, c'est que j'ai perdu mon merle des Indes dans cette histoire. Et par ma propre faute encore. S'il n'avait pas été là pour me réveiller, je ne serais qu'un petit tas de cendres aujourd'hui, Marcel. Et qu'est-ce que j'ai fait pour lui témoigner ma reconnaissance ? J'ai pris mes jambes à mon cou en le laissant derrière moi dans la fumée. Alors, quand tout a été terminé, il est apparu soudain dans la cuisine et a filé par la fenêtre, et on ne l'a plus jamais revu. Voilà comment j'ai été puni pour mon ingratitude et ma lâcheté. Mais vous ? s'interrompit-il brusquement. Travaillez-vous toujours dans le même immeuble ? Comment va votre père ?

Prévost fils répondit qu'à part ses crises de sciatique, son père allait fort bien et que la conciergerie de soixante appartements dont ils assuraient l'entretien leur donnait toujours autant de fil à retordre, notamment à cause des locataires, qui étaient davantage portés à massacrer les murs à coups de poings ou éteindre leurs mégots sur les tapis qu'à payer leur loyer à temps.

Une lueur de plaisir s'alluma dans l'œil du musicien :

— Dites-moi, Marcel... en vous voyant là, devant moi, l'envie me prend tout à coup... soyez gentil et sifflez-moi quelque chose, n'importe quoi... Voilà une éternité que je ne vous ai entendu.

Le visage de Prévost fils devint grave ; il alla refermer la porte, puis, revenant auprès de Martinek :

— Attendez-vous de la visite ? Un médecin ? Une infirmière ?

Le musicien secoua la tête, amusé par tant de précautions :

— Personne, mon vieux. Vous pouvez y aller. Sentez-vous à l'aise. La rue est tellement bruyante que personne n'entendra rien.

— C'est que... j'ai une surprise pour vous, monsieur Martinek, annonça le concierge en rougissant.

Il ferma à demi les yeux, se mouilla les lèvres du bout de la langue, prit une inspiration, puis, se ravisant, fouilla dans la poche de son pantalon et en sortit un petit pot de verre brun foncé ; il dévissa le couvercle et s'enduisit les lèvres d'une substance luisante et onctueuse, d'un blanc crémeux :

— Ma graisse d'oie, expliqua-t-il en remettant le pot dans sa poche sous le regard étonné du musicien. Ça donne de la lèvre.

Il prit de nouveau son inspiration, avala sa salive, puis :

— J'ai un peu la chienne, monsieur Martinek. Ça fait trop longtemps que j'ai sifflé devant quelqu'un. Vous excuserez les fausses notes, hein ?

Croisant les bras, il arrondit les lèvres et une longue note grave, d'un velouté et d'une limpidité admirables, résonna dans la chambre. Cela rappelait un peu le son d'une clarinette. Prévost fils resserra les lèvres imperceptiblement et une note un peu plus haute s'en échappa, suivie d'un moelleux *glissando* de doubles croches et Martinek, étonné, reconnut le thème du premier mouvement de sa sonate pour violon et piano.

— Quelle oreille... et quelle technique ! se dit-il au bout d'un moment. Jusqu'où va-t-il pouvoir se rendre ? C'est à la veille de se corser en diable... Il va sûrement simplifier.

Son étonnement se transforma en admiration, puis en émerveillement. Les mesures succédaient aux mesures, sans une erreur, dans la même beauté sonore. On aurait dit qu'il avait la partie de violon sous les yeux. Le rythme s'accéléra. Des doubles, puis des triples croches apparurent ; les intervalles périlleux se multiplièrent. Les narines pincées, les yeux fermés, Prévost fils avançait victorieusement dans la partition, avalé par la musique, trébuchant à peine et se reprenant aussitôt.

La porte s'ouvrit doucement. Rachel apparut et resta bouche bée devant le spectacle. Puis Adèle avança la tête et demeura immobile, un sourire incrédule aux lèvres. D'un geste impatient, Martinek leur fit signe de s'en aller. Assis tout droit dans son lit, il tortillait un coin de drap, épongeant ses yeux pleins de larmes avec son pansement. Les deux femmes s'éloignèrent en poussant des exclamations étouffées.

Prévost fils termina sur un *do* triomphal, ouvrit les yeux et se massa les joues, le front couvert de sueur. Martinek s'était appuyé à la tête de son lit et le regardait en souriant, incapable de parler.

— Pas mal, hein ? fit le jeune homme avec une expression d'assurance inhabituelle. Je me suis trompé à cinq ou six endroits, mais c'est que je ne l'avais pas sifflée depuis deux jours. Je l'avais plus en lèvres la semaine passée.

Martinek continuait de le regarder.

— Mon ami, vous êtes un grand artiste, murmura-t-il enfin. Un très grand, je vous assure. Le conservatoire ne les fabrique pas tous ! C'est un privilège, oui, je le répète, un *privilège* pour moi que de vous entendre. Vous avez fait d'énormes progrès depuis la dernière fois ! Mais dites-moi : comment avez-vous réussi à mémoriser ce morceau ? Il n'y manquait pas une note !

Prévost fils se troubla :

— Je... Il y a un mois, j'ai emprunté ses cassettes à madame Pomerleau et je me suis tiré des copies. J'espère que vous ne m'en voulez pas. J'aurais dû vous demander la permission.

— Allons, allons, coupa le musicien, péremptoire, c'est plutôt moi qui devrais m'excuser de ne pas m'être aperçu plus tôt... Je vais vous composer quelque chose, décida-t-il soudain dans un élan d'exaltation, quelque chose de très beau qui saura mettre en valeur votre talent.

Il présenta sa main valide au jeune homme tout ému :

— Merci, merci mille fois. Vous ne pouvez savoir comme vous tombez à pic. Tenez, prenez cette boîte de chocolats, je vous la donne, j'en ai reçu quatre. Ce sera un acompte, ajouta-t-il avec un rire nerveux.

Ils causèrent encore un moment.

— Il faut que j'aille rejoindre mon père, dit tout à coup Prévost fils en remarquant les traits tirés de Martinek. À la revoyure. Soignez-vous bien.

Le musicien lui adressa un regard suppliant :

— Vous allez revenir, n'est-ce pas ?

— Appelez-moi quand vous voudrez. Le meilleur temps pour me rejoindre, c'est tôt le matin ou à l'heure du souper.

Martinek fit une courte sieste, puis appela Rachel et ils eurent une longue conversation sur le talent extraordinaire de Prévost fils. Vers la fin de l'après-midi, le compositeur avait écrit les soixante-huit premières mesures d'un *scherzo* pour siffleur et piano et songeait même à l'encadrer de deux autres mouvements pour en faire une sonate. Il se plaignait de sa blessure, qui ralentissait son travail et nuisait à l'expression spontanée de ses idées.

Le lendemain, Rachel alla trouver Juliette :

— Il est guéri. Et ce n'est pas dû au médecin, ni à lui, ni à moi... mais à un concierge !

La comptable, assise dans un fauteuil en train de réparer un pantalon de Denis, pouffa de rire devant son air dépité.

— Console-toi, ma chère : le concierge n'y est pour rien. Encore une fois, c'est la musique ! *Sa* musique ! Sueur de coq ! c'est à donner le goût de la mettre en vente dans les pharmacies. Avec les revenus que cela vous donnerait, vous pourriez organiser dix mille concerts !

Elle voulut se lever pour glisser un mot à l'oreille de la violoniste, mais son poids la retint et elle lui fit signe de se pencher :

— J'en connais une, souffla-t-elle, qui trouverait peut-être profit à écouter mes petites cassettes.

Elle jeta un regard vers la chambre de sa nièce :

— Ça ne file pas du tout aujourd'hui. Voilà trois heures qu'elle s'est encabanée. Ce matin, après le déjeuner, elle a cru apercevoir Livernoche par la fenêtre du salon. J'étais dans la cuisine quand elle a poussé un cri. Sur le coup, j'ai cru, ma foi, qu'on venait de l'attaquer ! J'ai failli me déboîter le corps en courant au salon. Elle était appuyée au rebord de la fenêtre, blanche comme un banc de neige. Je l'ai fait asseoir dans ce fauteuil. Quand elle a réussi à me parler, je me suis précipitée dehors et, effectivement, j'ai aperçu au loin un homme en manteau brun qui lui ressemblait vaguement, mais ce n'était pas lui ! Alors, je suis revenue auprès d'elle et je lui ai versé un doigt de cognac. Elle m'a assuré qu'elle l'avait bel et bien reconnu, qu'il s'était même retourné pour lui faire signe. Comme je ne me forçais pas trop pour me donner l'air de la croire, elle m'a suppliée d'appeler à sa librairie de Saint-Hyacinthe. Eh bien, figure-toi donc que le service téléphonique a été suspendu !

— Ah non ! s'emporta Rachel, ça suffit comme ça ! Il faut que cette histoire cesse ! De grâce, madame Pomerleau, avertissez la police. Ils s'occuperont de cette crapule et nous, on pourra enfin passer à autre chose. Vous n'allez tout de même pas consacrer le restant de vos jours à vous occuper de cette fille.

Juliette fronça les sourcils et réfléchit.

— Tu as raison. Je vais téléphoner cette après-midi. Mais j'ai l'impression, soupira-t-elle, que le véritable problème, ce n'est pas ce libraire, mais plutôt qu'elle n'arrive pas à s'en débarrasser l'esprit. Elle a eu une remarque très étrange en parlant de lui, ce matin... « Dans le fond, ma tante, qu'elle m'a dit, j'ai bien plus peur de moi que de lui ». Ça m'a donné un frisson.

Rachel posa la main sur l'épaule de sa vieille amie :

— Madame Pomerleau, je vous le répète : il faut mettre l'affaire entre les mains de la police au plus coupant. Et faire soigner votre nièce. Elle en a grand besoin. Sinon, je vous préviens, nous ne sommes pas au bout de nos peines.

Et, haussant les épaules, elle alla jeter un coup d'œil à la fenêtre.

42

Martinek se rendit le surlendemain au cabinet de consultation du docteur Gélinas. Après l'avoir longuement examiné en chantonnant le thème de Lara du *Docteur Jivago* (Martinek fixait le mur, agacé par cette musiquette), le dermatologue annonça à son patient que les antibiotiques et le nouveau médicament australien avaient fait leur travail : l'infection était complètement disparue et la cicatrisation, fort avancée ; on pouvait supprimer les pansements et commencer les exercices d'assouplissement. Dans deux ou trois semaines, le musicien retrouverait l'usage complet de sa main gauche. Cette nouvelle qui, deux jours plus tôt, ne lui aurait tiré qu'un sourire poli, amplifia d'une façon extraordinaire l'état de joyeuse fébrilité où l'avait plongé la visite de Prévost fils.

— Ah ! enfin ! je vais pouvoir me remettre au piano. Demain, mon finale sera terminé.

Sans prendre la peine de lui demander de quel finale il s'agissait, le docteur Gélinas retourna à son bureau, écrivit quelque chose dans un dossier puis, relevant la tête :

— Vous pouvez remettre votre chemise, monsieur Martinek, dit-il d'un ton léger. Je vous jette dehors. Vous n'êtes plus assez malade pour que je m'occupe de vous. Soyez assidu à vos exercices et bonne chance. À moins d'une complication improbable, je ne pense pas vous revoir avant un mois.

Le musicien se rhabilla, tandis que le dermatologue se remettait à siffloter le thème abhorré.

— Merci, docteur. Au revoir.

Il se dirigea vers la porte.

— Au fait, monsieur Martinek... est-ce que vous composez parfois de la musique de film ?

— Non, répondit l'autre un peu sèchement. On ne m'en a jamais demandé.

— Dommage, répondit le docteur avec un grand sourire.

Et il allongea la main vers le téléphone.

* * *

— Alors, c'est bien vrai ? demanda Juliette. Vous êtes guéri ?

— Presque. En tout cas, on m'a permis de me remettre au piano.

La comptable se tourna vers Rachel :

— Va me chercher un bordeaux à la cave, chère. Les bonnes raisons de boire sont rares dans la vie. En voilà une.

Adèle apparut dans la porte du salon.

— Viens fêter avec nous, ma fille, lui dit Juliette. Notre cher Bohu vient de remonter à la surface pour de bon. Allons, allons, ne fais pas de manières, nous sommes entre amis, ajouta-t-elle en la prenant par la main.

La violoniste revint avec une bouteille et des verres et tandis que Juliette versait le vin, Adèle, un peu interdite, contemplait Martinek qui, la manche relevée, exhibait son bras gauche où une grande tache d'un rose saumon luisant s'étendait jusqu'au bout des doigts, encore un peu enflés, n'épargnant que le pouce et l'index.

Une heure et deux bouteilles plus tard, la comptable s'emparait du téléphone et enjoignait à Fisette de venir les retrouver subito presto. Quand le photographe sonna à la porte, ce fut Adèle, un peu émoustillée, qui lui ouvrit. Ils se regardèrent quelques secondes en silence, puis Fisette, écarlate, recula en balbutiant :

— Je... excusez-moi... je reviendrai une autre fois...

— Non, non, restez, murmura-t-elle avec un sourire étrange. Vous savez... tu sais, reprit-elle, ça n'a pas tellement d'importance... et puis, dans le fond, tu m'as rendu service.

— Est-ce que c'est Clément ? demanda la voix de Juliette dans le salon.

— Tu dis ça pour être gentille, répondit l'autre à voix basse. Mais je le sais que je suis un salaud.

Adèle sourit de nouveau, haussa les épaules et s'éloigna dans le corridor.

— Eh bien ! qu'est-ce que vous faites là, planté comme un prunier sur le pas de la porte ? fit la comptable en s'avançant. Allons, ajouta-t-elle tout bas en lui empoignant le bras, cessez de faire cette tête de noyé. À quoi ça rime, ces remords éternels ? Vous aurez beau vous ronger les ongles jusqu'à l'épaule, ça ne changera pas une seconde de votre passé... Pauvre naïf ! si vous saviez... elle s'en fiche pas mal plus que vous !

Et le poussant vers le salon :

— Allons, venez boire à la santé de Bohu ! Notre héros fête son retour au piano !

Un peu remis de son embarras, Fisette réussit à sourire. En pénétrant dans la pièce, il salua Rachel et s'arrêta devant Martinek, assis au piano et un peu éméché ; ce dernier exhiba sa dextérité nouvellement retrouvée en jouant l'*Ô Canada* en mineur sur un rythme de java.

De temps à autre, le photographe lorgnait furtivement Adèle qui, retirée dans un coin, buvait à petites gorgées, le regard tourné vers la fenêtre, et ne semblait pas faire grand cas de lui. Rachel lui tendit un verre de vin. Il le vida en deux traits et alla le remplir. L'alcool dissipa peu à peu son malaise. S'approchant de Juliette, il se mit à lui décrire l'avalanche de tracasseries que la redoutable Elvina faisait subir au nouveau propriétaire de la rue Saint-Alexandre, qui avait eu la malheureuse idée d'emménager en face de chez elle dans l'ancien appartement de Juliette. Adèle en profita pour s'éclipser.

— Figurez-vous qu'elle lui demande d'installer un système d'alarme dans tout l'édifice, car des maraudeurs se promènent la nuit dans les corridors, paraît-il. Évidemment, le bonhomme se fait tirer l'oreille : avant de dépenser trois ou quatre mille dollars pour des inconnus qu'elle est seule à voir et qui ne laissent de traces nulle part, on y pense à deux fois, hein ? Alors, avant-hier durant la nuit, quelqu'un a recouvert de décapant la porte de monsieur Désy et tout le vernis a levé. Pas la peine de s'adresser à *Interpol* pour connaître la coupable, n'est-ce pas ? Et puis ce matin, je ne sais trop pourquoi, la maison puait tellement l'ammoniaque que les yeux m'en pleuraient. Sans compter que la semaine dernière, j'ai dû aller souper au restaurant deux soirs de suite, car mademoiselle faisait faire des travaux d'électricité chez elle et on avait coupé le courant. En somme, la chicane est dans la cabane ; je ne resterai pas là trente ans, je vous en passe un papier.

— Alors, venez-vous-en ici, je vous l'offre à nouveau, fit l'obèse en le prenant à part. Je pourrais vous louer le deuxième. Vous seriez beaucoup plus grandement... pour le même prix ! Il suffirait d'installer une petite cuisine. Il y a déjà une toilette et une salle de bains.

Clément Fisette jeta un regard autour de lui et s'aperçut de l'absence d'Adèle :

— Vous pensez vraiment que...

— Je vous répète que ça n'a pas l'importance que vous lui accordez. Oubliez ma première réaction. J'ai réfléchi depuis. Évidemment, je n'irais pas jusqu'à vous féliciter, mais pourquoi vous gruger les tripes, Seigneur, quand vous êtes le seul à souffrir ? Et puis, vous ne la verrez pas : elle ne voit personne. Et d'ailleurs, il faudra peut-être que je la fasse hospitaliser. J'ai l'impression que ce maudit libraire lui a complètement détraqué le ciboulot.

Elle lui saisit le bras :

— Allons, venez, je vais vous faire visiter. Vous allez voir comme c'est spacieux. Rachel, mon amour, serais-tu assez gentille d'aller voir si Denis s'en vient de l'école? J'espère que le métro n'est pas tombé en panne comme vendredi passé. Un jour, je vais laisser ma vie dans cet escalier, dit-elle, à bout de souffle, en parvenant au deuxième.

Elle reprit haleine et ils se mirent à visiter l'étage.

— Voyez : six pièces juste à vous. Et de la lumière des quatre côtés. Vous pourriez installer votre chambre noire dans celle-ci et votre chambre à coucher dans celle-là, à l'arrière, loin des bruits de la rue.

Clément allait d'une pièce à l'autre, l'œil brillant, alléché par l'aubaine. Il pénétra dans la chambre à coucher, regarda par la fenêtre et sursauta.

— Qu'y a-t-il? demanda l'autre en s'approchant.

— Cet homme, là-bas, qui s'éloigne sur le trottoir... voyez-vous ? Il va disparaître.

— J'ai laissé mes lunettes en bas, grommela Juliette. Les yeux tout nus, je ne distingue pas une locomotive d'un pommier. Alors, quoi ? Vous venez d'apercevoir Livernoche ? Est-ce que c'est ça ? Répondez !

Fisette haussa les épaules :

— Je n'en suis pas sûr. On l'a déjà vu rôder par ici ?

— Adèle prétend l'avoir aperçu au début de l'après-midi. Elle a failli en avoir un arrêt du cœur, la pauvre, et moi aussi.

— Alors, il faudra être aux aguets.

Les yeux plissés, elle scrutait la rue :

— Être aux aguets... je ne fais que ça depuis deux mois...

Elle se planta devant lui :

— Alors, vous prenez ou pas ?

— Je prends.

— Parfait. Voilà une bonne décision. Vous pourriez vous installer dans dix jours, mettons. Le mois sera un peu entamé, je vous le donne. Je suis prête à n'importe quoi pour vous sauver de ma sœur et de son ammoniaque.

Tenez, vous pourriez même, si ça vous chante, commencer à transporter tout de suite vos affaires ici. Ce n'est pas la place qui manque.

— Excellente idée. J'aurai l'impression de l'avoir un peu quittée.

— Allons, fit-elle en redescendant l'escalier, une main agrippée à la rampe, l'autre à l'épaule de Fisette, moi qui croyais que le retour d'Adèle signifiait la fin de mes problèmes... Quelle niaiseuse je suis !

Et l'idée lui passa par la tête que la musique de Martinek, en la ramenant à la santé, lui avait joué un bien mauvais tour. Quant à Clément Fisette, réconforté par les paroles d'Adèle et de la comptable, il commençait déjà à se réconcilier avec lui-même, et quelque chose d'obscur s'était mis à germer, à son insu, dans un recoin de son cerveau. Il retourna au salon, écouta Martinek qui, toujours au piano, improvisait sur la *Complainte du phoque en Alaska*, puis s'éclipsa.

43

En apprenant la guérison de Martinek, Denis laissa tomber son sac d'écolier dans le vestibule, grimpa l'escalier quatre à quatre et trouva le musicien au lit en train de cuver son vin.

— Salut, Bohu. On vient de m'annoncer la bonne nouvelle. Est-ce que je pourrais voir ton bras gauche? demanda-t-il sans remarquer la fatigue de son ami.

La cicatrice rose saumon l'impressionna vivement et il posa plusieurs questions au compositeur sur la mobilité de sa main, l'obligeant à pianoter sur la couverture.

Rachel apparut dans la porte :

— Allons, tu ferais mieux de retourner en bas. Ne vois-tu pas qu'il tombe de sommeil?

Le regard huileux, Martinek lui tapota l'épaule et se tourna de côté. Denis descendit au rez-de-chaussée et courut à la cuisine se préparer une tartine au beurre d'érable, mais, apercevant sa mère, il fit volte-face et décida d'aller jouer dehors.

— Tu devrais faire tes devoirs tout de suite, suggéra Juliette en le voyant se diriger vers le vestibule. On ne soupe que dans une heure.

— Ça ne me tente pas.

— Ça ne lui tente pas, imagine-toi donc, se moqua la comptable en s'adressant à sa nièce.

Adèle, appuyée contre le frigidaire, fit une vague grimace, alluma une cigarette et souffla une bouffée au-dessus de sa tête, l'œil dans le vague. Juliette faillit lui suggérer d'aller fumer dans sa chambre, mais, devant sa mine maussade, elle se contenta de lui demander de sa voix la plus gentille :

— À quoi penses-tu ?

N'obtenant pas de réponse, elle soupira discrètement et alla jeter un coup d'œil dehors. Denis était assis sur le perron, le dos arrondi, les épaules affaissées, la tête dans les mains, comme en attente de la fin du monde. Juliette le contempla un instant, puis revint dans la cuisine où sa nièce rêvassait, la tête perdue dans la fumée :

— Je me demande si j'ai fait un si bon coup en les réunissant, ces deux-là, marmonna-t-elle entre ses dents.

Denis saisit un bout de branche qui traînait à ses pieds, le dépouilla lentement de son écorce, puis le lança dans la neige avec une grimace de dépit. La tristesse rageuse qui venait de le submerger s'accumulait en lui depuis quelques jours. Il commençait à en avoir assez de sa mère, de sa fumée, de sa bière et de ses regards vides. Il avait rêvé tant de fois au moment de leur rencontre, envahi par une joie anxieuse, presque insupportable, et voilà qu'il n'éprouvait plus à son égard qu'agacement et colère.

— C'était bien mieux quand j'étais tout seul avec ma tante, dit-il à voix haute, et cette constatation lui donna comme un coup à l'estomac.

Tout de suite après, il en ressentit un second.

En levant la tête, il aperçut au bout de l'allée, appuyé à la barrière de fonte, un garçon d'une dizaine d'années qui le regardait. L'enfant était vêtu d'un esquimau vert à capuche orange sur laquelle il avait glissé un casque de plastique aux lignes futuristes orné de trois clignotants qui, dans l'obscurité grandissante, lui donnait un aspect étrange et farouche.

— Est-ce que tu demeures ici ? demanda le garçon au bout d'un moment.

— Oui, répondit Denis.

Puis il sentit le besoin d'ajouter :

— On a acheté la maison.

L'autre hocha lentement la tête, comme pour marquer son approbation, puis :

— Moi, je reste sur la rue Greene, là-bas. Mais je viens souvent par ici. J'ai un ami qui reste sur Lambert-Closse, tu sais, dans la grande maison avec une porte verte. Son père vient d'acheter une télévision avec un écran de 80 centimètres.

Il sautilla sur place un moment, contemplant avec satisfaction les reflets de ses clignotants sur la neige, tandis que Denis l'observait, intimidé.

— Je me suis déguisé en Sjédro, poursuivit l'autre. Connais-tu Sjédro, le cosmonaute de la *Galaxie 14*?

— Ma tante m'a acheté tout le jeu des *Combattants de la Galaxie*, répondit Denis en prenant un peu d'assurance.

— Ah oui? T'es chanceux! Où est-ce qu'il est?

— Dans ma chambre.

— Tout le jeu? tous les personnages? reprit l'enfant sur un ton d'envie marqué d'incrédulité.

Denis fit signe que oui. Sjédro le fixait avec des yeux remplis de désir.

— Veux-tu venir les voir? proposa Denis.

Il avait à peine fini sa phrase que l'autre avait ouvert et refermé la grille et s'avançait à grandes enjambées. Denis se leva:

— Viens, on va passer par en arrière.

Sa mauvaise humeur avait disparu. Les présentations se firent pendant qu'ils longeaient la maison. Sjédro s'appelait en fait Jocelyn Lasanté. Ses parents tenaient un dépanneur et habitaient au-dessus de la boutique.

— J'ai une grande salle de jeu derrière le magasin, annonça-t-il avec fierté.

Il s'arrêta brusquement:

— Qu'est-ce que tu aimes le plus dans la vie, toi?

Et avant qu'il puisse répondre:

— Moi, c'est de passer à toute vitesse en auto dans de la boue.

Puis il ajouta:

— Mon père, il fait des rallyes. On a une *Toyota* quatre par quatre avec injection électronique et arbre à cames en tête.

Ils arrivèrent dans la petite cour asphaltée sur laquelle donnait la cuisine. C'est alors qu'un bruit d'écroulement retentit dans la remise grisâtre et à demi affaissée qui s'élevait à gauche. Denis s'arrêta, saisi.

— Bah ! c'est juste un chat, lança Jocelyn d'un ton quelque peu condescendant (en fait, il avait très hâte de voir les combattants de la *Galaxie 14*). C'est plein de chats errants, ici.

— Ma tante va faire démolir cette vieille cochonnerie de cabane au printemps et elle va faire enlever tout l'asphalte ; on va planter un beau jardin avec des tas de tulipes, et même des framboisiers.

— C'est bien mieux un jardin que de l'asphalte, approuva Jocelyn Lasanté en précédant Denis sur le perron.

Il s'arrêta devant la porte, intimidé tout à coup, et s'effaça devant son compagnon.

— Mais qu'est-ce que tu t'es fichu sur la tête, toi? s'écria Juliette en apercevant le cosmonaute, qui devint écarlate.

Adèle et Rachel, occupées à nettoyer des armoires, se retournèrent et pouffèrent de rire.

— En tout cas, il est très joli, ton casque, ajouta-t-elle aussitôt pour atténuer l'effet de sa sortie. Je n'en ai jamais vu de pareil.

— Il s'est déguisé en Sjédro, expliqua Denis, agacé. Je vais lui montrer mes jouets.

— Comment t'appelles-tu? demanda la comptable, pendant que les enfants se déshabillaient.

Jocelyn se présenta, ajoutant que son père tenait un dépanneur sur la rue Greene et qu'ils possédaient deux épagneuls âgés respectivement de trois et quatre ans.

Denis lui fit signe de le suivre.

— Elle est donc grosse, la madame, chuchota Jocelyn, horrifié, dès que la porte se fut refermée derrière eux. C'est-tu ta grand-mère ?

Denis posa sur lui un regard presque offensé :

— C'est ma tante. Elle souffre d'une maladie. C'est pas de sa faute, tu sais. Elle est très gentille. C'est avec elle que je vis.

Le cosmonaute promena son regard dans la pièce :

— T'as un foyer ! Elle va être belle, ta chambre, quand tout sera installé. Il est là, ton jeu ? fit-il en pointant un placard.

Denis s'avança, ouvrit la porte et laissa admirer pendant quelques instants la série de jouets qu'il venait de ranger soigneusement sur des tablettes, certains se trouvant encore dans leur emballage d'origine.

— Wow ! tu as l'aéroglisseur *G. I. Joe* ? s'exclama l'autre. T'es chanceux en maudit ! Moi, j'ai le chasseur-faucon *Fisher-Price* (il prononçait *Ficheure-Pwaïce*), et puis j'ai aussi le transformeur *Métamorphix*, tu sais, le robot qui peut se transformer en araignée, puis en fusée spatiale ? Où est-ce qu'ils sont, tes combattants de la *Galaxie 14* ?

Denis grimpa jusqu'à la dernière tablette, tira une grande boîte de carton, la fit basculer sur sa poitrine et se mit à redescendre péniblement.

— Attends, je vais t'aider, tu vas te casser la gueule.

Jocelyn saisit la boîte et alla la déposer sur le lit. Son compagnon se laissa tomber sur le plancher, souleva précautionneusement le couvercle et pendant un moment, les deux garçons contemplèrent en silence l'imposante maquette de plastique grise, jaune et bleue avec ses figurines étranges et ses véhicules armés aux formes compliquées ; Jocelyn, éperdu d'envie et d'admiration, se tourna vers Denis, qui essayait de cacher son orgueil sous un air détaché :

— Est-ce que je peux prendre ce personnage-ci ? demanda-t-il, le doigt tendu.

— Tu peux prendre tous les personnages que tu veux, consentit l'autre avec un sourire plein d'aménité. Mais fais attention à Skorpinok : sa tête n'est pas solide.

Ce fut à ce moment précis que se nouèrent les liens d'amitié qui devaient les unir si longtemps.

Jocelyn s'assit alors sur le tapis et retira ses chaussettes :

— J'ai chaud. Et quand je les porte trop longtemps, ça me fait puer des pieds.

Puis il se mit à manipuler respectueusement les figurines, tandis que Denis s'occupait à monter l'aéroport spatial sur le lit.

— Je vais demander à mon père qu'il m'achète le jeu à Noël, murmura Sjédro les-orteils-à-l'air. Je vais ramasser mon argent pour l'aider à le payer. C'est ton père qui te l'a acheté, le jeu ?

— Non, répéta Denis, c'est ma tante.

— Qu'est-ce qu'il fait, ton père ?

— Il est mort il y a longtemps.

— C'est de valeur, fit l'autre avec compassion. Est-ce que tu as une mère ?

— C'est la femme en jean qui lavait l'armoire au fond de la cuisine.

Jocelyn le fixa un instant, les yeux plissés, en train manifestement de réfléchir, puis :

— Est-ce qu'elle te fait des cadeaux, ta mère ?

— Des fois, répondit Denis, qui se troubla légèrement.

— Est-ce que c'est elle qui a installé ta chambre ?

— Non, répondit-il héroïquement, c'est ma tante, avec des amis. Ma mère... elle ne file pas très bien de ce temps-ci.

Et en disant ces mots, il demeura tout saisi, comme s'il venait de prendre conscience de la chose.

Son compagnon venait de s'emparer d'une fusée *Ogiplax* et fit délicatement tourner l'une après l'autre les trois tourelles armées de canons à rayons laser.

— Ma mère est malade, déclara Denis de but en blanc. Je vais dire à ma tante de l'envoyer chez un médecin. Un bon.

Et soudain, l'indifférence mêlée d'agacement qu'il ressentait pour elle depuis son arrivée se mua en une sorte de fiévreuse compassion.

— Ma mère est malade aussi, déclara Jocelyn. Quand elle se couche trop tard, le lendemain elle a mal à la tête toute la journée. Et puis, elle ne peut pas manger de gras, sinon elle devient tout étourdie.

Rachel ouvrit la porte et annonça que le souper était servi ; Jocelyn enfila son esquimau et promit de revenir le lendemain après la classe et d'amener Denis au magasin pour lui montrer sa salle de jeu.

Martinek, ragaillardi par sa sieste, apparut dans la cuisine, la chemise fripée. Pour célébrer sa guérison, Juliette l'avait invité à souper avec Rachel et, bien que la cuisine fût à demi installée, elle avait soigné le repas : bisque de homard, poulet farci (elle ne toucha pas à la peau grasse et croustillante, qu'elle adorait), riz créole, salade de concombre, mousse à l'abricot (elle ne toucha pas non plus au dessert). Le compositeur parla de la sonate qu'il terminait pour Prévost fils et en siffla même un long passage.

— On dirait un discours, remarqua Denis. Tu ne siffles pas aussi bien que lui, Bohu.

— Je vous ai joué le début du premier mouvement. C'est une sorte d'hommage à la musique, un peu comme le lied de Schubert, *An die Musik*. Vous savez, mes amis, la musique, la vraie, celle qui parle au cœur de l'homme et qui ne craint pas de lui dire ses vérités, même les plus cruelles, est une chose d'une importance inouïe, que bien des gens sous-estiment, hélas. Elle nous aide pourtant à refaire nos forces... et notre bonté. Si jamais elle venait à disparaître, nous serions foutus. Regardez Chostakovitch : c'est par lui que la Russie crie au monde sa souffrance et son angoisse. Sans Chostakovitch, moi, je prétends que l'âme de la Russie se dessécherait et finirait par mourir.

Il fut interrompu dans son envolée philosophique par un coup de sonnette. Rachel alla ouvrir. Une exclamation lui échappa, si vive que tout le monde se précipita vers le vestibule.

— Allons, une nouvelle tuile, je suppose ? grommela la comptable en se frappant la hanche contre un chambranle.

C'était Fisette qui venait d'arriver avec une camionnette chargée de meubles... et conduite par le dentiste Ménard ! Martinek alla à leur rencontre.

— Eh bien ! vous ne perdez pas de temps, vous ! lança Juliette à l'adresse du photographe qui venait de sauter du véhicule.

Le dentiste, toujours aussi compassé et obséquieux, s'avança vers le perron, où il serra gravement les mains, avec un bon mot pour chacun. Ses cheveux tout grisonnants, ses joues un peu affaissées, son teint sali donnaient l'impression que des épreuves secrètes continuaient de le miner, accélérant le cours des années. Juliette lui fit visiter la maison, qu'il admira beaucoup, et invita tout le monde à prendre le thé au salon. Craignant pour ses nerfs fragiles, Ménard demanda si on pouvait lui servir une tisane, à la camomille de préférence. À peine assis dans son fauteuil, il annonça qu'il voulait quitter lui aussi son appartement de Longueuil, où il était revenu la veille. En effet, trois heures à peine après son retour, Elvina avait failli le brouiller avec le nouveau propriétaire pour une question de supposés dégâts causés par la pluie à cause d'une fenêtre mal fermée. Puis il s'informa des derniers événements. L'acte héroïque de Martinek valut à ce dernier une longue guirlande de félicitations. Malgré le départ d'Adèle, qui s'était retirée dans sa chambre, Juliette se montra plutôt discrète sur l'issue de ses recherches, mais son courage et sa détermination lui valurent à elle aussi toute une série de compliments fleuris. Puis, comme si tous ces éloges l'avaient épuisé, il se recroquevilla sur lui-même et écouta poliment la conversation, le sourire aux lèvres, étouffant de temps à autre un discret bâillement. Finalement, il prit congé et quitta la pièce d'un pas traînant, priant Juliette de ne pas le raccompagner.

Après son départ, on se mit à échafauder des hypothèses sur la cause de ses malheurs, sans parvenir à aucune conclusion certaine, puis Fisette demanda qu'on l'aide à transporter ses effets au deuxième étage. Tout le monde se retrouva ensuite au rez-de-chaussée — Adèle y comprise — pour terminer l'installation de la chambre de Juliette et celle du salon.

— Je ferai peinturer la maison au printemps, décida la comptable. Pour l'instant, je reprends mon souffle.

Fisette, maintenant presque à l'aise en présence de son ancienne victime, s'absenta quelques minutes et réapparut avec une bouteille d'armagnac. Il fut aussitôt suivi d'Alexandre Portelance. Une heure plus tard, un bon tiers du précieux liquide se retrouvait dans l'estomac du représentant, qui avait décidé de fabriquer une bibliothèque pour la chambre de Denis à l'aide de retailles de contreplaqué ; il obtint des résultats surprenants. Mais cela le mena si tard que Juliette, voyant sa fatigue et l'euphorie quelque peu inquiétante où l'avait plongé l'armagnac, lui offrit de coucher à la maison. Il se retrouva, non pas dans la chambre de la femme qu'il désirait, mais sur le canapé du salon, étendu sur des coussins trop mous. Il s'endormit néanmoins avec un sourire béat, l'invitation embarrassée de Juliette lui faisant présager une multitude de choses piquantes et délicieuses.

44

Au moment de la quitter, le dentiste Ménard s'était tourné vers Juliette :

— Je ne saurais vous dire, ma chère madame, combien l'humeur belliqueuse de votre pauvre sœur m'inspire de craintes, lui avait-il confié en essayant d'atténuer par un sourire ce qu'il trouvait de trop corrosif dans ses propos. Et je dois vous avouer également que j'ai bien du mal à me séparer de vous tous, au moment précis où je reviens pour de bon.

— Pour de bon ? Vos voyages sont donc finis ? Il faudra me raconter tout ça un jour, comme vous me l'aviez promis. Mais je suis désolée, mon cher dentiste, fit-elle en lui tapotant le bras, je n'ai plus un centimètre carré à louer ; j'aurais bien aimé reconstituer ici ma petite colonie de la rue Saint-Alexandre, mais, pour cela, il faudrait que j'agrandisse par l'arrière, ce qui est impensable. Et puis, même si je le faisais, est-ce que je réussirais à vous accommoder ? Vous prenez pas mal de place, vous !

— Ce temps est fini. Je me contenterais d'un petit trois pièces.

— Écoutez, je crois qu'il y a un appartement à louer dans la maison voisine. Pourquoi n'iriez-vous pas y jeter un coup d'œil ? C'est un édifice un peu délabré, mais qui ne manque pas de cachet. Qui sait ? avec vos économies, vous pourriez peut-être l'acheter, et nous serions voisins pour de bon.

— Chère madame, soupira Ménard avec un sourire désenchanté, mes économies sont parties en fumée il y a longtemps ! Il me faudra des années pour regarnir mon sac d'écus. Mais je vous remercie du renseignement. J'irai m'informer.

Il n'eut pas l'occasion de le faire. Deux jours plus tard, des ouvriers venaient placarder portes et fenêtres. Juliette téléphona au service des permis et finit par apprendre que la maison allait être démolie incessamment. Elle alerta aussitôt Alphonse Pagé.

— Je sais, madame, je sais. Nous avons eu un moment de distraction. Je le regrette pour vous. *Bell Canada* vient d'acheter le terrain pour y bâtir un central téléphonique dans son style habituel. Nous allons essayer d'obtenir une injonction, car la maison remonte à 1858 et le poète William Chapman l'a habitée pendant plusieurs années. Et même si elle n'avait été habitée que par Jos Bleau et ses deux oiseaux, c'est une belle construction, encore en bon état. Je viens tout juste de parler à Dinu Bumbaru de *Sauvons Montréal*; nous allons faire l'impossible pour limer un peu les dents à ces requins. Mais vous ne savez pas tout, ma pauvre madame. Phyllis Lambert vient de m'apprendre que la compagnie *Perryhill* a l'intention de faire construire un édifice à bureaux de quarante-deux étages juste derrière chez vous ; une demande de modification de zonage a été présentée à la ville il y a deux jours.

— Quarante-deux étages ! s'exclama Juliette, horrifiée. Et mon jardin, où va-t-il prendre sa lumière ? Je ne pourrai y faire pousser que des champignons, sueur de coq !

— Je vais travailler de toutes mes forces pour vos fleurs, madame, mais vous savez mieux que moi combien ce quartier a été massacré ; il est devenu difficile à défendre. Et puis, il y a de gros pharaons dans cette histoire et je risque de me faire couper les bretelles. Mais enfin, j'ai déjà vu pire et je ne m'en suis pas trop mal tiré. Il faudrait alerter les gens du quartier. Pouvez-vous m'aider ?

— J'arrive à peine dans le coin, mais je suis prête à l'impossible, monsieur.

— Je vous rappelle demain. Au revoir.

Elle raccrocha et se rendit à la cuisine. Adèle, debout devant l'évier, les épaules affaissées, lavait des feuilles de salade. Juliette prit de l'huile, du vinaigre et des fines herbes dans la dépense et déposa le tout sur le comptoir près de sa nièce :

— Tu serais gentille d'aller à l'épicerie m'acheter un bon morceau de gruyère.

L'autre ne répondit pas, perdue dans ses pensées. Juliette dut lui toucher l'épaule pour la tirer de sa rêverie.

— Oui, oui, tout de suite, répondit-elle avec précipitation, l'œil un peu hagard.

Elle enfila son manteau et sortit. L'humeur de Juliette s'assombrissait de plus en plus. La masse des quarante-deux étages qu'on voulait lui infliger, l'air morne de sa nièce et les coups de marteaux qui parvenaient de l'édifice voisin se transformèrent en une sorte de colle épaisse et noire qui cherchait à figer sa pensée dans une stupeur désespérée. Elle secoua les épaules, tourna la tête à gauche et à droite, puis, se frottant vivement les mains :

— Allons, allons, il est temps que j'entreprenne cette fille avant qu'elle se jette dans le fleuve. Dès son retour, on va se parler entre quatre-z-yeux, et je téléphone ensuite à un médecin.

Un événement se produisit alors qui l'égaya un peu. Elle venait de commencer sa vinaigrette lorsque, au-dessus de sa tête, le piano se mit à jouer l'air d'*Ah! vous dirai-je maman*. Les notes sautillaient, claires, joyeuses, insouciantes, un peu folichonnes, mais enveloppées dans une douce buée de nostalgie. L'air se fit entendre une deuxième puis une troisième fois, joué à la main droite, et soudain, une série d'accords dans le grave se mirent à le ponctuer, hésitants, un peu lourdauds, puis devenant *staccato*, prirent peu à peu de l'assurance et de la vivacité et se transformèrent en arpèges. Il y eut un moment de silence, suivi d'un long raclement de gorge, et la première des célèbres variations de Mozart jaillit tout à coup, étincelante et rieuse, à peine écornée ici et là par un léger trébuchement, puis s'arrêta tout à coup au milieu d'une montée. Il y eut de nouveau un silence. Un bruit de pas précipités fit alors trembler le plafond, suivi d'une dégringolade dans l'escalier.

— Madame Pomerleau ! madame Pomerleau ! lança Martinek d'une voix stridente qu'elle ne lui avait jamais entendue, ma main gauche est presque revenue !

Il apparut dans l'embrasure, les cheveux hirsutes, un bout de ceinture battant sa cuisse :

— Madame Pomerleau, reprit-il tout bas.

Et il se mit à pleurer.

— Allons, allons ! Vous voyez bien ? J'étais sûre que ça s'arrangerait, fit la comptable tout émue en le serrant dans ses bras sous le regard ébahi d'Adèle qui venait d'entrer, un sac à la main.

Elle lui tapota le dos, puis, se tournant vers sa nièce :

— Mets donc de l'eau à chauffer, veux-tu ? C'est le temps d'un bon café.

Adèle les observa un instant, puis un sourire, le premier vrai sourire franc qu'on lui voyait depuis son arrivée chez Juliette apparut sur ses lèvres, et pendant une seconde le visage d'une jeune fille sémillante et enjouée surgit du masque morose et un peu flétri qui l'avait remplacé :

— Eh bien, je suis contente pour vous, monsieur Martinek, lança-t-elle. Vous allez pouvoir nous refaire de la musique.

— Le concert... à la fin de mars au plus tard ! s'exclama le musicien en se dégageant des bras de Juliette.

Il lui présenta son avant-bras :

— Regardez ma peau. Encore un petit peu trop rose, mais elle prend de la gueule, pas vrai ? Ce matin, en me levant, j'ai décidé que le jour J était venu et j'ai fait des exercices d'assouplissement dans l'eau tiède pendant plus d'une heure... ensuite je me suis lancé au piano. Bon Dieu, que je suis content !

Ils s'attablèrent pour le café, mais Martinek n'avait pas bu trois gorgées qu'il remontait s'installer au piano. Juliette l'appela trois fois pour le dîner, mais il n'entendait rien, absorbé dans le polissage des variations. Pendant une bonne demi-heure, il buta sur la Variation IV, dont il n'arrivait pas à mater le début. Il s'arrêtait, poussait un soupir en agitant sa main gauche et recommençait.

— Il faut absolument que je maîtrise la pièce avant le retour de Rachel, se répétait-il tout bas.

Vers cinq heures, les tendons de sa main élançaient un peu, et il avait le dos plein de courbatures, mais les variations étaient presque en place. Il continuait toujours, faisant fi de la douleur, reprenant obstinément un passage en triolets qui refusait de lui obéir. Denis entra et alla s'asseoir discrètement dans un coin. Presque aussitôt, Adèle apparut et lui fit signe de venir la trouver. Elle avait un sourire bizarre.

— Quelqu'un te demande au téléphone, lui dit-elle tout bas.

— Je gage que c'est Jocelyn, pensa l'enfant, tout joyeux, en descendant l'escalier au pas de course.

La veille, au moment de partir, son ami lui avait coupé le souffle en lui défilant à toute vitesse une série de comptines grivoises, qu'il ignorait presque toutes. Au moment du coucher, sa tante avait eu droit à la plus présentable :

> Salut, tit-cul !
> Je t'ai déjà vu
> Dans une revue
> De femmes tout nues.

Aussi, eut-il toutes les peines du monde à cacher sa déception en entendant au bout du fil la voix de Roger Simoneau. Le camionneur lui annonça qu'il passait la fin de semaine à Montréal. Il venait de s'acheter des billets pour le *Salon de la science et de la technologie* qui se tenait au vélodrome. Est-ce que Denis aimerait l'accompagner ?

— Euh... je sais pas... je suis jamais allé à des salons comme ça...

— Eh bien, c'est le temps ou jamais de te déniaiser, mon vieux. Je pourrais passer te prendre dans une heure, disons. On irait d'abord souper au restaurant... si ta tante accepte, bien entendu. Est-ce que ta tante va bien ?

— Hm hm...

— Et... ta mère, elle va bien, aussi ?

L'enfant devina alors que l'invitation du camionneur, tout aimable qu'elle fût, n'était peut-être pas aussi désintéressée qu'elle le semblait à première vue.

— Elle va bien aussi, répondit-il laconiquement.

— Est-ce que c'est elle qui m'a répondu tout à l'heure ?

— Oui.

— Est-ce que tu penses qu'elle... Écoute, fit-il en se ravisant, ça te tente, oui ou non, de venir avec moi ?

— Ça me tente, répondit l'autre sans enthousiasme.

— Eh bien, demande à madame Pomerleau — ou à ta mère — si tu peux y aller ; je vais rester au bout du fil.

— Ma tante est d'accord, annonça Denis au bout d'un moment.

— Parfait. À tout à l'heure, répondit Simoneau d'une voix étrangement fébrile.

— Il aurait dû inviter ma mère, ç'aurait été plus simple, pensa Denis en remontant chez Martinek.

À six heures, on sonna. L'enfant laissa passer quelques secondes, puis, mû par une secrète intuition, sortit doucement de chez Martinek et descendit quelques marches sans bruit. L'escalier, qui dessinait une large courbe, ne donnait pas directement sur le vestibule, de sorte que, parvenu à peu près au milieu, en se penchant un peu de côté, on avait une vue de biais sur la porte d'entrée avec la quasi-certitude d'échapper aux regards de ceux qui se trouvaient en bas. Il se blottit près de la rampe, l'œil entre deux barreaux, et aperçut sa mère et Roger Simoneau, immobiles l'un en face de l'autre, le camionneur souriant d'un air embarrassé (et un peu niais, trouva l'enfant) à son ex-maîtresse, que Denis ne voyait que de côté. Simoneau avait dû lui demander quelque chose comme « Est-ce que tu me reconnais ? » car, au moment où l'apprenti espion s'installait à son poste d'observation, Adèle répondit d'une voix sourde :

— Bien sûr. T'as pas tellement changé.

Simoneau bafouilla :

— Toi non plus.

Il leva alors les yeux et l'axe de son regard atteignit Denis, qui remonta précipitamment. Mais le camionneur ne semblait pas l'avoir vu. Il sourit, se gratta une épaule, puis :

— Est-ce que ton garçon t'a mis au courant... de notre sortie ?

Elle hocha affirmativement la tête :

— Je l'ai entendu tout à l'heure. Est-ce que je peux savoir... pourquoi tu te donnes tout ce mal pour lui ? demanda-t-elle avec une trace de dureté dans la voix.

L'autre rit silencieusement.

— Je ne sais pas... j'ai toujours aimé les enfants... Celui-ci m'est tombé dans l'œil, faut croire, même s'il n'est pas très parlant.

Il posa sur elle un regard attendri et pathétique :

— Je ne me suis pas montré très correct avec toi à l'époque, Adèle, et des fois, quand j'y pense, ça ne me rend pas gai du tout. Tu sais, je suis loin d'avoir oublié les dix mois qu'on a vécus ensemble. J'en garde même de bons souvenirs. C'est peut-être pour ça que j'ai du plaisir à voir ton gars et que...

Adèle Joannette eut un haussement d'épaules :

— Vois-le tant que tu veux, pauvre toi. De toute façon — si ça peut te soulager —, je serais bien surprise que tu sois son père : je fauchais pas mal large à l'époque, comme tu te rappelles. J'ai bien changé... Mes années de folies sont passées depuis belle lurette. Je me suis cassé les dents assez de fois pour finir par apprendre. Tout ce temps-là est mort pour moi. Alors, si c'est pour essayer de me faire plaisir que tu t'occupes de mon garçon, aussi bien te dire tout de suite...

— Non, non, répondit vivement l'autre, c'est pour me faire plaisir *à moi*... et à lui. J'ai rien derrière la tête, je t'assure. Je veux seulement...

Elle lui tendit la main :

— Alors, tant mieux. À la prochaine, peut-être.

Et elle s'éloigna dans le corridor. Il la regarda aller un moment, décontenancé, puis s'avança près de l'escalier :

— Madame Pomerleau ? appela-t-il. C'est Roger Simoneau.

Un malaxeur grondait dans la cuisine. Il jeta un regard autour de lui, hésita une seconde, puis enfila le corridor à son tour.

* * *

Simoneau ne fit aucune allusion au cours de la soirée à sa conversation avec Adèle — et Denis se garda bien d'en faire lui aussi. La réaction de son ancienne amie avait attristé le camionneur, mais, en même temps, l'avait soulagé. Il décida d'amener Denis au nouveau restaurant *Bill Wong* qui s'était installé dans les locaux de l'ancien *Sambo* dont un pseudo-minaret, d'un goût douteux, gisait à demi démantibulé le long du trottoir, au grand étonnement de l'enfant. Simoneau commanda un repas de mandarin à douze plats, qu'il arrosa de bière et son compagnon, de *Seven Up*. Ils remarquèrent une vieille dame en train de remplir secrètement son sac à main des reliefs de son repas ; cela leur fournit matière à un bon quart d'heure de plaisanteries à voix basse. Soudain Denis, posant sur le camionneur un regard limpide et redoutable :

— Ma mère, est-ce qu'elle a été ta blonde pendant longtemps ?

— Pourquoi tu me poses cette question ? demanda l'autre, déconcerté.

L'enfant contempla son assiette avec un sourire indéfinissable et garda le silence.

— Eh bien... pendant presque un an, répondit enfin Simoneau, un peu à contrecœur.

— Est-ce que tu l'aimes encore ?

— Euh... bien sûr.

Il courait après ses idées :

— On est des amis, quoi, mais pas plus que ça.

Denis le fixa un instant et piqua sa fourchette dans un morceau de poulet frit :

— Est-ce qu'elle a été la blonde de beaucoup d'autres hommes, tu penses ?

— Est-ce que je sais, moi ? Dis donc, tit-gars, travailles-tu pour la police ou quoi ? Ça fait dix ans que je l'ai pas vue, ta mère, alors faut pas me demander combien de paires de souliers elle a chaussées depuis qu'elle marche, hein ? Écoute, reprit-il d'une voix adoucie en voyant la mine renfrognée de son compagnon, tu dois être assez grand maintenant pour t'en être aperçu... Dans la vie, c'est normal de changer parfois de blonde ou de chum... Ça marche un temps et puis après, ça marche plus... et on se remet à chercher la bonne personne... Moi, je la cherche toujours... J'ai rencontré des femmes intéressantes, c'est sûr (comme ta mère, par exemple), mais pas une encore avec qui ç'a cliqué pour de bon... Des fois, c'était à cause de moi, d'autres fois, à cause de l'autre... C'est rare en jériboire, tu sais, de passer toute sa vie avec la première personne qu'on rencontre... Ça marchait peut-être comme ça dans l'ancien temps, quand les gens se promenaient à chevaux et que tout le monde portait une perruque, mais les temps ont changé en sacrament, je t'en passe un papier ! Tu verras, t'auras plusse qu'une blonde, toi aussi, quand tu seras en âge de sortir avec les femmes. En tout cas, je te le souhaite, ajouta-t-il avec un petit gloussement.

Denis allait poser une autre question mais, se ravisant, but une gorgée de *Seven Up*, puis :

— Tu sais, Roger, c'est vraiment un des meilleurs repas que j'ai mangés de toute ma vie, dit-il avec un grand sourire.

* * *

Vers dix heures et demie, ne les voyant pas arriver, Juliette fut prise d'inquiétude et se mit à jeter des coups d'œil à la fenêtre du salon. Finalement, elle enfila son manteau, sortit et fit les cent pas devant la maison, un peu oppressée, l'oreille tendue vers les bruits de la rue. De temps à autre, elle se penchait au-dessus de la barrière pour guetter leur apparition. La nuit était froide et claire, sans aucun vent ; les étoiles brillaient avec une telle netteté qu'on se serait cru à la campagne. Le crissement de la neige durcie sous ses pas lui faisait penser au bruit de milliers de petites dents en train de broyer des os.

Au bout d'un moment, Adèle vint la rejoindre et prit place silencieusement sur une marche du perron. Cela surprit un peu Juliette : depuis son arrivée, sa nièce évitait le plus possible les tête-à-tête.

— Est-ce que Rachel et Bohu sont couchés ? demanda la comptable.

— Rachel vient de monter pour lire, mais monsieur Martinek est couché depuis une heure environ.

Puis elle ajouta :

— Il nous a dit qu'il voulait se mettre en forme pour sa prochaine répétition.

Juliette observait la lune, qui venait de monter au-dessus des toits, coupée en son milieu par un mince nuage noir, vaguement sinistre. Une auto passa en trombe, des rires éclatèrent et quelqu'un hurla à pleins poumons :

— *Ghost Busters !*

— Comment te sens-tu chez moi, Adèle ? demanda la comptable après avoir reformulé deux ou trois fois la question dans sa tête. Te replaces-tu un peu ?

Mais presque aussitôt, les voix de Denis et de Roger Simoneau se firent entendre de l'autre côté de la haie, à une vingtaine de mètres à leur droite. Malgré les bruits de la rue, la voix de l'enfant portait étonnamment loin.

— Une fourmi qui tombe dans le renvoi d'un lavabo, est-ce qu'elle est foutue, Roger ? Est-ce qu'elle se noie ?

On entendit un murmure indistinct, puis la voix de l'enfant reprit :

— Mais s'il y a un petit morceau de bois qui flotte dans le siphon, elle n'est pas foutue, hein ? Pas pour un petit bout de temps ?

Ils apparurent devant la barrière.

— Qu'est-ce que tu fais dehors, ma tante ? s'exclama Denis.

— Je t'attendais. Et alors ? Vous avez passé une bonne soirée ?

— Oh oui ! on est allés manger dans un restaurant chinois, le plus grand restaurant chinois de Montréal. Ils nous ont servi douze sortes de choses !

L'enfant s'arrêta tout à coup, interdit, en apercevant sa mère assise dans la pénombre. Ils se fixèrent un moment sans parler.

— Salut, Adèle, fit Simoneau.

Elle leur fit un vague signe de la main, puis se remit à contempler le ciel.

— Miséricorde ! s'écria Juliette. Onze heures moins vingt ! Il est temps de te coucher, bobichon. Vite, ton pyjama ! Et n'oublie pas de te brosser les dents.

Denis tendit la main à Simoneau, grimpa les marches (Adèle lui caressa fugitivement le mollet) et disparut dans la maison.

Le camionneur échangea quelques paroles avec Adèle et Juliette en s'efforçant de cacher le malaise que lui inspirait son ancienne maîtresse, dont il voyait vaguement les yeux luire dans l'ombre, puis s'en alla à son tour.

La comptable laissa échapper un grand bâillement et un frisson lui secoua les épaules. Elle allait entrer, lorsque la voix de sa nièce, fine et glaciale, la figea sur place :

— J'ai reçu une lettre de lui tout à l'heure.

Juliette la dévisagea :

— De qui ?

— De lui. De Fernand. Voulez-vous la lire ? C'est très court.

Elle lui tendit une enveloppe froissée. Juliette entra dans le salon, suivie de sa nièce. D'une main tremblante, elle retira une feuille pliée en deux, où se lisait, écrit à la main en grosses lettres massives : *Je ne t'oublie pas. Je ne peux pas t'oublier. Nous nous reverrons.*

— C'est lui qui te l'a remise ?

— Non. Je l'ai trouvée sur l'appui de ma fenêtre tout à l'heure. Je l'avais laissée un peu entrouverte avant le souper.

— Eh bien ! on va voir ce qu'on va voir, s'écria la comptable, furieuse et effrayée.

Elle s'enferma dans la cuisine et téléphona à la police. Adèle l'observa un instant, impassible, puis se dirigea vers le vestibule et s'appuya au chambranle de la porte. Elle fixait la rue en se mordillant les lèvres.

45

Le lendemain 28 janvier — qui était un samedi — Rachel se réveilla presque à l'aube (elle devait se trouver à huit heures précises à l'église de Saint-Eustache, où l'orchestre procédait à l'enregistrement du *Concerto pour orchestre* de Bartok). Elle secoua doucement Martinek. Le musicien lui avait demandé de le réveiller, car il voulait commencer sa journée très tôt lui aussi. En effet, son extraordinaire lenteur naturelle le portait à d'interminables préliminaires avant qu'il ne trouve le courage de s'asseoir au piano ou devant sa table de travail. Il ouvrit les yeux :

— Merci, murmura-t-il en souriant.

Il se leva aussitôt et s'étira.

— Eh bien, se dit Rachel avec contentement, c'est donc bien vrai qu'il est complètement guéri... Depuis qu'on a réussi à trouver une autre date pour son concert, c'est comme si toute l'électricité de Montréal lui passait par le corps.

Cependant, Martinek en était encore à se choisir une chemise, que Rachel s'était habillée, maquillée, avait déjeuné et se disposait à partir.

— Ne passe pas toute la journée au piano, hein ? lui recommanda-t-elle en l'embrassant. Te vois-tu avec une tendinite deux jours avant le concert ?

Il se prépara des rôties et sirota deux cafés en écoutant en sourdine le quintette à cordes de Schubert qui le plongeait immanquablement dans une mélancolie béatifique. Le quintette terminé, il réalisa qu'il était encore trop tôt pour s'installer au piano : tout le monde dormait dans la maison. Comme la journée s'annonçait fraîche et lumineuse, il décida de faire une petite promenade dans le quartier ; cela lui servirait de mise en train.

Il enfila son manteau et se retrouva sur le perron juste au moment où une bouffée de houblon fermenté, partie quelques minutes plus tôt de la brasserie *Molson*, enveloppait la maison. Sans qu'il sût trop pourquoi, la bouffée le mit d'excellente humeur.

— C'est aujourd'hui, se promit-il, que je récupère complètement ma main gauche.

Il avança dans l'allée en sifflotant l'admirable *adagio* du quintette, poussa la grille et se dirigea vers l'ouest. Il reniflait de temps à autre pour tenter de retrouver l'odeur du houblon, mais le vent l'avait déjà poussée au loin. Il se rendit jusqu'à la rue Green, tourna à droite et décida de jeter un coup d'œil à la vitrine d'un antiquaire, au nord de la rue Sainte-Catherine, qui exposait parfois des jouets. Son fusil à eau le plus ancien venait de là.

Soudain, il aperçut à une cinquantaine de mètres une femme en robe bleue qui s'éloignait d'un pas vif et nerveux, la tête penchée vers le sol. Il s'arrêta, interdit :

— Adèle ? Si tôt le matin ?

Sa myopie le faisait hésiter. La femme disparut au coin de la rue Sainte-Catherine. Il courut derrière elle. Parvenu au coin, il se coula le long d'un mur, tendit la tête et l'aperçut sur le bord du trottoir, arrêtée par le passage d'un camion d'éboueur ; il s'agissait bien d'Adèle. Lorsque le camion fut passé, elle traversa la rue à pas pressés en direction de l'est, jetant des coups d'œil à gauche et à droite. Elle semblait fébrile et mécontente. Il ne se souvenait pas de l'avoir vue dans cette robe bleue, qui lui faisait plus ou moins bien. Où diable allait-elle si tôt ? Il faillit l'appeler, mais quelque chose le retint, et il revint sur ses pas. Son entrain était tombé, remplacé par une vague inquiétude.

Il décida de retourner chez lui se préparer du café, puis de réécouter le quintette, qui le remettrait d'équerre. En traversant le vestibule, il entendit un léger bruit dans le salon. Passant la tête par la porte entrouverte, il aperçut Denis en pyjama, étendu sur le canapé, un livre ouvert devant lui, en train de croquer un biscuit au chocolat ; il y en avait une assiette pleine sur le tapis à portée de sa main. L'enfant leva les yeux :

— Ah ! salut, Bohu. Déjà levé ? T'es de bonne heure sur tes pattes, ce matin.

— Toi aussi, comme je peux voir.

Le visage de l'enfant se ferma imperceptiblement :

— Je ne m'endormais plus.

— Gageons que c'est sa mère qui l'a réveillé en se levant, pensa le musicien. Dis donc, j'ai fait deux nouvelles acquisitions hier pour ma collection de fusils à eau. Tu veux jeter un coup d'œil ?

Denis referma aussitôt son livre.

— Crois-tu que Sifflet va revenir un jour, Bohu ? fit-il au milieu de l'escalier.

Le musicien eut un haussement d'épaules et soupira.

— Hier matin, en partant pour l'école, reprit l'enfant, je suis presque sûr de l'avoir vu sur la corniche de la maison d'à côté. J'ai couru chercher une échelle dans la remise, mais quand je suis revenu, il s'était envolé. Moi, je pense que lorsqu'il jugera que t'es assez puni, il va se montrer.

En pénétrant dans le studio, il fit gémir une lame du parquet et ce bruit réveilla Juliette, dont la chambre se trouvait juste au-dessous. Elle ouvrit les yeux, sans savoir ce qui avait troublé son sommeil, et aperçut, sous le store légèrement remonté, la belle journée venteuse qui s'annonçait, gonflée d'une lumière qui cherchait, aurait-on cru, à rendre toute chose transparente. Elle se leva et sa première pensée fut pour Alexandre Portelance. Elle eut hâte soudain d'entendre sa grosse voix joviale ; le trouble que lui inspirait sa cour naïve diminuait de jour en jour, remplacé par une joie craintive et fébrile qui la ramenait loin en arrière et faisait lever en elle comme une sorte de brume rosée, pleine de nostalgie. Elle enfila sa robe de chambre et se rendit à la cuisine. En passant devant la chambre de sa nièce, elle eut un pressentiment bizarre à la vue de sa porte fermée. Elle revint sur ses pas et frappa. Après deux ou trois fois, elle tourna le bouton. La chambre était vide. Un cendrier de tôle débordant de mégots répandait une odeur sèche et fade, un peu écœurante. Elle s'en empara et referma la porte.

— Bizarre... elle qui a l'habitude de traîner au lit jusqu'à neuf heures et parfois plus tard.

Elle mit de l'eau à bouillir, puis, soudain prise d'une obscure inquiétude, se rendit à la chambre de son petit-neveu, qu'elle trouva également vide. Il n'y avait personne au salon, ni dans la salle à manger, ni ailleurs.

— Denis ! es-tu en haut ? lança-t-elle au pied de l'escalier, de plus en plus alarmée.

Le musicien, qui se tartinait une rôtie de beurre d'arachide, regarda l'enfant, attablé devant lui, en train d'examiner une mitraillette à eau importée d'Italie.

— Madame Pomerleau t'appelle. Vas-y vite. Ça semble pressé.

— Ah ! tu es là, toi, fit Juliette, soulagée, en le voyant apparaître en haut de l'escalier. Est-ce qu'Adèle est avec vous ?

— Elle est sortie de bonne heure ce matin.

— Ah bon. Où est-elle allée ?

— Sais pas.

L'obèse retourna à la cuisine :

— Bizarres, ces promenades à l'heure des camelots, maugréa-t-elle en dressant le couvert. Gageons que le plafond va encore me tomber sur la tête.

Denis vint déjeuner, puis retourna lire sur le canapé ; de temps à autre, il observait la cheminée. La tête de lutin sculptée au-dessus du foyer le fixait avec un sourire sardonique ; il crut même la voir grimacer et plisser les yeux imperceptiblement. Deux nuits de suite, cette semaine-là, le lutin était venu le visiter dans ses rêves, armé d'un pistolet souillé de sang, et depuis, l'enfant n'osait plus pénétrer dans le salon, le soir, quand il n'y avait pas de lumière.

— Et si c'était une sorte de sculpture magique qui nous envoie des ondes de malheur? se demanda-t-il soudain.

Il referma son livre, téléphona à Jocelyn et partit chez lui. À neuf heures moins cinq, Fisette descendit l'escalier en trombe (il travaillait un samedi sur trois) et quitta la maison.

Une demi-heure plus tard, Martinek, la main un peu fatiguée par ses gammes chromatiques, se leva de son tabouret et promena dans la pièce un regard mécontent. Sa bibliothèque, à demi installée, et les caisses de livres et de partitions sur lesquelles on se butait partout lui tombaient soudainement sur les nerfs (en fait, il s'agissait d'une petite ruse de sa main gauche encore fragile pour se ménager un moment de répit). Le musicien aperçut tout à coup le manuscrit de sa sonate pour siffleur et piano posé sur l'emballage de la mitraillette à eau et son visage s'illumina :

— Mais je n'ai qu'à téléphoner à Marcel ! Il va m'installer ça en deux sauts de lapin ! Et j'en profiterai pour lui présenter la sonate !

Vers dix heures, Prévost fils arrivait, tout ému par l'honneur que lui faisait Martinek de le laisser manipuler ses effets personnels.

Il termina le montage de la bibliothèque à une vitesse stupéfiante et s'apprêtait à ranger les livres lorsque le musicien l'arrêta :

— Ce n'est pas la peine, mon vieux, il faut tout reclasser. Nous nous occuperons de cela, Rachel et moi. Est-ce que tu veux voir la sonate que je t'ai écrite ?

— C'est vrai ? s'étonna l'autre. Vous l'avez vraiment écrite pour moi ?

— Ça commence à peu près comme ceci, fit le musicien, les joues roses, en s'assoyant au piano. Je vais d'abord jouer ta partie, puis ensuite l'accompagnement.

Prévost fils s'assit à côté de Martinek et s'efforça de porter attention à la musique, mais il paraissait nerveux et distrait et se passait à tous moments la main dans le visage. Soudain, n'y tenant plus, il se leva, l'air malheureux :

— Monsieur Martinek, excusez-moi, mais je... est-ce que je peux revenir une autre fois ? C'est que je suis en train d'aider mon père à creuser une cave et on est rendus en dessous des fondations... J'ai une peur bleue que la terre se mette à débouler — et la maison avec.

— Mais il fallait le dire, mon ami ! s'écria le compositeur, alarmé. Va vite rejoindre ton pauvre père avant qu'il ne se fasse enterrer vivant !

Il le prit par les épaules :

— Pourquoi ne m'en as-tu pas parlé au téléphone ? Ma bibliothèque pouvait attendre... et ma sonate aussi ! Je ne suis vraiment pas content, tu sais.

— J'en ai tout au plus pour deux jours, monsieur Martinek, bafouilla l'autre. Si vous voulez, je pourrais revenir mardi ou mercredi.

— Oui, oui, ça me va. Allez ! file !

Il le reconduisit à l'escalier, mais s'arrêta :.

— Mon Dieu ! j'allais oublier ! Combien je te dois ?

— Rien du tout.

— Comment, rien du tout ? Tu n'es pas mon esclave, à ce que je sache.

Il glissa la main dans sa poche, sortit son portefeuille et lui tendit un billet de vingt dollars.

— Non, non, je ne veux absolument rien, protesta l'autre avec vigueur.

Une discussion s'engagea, qui dura deux bonnes minutes.

— Laissez-moi siffler votre sonate en public si jamais je participe à un concours, supplia Prévost, ça me vaudra bien des salaires.

— Hum, fit l'autre, ébranlé (la proposition du concierge le séduisait, car il était un peu à court depuis quelque temps), c'est très gentil de ta part, mais je crains fort que ce ne soit de la charité déguisée. Tu peux bien siffler ma sonate au pôle Nord, si le cœur t'en dit : je l'ai composée pour toi.

Mais il n'en remit pas moins le billet dans son portefeuille :

— Enfin, on s'en reparlera... À bientôt... et mes salutations à ton père.

Il le regarda descendre l'escalier à toute vitesse :

— Dommage, pensa-t-il, qu'on n'ait pas le temps de préparer cette sonate pour le concert. Je suis sûr qu'elle aurait du succès.

En arrivant au rez-de-chaussée, Prévost fils aperçut Juliette par la porte du salon et la salua. Elle lui fit un vague geste de la main et disparut. Cette froideur inhabituelle le surprit.

— Pourvu qu'elle n'ait pas eu d'autres malheurs, se dit-il en s'avançant dans l'allée.

Il n'avait pas fait cinq pas qu'Adèle apparut sur le trottoir et poussa la grille.

— Sacrament de jériboire ! elle n'a pas l'air dans son assiette, celle-là non plus !

La jeune femme le croisa sans le regarder et pénétra dans la maison. Il lui jeta un coup d'œil à la dérobée :

— Qui ça peut bien être ? J'ai jamais vu des yeux pochés de même. Dommage, car elle serait pas laide.

— Sueur de coq ! s'écria Juliette en voyant arriver sa nièce, d'où sors-tu, Adèle ? J'étais en train de mourir d'inquiétude, moi !

— Ben quoi, répondit l'autre, le regard fuyant (ce même regard qu'elle avait transmis à son fils), j'étais allée faire une promenade. J'ai besoin de prendre l'air moi aussi, des fois. Y'a pas de quoi monter sur vos grands chevaux.

Puis, haussant les épaules, elle s'enferma dans sa chambre.

La journée fut longue. Martinek travaillait son piano, interrompant de temps à autre ses exercices pour jouer quelques mesures d'un prélude de Chostakovitch (toujours les mêmes). Sur l'heure du midi, Denis avait téléphoné à sa tante pour lui demander la permission de dîner chez Jocelyn. Adèle, taciturne et nerveuse, n'était réapparue que pour aller prendre sa douche, puis se préparer un sandwich au jambon qu'elle avait emporté dans sa chambre avec une bouteille de bière. Juliette l'entendait de temps à autre faire les cent pas, tandis que sa radio jouait en sourdine de la musique rock.

— Qu'est-ce qu'elle mijote ? soupirait la comptable en allant d'une fenêtre à l'autre, scrutant les alentours comme pour prévenir une attaque. Ah ! Joséphine, pourquoi je t'ai fait cette promesse ? Délie-moi, je t'en prie, ou envoie-moi un archange pour me donner un coup de main, sinon la tête va m'éclater !

Vers trois heures, un besoin irrépressible de se confier à quelqu'un s'empara d'elle. Surmontant sa gêne, elle composa le numéro d'Alexandre Portelance. Un répondeur lui apprit que le vendeur serait absent jusqu'à la fin de l'après-midi.

Elle décida alors de réagir contre l'abattement qui l'envahissait et de se lancer sur-le-champ dans la confection d'une douzaine de tartes aux pommes. Elle sortait sa deuxième fournée lorsque Adèle apparut sans bruit dans la cuisine, s'assit à table et se mit à l'observer.

— Ça sent bon, remarqua-t-elle au bout d'un moment d'une voix étouffée.

Juliette se retourna :

— Veux-tu y goûter, ma fille ? Elle a pleuré, celle-là, se dit-elle en voyant ses yeux bouffis.

L'autre fit signe que oui. Prenant le couteau que sa tante lui tendait, elle se tailla une large pointe. Des jets de vapeur parfumée s'échappèrent par l'incision et la croûte s'affaissa légèrement. Elle retourna s'asseoir et mangea à petites bouchées, soufflant sur chaque morceau. Au premier étage, Martinek interrompit ses gammes, fit une légère pause et se lança dans son prélude, qu'il joua en entier cette fois-ci. La musique, vive et sarcastique, semblait ricaner ; Juliette regarda ses mains potelées, tout enfarinées, puis son tablier de coton, que bombait son ventre énorme, et ne put réprimer un sourire de se voir ainsi en train de préparer des masses de pâtisseries, alors qu'elle avait peine à monter un escalier de trois marches.

Adèle vida soigneusement son assiette, la rinça à l'évier, puis, regardant Juliette, prit une courte inspiration et le bas de son visage trembla :

— Ma tante... il faut que je quitte Montréal.

Juliette s'était immobilisée, les mains crispées sur son rouleau à pâtisserie ; pendant une seconde, sa nièce crut qu'elle éclaterait en sanglots :

— Qu'est-ce qui se passe, Adèle ? articula-t-elle enfin d'une voix éraillée.

Au-dessus de leur tête, Martinek trébucha sur un accord, s'arrêta, puis reprit le morceau à partir du début.

— Je... je l'ai rencontré ce matin, dit-elle avec effort. Il m'avait donné rendez-vous dans un restaurant sur la rue Sainte-Catherine. Je n'avais pas le choix de ne pas y aller.

— Mon Dieu, murmura l'obèse, consternée, en joignant les mains.

— Après toutes ces années si... dures passées auprès de lui, j'avais cru m'être libérée... mais c'est plus difficile que je pensais... Vous ne pourriez pas comprendre, ma tante... Je ne suis pas sûre de comprendre moi-même.

— Essaie de m'expliquer tout de même un peu, supplia doucement Juliette.

Adèle la fixa avec un sourire où la tendresse luttait contre une sorte d'ironie cynique :

— Vous êtes trop bonne, ma tante, dit-elle enfin, vous ne pouvez même pas imaginer... Avec des gens de notre sorte...

— Quelle sorte ? quelle sorte ? s'écria la comptable, furieuse. Quand donc cesseras-tu de te prendre pour une pincée de crasse, sueur de coq ! Des fois, quand tu me regardes, j'ai l'impression que tu voudrais que je t'écrapoutisse comme une punaise ! Tu as le droit d'être heureuse, toi aussi, et tu as tout ce qu'il faut pour y arriver : du cœur — oui, oui, du cœur ! bien plus que tu ne crois — de l'intelligence, une bonne santé... et puis des gens pour t'aider ! Non ? Qu'est-ce que tu penses que je suis, alors ? Un coton de blé d'Inde ? Je ne t'ai pas courue à travers tout le Québec pour te regarder ensuite dépérir dans un coin comme Job sur son tas de fumier en attendant que tu files sans crier gare pour rejoindre ce gros salaud et mener une vie pire que tout ce que tu as connu jusqu'ici ! Envoie-le promener, ce dégueulasse ! Qu'est-ce que tu lui trouves ? Attends-tu que je mette la police après ? Lâche un peu la bière, trouve-toi du travail, commence à t'occuper de ton garçon et tiens le coup un mois ou deux : tu verras, tout va se mettre à changer, petit à petit. Un jour, tu n'arriveras même plus à comprendre comment tu étais.

Elle s'approcha de sa nièce et posa les mains sur ses épaules (un fin nuage de farine descendit le long de son chemisier jusque sur son jean) :

— Adèle, si je te parle aussi franchement, c'est que je veux t'éviter le précipice. Car c'est là que tu t'en vas, ma fille, tu le sais. Allons, explique-moi. Tu l'aimes comme malgré toi, c'est ça ? Tu n'arrives pas à t'en passer ?

— L'aimer ?

Elle se dégagea en riant et se dirigea vers sa chambre, puis se retourna et, debout dans l'embrasure, la voix pleine d'un dégoût indicible :

— Si c'est ça l'amour, ma tante, qu'on m'ouvre le crâne au plus vite pour m'enlever le morceau qui me fait aimer...

Elle avala sa salive, s'appuya d'une main au chambranle et une grimace angoissée tordit son visage :

— Il faut que je parte, ma tante. Il faut que je parte au plus sacrant, pour être sûre de ne plus jamais le rencontrer, vous m'entendez ?

— Eh bien, donne-moi... donne-moi un jour ou deux et je vais essayer de te trouver une cachette... Mais ce n'est pas une petite affaire, ma fille. Je ne peux pas te serrer comme une bobine de fil dans un tiroir.

Adèle fit un vague signe de tête et quitta la pièce. Juliette se remit à ses tartes, songeuse. Vers quatre heures, Denis revint à la maison. L'arôme des pommes cuites et de la cannelle l'attira promptement dans la cuisine. Sa tante essayait de le convaincre de ne pas se couper un troisième morceau lorsqu'on sonna à la porte.

— Va répondre, bobichon, il faut que je sorte ma dernière fournée, la croûte est sur le point de brûler.

— C'est monsieur Ménard, annonça gravement l'enfant. Il demande si tu peux lui accorder quelques minutes.

— Bien sûr ! Dis-lui de s'amener. Qu'est-ce que c'est que toutes ces manières ? Je vais lui offrir un morceau de tarte. Ça t'en fera un de moins dans la bedaine, espèce de goinfre.

Le dentiste apparut, vêtu d'un paletot et d'un pantalon noirs, le teint jaunâtre, les traits tirés, plus triste et compassé que jamais :

— Excusez mon intrusion, madame, je vois que je vous surprends en plein labeur et que...

— Assoyez-vous, monsieur Ménard, que je vous serve un morceau de tarte. Elles sortent tout juste du four ; vous allez les prendre à leur apogée. Denis, veux-tu remplir la bouilloire ? Je vais préparer du thé. Vous en prendrez bien une tasse ? Sors les tasses, Denis. Dites donc, fit-elle après l'avoir examiné, ça n'a toujours pas l'air d'aller, vous. Depuis un mois, on dirait que vous passez vos nuits sur la corde à linge.

— Les séquelles d'une triste aventure, soupira le dentiste. Et ce n'est pas votre sœur qui m'aide à récupérer.

— Ah bon. Encore sur le sentier de la guerre, celle-là ?

— La guerre constitue sa seule occupation, je pense.

— Quelle est sa dernière trouvaille pour embêter le monde ?

— Oh, je ne veux pas vous ennuyer avec mes petites misères... Enfin, puisque vous y tenez... Elle prétend qu'il subsiste encore de ces fameux poux d'oiseau dans l'immeuble. Alors hier, elle a exigé de ce pauvre monsieur Désy qu'il fasse venir un exterminateur et l'immeuble a de nouveau été infesté de gaz toxiques... J'ai dû coucher à l'hôtel, où je n'ai pas fermé l'œil de la nuit, car ma chambre était surchauffée. Mais changeons de sujet : tout cela ne présente aucun intérêt. Je me demandais, ma chère madame Pomerleau... comme l'immeuble voisin est détruit... si vous aviez pu penser à un moyen de me faire une petite place dans votre maison... Excusez mon insistance... Je vous assure que mes besoins d'espace ont bien diminué... Et puis, à vrai dire, j'éprouve depuis quelque temps un grand désir de paix et — comment pourrais-je dire ? — de fraternité amicale, si je peux m'exprimer ainsi... En fait, pour ne rien vous cacher, je m'ennuie un peu de vous tous, conclut-il avec un sourire d'une tristesse désarmante.

Juliette déposa devant lui une pointe de tarte qu'il mangea avec une avidité étonnante.

— Eh bien ! dites donc, vous y allez, vous ! s'esclaffa la comptable. Soufflez un peu dessus, pour l'amour, vous allez vous brûler. On croirait voir mon cher Denis en personne, ma foi. Mais qu'est-ce qu'elles vous font à tous, mes tartes, pour l'amour ?

Denis grimaça en haussant les épaules et se rendit au fond de la cuisine où il s'adossa à un mur, appuyé sur une jambe. Le dentiste sourit et, la bouche pleine :

— Excusez-moi, je perds la tête. C'est qu'il y a si longtemps que je n'ai pas mangé une bonne tarte maison toute chaude... C'est absolument délicieux. Vous êtes un cordon bleu de première grandeur !

Et, secoué par un rire qui lui donnait des airs de précieuse, il se mit à souffler sur son morceau. Denis l'observa un moment, l'œil ironique, puis quitta silencieusement la pièce.

— Mon cher monsieur Ménard, fit Juliette en mettant ses pâtisseries à refroidir sur une grille, votre demande me touche beaucoup et je suis d'autant plus désolée de ne pouvoir y répondre, mais j'ai beau me creuser la tête, je ne vois vraiment pas où je pourrais vous loger... à moins d'agrandir. Et d'agrandir, il n'est pas question : je n'ai pas d'argent... ni de terrain. Et même si j'en avais, je n'ai plus la force de me lancer dans de pareilles entreprises. Les soucis me courent après comme les dettes après un ivrogne.

Elle se rendit successivement aux deux portes qui donnaient sur la cuisine pour s'assurer que personne ne les entendait, puis revint s'asseoir auprès du dentiste avec un grand soupir.

— Vous me demandez une place dans ma maison, poursuivit-elle en se penchant vers son oreille autant que le lui permettait son embonpoint. Eh bien, figurez-vous qu'il faut que j'en cherche une pour ma nièce, qui veut quitter Montréal afin d'échapper à son ancien... bourreau. Il tourne autour d'elle depuis qu'elle loge ici. Vous ne connaissez pas cette histoire, vous. Vous étiez absent Dieu sait où quand tout cela s'est passé. Je vous la raconterai un jour, quand j'aurai le cœur un peu plus gai.

Le dentiste fixait la comptable, sa fourchette chargée d'un gros morceau de pomme moelleux suspendue entre sa bouche et l'assiette :

— Et, en supposant que votre nièce parte pour de bon, est-ce... qu'il ne serait pas possible de songer à me...

— Absolument pas, docteur. Elle n'occupe qu'une chambre ici, cela ne vous suffirait pas. Et puis, sans vouloir vous offenser, j'aime bien mes locataires, mais chacun chez soi, n'est-ce pas ? C'est le secret de la bonne entente.

Le dentiste hocha la tête d'un air pénétré, puis se pencha vers son assiette, tandis que Juliette tambourinait sur la table en suivant les évolutions d'une grosse mouche bleutée, apparemment attirée elle aussi par l'odeur succulente des tartes.

Il repoussa son assiette :

— Écoutez, vous me dites que votre nièce se cherche une cachette... Peut-être puis-je vous aider, laissa-t-il tomber avec une expression de mystère et de jubilation. Là où je la cacherai, son... bourreau, comme vous dites, aura bien du mal à la trouver ! Mais il faut me garantir sa discrétion. J'ai entière confiance en vous. Cependant, je ne connais pas votre nièce.

La bouche entrouverte, les sourcils froncés, Juliette l'écoutait, tandis qu'une intense activité de décodage s'effectuait dans sa tête, mais en vain.

— Qu'est-ce que vous me racontez là ? fit-elle enfin. Parlez-vous sérieusement ?

Le dentiste se renversa en arrière et posa les mains sur ses genoux dans une attitude de suffisance souriante tout à fait inhabituelle et qui augmenta l'étonnement de la comptable.

— Est-ce qu'il craque ? pensa-t-elle. Ma foi, oui, il craque.

— Voilà longtemps que vous voulez connaître mon secret, non ? Eh bien, si vous pouvez m'assurer que votre nièce tiendra sa langue, je vous le livre à l'instant.

— Je... soyez sans crainte, répondit Juliette avec un léger remords mais emportée par la curiosité.

Penché vers elle, le dentiste lui parlait à voix basse. À mesure qu'il avançait dans son récit, son visage s'assombrissait et l'air vaniteux qui avait tant frappé Juliette s'émiettait peu à peu en petites grimaces désabusées.

— Incroyable ! vous plaisantez ! Comment avez-vous pu ? s'exclama-t-elle à deux ou trois reprises.

Prenant appui des deux mains sur la table, elle se leva et se mit à faire les cent pas dans la cuisine en secouant la tête, incrédule, tandis que Ménard poursuivait son récit. L'arrivée d'Adèle le fit brusquement taire. Il regarda Juliette, interdit.

— C'est elle, dit la comptable après une courte hésitation.

Adèle les dévisageait, la lèvre supérieure légèrement relevée dans une expression de hargne un peu vulgaire :

— Je vous dérange ? On jasait sur moi ?

— Justement, ma fille. On s'occupe de tes problèmes. Je te présente Adrien Ménard, un de mes anciens locataires. Il pourrait te donner un coup de main. Alors, quand pourrions-nous entreprendre notre voyage, mon cher ? demanda-t-elle au dentiste.

46

Vers sept heures, Alexandre Portelance, après avoir réparé tant bien que mal le tiroir d'une commode dont le fond, en se détachant, créait chaque matin une petite avalanche de chaussettes jusque sous le lit, se laissa tomber dans un fauteuil devant la télévision et essaya courageusement de s'intéresser à une émission sur les jardins communautaires. Mais après avoir passé quelques minutes à écouter de braves gens causer de carottes et de topinambours, il eut la désagréable impression que son sang tournait en béchamel. Il se releva et promena son regard dans la pièce. L'ennui suintait des murs à donner le goût de les démolir.

— Je vais aller faire un tour chez Juliette, se dit-il.

Et pour être sûr que rien ne viendrait contrecarrer son projet, il décida de ne pas s'annoncer.

Au moment où il arrivait devant la maison de son amie, elle poussait la grille du jardin, tout endimanchée, suivie du docteur Ménard et d'Adèle Joannette. Il grimaça et alla stationner derrière la *Subaru*.

— Vous partez ? fit-il en baissant la glace.

Une expression fugitive de contrariété apparut sur le visage de Juliette :

— Ah ! bonjour, Alexandre. Vous me prenez au vol. Oui, nous allons faire un petit voyage.

Le vendeur eut l'air si désappointé qu'elle se tourna vers le dentiste, hésitante :

— Est-ce que vous me permettriez... Monsieur Portelance est un ami de toute confiance qui n'ira jamais, je vous assure...

Le dentiste cilla des yeux à plusieurs reprises, fixant le trottoir avec une moue embarrassée, tandis qu'Adèle, adossée contre la grille et l'air parfaitement ennuyée, essayait d'enlever avec son talon une saleté sur la pointe de son soulier droit.

— Écoutez, reprit Portelance en souriant avec toute la cordialité dont il était capable, je vois que vous êtes occupée ; je reviendrai une autre fois. À moins de recevoir un bloc de béton sur la tête, je ne risque pas d'oublier l'adresse !

Le dentiste l'observa une seconde, consulta Juliette du regard et dans un élan subit d'abnégation et de fraternité, tendit la main à Portelance, toujours assis dans son auto :

— Je n'ai pas le bonheur de vous connaître, mon cher monsieur. Je me présente : Adrien Ménard, dentiste de profession et utopiste par inclination. Si une petite promenade à Val David dans l'auto de cette chère madame Pomerleau peut vous agréer, nous serions heureux de profiter de votre compagnie. Vous aurez l'occasion de voir des choses qui piqueront peut-être votre curiosité.

— Vous allez à Val David ? C'est un joli coin, ça. Je n'y ai pas mis les pieds depuis les années 50. Dans le temps, j'avais un oncle là-bas qui exploitait une carrière.

Le dentiste eut un sourire mystérieux :

— Justement, c'est une ancienne carrière que nous allons visiter.

Tout le monde prit place dans la *Subaru*. Malgré leurs efforts réitérés, Juliette et Portelance ne réussirent pas à tirer de Ménard un mot de plus sur le but de leur voyage. Pelotonné dans son coin, les mains sur les genoux, il se contentait de secouer tristement la tête en répétant :

— Vous verrez, vous verrez. Je ne veux pas gâcher votre surprise.

— Dites donc, fit le vendeur en se penchant vers Juliette, qu'avez-vous donc fait de mon ami Denis ?

— Rachel et Bohu le gardent pour la soirée. Il s'intéresse au petit comme s'il était son père, pensa-t-elle en souriant. J'ai rencontré un bon diable. Je verrai bien avec le temps s'il ne tournera pas comme feu mon mari. On a la bouche en cœur quand on fait les yeux doux, mais les dents sont toujours là pour mordre.

Cependant, l'intérêt du vendeur pour Denis l'avait tellement enchantée qu'elle déploya envers lui une gentillesse qui le jeta dans le ravissement. Leurs rires et leurs taquineries contrastaient avec les visages mornes et fermés d'Adèle et du dentiste, silencieux et songeurs dans leur coin. Mais quand l'auto, parvenue presque à destination, quitta la 15 pour s'engager sur la route qui mène au cœur du village de Val David, le dentiste s'anima tout à coup et se mit à guider Juliette d'une voix fébrile et saccadée. Cette dernière prit bientôt un chemin bordé de frênes qu'elle suivit une dizaine de minutes, puis bifurqua à deux ou trois reprises sur des chemins de plus en plus étroits et cahoteux. Un rire nerveux s'empara de la comptable :

— Eh bien, si je n'étais pas accompagnée, monsieur Ménard, je commencerais à craindre le meurtre en plein bois.

— C'est ici, indiqua le dentiste en pointant l'index vers un petit chalet à pignon, sans étage, recouvert de déclin d'aluminium vert pâle et qui se dressait dans une clairière que la forêt était en train de regagner.

L'insignifiance de la construction était remarquable. Juliette éteignit le moteur. Un silence embarrassé régna dans l'auto.

— Je ne viendrai certainement pas m'enterrer ici, murmura Adèle avec un air de profond dédain.

Le dentiste mit pied à terre.

— Vous parlez trop vite, répondit-il (Juliette le regarda, étonnée). Attendez de voir. Bien sûr, il n'est pas question de vivre ici en troupe. Mais si vous voulez rester seule et en parfaite sécurité pendant deux ou trois semaines, j'ai quelque chose à vous offrir que vous ne trouverez nulle part ailleurs, je vous assure.

Les passagers quittèrent l'auto et s'avancèrent vers la maisonnette, intrigués. Le dentiste sortit un trousseau de clefs, ouvrit la porte, secoua la neige de ses pieds et entra. Ils le suivirent l'un après l'autre dans un salon sommairement meublé, plongé dans la pénombre. Adrien Ménard fit de la lumière, puis regarda ses compagnons avec un sourire malicieux. Près de sa tête, une affiche en couleurs montrait une terre bleutée roulant dans l'espace et, sous l'illustration, en gros caractères rouges :

COMBIEN DE TEMPS TIENDRA-T-ELLE LE COUP ?

— Un beau chalet, crut bon de dire Portelance. Tiens ! j'ai un canapé chez moi qui ressemble à celui-là comme un petit frère.

Adèle s'était assise sur le bras du canapé et contemplait les lieux d'un air dégoûté. Juliette tourna un moment dans la pièce, passa dans une autre, qui contenait un lit et une commode, puis revint vers le dentiste, perplexe :

— Écoutez, docteur, votre gentillesse me touche beaucoup, mais vous n'y pensez pas ? Vivre toute seule, jour après jour, dans cet endroit complètement isolé... Il y a de quoi avaler sa langue... On se croirait dans une clinique psychiatrique... Et si jamais un rôdeur s'amenait un bon matin pour... Non, je crois que ce n'est pas possible.

— Vous n'avez pas encore vu la cave, répondit l'autre sans sourciller.

— Ça y est, se dit-elle, maintenant j'en suis sûre : il est craqué, complètement craqué. Dieu d'Israël, sauvez vos serviteurs !

Le dentiste passa dans la minuscule chambre à coucher, ouvrit une porte en face du lit et actionna un commutateur.

— Venez, venez, fit-il en se retournant.

— Mais où prenez-vous votre électricité ? demanda Juliette. Sauf erreur, je n'ai vu aucune ligne de distribution le long de la route, non ?

— Venez, se contenta de répéter le dentiste.

Ils descendirent en silence et se retrouvèrent dans un sous-sol au plafond bas, encombré de boîtes de carton et de matériaux de construction, mais d'une propreté impeccable. Adèle éclata de rire. Alexandre Portelance, décontenancé, regardait le dentiste. Un mouvement de colère s'empara de Juliette :

— Écoutez, monsieur Ménard, dit-elle en mettant les poings sur les hanches (les coutures de sa robe craquèrent à la hauteur du corsage), avez-vous perdu la tête ? Vous croyez sérieusement que...

— Minute, chère madame, vous n'avez encore rien vu, coupa-t-il avec un air d'autorité inattendu. Retenez vos commentaires un moment, je vous prie.

Il se dirigea vers une petite chaudière électrique rectangulaire fixée à un mur contre une plaque d'amiante, saisit une clef anglaise, dévissa un des boulons qui retenait la plaque et fit glisser cette dernière de côté. Une porte d'acier apparut, à la surprise générale. Le dentiste lança un regard moqueur à Juliette :

— Toujours aussi critique ?

Il déverrouilla la porte. Un escalier de métal en colimaçon s'enfonçait dans l'obscurité. Glissant la main dans une poche de son veston, il en sortit une torche électrique et l'alluma. La paroi circulaire d'un puits de béton apparut. Ce dernier semblait d'une grande profondeur.

— Mais qu'est-ce que c'est que ça ? qu'est-ce que c'est que ça ? répétait Portelance, rempli d'un ébahissement inquiet.

Adèle s'était avancée ; son indifférence dédaigneuse avait fait place à de l'étonnement. Elle fut sur le point de parler, mais se ravisa et se contenta d'observer le puits pardessus l'épaule du vendeur. Juliette, découragée, pointa l'étroit escalier :

— Et il faut que je descende *ça* ?

— Il le faut, répondit le dentiste, et il s'y engagea le premier.

Juliette lui emboîta le pas, mais ses hanches frottaient contre les rampes métalliques et gênaient ses mouvements. L'escalier vibrait et grinçait.

— Allons, ralentissez un peu, monsieur Ménard, je ne suis pas une hirondelle. C'est à peine si on voit où mettre les pieds.

Sa voix avait pris une ampleur lugubre. Le frottement des pieds sur les marches remplissait le puits d'un grondement qui allait croissant à mesure qu'ils s'enfonçaient dans la terre. Personne n'avait le goût de parler.

Ils descendirent ainsi une quinzaine de mètres, s'arrêtant à plusieurs reprises afin que Juliette puisse se reposer, puis mirent le pied sur un plancher de béton rugueux.

— Sueur de coq ! haleta l'obèse en se massant les cuisses et les reins, les escaliers de l'enfer doivent ressembler à celui-ci ! Comment vais-je faire pour remonter, monsieur Ménard ? Vous auriez dû me laisser en haut.

La lampe de poche du dentiste dispensait une lueur blafarde qui éclairait son visage par en dessous, allongeant son menton et accentuant ses pommettes.

— N'ayez crainte : ce que vous allez voir, ma chère madame, va vous donner la force de remonter.

Il semblait en proie à une sombre exaltation. Adèle le regarda et fut prise d'un frisson. On entendit de nouveau un cliquetis de clefs, puis un glissement huilé. Une vive lumière inonda le fond du puits.

Ils pénétrèrent dans une grande salle rectangulaire. Un lit de camp à demi monté se dressait contre un mur à leur gauche près d'une cuisinière à gaz propane. Trois bouteilles de gaz étaient couchées sur le sol non loin d'une porte. En face d'eux, un énorme empilement de caisses masquait aux trois quarts une deuxième porte. De nombreuses autres caisses encombraient la place, quelques-unes entrouvertes. Certaines contenaient des boîtes de conserve. Un réfrigérateur trônait au milieu de ce désordre, exhibant ses tablettes vides. L'ensemble donnait l'impression d'une installation interrompue ou abandonnée. Les visiteurs gardaient le silence. Juliette promena son regard dans la salle puis, se tournant vers le dentiste :

— Alors, allez-vous enfin nous expliquer à quoi sert ce capharnaüm ?

— D'abri anti-nucléaire, madame. C'est un abri inachevé. Et sans doute inachevable. Mais fort habitable, comme vous pouvez le constater.

— Un abri anti... Êtes-vous sérieux ? Alors, quoi ? se moqua-t-elle. La panique des années 50 s'est emparée de vous ?

— Mais, mon cher ami, s'exclama Portelance, cela a dû vous coûter les yeux de la tête... et les sourcils en plus !

— À qui le dites-vous ! soupira l'autre avec une grimace amère. Et pourtant, nous avons presque tout construit de nos propres mains, mon frère et moi.

Il secoua la tête et s'avança vers Adèle, debout au milieu de la place, en train d'examiner les lieux avec un étonnement maussade :

— Si vous le voulez bien, mademoiselle, nous allons faire une rapide visite. Cela vous donnera une idée.

La salle où ils se trouvaient s'appelait, pour utiliser l'expression du dentiste, « la section vivres et logement ». Ses grandes dimensions permettaient d'y abriter facilement une dizaine de personnes. Elle était contiguë à trois autres salles, un peu plus grandes, qui stupéfièrent les visiteurs. La première était une bibliothèque. On avait peine à y circuler tant les rayonnages, hauts de quatre mètres, étaient rapprochés. Juliette dut se contenter de rester dans l'espace exigu qui s'ouvrait devant la porte et de promener son regard incrédule sur la masse des livres, tandis que ses compagnons parcouraient les allées en poussant des exclamations. La section des livres coréens fit un effet extraordinaire sur Alexandre Portelance, qui regarda le dentiste avec un respect vaguement craintif.

La deuxième salle contenait plusieurs milliers de disques rangés dans des casiers métalliques. Le dentiste montra avec fierté sa collection de disques laser :

— Inusables, mon ami ! de petits coffrets d'éternité !

Adrien Ménard y avait également installé une photothèque impressionnante. Mais la plus grande partie de l'espace était consacrée à une sorte de musée des arts et des techniques, qui tentait de retracer l'évolution de l'humanité de la préhistoire à nos jours. Une reproduction en marbre du *Moïse* de Michel-Ange se dressait à côté d'une table d'opération ultra-moderne devant de longues rangées de vitrines dont l'éclairage intérieur n'était pas complété.

— Ça alors ! s'exclama Adèle, à vous voir, on vous croirait jamais aussi parti ! Vous avez dû en mettre du fric, là-dedans !

Juliette se planta devant le dentiste, perplexe :

— Mais pourquoi ? pourquoi ? Je ne comprends pas.

— Vous ne comprenez pas ? fit-il avec un triste sourire.

Il s'appuya contre une caisse de bois où brillaient des assiettes de faïence à demi enfouies dans des granules de polystyrène :

— Vous êtes devant le projet de ma vie, madame. Je suis un peu étonné que les lieux ne parlent pas d'eux-mêmes. Pour moi, tout est si clair ! Voyez-vous, mes amis... avec toutes ces bombes que l'on n'arrête pas de fabriquer, je suis obsédé comme plusieurs par la crainte que notre pauvre planète ne devienne un jour une boule radioactive déserte et inutile... Des millions d'années d'évolution pour aboutir au néant... Quelle affreuse perspective pour un humaniste ! Voilà pourquoi, après des années d'hésitations, j'ai résolu de constituer, dans la mesure de mes modestes moyens, une sorte de petit condensé de l'aventure humaine. Si jamais la Dernière Guerre mondiale se déclenchait et que l'Holocauste s'accomplissait, peut-être qu'un jour des êtres vivants apparaîtraient de nouveau sur la terre — nés ici ou ailleurs et sans doute fort différents de nous. Alors j'ai pensé qu'il serait peut-être bon que tout ce long et patient travail accompli par l'humanité au cours des millénaires pour tenter de conquérir le bonheur ne soit pas tout à fait perdu — comme il est arrivé à tant d'autres civilisations avant nous — et puisse servir à nos successeurs... et ainsi la folie de la guerre n'aurait pas tout gâché.

— On voit tout de suite que vous êtes *phisolophe*, prononça Alexandre Portelance, extrêmement impressionné, tandis que Juliette fixait le dentiste avec une expression de commisération étonnée.

— Philosophe peut-être, soupira Ménard, mais ingénieur sûrement pas, comme vous allez le voir.

Il se dirigea vers une grande porte métallique donnant sur la troisième et dernière salle. Il l'avait à peine entrouverte qu'un bruit d'écoulement parvint à leurs oreilles, amplifié par l'écho. Le dentiste adressa à Juliette un sourire douloureux :

— Ceci, c'est ma salle *Talon d'Achille*.

— Mon Dieu, murmura la comptable en s'arrêtant sur le seuil.

Adèle se glissa à ses côtés :

— Qu'est-ce qui est arrivé ?

Cette salle, qui faisait le double des deux autres, devait abriter la concrétisation du rêve le plus ambitieux de Ménard : une immense sculpture dédiée à la Paix, qu'il avait eu l'intention de commander au grand Klaus Rinsky. Voulant éliminer toute colonne, il avait construit, au prix des plus grandes difficultés, une voûte semi-circulaire. Mais quelque chose avait cloché dans le cours des opérations.

Pour construire son abri-musée antinucléaire, le dentiste avait fait l'acquisition d'une carrière désaffectée et avait établi son chantier au fond de celle-ci. Les travaux terminés, il n'avait eu qu'à combler la carrière pour rendre son abri invisible et virtuellement indestructible, car plus de quinze mètres de terre le séparaient de la surface. Indestructible, croyait-il... Mais dix mois après le remblayage, qui couronnait cinq ans de travaux accomplis avec une poignée d'hommes dans des conditions héroïques, une fissure apparut au centre de la voûte et se mit à progresser lentement vers le mur ouest. Elle s'aggrava brusquement au cours de l'hiver ; une infiltration s'y ajouta, suivie d'un début d'effondrement. Adrien Ménard se retrouvait seul pour affronter ces difficultés, son frère aîné, qui l'avait puissamment secondé tout au long des travaux, étant décédé au début de l'automne précédent. Le dentiste éleva un contrefort pour bloquer l'effondrement, installa des conduits pour dévier l'infiltration vers un égout, colmata la fissure, mais rien n'y fit. Celle-ci poursuivait imperturbablement sa progression et le rêve du dentiste de faire franchir les millénaires à ses immenses collections était sur le point d'éclater en miettes. Il fit de fiévreuses recherches, consulta des ingénieurs. Seules des injections de résine époxy auraient pu guérir sa voûte, mais cela coûtait une petite fortune. Or ses énormes travaux l'avaient appauvri et usé. Il ne pouvait s'endetter davantage et les forces lui auraient manqué pour continuer son projet, même s'il en avait eu les moyens. Pendant ce temps, sa voûte s'affaiblissait et le jour approchait où elle deviendrait irréparable. Il avait suspendu l'installation de son musée pour sombrer dans une longue dépression, dont il commençait à peine à sortir.

— Voilà mon histoire, conclut-il en avançant dans l'immense salle. Quand on vise trop haut, nos rêves finissent par nous retomber sur la tête.

Sa voix étouffée, réverbérée par la voûte, avait pris une ampleur solennelle et mystérieuse et, dans la pénombre humide et froide qui les enveloppait, ses auditeurs attristés l'écoutaient en frissonnant. Ils revinrent dans le musée et le dentiste referma la lourde porte derrière lui.

— Mais on peut vous aider, mon cher monsieur, s'écria Portelance dans un élan d'enthousiasme et de compassion. Il y a sûrement moyen d'arranger ça pour pas trop cher, jériboire ! Tu pourrais, Juliette, en parler à ton bonhomme, là, de *Rebâtir Montréal*. Jamais je croirai qu'il ne peut pas donner un coup de main à notre ami.

— Il ne nous reste que deux ou trois mois pour agir, prévint le dentiste.

— Je lui en parlerai, je lui en parlerai, promit Juliette, embarrassée.

Le dentiste eut un haussement d'épaules, puis s'avança vers Adèle, encore tout éberluée :

— Eh bien, madame, si cela peut vous accommoder, je vous offre mes ruines avec plaisir. Vous pourrez y passer tout le temps que vous voudrez.

— Ça me plaît. Ça me plaît beaucoup. Si je n'ai pas la paix ici, je ne l'aurai jamais nulle part. Est-ce que vous allez venir souvent ? lui demanda-t-elle tout de go.

Il eut un sourire désabusé :

— Oh, moi, vous savez, il me sort un peu par les oreilles, mon abri-musée, depuis le temps que je m'échine dessus. Si c'est de solitude que vous avez besoin, vous en aurez tout votre soûl.

47

À cause de ses blessures, Martinek avait dû reporter son concert au vendredi 31 mars. Denis en fut grandement soulagé ; il consacrait tous ses temps libres à travailler sa partie de piano, qu'il ne possédait pas à son goût.

On vit bientôt apparaître dans le comportement du musicien des changements d'abord subtils, mais qui allèrent en s'accentuant à mesure que le grand jour approchait. Habituellement doux et débonnaire, il se mit à faire preuve d'irritabilité, souvent pour des vétilles. Son sommeil se gâta. Il devint méticuleux et pointilleux à l'extrême pour tout ce qui regardait l'organisation de l'événement.

— Est-ce que j'aurais enfin réussi à le rendre ambitieux ? se demandait Rachel, stupéfaite.

Elle avait déployé de grands efforts pour s'assurer la présence de Charles Dutoit au concert. C'est là que résidaient les meilleures chances pour Martinek d'accéder un jour à la notoriété qu'il méritait depuis si longtemps, mais dont il commençait tout juste, semblait-il, à se préoccuper. Elle avait choisi la date en tenant compte des séjours de Dutoit à Montréal, toujours brefs et très chargés ; Henripin lui avait promis de faire l'impossible pour que « le patron » assiste au concert, ne serait-ce qu'une petite demi-heure (la violoniste était confiante qu'une fois dans la salle, il resterait jusqu'à la fin).

Quelques semaines auparavant, Dutoit avait parcouru rapidement une ou deux partitions de Martinek que Rachel et Henripin lui avaient présentées à son bureau un matin, mais il était tellement assailli d'appels téléphoniques que le déclic ne s'était pas fait ; il s'était contenté de promettre aux musiciens de jeter un coup d'œil plus approfondi

« dans les meilleurs délais » sur ces œuvres « apparemment fort intéressantes ». Comme tout le monde savait que la meilleure façon de s'attirer un refus irrité et définitif était d'insister, la violoniste et son collègue avaient laissé passer un peu de temps. Tout ce que Rachel avait osé faire, quelques jours plus tôt, ç'avait été de lui offrir, à la fin d'une répétition où le musicien suisse s'était montré particulièrement jovial, un enregistrement sur cassette du concertino de chambre de Martinek. Dutoit avait pris la cassette avec un grand sourire et l'avait fourrée dans la poche de son veston. Dieu sait où était maintenant le veston ! À Zurich ? À Paris ? Ou dans le fond d'une malle à l'aéroport de Tokyo ?

Six jours avant le concert, Martinek se mit à souffrir d'éruptions cutanées aux aisselles et son caractère changea d'une façon étonnante. Un matin qu'il se plaignait à Juliette de ses démangeaisons, cette dernière lui conseilla à tout hasard de diminuer le café. Le visage du musicien se crispa et il rougit fortement :

— Diminuer, diminuer, grommela-t-il, c'est facile à dire, mais encore faut-il...

Il lui tourna le dos et quitta la pièce en bougonnant. L'obèse le regardait s'éloigner, ahurie, comme si elle avait aperçu un chien en train de se brosser les dents ou de presser un pantalon. Fisette, attablé dans la cuisine, sirotait son café avec un sourire suave.

— Ah ! qu'il vienne, ce maudit concert, soupira-t-elle, et qu'on l'enterre sous les fleurs, lui et ses sautes d'humeur !

— Que voulez-vous, madame Pomerleau ! Il traverse sa crise d'adolescence... professionnelle, si je puis dire. Il y a deux mois, c'était encore un grand bébé qui s'amusait à jeter des notes sur du papier réglé pour tuer le temps. Et soudain, l'envie le prend que tout le monde écoute sa musique. Ça fait du remue-ménage dans la carcasse !

Vers le milieu de l'après-midi, ce fut à Roger Simoneau de subir les effets de ces sautes d'humeur. Martinek venait de passer deux heures à parcourir les parties de vents de son concertino de chambre pour y apporter d'ultimes changements et, les bras chargés de partitions, se dirigeait vers le vestibule. On l'attendait à la salle Claude-Champagne où devait avoir lieu l'avant-dernière répétition ; il aperçut alors à travers le rideau de dentelle de la porte d'entrée la bonne grosse bouille de Simoneau qui s'apprêtait à sonner. Chose étrange, la vue du camionneur lui tomba suprêmement sur les nerfs. Il ressentit quasiment comme une injure personnelle que ce dernier, en plein milieu de l'après-midi, au lieu de conduire des chargements de tomates ou d'ordinateurs, s'amène pour accabler de ses bons sentiments une pauvre femme à demi folle qui ne souhaitait qu'une chose : qu'on lui fiche la paix.

— À moins qu'il ne soit venu pour Denis, pensa-t-il.

Et son agacement se changea en colère. Il ouvrit la porte :

— Oui, monsieur ? fit-il sèchement.

— Je... excusez-moi, répondit Roger Simoneau en se raidissant devant la mine renfrognée de Martinek. Je me demandais si par hasard Adèle...

— Elle est partie.

— Ah bon. Pour longtemps ?

— Pour longtemps.

Le camionneur, un peu décontenancé, s'appuya sur une jambe, puis sur l'autre et avança la main afin de porter secours à Martinek, qui semblait sur le point d'échapper son fardeau ; mais le musicien recula.

— Et je pars aussi, ajouta-t-il d'une voix coulante comme une feuille d'ardoise.

— Ah bon, répéta l'autre, de plus en plus décontenancé.

Martinek s'avança sur le perron et réussit à fermer la porte. Simoneau s'effaça et le regarda descendre les marches, l'air fort malheureux.

— Et si vous voulez un conseil, reprit le musicien en se retournant tout à coup, furibond, le plus grand plaisir que vous pourriez lui faire serait de lui ficher la paix quelques années, le temps qu'elle se remette un peu.

Et il s'éloigna d'un pas chancelant.

* * *

La veille du concert, sur les conseils de Rachel qu'il commençait à excéder, le compositeur se rendit à la piscine, histoire de se ramollir un peu les nerfs. Après avoir fait trois longueurs de peine et de misère, il resta un moment debout dans l'eau à observer les autres nageurs, les yeux picotés par le chlore, attendant que se manifestent les effets bienfaisants de la natation. Il crut déceler soudain une expression de commisération amusée dans le regard d'une jeune fille en face de lui. Mécontent, il sortit de l'eau et retourna au vestiaire, puis décida d'aller au sauna.

Ce fut là, assis tout seul sur un banc qui lui cuisait les fesses, à demi suffoqué par des nuages de vapeur opaque chargés d'une odeur de cèdre et de sueur rance, qu'il acquit tout à coup la certitude que le concert du lendemain serait une réussite déterminante. Quelque chose de très ancien et de très douloureux se dénoua soudain en lui et une immense envie de pleurer le saisit, qu'il dut contenir en serrant fortement les mâchoires, car deux adolescents venaient d'entrer en se bousculant. Il revint à la maison, souriant et l'âme en paix, et monta chez lui. Quelqu'un avait fait son lit et rangé le studio, dans un désordre indescriptible depuis une dizaine de jours. Ce ne pouvait être Rachel, partie tôt le matin et qui ne devait rentrer qu'au milieu de la soirée. Intrigué, il descendit au rez-de-chaussée.

— Je suis dans la cuisine, fit Juliette.

Il la trouva attablée devant un journal, l'air soucieux.

— Oui, c'est moi. J'ai pensé qu'un peu d'ordre et d'époussetage vous allégerait l'esprit.

— Il ne fallait pas, madame, répondit-il avec une trace d'aigreur dans la voix. Depuis quelque temps, j'ai l'impression qu'on me traite comme un malade.

— Allons, allons, répondit-elle en riant, ne faites pas tant de manières, grand homme au cœur de bronze. Il n'y a rien d'humiliant à se laisser aimer un peu.

Son visage changea :

— De toute façon, en faisant le ménage chez vous, cela m'aidait à oublier un peu mes soucis.

Elle montra du doigt une lettre adressée à sa nièce.

— Livernoche, soupira-t-elle. J'ai reconnu son écriture. C'est arrivé en début d'après-midi. Je ne sais trop quoi faire avec cette lettre. L'ouvrir ? La détruire ? Il vaut peut-être mieux qu'Adèle ne la lise jamais.

— Et la police ?

— Vous savez bien que la police ne peut rien pour nous.

— Il faut faire quelque chose, madame Pomerleau. Elle ne peut tout de même pas rester toute sa vie dans un abri antinucléaire.

Juliette le regarda une seconde, puis :

— Ouvrez-la.

Il déchira l'enveloppe et en retira une feuille de papier pliée en quatre. Celle-ci ne portait qu'une série de chiffres, de toute évidence un numéro de téléphone. Ils contemplèrent la feuille en silence.

— 484-2272, murmura Martinek après l'avoir tournée en tous sens et l'avoir humée (le papier semblait imprégné d'une faible odeur d'essence). C'est un numéro de la Rive Sud, ça, non ?

Il se rendit à l'appareil mural près du frigidaire et décrocha le combiné.

— Ça ne répond pas, annonça-t-il au bout d'un moment.

Juliette fronça les sourcils :

— Il a dû convenir avec elle d'une heure lorsqu'ils se sont rencontrés l'autre fois. Voilà ce qui m'inquiète le plus. Elle le craint, elle le déteste, elle le fuit, mais je sens malgré tout une connivence entre eux ; il continue de l'attirer. C'est horrible.

Martinek s'assit devant elle, tambourina sur la table un moment, puis, avec un sourire tristement ironique :

— N'aurait-elle pas besoin d'un médecin plutôt que d'un abri de béton ?

Alexandre Portelance se montra beaucoup plus radical quand elle lui parla de la lettre en fin d'après-midi, tandis qu'il la conduisait chez une couturière pour des ajustements à une robe en prévision du concert : sa nièce avait besoin d'un médecin *et* d'un abri de béton. Il fallait l'interner pour des soins prolongés ou l'histoire allait mal tourner.

— Elle a des boulons qui se promènent dans la tête depuis des années, ta pauvre Adèle. Son gros Barbe-Bleue a réussi à la rendre aussi folle que lui : il ne peut se passer de la torturer, ni elle de souffrir. Beau couple ! Moi, Juliette, si j'étais toi, j'irais la trouver au plus vite et j'essaierais de la convaincre de consulter un *spychiatre*. Sinon, tu vas la retrouver un de ces bons matins en première page d'*Allô Police*.

Juliette trouvait que son ami dramatisait à outrance. Adèle, bien sûr, était perturbée (qui ne le serait pas ?) mais tout à fait lucide, et il suffirait de donner une bonne frousse au libraire pour régler les trois quarts du problème.

— Donner la frousse à un fou ? rétorqua le vendeur. Ce serait comme essayer de faire fuir un lion en criant.

Ils arrivaient chez la couturière et laissèrent là la discussion, mais la reprirent de plus belle sur le chemin du retour et jusqu'à la maison. En pénétrant dans la salle à manger, Juliette réalisa tout à coup que Denis pouvait se trouver quelque part et entendre leurs paroles. Elle fit signe à son ami de suspendre son flux d'éloquence, se rendit à la cuisine, puis de là dans la chambre de son petit-neveu ; elle le trouva avec un casque d'écoute sur la tête — casque qu'il venait de glisser en toute hâte au bruit de ses pas.

Assis dans son lit, il avait eu le temps de surprendre un bout de discussion ; une réplique particulièrement fougueuse de Portelance sur l'état mental d'Adèle l'avait fort impressionné. L'absence de sa mère, pour laquelle on ne lui avait fourni que de vagues explications, l'intriguait. Le sentiment protecteur qu'il commençait à ressentir à son égard, et qui ne cessait de grandir malgré l'indifférence à peu près totale qu'elle lui manifestait, en fut comme exacerbé et tourna à l'angoisse. Il décida d'aller trouver Juliette après le départ du vendeur pour connaître le fin fond de l'histoire. Et si elle refusait de parler, eh bien, il se rendrait chez Fisette, qui savait sans doute bien des choses ou s'arrangerait pour les savoir. Il avait compris depuis longtemps que la duplicité du photographe et son goût maladif pour le fouinage en faisaient un complice précieux, malgré son peu de fiabilité.

Ce jour-là marqua une date importante dans la vie d'Alexandre Portelance. Un de ses rêves les plus chers se réalisa : il passa sa première nuit avec Juliette. Cela débuta par un prélude interminable de caresses pudiques et d'échanges sentimentaux qui les mena jusqu'aux petites heures du matin, mais lorsque Denis les retrouva au déjeuner, l'air de connivence solennelle et les yeux fripés des deux amoureux lui indiquèrent que sa tante venait de fermer la longue parenthèse de son veuvage. Il n'en fut pas fâché. La bonhomie du vendeur l'avait conquis dès le premier jour. Mais l'événement entraînait une conséquence désagréable : Portelance passerait sans doute une partie de la matinée à la maison, ce qui retarderait le tête-à-tête qu'il recherchait avec sa tante. Il fallait voir Fisette tout de suite.

— Tu ne déjeunes pas ? demanda Juliette en le voyant quitter la cuisine.

— Pas faim, répondit-il. Plus tard, peut-être. J'ai pas d'école aujourd'hui, tu te rappelles ? Journée pédagogique.

Il sortit de l'appartement et rencontra le photographe dans l'escalier.

— Clément, j'ai à te parler, annonça-t-il.

— Ah bon... alors, vas-y, mon vieux, fit l'autre, amusé par son air de gravité.

— Pas ici.

Ils montèrent à l'appartement de Fisette. Arrivé dans la cuisine, Denis se planta devant son compagnon, les bras croisés. L'émotion contenue qui se lisait sur son visage frappa ce dernier.

— Quelque chose qui ne va pas ? demanda-t-il.

L'enfant hocha la tête.

— C'est au sujet de ma mère, fit-il après avoir avalé sa salive. Je veux savoir où elle se trouve. On l'a cachée quelque part. Est-ce que tu sais où ?

— Non.

— Je pense qu'elle ne file pas bien, mais pas bien du tout, poursuivit l'enfant d'une voix étranglée. Je veux aller la trouver. Et je veux que tu m'aides.

— Est-ce que ce ne serait pas plus simple d'en parler à ta tante ?

L'enfant détourna les yeux :

— Je ne peux pas.

— Tu ne peux pas ? s'étonna l'autre.

— Elle n'est pas seule. Depuis hier soir, monsieur Portelance est à la maison.

Les commissures de Fisette se relevèrent imperceptiblement et il se frotta doucement le bout des doigts.

— Depuis hier soir ? murmura-t-il.

Il éclata de rire :

— Eh bien, ça y est ! Est-ce que ça y est ? Bravo, Alexandre ! Depuis le temps que la soupe mijotait, je commençais à craindre qu'elle prenne au fond du chaudron !

Il fit un pas vers l'enfant :

— Mais pourquoi veux-tu absolument parler à ta tante seul à seule ? Tu te méfies d'Alexandre ? C'est un bon diable, pourtant.

Denis secoua la tête :

— Je ne veux pas parler de cela devant *lui*. Je ne le connais pas encore assez. Après tout, c'est au sujet de ma mère. C'est très grave, tu sais.

— Qu'est-ce qui est grave ?

— Ben... toute l'histoire, quoi, répondit l'enfant, agacé par l'incompréhension du photographe.

Fisette le fixa un instant, puis :

— Je vais t'aider, mon vieux, promit-il avec un sourire amical. Je peux même t'aider tout de suite. Mon patron va tempêter après mon retard, mais c'est excellent pour sa basse pression. Qu'est-ce que tu dirais si je m'arrangeais pour attirer Alexandre dehors ? En dix minutes, peux-tu faire jaser ta tante ? Sinon, il faudra patienter jusqu'à ce soir... et ce soir, reprit-il, c'est le concert !

— Attire-le dehors, décida l'enfant.

— Alors, reste ici quelques minutes, je vais aller faire un tour chez toi. Il y a une maison à vendre tout près d'ici. Je leur dirai qu'elle m'intéresse et je demanderai à notre cher gros séducteur de venir y jeter un coup d'œil pour me donner son avis. Bavard comme il est, tu auras tout le temps voulu.

Frissonnant et tout guilleret à la perspective de pouvoir concilier encore une fois fourberie et bons services, il lui lança un clin d'œil et le quitta.

Denis s'assit et poussa un soupir. Après avoir promené quelques instants son regard autour de lui, il sortit de l'appartement et s'avança vers l'escalier. Un vague murmure montait jusqu'à lui, mais il ne parvenait pas à reconnaître les voix. Il revint dans la cuisine et aperçut un numéro de

Croc sur le comptoir. Il allait s'en emparer lorsqu'un claquement de porte rententit.

— Sacré Clément, s'extasia-t-il tout haut.

Il s'élança dans l'escalier et fit irruption dans le hall — pour se retrouver devant sa mère qui reprenait haleine, cigarette au bec, debout au milieu de la place entre deux valises.

— Tiens, salut, toi, fit-elle avec un sourire indéfini.

Il la regarda un moment, éberlué, ravi (quelque chose fondait en lui, il ne savait quoi), puis se jeta dans ses bras. Il gardait son visage enfoui dans ses vêtements, honteux déjà de son geste, cherchant désespérément une phrase qui lui permettrait de se tirer de cette situation ridicule.

— Voyons, voyons, qu'est-ce qui se passe, 'tit-boutte ? murmurait Adèle, étonnée, en lui caressant les cheveux. Aide-moi plutôt à traîner ces maudites valises. Le dos est à la veille de me fendre en deux.

48

Après le départ de Fisette et de Portelance (qui avait un rendez-vous d'affaires), Adèle vint s'asseoir dans la cuisine où sa tante lui préparait du café.

— Oh ! vous savez, je commençais à en avoir assez. J'étais en train de virer en momie, moi, dans tout ce béton. À la fin, juste à penser que j'avais quinze mètres de terre au-dessus de moi, j'en perdais le sommeil. Sans compter qu'avec ce régime de conserves, on finit par avoir dans la bouche comme un goût de moulée. Pfiou ! je me sens comme une petite sœur cloîtrée qui remet les pieds dans la rue après trente ans de cellule. À tout prendre, ma tante, j'aime autant les soucis du monde.

De sa chambre, Denis suivait la conversation, la respiration suspendue.

— As-tu oublié qu'avant de partir, les soucis te couraient après ? répondit Juliette à voix basse, sans oser la regarder.

— Je sais, répondit l'autre, et elle se rembrunit.

Le silence se fit. Juliette déposa une tasse de café devant sa nièce — le liquide tremblotait drôlement —, puis se dirigea vers la chambre de Denis et ouvrit la porte :

— Il doit être monté chez Bohu, pensa-t-elle, soulagée.

Elle revint dans la cuisine, tandis que son petit-neveu, enchanté de sa ruse (Clément aurait été fier de lui), quittait sa cachette derrière le lit et s'allongeait silencieusement dessus. Adèle prit une gorgée, repoussa la tasse et observa un moment Juliette, assise en face d'elle et qui se mordillait les lèvres.

— Je veux partir pour les États-Unis, ma tante. Oui, pour de bon, reprit-elle en réponse au regard interrogatif de la comptable. Le plus loin sera le mieux. Je pense au Nouveau-Mexique ou au Colorado.

Elle eut un sourire sarcastique :

— Je veux refaire ma vie, quoi... comme une ancienne putain. Avec un peu de précautions, jamais il ne pourra me retrouver là-bas.

Denis avait eu une petite grimace. Il examina la fenêtre pour voir s'il ne pourrait pas l'ouvrir sans bruit et filer dehors, car il ne se sentait plus aucune envie d'espionner la conversation.

Juliette avança la tête au-dessus de la table. Elle avait le visage écarlate et les yeux pleins d'eau :

— Écoute... je te comprends de vouloir tourner la page... mais pourquoi aller si loin ? Est-ce que ce ne serait pas plus simple... et plus juste aussi... de le mettre hors d'état de nuire ? Il suffirait de s'adresser à un avocat et...

Adèle secoua la tête :

— Il n'y a rien à faire, ma tante... J'étais sa complice. Il s'était arrangé pour que je le devienne. Et même si... non, je ne me sens pas la force de rebrasser tout ça devant un juge. Et puis, de toute façon, voilà longtemps que j'ai le goût d'aller vivre là-bas. Depuis le jour...

— Il t'a envoyé une lettre hier, coupa Juliette.

L'autre la regarda, interdite, et une expression de frayeur apparut dans ses yeux.

— Je l'ai détruite sans même la lire, mentit la comptable.

Adèle lui saisit la main :

— Pouvez-vous me prêter un peu d'argent pour mon voyage, ma tante ?

Juliette plissa les lèvres ; la pensée de ce départ qui la débarrasserait d'un poids accablant venait de faire monter en elle un immense soulagement, mais cela ne dura qu'une seconde, car elle eut honte de sa réaction et la refoula avec mépris jusque dans les tréfonds de son âme.

— Si c'est ce que tu veux, fit-elle au bout d'un moment, tu auras tout l'argent qu'il te faut, le problème n'est pas là. Le problème, ma fille, c'est...

Elle s'arrêta, regardant sa nièce, dans l'espoir que la phrase commencée se poursuivrait sur ses lèvres. Mais Adèle gardait le silence, le visage avide et anxieux, faisant tourner sa tasse par petites saccades.

— Le problème, c'est ton garçon, Adèle, reprit enfin Juliette à voix basse. As-tu pensé à lui ? Je ne suis pas éternelle. Tu oublies qu'il y a cinq mois, j'ai failli mourir. Aucun médecin n'arrive à comprendre comment j'ai survécu. Mon mal peut me reprendre n'importe quand et Dieu sait si je pourrai le vaincre une deuxième fois. Qu'est-ce qu'il va arriver de ton garçon ?

Mais elle regretta aussitôt d'avoir abordé le sujet. Adèle eut une moue ennuyée, puis sourit :

— Écoutez, ma tante... Je l'aime bien, Denis, malgré ce que vous pensez peut-être... À force de vivre avec lui, j'ai fini par m'y attacher...

Elle releva la tête :

— Rien ne m'empêcherait de le prendre avec moi, une fois établie là-bas. Pourquoi pas ? Mais c'est vous qui vous ennuieriez, ajouta-t-elle en riant devant l'expression effrayée de la comptable.

Adèle accepta de réfléchir quelques jours avant de prendre une décision finale et, toute joyeuse, se rendit à sa chambre pour défaire ses bagages, tandis que Juliette se lançait dans la préparation d'un feuilleté au saumon. Denis profita des bruits de casseroles et de robinet pour ouvrir doucement la fenêtre et filer dehors. L'instant d'après, il pénétrait dans le vestibule en catimini, enfilait ses bottes et son esquimau et ressortait. Il erra quelque temps autour de la maison, donnant des coups de pied dans la neige, en proie au plus grand cafard de toute sa vie. La tête de son ami Jocelyn apparut au-dessus de la haie ; l'enfant l'observa en silence quelques instants :

— Hey, Joannette, t'as donc l'air bête ! Viens-tu de te faire chicaner ?

Denis se retourna sans marquer la moindre surprise devant cette apparition inattendue et répondit gravement :

— Je suis en train de penser à des choses très importantes, Jocelyn. J'ai pas le goût de jouer avec toi. Tu peux revenir cette après-midi, si tu veux.

Jocelyn essaya de connaître le sujet de ses réflexions, mais en vain. Il obtint toutefois de pouvoir revenir une heure plus tard après avoir convaincu Denis qu'il avait là tout le temps voulu pour faire le tour de son sujet, si grave fût-il.

Vers midi, Alexandre Portelance arrêta son automobile devant la maison. Il poussa la barrière et aperçut les deux enfants qui discutaient ; l'expression de Denis lui causa un tel serrement au cœur qu'il s'approcha pour savoir ce qui se passait.

— Ma mère ? elle va bien, répondit Denis d'un air ennuyé en détournant le regard. Elle doit être en train d'aider ma tante à préparer le dîner.

— Hum ! il faudra le tenir à l'œil, celui-là, se dit le vendeur en actionnant la sonnette (il attendait avec impatience le moment où son amie lui donnerait une clef). Je n'aime pas du tout son visage. Pauvre 'tit gars... Je pense, ma foi du bon Dieu, que pas de mère vaut mieux que mère timbrée.

Ce fut Adèle qui ouvrit :

— Ah bon, vous revoilà, vous, fit-elle avec un grand sourire. Ma tante vient de me montrer sa nouvelle robe. Je vais au concert avec vous autres, ce soir.

49

Ce n'est pas l'intérêt pour la musique de Martinek — cette dernière l'indifférait presque autant que l'homme lui-même — mais la peur de rester seule à la maison qui avait poussé Adèle à surmonter son aversion pour les foules et à se rendre au concert. Il y avait aussi, bien sûr, le désir de se rendre agréable à sa tante, dont elle attendait une faveur, et qui semblait considérer ce concert comme un des grands événements de sa vie.

Dès cinq heures, Juliette était maquillée et coiffée, les ongles peints en rose (cela ne lui était pas arrivé depuis son voyage de noces), et Alexandre Portelance, accroupi devant elle, vérifiait pour la cinquième fois si sa robe tombait bien. Il allait profiter de sa position pour lui caresser furtivement la cheville lorsque Rachel et Martinek entrèrent en coup de vent.

— La répétition a été extraordinaire ! s'exclama le compositeur. Il faut s'attendre à...

En apercevant Portelance qui venait de se relever aussi prestement que le lui permettait sa corpulence, il s'arrêta pile, embarrassé, tandis que le vendeur, rougissant, toussait dans son poing fermé.

— ... il faut s'attendre à un triomphe... si le public vient !

— Allons, fit Rachel, les communiqués de presse sont partis il y a trois jours, Géraldine a contacté personnellement Claude Gingras, Gilles Potvin, Carol Bergeron, Eric McLean, Yuli Turovsky et Agnès Grossmann. Nous avons fait, Jules et moi, deux cent dix-huit appels téléphoniques en cinq jours. Tout ce qu'il y a d'important à Montréal est au courant. Le bouche à oreille va fonctionner, tu verras.

La plupart des musiciens de l'orchestre seront là, avec leurs parents et amis, je suppose. Mais ce qu'il nous faut par-dessus tout, ajouta-t-elle en serrant les poings, c'est Charles Dutoit. Même s'il n'y avait que lui dans la salle, je serais comblée.

Elle s'approcha de Juliette :

— Comme vous êtes belle ! Vous devriez *toujours* vous maquiller ! On vous donne à peine quarante ans !

— Allons, je t'en prie, ne te moque pas de moi, répondit l'autre en riant. Je ne suis qu'un vieux navire de guerre rouillé. J'ai mis un peu de peinture aux endroits les plus maganés, voilà tout.

Alexandre Portelance s'esclaffa :

— L'entendez-vous ? Je n'arrête pas de lui dire qu'elle est encore une très belle femme ; ça ne lui entre pas dans la caboche. C'est à croire qu'elle avait décidé de fermer boutique.

Puis, se tournant vers le compositeur avec un sourire aimable :

— Figurez-vous donc, monsieur Martinek, qu'hier après-midi j'ai entendu un bout d'opéra à la radio, *Maurice Godounov* ou quelque chose comme ça, je pense. C'est sérieux en s'il vous plaît, mais de toute beauté, ah oui ! de *toute* beauté !

— C'est un opéra magnifique, convint Martinek en posant sur le vendeur un regard amical. Un des plus beaux opéras de toute l'histoire de la musique.

Il prit la violoniste par la main :

— Tu viens ? Je n'ai pas encore essayé mon smoking et je voudrais être sur place au plus tard à six heures trente pour travailler encore un peu le dernier mouvement de ma sonate.

La comptable leur fit signe d'approcher :

— Vous ne connaissez pas la grande nouvelle, dit-elle à voix basse. *Elle* est revenue. *Elle* sera au concert. Et figurez-vous donc qu'elle veut maintenant aller vivre aux États-Unis...

— Eh bien, qu'elle y aille et qu'elle y reste ! se dit Rachel en montant l'escalier derrière Martinek. Cette pauvre Juliette mérite bien quelques années de paix avant de mourir.

En essayant d'attacher son nœud papillon, Martinek le mit hors d'usage. Fisette, qui arrivait de son travail, dut se précipiter chez *Ogilvy* pour lui en acheter un autre, tandis que Juliette, qui avait invité Rachel et Bohu à casser la croûte, préparait à la hâte une omelette au fromage, auquel ils touchèrent à peine. La gentillesse et la bonne humeur d'Adèle, soigneusement coiffée et vêtue d'une magnifique robe-fourreau de satin bleu, étonna tout le monde, et Rachel regretta un peu les pensées qu'elle avait eues dans l'escalier. De temps à autre, Denis posait sur sa mère un regard plein d'admiration et de tristesse.

Fisette venait à peine d'arriver avec un nouveau nœud papillon qu'il devait repartir à la recherche d'un bas-culotte pour Juliette, qui venait de se faire une échelle. Portelance, lui, filait vers une cordonnerie pour acheter une boîte de cirage. La robe de satin bleu d'Adèle avait fortement impressionné le photographe. Il lui avait adressé un sourire flatteur ; elle avait répondu par un mouvement de paupière qui frisait le clin d'œil.

— Il faut que je renoue avec elle, se promit-il en quittant la pièce.

À sept heures moins le quart, tous les problèmes vestimentaires étaient réglés. Fisette, en complet tabac et cravate pistache, s'attablait dans la cuisine de Juliette devant un quatre-étages jambon-poulet tandis que cette dernière se glissait dans l'auto d'Alexandre Portelance qui s'était offert à conduire tout le monde à la salle Claude-Champagne (Martinek, un peu pâle mais très calme, était parti en taxi depuis longtemps). Malgré l'invitation que lui avait faite le photographe de l'amener au concert dans sa *Pinto*, Adèle avait préféré suivre ses compagnons.

— N'arrive pas en retard : le concert est à huit heures, lui avait-elle recommandé en quittant la pièce et de nouveau elle avait eu cet imperceptible battement de paupière, si fugitif que Fisette se demandait s'il ne l'avait pas imaginé.

Quand Juliette pénétra dans la salle, Martinek, les mains toutes moites, continuait de travailler ce passage du *presto* final en doubles et quadruples croches qui lui inspirait de l'inquiétude.

— Ça s'en vient, ça s'en vient, lança-t-il en l'apercevant.

Quelqu'un le toucha à l'épaule ; il releva la tête : des spectateurs venaient d'apparaître au fond de la salle. Il se retira dans les coulisses. La plupart des musiciens étaient déjà arrivés et causaient ici et là à voix basse. D'autres travaillaient un passage difficile seuls dans leur coin. Rachel s'approcha de Martinek, lui pressa doucement la main, puis se dirigea vers un grand homme maigre, au visage coupé en deux par une énorme gauloise, qui s'affairait à tester un magnétophone. Martinek voulut les rejoindre, mais son pied gauche s'accrocha dans un fil électrique. Il piqua du nez et fit une sorte de génuflexion foudroyante en poussant un cri étouffé.

— Mon Dieu ! T'es-tu fait mal ? s'écria Rachel en accourant.

Il se releva en secouant la tête, furieux, tâtant son postérieur :

— Ma fourche... la fourche de mon pantalon est déchirée ! Rachel, qu'est-ce que je vais faire ?

Le tissu avait cédé sur plusieurs centimètres. La violoniste, accroupie derrière le compositeur, essayait de maîtriser son fou rire.

— Qu'est-ce que je vais faire, Rachel ? répétait l'autre, désespéré. Je n'ai pas le temps d'aller me changer et personne ici ne peut réparer ce... On annule, décida-t-il subitement. Je n'irai certainement pas me ridiculiser devant tout le monde.

Rachel bondit sur ses pieds, furieuse :

— Perds-tu la tête? Tu ne vas tout de même pas gâcher ta carrière pour une couture, non? Mon cher, s'il le faut, tu donneras ton concert en sous-vêtement, mais tu vas le donner, je t'en passe un papier !

Juliette, assise à la première rangée, conversait avec sa nièce et Alexandre Portelance. Elle entendit le cri de Martinek, puis les éclats de voix de Rachel à travers le léger brouhaha de la salle, qui se remplissait peu à peu. Alarmée, elle envoya le vendeur aux nouvelles. Puis, se penchant vers sa nièce :

— Dis donc, ma fille, j'ai de la misère à me retourner dans mon fauteuil. Combien sommes-nous, à présent?

— Oh, à peu près deux cents, et ça continue d'entrer. Tiens, voilà Clément.

Elle lui fit signe de la main. Le photographe lui répondit par un curieux sourire en diagonale et se dirigea vers eux.

— Il me faut une salle pleine, complètement pleine, murmurait Juliette en s'éventant avec son programme. Allons, qu'est-ce qui peut bien retenir Alexandre? J'ai hâte d'avoir des nouvelles. Pourvu qu'il ne soit rien arrivé de grave...

Denis avait quitté le coin d'ombre où il s'était réfugié et s'employait avec Rachel à réconforter Martinek, essayant de le convaincre que la déchirure de son pantalon ne paraissait pas du tout (ce qui était faux).

— Qu'est-ce qui se passe, mes amis? demanda Portelance en s'approchant.

Quatre ou cinq musiciens observaient la scène à l'écart, un sourire amusé aux lèvres.

— C'est ça tout le problème? Mais allons! il faut appeler le bon vieil Alexandre dans ces cas-là! s'écria joyeusement le vendeur.

Il fouilla dans la poche de son veston :

— Mon cher Bohu, j'ai tout ce qu'il faut ici pour faire de toi un homme heureux. Viens avec moi aux toilettes, ordonna-t-il en exhibant un rouleau de ruban adhésif.

Il prit le musicien sous le bras :

— Je m'en sers parfois pour réparer des tuyaux d'aspirateur, histoire de dépanner un client. Très bon produit. Les fesses pourraient t'exploser sans que le ruban lâche !

Martinek leva sur lui un regard débordant de reconnaissance et réussit à sourire.

— Quelle histoire ! soupira Rachel en les voyant s'éloigner. C'est qu'il aurait vraiment tout envoyé promener pour son maudit pantalon !

Elle sourit à Denis, toujours à ses côtés :

— Et toi, bobichon, comment ça va ? Prêt pour ton *adagio* ?

— J'ai peur, Rachel, murmura l'enfant. Si je manque mon coup, ils vont penser que c'est sa musique qui n'est pas belle.

— Tu vas t'en tirer comme un pro, mon garçon, j'en suis sûre.

Portelance réapparut avec Martinek, qu'il tenait enlacé par les épaules :

— Mes amis, le problème est réglé. En avant, la musique !

Le musicien s'approcha de Rachel et, relevant son veston :

— Ça va ? fit-il d'une voix défaillante.

— Mais oui, ça va. Change d'air, Bohu. On dirait qu'on vient de t'empaler.

— Il faudrait rouler le piano plus au centre de la scène, observa quelqu'un.

— Huit heures dix ? s'exclama Henripin. Mais il est temps de commencer !

Le brouhaha de la salle obligeait maintenant à élever la voix. Rachel écarta légèrement les rideaux :

— Parfait, murmura-t-elle. Salle presque pleine. Il ne manque plus qu'*une* personne.

Elle se tourna vers le percussionniste, qui examinait à son tour l'assistance :

— Il t'a bien dit qu'il arriverait vers huit heures trente ?

— Aussitôt après la réunion, répondit l'autre. Tiens ! j'aperçois Gingras... et Turovsky ! Parfait, parfait !

— McLean est en avant à gauche, dit-elle, deux rangées derrière madame Pomerleau.

Elle s'avança vers Martinek :

— Eh bien, monsieur le compositeur-au-pantalon-fendu, la marchandise est livrée. Il faudra jouer de votre mieux, maintenant. Moi, en tout cas, c'est ce que je vais faire. Allons, fit-elle en lui serrant les mains, reviens sur terre ! T'es-tu piqué à la morphine ?

— Je meurs de trac, Rachel, murmura-t-il avec un sourire pitoyable.

— Eh bien, meurs, mon vieux. Ça va t'aider à devenir célèbre.

50

Le concert débuta par la sonate pour piano « 1962 ». C'était une œuvre du début de la maturité, qui témoignait de l'influence du Groupe des Six (Martinek l'avait composée à Paris) et, en particulier, de celle de Poulenc. Mais quelque chose d'à la fois grave et emporté, et parfois même de tragique, l'emploi fréquent de rythmes 5/8 et 7/8 et une sorte de chatoiement polytonal très particulier lui conféraient une profonde originalité. Martinek n'avait pas joué dix mesures qu'on entendit comme un soupir d'aise dans la salle : sa sonate passait la rampe. Alors son trac disparut, le temps s'abolit et il ne fut plus qu'un élan d'énergie incandescente au service d'une partition de trente-sept pages qu'il cherchait à projeter le plus loin possible dans l'âme de ses auditeurs. Malheureusement, au début du *presto* final, il trébucha lamentablement à deux reprises. Puis une troisième fois cinq mesures plus loin. Alors il s'arrêta brusquement de jouer, fit une courte pause et reprit le mouvement à partir du début avec une fougue si magistrale que Rachel, qui l'observait des coulisses, regarda Henripin avec un sourire incrédule.

— Ma foi, s'il l'avait voulu, il aurait pu devenir un grand pianiste, l'animal, murmura ce dernier.

Martinek salua sous des applaudissements nourris (curieusement, sa première pensée fut pour le ruban adhésif qui maintenait en place le fond de son pantalon).

— Bravo ! lança Juliette sous le regard moqueur de sa nièce.

Quelques auditeurs l'imitèrent. La sérénade pour instruments à vent fut assez bien reçue, mais deux ou trois couacs et un peu de flottement dans l'*allégro* final affaiblirent son effet. Ce fut le trio *Juliette* pour piano, clarinette et violon qui souleva un véritable enthousiasme. On bissa l'*adagio*. La salle devenait de plus en plus fiévreuse. À la fin du troisième et dernier mouvement, il y eut une petite ovation. Juliette s'épongea le front, puis les yeux. Martinek saluait et saluait de nouveau avec un visage de somnambule. Pendant ce temps, Rachel, mécontente, fouillait la salle du regard. Elle avait convenu d'un signal avec Henripin : une feuille blanche collée sur une porte au fond de la salle devait annoncer l'arrivée de Charles Dutoit. La feuille n'apparaissait toujours pas. C'était maintenant l'entracte. On jouerait ensuite le concertino de chambre et tout serait fini.

Malgré ses jambes engourdies et une douleur entre les omoplates, Juliette se trémoussait de joie. Elle se tourna vers Alexandre Portelance, enivrée :

— Enfin ! il était temps ! Son jour de gloire est arrivé, comme dit la chanson !

Ce dernier lui répondit par un sourire éclatant et chercha dans sa tête de quelle chanson il pouvait bien s'agir. Adèle, qui semblait prendre un intérêt tout à fait modéré au concert, se mit à siffler *La Marseillaise* entre ses dents, puis, quittant sa place, se dirigea vers les toilettes. Cette soirée allait se montrer aussi déterminante pour elle que pour Martinek.

Dans les coulisses, les musiciens s'étaient rassemblés autour du compositeur et le félicitaient à qui mieux mieux. Une tasse de café à la main, il les écoutait avec un sourire timide et confus. Pressé contre lui, Denis, dont le tour approchait, essayait de maîtriser ses frissons.

— *Do*, *do*, *do*, *si*, *mi* bémol, *la*, *do* dièse, répétait-il inlassablement dans sa tête en essayant d'imaginer le mouvement de ses mains sur le clavier.

Après avoir embrassé son ami, Rachel était allée s'asseoir à l'écart près du magnétophone et buvait son café, soucieuse, écoutant d'une oreille distraite les propos du preneur de son, qui semblait faire des frais pour elle.

La flûtiste s'approcha et annonça qu'on avait entendu Claude Gingras dire à un voisin :

— D'où tombe-t-il, ce Martinek ? Évidemment, ce n'est pas un jeune lion de l'avant-garde. Mais si on oublie quelques longueurs, sa musique est tout à fait remarquable, je dirais même : originale — et par les temps qui courent, c'est presque un miracle...

Les remarques élogieuses du critique de *La Presse* ne lui tirèrent même pas le début d'un sourire. Soudain, elle alla trouver le percussionniste, qui revenait en coulisse après avoir vérifié la position de sa timbale :

— Jules, ça n'a pas de sens ! On va s'être démenés pendant trois mois pour la moitié du quart de rien ! Va le chercher, je t'en supplie, et ramène-nous-le par la peau du cou !

Henripin la regarda en silence, alluma la cigarette qu'il tenait entre ses doigts, tira une bouffée, puis :

— Je vais essayer de le joindre. Mais tu le connais autant que moi : on ne trimbale pas ce bon vieux Charles comme une valise.

Deux minutes plus tard, il revenait en toute hâte, les revers de son veston parsemés de cendre :

— Il est en route ! Il sera ici dans dix minutes au plus tard.

L'entracte se prolongeait. Peu à peu, les spectateurs revenaient à leurs sièges. Rachel avait annoncé à Martinek l'arrivée imminente de Dutoit ; ils étaient plongés dans une vive discussion lorsque la flûtiste, désolée, apparut devant eux :

— Eric McLean vient de quitter la salle.

Henripin haussa les épaules :

— L'heure de tombée, grommela-t-il. Gingras doit être à la veille d'en faire autant.

Les musiciens arpentaient les coulisses d'un pas nerveux, consultant leur montre, jetant à tous moments des coups d'œil du côté de la salle, où la rumeur augmentait de minute en minute. Un saxophoniste ouvrit sa partition, prit son instrument et se mit à travailler un trait difficile. Sur un signe de Rachel, la clarinette et le basson prirent place devant leur lutrin. Ils furent bientôt suivis de la flûte. Un moment passa. À dix heures moins vingt, quelqu'un au fond de la salle commença à battre des mains en cadence, et la moitié du parterre le suivit. Charles Dutoit n'arrivait toujours pas.

— Il faut y aller, Rachel, fit Martinek en tapotant l'épaule de son amie. J'aime mieux jouer sans lui que devant une salle vide.

— Eh bien, allons-y alors, répondit-elle, dépitée.

De bruyants applaudissements mêlés à des bravos accueillirent le reste des musiciens. En s'assoyant à sa place, le hautbois, particulièrement nerveux, échappa sa partition, qui s'étala par terre en éventail, et cela en fit rire quelques-uns. Jules Henripin, aidé de Théodore Dubois, déplaçait le piano, qu'il trouvait un peu trop en retrait, lorsqu'une *Toyota Cressida* brun sable gravit le raidillon qui menait à l'entrée principale de la salle de concert. Charles Dutoit en sortit, fit un vague signe de main au chauffeur et pénétra dans le hall.

Il sortait d'une séance de travail de trois heures avec des architectes, des fonctionnaires, des représentants d'organismes parapublics et privés durant laquelle on avait essayé avec un succès plutôt mitigé d'aplanir quelques-uns des obstacles qui retardaient la construction de la salle de concert de l'Orchestre symphonique de Montréal, et il n'était pas dans sa meilleure forme. Son soulier gauche, tout neuf, lui meurtrissait le petit orteil depuis le début de la journée et dix bonnes heures de sommeil ne lui auraient pas fait de tort. La longueur de l'escalier tournant qu'il devait gravir pour se rendre à la salle lui parut accablante ;

elle symbolisa à ses yeux l'inanité de la décision qu'il avait prise vingt minutes plus tôt d'assister malgré son épuisement à un concert où l'on jouait les œuvres d'un obscur musicien qui avait toutes les chances de le demeurer pour l'éternité. Il souleva péniblement ses jambes d'une marche à l'autre, essayant de les soulager un peu en s'agrippant à la rampe, puis il se rendit compte que cette façon de monter était le propre d'un vieillard et non d'un homme dans la force de l'âge. Il lâcha la rampe et accéléra le pas, les lèvres plissées, respirant par saccades, et parvint au premier étage. Il n'avait pas fait trois pas qu'un jeune placier l'aperçut; l'étudiant eut un sourire éberlué, puis s'élança vers une porte pour avoir l'honneur de la lui ouvrir. Cette obséquiosité, qu'il subissait avec résignation depuis des années, l'agaça un peu, mais il s'efforça de n'en rien laisser paraître et gratifia le jeune homme d'un sourire rapide et mécanique. Le murmure assourdi et les toussotements nerveux qui précèdent immanquablement le début d'un concert s'éteignaient dans la salle tandis que Rachel finissait d'accorder son violon. Elle se trouvait au premier plan un peu à gauche, avec Martinek assis au piano; l'octuor à vents occupait le milieu de la scène et la timbale avait été placée au fond.

Charles Dutoit avisa un fauteuil vide sur le bord d'une allée à l'avant-dernière rangée, s'y glissa sans bruit, allongea un peu les jambes et jeta un long regard haineux à son soulier gauche. Puis, levant la tête, il eut une moue étonnée devant la bizarrerie des effectifs instrumentaux.

Martinek adressa un léger sourire à la violoniste, puis se lança dans une longue montée d'accords saccadés qui oscillaient entre le *fa* majeur et le *do* dièse mineur. Il fut suivi de la clarinette, puis du hautbois et enfin des deux flûtes. La musique avait un caractère à la fois dramatique et dansant et Dutoit comprit aussitôt qu'il assistait à un événement musical important. Quinze mesures plus loin, quand le violon présenta ce thème vibrant et emporté, tout en quintes et en syncopes, que tant de mélomanes connaissent maintenant, il avait complètement oublié sa fatigue et la douleur de son pied gauche et constatait avec satisfaction la présence de deux microphones au-dessus de la scène : le concert était enregistré ; il pourrait donc entendre la première partie. Le torse légèrement incliné vers l'avant, les mains posées sur le dossier du fauteuil d'en face, il s'émerveillait de l'étrange beauté de cette musique et de l'habileté de l'instrumentation. Le compositeur avait pour ainsi dire « soufflé » celle-ci pour donner l'illusion d'un ensemble au moins deux fois plus gros. Le mouvement se tenait d'un seul bloc, emporté par un élan qui s'amplifiait un peu plus à la fin de chacune des trois sections plus calmes que Martinek avait ménagées, où se développait un autre thème à caractère lyrique, plein d'une force contenue. Le *scherzo* assez court qui suivait le premier mouvement avait une allure tragique et presque sauvage ; la partie de timbale y jouait un rôle important. Ce mouvement plutôt spectaculaire réussissait à ne pas verser dans la facilité et témoignait avec éloquence de la maîtrise instrumentale de Martinek et de la sûreté de son goût. Dutoit se demanda avec inquiétude comment le musicien réussirait à maintenir l'intérêt après une musique aussi intense. Le *scherzo* sembla tourner court et se transforma en *adagio*. Le thème principal du premier mouvement revint, mais transformé ; il devint bientôt presque méconnaissable. Une atmosphère de sereine mélancolie se répandit peu à peu dans la salle.

— Pas mal, pas mal du tout, pensa le chef d'orchestre en retirant distraitement le soulier de son pied gauche.

Une scène grandiose apparut dans sa tête. Il voyait un feu de forêt. Des flammes tourbillonnantes dévoraient des arbres gigantesques dans une pluie de tisons et de branches calcinées, mais tout se déroulait au ralenti. C'était un spectacle de destruction à la fois poignant et magnifique. Les arbres brûlaient et rougeoyaient, droits et imperturbables au milieu d'une mer de flammes vertes et orangées, leur tête à demi perdue dans des nuages de fumée qui tournoyaient lentement. La scène s'élargit peu à peu et un paysage serein et désolé, peuplé de milliers de chicots noircis, apparut devant lui sous un ciel tout à coup libéré de fumée, d'une douce et profonde pureté, où se lisait comme une promesse lointaine de permanence et de paix.

— Ça ressemble un peu, oui, c'est ça, ça ressemble un peu au dernier mouvement de la *Neuvième* de Mahler, mais le vocabulaire est tout autre, évidemment.

Un enfant, un peu pâle et l'air très grave, avait remplacé Martinek au piano. Ce dernier, assis à ses côtés, tournait les pages de sa partie, lui adressant de temps à autre un sourire satisfait. Dutoit contemplait avec étonnement le quinquagénaire un peu bedonnant et voûté, qui faisait vaguement penser à un rond-de-cuir, duquel avait surgi cette étonnante musique.

Le mouvement final lui parut un peu moins convaincant. C'était un *allégro* plein de fantaisie, obscurci de temps à autre par de courts moments de tristesse, que le violon envoyait promener d'une chiquenaude pour se déchaîner avec frénésie. De toute évidence, il s'agissait de la partie techniquement la plus difficile du concertino ; les musiciens étaient loin de la maîtriser ; l'impression d'une certaine faiblesse que dégageait parfois la musique venait peut-être de là. L'œuvre se terminait par un curieux dialogue entre le piano et le violon, accompagnés par la timbale, mais l'impression de mystère et d'attente ainsi créée se volatilisait brusquement dans l'élan de joie vertigineuse de la coda.

La salle se leva d'un seul mouvement. Pendant quelques minutes, les applaudissements et les bravos résonnèrent avec tant de force qu'on avait peine à échanger des commentaires entre voisins. Inconscient des regards posés sur lui, Charles Dutoit applaudissait à tout rompre. Sa fatigue était réapparue subitement à la dernière mesure ; il avait comme l'impression de perdre peu à peu son sang, mais une grande fierté l'habitait de s'être fait violence pour assister à la création d'une œuvre importante et peut-être majeure (quelques jours plus tard, une lecture attentive de la partition confirmerait son sentiment).

Les musiciens s'étaient levés à leur tour et, tournés vers Martinek, l'applaudissaient. La tête inclinée, ce dernier demeurait debout près du piano, clignotant des yeux avec un sourire déconcerté, presque penaud, la main droite curieusement ramenée en arrière comme pour retenir le fond de son pantalon. Il quitta subitement la scène, tandis que les applaudissements redoublaient.

— Vraiment, il ne paye pas de mine, le pauvre, pensa Dutoit. Le type parfait du fonctionnaire avec scoliose et problèmes de constipation. Mais Dvořák ne payait pas de mine non plus.

Martinek dut revenir quatre fois sur la scène. Finalement, un vrai sourire franc apparut sur son visage. Il salua le public de la main gauche, la main droite toujours inexplicablement ramenée en arrière, puis montra d'un grand geste les musiciens et, s'avançant vers Rachel, la serra dans ses bras. Des spectateurs commencèrent à quitter leur place. Le moment un peu douloureux approchait où les applaudissements se raréfient et où le public, un peu fatigué de s'être maintenu pendant une heure ou deux à des hauteurs vertigineuses et rarement fréquentées, retourne avec un plaisir un peu honteux à ses préoccupations quotidiennes.

Dutoit n'avait pas remarqué la feuille blanche qu'une jeune femme, assise dans la dernière rangée, était allée discrètement fixer à une des portes de la salle. Mais Rachel et Henripin l'avaient aperçue. La salle commençait à peine à se vider que le percussionniste, se frayant vigoureusement un chemin à travers la foule, se présentait devant le chef d'orchestre pour l'entraîner vers les coulisses.

— Mon cher ami, s'écria Dutoit en le voyant, vous avez bien fait de me tirer un peu par le bras pour que j'assiste à ce concert. Je viens d'entendre une œuvre magnifique et j'ai hâte de féliciter son auteur !

Le sourire inquiet de Henripin se transforma en une expression de ravissement si naïve que le chef d'orchestre en fut touché. Le percussionniste lui ouvrit un passage parmi la masse des auditeurs (Dutoit dut serrer quelques mains) qui se dirigeaient lentement vers la sortie dans un brouhaha survolté.

— Il vous attend, il vous attend, fit Henripin en se retournant. Il se meurt d'angoisse en sirotant son verre de vin et donnerait sans doute sa chemise pour se retrouver quelque part en Patagonie.

— Eh bien, allons tout de suite rassurer ce pauvre homme, répondit l'autre avec un bon sourire.

Il était à la fois ravi et curieux d'aller parler au musicien d'apparence si modeste à l'origine de cette œuvre étonnante, qui réussissait l'exploit d'innover sans rejeter la tradition. Par-delà Debussy et Prokofiev, le concertino allait en effet rejoindre les romantiques et même Haydn et Mozart. Cependant, malgré sa joie et sa fierté de participer à un événement sans doute mémorable, il résistait de plus en plus mal à la fatigue qui l'assaillait depuis le milieu de l'après-midi et le besoin de dormir commençait à devenir obsédant.

Dans la foule maintenant un peu clairsemée qui ondulait devant la scène, il aperçut une femme énorme, au visage bouleversé, à demi soutenue par un quinquagénaire qui essayait de la calmer :

— Allons, elle nous attend sûrement dans le hall, lui disait-il.

— Me faire ça à moi ! Un soir pareil !

En passant près de lui, elle faillit lui écraser un pied, puis, se retournant, le reconnut :

— Oh ! pardon, pardon, monsieur !

Il inclina la tête en souriant, poursuivit son chemin et se retrouva avec son compagnon devant un escalier. Henripin s'effaça :

— Après vous, patron.

Dutoit prit une légère inspiration et gravit les marches d'un pas alerte. Un petit rassemblement s'était fait derrière la scène ; il s'avança, saluant de la main quelques musiciens de son orchestre qui s'approchèrent en l'apercevant. Henripin se pencha à son oreille :

— Il se nomme Martinek, Bohuslav Martinek. Un homme plutôt timide et un peu naïf, je dirais.

L'arrivée de Dutoit avait suspendu les conversations. Le groupe s'ouvrit lentement. Le chef d'orchestre retint un sourire : il avait tout à coup le sentiment de jouer dans un film historique, Alexandre 1er se présentant devant Napoléon ou Louis XV donnant audience à Mozart.

— Bonsoir, mes amis. Toutes mes félicitations ! Vous avez rudement bien travaillé, comme d'habitude. Et particulièrement vous, mademoiselle Gauthier, qui avez été superbe. Et ce petit garçon aussi, qui a joué avec beaucoup de sensibilité. Vous avez tous été superbes. Monsieur Martinek, fit-il d'une voix forte et chaleureuse en tendant la main au musicien confondu, je suis honoré de faire votre connaissance, oui, vraiment honoré, et je ne cherche aucunement à vous flatter, croyez-moi. Mes musiciens savent tous que je n'abuse pas des compliments. C'est une chose étonnante que ce concertino... étonnante et très belle. Quand l'avez-vous écrite ?

— Il y a environ trois ans, répondit Martinek d'une voix presque inaudible.

— Trois ans, dites-vous ? Je pourrai me vanter d'avoir eu le privilège d'assister à la première — c'est une première, n'est-ce pas ? — d'une œuvre... bouleversante, et dont on entendra parler, je vous le prédis... Non non non, ne faites pas le modeste...

Il s'arrêta et d'un air un tantinet solennel :

— Je suis... ébloui, voilà le mot.

— Merci, souffla Martinek avec une grimace de supplicié, au milieu des applaudissements.

— Tu vois ? Je te l'avais bien dit, non ? s'écria Rachel, transportée, en le serrant dans ses bras.

— Il y a longtemps que vous habitez Montréal ?

— Quinze ans, monsieur.

— C'est à Paris ou à New York qu'il vous faudrait vivre, monsieur Martinek : les possibilités du milieu montréalais sont immenses, bien sûr, mais elles n'arriveront jamais à... Je n'ai malheureusement pu assister à la première partie du concert, reprit le chef d'orchestre en donnant à sa voix une intonation de confidence que certains perçurent comme l'expression du désir d'avoir un tête-à-tête avec le compositeur. Vous avez beaucoup d'autres œuvres comme celle-là ?

Le groupe commença à se défaire. On adressa des salutations discrètes à Martinek, à Dutoit et à Rachel, et bientôt ils se retrouvèrent quatre, Henripin, après une courte hésitation, ayant cru comprendre que sa présence n'était pas inopportune. La conversation dura quelques minutes. Martinek se dégelait peu à peu, il parlait de ses œuvres récentes, du soutien inestimable de Rachel, de son séjour à Paris où il avait étudié un an avec la grande Nadia Boulanger puis avec Henri Dutilleux. Rachel se dirigea vers le fond des coulisses et revint avec une serviette de cuir dont elle sortit des partitions. Dutoit l'arrêta d'un geste :

— Non, de grâce, ma pauvre enfant, une autre fois, je vous prie ! Monsieur Martinek mérite un lecteur plus reposé ! Il faut que je regarde ces choses très attentivement et avec tous mes moyens, ce qui n'est pas le cas en ce moment, ajouta-t-il en riant.

Il se tourna vers Martinek :

— Quatre symphonies, dites-vous ? Vous avez composé *quatre symphonies*, comme ça, sans la moindre assurance de les voir jouer, comme Schubert... Incroyable. On ne pense pas que de telles choses puissent encore exister, et pourtant, oui, la vie ne change pas, c'est toujours la même histoire, au fond, la lumière lutte contre les ténèbres et réussit rarement à les percer. Écoutez, fit-il en prenant familièrement Martinek par le bras (le musicien rougit de plaisir), vous allez me faire un choix — généreux, mais pas trop abondant tout de même, hein ? — de vos œuvres préférées. J'aimerais un ensemble bien diversifié : musique d'orchestre, musique de chambre, un concerto, des compositions pour piano aussi — un ou deux exemples de chaque catégorie, pas plus pour l'instant. Envoyez tout cela à mon bureau. Dès que j'aurai un peu de temps libre, je me plongerai dedans. Croyez-moi, je n'agis pas ainsi avec tout le monde. *Mais je ne vous promets rien*, se hâta-t-il d'ajouter. Le monde de la musique est une jungle, comme tous les autres mondes, vous le savez aussi bien que moi, et ce n'est pas une mince affaire que d'imposer de nouveaux noms. Cependant, ce que j'ai entendu ce soir m'a donné la certitude de votre talent — un talent immense et qui mérite d'être connu. Peut-être pourrai-je vous être utile. Allez, bon courage et continuez d'écrire, termina-t-il en lui serrant vigoureusement la main. Moi, pour l'instant, je vais essayer de me rendre jusqu'à mon lit.

Il serra la main de Rachel, puis, s'adressant à Henripin :

— Mon cher Jules, seriez-vous assez aimable de m'appeler un taxi ?

— Mon auto est à la porte, monsieur Dutoit, je vais vous ramener chez vous.

Ils s'éloignèrent. Quand leurs voix ne furent plus qu'un murmure, Rachel s'avança devant le compositeur et ses traits s'affaissèrent :

— Eh bien, c'est fait, Bohu, soupira-t-elle avec un sourire épuisé. Je suis tellement contente ! Et toi ?

Martinek la regardait, indécis :

— C'était pas mal du tout, oui... Il n'y a que le mouvement final du concertino qu'on aurait pu... mais c'est le plus grand jour de ma vie, ajouta-t-il aussitôt en écarquillant curieusement les yeux, et c'est à toi que je le dois, ma petite épinette bleue !

Il la serra dans ses bras, mais elle se libéra aussitôt :

— Il faut partir, Bohu, on va fermer la salle.

Ils ramassèrent leurs effets et se dirigèrent vers la sortie, tandis que deux jeunes hommes en jean, cigarette au bec, faisaient un grand tapage sur la scène en transportant des lutrins.

La violoniste pénétra dans le hall et s'arrêta soudain, jetant des regards stupéfaits de tous côtés :

— Mais où sont passés les autres ? Juliette, Denis, Clément, monsieur Portelance ? Ils nous ont laissés fin seuls comme deux astronautes dans l'espace !

— Monsieur Dutoit les aura sans doute intimidés...

Elle grimaça :

— Sans doute. Dommage. Quels nigauds !

Ils sortirent dehors et un frisson la saisit ; elle se pressa contre Martinek :

— Mais tout de même, avoue que c'est un peu étrange, Bohu. Est-ce qu'on n'avait pas convenu de se retrouver au *Piémontais* après le concert ? J'ai le goût de fêter, moi, même si j'ai une répétition demain à neuf heures. Pas toi ? Tandis que là... la fête se réduit à se chercher un taxi...

Ils firent quelques pas sur la pente glacée qui menait à la rue Vincent d'Indy, puis la violoniste s'arrêta de nouveau :

— Bohu, je suis sûre qu'il est arrivé quelque chose. Je vais téléphoner chez Juliette.

Ils arrivaient au bas de la côte lorsque l'auto de Clément Fisette apparut. Le photographe freina, baissa la glace :

— Adèle vient de disparaître, annonça-t-il avec un sourire dépité. Et madame Pomerleau a reçu le ciel sur la tête.

51

Après avoir quitté sa place à l'entracte pour se rendre aux toilettes, Adèle n'était pas revenue. Juliette avait d'abord pensé qu'elle avait été retardée par l'affluence et n'avait pas osé regagner sa place aux premières rangées à la reprise du concert, préférant demeurer au fond de la salle. Mais la conviction se forma bientôt en elle que sa nièce avait plutôt fiché le camp. Pour quelle raison ? Sans doute l'ennui. Juliette espérait la retrouver dans sa chambre à la fin de la soirée, mais quelque chose lui disait qu'un nouveau malheur venait de se produire.

Comme elle s'y attendait, la maison était vide à son arrivée. Denis posa à peine deux ou trois questions sur l'absence de sa mère, mais l'expression de son visage et le mutisme où il sombra en disaient long sur son trouble. Deux jours passèrent. Adèle ne donnait aucun signe de vie. Détail alarmant : tous ses effets personnels étaient restés à la maison. Son départ n'était donc pas prémédité... et peut-être était-il involontaire.

* * *

Juliette dormait ses nuits par quarts d'heure, se réveillant au moindre bruit pour aller jeter un coup d'œil à la fenêtre. Alexandre Portelance voyait les gémissements de plaisir qu'il avait eu tant de peine à faire naître chez sa bonne amie remplacés par des soupirs d'angoisse et il pestait en son for intérieur contre « cette fille de rien qui avait plus de jugeotc dans les fesses que dans la tête » et dont la disparition venait de pulvériser sa lune de miel. Pour tous, l'ombre de Livernoche planait sur cette affaire.

Il était impossible de savoir dans quelle mesure ce dernier avait utilisé la force pour entraîner son ex-maîtresse, mais l'incident du couteau à l'*Hôtel Maskouta* hantait les esprits. Le troisième jour, Juliette décida de signaler la disparition à la police. Un détective-enquêteur se présenta chez elle dans l'après-midi. Elle lui fournit le numéro de téléphone que le libraire avait griffonné sur un bout de papier à l'intention d'Adèle et lui suggéra de se rendre à la salle de concert. Peut-être y trouverait-on des indices, là ou dans les alentours ?

— Pensez-vous ? fit-il avec un sourire narquois.

Il s'en alla après avoir déclaré que la plupart des disparitions s'avéraient des fugues, qu'Adèle était une adulte et qu'il ne fallait pas s'inquiéter outre mesure. Juliette décida alors de se rendre elle-même à la salle de concert. Craignant de revenir tard, elle demanda à Rachel et à Bohu de descendre chez elle vers cinq heures pour accueillir Denis à son retour de l'école et partager avec lui le souper qu'elle avait mis sur le feu.

En arrivant à la maison vers six heures, elle trouva le compositeur et la violoniste assis dans la cuisine, la mine soucieuse.

— Il n'a pas voulu manger, annonça Rachel. On a eu de la misère à lui faire avaler un verre de jus de tomate. Il est allé se promener dehors. Ma chère Juliette, notre pauvre Denis file encore une fois un bien mauvais coton.

— Cette femme répand le malheur autour d'elle, soupira Martinek. Si je ne me retenais pas, j'ajouterais : que le diable l'emporte au fond de l'enfer !

Juliette reboutonna son manteau :

— De quel côté est-il parti ? Vous auriez dû le retenir. Ah ! sueur de coq ! la tête va m'éclater, à la fin !

Elle refusa qu'on l'accompagne et sortit en toute hâte. Debout sur le seuil, Martinek l'observait :

— Pour une personne de son poids, elle a quand même le pied léger, tu ne trouves pas ?

— Les soucis la taraudent, alors elle s'agite et se débat. Mais un de ces bons matins, elle tombera raide morte, tu verras.

Alexandre Portelance, qui arrivait de son travail, la vit sur le trottoir ; son air inquiet le frappa. D'un léger coup d'accélérateur, il se rangea près d'elle.

— Ah ! tiens, te voilà, toi, fit Juliette sans lui laisser le temps d'ouvrir la bouche. Tu serais gentil d'aller préparer du café. Je reviens tout de suite.

Et elle poursuivit son chemin. Après avoir inspecté les alentours, elle songea que Denis était peut-être allé oublier sa peine chez son ami Jocelyn. Les pieds endoloris, elle se rendit, coin Greene et Prospect, jusqu'à une petite boutique aux murs lilas surmontée d'une enseigne qui annonçait en grosses lettres, également lilas :

Lionel Lasanté, dépanneur licencié

Assis sur le perron, Jocelyn finissait de réparer un bâton de hockey avec du ruban adhésif réquisitionné à l'entreprise paternelle ; il n'avait pas vu Denis depuis la veille.

— Allons, où peut-il bien s'être fourré ? grommela Juliette en s'éloignant avec un dandinement de plus en plus accentué.

L'inquiétude la gagnait.

— Pauvre toi ! vas-tu te ronger les sangs jusqu'à ton dernier soupir ? Eh ! que je l'attrape, ce petit vlimeux ! il va savoir ce que je pense, moi, de ses soupers d'air pur.

Elle revint sur le boulevard René-Lévesque et s'arrêta, perplexe, au coin de la rue, tournant la tête à droite et à gauche :

— Il est peut-être retourné à la maison, se dit-elle en s'ébranlant de nouveau.

Rachel sortit sur le seuil :

— Non. Pas de Denis.

— Serait-il par hasard caché dans la cour ? se demanda l'obèse.

Elle longea la maison, jetant des regards jusque sous la haie, et s'approcha de la vieille remise en planches de pin, autrefois recouverte d'un blanc lumineux, mais toute grise à présent et rongée par la pourriture ; elle ne se décidait pas à l'abattre, car c'était sa tante qui l'avait fait construire et l'endroit avait servi de cadre à bien des conciliabules d'enfants. La porte bâillait.

— Denis ? fit-elle en s'approchant et elle l'ouvrit toute grande. Mais qu'est-ce que tu fais là, toi ? Voilà vingt minutes que je te cherche !

Assis dans un coin, les genoux relevés et la tête sur ses bras repliés, l'enfant ne répondit pas.

— Qu'est-ce qui se passe, bobichon ? reprit-elle d'une voix soudain pleine de tendresse en se penchant vers lui. Je m'inquiétais, moi... J'ai patrouillé tout le quartier, je me suis même rendue jusque chez ton ami Jocelyn. Mais, réponds-moi, voyons.

Denis dressa brusquement la tête, la regarda droit dans les yeux, puis éclata en sanglots :

— Je veux ma mère, lança-t-il entre deux hoquets. Elle est *toujours* disparue ! Tu ne sais même pas comment la protéger !

— Allons, allons, murmura Juliette, étonnée et tout émue, en lui caressant les cheveux.

— Je suis sûr que c'est son espèce de maudit libraire qui l'a encore enfermée dans une chambre, poursuivit-il. Qu'est-ce que vous attendez pour avertir la police ? Je vais l'appeler, moi, si vous ne le faites pas !

— Je l'ai appelée, Denis, répondit doucement Juliette. Un détective est venu tout à l'heure.

L'enfant pencha la tête et se remit à pleurer de plus belle. S'appuyant de la main sur un tas de madriers, Juliette s'accroupit et continua ses caresses ; cet attachement inattendu qui se manifestait avec tant de violence l'inquiétait un peu. Était-ce une passade ? Ou alors est-ce que la « voix du sang » — si la chose existait — venait de parler ? Peut-être des liens secrets s'étaient-ils développés à son insu entre Adèle et son fils ?

— J'ai besoin de ma mère, moi, lança Denis, furieux. J'en ai jamais eu, de mère ! Et de père non plus ! Presque tous les enfants de ma classe en ont, eux. Mais moi ? Rien du tout !

Il sanglotait maintenant avec une sorte d'application qui fit naître un début de sourire sur les lèvres de sa tante. Sa peine, apparemment, n'était pas abyssale. Mais elle l'avait quand même trouvé sanglotant dans le fond d'une vieille remise. Et elle sentit vaguement que, plus qu'à sa mère disparue, ces larmes un tantinet théâtrales s'adressaient à elle-même, prise depuis tant de mois dans une chasse policière, puis dans le sauvetage d'une maison et maintenant dans une histoire d'amour qui risquait de diminuer encore un peu plus l'attention déjà restreinte qu'elle lui accordait. Ce souper aux larmes dans le froid, la poussière et les toiles d'araignées était peut-être un avertissement bon à méditer.

Une crampe venait de s'attaquer à ses deux mollets en même temps ; elle grimaça, puis arrondit les lèvres et expulsa une grosse bouffée d'air.

— Mais, bobichon, murmura-t-elle d'une voix oppressée, est-ce que je ne remplace pas un peu tes parents ?

Le visage enfoui dans ses mains, l'enfant haussa les épaules et se contenta de renifler. Juliette se redressa avec un long gémissement, secoua une jambe, puis l'autre et, prenant la main de son petit-neveu :

— Viens, mon écureuil doré. Je vais te préparer un bon petit souper juste pour toi. Tu n'es tout de même pas pour aller te coucher la bedaine vide, non ?

Par la fenêtre de la cuisine, Martinek, Rachel et Alexandre Portelance les virent traverser la cour. En les apercevant, Denis retira vitement sa main, grimpa le perron, traversa la cuisine les yeux baissés et se retira dans sa chambre. Juliette lança un regard entendu à ses compagnons et se lança dans la préparation de pâte à gaufres. Pendant un moment, on n'entendit que le battement d'une cuillère de bois dans un bol et les craquements de la chaise de Martinek qui se balançait sur deux pattes dans un coin.

— Hmmm... belle journée pour réparer des pirogues, hein ? sentit le besoin de lancer Portelance, afin d'alléger un peu l'atmosphère.

Debout devant la cuisinière, il attendait que le café finisse de couler.

Quand ce fut fait, il versa dans la cafetière fumante une tasse de crème, trois cuillerées à soupe de chocolat fondu, deux doigts de cognac, un décilitre de jus d'orange, une cuillerée à café de beurre assaisonné de muscade et de gingembre et dix gouttes de marasquin :

— J'ai hâte que vous me donniez des nouvelles de ce petit café-là ! Je tiens la recette de ma cousine Gervaise, une secrétaire d'ambassade drôle comme un mur d'hôpital mais cordon-bleu, mes amis, à faire pousser un estomac à un poteau de téléphone ! Et maintenant, la touche finale !

Attrapant le moulin à poivre, il l'actionna vigoureusement au-dessus du mélange, souleva lentement la cafetière et se tourna, triomphant. Son visage se figea aussitôt dans une expression d'ébahissement qui se lisait déjà depuis plusieurs secondes sur celui de ses compagnons. Debout dans la porte de la salle à manger, Adèle les regardait avec un sourire insolent, l'épaule gauche appuyée contre le chambranle. On aurait dit qu'elle venait d'être apportée par une tornade.

52

Adèle mit deux jours avant d'avouer que Livernoche avait joué un rôle dans sa disparition. Malgré tous les efforts de Juliette, ses aveux s'arrêtèrent là. Son comportement avait changé ; il rappelait celui du début de son séjour chez sa tante. Taciturne et inquiète, elle vaquait comme d'habitude à de petits travaux, mais l'esprit si loin de ce qu'elle faisait et montrant une telle expression de tristesse dégoûtée qu'un matin, Juliette, excédée, lui déclara qu'elle préférait la savoir dans sa chambre en train de fumer devant la télévision que de la rencontrer à tout bout de champ avec cet air d'esclave mal nourrie. Seule la vue de son fils lui tirait parfois un sourire fugitif et semblait la rasséréner un peu. Imbu tout à coup d'un sens héroïque du devoir, ce dernier réussissait de temps à autre à vaincre sa timidité et allait la retrouver dans sa chambre enfumée pour jaser quelques minutes. La conversation d'Adèle se résumait la plupart du temps à des monosyllabes, mais elle prit un plaisir grandissant à la présence de son garçon et Juliette la surprit deux ou trois fois en train de lui faire une caresse.

Un vendredi soir, elle quitta la maison sans un mot, au grand désarroi de sa tante, et revint une heure plus tard un gros sac à la main ; elle se rendit dans le salon, où Denis travaillait son piano, et jeta le sac à ses pieds ; il contenait un jeu complet des *Maîtres de l'Univers* :

— Tiens, prends : ce sera ton cadeau d'anniversaire, de Noël et du jour de l'An, lui dit-elle avec un sourire ambigu.

Le jeu valait plus de 300 $. Où s'était-elle procuré l'argent ? Et que sous-entendait sa phrase ? Se disposait-elle à quitter de nouveau la maison ? Ou cherchait-elle, par une sorte de pudeur, à cacher sous des plaisanteries son affection naissante pour Denis ?

Ce dernier, qui semblait fait de la même pâte que sa mère, ne manifesta son ravissement que par un sourire éclair et un « merci » presque inaudible. S'accroupissant sur le tapis, il se mit à disposer les figurines et les maquettes afin de pouvoir les admirer : Musclor, Skeletor, le Triclope, Grisour, Moduloque, Orko, Sangsue, Clanek et bien d'autres n'attendaient que son signal pour reprendre leurs aventures dans la Zone de la Peur, le Château des Ombres ou les Montagnes Mystiques, avec leurs foudroyeurs à faisceaux, leurs traqueurs-échassiers et leurs poings de fer virevoltants. Adèle l'observa un moment, puis alla se chercher une bière à la cuisine et s'enferma dans sa chambre le reste de la soirée.

— C'est la mère qui se réveille en elle, déclara péremptoirement Alexandre Portelance le lendemain. Cela dit, je continue de croire qu'elle a besoin qu'on lui mette un peu d'ordre dans les idées. Deux ou trois bons électrochocs en feraient peut-être une belle petite femme toute neuve, mais il faut arrêter de jacasser et passer à l'action, tabarnouche ! Je vous le dis : elle a de l'étoffe. Mais pour l'instant, c'est plutôt chiffonné !

Juliette et son ami n'étaient pas au bout de leurs surprises. Quelques jours plus tard, vers la fin de l'après-midi, Denis terminait ses devoirs dans la salle à manger lorsque Adèle l'invita pour une promenade à pied dans le quartier. L'enfant, ravi et intimidé, accepta aussitôt. Le lendemain, elle réitéra son invitation. Ils prirent ainsi l'habitude, trois ou quatre fois par semaine, de quitter la maison ensemble vers la fin de l'après-midi pour revenir juste avant le souper. Juliette cachait mal son inquiétude et son mécontentement. Non seulement craignait-elle une mauvaise rencontre, mais, sans trop se l'avouer, elle redoutait l'influence de sa nièce sur l'enfant.

— Eh, que veux-tu ? confia-t-elle un soir à Portelance. Elle peut l'emmener au Brésil, ce petit moineau, si ça lui chante, et je n'aurai pas un saudit mot à dire. Après tout, n'est-ce pas, c'est elle qui l'a enfanté.

Elle eut une grimace sarcastique :

— Moi, je n'ai fait que l'élever.

En déjeunant avec Adèle un matin, Juliette lui exprima sa crainte qu'ils rencontrent Livernoche dans leurs promenades. La jeune femme haussa les épaules :

— Vous vous énervez pour rien. Il s'est installé en Abitibi.

Elle ne put en savoir plus long. Elle observait la mère et l'enfant avec une attention qui n'était pas exempte de jalousie, mais ne put déceler aucun signe de connivence entre eux. En fait, à part ces promenades et les rares visites que Denis faisait à sa mère, ils se parlaient fort peu et ne se manifestaient guère plus de familiarité qu'auparavant.

Vers le même temps, deux hommes apprenaient à quelques heures d'intervalle et d'une façon plutôt inusitée que, loin d'être en désordre, les idées d'Adèle convergeaient au contraire d'une façon très systématique vers un but secret qui ne semblait annoncer rien de bon.

Ce fut d'abord Clément Fisette. En apprenant le projet de départ d'Adèle Joannette, le photographe avait compris la nécessité d'agir vite s'il voulait profiter encore une fois de ses faveurs. Son désir était d'autant plus vif qu'elle n'avait jamais manifesté d'animosité particulière à son égard pour la façon cavalière dont il s'était comporté avec elle à Saint-Hyacinthe ; et puis le photographe était de plus en plus sevré de contacts féminins : Mariette, sa camarade de lit occasionnelle, ressentait depuis quelque temps un goût de plus en plus prononcé pour la continence, tout absorbée qu'elle était par l'emphysème de sa vieille mère qui s'était remis à progresser et menaçait d'en faire une orpheline de 42 ans.

Un soir qu'il revenait à pied de son travail, Clément aperçut Adèle sur le boulevard René-Lévesque en train d'examiner la haie devant la maison de Juliette. Cela lui parut curieux ; il ne l'avait jamais vue manifester le moindre intérêt pour le jardin ni pour les plantes en général, d'autant plus que la saison ne se prêtait guère aux observations horticoles. En l'apercevant, elle lui fit un petit signe de la main et alla à sa rencontre.

— Salut, lui dit-elle avec un sourire en coin, et elle eut cet imperceptible mouvement de paupière qui le troublait tellement. En forme ?

Et cet « En forme ? » dans sa bouche aux lèvres pulpeuses, prononcé avec cette intonation traînante et alanguie semblait — est-ce que sa fringale l'illusionnait ?— rempli de sous-entendus lascifs. Son cœur se mit à battre et il répondit avec un sourire un peu niais :

— Dangereusement en forme. Et toi ?

— Ça va, fit-elle en détournant le regard une seconde.

— Qu'est-ce que tu fais ?

Elle souffla par le nez comme pour laisser entendre que son sort et celui de la terre entière pesaient moins qu'une crotte de mouche dans le creux de sa main, puis murmura :

— Bah... je tue le temps, quoi...

— As-tu soupé ?

— Pas vraiment. Ma tante a préparé des côtelettes d'agneau. Je déteste l'agneau.

— Tiens, moi aussi. Qu'est-ce que tu dirais de souper au restaurant ? On pourrait ensuite aller voir un film. Il y a *Jean de Florette* au *Parisien*.

— Voir un film ?

Elle sourit de nouveau mais, cette fois, d'une façon franchement provocante :

— On pourrait faire quelque chose de bien plus agréable... si tu es en forme, bien entendu...

Il arrondit les yeux, croyant à peine ses oreilles. Elle éclata de rire.

— Je ne demande pas mieux, moi, répondit Fisette, un peu haletant, et il lui toucha la main.

Elle lui caressea le bout des doigts en le regardant droit dans les yeux, mais il eut l'impression qu'elle fixait quelque chose de lointain à travers sa tête ; sa gorge se contracta.

— Qu'est-ce que tu aurais envie de manger ? lui demanda-t-il d'une voix mal assurée.

— J'aime bien la cuisine italienne... la cuisine chinoise aussi... N'importe quoi, en fait, tant que ce n'est pas de l'agneau, ajouta-t-elle en riant.

Ils se mirent en marche.

— On pourrait aller... à *L'Amalfitana*. C'est à une dizaine de rues d'ici, en face de Radio-Canada.

— Va pour *L'Amalfitana*.

L'auto de Fisette se trouvait à deux pas, sur la rue Lambert-Closse. Il la fit monter, prit place au volant et, le cœur dans la gorge, le bas-ventre rempli de chatouillements ineffables et crispants, il allait tourner la clef d'allumage lorsqu'elle posa la main sur son bras et, le regardant avec un sourire mutin :

— Quant au... reste... c'est à une toute petite condition...

Il fronça légèrement les sourcils et attendit la suite.

— Laquelle ? demanda-t-il enfin.

— Surtout, ne pars pas en peur, dit-elle en levant la main dans un geste de mise en garde, et laisse-moi d'abord t'expliquer. Je te le dis tout de suite : j'ai toute ma tête et le moral est meilleur que jamais.

Elle attendit un instant, lui sourit de nouveau, puis :

— J'aimerais que tu me trouves un revolver, fit-elle doucement. Bon ! le voilà qui panique. Écoute-moi un peu avant de tirer la sonnette d'alarme. Je n'ai pas envie de me flamber la cervelle ni de tuer personne. Pour une fois que je suis à la veille de connaître un peu de bon temps... Ce revolver, j'en ai besoin pour des raisons de sécurité, tout simplement. Je vais bientôt partir, cher. Je veux aller m'établir loin d'ici, quelque part dans le sud des États-Unis. Sans blague. J'ai toujours aimé ce coin-là, comprends-tu ? Et je me sentirais plus sûre avec une arme, voilà tout. Mais ça m'embête un peu de magasiner ce genre de choses. Peux-tu m'en trouver une? Évidemment, je vais te rembourser... aussitôt que j'aurai un peu d'argent. Comme tu vois, il n'y a pas de quoi s'énerver le poil des jambes, hein?

— Je... je vais m'arranger. Il y a un armurier près de l'endroit où je travaille.

Elle lui caressa un genou :

— Tu es un vrai petit cœur. Je te revaudrai ça.

Ils se rendirent au restaurant, puis dans un hôtel de la rue Sherbrooke, où ils restèrent environ deux heures. Fisette en sortit à la fois repu et inquiet. Son excitation passée, il regrettait sa promesse. Le petit revolver se balançait dans sa tête en émettant des cliquetis sinistres. Il regarda Adèle qui marchait à ses côtés en chantonnant, l'esprit ailleurs, et il eut de nouveau envie d'elle.

— Que dirais-tu d'aller prendre un verre? proposa-t-il en lui enserrant la taille. Il y a une belle brasserie à deux pas d'ici, rue Sainte-Catherine.

— Hum... neuf heures... Désolée, mon cher, il faut que je te quitte. J'ai un rendez-vous.

Il offrit d'aller la reconduire. Elle refusa en souriant, lui caressa la joue, s'éloigna, puis, revenant sur ses pas :

— J'oubliais: pas un mot à personne au sujet du revolver, hein? Promis? À bientôt. J'ai bien aimé ma soirée.

— T'en vas te faire planter par un autre, salope? grommela le photographe en la regardant traverser la rue.

L'idée lui vint de la suivre, mais la fatigue et le dégoût l'accablèrent soudain. Il remonta dans son auto, retourna chez lui et passa le reste de la soirée affalé dans un bain chaud, l'œil entrouvert, la cervelle comme fondue.

* * *

Depuis qu'Adèle lui avait téléphoné l'avant-veille pour lui donner rendez-vous dans une brasserie, Roger Simoneau s'était remis à fumer, une habitude dont il avait réussi à se débarrasser deux mois auparavant. Il avait passé une partie de la soirée, rue Cartier, à se promener cigarette au bec dans la chambre que lui prêtait sa sœur lors de ses fréquents séjours à Montréal, jetant un coup d'œil distrait sur l'écran d'un petit téléviseur où se déroulait un épisode de *Dallas*. À mesure que l'air de la chambre s'épaississait, l'émission semblait devenir de plus en plus lointaine et insignifiante et bientôt il l'oublia complètement.

À neuf heures, il eut un sursaut, écrasa sa cigarette dans le fond d'une soucoupe et s'éclaircit la gorge, les entrailles graissées par une vague nausée.

— Cochonnerie de cochonnerie, marmonna-t-il en crachant dans une corbeille à papier.

Il enfila son manteau et quitta la chambre.

— Tu sors, Roger ? demanda Clémence du fond de la cuisine.

— M'en va aux vues, répondit-il d'un ton maussade.

— Peux-tu passer chez *Perrette* en revenant et m'apporter deux litres de lait ? Il ne m'en reste plus une goutte, les enfants vont chicaner demain matin.

Il répondit par un vague grognement, sortit dehors, et les deux litres de lait s'évaporèrent aussitôt de son esprit. Il se dirigea vers la rue Papineau. Adèle lui avait donné rendez-vous à la brasserie *La Fête* vers neuf heures trente. Il marchait à grandes enjambées, impatient et inquiet de rencontrer son ancienne maîtresse, dont l'invitation inattendue l'avait estomaqué.

— Son petit gars lui a peut-être parlé de moi, pensa-t-il, et ça lui aura donné le goût de... Mais va donc savoir ce qui se passe dans cette tête-là... C'est comme essayer de voir à travers un madrier.

Il aperçut son reflet dans une vitrine, se trouva vieux, la mine triste, les traits avachis, puis se revit dans la cabine de son camion, les mains sur le volant, filant tout seul à longueur de journée sur les autoroutes. L'image de sa sempiternelle cabine se mêla à celle de son appartement crasseux à Sherbrooke, puis les deux se fondirent à leur tour dans celle de la chambre que lui prêtait sa sœur, avec son lit de camp trop étroit, sa commode aux tiroirs écornés, sa machine à coudre et ses rideaux décolorés ; une haine violente s'éleva soudain en lui contre tous ces espaces miteux dans lesquels sa vie était confinée.

— La mer, c'est des vacances au bord de la mer qu'il me faut, avec une belle petite femme bien chaude.

Et, pour se réconforter, il repassa dans sa tête la longue série de filles avec lesquelles il avait noué au cours des ans des aventures éclair, mais leurs visages finissaient toujours par se changer en celui d'Adèle, et il se demanda avec angoisse ce qui avait bien pu se passer en lui durant la nuit d'orage où il avait eu ce stupide accident pour que son souvenir prenne un tel empire sur lui. Mais voilà : depuis cette fameuse nuit, le coucheur insensible et oublieux qu'il s'était toujours enorgueilli d'être se transformait en un pauvre amoureux plein de remords dès que l'image de cette femme, avec qui il avait pourtant eu une liaison des plus médiocres, apparaissait dans son esprit.

En pénétrant dans la brasserie, il l'aperçut tout de suite au fond de la salle, seule à une table, près d'une colonne. Elle le salua de la tête, sourit, se souleva un peu de son siège et prit une gorgée de bière tandis qu'il se dirigeait vers elle.

— Ça va ? fit-elle en lui tendant la main.

La main était moite, le sourire anxieux. Il en ressentit une sorte de soulagement.

— Ça va, répondit-il en s'assoyant.

Il appela le serveur.

— Je t'en commande une tout de suite ?

Les lèvres entrouvertes, l'œil plongé dans son verre incliné, elle fit signe que oui, prit une longue gorgée, déposa le verre et se mit à fouiller nerveusement dans son sac à main. Elle finit par trouver un paquet de cigarettes, l'ouvrit d'un coup de pouce. Il l'observait, le menton dans la paume de sa main, la bouche à demi cachée par ses doigts repliés.

— Merci, fit-il en acceptant une cigarette.

Elle voulut retirer le carton d'allumettes glissé dans son paquet, mais il lui présentait déjà son briquet allumé. Ils soufflèrent une grosse bouffée presque en même temps.

— Sais-tu, Adèle, dit-il au bout d'un instant, essayant de cacher son trouble sous un sourire malicieux, je te regarde, là : tu es aussi jolie qu'avant...

Elle eut une moue incrédule et pointa de l'index les flétrissures de ses yeux et les plis qui partaient de ses commisures :

— Tu trouves ? Ta vue a dû baisser.

Il se mit à rire et ne trouva rien à répondre. Le serveur arriva avec son plateau, déposa les verres et les bouteilles sur la table, le regard lointain et dégoûté, comme si on l'avait forcé à servir du sang humain. Simoneau le paya. Adèle venait de vider son premier verre et entama le second.

Il sourit :

— Tu aimes toujours la bière ?

— Trop, répondit-elle, après avoir essuyé ses lèvres avec le dos de sa main. Mais c'est ce qui m'a aidée un peu à tenir le coup. J'ai passé de dures années, tu sais.

— Je devine.

— Ah oui ? C'est fini maintenant. La voie est libre. Je recommence à neuf.

Et elle lui adressa un grand sourire, le premier qui semblait venir du fond d'elle-même. Cela donna à Simoneau le courage de glisser la phrase qu'il avait tant de fois répétée dans sa tête, cherchant l'intonation juste :

— Tu sais, Adèle, dit-il avec un léger tremblement dans la voix, j'ai souvent pensé à toi depuis qu'on s'est quittés.

— Moi aussi répondit-elle en détournant les yeux.

Elle tira une bouffée de cigarette, le regard au-dessus de sa tête, avec une expression étrange, vaguement douloureuse :

— C'était le bon temps, comme disent les vieux... Les folies ne nous coûtaient rien. On passait la nuit debout, le lendemain on abattait notre journée de travail en sifflant et le soir venu, on recommençait ! Aujourd'hui, je ne serais plus capable, oh non ! Il y a des matins où je me sens comme un torchon qui vient d'essuyer sa cent millième assiette !

Il avança la main vers la sienne avec une expression timide et malicieuse :

— Si j'ai bonne mémoire, on les passait pas toutes debout, nos nuits...

Elle lui adressa un bref sourire et prit une longue gorgée, perdue de nouveau dans ses pensées. Puis, posant le verre d'un geste délibéré, elle le fixa droit dans les yeux :

— Tu dois bien te demander pourquoi je t'ai fait venir ici ? fit-elle d'un air espiègle et douceâtre (Simoneau fronça légèrement les sourcils). Il serait temps que je m'explique. Mais toi, se ravisa-t-elle soudain comme pour réparer une indélicatesse, parle-moi d'abord un peu de toi, tout de même... Qu'est-ce qui t'est arrivé, durant toutes ces années ? T'es-tu marié ? As-tu des enfants ? Où travailles-tu ?

Son intérêt subit sonnait si faux qu'il eut un serrement de cœur ; une sourde irritation commença à se développer en lui, mais il ne se sentait pas la force de l'exprimer. Il lui répondit qu'il était toujours célibataire et qu'il n'avait pas d'enfants.

— Pas d'enfants connus, en tout cas, ajouta-t-il avec un rire embarrassé (elle ne sourcilla pas).

Il faisait toujours du camionnage, un métier qu'il aimait, du reste, à cause de la liberté que cela lui procurait. Il avait eu plusieurs maîtresses, pour la plupart des filles sans intérêt — ou qui l'avaient trouvé, lui, sans intérêt. Depuis quelques années, il menait une vie plus rangée, buvait moins ; deux mois plus tôt, il était même parvenu à cesser de fumer. Sa rechute ne remontait qu'à deux jours.

— C'est un peu à cause de toi, ajouta-t-il naïvement, et il rougit.

— Eh bien, moi, je n'ai jamais réussi à m'arrêter, répondit-elle, faisant mine de ne pas avoir entendu son aveu. Je fume mes trois paquets par jour depuis des années... Les nerfs, que veux-tu ! Et puis, c'est une sorte de délassement. Pendant longtemps, je n'en ai pas eu beaucoup d'autres... Mais c'est fini, maintenant : je refais ma vie. C'est de ça que je voulais te parler, Roger.

Il lui saisit la main ; elle lui serra rapidement les doigts, puis reprit sa cigarette et tira une longue bouffée.

— Eh bien, vas-y, dit-il d'une voix un peu rauque. Vide ton sac.

Elle dressa le menton, un peu théâtrale :

— L'autre jour, je repensais aux dix mois qu'on a vécus ensemble... mes seuls vrais bons moments de varlope, dans le fond. Moi non plus je n'ai rien oublié de ce temps-là, Roger. C'est ce qui m'a donné le courage de te téléphoner.

— La varlope s'est pourtant terminée d'une façon un peu raboteuse, remarqua-t-il avec ironie.

— Je ne me rappelle que du bon temps, moi...

La fausseté de son attitude et cette main inerte et froide qui se laissait toucher mais ne touchait pas l'agaçaient de plus en plus.

— Dis donc, Adèle, fit-il en posant sur elle un regard inquisiteur et froid, puisqu'on est en train de brasser de vieux souvenirs... Ton petit gars... c'est qui, son père ? Tu m'avais bien dit, l'autre jour, qu'il était pas de moi ? Alors, qui c'est ?

Elle demeura interdite quelques secondes, puis réalisa subitement tout le parti qu'elle pouvait tirer de ce sujet imprévu.

— Tu veux vraiment que je te dise la vérité ?

Il hocha la tête.

— Eh bien, c'est probablement toi. Je ne peux pas en être entièrement sûre, évidemment. Si tu te rappelles bien, j'en brassais un coup à l'époque, fit-elle avec un sourire amer. Mais quand je calcule les dates, il n'y a pas tellement d'autre homme que toi dans le paysage, mon vieux. L'autre type que je voyais à ce moment-là aurait eu bien de la misère à devenir popa, même en travaillant dix heures par jour.

— Mais alors, pourquoi...

— Pourquoi je t'ai dit le contraire ? C'est que je ne voulais pas te causer de soucis, voilà tout. Dans le fond, qu'est-ce que ça peut bien te faire, dis-moi ? Ma tante s'en est toujours bien occupé, de mon garçon. Elle le considère comme le sien. Et puis, sois sans crainte : aussitôt que je pourrai, je vais le prendre avec moi.

Elle fit une pause :

— C'est un peu de ça que je voulais te parler, Roger.

Il la regardait gravement, les lèvres serrées, sa main droite crispée sur son verre à peine entamé, et elle constata avec plaisir que sa vulnérabilité ne cessait d'augmenter.

— Oui, je sais, soupira-t-elle, j'ai mené toute une vie de bâton de chaise et il y a des soirs où je ne me sens pas très fière, je te l'avoue. Mais ce n'est sûrement pas toi qui pourrais me faire des sermons sur la vertu, hein ? ajouta-t-elle en souriant.

Son visage se rembrunit :

— De toute façon, j'ai payé pour mes folies et chèrement, je te prie de me croire.

Le regard de Simoneau s'emplit de compassion :

— C'est vrai ? Mais qu'est-ce qui s'est passé, bon sang ? Ta tante a quasiment reviré le monde à l'envers pour te retrouver ! Tu te sauvais d'elle ? Ou le bonhomme avec qui tu vivais ne voulait pas te...

— Je n'ai pas le goût de parler de ça maintenant, répondit-elle sèchement. Une autre fois, veux-tu ?

— Il va y avoir une autre fois ? se dit le camionneur, et il retint avec peine un sourire de contentement.

Un silence embarrassé tomba. Adèle inclinait lentement son verre d'un côté et de l'autre, amenant le liquide jusqu'à l'extrême bord ; un peu de mousse se mit à couler le long de la paroi .

— C'est un homme affreux, dit-elle tout à coup d'une voix étouffée. Je n'en ai jamais connu comme ça... et Dieu sait pourtant...

Elle leva vers lui un visage bouleversé :

— Il m'a enlevé presque dix ans de ma vie, Roger, comprends-tu ? C'est comme si je sortais de prison. Et il court après le reste. Je le déteste, tu ne peux pas savoir combien. Et pourtant — tu ne me croiras pas, mais je te dis la vérité, la vérité du fond du cœur — quand je me trouve devant lui, c'est comme si la tête me gelait et je n'arrive plus à réagir. C'est épouvantable, mais... Des fois, quand je le vois, il y a comme une envie qui me prend de... retourner avec lui, oui !... de refaire la même hostie de vieille vie de marde... et il le sait ! Je le vois qui tourne autour de moi, sans se presser. Il attend, comme il dit, « que je me sois assez punie »... Punie de quoi, veux-tu bien me dire ? Ah ! je frissonne seulement que d'y penser !

Elle se pencha au-dessus de la table :

— Mais là, j'ai un plan pour lui échapper à tout jamais et refaire ma vie. Pour ça, il faut que je quitte le pays, et vite ! Vois-tu, Roger, il s'est amusé à m'accorder une récréation parce qu'il est sûr de me voir revenir... comme une chienne bien dressée. Mais la chienne, elle, a décidé de prendre le bord ! C'est de ça que je voulais te parler. Je n'ai pas d'argent. On s'entendait bien, toi et moi, à l'époque, malgré nos petites chicanes. J'ai pensé que tu pourrais peut-être me prêter mille cinq cent ou deux mille piastres. Je te les remettrai dans six mois au plus tard.

— Où veux-tu aller ?

— Aux États-Unis. Dans le Sud. Tu gardes ça pour toi, hein ? Je vais me dénicher un de ces trous... Bien malin s'il arrive à me retrouver.

— Tu n'as jamais pensé t'adresser à la police ? demanda Simoneau, étonné.

Elle le fixa un instant, le visage durci :

— Tu n'as rien compris, Roger, murmura-t-elle sourdement. La police ne peut rien pour moi, à part identifier mon cadavre. Tout se passe entre lui et moi, vois-tu. Personne ne peut s'interposer. J'ai besoin de cet argent. Peux-tu me le prêter ?

Elle lui prit la main :

— Je te le demande, Roger, pour les bons moments qu'on a passés ensemble, les seuls, au fond, qui ne me font pas remonter un goût de vomissure dans la bouche... Je me souviens de tout, tu sais... Ton petit appartement de la rue Saint-Mathieu, ta robe de chambre de ratine mauve, le grand Rémi au restaurant *Select*, les *bloody mary* qu'on s'envoyait au *Faisan bleu*...

Il pencha la tête, le souffle court, les narines pincées et, serrant fortement ses doigts :

— Est-ce que tu te rappelles comment j'aimais te prendre, le matin, avant d'aller travailler — la prise du grand bonjour, comme on l'appelait — et la façon que tu avais de me réveiller la nuit quand...

— Je me souviens de tout, Roger, fit-elle en hochant la tête avec un petit sourire douloureux. Et parfois ça me fait mal, je te jure.

Puis, le regard humble et suppliant :

— Est-ce que tu peux me prêter l'argent, Roger ? Je te le remets dans six mois, parole d'honneur.

Il la fixa un moment. Sa compassion luttait contre un désir éperdu et rusé :

— Je vais te l'avancer... mais à condition qu'on se revoie... ici ou aux États-Unis.

Une expression d'indicible lassitude apparut dans les yeux d'Adèle et son corps s'affaissa légèrement :

— Écoute, Roger, je ne suis plus capable de m'embarquer avec personne à présent... C'est à peine si je parviens à vivre toute seule avec moi-même. De tous les hommes que j'ai connus, tu es le seul ami qui me reste. Mais de moi, mon pauvre vieux, il ne reste plus grand-chose. J'ai le visage encore assez présentable, mais en dedans, il n'y a plus que des rides, Roger, des rides, de la peur, de la fatigue... et le goût d'être en paix quelque part au soleil, très loin d'ici, et toute seule. Si tu me laisses tomber, je coule à pic.

Il l'écoutait, les yeux pleins d'eau. Il prit une grande gorgée de bière pour tenter de se décontracter la gorge, puis :

— Sois sans crainte, tu auras tout l'argent qu'il te faut... et tu me payeras quand tu pourras. Je te demande juste une chose : une fois rendue là-bas, écris-moi un mot, que je sache où tu te trouves. Et si jamais un jour l'envie te prenait que j'aille faire un tour...

— Je t'écrirai, c'est promis. J'ai décidé de m'établir à Houston, ajouta-t-elle, pénétrée du plaisir honteux de mentir.

53

Trois jours après la rencontre d'Adèle et de Roger Simoneau, et malgré qu'on fût en avril, les grands froids revinrent, plus féroces que jamais. Une immense tempête de neige fondit sur le sud-ouest du Québec, et Montréal fut paralysée pendant plus de douze heures. Un bris d'eau se produisit dans l'immeuble avoisinant la maison de Juliette, où le dentiste Ménard aurait tant voulu s'installer et qui demeurait toujours inoccupé ; le lendemain, un énorme ventre de bœuf était apparu au milieu de la façade, sans doute causé par l'expansion de la glace. Le mur paraissait si mal en point que Juliette crut bon d'alerter le service d'inspection des logements et défendit à Denis d'aller jouer de ce côté-là.

Depuis quelques jours, Adèle semblait plus calme et plus heureuse. Un matin, après avoir consulté les annonces classées, elle déclara à sa tante qu'elle irait postuler un emploi de commis à l'Ordre des infirmières du Québec, dont les bureaux se trouvaient à quelques rues.

— Il est temps, je pense, que je voie à mes propres besoins. Vous êtes bien gentille de ne m'avoir encore jamais demandé de pension.

— Elle a donc changé ses projets, se dit Juliette, surprise et ravie. Elle reste avec nous.

Saisissant la main de sa nièce :

— Voilà une bonne décision, ma fille. Le travail ne fait pas que garnir le portefeuille : il renforce la colonne vertébrale, comme on dit. J'ai décidé moi-même de retourner chez *Virilex*. La comptabilité commence à me manquer. Et puis, un peu d'argent ne fera pas de tort, je t'avoue...

Et pendant que sa nièce allait offrir ses services à l'Ordre des infirmières, elle téléphona à son ancien employeur, monsieur De Carufel.

— Vous voulez revenir lundi prochain ? Hum... venez me voir demain matin, on jasera de tout ça... Non, non, aucun problème ! Votre remplaçante n'a jamais réussi à vous remplacer. S'il y a une chose facile à faire par les temps qui courent, c'est bien de congédier quelqu'un ! Et puis le bon Dieu continue de m'aimer : je n'ai pas de syndicat sur le dos, mon entreprise m'appartient et mes employés sont mes employés, pas mes patrons !

Deux jours plus tard, elle avait repris son travail chez *Virilex* et le surlendemain, Alexandre Portelance, radieux et gazouillant, sous-louait son appartement de Laval-des-Rapides et venait s'installer chez son amie, apportant, parmi ses effets, quatorze caisses de *National Geographic Magazine* et une bergère bancale recouverte de velours rose, qu'il avait trouvée un jour entre deux poubelles et où ses fesses avaient créé des zones pâles d'une infinie douceur.

— Si tu pouvais lui trouver une petite place dans ton salon, demanda-t-il à Juliette avec un sourire suppliant, ça me ferait bien plaisir. Il n'y a que dans ce vieux débris que j'arrive à me détendre le soir après souper. Je te pique des sommes là-dedans qui valent trois nuits complètes. Sans lui, tu sais, je n'aurais pas l'air aujourd'hui dix ans plus jeune que mon âge et tu me trouverais peut-être, ma belle, bien moins d'agréments dans certaines occasions !

En apercevant la bergère dans le salon à son retour de l'école, Denis siffla de contentement ; il lui trouva des ressemblances à la fois avec une fusée et un bateau ; quelques minutes plus tard, il s'y installait pour apprendre ses leçons.

Les dimensions du fauteuil permettaient à Juliette de s'y asseoir confortablement. Elle prit l'habitude, à son retour du travail, de s'y reposer un petit quart d'heure et il semblait vraiment que le fauteuil exerçait sur elle une action bienfaisante et réparatrice, car au bout d'un moment les courbatures qui lui taraudaient les reins et les jambes se dissipaient peu à peu et sa respiration se libérait. Tout se jouait sans doute dans son esprit et le soulagement qu'elle ressentait tenait probablement au fait qu'elle occupait le fauteuil favori d'un homme pour lequel son affection ne cessait de grandir.

Peu à peu, la pause qu'elle s'accordait dans la bergère s'allongea, et ce fut bientôt Adèle qui s'occupa du souper. Juliette lui en savait gré. Les premiers temps de son retour chez *Virilex*, elle arrivait à la maison exténuée. En reprenant ses fonctions, elle avait trouvé la comptabilité dans un fouillis et un délabrement qui l'avaient forcée à se lancer dans une campagne féroce contre l'incurie. Mais, à son grand soulagement, Ronald Rouleau, qui se croyait scandaleusement sous-payé, avait eu la bonne idée de quitter son emploi pour se lancer dans les assurances. À neuf heures trente elle était au lit, et les samedi et dimanche avant-midi, Alexandre Portelance faisait régner dans la maison un silence de catacombe afin qu'elle puisse faire la grasse matinée tout son soûl.

Adèle — dont l'Ordre des infirmières n'avait pas retenu la candidature — avait pris la relève avec une facilité et un entrain qui avaient agréablement surpris Juliette. Mais ce qui la surprenait plus que tout, c'était l'indifférence qui semblait s'être emparée de sa nièce pour Livernoche, comme si le libraire s'était envolé tout à coup dans l'espace intersidéral. Elle continuait de feuilleter les annonces classées ; deux ou trois fois par semaine, elle quittait la maison pour aller présenter une demande d'emploi.

Le dimanche 7 mai, Alexandre Portelance emmena Juliette au cinéma au début de l'après-midi.

— Ça te tente de venir avec nous ? offrit la comptable à sa nièce.

L'autre secoua la tête.

— Merci. J'ai des choses à faire.

Vers quatre heures, Juliette, aussitôt revenue, s'affairait à préparer un gâteau pour Denis, dont c'était l'anniversaire le lendemain, lorsqu'Adèle apparut dans la cuisine ; elle l'observa un instant, l'œil malicieux, puis :

— Vous devriez jeter un coup d'œil dans la dépense, ma tante, deuxième tablette du bas.

Un superbe gâteau à la framboise était caché dans une boîte de carton.

— Je viens tout juste de le finir. Voulez-vous voir son cadeau ?

— Mon rêve est en train de se réaliser, confia ce soir-là Juliette à son amant venu lui porter une tisane dans la chambre à coucher. J'ai sauvé la maison de ma tante, j'ai rassemblé presque tous mes amis autour de moi, ma nièce est retrouvée et je la vois qui se raplombe un peu plus chaque jour, tandis que mon bobichon chantonne et sifflote du matin au soir. Et, pour finir, le bon Dieu m'a même fait un cadeau que je n'aurais jamais osé lui demander, ajouta-t-elle en caressant le bras velu du vendeur, qui rougit de plaisir. Il n'y a que monsieur Ménard qui m'inquiète ; je le vois dépérir à petit feu, le pauvre homme, empoisonné par ses lubies, et je ne peux rien pour lui.

Alexandre Portelance lui pinça la joue, puis, reculant d'un pas, toussota deux ou trois fois d'un air emprunté en tripotant ses bretelles :

— Peut-être que si on passait devant l'autel, histoire de rendre nos petits becs un peu plus officiels, ça mettrait le bon Dieu de si belle humeur qu'il ferait un effort pour aider ton dentiste ?

Les moments qui suivirent devaient s'entourer d'un halo doré dans le souvenir de Juliette et il y eut sûrement un ange au ciel qui saisit alors ses pinceaux, se pencha au-dessus de la chambre et tira de la scène une enluminure un tantinet gaillarde.

— Ah ! c'est trop, c'est trop, défaillait la comptable. Je me sens tellement heureuse que j'ai quasiment peur d'en être punie...

54

Un samedi matin, vers onze heures, au milieu du mois de mai, Juliette se réveilla en sursaut, comme si quelqu'un venait de la tirer par le bras. Elle resta quelques instants couchée sur le dos, haletante, à écouter le vent qui enveloppait rudement la maison, puis se leva et promena son regard autour de la pièce, cherchant la cause du sentiment d'étrangeté qui la pénétrait de plus en plus.

Elle consulta sa montre et fut surprise de ne pas entendre au-dessus de sa tête le son étouffé du piano, car c'était l'heure où Denis prenait habituellement sa leçon chez Martinek. Puis elle se rappela que le compositeur avait reçu la veille un appel téléphonique de la secrétaire de Charles Dutoit ; le chef d'orchestre désirait le rencontrer le lendemain avant-midi.

— Il doit être parti avec Rachel, se dit-elle à voix basse.

Son cœur continuait de battre à grands coups et des bouffées de chaleur lui montaient au visage. La certitude s'installait en elle qu'un événement grave venait de se produire.

— Alexandre ! lança-t-elle d'une voix défaillante.

Mais elle se rappela également que ce dernier devait partir très tôt pour la quincaillerie, car — Juliette en ayant manifesté une fois le désir — il avait décidé d'installer un lavabo dans leur chambre à coucher.

— Si Bohu et Rachel sont partis, il a dû amener Denis avec lui.

Son angoisse ne cessait d'augmenter. Qu'est-ce qui avait bien pu la réveiller si brusquement ? Un cri ? Le claquement d'une porte ? Le frottement d'un objet sur le plancher ?

Elle sortit de la chambre et se dirigea vers la cuisine ; Alexandre avait dressé son couvert et la cafetière de porcelaine attendait sur le comptoir, déjà remplie de sa mouture. Son regard se dirigea vers la chambre d'Adèle. La porte en était fermée ; elle l'était presque toujours. Sa nièce devait faire la grasse matinée elle aussi ; c'était son habitude la fin de semaine. Mais cette porte de chêne massive et luisante avec son bouton de verre à facettes lui faisait une impression bizarre et effrayante, comme si elle cachait un malheur.

— Mon Dieu, qu'est-ce qui s'est passé, pour l'amour ?

Elle dut s'appuyer sur la table, les jambes flageolantes ; les fleurs du linoléum se mirent à tourner doucement, allongeant leurs pétales. Elle secoua la tête, traversa la cuisine et ouvrit la porte.

La chambre était vide et parfaitement rangée. Cela l'étonna un peu, car sa nièce avait peu d'ordre. Elle s'avança et aperçut une lettre sur le lit. De son écriture naïve et appliquée, Adèle avait écrit sur l'enveloppe : « Pour ma tante ».

— Eh bien, ça y est ! s'écria-t-elle, furieuse, en ouvrant l'enveloppe. Elle vient de sacrer le camp !

Mais en même temps, une idée se formait confusément dans sa tête qui ressemblait un peu à : « Merci, mon Dieu ! ce n'est que ça ! Enfin, j'aurai la paix ! »

Le coup qui l'atteignit en fut d'autant plus terrible.

Ma tante,

Je sais que je vais vous faire beaucoup de peine, mais je n'ai vraiment pas le choix. Je m'en vais. C'est le temp ou jamais de refaire ma vie. Encore une semaine ou deux et il aurait peut-être été trop tard. Je l'aurais peut-être rencontré de nouvau, lui, *et je ne peus pas prévoir ma réaction. J'emmène Denis avec moi. C'est lui qui me l'a demandé il y a trois jours. C'est bien plus votre enfant que le mien, je le sais. Je sais aussi qu'en vous l'enlevant, je vous brise le cœur, mais j'ai besoin de lui. J'ai besoin d'être sa mère, moi aussi. Me croyez-vous ? Je vous écrirez un jour. Ne vous inquiétez pas pour nous. Merci pour tout ce que vous avez fait pour moi. Je ne l'oublirai jamais. Ne craignez rien, je vous remettrai tout ce que je vous dois. Excusez-moi pour tout.*

Adèle

Juliette resta immobile un instant, les bras ballants, puis la lettre glissa sur le plancher et s'arrêta sous une table. Elle la fixait d'un œil hagard, tandis que ses doigts remuaient doucement. Elle se précipita alors vers la chambre de son petit-neveu. Tout était en ordre également. Aucun message ne l'attendait. Seuls un tiroir vide qui bâillait et la penderie un peu dégarnie indiquaient son départ. Il ne semblait avoir emporté ni livres ni jouets. Elle s'adossa contre un mur et se mit à pleurer sans bruit. Plusieurs minutes s'écoulèrent. Soudain son visage se convulsa ; elle se redressa d'un mouvement brusque et puissant et retourna dans la chambre de sa nièce.

— Je ne veux plus rien de cette maudite dévergondée dans ma maison, hurla-t-elle en ouvrant violemment la fenêtre à guillotine qui donnait sur la cour arrière.

Le vent s'engouffra dans la pièce, faisant onduler les rideaux, tandis que la lettre d'Adèle disparaissait sous la porte de la garde-robe. Elle saisit un à un les tiroirs de la commode et jeta leur contenu par la fenêtre.

Alexandre Portelance venait de stationner en face de la maison. Penché devant la portière, il sortait une grosse boîte de carton lorsqu'il leva la tête et aperçut un jupon brodé dans le ciel ; après avoir tournoyé un instant, le jupon s'accrocha au sommet d'un peuplier derrière la maison et se mit à battre au vent, petit drapeau pitoyable et vaguement licencieux. Le vendeur éclata de rire, puis, prenant une grande inspiration, souleva la boîte, le regard toujours levé. Une volée de feuilles de papier s'éparpilla tout à coup au-dessus de la cheminée, puis un bas-culotte vint les rejoindre, piqua vers le sol et disparut.

— Mais ça vient de chez nous, ça ! s'écria le représentant.

Il déposa la boîte sur la banquette et traversa la rue en courant. Juliette refermait la fenêtre quand il fit irruption dans la chambre.

— Pour l'amour du saint ciel, qu'est-ce qui se passe, Juliette ? As-tu perdu la tête ?

Elle se retourna vers lui, haletante, le fixa d'un œil égaré, puis balbutia :

— Adèle vient d'enlever le petit.

La réalité devint alors floue dans son esprit et elle ne garda qu'un souvenir confus des deux ou trois heures qui suivirent.

55

Quand Martinek et Rachel arrivèrent à la maison au début de l'après-midi, ils faillirent se buter à Clément Fisette ; accroupi dans le vestibule, ce dernier essayait de soulever une boîte de carton d'où s'échappaient des tintements métalliques :

— Denis vient de sacrer le camp avec sa mère aux États-Unis, leur annonça-t-il en levant vers eux un visage lugubre. Madame Pomerleau a dû prendre le lit. On pense appeler le docteur.

Ils le fixèrent un moment sans parler, puis Rachel massa lentement ses paupières fermées avec le bout de ses doigts :

— Eh bien, il ne manquait plus que ça... Elle a vraiment décidé de la tuer, la garce...

Elle ouvrit les yeux et hocha la tête d'un air dégoûté.

— Est-ce qu'Alexandre est avec elle ?

— Il n'y a que lui qui peut l'approcher. Tout à l'heure, elle braillait comme un troupeau de phoques.

— On ne pourra jamais arracher cet enfant à sa mère, murmura la violoniste, à moins qu'elle le maltraite tellement que...

— Difficile de le savoir à trois mille kilomètres, fit Martinek, sarcastique.

— Tu annuleras ton rendez-vous, ordonna Rachel au musicien. Je pense que les circonstances ne se prêtent pas tellement à une visite ce soir.

Fisette, qui s'était relevé, l'interrogea du regard. La violoniste serra les lèvres et s'en alla. Martinek eut une moue navrée :

— Monsieur Dutoit devait venir ce soir examiner des partitions, annonça-t-il à voix basse.

Une porte claqua et des pas précipités s'approchèrent.

— Je pense... qu'il faut appeler le docteur, bégaya Alexandre Portelance en apparaissant dans le corridor.

Et il dut s'appuyer contre un mur.

* * *

Charles Dutoit se présenta chez Martinek au milieu de l'après-midi du surlendemain, retardant son départ pour Londres d'une journée, au grand désespoir de sa secrétaire. C'est Juliette qui, en apprenant l'annulation du rendez-vous, avait ordonné à Martinek de lui téléphoner pour en fixer un autre. L'enthousiasme de Dutoit effrayait presque le compositeur. Le chef d'orchestre avait retrouvé dans un tiroir l'enregistrement du concertino de chambre que Rachel lui avait remis plus de deux mois auparavant. Il l'avait fait jouer, puis avait écouté l'enregistrement de la première partie du concert, et son admiration pour Martinek s'était accrue. Il avait ensuite pris connaissance des partitions que lui avait envoyées ce dernier. La *Première symphonie*, les *Variations sur le thème du Danube bleu* et un concerto pour piano écrit trois ans plus tôt l'avaient vivement impressionné par leur richesse thématique et leur maîtrise orchestrale.

— Je vous assure, avait-il téléphoné au compositeur, que c'est de la *très* grande musique, et particulièrement votre *Première symphonie*, qui se compare fort bien aux meilleures pièces du répertoire contemporain. Je considère comme un privilège d'avoir été mis en contact avec vos œuvres. Je ne comprends pas que Harry Halbreich, après son émouvante critique de votre septuor, vous ait ensuite oublié, comme si vous aviez disparu dans le néant. Il faut que je lui en parle. Halbreich est un homme d'une telle intégrité, avec une sensibilité si fine... Non, je ne comprends pas. Vous me cachez sûrement des choses, monsieur Martinek, ajouta-t-il en riant, mais prenez garde, je finirai par les découvrir.

Charles Dutoit passa dix heures chez le musicien, buvant tisane sur tisane sous le regard d'un Martinek que le ravissement avait plongé comme dans un état de choc. Rachel guidait discrètement le chef dans son exploration. Vers une heure du matin, après avoir lu l'*adagio* d'un quatuor à cordes, Dutoit, fort ému, se leva et, s'avançant vers Martinek, lui serra les mains :

— Il faut vous faire connaître, monsieur... Ce sont nous, les grands perdants. Pouvez-vous m'indiquer le téléphone, s'il vous plaît ?

Il prit le combiné, puis, se tournant vers ses deux compagnons :

— Je ne peux espérer convaincre la compagnie *London* d'enregistrer une de vos œuvres pour orchestre dans un avenir rapproché. Vous connaissez la situation de la musique contemporaine. Ils refuseront d'investir autant pour un inconnu. Mais je vais envoyer la partition de votre concerto de piano à Martha Argerich. Je serais bien surpris qu'il ne lui plaise pas. Elle pourrait peut-être le jouer au Festival d'Aix-en-Provence l'an prochain. Et Lortie ou Hamelin pourraient le jouer également au Festival de Lanaudière à Joliette. Et puis, je vais demander à Gisèle Valombray chez *Erato* d'écouter l'enregistrement de votre concertino de chambre. Valombray est une femme intelligente et audacieuse, douée de beaucoup de flair. Je suis sûr que votre œuvre va l'emballer.

— Vous pensez ? fit le compositeur, incrédule.

— Quel air vous faites ! s'esclaffa Dutoit. N'oubliez jamais que c'est *vous* le bienfaiteur musical de l'humanité, et non pas moi. Moi, je ne suis qu'une sorte de commis-voyageur ; j'essaie de vendre de mon mieux la marchandise que d'autres fabriquent.

Il consulta un calepin et composa un numéro.

Martinek et Rachel quittèrent la pièce, par discrétion. Ils descendirent au rez-de-chaussée et aperçurent Alexandre Portelance devant une fenêtre du salon, les mains dans les poches, contemplant la rue d'un air lugubre. L'homme faisait peine à voir. Ils n'osaient approcher, craignant d'exacerber sa douleur en essayant de le consoler.

— Elle est en train de se laisser mourir, confia le vendeur d'une voix brisée en se retournant. Oui ! de se laisser mourir. Savez-vous ce qu'elle m'a dit tout à l'heure ? « J'ai essayé de sauver ma nièce et la voilà, pour me remercier, qui m'enlève ma seule raison de vivre. » Sa seule raison de vivre ! Comme si j'étais un compteur à gaz ou un lampadaire ! Heureusement que je ne suis pas chatouilleux... Regardez bien, ajouta-t-il en levant un index tremblant, si son foie ne recommence pas à lui jouer des tours. Il faut mettre la main sur ce petit gars, c'est moi qui vous le dis, sinon, sinon...

Il appuya le front contre la fenêtre, incapable de continuer.

56

Deux semaines passèrent. Malgré les craintes de Portelance, ce n'est pas tant le foie de Juliette qui donnait des signes de défaillance que tout son corps ; une tristesse insurmontable semblait la miner. Les chairs de son visage s'étaient affaissées, sa peau était devenue flasque et jaunâtre, elle négligeait sa maison et ne manifestait plus guère d'intérêt pour les autres. Alexandre Portelance était tombé amoureux d'une quinquagénaire débordante de vitalité ; il se retrouvait avec une vieille femme apathique et ennuyante. Seul signe encourageant : elle continuait de travailler chez *Virilex*, mais son efficacité avait diminué, au point qu'un après-midi monsieur De Carufel lui avait demandé, avec des précautions oratoires fort inhabituelles, si elle n'avait pas d'ennuis de santé.

— Ou alors, vous avez peut-être des soucis d'argent, des problèmes de famille ? Qui n'en a pas ? De toute façon, si jamais pour une raison ou pour une autre vous avez besoin de prendre congé, ne vous gênez pas pour me faire signe, hein ?

Derrière la sollicitude de l'homme d'affaires, Juliette devinait un mécontentement inquiet qui se préparait à pondre un aimable avis de congédiement. Mais elle continua de se lever à sept heures trente chaque matin pour se rendre à son travail (Alexandre Portelance allait la conduire et la chercher), passant le reste du temps à somnoler dans son lit ou à rêvasser dans la bergère-éléphant que son ami venait de faire recouvrir à neuf.

Ce dernier s'était mis secrètement sur les traces d'Adèle Joannette pour se rendre compte bientôt de l'extrême difficulté de l'entreprise.

Juliette avait décidé de suivre à nouveau la cure musicale qui lui avait été si bénéfique lors de son hépatite virale, mais les fameuses cassettes semblaient avoir perdu leur mystérieux pouvoir. Cela vexa un peu Martinek.

— C'est d'une injection de Callas qu'elle a besoin, décida-t-il un soir. Je ne connais rien de comparable pour redonner le courage de vivre. Voyez la beauté à laquelle cette femme pouvait atteindre à la fin de sa carrière malgré ses problèmes vocaux !

Juliette écouta avec plaisir des enregistrements de *Médée*, de *Tosca*, de *Carmen*, de *La Forza del destino* et termina avec l'admirable récital que la cantatrice avait donné à Paris en mai 1963 ; mais à part le fait qu'on la surprit parfois à chantonner *D'amour l'ardente flamme* de Berlioz, que Callas rendait d'une façon si bouleversante, le « traitement » ne sembla produire aucun effet.

Les chaleurs de l'été allaient commencer. À l'approche de sa fête, la comptable espéra secrètement une carte de souhaits de son petit-neveu, mais la carte n'arriva jamais. Elle ne parlait presque plus de ce dernier et de sa nièce, gardant au fond d'elle-même le chagrin qui la rongeait et manifestant une vive contrariété dès qu'on faisait la moindre allusion à leur sujet. Aucune maladie ne s'était déclarée, mais ses forces déclinaient lentement, malgré les prodigieux efforts d'Alexandre Portelance pour lui redonner le goût de vivre.

Le 26 juin, vers la fin de l'après-midi, un gros camion jaune serin, dont la seule partie à peu près intacte semblait être la plaque d'immatriculation, s'arrêta dans un grand bruit de ferraille devant le 2302, René-Lévesque ; le vendeur en sortit, accompagné de deux hommes en salopette. Il leur fit signe de l'attendre et se dirigea vers la maison.

— Juliette, ma chérie, annonça-t-il d'une voix joyeuse en pénétrant dans le salon, j'ai une surprise pour toi. Je pense qu'elle va te faire plaisir. Mais il faudra me promettre de garder ton calme, hein ? Ne t'inquiète pas, tout est prévu, j'ai pris mes mesures trois fois plutôt qu'une, ça va se loger comme le bout du petit doigt dans le creux de l'oreille.

Juliette, en train de lire dans la bergère, leva la tête :

— Je te trouve bien excité, toi, fit-elle, méfiante.

— Avec raison ! avec raison ! gloussa Portelance et il se précipita dehors.

Elle voulut jeter un coup d'œil par la fenêtre, puis décida de suivre le déroulement des opérations d'où elle était. La porte d'entrée claqua, puis un homme, hors d'haleine, déclara :

— Il va falloir l'enlever, ça passera pas.

Alexandre Portelance s'avança de nouveau :

— On repose la porte tout de suite après, promit-il avec un clin d'œil. Je leur ai dit de bien faire attention aux murs et aux boiseries.

Un moment plus tard, des ahans de galériens coupés d'interjections et de jurons résonnèrent dans le corridor. Quelque chose d'extrêmement lourd se déplaçait lentement dans un bruit de pas saccadés, à croire qu'on transportait le flambeau de la statue de la Liberté. Juliette se souleva du fauteuil et traversa le salon.

— Mon Dieu ! où as-tu déniché ça ? s'écria-t-elle, stupéfaite.

Les trois hommes, épuisés, déposèrent avec précaution une baignoire de fonte émaillée rose dans laquelle un hippopotame aurait pu faire ses ablutions. Ruisselant de sueur, Alexandre Portelance vint se planter devant son amie :

— Es-tu contente ? Tu vas pouvoir enfin prendre ton bain à l'aise.

Les deux hommes en salopette, qui lorgnaient Juliette depuis un moment, échangèrent un regard narquois, puis détournèrent la tête.

— On va la déposer sur le côté dans la salle de bains. Demain, je déplacerai le mur du fond d'environ un mètre

— il n'en faut pas plus — et dans une semaine au plus tard, tout sera installé, frais peinturé et aussi beau qu'avant. Viens voir, l'émail est comme neuf.

Juliette glissa la main sur le rebord poussiéreux.

— Vous êtes chanceuse en démon d'être tombée sur une baignoire de même, madame, déclara l'un des hommes. En quinze ans de métier, j'en ai jamais vu d'aussi grosse. Ça devait appartenir à un millionnaire.

Juliette posa sur lui un regard étonné :

— Vous êtes vendeur de baignoires d'occasion ?

— Oui, madame.

— C'est votre spécialité ?

— Oui, madame. Mais c'est rarement pour les installer dans des maisons. Les gens n'en veulent plus, de vieilles baignoires. Ils préfèrent les modernes. En fait, notre vraie spécialité, continua-t-il d'un air important, c'est plutôt les grottes religieuses pour les parterres. On creuse un grand trou, on plante la baignoire dedans, les robinets en bas, on la renterre à moitié, puis notre client peut y installer une statue de la bonne sainte Anne, de saint Joseph ou du Sacré-Cœur, avec des fleurs, de la rocaille, des petits projecteurs. Ça donne de l'allure à un jardin en maudit...

Une demi-heure plus tard et après plusieurs jurons et meurtrissures aux doigts, la baignoire-piscine était parvenue à destination, tandis que l'ancienne se retrouvait dans le camion.

Après le départ des hommes, Juliette s'avança vers son ami, les yeux pleins de larmes, et se pressa contre lui :

— Maintenant, je suis sûre que tu m'aimes comme je suis... Le bon Dieu a été bien bon de me permettre de te rencontrer.

— Ça va peut-être la ramener un peu à la vie, pensait le vendeur en répondant à ses baisers. Si tu me promets de te reprendre en main, lui dit-il en souriant, je vais te construire un beau sauna dans la cave. Il paraît qu'en Syrie scandinave, les femmes se débarrassent de leur cellulite avec ça dans le temps de le dire.

* * *

Hélas, ses espoirs ne se réalisèrent pas. Trois jours plus tard, Juliette obtenait de son patron (qui la lui accorda avec un soulagement à peine dissimulé), l'autorisation de travailler à mi-temps, ce qui permettait à monsieur De Carufel d'engager une jeune diplômée en administration pour deux pommes et un radis.

Une après-midi que Juliette, debout devant une fenêtre du salon, contemplait la rue d'un air morose, elle aperçut Alcide Racette. L'homme d'affaires s'arrêta devant sa maison, qu'il détailla d'un œil torve, puis, apercevant son adversaire, il eut un petit sourire acide et poursuivit son chemin. Alarmée, Juliette envoya aussitôt Martinek jeter un coup d'œil dehors.

— Il est en train de jaser avec deux hommes devant la maison abandonnée.

Quelques minutes plus tard, un bulldozer s'amenait devant le vieil édifice et l'attaquait par l'angle nord-est. Furieuse, la comptable tenta de rejoindre Alphonse Pagé ; il participait à un congrès d'architecture à Venise. Au service des zonages et permis, on lui répondit que la vétusté de l'édifice obligeait à sa démolition. Vers midi, il n'était plus qu'un tas de décombres et dix jours plus tard, une excavation béante s'ouvrait près de la maison de Juliette, annonçant un immeuble de plusieurs étages.

— Que voulez-vous ? ils nous ont eus dans un moment de distraction, soupira Alphonse Pagé en la rappelant. *Héritage Montréal* a exercé des pressions sur l'hôtel de ville, mais l'affaire était déjà trop engagée. Et puis Racette avait une revanche à prendre. Il l'a prise. Encore une fois, le fric a raison du patrimoine, comme pour l'*Hôtel Queen's*. Allons, je vous laisse, mon conseiller fiscal menace de s'en aller.

Les semaines passaient. Un mercredi matin, vers onze heures, monsieur De Carufel, un peu embarrassé, prit Juliette à part dans une petite pièce poussiéreuse et surchauffée qui servait d'archives et, après avoir soigneusement refermé la porte :

— Ma pauvre madame Pomerleau, je ne vous reconnais plus : trois erreurs graves dans la même semaine, vous qui n'en faisiez pas deux par cinq ans ! Il va falloir que vous vous remettiez sur le piton, ou alors... Vous avez beau vous dire en santé... Juste à votre visage, on voit bien que vous avez un caillou dans le moulin à viande ! Vous faites peut-être un *burn-out*, comme mon beau-frère Sam ? Écoutez, vous savez combien je vous aime : que diriez-vous si...

— Je m'en vais, coupa Juliette d'une voix étranglée. Remplacez-moi. Vous avez raison. Je n'ai plus la tête aux chiffres.

L'homme d'affaires posa les mains sur ses épaules et, le regard profond, la voix moelleuse et grave (c'était celle qu'il utilisait de temps à autre lorsqu'il se lançait à la chasse aux femmes dans les discothèques) :

— Madame Pomerleau, vous savez fort bien que je n'ai jamais eu de comptable de votre calibre et que je n'en aurai jamais. Je vous en supplie, allez vous faire soigner et donnez-moi vite des bonnes nouvelles. J'ai hâte de vous retrouver comme avant. Ma fabrique de petites culottes a besoin de vous. S'il vous faut de l'argent, je vous en avancerai. Une fois n'est pas coutume...

À partir de ce jour, Juliette ne quitta pratiquement plus la maison. Elle se mit à maigrir et sombra dans une apathie qui inquiétait ses amis au plus haut point. Leurs efforts conjugués l'amenèrent chez le docteur Bellerose, mais ce dernier ne put rien déceler, ni dans son foie ni ailleurs, et lui suggéra de se faire hospitaliser pour des examens plus approfondis.

— Jamais dans cent ans, répondit-elle. Je connais la cause de mon mal et tous les médecins du monde n'y pourront rien.

— Vous la connaissez ?

— Oui et, sauf votre respect, cela ne regarde que moi.

Le docteur leva lentement les bras :

— Alors, pourquoi êtes-vous venue me voir ?

Juliette pointa le doigt vers la salle d'attente où se trouvaient Rachel et Alexandre Portelance :

— Pour les soulager, *eux*, avant qu'ils ne tombent malades.

— Eh bien, madame, rétorqua l'autre avec un sourire pincé, je ne voudrais pas les priver de votre présence plus longtemps.

57

Le jupon d'Adèle battait misérablement au vent depuis des semaines, s'échiffant un peu plus chaque jour au sommet du peuplier. Chaque fois qu'Alexandre Portelance l'apercevait, l'envie le prenait de grimper à l'arbre pour l'arracher et le jeter au feu, car Adèle était devenue sa bête noire. La santé de Juliette continuait de décliner lentement. Désespéré, le vendeur avait songé un moment à partir pour les États-Unis afin de retracer la fuyarde ; il avait fallu les efforts conjugués de Rachel, Martinek et Clément Fisette pendant toute une soirée pour convaincre le pauvre homme qu'en agissant ainsi il ne ferait que perdre son temps et son argent. Alors, malgré la mésaventure de Juliette avec l'illustre Peter Jeunot, il s'adressa à l'insu de son amie à une agence de détectives. Mais les renseignements qu'il pouvait fournir sur la cachette d'Adèle étaient si minces qu'on ne lui laissa guère d'espoir.

— Si au moins elle envoyait une lettre, une carte postale, trois lignes sur un bout de papier pour qu'on ait des nouvelles du p'tit gars ! se désolait le vendeur en tirant sur les revers de son veston comme pour les arracher. Je me demande si elle a déjà fait l'addition, cette maudite garce, de tous les malheurs qu'elle a causés depuis qu'elle traîne ses tripes sur la planète. Ah ! je vous le dis ! Si jamais elle me tombe sous la patte, je lui coupe les oreilles et le nez et je les lui fais avaler, corne de démon !

Depuis quelque temps, Juliette ne quittait pratiquement plus son lit, mangeait à peine, bougonnait sans arrêt et supportait de moins en moins la présence des autres. Même sa baignoire-piscine, où elle s'était d'abord prélassée avec tant de plaisir, l'indifférait à présent, comme d'ailleurs presque tout. On songeait à la faire hospitaliser.

Pour lutter contre l'insomnie qui l'assaillait maintenant chaque nuit, elle s'adonnait à une consommation inquiétante de somnifères. Seule la musique arrivait à l'égayer un peu. Martinek composa pour elle une fantaisie pour piano à quatre mains qu'il exécuta un soir devant elle avec Valérie Doyon, une amie du pianiste Louis Lortie qu'il avait connue à la suite du concert ; l'œuvre plut beaucoup à la malade. Une ou deux fois par jour, couchée dans son lit, elle coiffait son casque d'écoute et se faisait jouer du Martinek (la sonate pour violon et piano et le trio *Juliette* revenaient fréquemment) ou de la musique de chambre de Mozart. Un sourire flottait alors de temps à autre sur ses lèvres et parfois même on l'aurait crue, à la voir ainsi étendue, les yeux fermés, le visage paisible, en train de s'abandonner au plaisir d'une sieste avant de se relancer au travail.

Par une symétrie impudente du destin, qui s'amusait à équilibrer le malheur des uns par le bonheur des autres, à mesure que Juliette s'enfonçait dans le néant, toutes sortes de bonnes choses arrivaient à ses amis. Le 28 août, Alexandre Portelance obtint la promotion qu'il souhaitait depuis si longtemps et fut nommé directeur des ventes pour la région de Montréal. Trois jours plus tard, Rachel passait dans la section des premiers violons et le surlendemain, Martinek recevait par la poste un contrat de la compagnie *Erato* pour l'enregistrement de son concertino de chambre et de sa sonate pour violon et piano. On lui garantissait une édition en triple format : microsillon, cassette et disque-laser. Le compositeur téléphona aussitôt à Charles Dutoit à New York.

— Tiens ! votre sonate aussi ? Ce sera donc un disque solo. Formidable ! j'ai gagné mon pari. Valombray s'est éprise de votre musique. Quand cela lui arrive — ce qui est rare — elle fait les choses en grand. Il faudra soigner le lancement. Je vais lui passer un coup de fil afin qu'on mette le paquet. Pour quelques années encore, il sera plus facile de lancer un disque de Mozart que de Martinek !

— Oh ! pour des *milliers* d'années, balbutia le compositeur.

— C'est très bien d'être modeste, répliqua Dutoit, malicieux, mais il faut également savoir vendre sa salade, mon cher Bohu. Ne comptez pas trop sur le voisin. Je serai de retour à Montréal le 14 septembre. J'aurai peut-être à ce moment une petite surprise pour vous. À bientôt.

Et, à la date indiquée, Charles Dutoit faisait venir Martinek à son bureau pour lui annoncer que l'orchestre symphonique jouerait sa troisième symphonie en première mondiale au cours de la prochaine saison.

— Et je dois vous dire que notre directeur général, monsieur Mehta, est aussi enthousiaste que moi, poursuivit-il. Nous n'avons pas encore fixé de date précise, mais cela devrait se faire au début de l'hiver. Ne restez pas planté debout comme ça devant moi, lança-t-il tout à coup, légèrement agacé, assoyez-vous, je vous prie. Tenez, avancez ce fauteuil. Évidemment, il faudra une préparation minutieuse et choisir un programme d'accompagnement que l'orchestre possède sur le bout de ses doigts, de façon à pouvoir consacrer la plus grande partie des répétitions à votre symphonie, qui ne m'apparaît pas particulièrement facile. Mais très *orchestrale*, rassurez-vous, se hâta-t-il d'ajouter en voyant l'inquiétude sur le visage du compositeur. Cela dit, j'aurai quelques suggestions à vous présenter pour certains passages — oh ! il ne s'agirait que de légères retouches — notamment vers la fin du deuxième mouvement, mesure 87 et suivantes, lorsque la section des cuivres... Mais nous verrons cela plus tard. Voyez-vous, mon cher ami, il faut prendre toute cette histoire très naturellement. Votre musique mérite autant d'être entendue qu'un belle femme d'être admirée, c'est une question de bon sens. Il aura fallu votre incroyable négligence pour que cela se produise si tard.

— Eh bien ! ta carrière est lancée, mon amour, s'écria Rachel, enivrée, quand Martinek lui téléphona au sortir de l'entretien. T'en rends-tu compte ?

— Je voudrais me trouver près de toi, balbutia le musicien, pour te remercier comme j'en ai le goût.

Rachel eut un petit rire :

— Accumule tes transports, beau garçon, je m'en occuperai ce soir. Oh, pendant que j'y pense, j'ai une suggestion à te faire.

— Laquelle ?

— Pourquoi ne me composerais-tu pas un autre concerto ? Mais une grosse machine, cette fois-ci, pour leur en mettre plein les yeux.

Martinek promit d'y penser, mais ne s'engagea pas davantage.

Juliette réagit à peine lorsqu'il lui annonça l'heureuse nouvelle une demi-heure plus tard.

— C'est bien, c'est bien, murmura-t-elle en posant sur lui un regard éteint. Cela va vous faire connaître, c'est bien.

Et elle se replongea dans la lecture de son magazine.

58

Une après-midi de la fin du mois de septembre, Juliette, épuisée, somnolait dans sa bergère après une vive discussion avec Alexandre Portelance. Pour la première fois depuis qu'ils se connaissaient, ce dernier venait de piquer une véritable colère noire avec postillons, éclats de voix, coups de talons sur le plancher et utilisation de plus en plus risquée d'épithètes à saveur forte. Il avait essayé encore une fois — et sans succès — de convaincre son amie de se faire hospitaliser à Notre-Dame pour subir les examens que réclamait son état. La veille, cédant à ses assauts téléphoniques, le docteur Bellerose avait enfin accepté de venir examiner sa patiente, qui refusait obstinément de mettre le nez dehors.

— Si je m'écoutais, déclara le médecin en enfilant son manteau, la consultation faite, je placerais tout de suite une demande d'hospitalisation au département de psychiatrie. Mais avant cela, il faut les tests, évidemment.

Il promena son regard sur Martinek, Rachel, Portelance et Fisette, assis côte à côte sur le canapé, la mine lugubre :

— J'ai l'impression d'être devant mon plus beau cas de psychosomatisme en vingt ans.

— Spychosamotisme ? répéta Portelance, horrifié.

— Dépression, si vous voulez. Mais une dépression qui nuit au fonctionnement de tout l'organisme et risque de se jeter n'importe quand sur un point faible. Je vous fais une prédiction : nous allons bientôt voir apparaître une autre hépatite virale... sans virus !

— Je ne comprends pas, murmura Fisette.

— Mais personne ne comprend, mon pauvre ami, et cela n'a rien d'extraordinaire. La médecine est exercée par des hommes et des femmes qui, dix fois par jour, se disent : « Je ne comprends pas »... Tout ce que je peux vous affirmer sans risquer de me tromper, c'est que le meilleur remède à son mal serait sans doute le retour du petit gars. Mais, en attendant, j'aimerais bien la soumettre à des examens afin d'en avoir le cœur net.

Alexandre s'était alors mis à « conditionner » Juliette, comme il l'aurait fait d'un client. Peu après le départ du médecin, il avait parlé du « temps qui se réchauffait », de « l'air dehors qui sentait comme sucré ». Le lendemain, il avait répété quelques fois ses observations poético-météorologiques, puis, passant à la phase deux, il s'était mis à louer l'extrême confort de la *Saab* qu'il venait d'acheter — promotion oblige —, analysant avec minutie devant Juliette la remarquable conception des sièges, l'efficacité des amortisseurs, l'étonnante insonorisation de la cabine et l'utilisation ingénieuse de l'espace intérieur. La comptable l'écoutait en hochant la tête, avec l'air poli et vaguement ennuyé d'un amateur de bingo d'intelligence moyenne en train de se faire causer politicologie ou mécanique ondulatoire.

Passant alors à la phase trois, Portelance vanta avec feu la qualité des soins prodigués à l'hôpital Notre-Dame, citant le cas d'un de ses collègues qui, après s'être fait réduire la main gauche en bouillie par une tondeuse à gazon, avait pu, deux mois plus tard, reprendre ses cours d'orgue électronique. S'était ensuivie la longue discussion où Portelance avait éclaté — en pure perte, hélas.

— Je suis en train de gâcher la vie de ce pauvre homme, pensa Juliette, assise dans la bergère. Ce soir, je vais essayer de le convaincre d'aller refaire sa vie avec une autre.

Elle ferma les yeux, puis les rouvrit aussitôt, tirée de sa torpeur par un rayon de soleil qui venait de transformer sa paupière close en une sorte de petit vitrail jaune parsemé de taches noires. Elle contempla par la fenêtre la haie de chèvrefeuilles qui palpitait au vent, animée par une secrète allégresse. Plus loin, de l'autre côté du boulevard, les vieilles façades de pierre grise aux fenêtres à demi pourries, si tristes encore tout à l'heure, s'étaient mystérieusement rajeunies et nettoyées dans la lumière triomphante de ce début d'automne et rayonnaient paisiblement. Un grand coup retentit alors en elle. S'arc-boutant à la bergère, elle se leva et s'approcha de la fenêtre qui l'enveloppa d'une douce chaleur. Elle ne vit d'abord que la haie et, à sa droite, près de l'allée, le tronc maintenant massif des deux peupliers que sa tante avait plantés en achetant la maison. Et soudain elle aperçut Denis sur le trottoir, un Denis grandi et amaigri, immobile devant la barrière de fonte, une petite valise à la main, et qui semblait hésiter, le regard tourné à l'intérieur de lui-même, comme s'il essayait de résoudre pour la centième fois un problème insoluble. Sans trop savoir ce qui s'était passé, elle se retrouva l'instant d'après en face de lui, le visage en larmes, sa robe de nuit à demi ouverte et agitée par le vent. Elle le souleva dans ses bras et revint en trébuchant vers la maison où le bouton de la porte restée grande ouverte avait fait une marque dans le mur du vestibule. Hors d'haleine, elle dut déposer l'enfant sur les marches du perron.

— Je n'ai pas été capable, ma tante, murmura-t-il, bouleversé, je n'arrivais pas à l'aider... Et puis, ajouta-t-il aussitôt en se pressant contre elle, j'aime mieux être avec toi.

Il ne put continuer, étouffé sous les caresses et les baisers qu'elle lui prodiguait sans remarquer son état de saleté surprenant.

— Je suis content d'être revenu, tu sais, ma tante, dit-il un peu plus tard en lui caressant les cheveux, tandis qu'accroupie à ses pieds, elle lui enlevait ses bas et son pantalon pour l'envoyer à la salle de bains, où la baignoire d'Alexandre Portelance amena dans le visage de l'enfant un sourire ébahi.

La violence de l'émotion qui l'avait secouée obligea Juliette à s'étendre un moment, tandis qu'il se décrassait dans le bain. Mais une heure plus tard, elle était de nouveau sur pied et téléphonait au *Studio Allaire* pour annoncer la bonne nouvelle à Clément Fisette (Rachel et Bohu demeuraient introuvables) :

— Si vous pouviez quitter votre travail un peu plus tôt, mon très cher, j'aimerais que vous passiez à la *Petite Belgique* y prendre des pâtisseries, des fromages, des plats chauds, tout ce qu'il faut pour faire une fête à tout casser. Moi, je m'occuperai du vin et des fruits.

La semaine suivante fut remplie d'un ébahissement continu pour l'entourage de Juliette, qui assistait, les bras ballants, au retour fulgurant de ses forces et de son appétit de vivre ; par moments, cette exhubérance la rendait un peu encombrante.

On s'en ressentit même jusqu'à Québec. Quelques jours plus tôt, en effet, Juliette avait lu dans le journal qu'un certain professeur Bukovicki effectuait depuis plusieurs années des recherches sur l'obésité à l'Université Laval. Elle lui téléphona. Le savant eut beau lui expliquer que, dans l'état actuel de la science, il ne pouvait pas grand-chose pour elle, l'obèse réussit à force de supplications et de gentillesse à lui arracher un rendez-vous pour subir à tout le moins un examen sommaire.

— Je ne mourrai pas dans ma graisse, prenez ma parole ! lança-t-elle un soir à ses amis. Mon pauvre Alexandre, tu es bien bon de m'aimer comme je suis, mais, crois-moi, cher, tu m'aimeras deux fois plus quand j'aurai diminué de moitié.

— Qu'est-ce que je vous avais dit ? s'exclama le docteur Bellerose, venu ausculter sa patiente. Le psychosomatisme, c'est ça ! J'ai vu bien des retournements dans ma carrière, mais comme celui-là, jamais ! Faites-moi plaisir, madame, et laissez-vous examiner au scanner.

Un mois plus tard, Juliette reprenait son travail chez *Virilex*. Le 22 novembre, quand Martinek lui fit cadeau d'une avant-copie sur disque laser de l'enregistrement de son concertino de chambre et de sa sonate (tous deux interprétés par Pierre Amoyal), elle organisa une réception époustouflante où furent invités, notamment, les musiciens de l'Orchestre symphonique de Montréal. Charles Dutoit, retenu à Paris, ne put malheureusement y assister.

* * *

Malgré tous ses efforts, Juliette — ni personne d'autre — ne réussit jamais à tirer Denis du silence obstiné qu'il garda sur son séjour aux États-Unis. Dès qu'on y faisait allusion, son visage se fermait et il quittait la pièce. À force de patience et d'habileté, sa tante finit par apprendre qu'ils avaient d'abord vécu à Denver au Colorado, puis à Tucson en Arizona, que sa mère avait travaillé comme serveuse dans un hôtel et qu'ils ne fréquentaient presque personne. Ses révélations s'arrêtèrent là. Bien des années plus tard, quand il fut devenu homme, il se confia dans un moment d'abandon à sa maîtresse sur cette période de sa vie, mais cela le mit dans un tel état qu'il évita par la suite d'y revenir.

* * *

Le jupon brodé s'agita longtemps au sommet du peuplier, à demi caché par le feuillage, de plus en plus effiloché et misérable. Puis un jour, une bourrasque l'emporta et ce n'est que l'été suivant que Denis, grimpé dans l'arbre, en retrouva un lambeau tortillé autour d'une branche. Le lambeau portait une rose brodée, presque intacte, d'un travail magnifique. Il le glissa dans sa poche et alla le cacher dans un petit coffret métallique dont il était seul à posséder la clef.

Deux ans jour pour jour après le retour de Denis à Montréal, Clément Fisette tomba sur un entrefilet dans *La Presse* où on relatait un incident macabre : une certaine Adèle Joannette, domiciliée à Sante Fe, originaire du Québec et sans permis de travail, venait d'être citée comme témoin important du meurtre d'un nommé Fernand Livernoche, son concubin. L'homme, atteint de plusieurs balles à la poitrine, était décédé peu après son arrivée à l'hôpital Whitmore.

FIN

Longueuil, le 8 février 1989

J'ai vécu de longues années avec les personnages de Juliette Pomerleau. Leur vie était devenue comme une prolongation de la mienne et nombre de mes rêves s'y retrouvaient.

C'est avec beaucoup de plaisir - et en réclamant leur indulgence - que je confie Juliette et ses compagnons à mes amis lecteurs de Québec Loisirs.

Yves Beauchemin

FICHE D'IDENTITÉ

NAISSANCE : Yves Beauchemin est né le 26 juin 1941 à Noranda, Québec.

SITUATION DE FAMILLE : Marié en 1983 à Viviane Saint-Onge. Père de deux enfants, Alexis (né en 1977) et Renaud (né en 1980).

ÉTUDES : Baccalauréat ès Arts (Collège de Joliette, Québec, 1962), licence ès Lettres en français et histoire de l'art (Université de Montréal, 1965).

PROFESSION : Yves Beauchemin a été professeur au collège universitaire Garneau (Québec), professeur de littérature française au département d'éducation des adultes de l'Université Laval, éditeur chez HRW ltée (Montréal) comme responsable des collections de théâtre et d'histoire, recherchiste à Radio Québec (Montréal), poste qu'il occupe toujours à l'heure actuelle. Il a donné différents textes et nouvelles dans des journaux, écrit des textes radiophoniques, donné des conférences, réalisé un court métrage humoristique (*Burlex*, 1970-1972), participé aux mouvements de préservation architecturale et urbaine à Montréal et Longueuil, ville qu'il aime le plus au monde.

LITTÉRATURE : Yves Beauchemin publie son premier roman, *L'Enfirouapé* en 1974 qui obtiendra le Prix France-Québec 1975 décerné par l'Association France-Québec. Une version définitive de ce roman sera publiée en France sous le titre *L'Entourloupé* (1985). En 1981, il publie *Le Matou* qui obtient un grand succès, lui vaudra une bourse du Conseil des arts et recevra, en 1982, le Prix des jeunes romanciers du *Journal de Montréal* et le Prix du roman de l'été (Cannes). Le roman sera traduit en quinze langues, sera vendu à plus d'un million d'exemplaires dans le monde entier et fera l'objet d'une adaptation cinématographique et télévisée. Yves Beauchemin est aussi l'auteur d'un journal, *Du sommet d'un arbre*. En novembre 1982, il prendra un congé sans solde de quatre ans de Radio Québec pour mener à bien un nouveau roman : Juliette Pomerleau.

JULIETTE POMERLEAU

et la critique

UN RÉGAL GARGANTUESQUE

« Quelle énorme chose ! C'est un régal gargantuesque, une symphonie pour grand orchestre, une architecture titanesque… Je ressors à peine de ce carambolage incessant de personnages qui m'a embarqué dans son train d'enfer pendant toute une semaine. J'en ressors essouflé et reconnaissant, trop étourdi pour en décanter les effets multiples, encore sous l'emprise de la séduction de l'extraordinaire conteur, qui m'a souvent fait trépigner d'impatience, mais pour mieux me rattraper, me faire saliver encore et me laisser dériver de la page, car ce qui m'était donné à lire offrait à rêver de surcroît. Le roman à peine refermé, il me semble que sa grande réussite tient à ce personnage de Juliette à laquelle il confère une telle stature (sans jeu de mots) qu'elle en devient presque mythique. Un jour, peut-être, on dira des femmes de grand coeur prêtes à soulever des montagnes pour ceux qu'elles aiment que ce sont des « Juliette Pomerleau ». »

Jean-Roch Boivin, *Le Devoir*

UNE CONNIVENCE IMMÉDIATE

« Rares sont les livres qui nous investissent de façon aussi décisive. S'il n'existe pas de recette sûre pour écrire des best-sellers, on sait maintenant un peu mieux pourquoi *Le Matou* l'est devenu, pourquoi *Juliette Pomerleau* reproduira très probablement le succès du roman précédent. Avec au départ des personnages ordinaires, semblables à ceux que nous fréquentons tous les jours et qui comme vous et moi semblent destinés à de bien petites aventures, le romancier crée un univers tellement cohérent et proche de nous qu'il nous devient vite nécessaire… Pour le style, M. Beauchemin évite à tout prix les prouesses. D'autres écrivains préfèrent une écriture minimale, plutôt allusive ; sa prose à lui, très descriptive, très précise aussi, est plutôt un long et large fleuve, capable de porter allégrement toute la condition humaine. Ce style sans recherche apparente (mais allez-y voir!) appelle la connivence immédiate en privilégiant par-dessus tout la simplicité et la limpidité. L'architecture d'un projet aussi vaste s'impose tout naturellement. Un peu comme dans les feuilletons de la télévision, les scènes se terminent sur un moment fort. Elles seront reprises plus tard, tandis que d'autres scènes surgissent dont le développement sera aussi retardé. La très forte cohérence de cet immense puzzle tient à cela et, bien sûr, à l'intérêt objectif de ce petit monde suivi à la trace, amoureusement, et qui tient le lecteur prisonnier de ses aspirations, de ses peines et de ses plaisirs. »

Réginal Martel, *La Presse*

TOUT POUR PLAIRE

« Dans *Juliette Pomerleau* il y a de l'action, tout le temps, à chaque page. Il y a des intrigues, plein d'intrigues qui se chevauchent et que l'on suit d'un chapitre à l'autre, (…) *Juliette Pomerleau* va plaire, c'est certain, c'est écrit dans le ciel. Peut-être encore plus que *Le Matou*, dont le côté fantastique pouvait en égarer quelques-uns. *Juliette Pomerleau* va plaire parce que le roman a tout, absolument tout pour plaire à la majorité. Ce qu'Yves Beauchemin a réussi avec *Juliette Pomerleau*, c'est à ne jamais tomber dans l'insignifiance ou dans la bête naïveté, malgré la « gentillesse » de toute cette histoire. C'est que malgré la complexité de l'action, malgré l'abondance des anecdotes, pas un seul instant l'écriture n'est négligée. Chaque phrase est polie, travaillée, parfaite. »

Marie-Claude Fortin, *Voir*

Imagination et souffle

« Qu'on valorise ou non le genre d'écriture que maîtrise Yves Beauchemin, il faut reconnaître que le romancier parvient à créer une forte impression de « facilité narrative », les lecteurs peuvent croire, en quelque sorte, que l'auteur n'aurait eu qu'à laisser se raconter toute seule une histoire pourtant compliquée, mais dont il aurait connu et même dominé par avance tous les avatars. On sait, pour en lire chaque année des tentatives plus ou moins ratées, qu'une telle réussite n'est pas rien, qu'il faut autant d'imagination que de souffle et beaucoup de doigté pour éviter, au fil de plusieurs centaines de pages, tant les longueurs que le ridicule et, par ricochet, la lassitude du lecteur ou, pire, sa pitié. Yves Beauchemin semble avoir évité cela, et mieux que dans *Le Matou* peut-être. »

Louise Milot, *Lettres québécoises*

Une oeuvre pleine d'audace

« Une superbe histoire qui se retrouvera éventuellement au cinéma et à la télévision… Une oeuvre exceptionnellement touchante, vivante, pleine d'audace, de vérité, d'authenticité et de romantisme et émouvante en sueur de coq ! »

Le Journal de Montréal